DIE DÜSSELDORFER MALERSCHULE

VERLAG PHILIPP VON ZABERN · MAINZ/RHEIN

Die Düsseldorfer Malerschule

Kunstmuseum Düsseldorf 13. Mai–8. Juli 1979

Mathildenhöhe Darmstadt 22. Juli–9. September 1979

Abbildung auf dem Umschlag:
Oswald Achenbach, Villa Borghese, 1886 (Ausschnitt)
Kunstmuseum Düsseldorf

Frontispiz:
Johann Velten, Der Düsseldorfer Hafen, 1832
Wallraf-Richartz-Museum, Köln

Copyright by Kunstmuseum Düsseldorf, 1979
Herausgegeben von Wend von Kalnein
Redaktion: Dieter Graf
Gestaltung und Druck: Philipp von Zabern, Mainz
ISBN 3-8053-0409-9

Schirmherrschaft

Johannes Rau
Ministerpräsident des Landes Nordrhein-Westfalen

Die Ausstellung steht
unter dem Patronat des Internationalen Museumsrates
I C O M

Arbeitsausschuß

Rolf Andree
Günter Bradtke
Dieter Graf
Wend von Kalnein

Wieland Koenig
Ute Ricke-Immel
Helmut Ricke
Wilhelm Zacher

Grußwort

Die Düsseldorfer Malerschule gehört zu den Glanzpunkten der rheinischen Vergangenheit. Nach dem Zusammenbruch des alten Reichs und damit der kurfürstlichen Staaten am Rhein entstand im 19. Jahrhundert in Düsseldorf noch einmal ein künstlerisches Zentrum, das zu den führenden in Deutschland gehörte und dessen Ruhm weit über die deutschen Grenzen ausstrahlte. Die Düsseldorfer Kunstakademie war eine künstlerische Drehscheibe erster Ordnung, ein Umschlagplatz der Gedanken und Anregungen, der Kunstschüler aus aller Welt in seinen Bann zog. Die Absicht, dies mit einer umfassenden Ausstellung einmal darzustellen, ist dem Kunstmuseum hoch anzurechnen. Es leistet damit einen entscheidenden Beitrag zur Aufarbeitung der rheinischen Kunst des 19. Jahrhunderts. Die umfangreiche Liste der Leihgeber zeigt, mit welcher Sorgfalt dies geschehen ist. Es ist ein entscheidender Schritt nach vorn, daß, wie der Katalog mit seinen zahlreichen Aufsätzen zeigt, die Düsseldorfer Malerei nicht nur als ästhetisches Phänomen gesehen wird, sondern daß der Versuch gemacht wurde, sie in die historischen, literarischen und politischen Gegebenheiten der Zeit einzuordnen und daraus zu interpretieren. Damit wird nicht nur der Fachmann, sondern die breite Öffentlichkeit angesprochen.

Ich beglückwünsche das Kunstmuseum zu diesem Unternehmen und hoffe, daß es breite Resonanz finden möge.

Johannes Rau
Ministerpräsident des Landes Nordrhein-Westfalen

Geleitwort

Nach den beiden Ausstellungen des Jahres 1976, „The Hudson and the Rhine" sowie „Düsseldorf und der Norden", weist das Kunstmuseum von neuem auf die künstlerische Leistung Düsseldorfs im 19. Jahrhundert hin, diesmal jedoch mit einer umfassenden Schau, die ein ganzes Jahrhundert einbezieht. Die Düsseldorfer Malerschule war eine der führenden Kunstschulen Deutschlands, und wir haben allen Grund, darauf stolz zu sein. Sie hat unserer Stadt den Beinamen einer Kunststadt eingetragen, der für uns auch heute noch eine Verpflichtung darstellt. Es ist deshalb nur zu begrüßen, daß unsere künstlerische Vergangenheit in so eindrucksvoller und umfassender Weise aufgearbeitet und der Öffentlichkeit präsentiert wird. In einer Zeit wieder wachsenden Geschichtsbewußtseins kommt diese Ausstellung zur rechten Zeit. Sie sollte nicht nur Erinnerung, sondern auch Ansporn sein.
In diesem Sinne wünsche ich ihr eine breite Resonanz und einen guten Erfolg.

Bungert
Oberbürgermeister der Landeshauptstadt Düsseldorf

Vorwort

Nachdem das Kunstmuseum 1976 bereits einzelne Teilgebiete der Düsseldorfer Malerei mit den Ausstellungen „The Hudson and the Rhine" und „Düsseldorf und der Norden" herausgestellt hat, erscheint es jetzt an der Zeit, den ganzen Bereich unter die Lupe zu nehmen. Was bedeutete die Düsseldorfer Malerschule in ihrer Zeit? Woher kommt sie? Was hat sie uns heute noch zu sagen? Das sind legitime Fragen, die mehr als nur lokalen Charakter haben. Düsseldorf war in der Kunst des 19. Jahrhunderts ein Begriff von europäischem Rang. Es vereinigte nicht nur große Namen, die in die Kunstgeschichte eingegangen sind – Cornelius, Schadow, Rethel, Lessing, Schirmer, Achenbach u. a. –, es war auch eng verflochten mit der Kunst der außerdeutschen Länder und strahlte weit über die deutschen Grenzen aus. Seine Akademie war ein internationaler Treffpunkt, eine Drehscheibe der Ideen und künstlerischen Inspirationen, ehe München diese Rolle übernahm. Das allein rechtfertigt eine eingehende Darstellung.

Es gilt jedoch auch eine Reihe von Vorurteilen abzubauen. Man hat der Düsseldorfer Schule nicht nur Härte des Konturs und mangelnde Farbigkeit, sondern auch hohles Pathos und kleinbürgerliche Sonntagsmalerei vorgeworfen. Aber von wann stammen diese Vorurteile? Wir wissen, daß die Historienbilder eines Lessing, Hübner und Hildebrandt zu ihrer Zeit einhellige Begeisterung hervorriefen, daß Hübners „Weber" und Hasenclevers „Arbeiterdelegation vor dem Magistrat" in ganz Deutschland als Fanale eines neuen politischen Bewußtseins verstanden wurden, daß Schirmer und Achenbach international anerkannte Landschaftsmaler waren. Woher also diese Vorurteile? Sie stammen aus einer Zeit, die der Farbe allein den Rang eines Ausdrucksmittels zubilligte, die nichts mehr von der klassisch inspirierten Klarheit des Umrisses wußte, die Landschaft bloß als Atmosphäre, nicht aber als gebaute Natur verstand. Es war die Begeisterung für die Pilotyschule in München, aber auch für die Freilichtmalerei der Schule von Barbizon und des Impressionismus, die der Düsseldorfer Schule den Rang absprach – also ein zeitgebundenes und damit revisionsbedürftiges Vorurteil. Gerade im Hinblick auf München zeigt es sich immer deutlicher, daß es zwischen diesen Schulen kein Gegeneinander, sondern ein Nacheinander gibt, in dem jede ihren eigenen Stellenwert hat.

Die Ausstellung umfaßt mit etwa 270 Gemälden, von denen 110 aus eigenem Besitz des Kunstmuseums stammen, das ganze 19. Jahrhundert. Sie bezieht damit auch die bisher stets vernachlässigte Zeit nach der Ära Schadows mit ein, die zwar nicht mehr unter den engeren Begriff der Düsseldorfer Malerschule fällt, aber deren natürliche Fortsetzung bildet. Besonderer Wert ist auf die Klarlegung der Wurzeln gelegt, aus denen die Düsseldorfer Schule entstanden ist. Manche Bilder aus der Frankfurter Nazarenerausstellung finden sich auch hier wieder, neben solchen aus dem Berliner Kreis und aus der Düsseldorfer Tradition. Als untere Grenze wurde deshalb die Jahrhundertwende gewählt, ohne daß damit eine historische Zäsur ausgedrückt werden soll.

Um die weltweite Ausstrahlung Düsseldorfs deutlich zu machen, sind auch Werke ausländischer Künstler, die in Düsseldorf studierten und unter Düsseldorfer Einfluß standen, in die Ausstellung einbezogen worden. Sie belegen exemplarisch die Umprägung des Düsseldorfer Stils in fremde Idiome. Aus räumlichen Gründen war hier jedoch eine Beschränkung auf wenige charakteristische Beispiele geboten, nachdem ja bereits Amerika und die skandinavischen Länder in den vorangegangenen Ausstellungen „The Hudson and the Rhine" und „Düsseldorf und der Norden" ausdrücklich dargestellt wurden. Zum ersten Mal allerdings werden diesmal auch Werke belgischer und russischer Künstler gezeigt und damit die Beziehungen Düsseldorfs zu diesen Ländern herausgestellt.

Neuartig ist auch der Versuch, die Düsseldorfer Freskomalerei, die zu den typischen Erscheinungen des 19. Jahrhunderts gehört, mit Hilfe von Diaserien in ihrer zyklischen Form deutlich zu machen. Als Erbe des Cornelius'schen Gedankenguts und Motivierung der ersten Anfänge ist sie ein integrierender Bestandteil der Düsseldorfer Schule, der nicht wenig zu ihrer Geltung beigetragen hat.

Der Katalog ist über die Beschreibung der Ausstellungsstücke hinaus eine Art Kompendium der Düsseldorfer Schule. In zahlreichen Einzelaufsätzen setzt er sich mit der Stellung der Düsseldorfer Malerei in ihrer Zeit, mit ihrer historischen, literarischen und politischen Motivierung auseinander. Differenzen und voneinander abweichende Meinungen der Autoren in der Bewertung der Motive und einzelner Kunstwerke sind dabei möglich. Sie entsprechen dem Pluralismus der heutigen Forschung. Um dem Besucher jedoch eine Orientierungshilfe an die Hand zu geben, die unbelastet von wissenschaftlichem Apparat nur das Wichtigste in Kürze darbietet, erscheint zusätzlich zu dem Katalog ein Kurzführer, der über den Aufbau der Ausstellung und die wichtigsten Kunstwerke Auskunft gibt. Zusammenstellung und Redaktion dieses Kurzführers lagen in den Händen der Pädagogischen Abteilung, insbesondere von Wilhelm Zacher. Er ist auch für den didaktischen Aufbau der Ausstellung, für das Akademieensemble und die Dokumentation verantwortlich.

Ein goßer Kreis von Helfern und Mitarbeitern hat zum Gelingen dieser Ausstellung beigetragen. Ihnen allen zu danken ist mir eine angenehme Pflicht. In erster Linie gilt das für die Leihgeber, die fast einhellig unseren Bitten gefolgt sind. Außer der Bundesrepublik haben sich neun Länder mit Leihgaben beteiligt. Umso mehr haben wir es bedauert, daß sich die DDR, die wichtigste Beispiele der Düsseldorfer Malerei in ihren Museen besitzt, nicht zu einer einzigen Leihgabe hat bereit finden können. Leider war es aus konservatorischen Gründen nicht möglich, Bilder des für das Verständnis Hasenclevers und der Düsseldorfer Genremalerei unentbehrlichen David Wilkie zu bekommen. Auch der wichtigste Nachfolger Hasenclevers in Amerika, Richard C. Woodville, auf den wir schon 1976 verzichten mußten, ist durch die Zurückhaltung der Walters Art Gallery in Baltimore wieder nur unvollkommen vertreten. Unter den Leihgebern und gleichzeitig Ratgebern möchte ich jedoch Herrn Hans Georg Paffrath, Düsseldorf, besonders erwähnen. Seine Großzügigkeit und Hilfsbereitschaft waren unübertroffen. In diesen Dank schließe ich seinen Mitabeiter Herrn Dr. Vogler mit ein.

Zu danken habe ich ferner dem Land Nordrhein-Westfalen, das einen beträchtlichen Zuschuss beisteuerte, sowie der Stadt Darmstadt, insbesondere ihrem Kulturdezernenten Herrn Bernd Krimmel, der sich zur Übernahme der Ausstellung auf die Mathildenhöhe bereit erklärte und sich nicht nur finanziell in großzügiger Weise beteiligte, sondern uns auch bei der Planung mit seinem Rat und seiner Erfahrung stets kollegial unterstützte.

Mein Dank gilt ebenso den Autoren des Kataloges, die Aufsätze von hohem wissenschaftlichem Rang beisteuerten, wie auch folgenden Damen und Herren, die uns in einer über das übliche Maß hinausgehenden Weise mit Rat und Tat unterstützten:

Dr. Paul Henry Boerlin, Prof. Dr. Helmut Börsch-Supan, Fräulein Corinna Böse, Dr. Adelin de Buck, Frau Dr. Gudrun Calow, Dr. Klaus Demus, Dr. Gerhard Gerkens, Dr. Jens Christian Jensen, Herr Hermann Kleinefeld, Dr. Peter Krieger, Hermann Wilhelm Kröner, Prof. Dr. Wolfgang Krönig, Fräulein Ingrid Küster, P. Dr. Gregor Martin Lechner, Dr. Helmut R. Leppien, Dr. Kurt Löcher, Dr. Magne Malmanger, Frau Dr. Irene Markowitz, Dr. Klaus Mugdan, Fräulein Anne Peters, Frau Dr. Ute Ricke-Immel, Dr. Horst Romeyk, Dr. Eberhard Ruhmer, Jean Sartiliot, Kurt Seitz, Prof. Dr. Ludwig Schreiner, P. Dr. Walter Schulten, Frau Luise Spielmann, Fräulein Ines Wagemann, Dr. Hugo Weidenhaupt, O. W. Wiettek, Frau Dr. Elisabeth Wolken, Dr. Hans-Joachim Ziemke.

Schließlich möchte ich nicht versäumen, dem Restaurierungszentrum Düsseldorf unter Leitung von Dr. Heinz Althöfer für die vielfältige und umfangreiche restauratorische Betreuung der Ausstellungsstücke, dem Verlag Philipp von Zabern, Mainz, in Gestalt seines Leiters Herrn Franz Rutzen für die vorzügliche verlegerische Betreuung des Katalogs, der Landesbildstelle Rheinland für ihren unermüdlichen Einsatz sowie allen Privatsammlern und Museen, die die Bildvorlagen für die Aufsätze zur Verfügung stellten, meinen Dank auszusprechen.

Last not least bleibt mir des Mitarbeiterteams im eigenen Hause zu gedenken, das in engerer Form von Dr. Rolf Andree, Dr. Dieter Graf, Dr. Wieland Koenig, Dr. Helmut Ricke, Wilhelm Zacher, Günter Bradtke, Frau Hildegard Fechtner, Fräulein Anne-Marie Katins und Frau Antonie Krüger gebildet wurde, sich zeitweilig jedoch auf alle Museumsangehörigen ausdehnte. Diese Mitarbeiter haben die Hauptlast der Arbeit sowohl organisatorisch als auch wissenschaftlich getragen, sie sollten deshalb in der Dankesliste obenan stehen.

Wend von Kalnein.

Leihgeber

Atlanta, Georgia	The High Museum of Art 265	Duisburg	DEMAG AG 190
Baltimore, Maryland	The Walters Art Gallery 269	Essen	Museum Folkwang 235
Berlin	Nationalgalerie Staatliche Museen Preußischer Kulturbesitz 15, 96, 102, 109, 113, 114, 127, 135, 153, 159, 187, 191, 224, 248	Essen	Gesellschaft Kruppsche Gemäldesammlung 74
		Frankfurt am Main	Historisches Museum der Stadt Frankfurt am Main 64, 192
Berlin	Staatliche Schlösser und Gärten 24, 99, 104, 145, 215, 263, 264	Frankfurt am Main	Städelsches Kunstinstitut 246
		Göteborg	Konstmuseet 67, 87, 270
Bonn	Rheinisches Landes- museum 157, 195, 220, 247, 266	Göttweig	Stiftsarchiv und Graphisches Kabinett Stift Göttweig 202
Bremen	Kunsthalle 164, 245	Hamburg	Altonaer Museum in Hamburg 128
Brüssel	Musées Royaux des Beaux-Arts de Belgique, Musée d'Art Moderne 81, 82	Hamburg	Hamburger Kunsthalle 56, 214, 234
Brüssel	H. Metsers 45	Hannover	Niedersächsische Landes- galerie 33
Cappenberg, Schloß	Museum für Kunst und Kultur- geschichte der Stadt Dort- mund 132	Heidelberg	Kurpfälzisches Museum 267
		Helsinki	Kunstmuseum Ateneum 48, 108
Chicago, Illinois	R. H. Love Galleries Inc. 125	Karlsruhe	Staatliche Kunsthalle 226, 227, 228
Darmstadt	Hessisches Landesmuseum 52, 231	Kassel	Staatliche Kunstsammlungen, Neue Galerie 236–239
Düsseldorf	Galerie Paffrath 5, 19, 69, 72, 129, 183, 188, 198, 204, 205, 222, 252, 253, 255, 259	Köln	Erzbischöfliches Diözesan- Museum 60–62, 117, 172–174
Düsseldorf	Frau Th. Schnitzler, Schumacher- Bräu 121	Köln	Kölnisches Stadtmuseum 36, 133, 168
Düsseldorf	Stadtgeschichtliches Museum 219	Köln	Wallraf-Richartz-Museum 25, 41, 130, 154, 167a, 180, 196, 223, 261, 262
Duisburg	Familie von Sluyterman- Böninger 149		

Kopenhagen	Thorwaldsen Museum 54	New York	The Metropolitan Museum of Art 31
Krefeld	Kaiser-Wilhelm-Museum 207		
Langenhagen	Professor Dr. L. Schreiner 141	Nürnberg	Germanisches Nationalmuseum 260
Leningrad	Ermitage 12, 155		
Leningrad	Staatliches Russisches Museum 241, 243	Obbach, Schloß	Sammlung Georg Schäfer 3, 34, 184
Liège	Musées des Beaux-Arts, Musée de l'Art Wallon 46, 47	Oslo	Nationalgalerie 10, 44, 71, 83–86, 88
Lübeck	Museum für Kunst und Kultur-geschichte 179	Philadelphia, Penn.	Philadelphia Museum of Art 156
Mannheim	Städtische Kunsthalle 240	Poznań	Muzeum Narodowe Poznaniu 158, 208
Marburg	Marburger Universitätsmuseum für Kunst und Kulturgeschichte 139	Remscheid	Städtisches Museum 92
		Schwäbisch Gmünd	Städtisches Museum 137, 167
Minneapolis	The Minneapolis Institute of Arts 118	Stavanger	Stavanger Faste Galerie 100
		Stockholm	Nationalmuseum 68, 122, 150, 257
Moskau	Staatliche Tretjakov-Galerie 182, 242, 244	Stockholm	Stockholm University Collection, Kunsthistoriska Institutionen 123
München	Bayerische Staatsgemälde-samm-lungen, Neue Pinakothek 21, 40, 213, 268		
		Stuttgart	Staatsgalerie 166
		Ulefos Jernverk	H.S.D. Cappelen 43
München	Oberfinanzdirektion 107	Washington, D.C.	The Lano Collection 90
München	Städtische Galerie im Lenbach-haus 80	Washington, D.C.	National Collection of Fine Arts, Smithsonian Institution 89
Münster	Westfälischer Kunstverein 162, 249	Wiesbaden	Museum Wiesbaden 2, 136
		Worms	Stiftung Kunsthaus Heylshof 258
New Bedford	Free Public Library, City of New Bedford 29		
Neuss	Quirinus Gymnasium 49	Wuppertal-Elberfeld	Von der Heydt-Museum 160, 175
New York	The Brooklyn Museum 165		
New York	IBM Corporation 126	Privatbesitz	13, 30, 32, 50, 111, 112, 116, 169

Die Ausstattung des Kataloges mit Farbtafeln wurde ermöglicht durch Zuwendungen folgender Personen und Firmen,
denen auch an dieser Stelle auf das herzlichste gedankt sei:

Gemäldegalerie Abels, Köln
Graphische Großbetriebe A. Bagel, Düsseldorf
C. Bechstein, Berlin
BAYER AG, Leverkusen
Kunstantiquariat C. G. Boerner, Düsseldorf
Galerie Dr. Bühler, München
Christie's Fine Art Auctioneers since 1766, Düsseldorf
F. G. Conzen, Düsseldorf
Gebrüder Mann Verlag, Berlin
Hasenkamp Internationale Transporte, Köln
Henkel Kommanditgesellschaft auf Aktien, Düsseldorf
Emil Hennig, Düsseldorf
Kunsthaus Lempertz, Inhaber Hanstein, Köln
Galerie G. Paffrath, Düsseldorf
Provinzial-Feuerversicherungsanstalt
der Rheinprovinz, Düsseldorf
J. P. Schneider jr., Frankfurt
Service-Druck, Düsseldorf
Simonbank Aktiengesellschaft, Düsseldorf
Stadtsparkasse Düsseldorf
Hans Steinbüchel, Düsseldorf
Triltsch Druck und Verlag GmbH & Co KG, Düsseldorf
Trinkaus & Burckhardt, Düsseldorf
Kunstkabinett Trojanski, Düsseldorf
Veba AG, Düsseldorf
Westdeutsche Landesbank, Düsseldorf

Inhalt

	Vorwort	9
	Leihgeber	12
	Verzeichnis der Künstler	16
Ekkehard Mai	Die Düsseldorfer Malerschule und die Malerei des 19. Jahrhunderts	19
Jochen Hörisch	UT POESIS PICTURA – Korrespondenzen zwischen der Düsseldorfer Malerschule und der romantischen Dichtung	41
Frank Büttner	Peter Cornelius in Düsseldorf	48
Helmut Börsch-Supan	Das Frühwerk Wilhelm von Schadows und die berlinischen Voraussetzungen der Düsseldorfer Schule	56
Hanna Gagel	Die Düsseldorfer Malerschule in der politischen Situation des Vormärz und 1848	68
Vera Leuschner	Der Landschafts- und Historienmaler Carl Friedrich Lessing (1808–1880)	86
Ingrid Jenderko-Sichelschmidt	Die Düsseldorfer Historienmalerei 1826 bis 1860	98
Dieter Graf	Die Fresken von Schloß Heltorf	112
Dieter Graf	Die Düsseldorfer Spätnazarener in Remagen und Stolzenfels	121
Rudolf Theilmann	Schirmer und die Düsseldorfer Landschaftsmalerei	130
Rudolf Theilmann	Die Schülerlisten der Landschafterklassen von Schirmer bis Dücker	144
Ute Ricke-Immel	Die Düsseldorfer Genremalerei	149
Dietrich Bieber/ Ekkehard Mai	Eduard von Gebhardt und Peter Janssen – Religiöse und Monumentalmalerei im späten 19. Jahrhundert	165
Gerhard Rudolph	Buchgraphik in Düsseldorf	186
Wend von Kalnein	Der Einfluß Düsseldorfs auf die Malerei außerhalb Deutschlands	197
Rudolf Wiegmann	Zweck, Einrichtung und Lehrplan der Akademie	209
Rolf Andree	Katalog	215
	Verzeichnis der abgekürzt zitierten Literatur	506
	Abbildungsnachweis	509

Verzeichnis der Künstler

Achenbach, Andreas	1—7		Gehrts, Karl	78, 79
Achenbach, Oswald	8—19		Goetzenberger, Jacob	80
Baur, Albert	20		de Groux, Charles	81, 82
Becker von Worms, Jakob	21		Gude, Hans Fredrik	83—88
Becker, Ludwig Hugo	22, 23		Haseltine, William Stanley	89, 90
Begas, Karl Joseph	24		Hasenclever, Johann Peter	91—97
Bendemann, Eduard	25—28		Heine, Wilhelm	98
Bierstadt, Albert	29—31		Henning, Adolf	99
Blanc, Louis	32, 33		Hertervig, Lars	100
Blechen, Karl	34		Heunert, Friedrich	101
von Bochmann, Gregor	35		Hildebrandt, Ferdinand Theodor	102—104
Boettcher, Christian E.	36		Hilgers, Carl	105, 106
Bokelmann, Christian Ludwig	37, 38		Hoeninghaus, Adolf	107
Brütt, Ferdinand	39, 40		Holmberg, Werner	108
Camphausen, Wilhelm	41, 42		Hoyoll, Philipp	109
Cappelen, Hermann August	43, 44		Hübner, Carl Wilhelm	110—112
Chauvin, Auguste	45—47		Hübner, Julius Benno	113, 114
Churberg, Fanny	48		Hünten, Johann Emil	115
von Cornelius, Peter	49—54		Ittenbach, Franz	116—118
Dähling, Heinrich Anton	55		Janssen, Gerhard	119
Dahl, Carl	56		Janssen, Peter Joh. Theodor	120, 121
Dahlen, Reiner	57, 58		Jernberg, August	122, 123
Deger, Ernst	59—62		Jernberg Olof	124
Deiker, Carl Friedrich	63		Johnson, Eastman	125, 126
Dielmann, Jakob Fürchtegott	64		Jordan, Rudolf	127, 128
Dücker, Eugène Gustav	65, 66		Jutz, Carl	129
d'Unker, Carl Lützow	67—69		von Kalckreuth, Ed. Stanislaus Graf	130
Ebers, Emil	70		Kampf, Arthur	131, 132
Eckersberg, Joh. Fredrik	71		Kleinenbroich, Wilhelm	133
Fagerlin, Ferdinand	72		Knaus, Ludwig	134—139
von Gebhardt, Eduard	73—77		Köhler, Christian	140, 141

Koettgen, Gustav Adolf	142	Seibels, Carl	204
Kolbe, Heinrich Christoph	143, 144	Sell, Christian	205
Kolbe, Karl Wilhelm	145	Sohn, Carl Ferdinand	206–211
Kröner, Johann Christian	146–148	Sohn, Carl Rudolf	212
von Langer, Johann Peter	149	von Schadow, Friedrich Wilhelm	213–218
Larson, Simon Marcus	150	Scheuren, Caspar	219–223
Lasinsky, Johann Adolf	151, 152	Schinkel, Karl Friedrich	224
Lessing, Carl Friedrich	153–164	Schirmer, Johann Wilhelm	225–240
Leutze, Emanuel	165–167	Schischkin, Iwan Iwanowitsch	241–244
Mengelberg, Egidius	167 a	Schnorr von Carolsfeld, Julius	245
Mintrop, Theodor	168	Schroedter, Adolf	246–249
Mücke, Heinrich Anton	169, 170	Schwingen, Peter	250–253
Müller, Andreas	171–173	Steinbrück, Eduard	254
Müller, Carl	174	Tidemand, Adolph	255–257
von Munkácsy, Mihály	175	Vautier, Marc Louis Benjamin	258–261
Munthe, Ludwig	176, 177	Velten, Johann	262
Oeder, Georg	178	Wach, Karl Wilhelm	263, 264
Overbeck, Friedrich Johann	179	Whittredge, Worthington	265
te Peerdt, Ernst Carl Friedrich	180, 181	von Wille, August	266
Plachow, L. Stepanowitsch	182	Wintergerst, Joseph	267
Plüddemann, Hermann Freihold	183	Wislicenus, Hermann	268
Pose, Eduard Wilhelm	184–186	Woodville, Richard Caton	269
Preyer, Johann Wilhelm	187–189	Zoll, Kilian	270
Rethel, Alfred	190–194		
Richards, William Trost	195		
Ritter, Henry	196		
Rocholl, Rudolf Theodor	197		
Rollmann, Julius	198–201		
Salentin, Hubert	202		
Seel, Adolf	203		

1   Stammbaum der Düsseldorfer Malerschule. Archiv der Kunstakademie Düsseldorf

Ekkehard Mai

Die Düsseldorfer Malerschule und die Malerei des 19. Jahrhunderts

I. Situation und Begriff

Die Düsseldorfer Malerschule zur Zeit ihrer frühen und größten Blüte Ende der zwanziger und Mitte der dreißiger Jahre des vorigen Jahrhunderts war ein Ereignis, bestaunt, gerühmt, gefeiert und wenn auch nicht eben Revolution, so doch Evolution in der Gunst der Stunde. Sie verhieß neue Weisen der Technik und Künstlerausbildung, entsprach mit Staffeleibild und Kunstverein neuen bürgerlichen Weisen der Distribution von Kunst und Geschmack und konnte zudem in der Wahl der Stoffe breitesten Beistands sicher sein. Ihre Bilder sprachen Verstand und Gefühl, Idee und Sinne auf leicht eingängige, ja ergreifende Weise an und schienen in moderner Form einzulösen, was in Frankreich und Belgien, in Rom oder Paris, in Wien und später St. Petersburg gesamt-europäisch enthusiastischen Forderungen der Zeit ent-sprach: eine Malerei geschichtlicher Stoffe, religiösen und patriotischen Appells, allgemein menschlich rührender Er-eignisse oder einer Landschafts- und Genreauffassung, die zwischen Komposition und Impression alle Phasen eines Wandels von Sitte, Moral und Erbauung zu Natur und Natürlichkeit, zum Reiz von Motiv und Augenblick um ihrer selbst willen durchlief. Die Düsseldorfer Malerschule lag mit Paris fast gleichauf in der Höhe der Kunst, handelte sich noch knapp vor Antwerpen den Ruf fortschrittlichster Hi-storienmalerei ein und konnte sogar noch Cornelius und München vorübergehend auf den zweiten Platz verweisen.

So nüchtern preußisch und politisch pragmatisch nach dem Aderlaß nach München sich die Wiederbegründung der Akademie in Düsseldorf vollzog, Schadow als Ersatz für den nur halbherzig in Düsseldorf wirkenden Peter Cornelius zum neuen Direktor und Organisator berufen wurde – mit einem Schlage wurde hier eine Künstlergruppe aus Berlin zu einer Kunstschule: ein Begriff, der, weniger institutionell als ideell geprägt, im Denken des 19. Jahrhunderts ästhetische und geschichtliche Legitimation verhieß[1]. Sie wurde innerhalb weniger Jahre zum Inbegriff von Idealismus und Realismus, von Tradition und Modernität und löste zudem ein, was als Versprechen neudeutscher Kunst in Rom seit langem für das Heimatland der Künstler erhofft und herbeigesehnt worden war, nämlich Schule, Werkstatt von Meister und Schüler zu sein und eine öffentliche, nationale Kunst zu befördern (Abb. 1).

Wie hieß es doch 1814 nach den Freiheitskriegen in einer Denkschrift der Deutsch-Römischen Künstlerschaft an Fürst Metternich? „Sie eröffnen ihren innigen Wunsch, alle deutschen Fürsten um Vereinigung ihres Schutzes und ihrer Unterstützung der Künstler unserer Nation zu bitten, damit das, was von Rom aus für das Wohl der Kunst in Deutsch-land geschehen kann, als eine Sache des allgemeinen Vater-landes betrachtet werden möge."[2]

Wie ein roter Faden zog sich seit 1800 durch die Itinerarien und Biographien der zwischen Paris und Rom wandernden, suchenden Künstler der Gedanke einer Erneuerung der Kunst, die der subjektiven Freiheit des Einzelnen den objek-tiven Rahmen, die Bedingungen als Möglichkeit für Mögli-ches stellen konnte. Der Pluralismus der Staaten wurde aber noch weithin nicht aufgehoben und die Wiege deutscher Kunst in Rom hatte nicht eine, sie hatte viele Sprachen zur Folge, die noch lange als regionale Kunstschulen den politi-schen Partikularismus begleiteten. Immerhin, in der Zeit des vormärzlichen Deutschland mit seiner allmählichen Abkehr von universalen Einheitsideen und der Hinwendung zu einer ersten nationalen Realpolitik, im Vorfeld wirtschaftlicher und sozialer Unruhen, die schließlich als Lauffeuer zu den 48er Ereignissen, zur Gegenrevolution und zur verfassungs-staatlichen Reorganisation der nunmehr in neue und teils erheblich veränderte Pflicht genommenen alten Mächte führte, hatte auch die Kunst begonnen, Realität als „Realis-mus" von Darstellung und Mitteln zu begreifen und umzu-setzen[3]. Düsseldorfer Malerei und Künstler hatten hierbei durchaus wechselhaft Anteil, der zwischen Pauperismus und Revolution von sozial-humaner Sympathie bis zu vorüber-gehend kritisch revolutionärem Engagement reichte, um sich freilich in der Phase industriell-wirtschaftlichen Aufbaus und politisch beruhigt-beruhigender Reaktion in den fünfzi-ger Jahren in ein realeres, auf Markt und Anerkennung, auf Produktion und Rezeption angelegtes breites Schaffen zu verlagern. Nach Historie und Idealismus wurden jetzt Genre und Landschaft zur vielberufenen Domäne eines gesell-schaftlich-bürgerlich kanalisierten Ausgleichs zwischen Ideal und Wirklichkeit, hochgestimmter Erwartung und pragmatisch orientierter Kunstaussage. Hier auch wuchs den Düsseldorfern als Schule und Institut breiteste Resonanz im Ausland zu, kamen Eleven aus allen Teilen der Welt, von den Vereinigten Staaten über Norwegen bis Rußland. Es nimmt nicht Wunder, daß bei solchen Veränderungen, deren aktiver Rahmen mit Kunstverein und Malkasten abgesteckt war, eine weithin auf das Ideale und die Antike abgerichtete Kunst wie die Plastik – von Schadow vorgesehen – noch immer keine Heimstatt hatte, daß Schadow im Idealismus der

2 Düsseldorfer Rheinfront um 1830. Kupferstich. Stadtgeschichtliches Museum Düsseldorf

Nazarener beharrend sich selbst zu überleben begann, die Historienmalerei neuen Stils in München mit Kaulbach und Piloty – beides Ehemalige der Düsseldorfer Akademie – ein neues Zentrum fand und Sezessionen nicht ausbleiben konnten. Erst Mitte der sechziger Jahre bemühte man sich auch in Düsseldorf um Reformen, die freilich erst mit Wunsch und Wille Berlins in den siebziger Jahren – nach der Gründung des Reichs – greifen konnten und zum Wiederaufleben auch der Historie führten. Die Monumentalmalerei wurde erneut edelster Teil.

Die Erneuerung der Schule – die von Cornelius über Schadow, von Rethel und Lessing über Mücke und Plüddemann, Sohn und Hildebrandt zu Wislicenus, Gebhardt und Janssen, von Schirmer und Lessing über die beiden Achenbachs zu Dücker, von Hübner über Hasenclever, Schrödter, Jordan zu Vautier und Knaus führte, um nur die wichtigsten Namen zu nennen – war eine Wiedergeburt ihrer selbst aus Tradition und realistischem Zeitgeist dessen, was jenseits idealer Gehalte als vordringlich realistische oder geschichtlich illustrierende Erfahrung vom Publikum erwünscht und auch vom preußischen Staat propagiert wurde. Die Gründung des Reichs als Realität vormals emphatisch-nationalen Strebens, das sich u. a. endlich auch in der Gründung der Berliner Nationalgalerie, einer Art Paulskirche der neudeutschen Kunst, niederschlagen sollte, hatte Ideen und Ansprüche, aber auch Institutionen und Stile zur Verwirklichung derselben, deutlichen Veränderungen unterworfen[4]. Mit dem „Ende der Kunstperiode, die bei der Wiege Goethes anfing und bei seinem Sarge aufhören wird"[5] und nach den Wehen sozialer, wirtschaftlicher, industrieller und politischer Reorganisation hatte in Düsseldorf die Kunst nicht mehr nur Künstler und Intelligenz, sondern auch das erstarkende Wirtschaftsbürgertum endgültig in die Klientel einbezogen. Wirtschaftliche Macht als politische Macht begann neben

einer offiziellen Kunst des Staates eine eigene Sprache in Bedarf, Vertrieb und Institutionalisierung zu führen, die von der Deckungsgleichheit der siebziger bis zu den Sezessionen der achtziger und neunziger Jahre führt. Letztere waren zugleich nicht nur ein Aufbegehren gegen die Bevormundung durch den Staat und die von diesem propagierte Kunst wie in Berlin und Preußen. Sie waren auch gegen einen durch Wirtschaft und Handel dominierten Kunstbetrieb staatlich angepaßten Bürgertums gerichtet, das sich in Kunst und Leben mit neuen wirtschaftlichen Würden aristokratisch nobilitierte.

II. „Düsseldorfer Anfänge": Schule, Schulen und Personen bis 1840

Schadow und sein Kreis:

Von Beginn an konstituierten sich Begriff und Echo der Malerschule durch den einmal gegebenen Personenkreis um Wilhelm Schadow und durch Modernität und Tonlage der Malerei. „Es sind erst sieben Jahre, daß Schadow an der Spitze der Düsseldorfer Akademie steht; es sind nur vier Jahre, daß seine Schüler sich durch ihre ersten Versuche bekannt gemacht haben, und schon hat diese Schule sich zu einer bedeutenden Höhe erhoben"[6]. Das Urteil von 1836 stammt von Athanasius Graf Raczynski, der so ziemlich als erster der Düsseldorfer Malerschule zu kunsthistorischen Würden verholfen hat.

Zeitungen und Bildungspresse hatten allerdings seit Auftreten der Malerschule schon das Ihre getan, anfangs lobend-kritischen, dann zunehmend huldigenden Geistes, der selbst noch zwischen Spätromantik und frühem Realismus nach einer ästhetischen Position suchte. Auch literarisch war man allmählich am „Ende der Kunstperiode". Diese klassisch gewordene Prognose Heinrich Heines rührt aus dem Jahre 1828. Sie impliziert einen Widerspruch: den der Künstlichkeit, der Idealität der Kunst mit Gegenwart und Wirklichkeit. Hier lag mit Schadow Düsseldorfs Erbe und Neubeginn. Das Schorn'sche Kunstblatt hatte bereits 1828 die Düsseldorfer Verhältnisse als entscheidend verändert betrachtet und 1837 hieß es dort über Düsseldorfer Bilder in Dresden: „Es ist ja keine Frage, daß seit langem nichts so bedeutend, ja erschütternd auf das, was man in Dresden Kunstleben nennen kann, eingewirkt hat wie diese Ausstellung"; und dies, obwohl doch Dresden mit Friedrich und Dahl, mit Vogel, Hartmann, Ludwig Richter, Ludwig Tieck oder Carl Freiherr von Rumohr eine erstaunliche Spannbreite zwischen Klassik, Romantik und selbst Anzeichen des Realismus vorweisen konnte. Hatte man in Dresden in den dreißiger Jahren das Gefühl der Stagnation, so schien diese in Düsseldorf um Jahre früher überwunden. „Denn unsere k. Akademie ... hat so auffallende und urplötzliche Umwandlungen, innerlich wie äußerlich seit kurzem erfahren, daß wir in unserer hiesigen Kunstgeschichte vollständig von neuem zu zählen anfangen müssen. Es fehlt Düsseldorf weiter nichts mehr, als eine alte reiche Gallerie und noch einige aufkaufende, herbeiziehende Kunstgönner, um wieder, wie sich jetzt andere Städte nennen, das deutsche Athen, oder wie die höflichen Franzosen es eine Zeit lang genannt haben, das zweite Paris zu heißen"[7].

Düsseldorf nächst München und Paris – ein hehrer Vergleich? Schickte sich München unter dem vormaligen Kronprinz, König Ludwig I. an, einen nazarenischen Auftrag zur neudeutsch-religiös-patriotischen Kunst mit dem Preußen und Düsseldorf abgeworbenen Peter Cornelius zu erfüllen, so war die Vorbildlichkeit und Beziehung zu Paris noch älter. Schadow kam immerhin aus der Schule Wachs, der Stil und Erziehungsmuster Jacques Louis Davids auf dem Umweg über Rom nach Berlin verpflanzt hatte. „Paris und die deutsche Malerei" stellte auch noch 1830 ein Kapitel engen Austauschs der Gestaltungsweisen, nicht nur im Porträt – denken wir an Wach, Magnus, Karl Begas oder den von Cornelius an der Düsseldorfer Akademie übernommenen Maler Kolbe, schließlich an den Bildnisstil von Schadow, Hübner und Bendemann –, sondern auch in der Historie und in der speziellen Technik malerischer Faktur[8]. David und Gros, Ingres und zunehmend auch Horace Vernet wirkten nach wie vor prägend, Vernet, der Schlachten- und Tiermaler, der auf Franz Krüger entscheidenden Einfluß hatte und mit seinen Illustrationen zu Laurent de L'Ardèches Napoleon-Vita noch Menzels Zeichnungen zu Kuglers Lebensbeschreibung Friedrichs des Großen das Vorbild lieferte[9], war 1838 als Altmeister seines Metiers in Berlin ehrenvoll empfangen worden. Paris blieb auch weiterhin der Maßstab für die Malerei des 19. Jahrhunderts. Und doch konnte Karl Immermann, der Schadow-Freund in frühen Jahren, im „L'Europe litteraire" von 1833 schreiben: „Wie muß es nun erstaunen, daß diese Schule, Teil recht schwacher Anfänge, innerhalb eines Zeitraums von sechs Jahren die größte Reputation in ganz Deutschland errungen hat; daß eine große Zahl junger Leute, die unter anderen Meistern studierten, diese der Düsseldorfer Schule wegen verließen, und daß die Säle nicht mehr genügen, um die täglich wachsende Menge von Schülern zu fassen?"[10] In Berlin erlaubte man sich sogar, die Münchner Malerschule hintanzusetzen und Düsseldorf als die modernste aller gegenwärtigen deutschen Schulen zu favorisieren[11].

Zählte denn Cornelius schon zum alten Eisen, er, der mit der Protektion des preußischen Gesandten in Rom, Georg Niebuhr, einer neuen deutschen Kunst aus der Taufe geholfen hatte, der als energischer Mittelpunkt der Deutschrömer Wilhelm Schadow zur Casa Bartholdy hingezogen hatte? Hatte Schadow nicht wie jener das Memorandum der deutschen Künstler in Rom von 1818 unterzeichnet, das sie auf gleiche Ziele einte? Erfolgte die Berufung Schadows als Nachfolger für Cornelius, der 1819 auf Betreiben Niebuhrs zum Direktor der Düsseldorfer Kunstakademie bestallt worden war, aber schon 1824 nach München wechselte, nicht im Geiste der Fortsetzung des einmal Begonnenen? Cornelius, dem Schadow bis in die letzten Jahre ein ehrendes Andenken bewahrt hat und dem er in seiner Altersschrift „Der moderne Vasari" von 1854 ein spätes Denkmal setzte, hatte schließlich einen ersten Grundriß zur späteren dreiklassigen Organisation von Lehrbetrieb und Ausbildung skizziert[12], ein Beispiel des für vorbildlich erachteten Werkstattgedankens geliefert, und er hatte in der praktischen Demonstration desselben der Historien- und Monumentalmalerei zu öffentlichem Rang verholfen. Noch bevor Schadow und sein Kreis zum Synonym für eine Malerschule wurden, bildete sich für Cornelius und die Arbeit seiner Schüler in München, aber auch für die Bonner Universitätsaula, den Assisensaal in Koblenz, den Gartensaal von Schloß Heltorf und anderes, was in den Rheinlanden nur Vorhaben geblieben ist, der Begriff einer Cornelius-Schule heraus. Cornelius blieb für die Monumentalmalerei der Düsseldorfer Malerschule im Laufe eines ganzen Jahrhunderts stets zitiertes Vorbild.

Schadow setzte gleichwohl nicht auf die Monumentalmalerei. Wie Rosenberg später schrieb: „Als die beiden Grundlagen, auf denen sich der Ruhm und die bleibende Bedeutung der Schule aufgebaut hat, führte Schadow die Oelmalerei und den Realismus ein, zwei Dinge also, welche der cornelianischen Anschauungsweise schnurstracks zuwiderliefen"[13]. Schließlich träfen, so das Kunstblatt 1828, „die Segnungen der Freskomalerey ... immer nur den Einzelnen, der reich genug ist, sich sein theures Eigentum bemalen zu lassen", aber „da es ein Hauptzweck unserer weisen Regierung ist, durch Anlegung einer Kunstakademie die künstlerische Geschmacksbildung und die Bildung überhaupt in der Provinz zu verbreiten und allgemein zu machen, so scheint uns im allgemeinen mehr mit jener gedient zu sein"[14].

Ein drittes kam ein Jahr später hinzu. Wie in Karlsruhe 1818, München 1824, Berlin 1825 oder Dresden 1828 war von Schadow in Personalunion mit der Akademie, unter entscheidender Mitwirkung von Mosler, den Dichtern Kortüm, Immermann und dem Kurator Fallenstein ein Kunstverein in Personalunion mit der Akademie gegründet worden. Als Auftraggeber, Käufer, Verkäufer und kunstfördernder Mäzen stellte er eine bald vielbeachtete Öffentlichkeit her und wußte den Kontakt von Künstler und Gesellschaft, Kunst und Staat sinnfällig und selbstbewußt-selbständig aufrechtzuerhalten. Mosler vor allem soll auf die Protektion öffentlicher Werke Bedacht genommen haben. Er war als Sekretär

3   G. Schick, Adelheid und Gabriele von Humboldt, 1809. 1945 verbrannt

Lessing, Köhler und Mücke nach Düsseldorf kam und im darauffolgenden Jahr Bendemann folgte, da zählte Düsseldorf nicht einmal 30 000 Einwohner. München etwa zählte das dreifache, Berlin über das zehnfache, Dresden, das oft beschworene Frankfurt oder Antwerpen lagen doppelt so hoch und die Einwohnerzahl von Paris lag ohnehin jenseits jeglichen Ermessens. „Pas de riches Médènes, de grandes collections, de fonds abondans qui favorisassent le jeune établissement"[16], schreibt Immermann. Und wie Uechtritz vermerkte: „Düsseldorf ist eine Stadt von ungefähr dreißigtausend Einwohnern, das heißt, wenn man die mehr als abgesonderte Dörfer zu betrachtenden Vor- und Nebenorte dazurechnet. Die Straßen sind reinlich und ziemlich breit, die Häuser elegant, aber meistens etwas flüchtig gebaut; der Charakter des Neuen, Ebenentstandenen, nicht auf zu lange Dauer Berechneten herrscht vor . . ."[17] (Abb. 2). Düsseldorf war eine aufstrebende, eine junge Stadt. „Düsseldorfer Anfänge" heißt es denn auch bei Immermann und er umreißt damit die Düsseldorfer Schule in den Jahren von 1827 bis 1830. Schadow war ihm Leitbild und Maßstab dafür, die Zeitverhältnisse mit der Julirevolution von 1830 taten ein übriges. „Die Düsseldorfer Schule ist keine Schule im akademischen Sinne, sie ist es nicht im alten Sinne des 15. Jahrhunderts; aber sie ist in diesem Moment vielleicht die einzige, die ein volles und vollständiges Leben erzeugen kann, eben deswegen weil sie keine Schule im üblichen Wortsinn ist. Sie beruht völlig auf der Person Schadows . . ."[18].

Wilhelm von Schadow:

Dieses von Freundschaft diktierte Urteil des Dichters hat seinen Grund hauptsächlich in der geselligen, geistigen und organisatorischen Bedeutung des Künstlers. Schadow wußte sich, von Berlin kommend und von dort bestens eingeführt, den jungen Hof zunutze zu machen, machte sein Haus zum Mittelpunkt nicht nur für die ihm Anvertrauten, sondern wußte auch Liebhaber, Kenner, die tonangebenden Schichten durch unterhaltsames Kunstleben an sich zu ziehen. In den ersten Jahren nach seiner Ankunft, „jener medicäischen Periode von Düsseldorf", herrschten Ernst, Laune, Spiel, Witz, heitere Geselligkeit, literarische und festliche Abende und Fest. Immermann war ebenfalls 1827 nach Düsseldorf gekommen, Uechtritz, Schnaase und schließlich, wenn auch erst spät und nur für kurze Zeit, 1833 der junge Komponist Felix Mendelssohn-Bartholdy rundeten den Kreis ab. Schadow als belebender Geist, geschickt im Umgang mit der hohen Gesellschaft, unumstritten als Organisator der jungen Akademie, der er nach vorausgegangenen, in Berlin 1828 veröffentlichten „Gedanken über die folgerichtige Ausbildung des Malers" 1831 ein weithin beachtetes und bald für

und Kunstarchivar unter Cornelius rechte Hand gewesen. Im veröffentlichten Statut von 1829 heißt es denn auch: „. . . dahin zu wirken, daß die Kunst vorzugsweise dem Schmucke des öffentlichen Lebens sich widme und so Gelegenheit erhalte, die würdigsten Denkmale ihres Strebens der Zukunft zu überliefern"[15]. Auch die Kunstvereine waren letztlich ein Vermächtnis der Nazarener in Rom. Sie waren Selbsthilfeorganisationen zur öffentlichen Pflege der Kunst, die überdies in der preußischen Kunstpolitik nach dem Zugewinn der Rheinprovinz 1815 einen bedacht wohlwollenden Sachwalter fand. Schließlich war die Neubegründung der Akademie in Düsseldorf ein staatlicher Akt der Traditionsaufnahme und des Ausgleichs für die Universität in Bonn, die Wahl Kölns zur Hauptstadt der Provinz Cleve-Berg und zum Sitz des Appellationsgerichts, auch wenn Prinz Friedrich von Preußen im Schloß Jägerhof residierte, Düsseldorf 1825 Sitz des Provinziallandtages und überdies langsam wachsendes Handelszentrum der nach den Kriegen wieder erstarkenden bergischen Industrie wurde. Als Schadow 1826 mit seinen Schülern Hübner, Hildebrandt, Sohn,

vorbildlich angesehenes Statut geben sollte, in der Praxis ergänzt durch Komponierabende in seinem Hause, sein „imponierendes Übergewicht" und „ungewöhnliches Herrschertalent" – alles dies ist bezeugt. Und selbst wo sich wie bei Fahne in den dreißiger Jahren rheinisch-patriotische Kritik gegenüber den „Ostländern" dreinzumischen begann, seine Stellung als Lehrer war unangefochten. Nicht in gleicher Weise als Künstler, was erstaunen muß. Schadow konnte schließlich auf keine geringe Produktion zurückblicken und hatte sich insbesondere auf dem Felde des Porträts hervorgetan. So hatte Schadow bis 1830, dem Jahr neuerlicher Italienreise und endgültigen Abschieds vom Kreis in Rom, u. a. das engere Königshaus porträtiert. Insbesondere mit Prinz Friedrich, der 1820 als Divisionskommandeur Einzug in Schloß Jägerhof hielt und nachmalig zum ersten Protektor der Akademie erkoren wurde, verbanden ihn enge Beziehungen, die mit der Liebenswürdigkeit und Beliebtheit des Hohenzollern auch in den Rheinlanden zu tun hatte. Vor allem aber hatte es ihm Prinzessin Marianne, die Gemahlin Prinz Wilhelms von Preußen, mit ihren Kindern Waldemar, Adalbert und Elisabeth angetan. Er schuf ein Familien- und Freundschaftsbild inniger Zugehörigkeit, die sich in jener in Klassizismus und Romantik entdeckten, bei Schick und Runge, aber auch bei den Franzosen (David, Gérard, u. a.) vorhandenen Verbundenheit der Generationen niederschlug. Schicks „Adelheid und Gabriele von Humboldt" aus dem Jahre 1809 hatte allgemein Bewunderung hervorgerufen und Schadow, den mit Schick über seinen Lehrer Wach koloristische wie in der präzisen, komponierenden Zeichnung durchaus französische Elemente verbanden, wird davon gleichfalls beeindruckt gewesen sein[19]. Er selbst hatte Gabriele von Humboldt 1817 in Rom gemalt, als diese in der Casa Buti wohnte, ein weiteres Bildnis fertigte er von der Frau Wilhelm von Humboldts, Caroline, an.

Der Reflex dieser Familien- und Kinderbildnisse, fraglos aber das der Schick'schen Humboldtkinder (Abb. 3), zeigte sich schließlich noch 1832 in dem Bildnis der Kinder Schadows selbst (Kat.Nr. 217): hier wie da die Kinder in inniger Zuneigung vor der Landschaft, bei Schick tektonisch gerahmt durch eine Pergola mit Weinlaub als Indiz für Italien, bei Schadow zu Füßen und im Schatten einer Eiche, die den Blick auf Berge, Tal und See freigibt. Hier wie da sind Haltung und Gestus von sensibler Psychologie geprägt, auch wo Schadow deutlich lieblicher, wenn nicht süßlich erscheint. Wie in seinen Madonnenbildern, die Nazarenererbe sind, oder selbst noch in der porträthaft naturalistischen „Caritas" des Jahres 1828, die von linearer Komplexität und plastischer Farbbehandlung in fast schon übertreibender Manier Zeugnis ablegt, ist hier ein traditionelles Thema naturalistisch ausgewertet und zur Sprache gebracht: Idealität in der Harmonie glatt geführten Stils, der den Dingen auf

4 W. von Schadow, Mignon, 1828. Leipzig, Museum der bildenden Künste

Leib und Oberfläche rückt. Stehen Schadows frühe Porträts und Madonnenbilder in ihrer zeichnerischen Auffassung und Komposition im Zeichen romantischen Nazarenertums, wie z. B. im „Bildnis einer römischen Dame" der Münchner Pinakothek, so sollte er sowohl mit dem Bildnis Immermanns von 1828 oder der „Fanny Ebers" aus dem Jahre zuvor in Auffassung, Faktur und Kolorit jene Wege beschreiten, die zwischen Idealismus und Realismus Hübner, Sohn wie Bendemann zu jener sinnlich-innerlichen Malerei führten, die charakteristisch für die frühen Jahre in Düsseldorf ist.

Schadow forderte, noch ganz in der romantischen Tradition, vom Maler Phantasie und Poesie, die sich nur über „die Form der Sinnenwelt" mitteilen konnten[20]. Bis in die späten Jahre wurde er nicht müde, Poesie als die allwaltende Kraft zu beschwören, diese selbst zu allegorisieren und ihr im selben Jahr programmatischer Äußerung seiner „Gedanken" durch ein literarisches Sujet Ausdruck zu verleihen. Wie das Brustbild Immermanns, das „in jedem Sinne unübertrefflich" als „geniales Porträt unseres genialen Dichters" im Kunstblatt gefeiert wurde, und durch die Form des Tondos, durch

5   E. Wächter, Hiob und seine Freunde, 1808/23. Stuttgart, Staatsgalerie

Lorbeerblatt, Schultermantel und Rolle dem neudeutschen „poeta laureatus" geradezu imperatorische, historisch-mythologische Züge abgewann, so ist auch die „Mignon" des Jahres 1828 zu Goethes Wilhelm Meister ein poetisches Lehrstück der Malerei (Abb. 4). Mignon als milder, mädchenhafter Engel mit der Reinheit des Herzens in Daseinsschmerz und Sehnsucht zum Zeitpunkt mädchenhaften Erwachens; den inneren Vorgang als fruchtbaren Augenblick durch Malerei festzuhalten – Schadow erweist sich als Erbe einer Malereitheorie, die das „ut pictura poesis" „ zur „ut poesis pictura" umzuschmelzen trachtete[21]. Programmbild war aber auch schon das „Selbstbildnis mit dem Bruder in der Werkstatt Thorvaldsens", um 1815, als Vereinigung von Malerei und Plastik gewesen, Überwindung des alteingeführten Paragone durch Freundschaft, Gemeinsamkeit und natürlich die künstlerischen Mittel (Abb. 35). Wenn nicht Programm, so doch absichtsvoll gelehrt waren schließlich fast alle anspruchsvollen Bilder Wilhelm von Schadows. Sie zeigten sich dadurch mehr dem 18. Jahrhundert und der theoretisch-idealen Grundlegung der Malerei verhaftet als die realistisch-illustrativen, wenn auch gefühlvollen Bilder seiner Schülergeneration. Der Gedanke überwog zum Schluß sogar die Malerei, so daß diese fast „unansehnlich" wurde, wo sie, wie im Triptychon des Jahres 1854, dem „Hölle, Fegefeuer und Paradies" nach Dante im Düsseldorfer Landgericht, ein letztes Stadium erreichte – analog und verwandt vielen anderen Hauptwerken nazarenischer Meister (Abb. 9). Wie Cornelius galt auch Schadow die Historie als erste Gattung, der er mit Akademie und Schule zuerst zu neuem Leben verhelfen wollte. Er selbst hatte in der Casa Bartholdy „Die Klage Jakobs um Joseph" sowie „Josephs Traumdeutung" ganz in der großfigurigen Komposition

cornelianischer Prägung gehalten und sich auf die Kompositionslehre der Alten wie auch Davids und – so im letzteren Bild – Eberhard Wächters und dessen „Trauernden Hiob" (Abb. 5) gestützt – ein Bild, das kompositorisch noch bis Bendemanns „Jeremias auf den Trümmern Babylons" bzw. „Die trauernden Juden im Exil" (Kat.Nr. 25) nachwirken sollte. Schadow legte denn auch den dreistufigen Aufbau des Unterrichts ganz auf die Ausbildung zum Historienmaler an. Er reichte von der ersten oder Elementarklasse über die zweite oder Vorbereitungsklasse, wo man nach der Antike, nach lebendem Modell und Drapierung zeichnete, in alle theoretischen Disziplinen und in einem weiteren Schritt in die jeweiligen Spezialfächer (Malerei, Bildhauerei, Kupferstecher- und Baukunst) eingeführt wurde, bis zur dritten oder selbständigen Kompositionsklasse. Die Meisterklasse ist eine Schöpfung Schadows. Obgleich tolerant gegenüber Landschafts- und Genremalern, verlangte er auch von ihnen die Beherrschung der Figur – ein klassisches, vor allem französisches Erbe. Die Staffage erst verlieh der Landschaft die höhere Weihe. Was den Naturalismus anging, so bemerkte Uechtritz nicht umsonst, „daß die hiesige Schule von dem Porträte ihren Ausgang" und Schadow auf die Nachbildung des Antlitzes am vorgegebenen Modell bis zum letzten Stadium der reifenden Schüler Bedacht genommen habe[22].
Von Schadow selbst stammen aus den dreißiger Jahren Bilder wie „Christus und die Jünger am Ölberg", 1832, „Der Gang nach Emmaus", 1834, „Die Beweinung Christi", 1835, oder „Die klugen und die törichten Jungfrauen", 1838. Im linearen Duktus, in der Idealität von Komposition und Ausdruck zählen sie zum klassischen Repertoire nazarenischer und damit auch tradierter Historienmalerei, die in Dresden, München oder Frankfurt wie auch Wien ihr akademisches Stadium erreicht hatte. Gegenstand und Komposition bestimmten vordringlich den Adel des Bildes. Auch wenn die literarische, theoretische Tätigkeit Schadows erst in die vierziger und fünfziger Jahre fällt, in eine Zeit, da ihn die meisten seiner Schüler hinter sich zu lassen begannen, Schadow selbst nach seiner zweiten Italienreise 1839/40 offensichtlich mehr und mehr seine „ultramontan-katholische" Haltung verfestigte, so dürfte sicher auch für die dreißiger Jahre gelten, was er in seiner Abhandlung „Über die Anwendung des Nackten in bildlichen Darstellungen" oder in dem noch immer unveröffentlichten Text „Was ist ein Kunstwerk?" äußerte. „Jedes Bildwerk ist ein verkörperter Gedanke. Je besser der Gedanke, desto vollkommener dessen Ausdrucksweise, um desto vollkommener ist das Kunstwerk" bzw. (offensichtlich sehr spät abgefaßt), „Das wahre Kunstwerk ist eine bis zur sinnlichen Erscheinung, ja bis zur Verkörperung gediehene innere Vorstellung oder Idee des Künstlers, wodurch derselbe (gleichsam als Affe Gottes) die Fleischwerdung eines Gedankens bewirkt"[23]. Es scheint, als wenn das Ringen um die Idee bei allem gezeigten „Naturalismus" des

Gestaltens gerade bei den religiösen Bildern besonders gravierend zum Vorschein kommt.

Schadow-Kreis: Themen

Idealität, poetische Stoffe, lyrisch-weiche Empfindung und eine naturalistische Auffassung des Gegenstandes durch Technik und Kolorit zeichneten nun auch die Historienbilder des engeren Kreises um Schadow aus, insbesondere Hildebrandt, Sohn, Hübner und Bendemann und – letzterem sowohl nach Gefühl wie im Sujet biblischer oder literarisch ausgezeichneter Frauengestalten verwandt – die Maler Steinbrück, Köhler und Mücke. Porträthaftigkeit und „Natursinn" ist bei ihnen allen anzutreffen, auch wenn sie eine je eigene Entwicklung in Thema und Stil durchliefen, die gleich mehrfach für den Gesamtcharakter der Schule typisch ist. Je nach Gegenstand und Auffassung hat man denn auch die Mehrzahl der Maler literarisch kategorisiert: vom lyrischen (Hildebrandt, Hübner, Lessing) über das poetische (Schadow, Sohn), epische (Bendemann) zum dramatischen Fach (Lessing), wobei die Grenzen sich je nach Stimmung selbstverständlich fließend zeigen. Daß die Düsseldorfer Anfänge des ersten Jahrzehnts bis zum Abgang einer Reihe bedeutender Maler im Jahre 1836 von der Akademie relativ einheitlich in Stil und Ikonographie erschienen, hatte vor allem auch persönliche Gründe. Die Sonntagabende bei Schadow, die gemeinsamen Dichterlesungen mit Uechtritz und Immermann, das Stellen von lebenden Bildern und festliche Aufführen von Stücken auf der Bühne und bei Künstlerfesten sowie ein stark musikalisches, wenn auch seitens der Künstler recht dilettantisches Interesse schufen eine romantische Gemeinschaft unter Gleichgesinnten. „In den Anfängen der Schule war die Romantik das leitende Prinzip", schreibt Müller von Königswinter, „... alles war Gefühl, das wenigste Verstand"[24]. Uechtritz hob ebenfalls „den Glanz des Romantischen" bei dem ihm befreundeten Lessing hervor, wies auf die Gedichte Uhlands, Tiecks „Genoveva", einige unter den Volksbüchern und besonders die „Nibelungen" hin, die Lessing tief beeindruckt hätten. Wie Püttmann ergänzend hinzufügt: „... in dieser traurig schönen Welt wohnt ein Menschengeschlecht, das nur für sie geschaffen ist, und mit dem Boden in so naher Berührung steht, wie seine Bäume und Pflanzen. Geistliche, aus dem Kloster eilend, um Sterbenden den letzten Trost zu bringen, verirrte Reiter, betende Pilger, todte Soldaten usf."[25]. Ganze Motivketten aus romantischer Literatur, Bibel und geschichtlichen Stoffen durchzogen die ersten Ausstellungsjahre der Schule. Schadows „Mignon" folgten Hildebrandts Judith, die Genoveven Steinbrücks und Mückes oder die Mirjam bzw. Rebecca Köhlers; Mädchen- und Liebespaare wurden sogar analog dem nazarenischen Programmbild Overbecks „Italia

und Germania" (1811–28) zu einem Wahrzeichen der Schule: zuvorderst „Rinaldo und Armida" (Kat.Nr. 206) nach Tasso von Carl Sohn, 1828, ein „glänzendes Gemälde", wie es dazu im Kunstblatt hieß, das „den Wortprunk des Dichters vor unseren Augen wunderbar in Farbenpracht verwandelt", „Ruth und Noemi", 1830 von Hübner, der schon 1825 „Ruth und Boas" als Erfolgsgemälde vorgestellt hatte, Hildebrandts „Judith und Holofernes", „Chlorinde von Tancred getauft" nach Tasso oder sein „Abschied Romeos von Julia", 1828, ein Thema, das auch von Sohn aufgegriffen wurde, der überdies nach der Italienreise 1829/30 mit den „beiden Leonoren", 1834 (Kat.Nr. 208), ein Pedant geradezu zu Bendemanns „Zwei Mädchen" von 1833 (Kat.Nr. 267) bzw. „Tasso und die beiden Leonoren", 1839 (Kat.Nr. 209), diese Serie glanzvoll beschließt. Die Typologie der Zweierbeziehung vorwiegend als Freundschafts- oder Gefühlsdarstellung fand in Gestalt literarischer Legitimierung selten eine derartige Breite wie in der Düsseldorfer Malerschule. „Ohne Zweifel trug zu dieser eigenthümlichen Einseitigkeit der Schule nicht wenig ihre innere Abgeschlossenheit bei. Es war von vorneherein Sitte, daß alle Künstler im Akademie-Gebäude arbeiteten, keiner dachte daran, selbst dann, wenn er in technischer Beziehung nichts mehr zu lernen hatte, sein eigener Herr und Meister zu werden"[26].

Schadow-Kreis: Künstler und Stilmittel

Hildebrandts, Sohns, Hübners und Bendemanns Entwicklung vor und neben Lessing kennzeichnen den Verlauf der Düsseldorfer Malerschule in den ersten beiden Jahrzehnten. Wenn das Weiche, Gefühlvolle als Charakteristikum der Schule ständig mitgeführt wurde und dies in Verbindung mit malerischer Bravour, einer Kunst der Natürlichkeit im Naturalismus des Modells und in der Brillanz altmeisterlicher Ausführung, die bis ins kleinste Detail sich in stofflicher Präzision der Kostüme und Gegenstände mit koloristischer Wärme erging, dann rangiert Hildebrandt als erster unter gleichen „Repräsentanten dieser gemeinsamen Richtung"[27]. Von frühen romantischen Seelenbildern über Anmut und Idealität der „Judith" hin zum geschichtlichen, malerisch neu durchfühlten Stoff, zum „Wolsey" und zu den „Söhnen Eduards IV." – so charakterisiert mit einiger Berechtigung Uechtritz den Weg des Malers. Auch Carl Sohns „Raub des Hylas", einer der sonst seltenen mythologischen Stoffe der Schule, oder Julius Hübners Ariost-Interpretation „Roland befreit die Prinzessin Isabella von Galizien" fallen in poetischer Phantasie des Themas und harmonischer Gesamtwirkung in diese Phase romantischer Dominanz von Poesie, Geschichte und Natur. Auch Bendemanns Schaffen wahrte den idyllisch-sentimentalen Charakter, und dies gilt nicht nur für die Düsseldorfer Zeit, sondern ebenso für seine Jahre in

6 P. Delaroche, Die Söhne Eduards IV., 1830. Paris, Louvre

Dresden, wohin er 1838 berufen wurde, ein Jahr später gefolgt von Julius Hübner, dem Schwager und Lehrer.
Seine alttestamentarischen Bilder der dreißiger Jahre, vereint mit der auch hier wieder typischen, gattungsverwandten Kunst des Porträts, haben seinen Ruf begründet: das groß Gedachte der Komposition, das reflektiert Erbauliche und die milde Stimmung, die im Gleichmaß von Komposition und Ausdruck eher seiner späteren Dresdener und der neuerlichen Periode in Düsseldorf ab 1859 anhaftet als dem nun doch sehr viel elegischeren Frühwerk. Lieblichkeit, anfangs Melancholie und eine versöhnend-versöhnliche Haltung prägten nicht nur die Malerei, sie waren Wesenselement, das sich schließlich angesichts der Entwicklungen der Akademie unter seiner Leitung nach dem Tode Schadows und den erneut aufbrechenden Parteiungen in Resignation verwandelte. Dennoch konnte er in den dreißiger Jahren als eine ideale Mitte der Schultendenzen zwischen Schadow, Hildebrandt und Lessing gelten, zwischen dem poetischen, teils religiös, teils literarisch gespeisten ‚objektiven‘, verstandesbestimmten Ideal und dem mehr romantischen, subjektiven Prinzip allwaltenden Gefühls. Er selbst folgte dem noch mit seinen universalgeschichtlichen Darstellungen für das Dresdener Schloß und bestimmte danach auch verbal seine Maxime: „Es ist meine Überzeugung ebenfalls, daß vorzüglichst die sogenannte Historienmalerei zu fördern ist, damit nicht nur die kleinen, sondern vor allen Dingen die großen Erscheinungen im Leben der Völker, die höchsten Gedanken und Thaten Gottes und der Menschen im Bilde vorgeführt werden . . .“[28]

Mit diesem idealen Gehalt mochte man in Düsseldorf noch ganz im Umkreis von Cornelius stehen, in der malerischen Ausführung und zunehmend auch in der historisch-literarischen Thematik konnte eigentlich nur ein Kunstkreis Maßstab und Vorbild sein: Paris und die Malerei der französischen Romantik. Auch sie war weitgehend literarisch getragen und überdies emphatisch-politisch motiviert. Sie zeigte jenes allgemein-menschliche Empfinden und Stoffe erschütternder bis rührender Natur, die noch vor einer nationalhistorischen Einengung, wie sie den belgischen Bildern der Erfolgstournee in den vierziger Jahren – Gallait (Abb. 66), Bièfve (Abb. 67) und de Keyser – zu eigen war, Geschichte als Bildung durch Ereignisbilder lehrte, die vom Faktum zum Allgemeinen aufzusteigen vermochten. Auch die Klassizität in Antikenthema und Form Davids war mit Ingres, Schnetz, Scheffer und Delaroche in den Salons einer Änderung der Auffassung unterworfen worden, die zumal durch Sujet und psychologisierender Gestaltung ähnlich auf die Werte der Innerlichkeit und der Sympathie beim Betrachter abhob. Z. B. ist unschwer das Gemeinsame von Ingres „Tod Leonardo da Vincis“, Delaroches „Söhne Eduards IV.“ (Abb. 6) im Genre des auch von Gérard und Gros gepflegten „portrait historié“ und Hildebrandts „Ermordung der Söhne Eduards IV.“ (Kat.Nr. 103) zu erkennen; es ist der Weg vom Heldentod zur Schicksalstragik mit rührendem Appell. Hatte man 1828 nach einem Überblick über die französische Malerei Schadows Schule geradezu kritisch bedacht, weil sie „zu französisch“ sei – nämlich „jene süßliche Sentimentalität und jenes abentheuerliche Festhangen an dem Romantischen, jenes Imponierenwollen durch äußere Pracht und jene theatralische Effekthascherei, jene Affektation und Modernität“[29] –, so hat man Hildebrandt unumwunden „französisch“ eingeschätzt. „Die Schönheit der Lichteffekte und das treffliche Arrangement der Gruppen sind unwiderstehlich“, schreibt Püttmann, aber auch: „Wir sind der Meinung, daß dieser Künstler vorzugsweise sich der Manier der neu-französischen Schule zuneigt . . .“[30].
Während die Behandlung historischer Stoffe in Frankreich seit der Julirevolution 1830 mit besonderer Beförderung von Seiten der Regierung zugenommen hatte, war dies auf deutschem Boden noch ungewohnt und nicht im gleichen Maße durch Tradition und Kunsttheorie abgesichert. München stand ganz im Banne von Cornelius und der Freskomalerei, wenngleich mit Peter Hess und Joseph Stieler historisches Schlachtenbild und Porträt französische Herkunft und Anschein verrieten. Wach in Berlin war noch ältere Schule, sein Nachfolger Daege eher dem Genre zugetan und Dresden mußte sich mehr und mehr Kritik an seiner romantischen Landschaftsschule und dem Fehlen der Historienmalerei gefallen lassen. Erst mit Bendemann und Hübner begannen dort neue „Düsseldorfer Anfänge“, um allerdings in den vierziger Jahren in Gestalt Schnorrs von Carolsfeld eine

ähnlich nazarenisch-überholte Phase durchzumachen wie sie Schadow für Düsseldorf verkörperte, mit dem Unterschied, daß Bendemann von Naeke, Schnorr und den Nazarenern ästhetisch eher befehdet, in Düsseldorf dann aber zum Nachfolger Schadows ernannt wurde. Der Idealismus war bei aller Differenz zur „realistischen" d. h. technisch-naturalistischen Gestaltung das Verbindende[31]. Auf ihm beruhte letztlich auch die Münchner Historienmalerei, die mit Kaulbach als „peintre philosophe" bzw. als von Hegel und Vischer wohlwollend betrachteter Maler welthistorischer Ereignisse noch in den Spuren von Cornelius wandelte, ehe sie mit Piloty das modernere Element des Kolorismus aufnahm.

Carl Friedrich Lessing:

Die Entwicklung der Düsseldorfer Malerschule von Romantik und Idealismus zu Historie und „Realismus", die im gleichen Zuge wachsende Tendenz der Vermischung der klassischen Gattungen Historie, Porträt, Landschaft und Genre wird aber wohl nirgendwo so deutlich wie bei Lessing. Er galt in den vierziger Jahren als das neue Haupt der Malerschule, ja war nach Püttmann „der größte Maler der Gegenwart"[32]. In der Tat sind wohl die Möglichkeiten und die Spannweite im Sinne einer Korrespondenz mit dem ästhetischen und politischen Geschmackswandel der Zeit nirgendwo so universal ausgemacht wie bei dem Ostdeutschen, der Schadow die ersten Schritte und die Beschäftigung mit dem Historienbild verdankte. Die Deszendenz des Genre aus der Historie ist bei ihm ebenso vertreten wie die Entwicklung von der romantischen, zur realistischen und organisch-historischen Landschaft. Und wenn weiterhin Uechtritz die „idyllische Absonderung" der Düsseldorfer beklagte, ihren fast völlig fehlenden politischen Sinn, so daß Immermann noch 1840 schreiben konnte: „In der Tat glaube ich, nur der Donner der Kanonen am Rhein würde diesen Zustand in den Sündenfall schrecken" – bei Lessing nahm sich das anders aus. Der von Immermann späterhin vermißte „à plomb der alten Meister, die überzeugende Kraft und Nothwendigkeit der Gestalten", das Starke, Nahe und Plastische – die „Tatbestimmung" in Motiv und Miene – schien bei Lessing ebenso Charakteristikum wie er sich damit den Ruf des Fortschrittlichen bei Uechtritz, Püttmann und Müller von Königswinter erringen konnte, um schließlich gar – nun doch in einer Verzeichnung, die selbst engagiert zu viel für sich selber will – in den Ruf eines revolutionär-demokratischen Künstlers zu gelangen[33]. Die „Hussitenpredigt" von 1836 (Kat.Nr. 159), die als protestantisches Fanal Aufsehen erregte und das Zerwürfnis mit dem mehr und mehr katholisch dogmatisch gewordenen Schadow brachte, dürfte weniger bewußter, antiklerikaler Affront gewesen sein als Historienmalerei, bei der sich Gegenstand, Stil und persönliche

Disposition Lessings zu einem kraftvollen Ausdruck übereinfanden.

Dennoch spiegelt sich in Lessing die künftige Entwicklung: die Auflösung und das Ineinanderübergehen der Gattungen, eine beherzt realistische Sicht der Natur, eine auch aktuell deutbare Wirklichkeit geschichtlicher Sujets und Stilmittel, die nicht so sehr im Dienste des Ideals als darstellbarer und dargestellter Realität standen. Lessing stand gerade mit seinen Husbildern an einer Wende der Düsseldorfer Malerschule, die sich innerhalb der Akademie und außerhalb in der Gunst des Publikums aufzuspalten und neu zu orientieren begann. Immermann konstatierte 1840: „Jetzt beginnt das Blatt sich zu wenden. Eine Umstimmung der Meinung naht ganz sichtbar an. Zwar bestellen und kaufen die Liebhaber noch reichlich, aber das Urtheil der Stimmführer spricht doch schon seit einigen Jahren häufig vom Düsseldorfer Schmerz, von der Weichlichkeit, vom stereotyp gewordenen Brüten"[34]. Es trifft sich, daß jetzt Landschaft und Genre stärker aufkommen, daß der wachsende Liberalismus und wirtschaftliche Status der Rheinlande mit der Thronbesteigung Friedrich Wilhelms IV. 1840 neue Hoffnungen weckte und ein wacheres politisches Bewußtsein schuf, und es gehört als Internum hierher, daß Schadows zweite Italienreise von 1839/40 endgültig einem religiös gespeisten Idealismus den Weg gewiesen hat. Schadows bildnerisches Denken wurde sich und anderen zur Norm, an dem sich freie Geister stießen. „Das Auseinandertreten der Elemente", von dem Immermann schon nach Schadows erster Reise 1830 und den Juliereignissen sprach, war von einem latenten in ein offenes Stadium getreten. Seit Mitte der dreißiger Jahre verzeichnete die Akademie Abgänge, Parteiungen, ein Anwachsen der freien Künstlerschaft, die sich – ohnehin Domäne der Rheinländer gegenüber Schadow und den Ostdeutschen – vor allem in der Landschaftsmalerei erging und geschmacksästhetisch wie marktstrategisch zum Konflikt von Idealismus und Realismus beitrugen. Zwei der bedeutendsten Kräfte, Andreas Achenbach und das junge Talent Alfred Rethel hatten sich 1835/36 nach München und Frankfurt abgesetzt, Lessing verließ die Akademie, und die Genre- und Stillebenmaler Preyer und Hasenclever gingen nach München. Es gärte.

III. Die Düsseldorfer Malerschule in den Jahren 1840–1860

Landschaft: Lessing und Schirmer

Wenn Lessing in mehreren seiner Historienbilder „den Ton, der gerade in der Stimmung der Zeit lag, glücklich getroffen

7 Th. Rousseau, Im Wald von Fontainebleau. Hamburg, Hamburger Kunsthalle

und dadurch schon früh ein ungemein begeistertes Publikum gefunden hatte"[35], so gilt gleiches von der Landschaft. Auch seine Landschaften standen zunächst im Zeichen romantisch-idealer Gestaltung durch Licht und Farbe wie es in Berlin Blechen und Ahlborn verkörperten. Die deutsche Landschaftsmalerei der dreißiger Jahre suchte in den verschiedenen Schulen Berlins, Münchens und Dresdens zumal, aber nicht weniger in Kassel wie im Badischen nach einem Kompromiß zwischen Klassik, Romantik und frühem Realismus, der sich teils den Kategorien der Idylle, des locus amoenus, der ideellen, historischen und symbolischen Naturdeutung über Motiv und Komposition, teils der Nahsichtigkeit, der Detailstudie, dem Landschaftsporträt um seiner selbst willen verpflichtet sah. München verfügte schon vor Cornelius an der Akademie über eine entsprechende Schule, die sich den Tageszeitbestimmungen, dem Licht, dem landschaftlichen Reiz der heimischen Motivwelt hingab, ohne von jener Romantik durchzogen zu sein wie in Dresden,

Berlin oder bei den Deutschen in Rom. Wenn mit Rottmann, Klenze und Morgenstern dennoch der ideale Charakter eines Koch Einzug hielt, so stand daneben das Pendant einer realistischeren Linie von Kobell, Wagenbauer, von Dillis über Dorner zu Schleich. Ihnen waren insbesondere die Niederländer Ruisdael, van Goyen oder Hobbema zum Vorbild geworden. Allerdings sollte dem Cornelius in seiner Abneigung gegen die „Fächler" institutionell, wenn auch nicht de facto mit der Aufhebung der Landschafterklasse ein Ende machen. Doch von diesen Anfängen über die Schule von Barbizon bis zu dem Landschafter Adolf Lier wahrte München seine Kontinuität.

Auch für Düsseldorf ist eine Doppelspurigkeit charakteristisch: Landschaft als poetische Gemütsanregung, als historischer Charakter und als „Zeitversinnlichung" – um in den Termini von Carus zu bleiben – und Landschaft als direkte, erdlebenhaft-geologische Naturerfahrung. So wandelte Lessing anfangs mit Schloß- und Klosterlandschaften in den Spuren Friedrichs und Schinkels und der „Charakterlandschaft", Johann Wilhelm Schirmer hingegen folgte mit Waldlandschaften schon bald dem Reiz der bloßen Natur. Das Vorbild der Natur mit ihren besonderen Stimmungseffekten, auch wo sie nach Motiv oder Kolorit idealen Charakter annimmt, wurde für Schirmer zum Grundsatz seiner Landschaftsauffassung. Schirmer kam von Lessing her, mit dem zusammen er 1827 einen Komponierverein gegründet hatte, dessen Landschaften und Zeichnungen nachhaltig auf ihn Eindruck gemacht haben und dem er in der poetischen Grundstruktur des Frühwerks, in Baulichkeiten wie Ruine oder Kloster oder in der Staffage oft nahegekommen ist. Anders etwa als bei Friedrich, mehr im Sinne der Münchener, aber auch der aufkommenden, allerdings in Deutschland erst sporadisch bekannt werdenden französischen Landschafterschule von Barbizon wurde beiden die niederländische Landschaftsmalerei des 17. Jahrhunderts zum bestimmenden Erlebnis. In Dresden dagegen sollte sich z. B. die klassisch ideale und nazarenisch bis verhalten realistische Auffassung Ludwig Richters bzw. Prellers bis weit in die 2. Hälfte des Jahrhunderts beherrschend auswirken. Neben dem französischen war das niederländische Element zweifellos ein zweiter Grundzug. Von Anton Fahne stammt das Wort: „Unsere Düsseldorfer Schule ist und kann nichts anderes sein als eine veredelte niederländische"[36]. Schirmer hatte 1832/3 die Leitung der Landschafterklasse an der Akademie durch Schadow übertragen bekommen und bildete unter anderem Pose, Funke, Scheuren, Lasinsky und Hoeninghaus aus, wobei Pose, Scheuren und insbesondere Andreas Achenbach zu den ihm am stärksten verwandten Landschaftern aufstiegen. Nicht Lessing, Schirmer wurde so der Begründer einer Landschafterschule, die erst in Düsseldorf und nach 1854 als Filiation in Karlsruhe ebenso breit wie weithin wirkend in Erscheinung trat.

Die niederländisch beeinflußten Waldlandschaften wie die besonderen Effekte eines Tageszeitenkolorismus hatte Schirmer zeitlich sogar noch der Schule von Barbizon voraus, die sich mit Theodor d'Aligny, Paul Huet, Jules Dupré, Theodor Rousseau (Abb. 7) oder Daubigny in den dreißiger und vierziger Jahren erst etablierte[37]. Schirmer schildert in den „Lebenserinnerungen" wie er mit Lessing in den Wäldern umhergestrichen ist, um vor allem nahsichtige Formationen der Landschaft, Pflanzen, Geröll etc. zu zeichnen und in Öl umzusetzen (Kat.Nr. 227). Man findet denn auch das nahsichtige Element bei ihm wie bei Pose, Achenbach oder Scheuren, ja es zieht sich hin bis zu Dücker. Strand-, Meeres-, Gebirgs- und Baumlandschaften gehören mit zu den reinsten und direktesten Naturerfahrungen, ehe Schirmer später zu komponierten Landschaften anspruchsvolleren Stils im Sinne Rottmanns oder Prellers übergehen sollte, deren Einfluß auf die deutsche Landschaftsmalerei sich fast ein halbes Jahrhundert lang hielt. Sein anfangs koloristisch gedeckter, zunehmend aufhellender, farbiger werdender skizzenhafter Vortrag kann als Ursprung einer Landschaftsauffassung gelten, die sich letzthin über beide Achenbachs, die Karlsruher Schönleber und Baisch und schließlich den Münchner Adolf Lier in die sechziger Jahre hinein fortsetzte. Am Beispiel Liers (Abb. 8), der die „paysage intime" der Schule von Barbizon mit der Koloristik Oswald Achenbachs, der ihn in Düsseldorf nachhaltig beeindruckte, verbinden sollte, wird der über Jahrzehnte sich erstreckende Zusammenhang deutlich[38]. Andreas und Oswald Achenbach, obwohl ersterer gleich Pose schon in den 30er Jahren nach München, anschließend nach Frankfurt zog, um als „Freier" wiederzukehren, haben beide, bei aller Eigenständigkeit und einem erstaunlichen Erfolg in Thema und Malerei, Schirmer entscheidende Anregungen verdankt: ersterer in Wahl und Gestaltung des Motivs, letzterer z. T. auch im Kolorit. Zugleich aber verweisen die „Beleuchtungsbilder" Oswald Achenbachs aus Italien in ihrem sprühenden Farbenleben voraus auf eine zwischen Neuromantik und Impressionismus vermittelnde Landschaftsauffassung – von Lenbach, Thoma, Lugo bis Bracht. Auf Schirmer folgte der Norweger Hans Gude, zunächst in Düsseldorf, wo er bereits 1841 nächst Albert Flamm und Oswald Achenbach bei dessen Bruder Andreas und Schirmer studierte, um dann 1854 Nachfolger im akademischen Amt zu werden; danach, nach dem Tode Schirmers, in Karlsruhe.

Überwiegend in die fünfziger und sechziger Jahre fällt schließlich außer der Tätigkeit der Nordeuropäer einschließlich der Russen und Balten wie Schischkin, Dücker und Gebhardt, der Zuzug amerikanischer Künstler, die gleichfalls in erster Linie bei der Landschaft, dem Genre oder einer genrehaft aufgefaßten Historienmalerei ansetzten, sieht man von der exemplarischen, frühen Rolle des Deutschamerikaners Emanuel Leutze einmal ab. Albert Bierstadt, William

8   A. Lier, Waldinneres. Karlsruhe, Staatliche Kunsthalle

Haseltine und Trost Richards haben die Weiträumigkeit, die detaillierende Nahsichtigkeit und den Reiz der Atmosphäre in einer Kombination der drei wichtigsten Anreger Lessing, Schirmer und Achenbach mit der Weite und beeindruckenden Größe ihrer neuen Heimat verbunden.

In der zweiten Hälfte des 19. Jahrhunderts vollzieht sich allerdings an nahezu allen Schulen eine Angleichung in Thema und Stil, so daß die Itinerarien der Einzelnen kaum mehr lokal einseitig beanspruchte Herkunftsbezeichnungen erlauben. Die Düsseldorfer Landschaftsmalerei strahlte gleichwohl mit Kalckreuth, Becker, Kolitz u. a. nach Weimar, Frankfurt, Kassel und selbst nach München aus, doch übernahmen nach 1860 Süddeutschland, um Karlsruhe entscheidend bereichert und in wachsendem Austausch mit München und Stuttgart, sowie Weimar neue Führungsrollen in dieser Gattung, auch wenn Oswald Achenbach, Flamm und Dücker zu Schul- und Publikumsgrößen ersten Ranges wurden.

Genre:

Im Wettstreit um die Gunst des Publikums, gebunden an die innere Entwicklung der Akademie und in enger Fühlung mit den Zeitverhältnissen, lag überdies seit den Vierzigern das Genre, das sich unter dem Druck der sozialen, wirtschaftlichen und politischen Zwänge sogar zeitwilig als aktuellstes Medium der Zeitkritik verstehen durfte.

Fahnes „Düsseldorfer Schule als veredelte niederländische" bezog sich auch auf das Genre. Die niederländische Malerei des 17. Jahrhunderts war ohne Zweifel Gattungsvorbild. Wenn in München auch hier bereits eine Schule existierte, über Staffage und Idylle etwa Kobells der Landschaftsmalerei verbunden, so sind die Wurzeln der Düsseldorfer Genremalerei, abgesehen von ihren formalen und historischen Vorbildern, zunächst auch hier wieder in dem literarischen Grundsensus zu suchen, der sich in anekdotischer, novellistischer und schließlich psychologisierender Gestaltung ohnehin dem Genre gewogen zeigen mußte. Von der rührenden Historie zum Rührstück, vom literarischen Ereignis zum Ereignis des Alltags war ein kurzer Weg. Schon Immermann hatte Hildebrandts Bilder als romantisches Genre bezeichnet, Julius Hübner mochte darunter fallen und selbst Schadow hatte im Frühwerk entsprechende Seiten gezeigt. Die Nebenszene in der Historie als Staffage in der Landschaft wurde vollgültiges Thema im Genre. Nimmt man die Äußerung im Kunstblatt von 1829 hinzu, daß sich nirgendbesser Genre poetisch geschildert finde als bei Walter Scott, dann unterliegt insbesondere Lessing dem Charakter eines poetischen, historischen Genre[39]. Das Allgemeine im Individuellen bestimmte man denn auch zum Kennzeichen des Begriffs, womit gleichzeitig ästhetisch eine Lanze für diese Gattung gebrochen war. Das Genre galt nicht als minderbewertetes Entlastungsfach für eine ideale, von der Historie geprägte Malerei, sondern war, in Kongruenz mit dem naturalistischen Stil der Düsseldorfer sogar Entsprechung ihrer eigentlichen Tendenzen. Vielleicht sogar mit dem Ziel, „daß sie ihrer Bestimmung nach gleich der historischen Kunst nach allen Richtungen und über alle Meinungen gebieten könnte, ja oft unter der mächtigen Mitwirkung der Gegenwart — mehr noch als die Historie, und sogar mit nicht leicht bestreitbarem Rechte"[40].

In der Tat war das die künftige Düsseldorfer Richtung. Raczynski konstatiert noch, daß sich die Deutschen ihr Genre, gemessen an Engländern, Franzosen und Niederländern, erst schaffen würden, weiß dann aber immerhin schon Adolf Schrödter mit dem „Don Quixote" (Kat.Nr. 248) bzw. der „Weinprobe" hervorzuheben. Schrödter hatte als Historienmaler bei Schadow gearbeitet, während Hasenclever zusammen mit Hermann Schmitz, Wilhelm Heine und Anton Greven in der Klasse Hildebrandts bereits als Bildnis- und Genremaler aufgeführt werden. Emil Pistorius handelte sich 1828 durch den Vergleich mit der Vernet'schen Schule hohes Lob ein, und neben Schrödter trat vor allem frühzeitig der ehemalige Wach-Schüler Jordan. 1832 wählte er mit der „Lotsenfamilie" einen Gegenstand bleibender Thematik, die

ihm mit den „Helgoländer"-Bildern (Kat.Nr. 127, 128) größtes Echo verschafften.

Die Genremaler verzeichneten analog den Fächern Historie und Landschaft in den dreißiger Jahren ihre ersten großen Erfolge. Sie konzentrierten sich auf Schrödter, Jordan, Johann Baptist Sonderland und dann mit Beginn der 40er Jahre insbesondere auf Peter Hasenclever, der sich nach dem Studium an der Akademie und Reisen nach München und Italien 1842 in Düsseldorf niederließ. Der Weg von einer genrehaften Historie zu einem historischen Genre, das die modernen Stilmittel der Schule Themen mit aktuell-politischem, kritischen bis anklagendem Gehalt zukommen ließ, dürfte in dieser Form für die vierziger Jahre singulär in Deutschland dastehen.

Bereits in Lessings „Hus"-Bildern sah man den neuen Geist, der sich energisch Ausdruck verschaffte und gegen die katholische Linie Schadows verstieß. Zugleich „hatte die Darstellung 1836 Aktualität und Gültigkeit für die Gegenwart vor dem Hintergrund des realen kirchenpolitischen Konflikts, des Kölner Bischofsstreits"[41].

Als die Zeichen der Zeit auf Sturm bliesen, die Verfassungsfrage und die Frage vaterländischer Einheit zugleich mit dem Pauperismus infolge wirtschaftlicher Fehlentscheidungen und der drückenden antiliberalen Gesetzgebung sogar bürgerliche Schichten und die Intelligenz herausforderte, da mußte die „Hussitenpredigt" von 1836 (Kat.Nr. 159) im nachhinein als Fanal moderner Heroik und des Tatgeistes verstanden werden, der den „demokratischen Regungen" bildnerisch Vorschub leisten konnte. Kein Wunder, daß Lessing in der gleichzeitigen Literatur als die eigentliche Mitte und das moderne Herz der Schule galt, ja daß man ihm auch malerisch im Revolutionsjahr Folge leistete wie z. B. Tidemand mit seiner dumpf-pathetischen „Andacht der Haugianer" (Kat.Nr. 256).

Revolutionär war Lessing nicht, nicht einmal „geistiger Wegbereiter", was ihm immerhin Hütt zuschreibt, um ihn dennoch als ‚Bürgerlichen' zu verurteilen[42]. Themen und Stil entsprachen im besonderen Gunst und Geist der Stunde. Lessing selbst erklärte, keine politisch tendenziöse Richtung verfolgt zu haben. Immerhin zwang ihn wie Achenbach dennoch der historisch-idealistische Modus der Akademie-Richtung noch in den fünfziger Jahren nach dem Abgang Schirmers, auf dessen Nachfolge als Lehrer zu verzichten — nicht nur eine persönlich-klimatisch bedingte, sondern auch qua Stil und Inhalt kunstpolitische Absage.

Genre als Kritik:

Das historische Genre färbte sich allerdings im Zuge der politischen Ereignisse in den Nachbarländern und angesichts der Unruhen im eigenen Lande zunehmend sozialkritischaktuell, auch wenn die bekannten Bilder Carl Wilhelm Hübners und Hasenclevers kaum den Charakter revolutionärer Tat und Gesinnung ausweisen wie dies in praxi und mit manch engerer Beziehung zu Sozialisten und Kommunisten, zu Marx, Engels und zur „Rheinischen Zeitung" vom Dichter Freiligrath, vom Bildnismaler Koettgen, vom Deutschamerikaner Emanuel Leutze, aber zu Zeiten auch von Kunstkritikern wie Püttmann und Müller von Königswinter gesagt werden kann[43].

Der politische Riß traf die Kunst, ihren Gegenstand, ihren Stil und ihre Vereinigungen. Ersatz und Übernahme der Historie durch und in das Genre auch in der Wahl der Formate bewirkten, daß Gegenstand und Form des Genres einer neuen Bedeutung unterlagen. Die Hinterlassenschaften kritischer Selbst- und Zeitreflexion, wo vordem „diese Künstler sich ... fast gar nicht um die großen politischen Fragen der Zeit bekümmerten"[44] sind nunmehr bei Lessing und Rethel ebenso anzutreffen wie bei Schrödter, Theodor Hosemann, Henry Ritter, Lorenz Clasen oder Andreas Achenbach, vornehmlich indem man sich der Satire und Karikatur in Bild und Wort in den Düsseldorfer Monatheften bediente oder – wie Rethel – sich in graphischen Zyklen aussprach. Der von Hütt mit Müller von Königswinter identisch befundene Kunstkritiker der Düsseldorfer Zeitung (Nr. 199, 1847) schrieb denn auch: „Es ist ein gutes Zeichen der Zeit, daß unsere Historienmaler jetzt volkstümlicher zu malen streben als Cornelius, und mit individuellerer Lebensfülle als Steinle und Veit, auch ohne den großen Stil zu opfern. Ob es just gelingt? Die Kunstrichter sagen: nein! Aber daß man so malen will, das ist das Kulturgeschichtliche, was den Politiker interessiert, daß Genremaler wie Jakob Becker das Bauernleben ideal auffassen, daß sie die Gestalten des niederen Volkes in ihrer derben Natürlichkeit, mit einer hingebenden Liebe an das Eigentümliche und doch mit hellenischem Adel der Form darstellen, das ist ebenso neu, als es erfreulich und tröstlich ist"[45].

Die Akademie und die „Freien":

Die Gründung des Malkastens erfolgte unter diesen politischen Vorzeichen einer „freien" Institution von vorwiegend „freien", d. h. außerakademischen Künstlern, auch wo die Akademiker Mitglied waren und an Zahl gewichtig über Sitz und Stimme verfügten. In einem Bericht des Regierungspräsidenten von Massenbach an den preußischen Kultusminister von Raumer von 1853 heißt es über das Verhältnis zwischen Akademie und Künstlerverein: „Außer denjenigen Künstlern, welche als Lehrer an der hiesigen Akademie beschäftigt sind oder als Schüler die verschiedenen Klassen derselben benutzen, hat eine nicht unbeträchtliche Anzahl von Malern Düsseldorf zum Aufenthaltsort gewählt ... Un-

ter den in solcher Weise ohne feste Beziehung zu der Akademie sich aufhaltenden Künstlern befinden sich Meister ersten Ranges, von denen ich nur Lessing, Leutze, Andreas Achenbach, Tiedemand, Deger, Hasenclever, Gude, Jordan, Preyer, Rösing, Camphausen, Oswald Achenbach anführe. Außer diesen ist eben eine nicht geringe Anzahl Künstler zweiten und dritten Ranges hier domiziliert, unter welchen die Klasse der Landschafter und Genremaler die zahlreichste ist. Mehrere der erstgenannten Meister sind vollauf beschäftigt und haben häufig Gelegenheit ihre Bilder zu angemessenen, oft hohen Preisen zu verkaufen, so daß einige, dem Vernehmen nach, sich bereits ein ziemliches Vermögen erworben haben, was insbesondere von Lessing, dem älteren Achenbach, Tiedemand und Leutze mit Grund angenommen werden darf"[46].

Massenbach äußerte sich auch zu den Vorgängen von 1848. Schadow war im Revolutionsjahr Mitglied und Präsident des Unterstützungsvereins geblieben. „Das Verbleiben des Direktors und der Lehrer in dem ‚Malkasten' auch nach dem Jahre 1848 erschien um so angemessener als dadurch manchen politischen oder gesellschaftlichen Extravaganzen vorgebeugt wurde –, die im Jahre 1850 erfolgte Aufnahme des berüchtigten Freiligrath in den Malkasten hatte jedoch den Austritt des von Schadow und der Lehrer zur nothwendigen Folge, und obwohl durch die spätere Entfernung des Freiligrath von hier dieser Anstoß wieder völlig beseitigt wurde, so scheint doch seitdem, sei es durch künstlerische Rivalität, sei es durch persönliche Abneigung oder nicht zu ermittelnde Zwischenträgereien, eine Spannung hervorgetreten und mehr und mehr gewachsen zu sein, welche gegenwärtig in dem Streite über die Auswahl der nach auswärtigen Kunstausstellungen zu versendenden Bilder sich kund giebt ...".

Der späte Schadow:

Es mochte überdies, wie erwähnt, in den Präferenzen Schadows für eine ideale, religiös bestimmte Historienmalerei seine Ursachen haben, die als Ausdruck eines Harmonieideals der Gesellschaft seine eigenen Sehnsüchte programmatisch festschreiben konnte. „Der Einfluß des Christentums auf die bildende Kunst", 1842, hatte wohl am entschiedensten seinem Erziehungs- und Kunstideal eine kulturpessimistisch-historische Legitimität verliehen, ehe er, noch historischer geworden, als „moderner Vasari" in Gestalt des „Alten" wehmütig einer von Zeit und Geist getragenen, öffentlichen Kunst wieder das Wort redete. Hier, 1854, angesichts des Kunstbetriebs, der Privatisierung und Kommerzialisierung in der Produktion der „Freien", der Tagesinteressen und Parteiungen gibt er noch einmal der Religion die Hoffnung auf, Versöhnlichkeit und Einheit zu stiften, deren Bruch 1848 deutlich zu Tage getreten war. „Erst wenn das

9 W. von Schadow, Mittelbild des Triptychons: Paradies, Fegefeuer, Hölle,
1850/62. Düsseldorf, Landgericht

Wissen dem Glauben wiederum aufrichtig die Hand reicht
und die Notwendigkeit erkennt, sich demselben unterzuordnen, dann kann eine Kunstepoche entstehen, wie sie bisher
noch nicht dagewesen ist"[47]. Dieser verspätete Ausflug in die
romantische Vorstellung einer Wiedergeburt der Kunst aus
dem Geist der Religion mußte sich selbst schon als retardierendes Erbe empfinden. 1847 hatte es bezüglich der Düsseldorfer geheißen: „Es liegt zu Tage, daß der lebhafte
Schwung, der diese Schule noch vor wenig Jahren erfüllte,
nachgelassen hat, und daß es, sollen anders diese zumeist so
vortrefflichen Talente der vaterländischen Kunst nicht am
Ende gar verloren gehen, für sie eines neuen entscheidenden
Impulses bedarf . . ."[48].
Allerdings hielten sich programmatische Versuche noch am
Leben. Sie sind mit der Burg Stolzenfels, mit der Apollinariskirche in Remagen, mit der übrigen Produktion der dort
wirkenden Künstler, mit Schadow selbst und dem engeren,
verbliebenen Kreis bezeichnet, mit Deger, Ittenbach und vor
allem den beiden Müller und Hildebrandt, der sich jedoch auf
das Bildnis verlegt hatte. Schadow selbst versuchte, mit
seinem Bild „Hölle, Fegefeuer, Paradies" (Abb. 9) noch
einmal die verlorene Position zurückzugewinnen. Allerdings
war das seit 1850 entstehende „Triptychon" – es handelt sich
um ein dreiteiliges feststehendes Tafelbild mit je halbrundem
Abschluß – alles andere als ein Fanal oder Neubeginn, es war
eine traditionsreiche Allegorie, die gedankenüberfrachtet
eher dunkel und düster stimmt – wie seine Farbgestaltung –,
auch wenn dies durch den Erhaltungszustand mitverschuldet
ist. Daß hier eine persönliche Gestimmtheit des Malers, der
in diesem Bilde „das Haupt- und Schlußwerk seines Lebens"

sah, vor dem Hintergrund der politischen Zeiterscheinungen
ihren Ausdruck fand, bestätigten Worte Wiegmanns, des
Architekten und Akademiesekretärs, von 1862: „Gewissermaßen als Commentar zu dieser Malerei läßt sich ein Gedicht
‚Vision eines Malers im Jahre 1848‘ betrachten"[49] Die Bilder
waren für den Schwurgerichtssaal des Landgerichts bestimmt.

Düsseldorf und das Ausland:

Sehen wir auf die Malerei der fünfziger Jahre in Düsseldorf,
so trugen insbesondere die Leistungen der Auswärtigen
Früchte. Es waren vor allem die nordischen und amerikanischen Künstler, die sich überwiegend des Genres und der
Landschaft annahmen: von Bingham, Whittredge, Henry
Ritter und Eastman Johnson zu Bierstadt, Haseltine und W.
Trost Richards oder von Capellen, Eckersberg, Jernberg,
Fagerlin, Tidemand und Lützow d'Unker bis Gude und
Kilian Zoll. Eine gewisse Sonderstellung nimmt Leutze ein,
der sich vor allem der Historienmalerei widmete und dessen
freiheitlich-revolutionäres Engagement von 1848 in Auffassung und Komposition noch in seinem historischen Programmbild „Washington überquert den Delaware" von
1851 nachgeklungen haben mag.
Ergänzend trat der Handel hinzu: 1849 gründete John Bokers in New York die „Düsseldorf Gallery", die ganz entscheidend zur Verbreitung der Düsseldorfer Malerei in den
USA beitrug. 1850 eröffnete der Kunsthändler Schulten eine
permanente Kunstausstellung in Düsseldorf, und 1856 gründete man in Bingen die deutsche Kunstgenossenschaft, um
deren eng mit Malkasten und dem Verein Düsseldorfer
Künstler verbundene Ausstellungsregie es zu Animositäten
mit Schadow, der Akademie und dem Kunstverein kam. Der
Austritt von 21 Akademikern aus dem Malkasten von 1856/
57 war[50], außer daß Schadow in einer Sitzung durch die Rede
des Malers und Malkastenmitglieds Lindlar die Kompetenz
der Akademie schlechthin in Frage gestellt sah, eine Folge
dieser Vorgänge. Generell machte sich zudem über die Weltausstellungen (London 1851, Paris 1853) eine Internationalität breit, die auch der Kunst einen offiziellen Warencharakter
zuzuschreiben begann. In Paris herrschte der offizielle Salon,
neben Ingres, Delacroix begann sich im Umkreis Coutures
und Chasserias eine neue Generation von erfolgreichen
Salonmalern wie Gérome und Bourguereau zu etablieren, die
Maler von Barbizon konnten erstmals geschlossen eine
große, internationale Wirkung erzielen, während Millet mit
dem „Sämann" von 1850, den „Ährensammlerinnen" und
dem „Angelusläuten" Mitte der fünfziger Jahre über politisch-publizitäre Kontroversen ein breites Echo erlangte.
Themenwahl und ein idealistischer, sehr persönlich gehaltener Naturalismus setzten die Empfindungen früherer, tradi-

10 W. von Kaulbach, Die Zerstörung Jerusalems, 1842–47. München,
    Bayerische Staatsgemäldesammlungen, Neue Pinakothek

11 C. von Piloty, Seni an der Leiche Wallensteins, 1855. München, Bayeri-
    sche Staatsgemäldesammlungen, Neue Pinakothek

tionell religiöser Historienstoffe – z. B. ähnlich Bendemann
„Die Gefangenschaft der Juden in Babylon", 1848 – in einem
neuen Sujet, dem Landleben, frei und brachten auch hier
einen Abbau der Gattungshierarchie. Sie sollte schließlich
mit Courbet als provokantem Außenseiter des Salons in Stil
und Gegenstand bewußt konterkariert werden[51]. In Belgien
und Holland dominierte nach wie vor eine vaterländische
Historienmalerei, und in England hatten sich 1848 die Präraf-
faeliten zu einem hochherzigen Bruderbund geistig-politi-
scher und künstlerischer Erneuerung zusammengeschlossen.
In der Mitte des Viktorianischen Zeitalters verhalfen sie nach
der Welle romantisch-historischer Entdeckung nationaler
Stoffe unter deutschem, nazarenischem und unter franzö-
sisch-belgischem Einfluß der Historie noch einmal zu ihrem
Triumph.

Düsseldorf und München:

Auch in Deutschland kam diese großen Stils zum Zuge.
Während Dresden nach dem Rücktritt Schadows 1859 Bendemann an Düsseldorf als dessen Nachfolger verlor und
damit zunächst bei der Akademie alles beim alten blieb, hatte
nunmehr München eine akademisch-öffentliche Führungsrolle übernommen. München stand seit 1848 unter dem Re-
giment Maximilians II., der nach den politischen Unruhen
Künsten und Wissenschaften eine schon Tradition gewordene Aufmerksamkeit schenkte. Die Pflege von Wissenschaften und Literatur, von Bauunternehmen großen

Stils – Maximiliansstraße, Maximilianeum und bayrisches
Nationalmuseum – sowie die Förderung der Kunstakademie
brachten eine neue Blüte, die sich schon in den vierziger
Jahren in Gestalt einer vaterländischen und wie es hieß
‚realistischen‘ Historienmalerei Düsseldorf konkurrierend
an die Seite stellte. Maximilian selbst sorgte für das Wiederaufleben der kunst- und kulturgeschichtlichen Bildung der
Akademiezöglinge, verstärkt traten die Aspekte von Technik und Handwerk für Künstler und Kunst als Gewerbe in
der Ausbildung hervor und im Zuge dessen konnte nunmehr
von Wilhelm von Kaulbach (Abb. 10) ein Lehrer gewonnen
werden, der endlich das von Cornelius noch verschuldete
Defizit des Kolorismus wettmachen sollte: Karl von Piloty.
1856 wurde dem 29jährigen die Professur für Maltechnik
übertragen. Er hatte zu dieser Zeit bereits mit einem Bilde
„Gründung der katholischen Liga" und vor allem dem „Seni
an der Leiche Wallensteins" (Abb. 11) Erfolge erzielt. Kaulbach selbst war noch mit den kulturhistorischen Darstellungen im Treppenhaus des Neuen Museums in Berlin befaßt –
riesige, figurenreiche Apparate und Formate, die als Bild-
legenden geschichtlicher Epochen selbst Geschichte wurden. Ihm zur Seite trat insbesondere Feodor Dietz, von dem
die Worte stammen: „Der Deutsche malt die Weltgeschichte,
die Historie; der Franzose findet seinen höchsten Ausdruck
in dem historischen Genre, d. h. in der Chronik und Memoi-
ren-Erzählung und in der Episodenmalerei"[52].
Aber auch hier trat im übrigen neben die akademische eine
freie Künstlerschaft, die über das Ausstellungswesen gleichermaßen um Ranggleichheit einkam, wie es sich bei der

33

ersten Ausstellung der „allgemeinen deutschen Kunstgenossenschaft" herausstellte. Von gleicher Bedeutung war nunmehr auch die Münchner Kunstausstellung im Glaspalast, die 1858 zu einem nationalen Wettstreit der Kunstregionen führte. Wenn Schirmer aus Karlsruhe und Preller aus Weimar die ältere Landschaftsrichtung repräsentierten, so wurden doch jetzt außer Schleich und Achenbach, Gude und Lier – letzterer hier zum ersten Mal vertreten – tonangebend, gewann mit dem historischen Genre Lindenschmits, dann auch Viktor Müllers in Frankfurt oder in Gestalt Feuerbachs, der sowohl in Düsseldorf wie in München sich schulte, der Kolorismus eine neue Färbung. Die Piloty-Schule, die in den kommenden Jahrzehnten Makart, Lenbach, Leibl u. a., vor allem aber „Freie" hervorbrachte, ist der schlagende Beweis. Klüger und versöhnlicher als in Düsseldorf suchte die Akademie die Kooperation mit den Freien, ja sie versuchte in ihrer weiteren Ausstellungspolitik stets diesen Effekt des Interessenausgleichs durch Integration zu bewahren. Gleichwohl führten auch hier die sechziger Jahre zu Reformen, vollendete sich eine Übergangsperiode des Suchens und der Neuorientierung, ehe es in den Siebzigern und Achtzigern im Zuge allgemeiner gesellschaftlicher und politischer Konsolidierung zu einer Blüte kam, die jene Düsseldorfs in den Schatten stellte.

IV. Von 1860 bis 1900: Übergang und neue Blüte

Nach außen erscheint das Bild Düsseldorfer Malerei zwischen 1850 und 1860 überaus reich und vielfältig. 1856 verzeichnete z. B. der Malkasten 178 Mitglieder, darunter Altgediente und Auswärtige wie Schirmer. Bendemann als Nachfolger Schadows an der Akademie suchte trotz eigener Präferenz für das Historienfach und eine ideale Malerei nach einer Lockerung akademischer Fesseln in Ausbildung und Öffentlichkeit. Aber weder er selbst noch der alte Stamm der weitgehend von Schadow geprägten Lehrer war geeignet, einen neuen Geist, entsprechend den Erfordernissen der Zeit, einziehen zu lassen. Schadow und die Künstler der Apollinariskirche, nach dem Ausscheiden Köhlers im Jahre 1857 vor allem Carl Müller, hielten die akademische Stellung der religiösen Historienmalerei.
Hildebrandt, obgleich wegen Gemütskrankheit ausgeschieden, C. F. Sohn, Mücke, Wintergerst und der Landschafter Gude, 1863 gefolgt von Oswald Achenbach, wurden Lehrer an der Akademie. Wiegmann war zuständig für Architektur, Keller für die Kupferstechkunst und anläßlich seines 1860 verfaßten „Promemoria" zu baulichen Veränderungen und Erweiterungen des Akademiegebäudes bezog Bendemann

jetzt ernstlich eine Bildhauerklasse ein. Bendemann ging es um eine Verbesserung der Lehranstalt, nicht um grundsätzlich neue Inhalte. Dennoch kam es im Verlaufe seines Direktorats zu einem bezeichnenden Vorgang bei der Erneuerung des Lehrangebots, zu einem Versuch, der Genremalerei akademische Würden zu verleihen, überdies in Gestalt eines Malers, der sich als Privater Ansehen errungen hatte. Es ging um die Berufung Wilhelm Sohns. „Die Verschiedenheit der Ansicht zwischen meinen Collegen und mir liegt also darin: Sie fürchten eine Verflachung der Kunst und Beeinträchtigung der Historienmalerei durch Einführung eines Genremalers – ich wünsche die Historienmalerei vor nicht fernliegender Verknöcherung zu bewahren, indem ich eine ausgezeichnete Lehrkraft gleichviel ob Genremaler, vorgeschlagen habe . . ."[53].
Entgegen der Meinung Hütts, letztlich bekunde sich hier der Einfluß des Staates, der nur auf hohen Idealismus setze, lagen hier Generations- und Auffassungskonflikte vor, die mit der generellen Zäsur zwischen Freien und Akademischen, dem Zeitgeschmack und dem Traditionsrang der Historienmalerei zu tun hatten. Ausführlich bezog der Schwiegersohn Schadows in einem Gutachten für die Regierung hierzu Stellung. Es geschah, nachdem Bendemann mit Wirkung zum 1. Januar 1868 um seine Entlassung eingekommen war, Julius Röting, aus Dresden kommend, den verstorbenen Carl Sohn ersetzt hatte, Mücke, nach wiederholten Klagen über Vernachlässigung seiner Pflichten, endlich pensioniert worden war und selbst über Oswald Achenbachs zögerndes und weiches Gemüt, das sich angesichts schwieriger häuslicher Verhältnisse bei den Parteiungen zwischen Anhängern der Antike und solchen der kirchlichen Richtung überfordert sah, daß ein Bericht des Kuratoriums erfolgte. Achenbach hatte mit dem Rücktritt gespielt, danach einen Urlaub angetreten und zog sich mehr und mehr von der Akademie zurück. Ihn vertraten erst Theodor Hagen, der spätere Weimarer Landschafter, anschließend Albert Flamm. Und wiewohl mit Deger und Müller Altnazarener die Verwaltung in den Händen hielten, war mit Wislicenus aus Weimar ein Mann berufen worden, der schließlich zusammen mit Deger, dem Akademiesekretär Giese und dem Architekten Lotz das Direktorium bildete.
Im Berichte des Schwiegersohns von Schadow heißt es: „Die Betrachtung der jetzigen Lage der Dinge läßt über das Vorhandensein eines bald mehr, bald weniger fühlbaren Antagonismus zwischen der Staatsanstalt und den freien Künstlerverbindungen keinen Zweifel übrig . . . Wer Gelegenheit hatte, die allmähliche Entwicklung der hier berührten Verhältnisse in der Nähe zu beobachten, wird nicht anstehen, dieselben mit dem uralten Gegensatze zwischen idealer und realistischer Auffassung in der Kunst in Verbindung zu bringen"[54]. In der Tat wird hier noch einmal grundsätzlich die Frage der Notwendigkeit, des Nutzens und Schadens der

Akademie diskutiert, der Effekt eines wachsenden Künstler-
proletariats beim Namen genannt und das spürbare Wirken
freier Künstlervereinigung als rechtens und nützlich erwähnt. Die Akademie habe schon beträchtlich Schüler an die
Freien abtreten müssen, und zwar die größten Talente. Er
plädiert für eine Vergrößerung und Verjüngung des Lehr-
körpers, für ein bestimmendes Haupt desselben und die
Bildung eines akademischen Senats, der die besten Fach-
kräfte gemeinsam aus akademischen und freien Künstlern
umschließe. So auch ließe sich ein Kompromiß bilden aus
den idealeren Interessen der Akademie und den vorwiegend
materiellen Interessen des Künstlerunterstützungsvereins.
Ähnliches verlautet von Wislicenus, der sich über „den von
uns vorgefundenen Stand der Akademie" im Januar 1869
äußert, für die monumentale Kunst eintritt, die Kunst des
Altertums und die Blütezeit christlicher Kunstperioden lobt
und nach den großen Momenten der Geschichte, Poesie oder
Religion mit Ernst und Interesse verlangt. Hier aber habe er
„Halbheit und Schwäche" vorgefunden, und „so finde ich
mit Ausnahme des Bildhauerateliers eigentlich die ganze
Akademie der wirklich großen lebendigen Kunst entfrem-
det"[55]. Wislicenus greift den bereits früher geführten Streit
um Begründung des Genres an der Akademie sogar auf,
indem er sich um eine entsprechende Fachkraft bemüht.
Allerdings verrät er seinen wahren Geist, wenn er München
„die neue dortige Coloristenschule" ankreidet und von einer
vollständigen Ausartung ins Genre spricht.
Es nimmt dieses Urteil insofern Wunder, als auch München
in Gestalt Wilhelm von Kaulbachs sich zu den großen Zielen
und Idealen der Kunst bekannte: „Nach unserer Ansicht ist
eine Blüte der Kunstindustrie bedingt durch die Pflege der
Kunst um ihrer selbst, der Schönheit willen; denn nur, wenn
in ihr das Ideale Gestalt annimmt, kann sie zum Vorbilde für
das Leben werden ...."[56]. Ideale Größe des Gegenstands und
eine symbolisch-historische Kompositionsweise sind denn
auch die Merkmale der Kunst Wilhelm von Kaulbachs, die in
dem für das Treppenhaus des Berliner Neuen Museums
geschaffenen „Zeitalter der Reformation" einen Höhepunkt
und damit auch ihre Wende erreichte. Ihm zur Seite und im
Sujet verwandt stand Wilhelm Lindenschmit, ebenfalls mit
belgisch-französisch inspirierten Bildern zu Luther und zur
Reformation oder zum geschichtlichen Heldentod (z. B.
„Der Tod Franz von Sickingens", 1861), der bei Franzosen
und Belgiern und in den fünfziger Jahren mit der Rezeption
von Thema und Technik durch Karl von Piloty („Seni an der
Leiche Wallensteins", 1855) zu einem beliebten Sujet wurde.
Piloty und Lindenschmit zählten aber bereits zu den Kolori-
sten, die als „reservierte Verkünder des Realismus"[57] neue
Tendenzen vertraten.
Schon unter Maximilian II. waren an der Akademie Schulen
um Philipp von Foltz und Adolf Lier entstanden, in den
Jahren von 1864 bis 1880 entwickelten sich nach einer ersten

12 F. Defregger, Die Erstürmung des Roten Turms in München 1705, 1881.
München, Bayerische Staatsgemäldesammlungen, Neue Pinakothek

Generation unter Piloty nunmehr Künstler wie Gabriel Max,
Franz Defregger, Franz Lenbach und Hans Makart bis hin zu
Nikolaus Gysis, Hackl und Habermann an der Jahrhundertwende. Der Kolorismus und die figurenreiche Szene wurden
zum Erfolgsprogramm. Gleichzeitig trat neben die große
Historie nunmehr mit Wilhelm Diez und Defregger (Abb.
12) ein volkstümliches Genre, das den skizzenhaften Kolorismus, die Frische und Lebendigkeit naturwahrer Schilderung
auf einen teils historischen, teils aktuell milieuhaften, heimat-
lich geprägten Gegenstand übertrug. Diez war seit 1870
Professor an der Akademie und sollte als der Jüngere an
Anklang selbst noch Piloty übertreffen[58], der 1854 Lehrer
und erst 1874 Direktor der Akademie geworden war. 1875
hatte man Lindenschmit zum Professor ernannt und drei
Jahre später Defregger. Makart war 1869 nach Wien an den
Kaiserhof gezogen und wurde dort ein Jahrzehnt später
Professor. Leibl war von seinem Paris-Aufenthalt zurückge-
kehrt, um bald, nach einem weiteren Anlauf der Entwick-
lung, einen Freundeskreis um sich zu scharen. Tendenzen des
Realismus, nicht zuletzt in Frankfurt und München von
Courbet inspiriert, setzten sich über Gegenstand, Farbe und
Faktur gegenüber dem vormals nationalgeschichtlichen
Stoff in Form von historischem Genre, Gesellschaftsbild,
Interieur und Alltagsszene durch und gaben damit der
Münchner Malerschule einen auf persönliche Schulkreise
gegründeten Ruf der Modernität, der den Düsseldorfs wäh-
rend der sechziger Jahre in den Schatten stellte und seit 1880
zu einem in Ausstellungen und Vereinigungen neben der
Akademie überragenden Kunstleben führte.

Die 1870er Jahre in Berlin und Düsseldorf:

Aber auch in Preußen, in Berlin wie in Düsseldorf setzte mit den Siebzigern eine Wiederbelebung ein, die sich zum Teil aus den nationalen Tendenzen, zum Teil aus den Reformen, zum Teil aus den wirtschaftlichen Gegebenheiten nach dem Krieg gegen Frankreich speiste. Der neue vortragende Referent Richard Schöne hatte angesichts der Zustände der Berliner Akademie, von der 1869 die Kunst- und Gewerkeschule als selbständige Organisation abgetrennt worden war, 1872 geschrieben: „Aber da muß ins Fleisch geschnitten und ein halbes Dutzend unfähiger alter Herren pensioniert werden . . .“[59]. Schöne richtete Meisterwerkstätten ein und berief bald darauf den jungen Anton Werner als neues organisatorisches Talent. Auch in Düsseldorf galt es, die Akademie zu reinstallieren und das Verhältnis mit den Freien wieder ins Lot zu bringen. Im März 1872 war überdies zum Unglück aller das Akademiegebäude einem Brand zum Opfer gefallen, die Ateliers mußten provisorisch verlegt werden. Der Neubau wurde im August 1875 in Angriff genommen. Längst auch hatte sich ein Großteil von Künstlern und angehenden Malern in der Stadt neben der Akademie in Privatateliers etabliert[60], worunter z. B. Achenbach, Jordan und Wilhelm Sohn fallen. Es kam sogar innerhalb der Akademie die empörte Frage auf, ob sich Akademiedienst und Privatatelier überhaupt miteinander vereinen ließen. Sohn war 1874 endlich als Genremaler durchgesetzt, Eduard von Gebhardt, sein Schüler und Freund, im gleichen Jahr als Nachfolger des längst nicht mehr tätigen Hildebrandt benannt worden und Eugen Dücker hatte, nachdem Oswald Achenbach seine Stelle 1872 endgültig niedergelegt hatte, die Landschafterklasse übernommen. Damit war neues Leben eingekehrt im Sinne eines Realismus, der mit München inzwischen sich größten Ruhm erwarb. Sohn und Gebhardt vermochten schließlich gegen den immer noch im Dienst stehenden alten Zopf der Akademie – Deger, Müller, Wislicenus, der Bildhauer Wittig – neue Unterrichtsmethoden in den Elementar- und Antiken- bzw. Aktklassen zu schaffen, was sowohl mit der Einstellung des Hilfslehrers Heinrich Lauenstein für die Elementarklasse wie mit Hugo Crola und Peter Janssen 1877 für Parallelklasse und Antikensaal erfolgreich abgeschlossen werden konnte. Dies war um so mehr notwendig, als nach dem Krieg die Eleven erneut – und nicht nur in Düsseldorf – in die Kunstschulen strömten. Die Statistiken für die kommenden zwei Jahrzehnte verzeichnen für alle Kunstakademien immensen Zuwachs, so daß trotz Neubauten der Akademien in München, Berlin, Düsseldorf und Dresden die Räumlichkeiten zu eng wurden und trotz Abspaltung der Kunstgewerbeschulen mit einem selbständig weiterführenden Unterricht das Wort vom Künstlerproletariat geläufig und am Platze war. So war wie z. B. in Dresden, München, in Stuttgart oder wie in Berlin auch in der rheinischen Kunstmetropole organisatorisch eine Verbesserung und durch die neuen Lehrer eine Verjüngung und Modernisierung auch der Malkunst eingetreten.

Dennoch stand die Akademie mit Ausnahme von Genre und Landschaft noch unter dem Zwang ihrer alten Ziele. Der Kunsthistoriker Woermann äußerte anläßlich der Einweihung der neuen Akademie 1879 in seiner Festrede: „So werden wir denn auch das Panier des Idealismus zu entfalten haben gegen Strömungen, welche den großen, strengen, ernsten Stil in der Kunst für einen überwundenen Standpunkt erklären . . .“ und sprach sich ausdrücklich für die historische und monumentale Kunst, „die Geschichte aber als reinste Quelle echter Vaterlandsliebe“[61] aus. Es war zugleich ein Versuch der Abgrenzung in doppelter Richtung: gegen den in München sich über den Kolorismus etablierenden Naturalismus, der bei den freien Künstlern immer mehr die Oberhand behielt, bekanntermaßen aber auch schon Eduard von Gebhardt zum Vorwurf gemacht worden war, und gegen den „Ungeist“ der französischen Schule, den aufkommenden Impressionismus, der u. a. bei te Peerdt – vergleicht man seine „Gesellschaft im Park“ von 1873 (Kat.Nr. 180) sowohl mit Courbets „Dame auf der Terrasse“, 1858 (Köln, Wallraf-Richartz-Museum) wie Bazilles „Familie des Künstlers“ von 1867 (Paris, Musée Jeu du Paume) – Spuren hinterlassen zu haben scheint. Naturalismus und eine Sonderform des Impressionismus konnten als die Bannerträger der endgültigen Überwindung der Vormacht akademischer, offizieller Kunst gelten, in Preußen, wo die Kunst an die Ideologie des Kaiserhauses gebunden war, mehr als anderswo.

In der Tat wird die Kunstproduktion der kommenden Jahrzehnte beherrscht von der vordem geübten Gattungsauffassung und entsprechend verfährt noch Rosenberg in seinen „Studien und Skizzen aus der Düsseldorfer Malerschule“ 1889: Geschichts- und Monumentalmalerei, Kriegs- und Militärmalerei, Genremalerei und Landschaftsmalerei – eine Wertung und Klassifizierung akademischer und offizieller Prägung, die sich nach dem Gegenstand bemaß. Sie schlossen einen Kompromiß zwischen Tradition und Modernität, indem sie die Technik des Kolorismus und den naturalistischen Gebrauch des Modells ganz im Sinne der Zeit ihren Stoffen zuführten. Es gilt, sich eine Reihe von durchaus nicht nur für Düsseldorf kennzeichnenden Charakteristika zu vergegenwärtigen. Nicht nur, daß eine ‚realistische‘, im Sinne der Illustration, der Modell- und Kostümtreue gepflegte vaterländische Historienmalerei mehr in Preußen als im Süden und Westen – obwohl auch in München unter Ludwig II. mit Lossow und Benczur anzutreffen – sich des Rokoko und der friderizianischen Zeit annahm, von Menzel über Camphausen bis Janssen, die Militär- und Schlachtenmaler hatten vor allem den historiographischen Anlaß jüngster Ereignisse mit dem besonderen malerischen Effekt von Bewegung und

13   A. von Werner, Im Etappenquartier vor Paris 1871, 1894. Berlin, Staatliche Museen Preußischer Kulturbesitz, Nationalgalerie

in Düsseldorf (Ch. Sell, Th. Rocholl) (Kat.Nr. 205, 197). Die Panoramamalerei kam auf, und über die Kunstausstellungen wechselnden oder angestammten Orts in eben diesen Städten wie auch in Dresden und Weimar wurden Landschaft und Genre erneut zur Vorhut modernster Entwicklungen. In Dresden wirkten jetzt Julius Scholtz, Ferdinand Pauwels und Leon Pohle als moderne Kräfte, in Weimar waren es Theodor Hagen, der Belgier Alexandre Struys, Albert Brendel und schließlich Leopold Graf von Kalckreuth, der in Düsseldorf gelernt hatte[62]. Karlsruhe hatte mit Ferdinand Keller als Schüler Hans Canons zwar bald seinen „badischen Makart" – dennoch lag hier wie in Weimar der Schwerpunkt bei der Landschaftsmalerei. Stuttgart konnte mit Liezen-Meier als Direktor zeitweise in der Mischung aller Fächer wie ein Echo auf die Münchner Schule gelten[63], wiewohl Faber du Faur dem Kolorismus eine Bresche schlug. Generell jedoch konnte ein Rückgang des Staffeleibildes in der Historienmalerei konstatiert werden, der mit dem anwachsenden Ausstellungswesen und der Bedeutung der Freien einherging. Die neunziger Jahre brachten als Ergebnis einer freieren Entwicklung der Kunst jenseits geläufiger Gattungsbarrieren und im Zuge von Naturalismus, Realismus und Plein-air-Malerei in Figurenmalerei und Landschaftsdarstellung, im Zuge von Kolorismus und einer mehr und mehr sich lockernden und lichtenden, porös-breitspurigen, skizzenhaf-

Atmosphäre, von figurenreichem Aufzug in Ordnung und Desorganisation entdeckt: in München (W. Emelé, H. Lang), in Stuttgart (Faber du Faur, R. Haug) (Abb. 14), in Berlin (G. Bleibtrau, O. Heyden, A. Werner) (Abb. 13) wie

14   O. von Faber du Faur, Die Schlacht bei Champigny, 1874. Stuttgart, Staatsgalerie

15 L. Graf von Kalckreuth, Dachauer Leichenzug, 1883. Weimar, Staatliche Kunstsammlungen

ten Vortragsweise den Siegeszug derer, die sich hauptsächlich in den Sezessionen neu vereinigten.

Auch in Düsseldorf wurden diese Tendenzen spürbar und wirksam, weniger im Sujet, mit Ausnahme der Landschaftsmalerei Eugen Dückers, als vielmehr in der malerischen Faktur. Das gilt für Gebhardt, für Peter Janssen und für die Mehrzahl der Historienmaler nach ihm, für Theodor Rocholl und Arthur Kampf, für Claus Meyer oder schließlich auch Albert Baur d. J., für Willy Spatz oder Pohle.

Die Düsseldorfer Kriegs- und Militärmalerei hatte nach Camphausen insbesondere in Theodor Rocholl ihren Hauptvertreter gefunden. Der Tradition Janssens zeigte sich in Verschmelzung von Historie und Militärmalerei Arthur Kampf verbunden, der die Monumentalkomposition in ihrer individualistischen und psychologischen Charakteristik von Person und Handlungssituation zu einer neuen Höhe führte und sich, nachdem er 1893 Lehrer der Natur- und Malklasse in Düsseldorf geworden war, 1899 einen Ruf als Vorsteher eines Meisterateliers nach Berlin einhandelte. 1907 wurde er Präsident der Königlichen Hochschule für die bildenden Künste. Mit Knaus, Knille und Kampf war im übrigen der Austausch mit Berlin, wo die Akademie als reichspreußische Großinstitution bildender Kunst unter unmittelbarer Protektion des Kaisers den ersten Rang selbstverständlich behauptete, usus geworden. Auch im Ausstellungswesen war Düsseldorf das neue Vorfeld Berlins ähnlich wie sich umgekehrt das Verhältnis zu Karlsruhe gestaltete, der einstigen Düsseldorfer Filiation Schirmers. Karl Hoff, der mit Jagdstilleben hervortretende C. F. Deicker und Gebhardt hatten z. B. dort studiert und des Coudres hatte sich – wie im übrigen mancher Münchner – in Düsseldorf die ersten Grundlagen seiner Kunstausübung geschaffen. Karlsruhe stellte z. B. mit Eugen Bracht, dem Freunde Hans Thomas, der gleichfalls eine erste Studienzeit in Düsseldorf verbracht hatte, ohne sonderlich auf Echo gestoßen zu sein, den neuen

Landschaftsmaler der neunziger Jahre in Berlin, wie Düsseldorf mit Kampf (Kat.Nr. 131, 132) den der Historienmalerei. Kampf hatte außer mit Szenen aus den Freiheitskriegen und der napoleonischen Zeit, aus der friderizianischen Epoche und von den jüngsten Kriegsschauplätzen auftrags- und standortbezogen eine Reihe von Historien ausgeführt, für Posen, Magdeburg und Aachen, die ihn als Erben Lessings, Rethels, Camphausens und Janssens zeigen. Lag hier eine Traditionslinie der Düsseldorfer Historienmalerei, so gilt es aber, sich mit Carl Gehrts noch einer zweiten, mehr dekorativ-idealen zu versichern, die relativ vereinzelt dasteht. Seinen Treppenhausfresken für die Düsseldorfer Kunsthalle ging allenfalls etwas schwerblütiger Albert Baurs Zyklus für das Textilmuseum in Krefeld voraus, der allerdings zuletzt eine lichtere, salonhafte Palette führte, die schließlich mit wilhelminisch-gründerzeitlichem Prunk bei Friedrich Klein-Chevalier im Düsseldorfer Rathaussaal (1898) einen weiteren Vertreter fand. Nach Janssen, Gebhardt und ihren Schülern fand die Historien- und Monumentalmalerei mit Fritz Roeber, der für das Berliner Zeughaus, das Elberfelder Rathaus oder die Münsteraner Universitätsaula profane wie andernorts religiöse Gegenstände malte, ihren Abschluß.

War so dieser Zweig der Malerei in Düsseldorf und Berlin wie z. B. auch in Kassel, wo ein Ehemaliger Düsseldorfs, Hermann Knackfuß, als Direktor ganz unter preußischer Regie wirkte, nach wie vor führend, getragen und bestimmt vom politischen Willen der preußischen Regierung über ihre Auftrags- und Denkmalspolitik in der Hauptstadt und in den Provinzen, so mag das allgemein verbreitete künstlerische Ansehen vielleicht mehr noch mit dem Genre und der Landschaft verknüpft gewesen sein. Unmittelbarer Adressat war hier weniger der Staat als die Gesellschaft samt ihren Konventionen der Selbstdarstellung und des Geschmacks. Im Genre hatten die Bauern-, Begräbnis- und Abschiedsszenen Benjamin Vautiers weiteste Verbreitung gefunden. Ihre Idylle und Idealität, aber auch ihre farbig glanzvolle Fassung erfuhr durch Christian Ludwig Bokelmann eine sachlichere, weniger geschminkte, ‚realistische‘ Korrektur. Ähnlich Gebhardt und mehr noch dessen estnischem Landsmann Gregor von Bochmann machte er in den achtziger und neunziger Jahren das schlichte Volksleben in naturalistischer Modelltreue zum Gegenstand seiner Bilder: Fisch- und Pferdemarkt, Ernte- und Strandbilder. Von Bokelmann und Bochmann ist leichthin auch die Brücke zu Leopold von Kalckreuth in Weimar zu schlagen, der ebenfalls in dieser Thematik und in einem bräunlich bis schwärzlichem Kolorit wie z. B. in dem großartigen Weimarer „Leichenzug in Dachau“ (1883) (Abb. 15) zuhause war. Die Tendenzen weisen hier bereits auf den deutschen Impressionismus im Stile Liebermanns. Ähnlich nimmt sich die Entwicklung des Interieurs und Gesellschaftsstücks von Ludwig Knaus (Kat.Nr. 134), der 1874 nach Berlin wechselte, zu Ferdinand Brütt (Kat.Nr.

39) aus, der zwischen Situationspsychologie, scharfer Beobachtung und Schilderung und einer bisweilen gründerzeitlich salonhaften Glätte und Raffinesse von Kolorit und Faktur wechselte – nicht zuletzt Ergebnis seiner Schulung durch Ferdinand Pauwel in Weimar. Atmosphäre und Interieur neben einem feinsinnigen Humor kennzeichnen sein Werk ebenso wie eine über die Jahrhundertwende durch religiöse Darstellung, Landschaft und Porträt hinausreichende Vielseitigkeit eines Schaffens. Auch hier ist der Weg zu den Gesellschaftsstücken des Berliner Sezessionismus, Liebermanns (Abb. 16) oder Lesser Urys, vorgezeichnet.

Sieht man schließlich mit Dücker, Heinrich Deiters und Eugen Kampf auf die Düsseldorfer Landschaftsmalerei der beiden Jahrzehnte vor und um die Jahrhundertwende, so wird man in Gegenstand und koloristischer Auffassung, in den weiten, hellen Strandbildern, in der Kombination von Nahsichtigkeit und Weite durch den tief gezogenen Horizont und ein sehr lichtes Kolorit wie in der sehr strähnigen, skizzenhaften Vortragsweise die Zeichen des Neuen auch hier erkennen müssen. Mit Dücker selbst und seinen Schülern, insbesondere Olof Jernberg und Max Clarenbach wuchs eine Generation heran, die sich neuer malerischer Mittel bediente und damit die akademische Komposition, das Gebaute, Überlegte, vom Gedanken und seiner Idealität Bestimmte in die Vergangenheit verwies. Die Modernität der Schule zu einer Zeit, da Stile und Gegenstände wie Moden von Jahrfünft zu Jahrfünft zu wechseln imstande waren, Ausstellungsgeschehen, Publizität und Handel neben der Fluktuation der längst überregional wirksam werdenden freien Künstler und Korporationen für eine immer stärker werdende Fragwürdigkeit herkömmlichen Akademiebetriebs oder eines engen Schulbegriffs sorgten, lag denn auch nicht bei der Historienmalerei, sie lag bei der Landschaft und dem Genre. Sie lag aber auch bei einem Figurenbild, das längst in der Verschmelzung aller Gegenstände und Stilauffassungen als Modi künstlerischer Sprachregelung von hoher und niederer, freier und angewandter Kunst für die Beseitigung der Gattungsgrenzen in der Thematik, im Jugendstil schließlich sogar für die Überwindung der Einzelgattungen bildender Kunst in Architektur, Malerei und Plastik eintrat. Waren Akademie und Kunstschule schon des längeren auseinandergetreten, so hatte sich nunmehr auch die Regionalität des Kunstschaffens zu überleben begonnen, ja gewann bildnerisches Schaffen über die grundsätzliche Reflexion auf die Prinzipien, die Mittel und Funktionen schließlich eine längst nicht mehr nur lokal situierbare, vielmehr eine internationale Gestalt.

Anmerkungen

16   M. Liebermann, Die Kartoffelernte, 1875. Düsseldorf, Kunstmuseum

bzw. Kunst und Politik. Entsprechend verläuft die Demokratisierung bzw. Internationalisierung der Kunst nach den Formen politischer und sozialer Emanzipation im 19. Jahrhundert. Den geradezu klassischen, insbesondere in Romantik und Idealismus vorfindlichen Aufbau spiegelt A. Graf Raczynski, Geschichte der neueren deutschen Kunst, 3 Bde., Berlin 1836–1841 stellvertretend für andere wider. Vgl. H. Börsch-Supan, Die ‚Geschichte der neueren deutschen Kunst‘ von Athanasius Graf Raczynski, in: Beiträge zur Rezeption der Kunst des 19. und 20. Jahrhunderts, hrsg. von W. Schadendorf, München 1975, S. 15 ff. Lichtwark führte noch 1900 anläßlich der Kunstausstellungen deren Kunstschul-Topographie auf den Verbund von Hof und Akademie aus Tagen der Feudalzeit zurück.

2   Karl Simon, Eine unbekannte Denkschrift der Deutsch-Römischen Künstlerschaft an Fürst Metternich (1814). In: Zschr. d. Dt. Vereins für Kunstwissenschaft, Bd. 3, 1936, S. 446.

3   „Der große Unterschied zwischen Früher und Heute besteht darin, daß unsere Zeitansichten den wahren Kunsttendenzen günstig sind, und ihnen gewissermaßen traulich die Hand bieten! Die heutigen gelungenen Kunstwerke charakterisieren sich durch kluge Beobachtung der äußeren Lebenserscheinungen ... um es mit einem Wort zu sagen, durch edlen Naturalismus. Und sind das nicht auch die Symptome der ganzen modernen Zeitrichtung, wie sie jetzt überall im Staatsleben, der Wissenschaft, Poesie, Religion, Moral u. s. f. sich geltend machen ...“; H. Püttmann, Die Düsseldorfer Malerschule und ihre Leistungen seit der Errichtung des Kunstvereins im Jahre 1829. Ein Beitrag zur modernen Kunstgeschichte, Leipzig 1839, S. 29.

4   Vgl. u. a. P. O. Rave, Die Geschichte der Nationalgalerie Berlin, Berlin o. J. bzw. K. K. Eberlein, Vorgeschichte und Entstehung der Nationalgalerie. In: Jahrbuch der preußischen Kunstsammlungen, Bd. 51, 1930, S. 250–261. Weiterhin: A. Teichlein, Nach dem Kriege. In: Zschr. f. bild. Kunst, Bd. VI, 1871, S. 121 ff.; K. Griewank, Wissenschaft und Kunst in der Politik Kaiser Wilhelms I. und Bismarcks. In: Archiv für Kulturgeschichte, Bd. 34, Heft 1, 1951, S. 288 ff.

5   Vgl. H. R. Jauß, Das Ende der Kunstperiode – Aspekte der literarischen Revolution bei Heine, Hugo und Stendhal. In: Literaturgeschichte als Provokation, Frankfurt a. M. 1970, S. 107 ff.

6   A. Graf Raczynski, Bd. 1, 1836, S. 119.

7   Kunstblatt Nr. 81, 9. 10. 1828, S. 321.

8   Wolfgang Becker, bes. S. 76 ff.

9   Ebd., S. 89 und F. Forster-Hahn, Adolph Menzel's ‚Daguerreotypical‘ Image of Frederick the Great: A Liberal Bourgeois Interpretation of German History. In: The Art Bulletin, LIX, 2, 1977, S. 242 ff.

1   Die kunstgeographische Orientierung nach Zentren ist so alt wie die Kunstliteratur seit Vasari und beruht auf der Liaison von Hof und Kunst

10 K. Immermann, L'Europe littéraire, t. 2, 1833, S. 232.

11 Ein entsprechender Kunststreit war zwischen O. F. Gruppe vom Berliner Kunstblatt und Schorn entstanden, vgl. Kunstblatt Nr. 36, 1830, S. 141 ff.

12 Vgl. die Denkschrift von Peter Cornelius vom 6. Juni 1821, abgedruckt bei O. Most, Geschichte der Stadt Düsseldorf, 2. Bd., Von 1815 bis zur Einführung der Rheinischen Städteordnung 1856, Düsseldorf 1921, S. 497 ff. und E. Trier, S. 203 ff.

13 A. Rosenberg, Bd. 2, S. 359.

14 Kunstblatt Nr. 81, 1828, S. 321.

15 Vgl. A. Fahne, S. 19; K. K. Eberlein, Geschichte des Kunstvereins für die Rheinlande und Westfalen 1829–1929, Düsseldorf 1929.

16 K. Immermann, a.a.O., S. 233.

17 F. v. Uechtritz, Bd. 1, S. 22.

18 K. Immermann, S. 232.

19 Vgl. H. Peters, Wilhelm von Schadow. In: Annalen des historischen Vereins für den Niederrhein, insbesonders das alte Erzbistum Köln. Düsseldorf, Heft 163, 1961, S. 58 ff., Kat. Wilhelm von Schadow 1788 bis 1862, Düsseldorf 1962; Kat. Gottlieb Schick, Ein Maler des Klassizismus, Staatsgalerie Stuttgart 1976, Nr. 157.

20 W. von Schadow, Gedanken über eine folgerichtige Ausbildung des Malers, Berliner Kunstblatt 1828, S. 264 ff., wiederabgedruckt in: A. Graf Raczynski, a.a.O., Bd. 1, 1836, S. 319 ff.

21 Vgl. hierzu K. Hörisch's Beitrag.

22 F. v. Uechtritz, Bd. 2, 1839, S. 30.

23 Ms. in der Kunstakademie Düsseldorf, sowie W. v. Schadow, Über die Anwendung des Nackten . . . In: Jahresbericht d. Staatl. Kunstakademie Düsseldorf 1939, S. 76 ff.

24 Müller von Königswinter, S. 2 ff.

25 H. Püttmann, S. 202.

26 Müller von Königswinter, a.a.O., S. 3.

27 F. v. Uechtritz, Bd. 2, 1839, S. 48.

28 HStA Düsseldorf-Kalkum, Reg.Präs.Büro Nr. 1532, Bl. 189.

29 Kunstblatt Nr. 81, 1828, S. 322.

30 H. Püttmann, S. 54, verknüpfte dies gleichzeitig mit dem Vorwurf allzu äußerlicher Schönheit und des Eklektizismus, ein Urteil, dem Uechtritz im Lob für den Meister keinesfalls zustimmen mochte. Vgl. auch E. Guhl, Die neuere geschichtliche Malerei und die Akademien, Stuttgart 1848.

31 Vgl. H. J. Neidhardt, Die Malerei der Romantik in Dresden, Leipzig 1976, S. 347 ff.

32 H. Püttmann, S. 200 – ein Urteil, das gleichermaßen vom Freunde Uechtritz, Müller von Königswinter und anderen frühen Autoren des 19. Jhs. getragen wird.

33 Hier vor allem der auf W. Hütt 1956 sowie Hütt, 1964, aufbauende Katalog der NGBK Berlin „Kunst der bürgerlichen Revolution von 1830 bis 1848/49", Berlin 1972, insbes. S. 119 ff.

34 K. Immermann, S. 83.

35 R. Wiegmann, S. 59.

36 A. Fahne, S. 26. Püttmann, S. 196 sieht insbesondere die „bessern holländischen Maler" erfolgreich in der „innigen Verschmelzung der menschlichen Idee mit dem physischen Motive" und bezieht dies ausdrücklich auf die Landschaft. Selbst Schadow in dem Ms. „Was ist ein Kunstwerk" zollt dem niederländischen Genre „Teniers, Ostade etc. durch Gruppierung und Charakter, in denen schöne Farben und Licht-Effekte jenen Werken einen poetischen Reiz verleihen", Anerkennung.

37 Vgl. zuletzt die Übersicht „Zurück zur Natur. Die Künstlerkolonie von Barbizon", Kat. der Kunsthalle Bremen, 1977/8 und H. P. Bühler, Die Landschafterschule von Barbizon und ihr Einfluß. In: Weltkunst 20, 1977, S. 1980–1983.

38 Vgl. F. Pecht, Geschichte der Münchener Kunst im 19. Jahrhundert, München 1888, insbes. S. 261 ff.; H. Uhde-Bernays, Die Münchener Malerei im neunzehnten Jahrhundert, II. Teil, 1850–1900, München o. J.,

S. 149 ff. bzw. ders., Münchner Landschafter, München 1921, S. 98 ff., zuletzt H. Ludwig, Münchner Malerei im 19. Jahrhundert, München 1978.

39 Kunstblatt Nr. 94, 1829, S. 374 und Kunstblatt Nr. 59, 1841. Bezüglich der Zeichnungsmappen Lessings äußerte Uechtritz, a.a.O., Bd. 1, S. 367: „Bei Lessing ist, möchte ich sagen, der Dichter wenigstens ebenso wichtig als der Maler. Landschaften, Genrebilder, Schlachtenstücke und historische Compositionen der verschiedensten Art ziehen im bunten, abwechselnden Zuge an dem Beschauer jener Mappen vorüber". Vgl. den Beitrag von V. Leuschner.

40 Kunstblatt Nr. 36, 1830, S. 284.

41 I. Markowitz 1969, S. 203 f.

42 W. Hütt 1956, S. 32.

42a Es sollte hier zur Korrektur Hütts festgehalten werden, daß Schadow in seinem Schreiben vom 20. 9. 1846 forderte, es müsse alles getan werden, um Lessing zu halten. Die Reaktion Berlins war im Auftrag seitens des Königs, worüber Lessing sich sehr freute. Außerdem sollte ihm die Stelle an der Akademie freigehalten werden (ZStA Merseburg, 2.2.1/2045, Bl. 32/3).

43 W. Hütt 1964, S. 107 ff. und W. Hütt 1955/I, S. 831 ff.

44 F. v. Uechtritz, Bd. 1, S. 86.

45 W. Hütt 1964, S. 131.

46 HStA Düsseldorf-Kalkum, Reg.Präs.Büro Nr. 1547.

47 W. von Schadow, Der moderne Vasari, S. 118.

48 Kunstblatt Nr. 2, 1847.

49 R. Wiegmann, Nekrolog auf W. von Schadow, 1862, S. 10.

50 Über die entsprechenden Vorgänge HStA Düsseldorf-Kalkum, Reg. Präs.Büro Nr. 1547 sowie im Malkastenarchiv, vgl. Kat. des Stadtgeschichtlichen Museums Düsseldorf, Der Künstlerverein Malkasten 1848–1973, Düsseldorf 1973. Vgl. Festschrift „Hundert Jahre Künstlerverein Malkasten Düsseldorf 1848–1948".

51 Vgl. zuletzt Kat. der Ausstellung „Courbet und Deutschland", hrsg. von W. Hofmann, Hamburg/Frankfurt a. M. 1978/79.

52 C. A. Regnet, Münchener Künstlerbilder. Ein Beitrag zur Geschichte der Münchener Kunstschule, Bd. 1, Leipzig 1871, S. 78.

53 HStA Düsseldorf-Kalkum, Reg.Präs.Büro Nr. 1532, Bl. 189.

54 HStA Düsseldorf-Kalkum, Reg.Präs.Büro Nr. 1533, Bl. 132 ff.

55 ZStA Merseburg, Rep. 76 Ve Sekt. 18 Abt. I, Bl. 168.

56 HStA München, MK 14095. Schreiben vom 18. 3. 1864.

57 H. Uhde-Bernays, Die Münchener Malerei . . ., a.a.O., S. 88.

58 Bei ihm lernten u. a. Becker-Gundahl, L. Löfftz, G. Kühl, H. am Ende, Mackensen, Hölzel, Trübner und Slevogt.

59 L. Pallat, Richard Schöne. Generaldirektor der Staatl. Museen zu Berlin. Ein Beitrag zur Geschichte der preußischen Kunstverwaltung 1872 bis 1905. Berlin 1959, S. 54.

60 „Die schon lange vor der Vollendung dieser Neubauten (Parlamentshaus, Theater, Kunsthalle, E. M.) eingetretene Hauptveränderung liegt aber vielleicht darin, daß das Kunstleben Düsseldorfs der Akademie über den Kopf gewachsen ist, indem Scharen von Künstlern sich in der rheinischen Kunststadt niedergelassen haben, welche durch kein Schulverhältnis und keine Traditionen mit der Düsseldorfer Akademie verknüpft sind und ihre Privatschüler in ihren eigenen Ateliers bilden, so daß die Begriffe Düsseldorfer Schule und Düsseldorfer Kunstakademie sich nicht mehr decken zu wollen schienen", K. Woermann, Zur Geschichte der Düsseldorfer Kunstakademie, Düsseldorf 1880, S. 5.

61 Ebd. S. 51 (Festrede zur Einweihung der neuen Akademie 1879).

62 Vgl. H. J. Neidhardt, Der Maler Julius Scholz (1825–1893). Ein Beitrag zur Geschichte der Dresdener Malerei im 19. Jahrhundert Phil. Diss. Leipzig 1964 und W. Scheidig, Die Geschichte der Weimarer Malerschule 1860–1900, Weimar 1971.

63 O. Fischer, Schwäbische Malerei des 19. Jahrhunderts, Berlin–Leipzig 1925 und J. Baum u. a., Die Stuttgarter Kunst der Gegenwart, Stuttgart 1913 (freundl. Hinweis von E. Keuerleber).

Jochen Hörisch

Ut Poesis Pictura – Korrespondenzen zwischen der Düsseldorfer Malerschule und der romantischen Dichtung

17 W. von Schadow, Poesie, 1826. Potsdam-Sanssouci, Staatliche Schlösser und Gärten Potsdam-Sanssouci

I

‚Der Genius der Poesie' lautet der Titel eines Bildes (Abb. 17), das Wilhelm von Schadow 1825, im Jahre vor seiner Übersiedlung nach Düsseldorf (1826), in Berlin, dem damaligen Zentrum der romantischen Poesie, fertigstellte. Es zeigt die Gestalt der poetischen Muse, deren nach oben gewandter Blick ihrem offenbar fliehenden Genius nachsinnt. Nur der Bildtitel hält ihn, den die Darstellung ausspart, noch fest. Obgleich beflügelt, vermag die Poesie ihm nicht zu folgen. Der „stille Zug der Trauer"[1], den Hegel in der hellenischen Darstellung der antiken Götter gewahrte und der auch das Antlitz der poetischen Muse Schadows verrätselt, würde allein an den Entschwindenden erinnern, hielte die Lorbeerbekränzte nicht eine Steintafel in den Händen, die die Namen der Dichter verzeichnet, denen der poetische Genius seine vorzüglichste Gunst schenkte. Ihr Griffel versammelt nämlich, wohl auf Geheiß des Genius, eben jene kanonischen Dichternamen, die die zeitgenössische literarische Romantik zum Teil erst wieder ins Recht gesetzt und als verbindlich anerkannt hat: Homer, Horaz, Shakespeare, Dante, Calderon, Camoẽs, Goethe und Schiller.

Die melancholisch spätzeitliche Stimmung des prätentiösen Bildes wäre so ungebrochen, bliebe nicht der letzte kanonisch zu werden versprechende Name unausgeschrieben und verdeckt. Er wird, der chronologischen Ordnung des Verzeichnisses folgend, einen neueren romantischen Dichter – Ludwig Tieck – aufführen und so auf ein Fortleben der Dichtung hoffen lassen. Auch umfängt „der Dichtung Schleier aus der Hand der Wahrheit"[2], an den Goethes Zueignung zu seinen Schriften (1787) wieder erinnerte, noch die allegorische Poesiedarstellung, deren Tafel freilich kaum unbegrenzten Raum mehr läßt. Hegels Satz vom Ende der Kunst[3] und dessen Modifikation in Heines Satz vom Ende der Kunstperiode finden so in Schadows Bild eine auffallende Entsprechung. Dennoch läßt er unentschieden, ob mit

der Poesie auch die Kunst überhaupt ihre Möglichkeiten erschöpft habe, ob die Malerei in den Dienst der poetischen Schrift treten solle oder ob sie nicht vielmehr als deren Wahrheit sich erweise. Die bloße Existenz dieses Bildes allerdings favorisiert, seiner ästhetischen Mängel ungeachtet, schon die letzte Deutung: nach dem Entschwinden ihres Genius läßt sich Poesie nicht länger poetisch thematisieren; vielmehr wird sie problematisches Thema ihres konkurrierenden Mediums, der bildenden Kunst.

Zahlreiche Bilder der Düsseldorfer Malerschule bekunden einen Ambivalenzkonflikt mit dem poetischen Medium, wie er in W. von Schadows Bild paradigmatisch gebannt ist. Bei kaum einer anderen zeitgenössischen Gruppe von Künstlern sind vergleichbar intensive Verschränkungen zwischen Themen und Motiven bildender und poetischer Kunst festzustellen (cf. unten II). Diesem poetischen Interesse der Düsseldorfer Maler entspricht das Interesse der romantischen Dichtung an bildender Kunst. Ermöglicht wurde diese wechselseitige Bezugnahme der ästhetischen Medien erst wieder durch Lessings Laokoon-Schrift (1764), über deren epochale Wirkung Goethe in „Dichtung und Wahrheit" schrieb: „Das so lange mißverstandene Ut pictura poesis war auf einmal beseitigt, der Unterschied der bildenden und Redekünste klar, die Gipfel beider erschienen nun getrennt, wie nah ihre Basen auch zusammenstoßen mochten"[4]. Daß die Grundlagen der bildenden und der Redekünstler „zusammenstoßen" konnten und sollten, gehört seit der Poetik des Horaz zu den gängigsten Feststellungen der ästhetischen Theorie. Wie dessen Formel aber zu verstehen und zu praktizieren sei, blieb und bleibt umstritten. Jedenfalls hatte die humanistische Wiederaneignung der Antike in der Renaissance auch die Erneuerung der horazischen Forderung zur Folge: die Malerei der Renaissance und der französischen Akademie im 17. Jahrhundert literarisierten in einem zuvor unbekannten Maße die Bildmotive. Mit der Abwendung von theoretischen Fixierungen und akademischen Organisationsformen verfiel diese – freilich nie ganz versiegende – Tradition einer Poetisierung der pictura, um erst in der akademischen Malerei der Düsseldorfer Schule erneut nachdrücklich belebt zu werden. Die vorangegangenen Entwicklungstendenzen der romantischen Dichtung haben dazu wesentlich beigetragen. Denn die prekäre Verwandtschaft von Malerei und Dichtung ist auch die obligate Thematik jener Reihe von Malerromanen, denen Lessings Schrift soufliert hat. Ihnen ist eine zunehmende Schätzung der bildenden Kunst abzulesen. Während Heinses „Ardinghello" (1787) noch, Lessing paraphrasierend, der Poesie weitere Darstellungsmöglichkeiten als der bildenden Kunst zuerkennt („Ein Dichter muß dem Maler immer in Schilderung körperlicher Gegenstände unterliegen: und geradeso geht's dem Maler im Gegenteil mit Handlungen. Nichtsdestoweniger ragt doch die Poesie mit ihren willkürlichen Zeichen über alle ihre Schwestern hervor"[5]) stellen die „Herzensergießungen eines kunstliebenden Klosterbruders" (1719) von W. H. Wackenroder und L. Tieck die kontemplative Bescheidenheit der Kunstbetrachtung über die willkürliche Zeichenproduktion der Poesie, die der „eiteln und profanen Philosophasterei"[6] aufgrund ihrer sprachlichen Verfassung noch zu sehr verfallen ist. Gegen die profane Sprache, durch deren „Worte wir über den ganzen Erdkreis herrschen", setzt Wackenroder die „zwei wunderbaren Sprachen" der Natur und der Kunst[7], die anders als die Sprechweisen von Philosophie und Dichtung der göttlichen Schöpfung nicht frevelnd opponieren. Auch Tiecks ein Jahr später erschienene „altdeutsche Geschichte" „Franz Sternbalds Wanderungen" teilt die für ein sprachliches Kunstwerk

immerhin erstaunliche Kritik des Mediums Sprache und betont um so nachdrücklicher die temporal begründete Überlegenheit bildender Kunst: „Vor allen Künsten in der Welt", führt Sternbalds Freund Vansen empathisch aus, „ergötzt mich immer die Kunst der Malerei am meisten, und ich begreife nicht, wie viele Menschen so kalt dagegen sein können. Denn was ist Poesie und Musik, die so flüchtig vorüberrauschen, und uns kaum anrühren? Jetzt vernehme ich die Töne, und dann sind sie vergessen (...). Dagegen verstehn es die edlen Malerkünstler, mir Sachen und Personen unmittelbar vor die Augen zu stellen ..., so daß das Auge, der klügste und edelste Sinn des Menschen, gleich ohne Verzögern alles auffaßt und versteht"[8]. Damit ist ein Schema romantischer Hochschätzung bildender Kunst als augenblicklich-unmittelbares und dennoch bleibendes Medium etabliert, das über die eigentlich romantische Epoche hinaus verbindlich blieb: nicht nur Julius und „Lucinde" in Friedrich Schlegels Roman (1799) betreiben „die Malerei ... bloß aus Lust und Liebe"[9], weil sie „eine anschauende Freude über die Schönheit des Menschen"[10] gewährt, sondern noch Mörikes „Maler Nolten" (1832) und Kellers „Grüner Heinrich" (1855) sind Exponenten einer Poesie-Kritik, die im Namen der Überlegenheit bildender Kunst vorgetragen wird. Diese auffallende Häufung poetischer Würdigungen bildender Kunst zwischen 1790 und 1850[11] ist freilich problematisch: fällt sie doch faktisch in eine von Goethe ästhetisch dominierte Epoche äußerster literarischer Produktivität, deren hommage ans Medium bildender Kunst eben immer auch als verstecktes und kokettes Selbstlob zu verstehen ist. Die daraus sich ergebende Spannung legte es nahe, an synästhetische Traditionen anzuknüpfen und mit F. Schlegel und Gottfried Keller zu fragen: „In den Werken der größten Dichter atmet nicht selten der Geist einer andern Kunst. Sollte dies nicht auch bei Malern der Fall sein?"[12] „Wie (nahe ist) die Zeit ..., wo auch die Dichtung die zu schweren Wortzeilen wegwirft ... und mit der bildenden Kunst in einer identisch äußern Form sich vermählt?"[13] Wer in der ersten Hälfte des 19. Jahrhunderts in Deutschland verantwortlich zu malen versuchte, sah sich so einer komplexen ästhetischen Situation konfrontiert, die dennoch einen präzisen Erwartungshorizont aufwies. Der ‚Genius der Poesie' schien sich nach einer Periode außerordentlicher Generosität zu entziehen; der Universalitätsanspruch von Dichtung, den die frühromantische Poetologie F. Schlegels und Hardenbergs proklamiert hatte[14], wurde von der romantischen Poesie selbst, die die Malerei als Ausdrucksmedium des Schönen ästhetisch favorisierte, zurückgenommen; Karl Immermanns Romantitel „Die Epigonen" (1825–1836) indizierte das spätzeitliche Selbstverständnis von Dichtung nach der klassisch-romantischen Kunstperiode; und Hegels Rede vom Ende der Kunst, der zahlreiche romantische Antizipationen vorangingen[15], hatte sich schnell herumgesprochen.

Von F. Schlegel wurde sie schon bald auf die spezifische Situation der Malerei bezogen. In seinem „Bericht über die deutsche Kunstausstellung zu Rom" (1819), die die Bilder der Nazarener versammelte, schrieb er: „Nur auf diesem Wege (der Nachahmung großer Vorbilder wie Raffael, J. H.) dürfen wir hoffen, wieder eine wahrhaft so zu nennende Kunst und neue, blühende Epoche derselben zu erreichen; wir müßten denn anders ganz Verzicht darauf leisten wollen und denen Recht geben, welche dafür halten, daß unser Zeitalter der Kunst schon für immer entwachsen, ... daß also die Kunst ... zu Ende sei"[16].

Eben dieses gleichermaßen verbreitete wie lucide Bewußtsein einer Krise des Schönen gegen Ende der Goethezeit aber konnte zum Movens der Produktivität und der gesteigerten Selbstreflexion bildender Kunst werden. Denn die romantische mediale Selbstkritik der Poesie war an die eindringliche Verheißung der Möglichkeiten von Malerei gebunden. Wenn die Düsseldorfer Malerschule seit ihren Anfängen für Probleme der Verschränkung von pictura et poesis auffallend sensibilisiert sich zeigte, so entsprach sie damit einer teils untergründigen, teils offenbaren Tendenz zur wechselseitigen Kritik und Verweisung der ästhetischen Medien, die im Interesse einer Lösung der Aporien des Schönen überhaupt stand. Nicht nur „die wunderliche Manier, in welcher die verschiedenen Künste ihre technische Ausdrucksweise vertauschen"[17], sondern auch die thematische Integration poetischer Motive in die Düsseldorfer Malerei ist Index eines ästhetischen Problembewußtseins, zu dem die engen persönlichen Kontakte der Düsseldorfer Künstler zu krisenbewußten Dichtern wie Immermann, Uechtritz, Heine und Freiligrath beigetragen haben.

II

Im Zeichen dieses „Zurückstrebens aus der redenden zur bildenden Kunst", das Schellings „Philosophie der Kunst"[18] schon 1803 konstatiert, wenn auch nicht geschätzt hat, stand die Düsseldorfer Malerschule seit ihren Anfängen. Wilhelm von Schadows programmatisches Postulat, ein Gemälde müsse „Dichtung in Form und Farbe" sein, wurde für die Akademiekünstler zum verbindlichen Gestaltungsmotiv. So ist es auch signifikant, daß zu den ersten in Düsseldorf entstandenen Bildern Schadows ein Porträt des Dichter-Freundes Karl Immermann (Kat.Nr. 216) zählt. Die lorbeergeschmückte Schrift in der Hand haltend, die der Dichter dem befreundeten Maler gewidmet hatte, ist Immermann mit allen ikonographischen Attributen der Herrscherbild-Tradition versehen. Die Tondo-Form, der imperiale Gestus, der entschiedene Gesichtsausdruck und die Drapierung des Mantels zeichnen ihn als jenen Dichterfürsten, der noch auf das ihn darstellende Medium der Malerei Ansprüche erheben kann. Und tatsächlich hat Immermann die Düsseldorfer Maler so entschieden beeinflußt, daß er in seiner autobiographischen Schrift „Düsseldorfer Anfänge – Maskengespräche" (1840) selbstbewußt behaupten konnte: „Die Poesie ging voran, die Malerei folgte, und es wurde hier (in Düsseldorf, J. H.) etwas wahr, was Louis de Maynard in seiner Betrachtung über die neuere Kunst der Franzosen einmal sagte: ‚L'idée passe du papier à la toile'"[19].

Ermöglicht wurde dieser für das Selbstverständnis bildender Kunst entscheidende mediale Übergang vom beschrifteten Papier zur bemalten Leinwand u. a. durch Immermanns Düsseldorfer Vorlesungs- und Theatertätigkeit, zu deren Publikum die Akademie-Künstler regelmäßig zählten. Immermann inszenierte in Düsseldorf neben eigenen Stücken u. a. „Emilia Galotti" (1833), „Prinz von Homburg" (1834), Calderons „Richter von Zalamea" (1836) und als Liebhaberaufführung im Rahmen der alljährlich von den Düsseldorfer Künstlern gefeierten Maskenfeste „Wallensteins Lager" (1839) und „Was ihr wollt" (1840). Im Hause Schadows und später in der Akademie selbst, wo ihm ein Atelier eingeräumt wurde, machte Immermann die Düsseldorfer Künstler darüber hinaus mit zeitgenössischen und topologischen poetischen Themen und Motiven vertraut. Den literarisch wie kunstgeschichtlich bewanderten „geistigen Nomaden"[20], als die der Eingangssatz der „Maskengespräche" die Düsseldorfer Maler charakterisiert, gerieten diese poetischen Anregungen zur künstlerischen Übertragungsaufgabe. Die Vermittlung poetischer Motive ans Medium bildender Kunst wurde sogar zum ausdrücklichen Ziel eines informellen Vereins erklärt, der 1829 gegründet wurde und dem Schadow, Bendemann, Hildebrandt, C. F. Sohn, Lessing, Immermann und sein dichtender Freund Uechtritz angehörten[21]. Die beiden letzteren lasen nicht nur aus eigenen Werken, sondern auch aus dem romantisch kodifizierten Kanon der Weltliteratur, so daß die Liste von Dichternamen in Schadows ‚Poesie'-Darstellung sich wie ein Verzeichnis der Düsseldorfer Vorlesungsthemen ausnimmt. Hingegen war, wie Immermanns Erinnerungen festhalten, „der Urtypus dieser (Maler-)Zunft ... der Geist, welcher in der Literatur hauptsächlich durch Goethe, Tieck, Uhland ausgesprochen ist"[22]. Uhlands Gedichte (Prachtausgabe 1867) und Eichendorffs „Aus dem Leben eines Taugenichts" wurden denn auch von Düsseldorfer Künstlern wie Camphausen, A. Schroedter u. a. illustriert. Zudem kam Immermanns Düsseldorfer Theaterpraxis der bewußt projektierten Annäherung von Poesie und Malerei entgegen. Zu ihren bevorzugten Stilmitteln zählten nämlich die seit Goethes „Wahlverwandtschaften" (1809), die von einer Nachstellung des Poussin-Bildes ‚Ahasverus und Esther' berichten, „beliebten lebenden Bilder"[23], die den Fluß dramatischer Rede zum Tableau stillstellen.

Resultat dieser ästhetischen Konstellation, die die Poesie der bildenden Kunst soufflieren ließ, waren zahlreiche Gemälde, die ihre poetische Genese aufs deutlichste verraten. Schon Schadows Vorgänger im Amt des Direktors der Düsseldorfer Akademie, Peter von Cornelius, hatte 1809 eine Folge von elf Zeichnungen zu Goethes Faust begonnen (Abb. 21). Th. Hildebrandts – Szenen aus Shakespeares und Goethes Dramen festhaltende – Bilder ,Ermordung der Söhne Eduards IV.' (1835), ,Lear um Cordelia trauernd', ,Faust und Gretchen' und ,Gespräch des Faust und Mephisto' gehen auf Vorlesungseindrücke aus dem Düsseldorfer Kreis zurück. Lessings schnell berühmt gewordenes Gemälde ,Trauerndes Königspaar' (Kat.Nr. 155) ist durch Uhlands Gedicht „Schloß am Meer" inspiriert; sein nicht weniger renommiertes Bild ,Hussitenpredigt' (1836) verdankt seine Entstehung einer Anregung durch Uechtritz' Lesung aus J. G. Woltmanns/K. A. Menzels „Geschichte der Deutschen" (1825); und das ,Felsenschloß' (1828) nimmt Beschreibungsmomente aus Walter Scotts Romanen „Abt" und „Kloster" auf, die im Winter 1827/28 im Künstlerkreis vorgelesen wurden. Der durch Goethes Drama eingeleiteten Tasso-Renaissance sind gleich zwei Gemälde C. F. Sohns zu danken. ,Rinaldo und Armida' (1828) zeichnet die Szene aus Tassos „Befreitem Jerusalem" nach, in der es heißt: „Sie beugt sich über ihn, der seine Augen/voll Glut erhebt, die Schönheit einzusaugen"[24]. ,Tasso und die beiden Leonoren' (1839/Kat.Nr. 209) überträgt hingegen gleich mehrere Szenen aus Goethes Schauspiel (1790) auf die Leinwand, die die dramatische Handlungsfolge zum Seelenzustandsbild werden läßt. Der nur im Gespräch der beiden zu den Hermen Virgils und Ariosts eilenden Leonoren erwähnte Dichter erscheint im Bild tatsächlich; dennoch bleibt er vereinzelt nur seiner Dichtung zugewandt, welche Haltung den halb trauernden, halb abschätzigen Blick Leonorens motivieren mag.

Ohne genealogisch eindeutig auf bestimmte literarische Werke abbildbar zu sein, entsprechen weitere Gemälde der Düsseldorfer Schule doch jenen Motiven, die zum obligatorischen Inventar romantischer Poesie zählen. Der poetischen Entdeckung der Landschaft seit Schillers Elegie „Der Spaziergang" und dann bei Novalis, Tieck, Eichendorff, Uhland und anderen, die mit ihrer beginnenden industriellen Bedrohung zusammenfällt, folgt ihre steigende Schätzung als Gegenstand bildender Kunst; J. W. Schirmers Bildtitel allein zeigen schon an, daß Landschaft zum klassifizierbaren Vorwurf geworden ist: ,deutsche', ,italienische', ,biblische' und eben ,romantische Landschaft' (1828, cf. J. Jansens gleichnamiges Bild [1860])[25]. Der Landschaft der bildenden Kunst ist wie der romantisch-poetischen die Ruine unabdingbar. So unterschiedliche Bilder wie A. Achenbachs ,Gotische Kirchenruine' (ca. 1833), ,Die Kirchenruine Altenberg im Mondschein' (ca. 1832) und Lessings ,Belagerung' (1848) zeugen für die romantische Konzeption von Historie als Naturgeschichte, die mit der Ruine auch das Artefakt

menschlicher Geschichte in Natur zurücknimmt. Als menschlicher Repräsentant dieser Naturgeschichte galt der literarischen Romantik der Typus der „teuflisch holden Frau"[26], die Brentanos Loreley-Gestalt schnell zur zitierfähigen Figur machte. Seit Heines „Buch der Lieder" (1827) vollends popularisiert, wurde die „schönste Jungfrau" bald zum favorisierten Bildmotiv. C. F. Sohns Gemälde ,Loreley' (1852) und A. Rethels Illustrationen zu Reumonts „Rheinlandsagen" (1836) demonstrieren ihre poetische und malerische Faszinationskraft. Auch Motive wie die Totenfindung, die A. Rethels ,Auffindung der Leiche Gustav Adolfs' (1839) und E. Geselschaps gleichnamiges Bild (1848) strukturieren, lassen sich unschwer zu zeitgenössischen Dichtungen in Beziehung setzen. Die „Wahlverwandtschaften" säkularisieren esoterisch das Märtyrerlegende-Schema der Totenbergung; Goethes Roman, Hebels Erzählung „Unverhofftes Wiedersehen" (1811) und E. T. A. Hoffmanns „Bergwerke zu Falun" (1818), die ebenfalls um dieses Motiv zentriert sind, zeigen jedoch zugleich genuine mediale Grenzen der Abbildbarkeit poetischer Gegenstände auf solche bildender Kunst an. Diese literarischen Werke konnten, ihrer Popularität zum Trotz, keine unmittelbare pictura-Entsprechung finden, da sie von einer Idee mortifizierender Zeitlichkeit leben, deren Ausdruck der suggestiven Zeitlosigkeit von Malerei medial verwehrt ist.

Unmittelbar und vorgängig unproblematisch aufeinander bezogen aber waren pictura et poesis in den von Düsseldorfer Malern zahlreich besorgten Buchillustrationen. Sie stellen nach dem Verfall der Tradition emblematischer Bücher den vielleicht radikalsten Versuch der Integration beider ästhetischer Medien dar. Noch in ihrem ironisch gebrochenem ästhetischen Totalitätsanspruch erscheinen sie als paradigmatische Produkte des 19. Jahrhunderts, dessen Willen zum „Panorama"[27] die zeitgenössischen Antipoden, Wilhelm Busch und Richard Wagner, gleichermaßen manifestieren. Gesamtkunstwerke zu schaffen, die dem irritierten Blick des Bürgers im 19. Jahrhundert ein imaginäres Panorama menschlicher Daseinsmöglichkeiten präsentieren, ist auch die unausgesprochene Intention der Düsseldorfer Buchillustrationen. Neben den bereits erwähnten zu Uhlands und Eichendorffs populärsten Werken stehen etwa die von R. Jordan, A. Schrödter u. a. besorgten Illustrationen zur „Prachtausgabe" von Musäus' „Volksmärchen der Deutschen" (1842), das reich bebilderte „Rheinbuch" von Müller von Königswinter (1855), dem ein Loreley-Aquarell als Frontispiz voransteht und das aufwendig ausgestattete Buch R. Reinicks „Lieder eines Malers mit Randzeichnungen seiner Freunde" (1838). Es versammelt um die romantische Versatzpoesie des Autors eine Bilderflucht, zu der E. Bendemann, A. Schrödter, A. Achenbach, R. Jordan, A. Rethel, Th. Hildebrandt, C. F. Lessing und W. Schadow beigetragen haben. In diesem Kompendium, das aufs engste Text und

Bild ineinander verschränkt, realisierte sich nicht nur das von Schadow initiierte ästhetische Programm; die ausgehende Romantik inventarisiert in ihm auch ihre exoterisch gewordenen Motive. Muten deshalb die isolierten Verse Reinicks fast durchgängig wie Zitate aus dem sedimentierten Arsenal romantischer Topoi an, so bezieht der Band dennoch seinen Reiz aus der Idee der Synästhesie, die er kultiviert. Diese Idee unmittelbarer Verschränkung von pictura et poesis ist in den von 1851 bis 1866 im Jahresrhythmus erscheinenden „Düsseldorfer Künstler Alben" festes Programm geworden. Schon deren Untertitel – „mit artistischen Beiträgen von . . . unter literarischer Mitwirkung von . . ." – deutet freilich an, daß im labilen Verhältnis von Dichtung und Malerei erneut ein Paradigmenwechsel stattgefunden hat: den „artistischen" Ideen und Motiven gilt die „literarische Mitwirkung" Düsseldorfer Schriftsteller. In der zweiten Jahrhunderthälfte scheint so die Umkehrung des alten Theorietopos wieder revoziert. Die Dichtung, der zur Schadow-Zeit die Malerei es gleichzutun versuchte, möchte nun wiederum der Malerei nacheifern. Als „Realismus" des ausgehenden 19. Jahrhunderts ist diese traditionelle Orientierung der Dichtung in die Literaturgeschichten eingegangen. Mit der Wiederherstellung dieser überkommenen Verhältnisbestimmung aber verliert die Düsseldorfer Malerschule ihren eigentümlichen Reiz, der sich der Preisgabe tradierter Grenzziehungen zwischen den ästhetischen Medien verdankte.

Mediale Grenzen mitunter zu ignorieren und der literarischen Romantik zu distanzlos verbunden zu sein, macht H. Püttmanns frühe Darstellung der Düsseldorfer Malerschule (1839) dieser freilich zum Vorwurf. Statt „die Goldgruben der altgriechischen Dichtungen Homer's, Sophokles' u. A." auszubeuten, den „Reichthum der deutschen Sage zur Benutzung (zu) erspähen" oder sich den „malerischen Schilderungen Freiligrath's"[28] zuzuwenden, verfalle die Düsseldorfer Schule dem „Fehler . . ., ihre Stoffe aus wenig bekannten Gedichten zu wählen"[29]. Die Kritik an der romantischen Fixierung und der dadurch bedingten Vernachlässigung klassischer Literaturmotive trifft freilich weniger die Wahl der Bildgegenstände, die ja häufig dem Umkreis des von Püttmann Vorgeschlagenen entnommen sind, als vielmehr deren romantische Transfiguration. „Die individuelle melancholisch-romantische Stimmung des Malers (Lessing, J. H.) sowohl, als der Zeit"[30] wird noch auf die Gegenstände projiziert, die kaum als romantisch zu verstehen und zu gestalten sind, so daß 1847 ein Kunstkritiker in Anschluß an Püttmann feststellen kann: Der Düsseldorfer Malerschule „erstes Erscheinen ist weit mehr den Anfängen eines Dichters vergleichbar, der romantisch schwärmt und auf den Reimen Herz und Schmerz herumreitet, statt auf dem Pegasus, den er erst später besteigen wird, wenn die männliche Vernunft über das jugendliche Herz gesiegt hat"[31].

Gegen Ende des zweiten Quartals des 19. Jahrhunderts werden Tendenzen in der Düsseldorfer Malerei, die den kunstkritischen Einwänden gegen deren Romantik-Hypertrophie nachkommen, unübersehbar. Hasenclevers Bild „Die Sentimentale" (Kat.Nr. 95) (1846) ironisiert eben jene literarischen Fixierungen, die zur ästhetischen Identität der Düsseldorfer Schule der Schadow-Zeit wesentlich beitrugen. Die sitzende, bildeinwärts gerichtete Frauengestalt wendet dem wohl eben geschriebenen Briefanfang „Innigst geliebte Fanny" den Rücken zu und versammelt nunmehr um sich die Bildmomente, die der Tradition der Themen ‚Melancholie' und ‚Sehnsucht'[32] verpflichtet sind, um durch die überdeutlich lesbaren Titel der bereitliegenden Bücher die poetische Ätiologie dieser Schein-Stimmung zu vermerken. Wie die Landschaft, der der empfindsame Blick des verlorenen Frauenprofils gilt, von der Spiegelung des Mondscheinhimmels im klaren Erdgewässer lebt und an Eichendorffs Verse erinnert („Es war, als hätt' der Himmel/die Erde still geküßt"), so zehrt die Stimmung der Sentimentalen von den Büchern, die ihr soufflieren: „Die Leiden des jungen Werther" und „Heinrich Claurens Mimili", die Püttmanns Marginalitätsverdikt zu Recht trifft. Seine Larmoyance-kritische Pointe aber verdankt das Gemälde der scharfen Sphärentrennung, die es strukturiert, indem sie Landschaft und Interieur, Mond und Kerze sowie den gleichsam objektiven Schein schöner nächtlicher Natur und die künstliche Produktion schönen Scheins durch Poesie am verschlossenen Fenster sich brechen läßt. Als artifiziell, ja kunstgewerblich äußerlich erscheint so jene Beziehung, um deren innige Verschränkung die Düsseldorfer Malerschule sich bemühte: die von pictura und poesis.

III

Hegels „Vorlesungen über die Ästhetik" (1829) haben die geradezu experimentelle Bedeutung der Düsseldorfer Malerei hinsichtlich der Bewährung und der Grenzen des Theorietopos „Ut pictura poesis"[33] und seiner möglichen Umkehrung in „Ut poesis pictura" registriert und festgehalten: „In der vorjährigen hiesigen (Berliner, J. H.) Kunstausstellung (1828) (sind) mehrere Bilder aus der sogenannten Düsseldorfer Schule sehr gerühmt worden . . ., deren Meister bei vieler Verständigkeit und technischer Fertigkeit diese Richtung auf die bloße Innerlichkeit, auf das, was ausschließlich für die Poesie darstellbar ist, genommen haben"[34]. Den Düsseldorfer Versuch, die traditionsreiche mediale Konkurrenz von pictura et poesis dadurch zu entscheiden, daß die Malerei „sich der Eigentümlichkeit der Poesie . . . bemächtigt"[35] und das „Ut poesis pictura" als Formel nicht der anerkennenden Nachfolge, sondern vielmehr ihrer Überlegenheit versteht, sieht Hegel freilich als gescheitert an. „Wenn (die Malerei) (diesen) Versuch macht, (gerät sie) nur in Trockenheit oder

18 Ch. Köhler, Poesie, 1838. Krefeld, Kaiser-Wilhelm-Museum

lung von Bild und Wort Hegel zufolge nur die Defizienz von Kunst gegenüber dem Begriff.

Die zeitgenössische Kunstkritik hat sich diese Hinweise Hegels offenbar zu eigen gemacht: „Ich werde mich nie überzeugen können, daß die Düsseldorfer Schule, tappend in jenen Erlkönigreichen und Nachtgebieten der romantischen Sage, auf dem rechten Wege ist"[40], heißt es in einem Feuilletonbeitrag des Frankfurter Telegraphen von 1837, der seine Motiv- und Stoffkritik durch eine Erinnerung an die vom „weisen Genius der Kunst" gezogenen Grenzen zu fundieren versucht: „Die technische Meisterschaft scheint erreicht, die Ideen gähren, Enthusiasmus sieht man überall bei Ausübenden und bloß Anteilnehmenden verbreitet. Es fehlt nur daran, daß in Beziehung auf die Wahl der Stoffe aufs Neue die Grenze gezogen werde, welche der weise Genius der Kunst zwischen Wort, Meißel und Farbe gesetzt hat"[41]. Eben diese häufig vermerkte Diskrepanz zwischen „technischer Meisterschaft" und der Verkennung genuiner Gesetzlichkeiten bildender Kunst ist das Spezifikum der Düsseldorfer Schule. Sie resümiert, poetische Motive nachdrücklich auf die Leinwand transponierend, ein kategoriales Problem im Selbstverständnis bildender Kunst, das erst mit dem impressionistischen Anbruch der Moderne gelöst wurde: das Problem, wie „Bilder vor sprachlicher Fremdbestimmung zu schützen (seien), um ihrer eigenen Sprache Deutlichkeit zu verleihen"[42].

Auch Püttmanns linkshegelianisch inspirierte Darstellung der Düsseldorfer Schule kommt dann zu deren schärfster Kritik, wenn es Gemälde zu besprechen gilt, deren Motive poetischen Ursprungs sind oder gar die Poesie allegorisierend feiern. Die polemischste Passage seines Buches kritisiert „das neueste Gemälde Köhler's: ‚die Poesie' ist eine symbolische Personification eines Abstract-Gedachten. Es thut uns leid, den Künstler auf solche Abwege gerathen zu sehen, denn wer weiß, daß das lebendige, biegsame, unerschöpfliche Wort nie ein Abstractes bis in's Detail kennbar wiederzugeben vermag, muß natürlich über den lächerlichen Versuch erstaunen, das Unwesentliche in körperliche Formen zu zwängen. Jede Allegorie ist häufig weiter nichts als eine unverständliche Spielerei. Doch, abgesehen von dem Unmöglichen der Conception, wie ist die vorliegende Auffassung des Künstlers? Man höre und staune: Die Poesie sitzt – wahrhaftig, sie sitzt, obwohl sie Flügel hat, und sie sitzt auf Wolken hoch über der finstern Erde. Die Poesie hat eine Lyra unberührt neben sich, dagegen hält sie in der Linken ein Buch, und in der Rechten einen Griffel. Ein Buch und ein Griffel und die Poesie auf Wolken – pedantischer Schauder kältet unser Herz, und verdrießliches Mitleid erfaßt uns. Zum Glück schreibt die Poesie aber nicht, sondern sie wendet das wirklich schöne Haupt gen Himmel, und sucht dort große Gedanken"[43]. Die vernichtende Kritik Püttmanns wäre zur rettenden Kritik des Gemäldes von Ch. Köhler

Fadheit"[36]. Hegels scharfsinnige Polemik, die Schadows ‚Mignon'-Bild (Abb. 4), das den „schlechthin poetischen"[37] Charakter der Rätselgestalt Goethes kaum verlustlos zu transponieren vermag, als Indiz ihrer Angemessenheit anführt, ist allerdings untergründig durch die Befürchtung motiviert, Philosophie könne erkenntniskritisch durch Poesie und bildende Kunst, die sich selbst zum Thema werden, überboten werden. So ist es nur folgerichtig, wenn Hegels Kritik der Romantik-verhafteten Düsseldorfer Schule sich eben der Argumentationsfigur bedient, die zuvor schon seine Auseinandersetzung mit der frühromantischen Poetologie und Philosophie kennzeichnete[38]: im Unterschied zur Philosophie seien weder Poesie noch Malerei selbstbezüglich strukturiert, so daß „die Herren" gemeint ist zweifellos der Kreis um F. Schlegel –, „die viel von der Poesie der Poesie geredet haben"[39], auch dann im Unrecht seien, wenn sie zur Verschränkung von pictura et poesis anhalten. Statt wechselseitige Mängel zu kompensieren, verdoppelt die Vermäh-

(Abb. 18) zu radikalisieren: 1838 entstanden, zeugt es von einem geschichtsphilosophischen und ästhetischen Bewußtsein, das die Poesie ohnmächtig, immobil, weltfern und „große Gedanken" nicht niederschreibend, sondern nur erhoffend gewahrt. Derart gelähmt, läßt sie sich im Bilde bannen.

Die agonale Krise der Poesie ist – wie der Kritiker gegen die vermutliche Intention des Künstlers gewahrt – die Möglichkeitsbedingung ihrer Übersetzung ins Medium bildender Kunst. Köhlers allegorisches Poesie-Gemälde, das die Tradition raffaelitischer, akademischer und nazarenischer Musenverklärung zitiert, indiziert mit der Krise der Poesie die einer Malerei, die auf literarische Themen angewiesen zu sein glaubt. Bilder aber verdanken ihre Faszinationskraft ihrer Sprachlosigkeit. „Die Ununterscheidbarkeit von Sein und Erscheinung im Bilde"[44] ist dem kontextfreien Abstraktionsvermögen auch der poetischen Sprache versagt. Dieser sind Themen wie ‚Landschaft‘, ‚Trauer‘ oder ‚Liebe‘ nach Sein und Erscheinung differenzierbare und also generalisierbare Begriffe, die die bildende Kunst hingegen zur unvertauschbaren Identität zu erlösen vermag. Indem die ‚Poesie‘ Köhlers die Spannung von „Abstraction" und unerfüllten „großen Gedanken" vermerkt, erinnert sie an die ‚Spes‘ Andrea Pisanos am Florenzer Baptisterium, von der Walter Benjamin schrieb: „Sie sitzt und hilflos erhebt sie die Arme nach einer Frucht, die ihr unerreichbar bleibt. Dennoch ist sie geflügelt. Nichts ist wahrer"[45].

Anmerkungen

1 G. W. F. Hegel: Vorlesungen über die Ästhetik II, ed. Michel/Moldenhauer, Bd. 14 der „Theorie Werkausgabe". Ffm. 1970, S. 108.
2 Goethe: Zueignung, Berliner Ausgabe, Bd. 1 – Gedichte und Singspiele. Berlin (Ost) 1976, S. 10.
3 G. W. F. Hegel: Vorlesungen über die Ästhetik I, Werke, l. c., Bd. 13, S. 14–18.
4 Goethe: Dichtung und Wahrheit, Berliner Ausgabe, Bd. 13. Berlin (Ost) 1976, S. 343.
5 W. Heinse: Ardinghello und die glückseligen Inseln, ed. M. L. Baeumer. Stuttgart 1975, S. 171.
6 W. H. Wackenroder: Herzensergießungen . . .; in: Werke und Briefe. Heidelberg 1967, S. 11.
7 Ibid. S. 67 ff.
8 L. Tieck: Frühe Erzählungen und Romane, ed. M. Thalmann. München 1972, S. 792.
9 F. Schlegel: Dichtungen, ed. H. Eichner. KA Bd. V. München, Paderborn, Wien 1962, S. 53.
10 Ibid., S. 57.
11 Cf. L. Köhn: Entwicklungs- und Bildungsroman – Ein Forschungsbericht. 1969.
12 F. Schlegel: Athenäum – Fragment 372.
13 G. Keller: Der grüne Heinrich, Züricher Ausgabe, ed. G. Steiner. Diogenes Taschenbuchausgabe, Bd. 2, o.O. 1978, S. 246.
14 Cf. J. Hörisch: Die fröhliche Wissenschaft der Poesie – Der Universalitätsanspruch von Dichtung in der frühromantischen Poetologie.
15 Etwa bei L. Tieck: a.a.O., S. 852: „Vielleicht kommt aber bald die Zeit, wo es mit der wahren, hohen Kunst zu Ende ist."
16 In: F. Schlegel: Ansichten und Ideen von der christlichen Kunst, ed. H. Eichner, KA, Bd. IV. München etc. 1959, S. 258.
17 G. Keller: a.a.O., S. 128.
18 Nachdruck Darmstadt 1966, S. 379.
19 In: Werke in fünf Bänden, ed. B. von Wiese, Bd. 4. Ffm 1973, S. 646. Vermutlich handelt es sich bei diesem Zitat eines Satzes von Maynard um eine Unterschiebung, die Immermanns Selbsteinschätzung hinsichtlich seiner Wirkung auf die bildende Kunst um so deutlicher sich konturieren läßt.
20 Ibid., S. 551.
21 Vgl. W. Hütt 1964, S. 26 ff.
22 Immermann, S. 649.
23 Ibid., S. 593.
24 Canto XVI, Strophe 19, übers. J. D. Gries. Stuttgart 1822.
25 Vgl. J. Ritter: Landschaft (1963); in: Subjektivität – Sechs Aufsätze. Ffm. 1974; J. Matzner: Die Landschaft in Ludwig Tiecks Roman ‚Franz Sternbalds Wanderungen‘. Bamberg 1971; K. Badt: Wolkenbilder und Wolkengedichte der Romantik. Berlin 1960.
26 R. Wagner: Parsifal, erster Aufzug; in: Musikdramen, ed. J. Kaiser. Hamburg 1971, S. 829.
27 Vgl. D. Sternberger: Panorama oder Ansichten vom 19. Jahrhundert. (1938). Ffm. 1974.
28 H. Püttmann, S. 97 ff.
29 Ibid., S. 50.
30 Ibid., S. 35.
31 W. K., Die Düsseldorfer Malerschule und die Kunstkritik; in: Novellen-Zeitung, 3. Bd./Nr. 115. Leipzig 1847, S. 86 ff.
32 Vgl. I. Markowitz 1969, S. 118.
33 Vgl. die noch immer unüberbotene Studie von R. W. Lee: Ut pictura poesis – The harmonistic theory of painting; in: The Art Bulletin XXII/Nr. 1/März 1940, S. 197–269. Vgl. auch H. Ch. Buch: Ut pictura poesis – Die Beschreibungsliteratur und ihre Kritiker von Lessing bis Lukàcs. München 1972.
34 A.a.O., Bd. III, WW., Bd. 15, S. 91.
35 Ibid.
36 Ibid.
37 Ibid., S. 92.
38 Vgl. J. Hörisch: Ästhetik III, a.a.O., Bd. 15, S. 94.
39 G. W. F. Hegel: Ästhetik III, a.a.O., Bd. 15, S. 94.
40 K. G.: Wilhelm Schadow; in: Frankfurter Telegraph – Neue Folge 1837/Nr. 27, S. 210.
41 Ibid., S. 211.
42 G. Boehm, Zu einer Hermeneutik des Bildes; in: H.-G. Gadamer/G. Boehm (edd.): Seminar: Die Hermeneutik und die Wissenschaften. Ffm. 1978, S. 447.
43 H. Püttmann, S. 73
44 G. Boehm: a.a.O., S. 450.
45 W. Benjamin: Einbahnstraße; Gesammelte Schriften IV, 1. Ffm. 1972, S. 125.

Frank Büttner

Peter Cornelius in Düsseldorf

Zwei ganz unterschiedliche Phasen seines Lebens und Schaffens verbinden Peter Cornelius mit Düsseldorf, seiner Heimatstadt, in der er 1783 geboren wurde[1]. Hier verbrachte er seine Jugend und erhielt seine Ausbildung an der damals von ihm wenig geschätzten Akademie. Als Künstler gelang es ihm dann aber nicht, in der Heimat Fuß zu fassen. Der Versuch von 1806, eine Anstellung an der Akademie zu erhalten, scheiterte ebenso wie ein neuerlicher Vorstoß, den er 1812 mit einem überaus selbstbewußten Bewerbungsbrief unternahm[2]. Auch die Aufträge flossen ihm in Düsseldorf nicht sehr reichlich zu. So hat er die Stadt endlich 1809 ohne großen Abschiedsschmerz verlassen. 1821 jedoch kehrte er für knapp vier Jahre zurück als ein gefeierter Meister, dem von der preußischen Regierung die Neueinrichtung der Akademie anvertraut worden war. Dazwischen lagen die künstlerisch entscheidenden Jahre seines Lebens, der Aufenthalt in Frankfurt, der mit den Faust-Illustrationen einen Wendepunkt in seinem Schaffen brachte und anschließend ab Oktober 1811 der Aufenthalt in Rom, wo er sich den Lukasbrüdern anschloß und zu der Freskomalerei als seiner eigentlichen Lebensaufgabe fand.

Seine Lehrjahre an der Düsseldorfer Akademie hat Cornelius nicht eben mit Glanz absolviert. Obwohl er von klein auf von seinem Vater Aloys Cornelius, der Akademieinspektor war, in der Kunst unterwiesen worden war, hat er sich erstaunlich langsam entwickelt. Die schwierigen wirtschaftlichen Verhältnisse im Elternhaus nach dem Tode des Vaters 1799 werden genauso dazu beigetragen haben wie sein schlechtes Verhältnis zu seinen Lehrern an der Akademie, das durch das übersteigerte Selbstbewußtsein des jungen Künstlers nur noch schwieriger wurde.

Aus dieser ersten Düsseldorfer Zeit sind nicht viele Werke von Cornelius erhalten. Will man etwas über seine damalige künstlerische Eigenart erfahren, so wird man vor allem jene Werke betrachten müssen, mit denen er sich an den von Goethe veranstalteten Preisaufgaben beteiligte[3]. Wie viele seiner Generationsgenossen, zum Beispiel Philipp Otto Runge und der Würzburger Martin Wagner, fand er in den Weimarer Preisaufgaben eine willkommene Gelegenheit, aus der an der Akademie ihm abverlangten „mechanischen" Kunstübung auszubrechen. Während in dem akademischen Unterricht, der sich auf den von Anton Raphael Mengs vorgeschriebenen Bahnen bewegte, die Zeichnung die unbestritten erste Stelle behauptete, war es für Goethe die Erfindung, nach der die eingesandten Arbeiten in erster Linie beurteilt werden sollten. Mit diesem Grundsatz, der nicht neu war, sondern aus der antiken Rhetorik abzuleiten und bei zahlreichen Kunsttheoretikern der Neuzeit wiederzufinden ist, wurde bei Cornelius ein ganz wesentlicher künstlerischer Nerv getroffen. Das Primat der Erfindung ist ein Grundstein seiner Kunstauffassung überhaupt und, nebenbei bemerkt, eine Ursache für die Vernachlässigung der Farbe, die ihm später von seinen Gegnern immer wieder vorgeworfen wurde.

Wie der junge Cornelius diesen Grundsatz künstlerisch ins Werk zu setzen versuchte, ist an den Dokumenten zur Entstehungsgeschichte des ersten, für die Preisaufgabe von 1803 geschaffenen Bildes abzulesen. Das gestellte Thema war: „Ulyß, der den Cyclopen hinterlistig mit Wein besänftigt". In einem langen, im Sommer 1803 verfaßten Brief an seinen Freund Fritz Flemming aus Neuß legte Cornelius seine Überlegungen zur Bilderfindung dar[4]. Die von Goethes Adlatus Heinrich Meyer in dem Aufsatz „Über die Gegenstände der bildenden Kunst" aufgestellte Maxime, daß ein Bild „sich selbst aussprechen" müsse, war bei der Erfindung sein wichtigster Leitsatz[5]. Er verband ihn mit der These Lessings vom „prägnanten Augenblick" und versuchte in der Odyssee Homers jene Stelle zu finden, die diesen Anforderungen am besten entsprach. Schlüsselgestalt seines Bildes (Abb. 19)[6] ist Odysseus, der mit der Rechten, die einen leeren Weinkrug hält, auf den in sich zusammengesunkenen Polyphem weist und sich zugleich zu seinen Gefährten rechts wendet, um ihnen, die ganz verzweifelt zu sein scheinen, mit der Geste der linken Hand seine List anzudeuten. Odysseus trägt eine Sphinx als Helmzier, die Cornelius als „das Symbol einer

19 P. von Cornelius, Odysseus bei Polyphem. Schloß Stolzenfels bei Koblenz

höheren List" verstanden wissen will, was ganz im Schema barocker Allegorie gedacht ist. Seinen Odysseus hat Cornelius unabhängig von der in der Mythologie begründeten ikonographischen Tradition geschaffen. Das gilt auch für das Bild als Ganzes. Während Mitbewerber wie Johann August Nahl das in der ikonographischen Tradition vorgeprägte Thema der Blendung Polyphems wählten[7], ging Cornelius allein von der literarischen Vorlage aus und schuf so etwas Eigenes, das freilich als sein erstes großformatiges Ölbild in der Ausführung mit Unvollkommenheiten behaftet war, so daß es vor dem Urteil der Weimarer Kunstfreunde nicht bestehen konnte[8].

Noch ein anderes Moment ist für die Kunstauffassung des jungen Cornelius wesentlich. Für das Jahr 1804 war als Preisaufgabe das Thema gestellt worden: „Das Menschengeschlecht vom Elemente des Wassers bedrängt". Cornelius schuf eine großformatige Kreidezeichnung, die von Goethe und Meyer den Titel „Familienszene eines strandenden Schiffes" erhielt und die sich heute in Weimar befindet (Abb. 20)[9]. In einem Brief an Goethe hat Cornelius seine Themenwahl begründet: „Ich sahe mich nach einem schicklicheren Punkte um und glaubte ihn in den letzten Augenblicken einer großen Überschwemmung zu finden, wo die traurigen Überreste ihre Wirkung auf das Herz und auf die Phantasie nicht verfehlen können". Das Bild ist von der Wirkung her konzipiert worden, die es auf den Betrachter ausüben soll. Cornelius denkt hier in den Bahnen der auf Aristoteles' Poetik zurückzuführenden Wirkungsästhetik, die im 18. Jahrhundert einen letzten Höhepunkt erlebte und in Deutschland zunächst in der klassischen Literatur, dann aber auch im Werk von Künstlern wie Runge oder Friedrich von einer Gehaltsästhetik abgelöst wurde. Diesen Wandel vollzog auch Cornelius mit seinen Faust-Illustrationen. In den Vorstellungen von den Zwecken seiner Kunst freilich blieb er auch später in der Nähe der Wirkungsästhetik, nur daß diese keine ausschließliche Gültigkeit mehr hatte. In seinem Jugendwerk aber bewegt er sich mit der wirkungsästhetischen Bildkonzeption auf den Bahnen, die im akademischen Klassizismus vorgezeichnet worden waren. Dieser Zusammenhang wird auch durch die übrigen Kompositionen, zumeist Zeichnungen, der frühen Düsseldorfer Zeit bestätigt. Auch die Porträts, eine Gattung, der sich Cornelius später kaum mehr widmete, lassen zwar eine wachsende Fertigkeit, aber keine Eigenständigkeit erkennen, weder in der Auffassung noch in der Charakterisierung der Dargestellten.

Nicht anders wäre wohl das Urteil über die umfangreiche Jugendarbeit ausgefallen, die Ausmalung der Vierung des St. Quirin-Münsters in Neuß, wenn dieses 1807/08 entstandene Werk erhalten geblieben wäre. Durch die Vermittlung des Kölner Kanonikus Wallraf hatte Cornelius diesen Auftrag erhalten, der doch wohl über seine Kräfte ging. Über die Malereien ist nur wenig Konkretes bekannt. Dargestellt wa-

20 P. von Cornelius, Strandendes Schiff, 1804. Weimar, Staatliche Kunstsammlungen

ren, in Grisaille auf gelbem Grund ausgeführt, Apostel und Propheten sowie die Engelschöre[10].

In diesen letzten Jahren vor dem Verlassen Düsseldorfs begann sich bei Cornelius ein Wandel anzubahnen, der sich ganz keimhaft in dem Bild „Athene lehrt die Weberei" (Kat.Nr. 49 a) zu erkennen gibt[11]. Über dieses Bild schrieb Cornelius im Mai 1809 an einen Freund: „Der Ton des Bildes ist glühend und frisch, die Behandlung streng aber doch reich; der Kopf des alten Weibs erinnert ganz an Dürer, die Minerva aber schon mehr an Raffael"[12]. Mehr die Intention als das Ergebnis ist hier interessant. Er versucht Raffael und Dürer zugleich nachzuahmen. Anschaulich mag die Vorbildlichkeit dieser beiden vielleicht nicht gleich sichtbar sein, aber immerhin ist die am Webrahmen sitzende Gestalt nach dem Göttermahl Raffaels in der Farnesina kopiert und bei der alten Frau war das Bemühen um eine naturalistische Wiedergabe Anlaß zur Berufung auf Dürer. Cornelius bemüht sich hier um eine Synthese des Nordens und Südens. Dahinter steht die Vision von Wackenroders Klosterbruder, der Raffael und Dürer Hand in Hand vor sich stehen sah[13]. Allerdings versucht Cornelius diese Synthese mit einem wenig tauglichen Mittel zu erreichen, nämlich mit einem Eklektizismus, der sich im Prinzip von demjenigen des Klassizismus nicht unterscheidet. Das Bild zeigt aber doch immerhin

21 P. von Cornelius, Szene am Ausgang der Kirche. Frankfurt a. M., Städelsches Kunstinstitut

erste Auswirkungen einer Beschäftigung mit der romantischen Kunsttheorie.

Die Quelle der Anregungen für Cornelius' Hinwendung zur Romantik sind gut bekannt. Im Sommer 1803 erhielt er Besuch von Sulpiz Boisserée, der kurz darauf nach Paris reiste, wo es zu der fruchtbaren Begegnung zwischen ihm und Friedrich Schlegel kam. Durch Boisserée wurde Cornelius auf die mittelalterliche Malerei verwiesen und auf die Kunstanschauungen Friedrich Schlegels. Ein wichtiger Vermittler Schlegelschen Gedankengutes war auch der erwähnte Fritz Flemming, der in Köln Schlegels Privatvorlesungen besuchte. Schließlich wird auch der Maler Karl Ignaz Mosler, der mit Cornelius zusammen auf der Akademie war, auf die Kunsttheorie Schlegels hingewiesen haben, die dieser vor allem in seinen „Gemäldebeschreibungen" niedergelegt hatte, die zwischen 1803 und 1805 veröffentlicht wurden[14]. Schlegel lehrte dort, daß Religion und Nationalität die Grundpfeiler jeder Kunst seien, daß die Verherrlichung der Religion die ursprüngliche und somit wesentliche Aufgabe der Kunst gewesen sei, und daß zugleich „bis auf die neusten Tage der Zerstörung und Verwirrung jede Nation der alten Zeit so wie ihre bestimmte Physiognomie in Sitte und Lebensweise, Gefühl und Gestalt, so auch ihre eigene Musik, Baukunst und Bildnerei gehabt" habe[15].

Die Kunst des jungen Cornelius war so fest im Klassizismus verwurzelt, daß diese vom Historismus geprägte romanti-

sche Kunstauffassung, obwohl er sie sehr früh kennengelernt hat, erst erstaunlich spät bei ihm zur Wirkung kam. Durchgesetzt hat sie sich erst in den Faust-Illustrationen (Abb. 21), die Cornelius Ende 1810 in Frankfurt zu zeichnen begann, nachdem er dort kurz zuvor noch eine ganze Reihe von Werken im klassizistischen „Geschmack" geschaffen hatte, mehr oder weniger als Brotarbeit. In den Faust-Zeichnungen aber fand er zu einem Darstellungsmodus, den man mit dem Begriff Goethes als „Charakteristische Kunst" bezeichnen kann[16]. Gestalten, Kostüm, Szenerie und auch die Strichführung, nicht aber Komposition und Umrißbestimmtheit der Figuren, erinnern an die Kunst der Dürerzeit, an eine Epoche also, in der sich, wie Wackenroder und seine Nachfolger glaubten, der deutsche Nationalcharakter in der Kunst frei hat ausprägen können[17]. Die Zeichnungen von Cornelius wollen dem Betrachter diesen vermeintlichen Nationalcharakter vor Augen führen, der in der damaligen Gegenwart verloren geglaubt wurde. Eine nationalpädagogische Tendenz drängt sich hier vor, die aus der politischen Zeitlage, der Situation Deutschlands zur Zeit des Höhepunktes der Macht des napoleonischen Frankreich, verstanden werden muß.

In den Nibelungen-Illustrationen, die Cornelius unmittelbar nach seiner Ankunft in Rom begann, setzt sich dieser direkte Zeitbezug, die bewußte Geschichtlichkeit seines Schaffens fort. Zugleich aber verstärkte sich, mitbedingt durch die Freundschaft zu Overbeck, das religiöse Moment in seiner Kunst, das allerdings auch vorher nicht ganz fehlte, wie die in ihrer Erscheinung ganz „altdeutsche" „Heilige Familie" in Frankfurt belegen kann (Abb. 22). Religiöses Hauptwerk der römischen Zeit ist das unvollendete Bild der „Parabel von den fünf klugen und fünf törichten Jungfrauen" (Kat.Nr. 51), an dem Cornelius zwischen 1813 und 1816 arbeitete. Er gibt darin nicht einfach eine Illustration des Gleichnistextes, sondern er löst das Gleichnis auf, indem er uns statt des Bräutigams, von dem dort die Rede ist, Christus zeigt und das Tor, aus dieser kommt, deutlich als Tor des Paradieses kennzeichnet[18]. Im Rückgriff auf die mittelalterliche Darstellungstradition will er dem Betrachter den Sinn des Gleichnisses vor Augen führen. Damit setzt es sich von einer auf äußerliche Kunstfertigkeit abzielenden Darstellungsweise, wie er sie bei dem Niederländer Gottfried Schalcken zu erkennen glaubte, entschieden ab[19]. Sein Bild will religiös belehren, will Erbauungsbild sein. Wie Overbeck hat auch Cornelius in dieser Sinngebung einen Ersatz gefunden, der über den Mangel an Aufträgen für eigentliche Altarbilder hinweghelfen konnte.

Der Vergleich des Parabel-Bildes mit der Frankfurter „Heiligen Familie" zeigt, daß Cornelius in Rom die Richtung seines in Frankfurt eingeschlagenen Weges noch einmal geändert hat. Entscheidend ist für ihn die intensive Beschäftigung mit Raffael geworden, dessen Werke den Lukasbrüdern als vollkommenste Verwirklichungen eines christlichen Stiles galten. Dabei wurde von ihnen das Frühwerk Raffaels dem Spätwerk vorgezogen, in dem ihnen schon Keime des zukünftigen Verfalles der Kunst sichtbar zu sein schienen. Cornelius wurde besonders durch die Grablegung Raffaels beeindruckt, die sich in der Galleria Borghese in Rom befindet. In einer langen Reihe von Werken, deren Entstehungszeit vom Beginn bis zum Ende seines römischen Aufenthaltes reicht, hat er sich mit dem darin vorgegebenen Thema auseinandergesetzt. Das Kopenhagener Bild ist sozusagen die Summe dieser Beschäftigung (Kat.Nr. 54). Es ist 1819, unmittelbar vor der Abreise nach München vollendet worden[20]. Bei der Übereinstimmung in thematischen Motiven, dem Tragen des toten Christus, der Ohnmacht Mariens, sind die Unterschiede zwischen den beiden Bildern doch gravierend. Cornelius hat das Geschehen beruhigt, indem er die Figuren streng in eine Ebene parallel zur Bildfläche gerückt hat. Die Drastik der Darstellung des toten Christus bei Raffael ist umgewandelt worden in ein edeles Ruhen. Das ganze ist ein stiller Trauermarsch, der nichts mehr von dem hervorbrechenden Schmerz des Raffael-Bildes hat: hier herrscht das Sentiment.

Die Ölgemälde sind im Grunde nur Nebenprodukte der römischen Tätigkeit von Cornelius gewesen. In der Begegnung mit der italienischen Renaissance-Malerei wurde ihm die Bedeutung und Möglichkeit der Freskomalerei bewußt. In einem vielzitierten Brief vom 3. November 1814 an Joseph Görres, den Herausgeber des „Rheinischen Merkur", hat Cornelius seine Vorstellung von der Erneuerung der deutschen Kunst durch die Erneuerung der Freskomalerei dargelegt[21]. Ausgangspunkt seiner Überlegungen war die von allen Lukasbrüdern geteilte Überzeugung, daß die Kunst der Religion und dem öffentlichen Leben dienen müsse. Diese Aufgabe konnte das Fresko besser als jede andere Art der Malerei erfüllen, weil es wegen der notwendigen Verbindung mit der Architektur, wegen der Verwendbarkeit zu großformatigen Darstellungen und nicht zuletzt wegen der Möglichkeit der Anbringung auch im Freien als die öffentliche Form der Malerei schlechthin gelten konnte. Auch hatte die Freskomalerei nach Meinung von Cornelius in der Geschichte der Kunst die Rolle einer einheitsstiftenden Mutter der Malkünste gespielt, denn solange sie dominierte, wurde die Aufsplitterung der Malerei in einzelne Fächer wie Landschaft, Stilleben oder Porträt verhindert, die Friedrich Schlegel als eine der Ursachen des Niederganges der Malerei angeprangert hatte[22]. Indem das Fresko die in der Malerei sich regenden Autonomietendenzen nicht zur Entfaltung kommen ließ, bewahrte es diese davor, sich von ihrer eigentlichen Aufgabe, eben dem Dienst für das öffentliche und religiöse Leben zu entfernen. Weiter erforderte das Fresko große Aufträge und öffentliche Investitionen. Beides mußte nach der Ansicht von Cornelius das Emporwachsen der

22 P. von Cornelius, Die Heilige Familie. Frankfurt a. M., Städelsches Kunstinstitut

Kunst zu einer neuen Blüte vorantreiben. Schließlich war es ein ganz besonderer Vorzug der Freskomalerei, daß sie ortsgebunden war. Cornelius schrieb dazu „. . . in geistiger und körperlicher Hinsicht gehören ihre Werke demjenigen Flecklein der Erde so eigentlich an, wo sie entstanden; sie sind mit Gott, Natur und der Zeit und dem umgebenden Leben im schönsten Einklang und kein gebildeter Barbar führt sie weg"[23]. Mit dem Fresko wollte Cornelius fortsetzen, was er mit den Faust-Illustrationen begonnen hatte. Er wollte die Kunst für die Nationalerziehung einsetzen, um jenen Einklang zwischen Nation und Kunst, der seit dem 16. Jahrhundert verlorengegangen zu sein schien, wiederherzustellen. Daß dies eine künstlerische Utopie war, zeigt sich am weiteren Weg seiner Idee.

Cornelius hatte seinen Aufruf für die Freskomalerei in einer Zeit geschrieben, in der, nach dem glücklichen Ausgang der Befreiungskriege, der nationale Enthusiasmus auf einem Höhepunkt war. Hier hatte seine Idee einen überzeugenden Platz, stimmte sie doch in ihrer Intention überein mit den zahlreichen Plänen zur Errichtung von Nationaldenkmälern, die damals geschmiedet wurden und für die sich auch Görres mit seiner Zeitung eingesetzt hatte[24]. Doch die Nationaldenkmäler blieben damals ungebaut und ebenso verhallte der

23 P. von Cornelius, Joseph deutet die Träume Pharaos. Berlin DDR, National-Galerie Staatliche Museen zu Berlin

Aufruf von Cornelius ungehört. Die Idee einer nationalen Kunst war sogar schon sehr bald wieder deplaziert. Der politische Kurs wurde auf dem Wiener Kongreß in eine Richtung gelenkt, die gerade nicht auf den deutschen Nationalstaat hinführte, für den Cornelius die Kunst einsetzen wollte. Mit den Karlsbader Beschlüssen schließlich wurden jene als Demagogen verdächtigt, die auf der Forderung nach dem Nationalstaat beharrten. Angesichts dieser Situation kann es nicht verwundern, daß es nicht ein öffentlicher, sondern ein privater Auftrag war, der Cornelius die erste Gelegenheit geben sollte, in Zusammenarbeit mit seinen Freunden seine Vorstellungen von der neuen Freskomalerei zu demonstrieren. Für den preußischen Konsul Jakob Salomo Bartholdy malten Cornelius, Overbeck, Wilhelm Schadow und Philipp Veit in den Jahren 1816 und 1817 zusammen ein Zimmer in dessen Mietwohnung im oberen Stock des Palazzo Zuccari, dem heutigen Sitz der Bibliotheca Hertziana, aus[25]. Der Freskenzyklus, der die alttestamentarische Geschichte Josephs zum Thema hat, wurde später vom preußischen Staat angekauft, abgenommen und nach Berlin gebracht. Von Cornelius stammen die beiden Fresken „Joseph deutet die Träume Pharaos" (Abb. 23) und „Joseph gibt sich seinen Brüdern zu erkennen", beides Hauptwerke seiner römischen Schaffensperiode, in denen er die Hinwendung zum Vorbild der Hochrenaissance-Malerei endgültig vollzogen hat. Von seinem Ideal einer „charakteristischen Kunst" ist eigentlich nur noch das Bemühen um eine möglichst eindringliche Charakterschilderung geblieben, die er als ein spezifisch nordalpines Element der Kunst ansah.

Auch der nächste Freskoauftrag, den Cornelius in Rom erhielt, war privater Natur. In der Villa des Marchese Massimo sollte er neben Overbeck und Schnorr von Carolsfeld einen Raum mit Darstellungen aus der Göttlichen Komödie Dantes schmücken. Es war ein Auftrag, der ihm vom Thema her sehr lag, weil das Epos Dantes für ihn eine auch für die Gegenwart gültige „christlich-allegorische Darstellung des Universums" war, wie August Wilhelm Schlegel dieses Werk einmal charakterisierte[26]. Das Unternehmen kam aber über erste Entwürfe und zwei Kartons für die Decke (Kat.Nr. 53), die die Darstellung des Paradieses zeigen sollte, nicht hinaus, denn Cornelius ließ das Werk sogleich liegen, als ihm durch den bayerischen Kronprinzen Ludwig die Gelegenheit geboten wurde, in Deutschland ein öffentliches Werk zu schaffen. Er zog dies vor, obwohl ihm die konkrete Aufgabe, ein Antikenmuseum mit einem Zyklus mythologischer Darstellungen zu schmücken, weit weniger lag. Die Glyptotheksfresken konnten durchaus nicht ein Werk von der Art werden, wie er es sich in dem Brief an Görres erträumt hatte. Der zukünftige bayerische König sah in dem Fresko ein vorzügliches Mittel monarchischer Repräsentation und zugleich ein wirksames Instrument der Volksbildung, mit dem er hoffte „seine Bayern" zu Geschmack und höherer Bildung zu erziehen[27]. Die Intention der Nationalerziehung spielte schon bei diesem ersten in Deutschland geschaffenen Freskenwerk keine Rolle mehr.

Mit der Aufgabe, die weitab von seinen Vorstellungen von „charakteristischer Kunst" lag, fand sich Cornelius sehr gut ab. Schon in seinen römischen Entwürfen bildete er eine spezifisch symbolische Auffassung der Mythologie heraus (Abb. 24, 25). Der Auftrag an ihn hatte gelautet, einen gemalten historischen Abriß der griechischen Mythologie zu schaffen, der den Besucher auf die Welt, aus der die im Museum versammelten Skulpturen stammten, einstimmen sollte. Cornelius aber lieferte im ersten Saal, dem Göttersaal, dessen Fresken 1823 beendet wurden (Abb. 27), ein aus der Tradition barocker Dekorationsprogramme entwickeltes Bild der Welt in mythologischer Einkleidung, in das er zwei

24 P. von Cornelius, Die Unterwelt. München, Staatliche Graphische Sammlung

25   P. von Cornelius, Die Unterwelt. Ehemals München, Glyptothek

26   P. von Cornelius, Der Untergang Trojas. Ehemals München, Glyptothek

dominante Nebenthemen einwob, nämlich die Macht der Liebe, in den Eroten der Gewölbemitte verkörpert, aber auch in den drei großen Wandbildern präsent, und die Macht der Poesie, vorgeführt am Beispiel von Orpheus und Arion. Poesie und Liebe sind es, die hier über Götter wie Menschen herrschen. Das Gegenstück dazu bildet der 1830 vollendete Heroensaal, in dem am Beispiel des trojanischen Krieges die Zwietracht als eine das Geschick der Menschen bestimmende Gegenmacht vor Augen geführt wird (Abb. 26).

Im Herbst 1819, als sich Cornelius bereits mit Entwürfen und ersten Kartons für die Glyptothek auf der Reise nach München befand, hatte sich die preußische Regierung auf das dringende Anraten des Historikers Barthold Georg Niebuhr, der damals Botschafter in Rom war, entschlossen, Cornelius die Leitung der neu einzurichtenden Düsseldorfer Akademie anzuvertrauen. Da Cornelius den großen Münchner Auftrag, für den er in Düsseldorf keinen angemessenen Ersatz hatte, nicht aufgeben wollte, andererseits aber gerne die Akademieleitung übernehmen wollte, schlug er vor, daß er in den Sommermonaten seine Fresken in der Glyptothek ausführen, im Winter aber seine Aufgaben in Düsseldorf wahrnehmen könnte. Man hielt in Berlin von Cornelius so viel, daß man dieser sicherlich schwierigen Regelung zustimmte. Allerdings verzögerte ein Veto des preußischen Kanzlers Hardenberg den Beginn der Düsseldorfer Tätigkeit von Cornelius um fast zwei Jahre. Erst im Oktober 1821 kehrte Cornelius nach Düsseldorf zurück.

Als Akademiedirektor handelte Cornelius nicht so, wie man es von ihm als einem ehemals heftigen Kritiker dieser Institution vielleicht erwartet hätte. Mit nur wenigen Änderungen übernahm er den dreistufigen Studiengang der alten

27   P. von Cornelius, Göttersaal. Ehemals München, Glyptothek

Akademie[28]. Der wichtigste Unterschied zum traditionellen System und das Kernstück von Cornelius' Vorstellung von der Akademie war, daß die letzte Stufe der Ausbildung sich in einer Werkstätte abspielen sollte, in der die Schüler an den Arbeiten des Meisters beteiligt werden und selbst größere Aufgaben gemeinsam ausführen sollten. In dieser Werkstätte hoffte Cornelius seine „Schule", dem Ideal der Raffael-Schule entsprechend, heranbilden zu können, die seine Ideen verbreiten sollte. Die kurze Zeit der Düsseldorfer Tätigkeit ist ganz und gar von diesem Ziel bestimmt. Eine wichtige Voraussetzung dafür war natürlich sein großer Münchner Freskoauftrag. Die Wintermonate in Düsseldorf waren der Vorbereitung der Arbeiten des folgenden Sommers gewidmet. Ein guter Teil der Kartons für den Göttersaal entstand hier, vor allem jene für die Wandbilder des „Olymp" und der „Wasserwelt". Fortgeschrittene Schüler wie beispielsweise Stürmer, Stilke oder Götzenberger durften ihm helfen bei der Ausführung der großformatigen Kartons, denen Cornelius im Entstehungsprozeß seiner Werke eine ganz besonders hohe Bedeutung zumaß und die er in der Sorgfalt der Ausführung als eigenständige Kunstwerke behandelte. Im Sommer zogen seine Schüler dann zum Teil mit ihm nach München, um in der Glyptothek untergeordnete Arbeiten zu übernehmen.

Aus dem Zusammenwirken der Idealvorstellung vom führenden Rang der Freskomalerei mit dem Bestreben, die eigene Schule zu fördern, resultierte das kunsthistorisch gesehen wichtige Ergebnis der Düsseldorfer Wirksamkeit von Cornelius, die Erneuerung der Freskomalerei auch im Rheinland. In einem ausführlichen Plan zur Reorganisation der Akademie, den er 1820 zusammen mit Karl Ignaz Mosler verfaßt hatte, hatte er betont, daß es notwendig sei, daß der fortgeschrittene Akademieschüler eigene Aufträge ausführe und daß es „eine der Hauptsorgen der Anstalt sein" müsse, daß er Aufträge erhalte. Da Cornelius sich bewußt war, daß er hierin nicht ausschließlich auf den Staat rechnen konnte, brachte er einen zukunftsträchtigen Vorschlag vor, der schon im römischen Kreise der Lukasbrüder besprochen worden war: „Es wäre hoch an der Zeit, daß wir zu unserem Zwecke auf die Errichtung eigentlicher kunstfördernder Vereine gedächten. Wir getrauen uns für unsere Heimat und die rheinischen Provinzen überhaupt den guten Erfolg eines auf die Unterstützung öffentlicher Kunsttätigkeit gerichteten Vereins im voraus zu verbürgen"[29]. Der Erfolg des freilich erst 1829 gegründeten Kunstvereins für die Rheinlande und Westfalen, der die Förderung der Monumentalkunst in seinen Statuten vorgeschrieben hatte und der so bedeutende Werke wie Rethels Karlsfresken initiierte, sollte Cornelius nachträglich Recht geben. Warum Cornelius diesen Weg nicht ging, ist nicht bekannt, doch setzte er sein ganzes Ansehen ein, um Aufträge für seine Schule zu erhalten. Das erste und wohl wichtigste Werk war die Dekoration

der Aula der neu errichteten Bonner Universität, an der 1823 Carl Hermann, Jakob Götzenberger und Ernst Förster arbeiteten und die 1834 von Götzenberger alleine zu Ende gebracht wurde[30]. Cornelius, der durch den Münchner Auftrag so vollkommen in Anspruch genommen wurde, daß er an eine eigene Tätigkeit im Rheinland nicht denken konnte, wirkte nur beratend mit und lenkte seine Schüler in Gesprächen bei der schwierigen Aufgabe, in vier großen Bildern die Fakultäten und ihre historisch bedeutendsten Vertreter darzustellen. Als weiteres Werk wurde im Assisensaal des alten Baues des Koblenzer Landgerichts, der 1892 abbrannte, von Stürmer und Stilke ein Fresko begonnen, das das Jüngste Gericht darstellte, nach dem Fortgang von Cornelius aus Düsseldorf im Frühjahr 1825 jedoch nicht vollendet wurde. Ähnlich erging es mit anderen Aufträgen für die Cornelius-Schule, beispielsweise mit der Ausschmückung eines Saales auf Schloß Cappenberg, die mit dem Freiherrn von Stein verabredet worden war. Dieser ließ nachher lediglich einige Ölbilder malen. Nur das Projekt der Dekoration des Gartensaales von Schloß Heltorf wurde von dem Auftraggeber Graf Franz von Spee nicht aufgegeben. Hier malte Carl Stürmer 1826 das erste Fresko eines Barbarossa-Zyklus, der später von Lessing, Plüddemann und Mücke zu Ende geführt wurde. Die Aktivität der Cornelius-Schule setzte sich hier in der neuen Ära der Akademie fort.

Auch wenn er hier kein eigenes Werk der Freskomalerei hinterlassen hat, darf Cornelius als der Neubegründer dieser Gattung im Rheinland gelten. Die Ausschließlichkeit aber, mit der er die Akademieausbildung auf das Fresko ausrichtete, wurde von vielen Zeitgenossen kritisiert. Die im vorigen Jahrhundert immer wieder aufgegriffene Streitfrage, ob das Fresko oder die Ölmalerei in der Kunst den höheren Rang beanspruchen könne, kam hier zuerst auf und wurde vor allem heftig diskutiert, als es um die Frage der Nachfolge von Cornelius ging. Dieser konnte mit seinem Vorschlag nicht durchdringen, Julius Schnorr von Carolsfeld zu berufen, von dem zu erwarten war, daß er die Akademie auf dem eingeschlagenen Weg weiter führen würde. Der preußische König Friedrich Wilhelm III. hat unmittelbar in die Entscheidung eingegriffen, indem er befahl „Freskomalerei muß . . . auf der Kunstschule in Düsseldorf Nebensache bleiben". Die Wahl von Wilhelm Schadow war eine Entscheidung gegen Cornelius. Und die „Düsseldorfer Schule", wie sie sich unter der von Schadow geleiteten Akademie sehr bald herausbilden sollte, trug entscheidend dazu bei, daß die Stellung von Cornelius untergraben wurde, daß er abgedrängt wurde in eine Position, die nur noch einen sehr begrenzten Wirkungskreis hatte, trotz der hohen Protektion durch die Könige Bayerns und Preußens, die Cornelius mit den Fresken der Ludwigskirche in München und der Dekoration des geplanten „Campo Santo" in Berlin die zentralen Aufträge seines Spätwerkes erteilen sollten. Auf Grund seiner Bilderfindungen, die in der Tat zu den großen Leistungen der deutschen Romantik gerechnet werden dürfen, ist Cornelius von seinen Zeitgenossen geachtet worden. Ein breiteres Publikum hat er mit seinen Werken jedoch nicht für sich gewinnen können und die Volkstümlichkeit, die doch einst sein Ziel gewesen war, hat er nie erreichen können. Heinrich Heine hat 1829 die historische Stellung von Cornelius ironisch zugespitzt aber durchaus nicht ohne eine gewisse Sympathie charakterisiert. In seiner „Reise von München nach Genua" vergleicht er sehr treffend Rubens und Cornelius und fragt sich, warum des Cornelius Bilder in ihm Trübsinn erregen: „Es ist vielleicht eben das schaurige Bewußtsein, daß er einer längst verklungenen Zeit angehört und sein Leben eine mystische Nachsendung ist – denn ach! er ist nicht bloß der einzige große Maler, der jetzt lebt, sondern vielleicht auch der letzte, der auf dieser Erde malen wird; vor ihm, bis zur Zeit der Carraccis, ist ein langes Dunkel, und hinter ihm schlagen wieder die Schatten zusammen, seine Hand ist eine lichte, einsame Geisterhand in der Nacht der Kunst, und die Bilder, die sie malt, tragen die unheimliche Trauer solcher ernsten, schroffen Abgeschiedenheit"[31].

Anmerkungen

1 Der folgende Text basiert auf dem Material einer Cornelius-Monographie, deren ersten Band der Verfasser voraussichtlich im kommenden Jahr wird vorlegen können. Die Vorarbeiten dafür wurden durch eine Sachbeihilfe der Deutschen Forschungsgemeinschaft unterstützt, wofür auch an dieser Stelle herzlich gedankt sei. Zur Biographie von Cornelius vgl. E. Förster, Peter Cornelius, 2 Bde., Berlin 1874; H. v. Einem, Peter Cornelius, in: Wallraf-Richartz-Jahrbuch, Bd. 16, 1954, S. 104 ff.
2 Unpubliziert, Bonn, Universitätsbibliothek, Handschriftensammlung, Signatur, S. 1310, fol. 18 ff.
3 W. Scheidig, Goethes Preisaufgaben für bildende Künstler 1799–1805 (Schriften der Goethe-Gesellschaft, Bd. 57), Weimar 1958.
4 Förster, Bd. 1, S. 29 ff.
5 H. Meyer, Über die Gegenstände der bildenden Kunst, in: Propyläen, hrsgg. von J. W. v. Goethe, Band I, 1, 1798, S. 23.
6 Burg Stolzenfels bei Koblenz, frühere Fassung im Kunstmuseum Düsseldorf, vgl. I. Markowitz, Eine verloren gemeldete Arbeit von Peter Cornelius, in: Wallraf-Richartz-Jahrbuch, Bd. 22, 1960, S. 201 ff.
7 Vgl. Scheidig, a.a.O., S. 388 f.
8 Vgl. Scheidig, a.a.O., S. 387.
9 Weimar, Kunstsammlungen; vgl. Scheidig, a.a.O., S. 428 f.
10 L. Ennen, Cornelius und die Quiriniuskirche zu Neuß, in: Zeitschrift für bildende Kunst, Bd. 5, 1870, S. 331 ff. und J. Deters, Ferdinand Franz Wallraf, Katalog der Ausstellung, Köln 1975, S. 68 f. W. Kordt, Die ehemaligen Kuppelbilder des Peter Cornelius im Neußer Münster, Neußer Jahrbuch 1964, S. 16 ff. übersah wichtigste Quellen und kam so zu ganz falschen Schlußfolgerungen.
11 Düsseldorf, Kunstmuseum; vgl. I. Markowitz 1969, S. 68, wo das Datum der Signatur zu Unrecht angezweifelt wird.
12 Der Brief wurde veröffentlicht im Düsseldorfer Anzeiger vom 7. 9. 1884. An seinen Freund Mosler muß Cornelius ähnlich geschrieben haben, vgl. dessen Brief bei Förster, a.a.O., Bd. I, S. 59.
13 W. H. Wackenroder, Sämtliche Schriften (Rowohlts Klassiker), Hamburg 1968, S. 53.
14 F. Schlegel, Ansichten und Ideen von der christlichen Kunst, Kritische Friedrich-Schlegel-Ausgabe, Bd. 4, München 1959, S. 9 ff.
15 F. Schlegel, a.a.O., S. 123.
16 J. W. v. Goethe, Von Deutscher Baukunst, in: Gesamtausgabe der Werke und Schriften, Stuttgart 1949 ff., Bd. 16, S. 19.
17 Wackenroder, a.a.O., S. 51.
18 Vgl. dazu F. Büttner, Die klugen und törichten Jungfrauen im 19. Jahrhundert – Zur religiösen Bildkunst der Nazarener, in: Städel-Jahrbuch, N.F. Bd. 7, 1978 (im Druck).
19 Förster, Bd. I, S. 151. Das Bild Schalckens, heute in den Bayerischen Staatsgemäldesammlungen, befand sich früher in Düsseldorf.
20 Die in der Literatur sehr umstrittene Entstehungszeit des Bildes ist durch einen unveröffentlichten Brief vom 6. 8. 1819, in dem Cornelius das Bild Passavant zum Kauf anbietet, auf die Zeit 1818/19 festzulegen.
21 Förster, Bd. I, S. 152 ff.
22 Schlegel, a.a.O., S. 72 ff.
23 Förster, S. 155 f. Die Schlußpassage spielt auf den Kunstraub Napoleons an.
24 Vgl. T. Nipperdey, Nationalidee und Nationaldenkmal in Deutschland, in: Historische Zeitschrift, Bd. 206, 1968, S. 85 ff.
25 W. Geismeier, Die Nazarener-Fresken in der Casa Bartholdy, in: Staatl. Museen zu Berlin, Forschungen und Berichte, Bd. 9, 1967, S. 45 ff. und F. Büttner, Projets et études pour les fresques des Nazaréens dans la ,Casa Bartholdy', in: Revue de l'Art 1979 (im Druck).
26 A. W. Schlegel, Geschichte der romantischen Literatur (Kritische Schriften hrsg. von E. Lohner, Bd. IV), Stuttgart 1965, S. 173.
27 Vgl. die Worte Ludwigs, die wiedergegeben werden in dem anonymen Bericht: Die Freskomalereien in den Arkaden des Hofgartens, in: Berliner Kunstblatt, 1828, S. 310 f.
28 Vgl. den bei A. Kuhn, Peter von Cornelius und die geistigen Strömungen seiner Zeit, Berlin 1921, S. 251 abgedruckten Studienplan; ferner E. Trier, S. 204.
29 Die Schrift „Zum Plan für die Kunstschule für Düsseldorf" vom Juni 1820 wurde bisher nur auszugsweise publiziert, vgl. R. Klapheck, Peter Cornelius, Düsseldorfer Erinnerungen an den 150. Geburtstag des Begründers der Preuß. Kunstakademie, Düsseldorf 1933, S. 44 ff.
30 H. Schroers, Die Bonner Universitätsaula und ihre Wandgemälde, Bonn 1906. Hierzu und zum folgenden vor allem: I. Markowitz 1973, S. 47 ff.
31 H. Heine, Sämtliche Schriften, Bd. II, München 1969, S. 386 f.

Helmut Börsch-Supan

Das Frühwerk Wilhelm von Schadows und die berlinischen Voraussetzungen der Düsseldorfer Schule

In seiner 1854 erschienen Novelle „Der moderne Vasari" und in seinen erst 1891 veröffentlichten Jugenderinnerungen[1] entwirft Wilhelm von Schadow ein Bild von der Entwicklung der deutschen Kunst im frühen 19. Jahrhundert, das stark vereinfacht ist und besonders der Zeit um 1800 nicht gerecht wird. Dadurch verliert auch der Rückblick auf den eigenen Werdegang an dokumentarischem Wert. In der deutschen Malerei beginnt für Schadow mit der durch Carstens vorbereiteten Leistung der Nazarener in Rom im zweiten Jahrzehnt des 19. Jahrhunderts eine neue Blüte. Für ihn selbst bedeutet die Teilhabe an dieser Bewegung die entscheidende Förderung seiner Künstlerlaufbahn. Durch den Übertritt zum katholischen Glauben unter Overbecks Einfluß 1814 wird der Wandel zu einer neuen Gesinnung scharf als Zäsur markiert. Aus dieser Perspektive erscheint Schadow das Berliner Kunst- und Geistesleben vor den Freiheitskriegen in einem allzu trüben Licht. Aufklärung, Skeptizismus, Freizügigkeit der Sitten, Vorliebe für französische Kunst und Kultur, Verachtung der Natur und Flüchtigkeit in der Kunst bilden den dunklen Hintergrund von Verderbnis, vor dem sich das Neue strahlend als nationale Leistung abhebt. Dabei ziehen sich in seinen Augen die rund dreißig Jahre vom Ausklang der Regierungszeit Friedrichs des Großen bis zu den Freiheitskriegen zu einer einzigen Epoche zusammen. In Berlin ist es allein sein Vater, den er als Wegbereiter einer neuen, ernsteren Kunstauffassung gelten läßt. „Gottfried Schadows Naturstudium verdanken wir zum großen Teil die bessere Richtung, welche sich damals nach und nach bei uns in den bildenden Künsten geltend machte."[2] Chodowieckis redliche Kunst wird nur beiläufig erwähnt. Die Kunstgeschichte hat diese für einen Konvertiten natürliche Anschauung einer radikalen Veränderung zwischen der Berliner Frühzeit und der nazarenischen Epoche akzeptiert und konnte sich dabei auch auf Zeugnisse wie das der Henriette Hertz stützen, die im Februar 1818 aus Rom an die Malerin Louise Seidler schrieb: „Den jüngsten Schadow sah ich beim Abschiede von Berlin als einen zierlichen jungen Weltmann und eleganten Porträtmaler, der durch einige ähnliche Porträts vornehmer Personen schon eine Art von Ruf hatte, der ihn aber über Gebühr eitel machte . . . und wie fand ich alle diese Leute, nachdem ich sie ganz anders zu finden, nach Goethes Main- und Rheinreise glauben mußte! Schadow war ein Porträtmaler geworden, der jedes Porträt zum Tableau erhöhte, sowie in seinen Kompositionen sich stilles frommes Gemüt ausspricht."[3] Auch die Brüder Riepenhausen werten den frühen Wilhelm von Schadow ab: „Zwei Schadows, ein Maler und ein Bildhauer, glaubten hier vermutlich Effekt zu machen, haben sich aber geirrt, da man etwas können muß, um etwas sein zu wollen. Das Gegenteil nun hat sie in eine Melancholie gestürzt, welche einem Angst macht."[4]

Trotzdem kann Schadows Werk und Kunstanschauung nur zum Teil aus seiner Zugehörigkeit zum Kreis der Nazarener begriffen werden. Die berlinische Komponente, die bisher zu wenig beachtet wurde – das, was ihn von den Nazarenern unterscheidet –, muß mitberücksichtigt werden. Wenn er sich später auch von seiner Jugendzeit in Berlin weit entfernte, verstand er sich doch in Rom, wohl nicht zuletzt durch die Bindung an den Vater, als „pictor berolinensis". Das schrieb er mit großen Buchstaben unter das ganz nazarenisch empfundene Selbstbildnis in der Nationalgalerie (West) von etwa 1814[5]. Schadows Entwicklungsgang – zunächst bis zu seinem Aufbruch nach Italien am 3. November 1810 – muß aus den überlieferten Fakten im Zusammenhang mit den Kunstströmungen dieser Zeit in Berlin bei kritischer Benutzung von Schadows eigenen Angaben neu erschlossen werden.

Die grandiose Gestalt Gottfried Schadows hat dem Sohn eine Voraussetzung für seinen Werdegang gegeben, wie sie kein anderer deutscher Künstler dieser Zeit besaß. Leiter der Hofbildhauerwerkstatt seit 1788 hatte er 1792/94 das Zietendenkmal, 1795/97 die Prinzessinnengruppe und 1800 den Münzfries ausgeführt, drei in ihrem Charakter sehr verschiedene Hauptwerke, die Schadows geistige Unabhängigkeit und die Weite seines Horizontes belegen. 1801 war er mutig gegen Goethes Urteil über die Berliner Kunst aufgetreten, 1802–05 erbaute er sein stattliches Haus in der ehemaligen Wallstraße, ein Künstlerheim, wie es damals in der Stadt kein ähnliches gab. 1805 wurde er Vizedirektor der Akademie, während Johann Christoph Frisch noch den Direktorposten bekleidete. 1798 besuchte Canova Schadows Atelier. Um 1805 verkehrte Franz Joseph Gall, der durch seine Lehre vom Zusammenhang von Psyche und Schädelform berühmt war, im Hause des Bildhauers und gab ihm Anregungen zu seinen physiognomischen Studien und zu seinem Schaffen als Porträtist. In seinen Jugenderinnerungen berichtet Wilhelm von Schadow vom „Besuch der vornehmen und gelehrten Welt" im Atelier seines Vaters.[6]

Über die Modetorheiten in der Kunst des späten Rokoko äußert sich auch Gottfried Schadow in seinen Schriften, aber er tut es aus eigener Erfahrung und mit einem befreienden Witz, der auf das Vernünftige zielt.[7] Seine Lebensklugheit bewahrte ihn vor eifernder Strenge. Christian Bernhard Rode, gegen den sich die Vorwürfe einer im Technischen verwahrlosten Malerei hauptsächlich richteten, war 1797, im gleichen Jahr wie der genußfreudige Friedrich Wilhelm II., gestorben, und unter Friedrich Wilhelm III. wurde gleichzeitig mit dem Versuch einer Reform des sittlichen Lebens auch in der Kunst das Ideal disziplinierter Form und moralischer Gesinnung neu belebt. Chodowiecki war ein Wegbereiter dieses neuen Stils, bei dem sich Anregungen englischer und französischer Klassizisten mit altpreußischen Traditionen mischten. Bildnisse aus der Zeit des Soldatenkönigs zeigen eine ähnlich knappe, in ihrer Vereinfachung oft naiv wirkende Form wie solche um 1800.

Das bedeutendste Werk der neuen Richtung in Berlin ist der nach Zeichnungen Friedrich Gillys von Gottfried Schadow und seiner Werkstatt ausgeführte Fries für die Münze von Heinrich Gentz. In der Malerei treten seit etwa 1800 mehrere Maler mit einer Manier hervor, bei der die Figur sich statuarisch und fest umrissen vom Grund löst. Heinrich Dähling, der besonders Mitglieder des Königshauses porträtierte, Friedrich Bury, Johann Erdmann Hummel, Johann Carl Heinrich Kretschmar, Franz Catel und Paul Joseph Bardou gehören zu dieser Gruppe.

Der 1758 geborene Friedrich Georg Weitsch, der mit Gottfried Schadow befreundet und als Leiter der Malklasse auf der Akademie Wilhelm von Schadows Lehrer war, konnte sich nicht ganz der neuen Richtung anschließen. Seine bisweilen flüchtige Handschrift ist noch weitgehend dem 18. Jahrhundert verpflichtet. Als Porträtmaler steht er Graff nahe. Wilhelm von Schadow überzeichnet in seiner Charakterisierung Weitschs zweifellos die rückwärtsgewandten Elemente seiner Kunst und ist nicht frei von Gehässigkeit, für die er an anderer Stelle eine Erklärung liefert, denn Weitsch soll den Aufstieg des ehemaligen Schülers in Berlin nach 1819 mit Neid verfolgt haben. Über das Ende seiner Akademiezeit schreibt Wilhelm Schadow: „Nachdem ich unter meines Vaters unmittelbarer Leitung so weit gekommen war, eine Figur zur Not richtig zeichnen zu können, trat ich in die Malklasse. Vicedirektor Weitsch, welcher dieselbe leitete, war Naturalist, mit Farbensinn begabt. Er malte, wenn ihm mein Vater tüchtig auf die Finger sah, ein gutes Portrait. Seine Auffassung aber war meist trivial. Er hatte sich Van Dyck zum Muster genommen, versüßte und verwässerte ihn aber nach seiner Manier. Mit dieser faden, dünnen Mehlsuppe ward ich eine Zeitlang genährt. Schleierhaft bekleidete Nymphen, einige Dutzend Amoretten, am

28 W. von Schadow, Selbstbildnis. Wien, Albertina

Bach tändelnd, lüsterne Faune, durch das Laub schielend, waren mein tägliches Brot oder vielmehr mein tägliches, nach und nach mir zum Ekel werdendes Zuckergebäck."[8] Bereits 1805 hatte Wilhelm von Schadow als Schüler der Akademie einen Christus von Van Dyck in der Bildergalerie von Sanssouci kopiert[9], und im nächsten Jahr zeigte er auf der Berliner Akademieausstellung zwei ebenfalls in Potsdam kopierte Madonnenbilder, davon das eine nach Guercino.[10] Die Aufgabe, barocke Bilder zu kopieren, betrachtete er als geschmacksverderbende Unterrichtsmethode. Eine sowohl im „modernen Vasari" wie den Jugenderinnerungen berichtete Anekdote, die in diese Zeit zu datieren ist, belegt den Widerstand des jungen Schadow gegen die veralteten Anschauungen und seine Hinwendung zu der klaren Formsprache der italienischen Renaissance schon um 1805/06.[11] Er und sein älterer Freund Karl Wilhelm Wach hatten in der Bildergalerie von Sanssouci „sehr mittelmäßige Bilder aus der Bologneser Schule" zu kopieren, als sie sich von dem damals Leonardo da Vinci zugeschriebenen, in Wahrheit von

29 W. von Schadow, Wilhelm Wach. Stuttgart, Privatbesitz

Francesco Melzi stammenden Gemälde »Vertumnus und Po-
mona" angezogen fühlten.[12] Es wurde ihnen zu einer Offenbarung, und der Versuch, es statt der ausgesuchten bologne-
sischen Meister zu kopieren, trug ihnen einen Verweis ein.
Eine 1805 datierte Selbstbildniszeichnung in der Albertina
(Abb. 28), ein pathetisch in den Nacken geworfener, auf den
Betrachter schauender Kopf, ist die früheste bekannte Arbeit
Wilhelm von Schadows.[13] Sie läßt an die „van dyckische
Manier" Weitschs denken, wenn vielleicht auch für die Haltung Giorgiones Selbstbildnis in Braunschweig zum Vorbild
genommen ist. In der lockeren Handhabung des Crayons
und der Weichheit der plastischen Form kommt das schwär-
merische, von Eitelkeit nicht ganze freie Wesen des Sieb-
zehnjährigen gut zur Geltung. Das nicht datierte Bildnis
seines Freundes Wilhelm Wach in Stuttgarter Privatbesitz
(Abb. 29) zeigt eine wesentlich strengere Auffassung und den
Willen, die Kleidung zu einem den Gesichtsausdruck beglei-

tenden Formenspiel zu benutzen.[14] Wach war von 1797 bis
1803 Schüler Johann Carl Heinrich Kretschmars gewesen,
der den neuen Klassizismus um 1800 besonders entschieden
und erfolgreich vertrat. 1800 gewann dieser mit seinem Bild
„Der Große Kurfürst und der Prinz von Hessen-Homburg"
(Abb. 30) eine Konkurrenz vor Friedrich Georg Weitsch.[15]
Der König hatte nämlich die Berliner Künstler aufgefordert,
Darstellungen zur vaterländischen Geschichte zu liefern.
Kretschmars Gemälde wirkt wie ein ins Monumentale ge-
steigertes Kalenderkupfer Chodowieckis und eine Vorah-
nung von Carl Friedrich Lessing. Für die Entwicklung der
Historienmalerei in Deutschland ist dieses Gemälde, das der
König erwarb und das in einem Schabkunstblatt verbreitet
wurde, von großer Bedeutung. Daß eine Verwandtschaft
zwischen Kretschmar und Wilhelm von Schadow besteht,
wird auch durch den Umstand illustriert, daß ein Bildnispaar
Kretschmars im Düsseldorfer Kunstmuseum als Arbeit
Schadows gegolten hat, bis Irene Markowitz vor 1969 eine
Signatur entdeckte.[16]
Die enge Beziehung zwischen Schadow und Wach belegt ein
Altarbild in der Paretzer Dorfkirche, das auf der Berliner
Akademieausstellung von 1806 und noch einmal 1808 zu
sehen war.[17] Die Zeitschrift für die elegante Welt schreibt
1808[18] über dieses und ein ebenfalls verschollenes Gedächt-
nisbild für die 1806 verstorbene Sängerin Juliane Zelter von
Schadow: „Ein Altarblatt, Christus mit dem Kelch vorstel-
lend, zu seiner Rechten der Evangelist Matthäus, zu seiner
Linken der Evangelist Johannes. Die beiden Seitenstücke
sind die Apostel Petrus und Paulus, der letztere ist von dem
talentvollen Sohn unsers Schadow, Wilhelm Schadow gemalt, der auch ein Gemälde, Apotheose einer geistlichen
Sängerin (der verstorbenen Madame Zelter) geliefert hat, das
von einem eifrigen Streben nach dem Idealen in der Kunst
zeigt."
Bemerkenswert ist zunächst die Zusammenarbeit der
Freunde auf gleicher Ebene, wenn auch Schadow einen be-
scheideneren Part übernahm. Die als Eigentümlichkeit der
Lukasbrüder hervorgehobene Bereitschaft des Künstlers, in
einer Gemeinschaft Gleichberechtigter zu wirken, findet sich
also bereits in diesem frühen Beispiel.
Das Altarbild, ursprünglich für die Pfarrkirche von Trebbin
bestimmt und 1809 von Friedrich Wilhelm III. für die neu-
gotische Kirche von Paretz erworben, stellte für Berlin etwas
Neues dar.[19] Der Rückgriff auf die Zeit um 1500 besitzt im
Werk Gottfried Schadows einen Vorläufer in dem 1805 begonnenen triptychonartigen Relief mit Luthers Thesenanschlag in Wittenberg (Abb. 31), das als Schmuck für den
Sockel eines Denkmals des Reformators gedacht war.[20] Hier
wird zum ersten Mal beim alten Schadow die Beschäftigung
mit der deutschen Renaissance faßbar. 1806 widmete sich
auch Hummel dem Lutherthema. Er stellte sein Leben in
zwölf Stichen dar und schuf im gleichen Jahr ein altarartiges

Gemälde „Apotheose Luthers", bei dem die Steifheit der Zeichnung ein historisierendes Stilmittel ist.[21] Ein früheres, als Kunstwerk schwaches, zu seiner Zeit aber berühmtes Beispiel dafür, wie die Beschäftigung mit einem mittelalterlichen Stoff die Form beeinflussen konnte und zu einem bilderbogenartig naiven Stil führte, bietet Paul Joseph Bardous Gemälde „Die tugendhafte Nonne" (Abb. 32), das auf der Berliner Akademieausstellung von 1804 gezeigt und in Wiederholungen, Kopien und Stichen verbreitet war.[22] Was in der Malerei hier neu und romantisch wirkt, ist zumindest als Sujet schon von Chodowiecki als Kupferstich in kleinem Format vorgeprägt, wie überhaupt in Deutschland vor allem seine Illustrationen es waren, die die literarischen Stoffe aus der Vergangenheit zuerst ins Bild übersetzt haben.

Die „Apotheose einer geistlichen Sängerin" war nach Gottfried Schadow „das erste componirte Bild" seines Sohnes.[23] Das für die Singakademie geschaffene Werk, das wohl die Tradition gemalter Epitaphe aufnehmen wollte und den Ort der Musikpflege, damals noch ein Saal im Akademiegebäude, in romantischer Weise sakral zu überhöhen suchte, stellte „die heilige Cäcilie an der Orgel dar, den Gesang einer Frau, in einfach weißem Kleide, ein Notenblatt in der Hand, begleitend" dar. Über der Gruppe schwebten zwei Engel. Schadow hatte in diesem Bild ein Porträt zu liefern, und diesem hat er eine „poetische" Erfindung hinzugefügt, die auf Transzendenz verweist. Wie Wilhelm von Schadow diese Aufgabe formal gelöst hat, ist unbekannt, der Inhalt des Bildes zeigt jedoch eine Absicht, die auf spätere Lösungen vorausweist. Auch bei dem Bildnis der Juliane Zelter hat vermutlich Gottfried Schadow anregend gewirkt. Dem 1800 verstorbenen Gründer der Singakademie, Karl Fasch, widmete er ein im Stich von Eberhard Henne überliefertes Gedenkblatt, ein Profilbildnis in einem gotischen Fensterrahmen, in dessen oberem Teil musizierende Engel erscheinen[24] (Abb. 33).

In seinen Lebenserinnerungen schreibt Wilhelm von Schadow, die Begegnung mit Stichen nach Flaxman hätten ihn von der Richtung Weitschs, der „niederländischen Kunst und ihren Jüngern", weggeführt und ihm die „Notwendigkeit plastischer Strenge und Größe" für seine Kunst erschlossen. Außerdem habe Flaxman ihm die griechische Poesie nahe gebracht. „Ludwig Tieck", so fährt er fort, „ließ mich bald in eine andere Götterwelt blicken, nämlich in die Idealwelt des christlichen Glaubens."[25] Wenn man eine persönliche Begegnung mit Tieck, der schon 1794 im Hause des Bildhauers verkehrt hatte, aus dieser Bemerkung ableiten darf, so muß sie Ende November 1807 oder im Sommer 1808 stattgefunden haben, als der Dichter sich in Berlin aufhielt. Wilhelm von Schadow blieb ihm auch später in Verehrung zugetan. Die Gestalt der „Poesie" von 1825 (Abb. 17) zeigt er im Begriff, den Namen Tiecks unter die von Homer, Horaz, Shakespeare, Dante, Calderon, Camoens, Goethe und

30   J. J. Freidhoff nach J. C. H. Kretschmar, Der Große Kurfürst und der Prinz von Hessen-Homburg nach der Schlacht bei Fehrbellin. Schabkunstblatt

Schiller zu schreiben.[26] Auch in seiner eigenen Poesie orientiert sich Wilhelm von Schadow an Tieck. Die Novelle „Der moderne Vasari" steht in der Vermischung von frei erfundener Erzählung und Kunstgeschichte in der Nachfolge des „Sternbald", wenn auch die Idee, sich zur Kunst seiner Zeit zu äußern, durch Gottfried Schadows nur fünf Jahre zuvor erschienenes Erinnerungsbuch „Kunst-Werke und Kunst-Ansichten", das viel eher ein „moderner Vasari" ist, angeregt worden sein dürfte.

31   G. Schadow, Der Thesenanschlag in Wittenberg. Berlin DDR, Sammlung der Handzeichnungen und Kupferstiche

32 P. Bardou, Die tugendhafte Nonne. Berlin, Staatliche Schlösser und
Gärten

Bald nach den ersten öffentlichen Erfolgen gelang es Wilhelm von Schadow, Porträtaufträge in den höchsten Kreisen
der Berliner Gesellschaft zu erhalten. Im Herbst 1810 zeigte
er auf der Berliner Akademieausstellung ein Bildnis des Fürsten Anton Radziwill in polnischer Nationaltracht.[27] Der mit
einer preußischen Prinzessin verheiratete Fürst, der Goethes
Faust vertonte und dadurch in seiner Zeit als Komponist
berühmt wurde, war der Singakademie eng verbunden und
ein Befürworter der Romantik. Das Bild ist nur durch Beschreibungen bekannt.[28] Die Gestalt in wehendem Mantel
war vor einen dunklen, bewölkten Himmel gestellt. Solche
Konfrontation der Person mit den Naturgewalten ist zu
dieser Zeit in Berlin besonders bei Kretschmar zu finden.
Auch Bury und Hummel haben gern Landschaften bzw.
Himmel als Hintergrund für Bildnisse gewählt. Gottfried
Schadow berichtet von Bildnissen des Prinzen Wilhelm von
Preußen, des Bruders des Königs, und seiner Gemahlin Ma-

rianne, die besonders durch ihre Beziehung zu Hölderlin der
Romantik verbunden war.[29] Nach dem Tod der Königin
Luise am 12. Juli 1810 malte Wilhelm von Schadow aus dem
Gedächtnis ein Brustbild der Verstorbenen, das sich noch in
Potsdam-Sanssouci befindet.[30] Das im gleichen Jahr auf der
Berliner Akademieausstellung gezeigte Bild wurde von der
Kritik gelobt, für sehr ähnlich befunden und vom König
gekauft. Es überrascht durch seine Schlichtheit und die Konsequenz der Umrißführung. Der Ausschnitt des Kleides und
die Schultern, das Kinn und der Haaransatz über der Stirn
bilden ein Lineament von großer Einprägsamkeit. Die Lip-
pen, das über der Brust gespannte Untergewand und der
hochsitzende Gürtel sind klare Horizontalen. Als Gegenstück dazu entstand ein im Schinkel-Pavillon in Berlin be-
wahrtes Bildnis Friedrich Wilhelms III., in dem die Umrisse
noch klarer zu einem Körper und Räumlichkeit leugnenden
System geordnet sind (Abb. 34). So setzt sich z. B. der
Kontur der rechten Wange in der Kante des Kragens fort
und trifft genau auf den Winkel, den die umgeschlagene
Ecke des Rockes bildet. Die Uniform förderte solche Ab-
straktheit. Der Zug von Trauer trägt dazu bei, den Eindruck
von Askese und Lebensferne zu steigern. Schadow benutzt
hier ein Kompositionsprinzip, das Franz Pforr gleichzeitig
und mit nicht geringerer Konsequenz angewendet hat. Es
wäre verlockend, hier eine direkte Beeinflussung zu unterstellen. Wilhelm von Schadow hielt sich 1810 in Teplitz auf,
um dort durch Vermittlung des Fürsten Radziwill die österreichische Kaiserin Beatrix für den Fürsten Karl Lichnowsky
zu porträtieren.[31] Eine Reise von da nach Wien und eine
Berührung mit dem Lukasbund läßt sich jedoch nicht nachweisen. So wird man die Gestaltung des Bildnisses Friedrich
Wilhelms III. wohl hauptsächlich aus dem Studium Flaxman'-
scher Umrißstiche erklären müssen. Dabei stellt sich jedoch
auch wieder die Erinnerung an die Malerei der Epoche
Friedrich Wilhelms I. ein. Die karge Form war in dieser Zeit
tiefster Demütigung durch Napoleon und beginnender Organisation eines nationalen Widerstandes wohl nicht zuletzt
als Bekenntnis zu altpreußischen Tugenden gemeint. Dem
1808 in Königsberg gegründeten und ein Jahr später aufge-
lösten „Tugendbund" war Wilhelm von Schadow beigetre-
ten. Trotz aller Abstraktion ist im Gesicht die Genauigkeit
des Naturstudiums gleichsam als Signatur Schadows zu be-
merken.
Auf dem Gebiet der Porträtmalerei hat er sein Bestes gegeben, ja hier gehört er im zweiten und dritten Jahrzehnt des
19. Jahrhunderts zu den vorzüglichsten Malern in Deutschland. Durch die Stellung des Bildnisses in seinem Oeuvre
unterscheidet er sich – abgesehen von dem gleichfalls aus
Berlin stammenden Philipp Veit – von den anderen Nazarenern, die nur gelegentlich Porträts gemalt haben und dann
kaum über den eng gezogenen Kreis der Freundschafts-,
Verwandtschafts- und Selbstbildnisse hinaus Aufträge ange-

33 E. Henne nach G. Schadow, Karl Fasch. Stich

34 W. von Schadow, Friedrich Wilhelm III. Berlin, Staatliche Schlösser und
Gärten, Schinkel-Pavillon

nommen haben. Daß Schadow in Düsseldorf nur noch wenige Bildnisse geschaffen hat, trägt gewiß auch zur Minde-
rung der Qualität seines Spätwerkes bei. Die Bildnismalerei
benötigte das Verlangen einer Gesellschaft, sich im Bildnis
darstellen zu lassen. Dieser Wunsch war in Düsseldorf durch
keine Tradition geweckt und weit weniger lebendig als in
Berlin, wo seit den Zeiten Antoine Pesnes ein großer Bedarf
an Bildnissen vorhanden war. Wilhelm von Schadow hat die
Porträtmalerei stets als Schulung für ein genaues Studium
der Natur empfohlen. Er erklärt auch die rasche Entwicklung der Malerei in Florenz im 15. Jahrhundert bis hin zu
Raffael durch die eifrige Übung in der Bildnismalerei.[32]
Diese Anschauung war ihm schon früh von seinem Vater
vermittelt worden, der die auf exakt messender Beobachtung
beruhende Ähnlichkeit als Grundlage für jedes Bildnis forderte. Seine Porträts – Büsten sowohl wie Standbilder –
zeigen, daß die Momente der Idealisierung und Überhöhung
auf dieser sicheren Basis aufbauen. Für Gottfried Schadows
Schule, insbesondere für Christian Daniel Rauch, bleibt die

Verschmelzung von Naturnähe und Gedankenflug – schon
Gottfried Schadow benutzt hierfür den Begriff „Poesie"[33]
– charakteristisch. Darauf beruht die ideelle Überzeugungskraft dieser Kunst. Bei den während seines italienischen
Aufenthaltes von 1811 bis 1819 entstandenen Bildnissen
zeigt sich Wilhelm von Schadow weniger von den Nazarenern als von Gottlieb Schick abhängig. Die Vermittlung
dieses Einflusses erfolgte teils auf direktem Wege, teils über
Wilhelm und Caroline von Humboldt. Durch die Fürsprache
Alexander von Humboldts war der König bewogen worden,
Gehaltsrückstände des Vaters als Stipendium für Wilhelm
und den zwei Jahre älteren Bildhauer Rudolf Schadow zu
zahlen, damit die Brüder sich in Italien weiterbilden könnten.[34] Von Berlin aus gingen damals mehr Bildhauer – durchweg Schüler Schadows – als Maler nach Italien.
Die Maler zogen im allgemeinen Paris für ihre Ausbildung
vor.[35] Gottfried Schadows eigene Studienzeit in Rom und
die Bindung des jüngeren Bruders an den älteren, den Bildhauer, mögen zusammen mit einer Abneigung gegen Frank-

35 W. von Schadow, Selbstbildnis mit seinem Bruder und Thorwaldsen, Berlin DDR, National-Galerie

reich und gegen die Davidschule dazu beigetragen haben, daß Wilhelm von Schadow sich nach Rom wandte. Auf dem Weg dorthin über Prag wurde in Wien Station gemacht, wo Wilhelm von Humboldt als preußischer Gesandter einen Mittelpunkt des geistigen Lebens dieser Stadt bildete. Hier wird Wilhelm von Schadow die fünf Bildnisse gesehen haben, die Gottlieb Schick zwischen 1803 und 1809 von den Mitgliedern der Familie Humboldt gemalt hat, vor allem das 1809 entstandene Doppelbildnis der Töchter Adelheid und Gabriele (Abb. 3). Dieses bereits von den Zeitgenossen in seinem hohen künstlerischen Rang erkannte Werk muß auch Wilhelm von Schadow einen tiefen Eindruck gemacht haben, nicht nur, weil es wie eine Übersetzung der Prinzessinnengruppe seines Vaters ins Medium der Malerei, ins Bürgerliche und in die anrührende Sphäre des Kinderbildnisses war, eine Anspielung, die für die Bildnisse der Töchter des preußischen Gesandten sinnvoll schien. Noch in dem zweiundzwanzig Jahre später gemalten Bildnis der eigenen Kinder (Kat.Nr. 217) knüpft Schadow unmittelbar an Schicks Gestaltung an. Dieser hat die Forderung des „Poetischen" in der Verbindung von Bildnis und Beiwerk voll erfüllt. Die Geborgenheit der Kinder in einer Laube oder Pergola, dabei der Ausblick in eine weite, erhabene Landschaft, Blumen und Schmetterling als passende Gleichnisse blühenden und sich entwickelnden Lebens auch im Seelischen – damit war im Porträt die Lebensperspektive zwanglos aber klar angesprochen und Mensch und Natur in eine Übereinstimmung gebracht. „Auch das Portrait faßte er (Schick) in einem höchst edlen und vollendeten Sinn auf, ja man darf sagen, mit einem so poetischen Zauber, daß gleichsam die Ideale derjenigen

Individuen wiedergegeben wurden, welche er malte", schreibt Schadow 1854 im „modernen Vasari".[36] Einen Einfluß dieser Porträts auf ihn erwähnt er nicht, bemerkt vielmehr in den Jugenderinnerungen im Hinblick auf Overbeck und Cornelius: „Wie groß auch der Einfluß dieser beiden bedeutenden Menschen auf mich war, so erhielt ich mich doch im Portraitfach unabhängig von ihnen. In dieser Sphäre habe ich niemandem eine maßgebende Einwirkung auf mich gestattet." Er fährt dann fort: „Schick, welchem meine Naturstudien gefielen, veranlaßte Frau v. Humboldt, mir das Portrait ihrer jüngsten Tochter zu bestellen."[37]

Schick verließ Rom schwer krank im Herbst 1811 und kehrte nach Stuttgart zurück, wo er am 7. 5. 1812 starb. Frau von Humboldt lebte zu dieser Zeit in Wien und traf erst am 31. Mai 1817 wieder in Rom ein, das sie am 24. September 1810, also mehrere Monate vor dem Eintreffen der Brüder Schadow verlassen hatte. 1817 erst wurde das Bildnis der Gabriele von Humboldt begonnen, das nun im Motiv, in der Stimmung und in der bedeutungsvollen Einbeziehung der Umgebung in die Aussage über die Person gar nicht ohne das Vorbild Schicks zu erklären ist. Soll man annehmen, daß Schick in einem Brief an Caroline von Humboldt die Anregung zu dem Bildnis gegeben hat, das erst sechs Jahre später entstand? Schadow lernte Schick in Rom kennen und war von dessen „Apollo unter den Hirten" stark beeindruckt.[38] Er besaß eine Ölskizze zu Schicks Gemälde „Bacchus und Ariadne"[39] und mag sein großes Bild für das Berliner Schauspielhaus von 1820 wohl auch in Erinnerung an Schick gemalt haben.

Was Henriette Hertz die „Erhöhung zum Tableau" nannte, der Gewinn einer poetischen Dimension, wird besonders deutlich in dem Bildnis Thorvaldsens mit den Brüdern Schadow (Abb. 35). Begeistert von dem Porträt der Gabriele von Humboldt wünschte Thorvaldsen, der mit den Brüdern in Rom in engster Nachbarschaft lebte und nicht nur den Bildhauer, sondern auch den Maler unterrichtete, von Wilhelm von Schadow gemalt zu werden.[40] Dieses Werk von etwa 1818 geriet zu einer programmatischen Aussage über die enge Verbindung von Malerei und Skulptur, die so nur für Wilhelm von Schadow, nicht aber für andere nazarenische Maler galt. Wenn auch Thorvaldsen es ist, der die Vereinigung stiftet, so stellt sich bei dieser Szene doch auch die Erinnerung an Gottfried Schadow ein. Gewiß nicht zufällig ist das erste Porträt, das Wilhelm von Schadow 1819 nach seiner Rückkehr aus Rom in Berlin malte, das seines Vaters.[41] Die Beziehung des Malers zur Berliner Skulptur während der römischen Zeit belegt auch das Grisaillegemälde der Königin Luise auf dem Totenbett in Potsdam-Sanssouci, dessen enge Verwandtschaft mit Rauchs Luisenmonument wohl nur als Paraphrase zu erklären ist, die unter dem Eindruck des 1814 in Rom ausgestellten Werkes damals entstanden ist.[42]

In den sieben Jahren zwischen der Rückkehr aus Italien und der Übersiedlung nach Düsseldorf 1826 hat Schadow neben Bildnissen einige religiöse Kompositionen gemalt, die ganz dem Ideal der Nazarener entsprachen, aber auch in dieser Zeit und noch später lassen sich in seinem Oeuvre Ideen feststellen, deren Ursprung bei Gottfried Schadow liegt. Die ganzfigurige, über dem Horizont schwebende „Poesie" von 1825 in Potsdam-Sanssouci (Abb. 17) ist ebenso wie das Thorvaldsenbildnis ein die Kunsttheorie des Malers erhellendes Schlüsselbild. In unverkennbarer Anlehnung an Raffaels Sixtinische Madonna ist die Poesie als die Vermittlerin zwischen Göttlichem und Irdischem dargestellt. Sie ist ein religiöses Wesen. Für Schadow ist die Existenz der Poesie und mit ihr die der bildenden Kunst in ihrer höchsten Vollendung ein Beweis für die Wirkung göttlicher Mächte im Menschen. So schreibt er von Guido Renis „Aurora": „Wer aber nicht glauben will, daß die Kunst vom Himmel stammt, der komme hierher und sehe."[43] Unmittelbares Vorbild für die vom Himmel herabschwebende „Poesie" ist der nach Zeichnungen Gottfried Schadows gemalte Theatervorhang für das von Langhans 1801 erbaute Schauspielhaus auf dem Gendarmenmarkt. Dieser Vorhang, der 1817 beim Brand des Theaters zugrunde ging, wird 1808 folgendermaßen beschrieben: „Die Malerei des Vorhangs stellt, nach Schadows einfacher und bedeutender Idee, die drei Musen der Dichtkunst, Mimik und Musik vor, welche sich Hand in Hand schwebend auf die Bühne herablassen, von Kimpfel gemahlt."[44] Die noch erhaltene Vorstudie zu der „Poesie", der zentralen Figur, die Wilhelm von Schadow ebenso wie die der Mimik kopiert hat,[45] zeigt die herabschwebende Frauengestalt mit einer Krone auf dem Haupt, also gewissermaßen als Himmelskönigin (Abb. 36). Wilhelm von Schadows „Poesie" ist vielleicht in einen Zusammenhang mit seiner Aufnahme in die Berliner Dichtergesellschaft um diese Zeit zu bringen, denn er hielt sich auch für schriftstellerisch begabt und verfaßte um 1824 ein Drama, das er unter anderen auch Ludwig Tieck vorlas.[46]

1828 malte Schadow in mindestens drei Fassungen eine der „Poesie" verwandte Gestalt, die „Mignon" nach Goethe.[47] Hier ist es nicht die Allegorie der Dichtung, sondern eine in höchstem Grade poetische Erfindung eines Dichters, in der Schadow mit seinen Mitteln die Ahnung eines Zusammenhanges von Irdischem und Überirdischem auszudrücken sucht (Abb. 4). Auch für diese Idee gibt es ein Vorbild bei Gottfried Schadow, eine Zeichnung von 1802, die Marianne Schlegel, Schadows Patenkind, als Mignon zeigt.[48]

Wilhelm von Schadows künstlerische Abhängigkeit von seinem Vater darf nicht den Blick trüben für die durch Generation und Charakter bedingten Unterschiede. Gottfried Schadow war zwar stets stolz auf seinen Sohn und hat ihn nach Kräften gefördert, aber mit seinem ebenso treffsicheren wie herzhaften Humor bezeichnet er deutlich die Unterschiede,

36 W. von Schadow nach G. Schadow, Poesie. Düsseldorf, Kunstmuseum

mit denen auch die Differenz zwischen römisch-nazarenischem und berlinisch-antikischem Geist berührt wird. So schreibt Gottfried Schadow am 21. September 1815 an Karl August Böttiger über die Begeisterung seines Sohnes für Overbeck und Cornelius: „Mein jüngster Sohn, der ein Mitglied dieser gothischen Bande ist, sprach mit Entzücken davon in seinen Briefen. Die hiesigen Mystiker werden hoffentlich dieses Entzücken auch fühlen, und so lasciamo andare."[49]

Als Wilhelm von Schadow 1819 nach Berlin zurückkehrte, hat er keineswegs überall Anerkennung gefunden. Bettina von Arnim schreibt am 24. 10. 1820 an ihren Mann: „Schinkels Theater wird beströmt von den Beschauern, alles kömmt mit Entzücken heraus, das Bild von Schadow allein erregt Mißfallen."[50] Wilhelm von Schadow fand vor allem beim Hof Rückhalt und wurde von diesem auch mit Aufträgen bedacht. Das Verhältnis zu Schinkel und Rauch wurde gespannt.[51] Auch Wach, der sich über das Konvertitenwesen erboste, berichtet nichts Günstiges über den Gefährten: „Er ist jetzt ganz lustig, stutzerig und auffallend arrogant in Gesellschaft mit untermischter Demuth, die beinah noch unerträglicher ist. Ich glaube nicht, daß der Mensch böse ist, aber er ist so ungleich, so charakterlos und dabei doch etwas intrigant . . . Das Christentum auf der Zungenspitze treibt mir am meisten die Galle ins Blut."[52] Aus Berlin zog sich Schadow mindestens zweimal, 1822 und 1824, fluchtartig nach Dresden zurück, wo er ein ihm mehr behagendes geistiges Klima fand.[53] Er trug sich auch mit dem Gedanken, in Dresden zu bleiben. Die Berufung nach Düsseldorf muß ihm unter diesen Umständen eine Erlösung gewesen sein, und sein Eifer, die Akademie nach seinen Vorstellungen zu bilden, ist gewiß auch von der Absicht getragen, dem Berliner Kunstbetrieb etwas ganz Anderes entgegenzustellen.

Wilhelm von Schadows Tätigkeit als Akademiedirektor hat stets große Anerkennung gefunden. Für die Beurteilung seiner Malerei mag es abträglich gewesen sein, daß immer wieder der Lehrer mit dem Künstler verglichen wurde und der Künstler dabei in den Hintergrund trat. Der Einsatz für eine Gemeinschaft und für eine künftige Generation unter Hintansetzung der eigenen Entfaltung ist gewiß teils im Zweifel an seinem künstlerischen Genie begründet, teils aber auch Folge eines früh anerzogenen Verantwortungsbewußtseins für eine allgemeine Wohlfahrt.

Irene Markowitz schreibt in ihrer Einleitung zum Katalog der Wilhelm von Schadow-Gedächtnisausstellung von 1962: „Bei einer zusammenfassenden Beurteilung des Künstlers Schadow muß bedacht werden, daß das sein ganzes Leben und Schaffen bestimmende Ideal, in und auf eine Gemeinschaft zu wirken, in seiner historischen Zugehörigkeit zur Nazarener Romantik begründet ist."[54] Gewiß boten sich für den Beginn seiner Tätigkeit in Düsseldorf, einer ihm fremden Stadt, gemeinsam mit seinem von Berlin dorthin übergesiedelten Schülerkreis die römischen Verhältnisse in mancher Hinsicht als Modell an, als Vorbild muß Wilhelm von Schadow aber auch hier die Gestalt seines Vaters, der seit 1815 in Berlin Akademiedirektor war, vor Augen gestanden haben.

Gottfried Schadow hatte als Gehilfe Jean Pierre Antoine Tassaerts in der Hofbildhauerwerkstatt Friedrichs des Großen einen autoritär geführten Betrieb kennen gelernt und diese Organisation später nicht nur kritisiert, sondern auch verändert, als er 1788, erst vierundzwanzigjährig, die Leitung der Werkstatt übernahm. Die erstaunliche Entwicklung der Berliner Skulptur um 1800 beruht nicht allein auf Schadows eigener künstlerischer Leistung, sondern auch auf seinem Geschick, Talente auszubilden, und der Bereitschaft, ihnen ihre Eigentümlichkeit zu belassen. So sind Carl Friedrich Hagemann (1773–1806), Karl Wichmann (1775–1857), Rudolf Schadow (1786–1822) und Ludwig Wichmann (1788–1859) selbständige Künstlerpersönlichkeiten, deren glückliche Entfaltung dennoch ohne Gottfried Schadow kaum denkbar ist. Dieser hat sich immer für das Wohl seiner Schüler eingesetzt und ihre Werke gern gelobt. Gänzlich frei

von Neid hat er vor allem den Aufstieg Rauchs beobachtet und sich über die unverdiente Zurücksetzung der eigenen Person nach 1811 nur mit Traurigkeit, nicht aber mit Bitterkeit geäußert. Sein Denken in Zusammenhängen, die über ihn selbst hinausgehen, und die Vorbildlichkeit seiner Gesinnung haben ihn zu einem idealen Lehrer gemacht. Wilhelm von Schadow hat die Lehrpraxis seines Vaters, die für eine auf Team-Arbeit angewiesene Bildhauerwerkstatt selbstverständlicher war als für ein Maleratelier, früh kennen gelernt. In Rom übernahm Thorvaldsen in gewisser Hinsicht die Rolle Gottfried Schadows. Als Wilhelm von Schadow nach Berlin zurückkehrte, ergab sich von neuem eine Beziehung zum Werkstattbetrieb der Bildhauer. Im Lagerhaus in der Klosterstraße, wo für Friedrich Tieck und Christian Daniel Rauch 1819 eine Bildhauerwerkstatt eingerichtet worden war, erhielten um 1820 Karl Wilhelm Wach und um 1824 Wilhelm von Schadow vom Staat finanzierte Meisterateliers, da keine Klassen an der Akademie frei waren, die sie hätten übernehmen können. Diese Lehrtätigkeit in Berlin betrachtete Wilhelm von Schadow später als Probe für seine Aufgabe in Düsseldorf.[56] Die frühverstorbenen Maler Friedrich Kuntze und August Wegert waren seine ersten Schüler. Julius Hübner, Carl Sohn, Theodor Hildebrandt, Christian Köhler, Eduard Bendemann, Carl Duncker, Karoline Lauska, Heinrich Mücke und Wilhelm Nerenz folgten bis 1826, als Schadow nach Düsseldorf berufen wurde.

Fast alle Schüler zogen mit ihrem Lehrer dorthin. Der Elan, mit dem Schadow die Akademie reformierte und die raschen Erfolge seiner Schule beruhten wesentlich auf der engen freundschaftlichen Bindung, die der Akademiedirektor zu seinen Schülern unterhielt. Athanasius Graf Raczynski schrieb 1833 über ihn Worte, die auch auf Gottfried Schadow passen: „Die Verhältnisse Schadows zu seinen Schülern und dieser Schüler untereinander sind sehr anziehend. Der Meister trägt zu seinen Schülern eine wahrhafte Liebe. Er erkennt ihr Verdienst, empfindet darüber keinen Neid; er rühmt sie gern, und drückt mit Freuden die Bewunderung aus, welche er manchmal vor ihren Werken findet . . . Was diese Schule vor allen unterscheidet, ist, daß der Neid daraus verbannt, und daß bei weitem die Mehrzahl dem Stolze unzugänglich ist."[57] Johann Wilhelm Schirmer bestätigt in seinen Lebenserinnerungen diese Aussagen. Otto Friedrich Gruppe urteilte 1830 in der Allgemeinen Preußischen Staatszeitung in ähnlichem Sinn: „Ein Gemeingeist, ganz unleugbar, ist es, der mit allgemeinem Aufschwunge die Kraft jedes Einzelnen zu erhöhen scheint, die stärkeren vor Abwegen der Einseitigkeit schirmt, die schwächeren aber erhebt und mit fortreißt . . . Das ist nun das eigentlich erfreuliche in dieser Schule, daß man die Schule so wenig merkt."[58] Wenn Gruppe die Düsseldorfer Schule mit der Werkstatt Peter Vischers vergleicht, so liegt darin nicht nur der Hinweis auf eine von Schadow bewußt im Sinne der Romantik gewählte

Rückbeziehung auf die deutsche Renaissance, es klingt auch wieder die Erinnerung an Gottfried Schadow an, den Theodor Fontane zurecht einen „ins Märkisch-Berlinische übersetzten Peter Vischer" genannt hat.[59]

Wilhelm von Schadow hat aufgrund seiner Prinzipien dem religiösen Historienbild den obersten Rang zugewiesen; dennoch hat er an der Akademie der Landschaft, dem Genre und dem Stilleben einen Spielraum belassen und seine Schüler je nach ihrer Veranlagung auf das eine oder andere Gebiet gewiesen. An Schinkel kritisiert er gelegentlich der Darstellung ihrer Zusammenarbeit bei der Dekoration des Berliner Schauspielhauses, jener sei „wie alle Genies ein geborener Herrscher" gewesen und habe seinen Mitarbeitern die eigenen Vorstellungen aufgezwungen. „Er betrachtete die Menschen nicht als selbständige Wesen, sondern als Mittel und Werkzeuge zu seinen Zwecken."[60] Von solcher Praxis wollte sich Schadow unterscheiden, aber er macht in seiner Charakterisierung Schinkels auch indirekt das resignierende Eingeständnis, daß er selbst kein Genie sei und als Lehrer nur eine dienende Aufgabe erfülle.

Die Reorganisation der Düsseldorfer Akademie von Berlin aus war ein erstaunlicher Vorgang. Im Unterschied zu den Akademien in Berlin, Dresden und München, die gleichsam natürliche Zentren der Kunstpflege in Hauptstädten waren, bildete die Düsseldorfer Akademie ein Instrument einer in die Provinzen ausgreifenden preußischen Kulturpolitik. Einerseits sollte die kulturelle Eigenart des katholischen Rheinlandes respektiert, andererseits aber auch die Bindung an Berlin garantiert werden. In ähnlicher Absicht, freilich mit wesentlich geringerem Anspruch, waren früher in Breslau, Halle, Königsberg, Magdeburg, Stettin, Danzig und Erfurt Kunst- und Gewerkschulen gegründet worden. Obgleich ein Ableger Berlins, wurde die Düsseldorfer Akademie unter Schadow bald zu einem dem Berliner gleichwertigen, ja in Vielem überlegenen Institut. Die stilistische Geschlossenheit der Düsseldorfer Maler und das klare pädagogische Programm Schadows boten eine Perspektive für die Entwicklung der Künste, die der Berliner Akademiebetrieb, auf dem Gebiet der Malerei wenigstens, so nicht erkennen ließ. Daß nach dem schnellen Erfolg Rückschläge hingenommen werden mußten, daß die Harmonie des Kreises um Schadow bald gestört wurde und Konflikte das strahlende Erscheinungsbild der Akademie trübten, als sich die Zahl der Studierenden vergrößerte, ist nur natürlich, denn die neue Blüte hatte sich nicht durch organisches Wachstum, sondern gewissermaßen durch Aufpfropfen ergeben. Die Akademie war nur in einer Elite der Düsseldorfer Gesellschaft, nicht in breiteren Schichten verwurzelt. Spannungen zwischen den Rheinländern und den aus dem Osten kommenden Reformern und Administratoren mußten sich zwangsläufig ergeben, und Wilhelm von Schadow, von der Opposition in erster Linie angegriffen, mußte darunter umso mehr leiden, als er hoch-

empfindlich und sich seiner guten Absichten bewußt war. Einen wesentlichen Anstoß zur Veränderung der Verhältnisse zum Schlechten gab er jedoch selbst durch eine zum Dogmatismus neigende Haltung nach der Rückkehr von einem Aufenthalt in Italien 1830/31.

Von dem homogenen Kreis der engeren Schadowschule unterscheidet sich Carl Friedrich Lessing als eine ganz selbständige Persönlichkeit. Die besondere Note, die er der Düsseldorfer Schule hinzufügte, ist ebenfalls vorgeprägt durch berlinische Einflüsse. Das Besondere an Lessings Landschaften besteht in ihrer historischen Dimension. Ganz im Sinne von Wilhelm von Schadows Forderung wirken genaue Naturbeobachtung für die Details und poetischer Geist in der Komposition zusammen. Die Idee, die aus der so aufgefaßten Natur spricht, besteht jedoch nicht in einer religiösen Vorstellung (wie bei C. D. Friedrich), sondern in einer profanhistorischen, und diese ist zumeist auf das Mittelalter gerichtet. Im Unterschied zu Landschaften, in die die Darstellung bestimmter geschichtlicher (oder mythologischer) Ereignisse eingebettet ist, geben Lessings historische Landschaften erfundene, aber als typisch angenommene Zeitbilder wieder. In Berlin war Karl Friedrich Schinkel der erste, der Landschaften so gestaltet und mit ihnen auf den Geschichtssinn der Zeit reagiert hat. Als Lessing 1822 seine Studien an der Berliner Bauakademie unter Schinkel begann, kann er dessen Landschaftsauffassung kennengelernt haben. Für die düstere Stimmung seiner Bilder, die sich von denen Schinkels grundlegend unterscheidet, ist auf Blechen als Vorbild verwiesen worden. In welchem Maße hier tatsächlich Abhängigkeiten bestehen, ist schwer nachzuweisen. Wichtiger ist für beide wohl die Anregung durch die romantische Literatur Berlins, Tieck, Fouqué und E.T.A. Hoffmann. Für Lessing wurden dann Walter Scotts Romane zur Quelle der Inspiration, die seit spätestens 1824 Stoffe für Berliner Künstler lieferten.[61] Bei Lessings Historienbildern ist zu bedenken, daß er als Schüler Heinrich Dählings dessen Bilder mit mittelalterlichen Ritterszenen kennen lernte, die ihrerseits in einem Zusammenhang mit Gemälden Schinkels stehen. Neigte Dähling zu Schilderungen von epischer Ruhe und Breite, so gibt es daneben von anderen Künstlern eine heute ebenfalls kaum mehr beachtete und größtenteils verschollene profane Historienmalerei, deren Dramatik Lessings Temperament mehr entsprechen konnte. Carl Wilhelm Kolbe d. J. war in dieser Gattung führend, und er fußt seinerseits auf einer bis zu Christian Bernhard Rode tief in das 18. Jahrhundert zurückreichenden Tradition. Auch der wichtige Freskenzyklus in Schloß Heltorf muß im Zusammenhang mit der Berliner Kunst betrachtet werden. Carl Stürmer, ein Corneliusschüler, der 1826 das erste Bild malte, war Berliner und der Sohn von Johann Heinrich Stürmer, der zum Beispiel 1804 ein Gemälde „Die Hussiten vor Naumburg" und 1826 eines mit einer Szene aus einem Feldzug der Kurfürsten Friedrich I. von Brandenburg (1425) in Berlin ausstellte.[62] Als Zyklus von historischen Darstellungen aus dem Mittelalter gehen den Heltorfer Fresken die zehn Entwürfe Kolbes und Wachs für Glasfenster der Marienburg voraus, in denen die Geschichte des Deutschen Ordens erzählt wird. (Kat.Nr. 145, 263). 1822, 1824 und 1826 wurden mehrere von ihnen auf der Berliner Akademieausstellung gezeigt,[63] und ihre Wichtigkeit wie ihre Ausstrahlung ins Rheinland beweist der Umstand, daß Wiederholungen für den Prinzen Friedrich von Preußen gefertigt wurden, die in sein Schloß Rheinstein gelangten.[64]

Daß schon vor Schadows Eintreffen in Düsseldorf Berliner Künstler einer ganz anderen Richtung die Schüler der damals noch unter Cornelius' Leitung stehenden Akademie angeregt haben, berichtet Johann Wilhelm Schirmer: „Ich erinnere mich aus dieser Zeit eines neuen merkwürdigen Eindruckes, den einige ausgestellte kleine Bilder von C. Schulze aus Berlin an allen machten. Derartiges, frisch aus dem unmittelbaren Leben Genommenes war für uns noch nie dagewesen, nie dargestellt worden. Kosaken im Schneegestöber oder herbstliches Nebelwetter mit Hühnerjagd, wo der gamaschierte Jäger mit seinem Hund in den Sumpf hineinpatscht."[65] Carl Friedrich Schulz, genannt Jagdschulz, hatte sich 1825 am Rhein aufgehalten und wird bei dieser Gelegenheit seine Bilder in Düsseldorf gezeigt haben. So konnte eine ähnlich unbekümmert erzählende Düsseldorfer Genremalerei später auch in Berlin Anklang finden.

Berlin war vor allem in den ersten Jahren der neuen Blüte der Düsseldorfer Akademie gleichsam die Bühne, auf der Schadows Truppe sich präsentieren wollte, und der Beifall aus der Hauptstadt war für die Festigung des Instituts wichtiger als der Erfolg im Rheinland selbst.

Die Berliner Malerschule der ersten Hälfte des 19. Jahrhunderts ist, abgesehen von wenigen Namen wie Blechen, Krüger oder Gaertner, weit tiefer in Vergessenheit gesunken als die Düsseldorfer, so daß die engen Verbindungen zwischen beiden namentlich in der Zeit um 1830 nicht mehr offensichtlich sind.

Anmerkungen

1 Erschienen in der Kölnischen Zeitung vom 28. 8.–17. 9. 1891 in 13 Fortsetzungen unter dem Titel „Jugend-Erinnerungen". Der Verbleib des Manuskriptes und das Datum seiner Abfassung sind unbekannt. Auffällige Fehler deuten auf eine Aufzeichnung – vielleicht nach Diktat – in hohem Alter. Möglicherweise ist der Text auch durch eine nicht gut informierte Person redigiert worden. Eine Fotokopie der Zeitungsartikel verdanke ich Dr. Rolf Andree.

2 Schadow 1891, Nr. 1.

3 Erinnerungen der Malerin Louise Seidler, hrsg. von Hermann Uhde, Berlin 1922, S. 99.

4 Luise Charlotte Pickert, Die Brüder Riepenhausen. Darstellung ihres Lebens bis zum Jahre 1820. Versuch einer Einordnung in die künstlerischen Strömungen ihrer Zeit. Phil. Diss. Leipzig 1950 (Ms.), S. 71.

5 Wilhelm von Schadow 1788–1862. Gedächtnis-Ausstellung aus Anlaß seines 100. Todestages, Juli–August 1962, Kunstmuseum der Stadt Düsseldorf, Nr. 1, Abb. S. 17.

6 Schadow 1891, Nr. 1.

7 Gottfried Schadow, Aufsätze und Briefe nebst einem Verzeichnis seiner Werke, hrsg. von Julius Friedlaender, 2. Aufl., Stuttgart 1890, S. 2–4. Johann Gottfried Schadow, Kunst-Werke und Kunst-Ansichten, Berlin 1849.

8 Schadow 1891, Nr. 1.

9 Berlin, Akademie der Künste, Archiv Reg. 1, 187. „In Potsdam haben copiert 1805 . . . Wilhelm Schadow 17, 14. Juni, Van Dyck Christus." Götz Eckardt, Die Gemälde in der Bildergalerie von Sanssouci, Potsdam-Sanssouci 1975, Nr. 90.

10 Die Kataloge der Berliner Akademie-Ausstellungen 1786–1850, bearb. von Helmut Börsch-Supan, Berlin 1971, 1806, Nr. 310 und 311. Nr. 311, die „Kopie der Madonna del Albertoli", konnte nicht identifiziert werden. Die Madonna von Guercino, ein Schulwerk, ist seit 1945 verschollen. Elisabeth Henschel-Simon, Die Gemälde und Skulpturen in der Bildergalerie von Sanssouci, Berlin 1930, Nr. 53 mit Abb.

11 Schadow 1854, S. 237.

12 Schadow 1891, Nr. 11.

13 Hans Geller, Die Bildnisse der deutschen Künstler in Rom 1800–1830, Berlin 1952, Nr. 1168. Runge in seiner Zeit, Hamburger Kunsthalle 1977, Nr. 276. Die Zeichnung gilt als Bildnis von Rudolf Schadow. Außer der posierenden Haltung sprechen auch die rundlichen Formen des Gesichtes eher für eine Selbstdarstellung.

14 Geller 1952, Nr. 1516, Abb. 560.

15 Helmut Börsch-Supan, Johann Carl Heinrich Kretschmar. Der Bär von Berlin XXVII, 1978, S. 97–122.

16 I. Markowitz 1969, S. 192.

17 Börsch-Supan 1971, 1806, Nr. 312, 1808, Nr. 243, 247.

18 Spalte 847 und 906.

19 Barbara Eggers, Künstlermonographie des Berliner Malers Karl Wilhelm Wach (1787–1841), Diplomarbeit, Humboldt-Universität zu Berlin 1976 (Ms.), S. 83, Nr. 1.

20 Johann Gottfried Schadow 1764–1850. Berlin, Nationalgalerie (Ost), Ausstellung Oktober 1964 bis März 1965, Nr. 133 a, Abb. S. 197.

21 Georg Hummel, Der Maler Johann Erdmann Hummel. Leben und Werk, Leipzig 1954, Abb. 22.

22 H. Börsch-Supan 1975, S. 45, 46, Nr. 47, Abb. 20.

23 Schadow 1849, S. 94. Börsch-Supan 1971, 1808, Nr. 247.

24 Abb. bei Martin Blumner, Geschichte der Sing-Akademie zu Berlin, Berlin 1891, als Frontispiz.

25 Schadow 1891, Nr. 1.

26 Ganzfigurige Fassung in Potsdam-Sanssouci. Fassung als Halbfigur im Tondo von 1826, Staatl. Schlösser und Gärten, Berlin, Schinkel-Pavillon, siehe Kat.Nr. 215.

27 Börsch-Supan 1971, 1810, Nr. 90. Schadow 1891, Nr. 2.

28 Berliner Abendblätter 8. 9. 1810, S. 31, 32 und 10. 10. 1810, S. 35.

29 Friedlaender 1890, S. 82.

30 Gedächtnis-Ausstellung 1962, Nr. 185, Abb. 29.

31 Schadow 1891, Nr. 2, 3. Schadow 1849, S. 110.

32 Schadow 1891, Nr. 4.

33 Vgl. z. B. in seiner Biographie die Bemerkung über das Grabmal des Grafen von der Mark (Friedlaender 1890, S. 6).

34 Berlin, Akademie der Künste, Archiv. Reg. 1, 9. Privatpapiere: Schadow'sche Personalien betr. 1786–1844.

35 Wolfgang Becker, Paris und die deutsche Malerei 1750–1840, München 1971.

36 Schadow 1854, S. 215.

37 Schadow 1891, Nr. 8.

38 Schadow 1854, S. 212, 213. Schadow 1891, Nr. 7.

39 Katalog der Staatsgalerie Stuttgart, Stuttgart 1957, S. 242.
40 Schadow 1891, Nr. 8.
41 Verschollen. Gestochen von Gustav Seidel. Friedlaender 1890, S. 92, 167, Nr. 2.
42 Hohenzollern-Jahrbuch 1905, Abb. S. 148.
43 Schadow 1891, Nr. 7.
44 I. D. F. Rumpf, Berlin und Potsdam, eine vollständige Darstellung der merkwürdigsten Gegenstände I, Berlin 1808, S. 110.
45 Gedächtnis-Ausstellung 1962, Nr. 75, 76, Abb. 21. Die Originale aus dem Besitz der Akademie jetzt in der Sammlung der Handzeichnungen und Kupferstiche, Ostberlin.
46 Biographische und literarische Skizzen aus dem Leben und der Zeit Karl Förster's, hrsg. von L. Förster, Dresden 1846, S. 282.
47 Leipzig, Museum der bildenden Künste, ehem. Slg. Speck-Sternburg in Lützschena; ehemals Weimar, Besitz Goethes, verschollen; Staatliche Schlösser und Gärten, Berlin, Schinkel-Pavillon, vgl. Börsch-Supan 1975, S. 56, Nr. 63. Helmut Börsch-Supan, Deutsche Romantiker, München 1972, Farbtf. 93.
48 Gottfried Schadow-Ausstellung 1964, Kat. 123, Abb. S. 80.
49 Deutsche Künstlerbriefe des 19. Jahrhunderts, hrsg. von Gerhard Peters, Detmold-Hiddesen 1948, S. 36.
50 Achim und Bettina in ihren Briefen, Frankfurt 1961, S. 230.
51 Schadow 1891, Nr. 12.
52 Friedrich und Karl Eggers, Christian Daniel Rauch II, Berlin 1878, S. 25.
53 Förster 1846, S. 282, 297, 307, 319. Schadow 1891, Nr. 11, 12.
54 S. 6.
55 Friedlaender 1890, S. 3: „Seinem Schüler sagte Tassaert nie ein ermutigendes Wort, und daher entstand Mutlosigkeit und der Wunsch frei zu werden . . .“
56 Schadow 1891, Nr. 12.
57 Athanasius Graf Raczynski, Geschichte der neueren deutschen Kunst I, Berlin 1836, S. 120.
58 Abgedruckt bei Raczynski 1836, S. 121–150.
59 Theodor Fontane, Wanderungen durch die Mark Brandenburg, München 1967, II, S. 772.
60 Schadow 1891, Nr. 10.
61 Börsch-Supan 1971.
62 Börsch-Supan 1971, 1804, Nr. 80; 1826, Nr. 87.
63 Börsch-Supan 1971, 1822, Nr. 61, 62; 1824, Nr. 53, 54; 1826, Nr. 53–55.
64 7 Entwürfe, jetzt Staatliche Schlösser und Gärten, Berlin, Schinkel-Pavillon
65 P. Kauhausen, Lebenserinnerungen Schirmer, S. 34.
66 Ein 1825 datiertes Bild von Carl Schulz „Blick auf die Godesburg und das Siebengebirge“ in den Städtischen Kunstsammlungen Bonn – dort irrtümlich als Werk von Johann Carl Schultz – gibt eine Vorstellung von den von Schirmer bewunderten Bildern. Rheinische Landschaften und Städtebilder 1600–1850, Ausstellung im Rheinischen Landesmuseum Bonn 10. Dezember 1960–26. Februar 1961, Nr. 161, Farbtf. bei S. 48.

Hanna Gagel

Die Düsseldorfer Malerschule in der politischen Situation des Vormärz und 1848

Es ist kein Zufall, daß die Zeit der realistischen Tendenz, der Auseinandersetzung mit der Gesellschaft, Höhepunkt in der langen Geschichte der Düsseldorfer Malerschule war. In den Jahren 1830–1850 etwa war sie in Europa neben Antwerpen führend. Dieser Abschnitt entspricht genau der Zeit des Vormärz. Es sind die Jahre der Unterdrückung der Forderungen nach Verfassung und nationaler Einheit – was eine Aufhebung der feudalen 39 deutschen Kleinstaaten bedeuten würde.

Nachdrücklicher wurden diese Forderungen nach der französischen Revolution von 1830, die auch in Deutschland starke Auswirkungen hatte – bis zu den Kämpfen am 18. März 1848 in Berlin, als das preußische Militär von der Berliner Bevölkerung aus der Stadt vertrieben wurde. – Ähnlich war – nach einer langen Zeit der Unruhe – die Situation in Düsseldorf, Hauptstadt der Rheinprovinz, die seit 1815 Preußen zugeschlagen war. Der Düsseldorfer Regierungspräsident erklärte am 15. Februar 1848, die Polizei könnte gegen die wachsende Volksbewegung nicht eingesetzt werden, sie „würde übrigens auch nichts helfen, vielmehr nur den Funken ins Pulverfaß werfen und eine Explosion herbeiführen, deren Folgen sich nicht absehen lassen."

Viele Düsseldorfer Künstler griffen in ihren Gemälden und Grafiken Themen aus den sozialen, politischen und religiösen Auseinandersetzungen des Vormärz auf: die Verfolgung von Demokraten und Sozialisten, die Pressezensur, die Polizeikontrolle, Willkür des Adels und des Militärs, die Notlage der vielen Auswanderer, die einseitige Konsumsteuer, die Bettler- und Jagdgesetze bis hin zur Kritik an bürgerlichem Eigennutz und frühkapitalistischen Verhältnissen.[1]

Als zunehmend stärker engagierte Demokraten und Sozialisten – die Zuordnung ist nicht immer genau möglich – nahmen Düsseldorfer Künstler an den Kämpfen des Vormärz und 1848 teil: Andreas Achenbach, Wilhelm Josef Heine, Carl Friedrich Lessing, Henry Ritter, Adolf Schrödter, Emanuel Gottlieb Leutze, Peter Schwingen, Johann Peter Hasenclever und Wilhelm Hübner. Gustav Adolf Koettgen war Mitglied im Bund der Kommunisten, Wilhelm

Kleinenbroich und Richard Seel standen den Kommunisten sehr nahe. – Ihre Tätigkeit blieb nicht auf den Bereich der Malerei beschränkt, in den Düsseldorfer Monatheften nahmen sie in Karikaturen pointiert zu aktuellen Ereignissen Stellung. Als gewählte Offiziere in der Düsseldorfer Bürgerwehr, einer Miliz von freiwilligen Bürgern, versuchten sie, gemeinsam mit der Bevölkerung direkt in die Geschehnisse einzugreifen.

Das Historienbild als Form der Stellungnahme zu aktuellen Konflikten

1830, als das französische Bürgertum seine Interessen in der Revolution durchsetzte, und das deutsche Bürgertum dadurch nachdrücklich auf seine eigene recht- und verfassungslose Position hingewiesen wurde, erregte ein Bild von Karl Friedrich Lessing in Berlin größtes Aufsehen: „Das trauernde Königspaar" (Kat.Nr. 155). Es war vom Berliner Kunstverein in Auftrag gegeben und unmittelbar nach der Ausführung ausgestellt worden. Angeregt wurde es von einem Gedicht von Ludwig Uhland. „Das Schloß am Meer", in dem das Ende eines Feudalgeschlechts durch den Tod der einzigen Tochter geschildert wird. Lessing malt ein Königspaar in archaischer Monumentalität, das in hoffnungsloser Trauer und Resignation in der Halle seines Schlosses vor dem schwarz verhüllten Sarg der Tochter sitzt. Dieser Aspekt – das endgültige Absterben des Königshauses – der schon von Uhland politisch verstanden wurde, wird nachdrücklich von Lessing herausgearbeitet; zugleich aber malt er das Bild mit dem Pathos der Erschütterung über diesen Vorgang von größten historischen Dimensionen. Die aktuelle Bedeutung des Bildthemas wurde vom Publikum sofort erfaßt. Wenn es auch heute schwerer nachvollziehbar ist: die Zeitgenossen sahen das Bild als „Ausdruck ihres gegenwärtigen Lebens im poetisch-mythologischen Gewande".[2] Heinrich Püttmann, liberaler Kunstkritiker der Zeit, führte dazu aus: „Die königlichen Gestalten sind übergroße und ragen wie die Geister der Abgeschiedenen in unsere, dem innern Wesen nach republikanische Gegenwart hinein . . . Es scheint uns, als wenn das Königspaar Abschied von der Welt nehme und als bedeute der Sarg von der schönen Tochter, daß ihm das Liebste schon vorausgegangen."[3] Mit diesem Bild wurde der erste Versuch in der Düsseldorfer Malerei gemacht, progressiven Tendenzen der Gegenwart Ausdruck zu verleihen. Die latent oppositionelle Haltung von Teilen des Bürgertums, die sich im Jahr 1830 herausbildete, kommt darin ebenso zum Ausdruck wie der Respekt des Bürgertums vor der Traditionsmächtigkeit der Monarchien.

Das Thema des hussitischen Kampfes gegen die Herrschaft

der katholischen Kirche wurde zum Hauptmotiv in Lessings Lebenswerk. 1833/34 entwarf er den Karton zur Hussitenpredigt, der 1836 in Öl ausgeführt wurde (Kat.Nr. 159). Er rückt den Ketzer in den Mittelpunkt des Bildes und zeigt ihn mit allen Sympathien als einen Heilsbringer – indem er an die Bildtradition der Jesusdarstellungen anknüpft – während im Hintergrund eine Kirche brennt. In Form eines historischen Motivs griff er damit in die aktuellen Kämpfe des Rheinlandes gegen die katholische Kirche ein.

Schadow nannte Lessings Werk protestantische Tendenzmalerei. Ja, man erzählte sich in Düsseldorf, der Beichtvater habe Schadow den Umgang mit Lessing untersagt[4]. Lessing wandte sich gegen „die Pfaffen" und die „Verdummungsmaschinerie der katholischen Kirche", wie er selber sagte[5], allerdings nicht in der Öffentlichkeit.

Dieses Bild wurde sofort von befreundeten Kunstvereinen angefordert, dort ausgestellt und erregte großes Aufsehen, denn das historische Thema war hier eindrucksvoll und für die Zeitgenossen unübersehbar politisch aktualisiert. In kurzer Zeit gelangte das Bild von Düsseldorf nach Dresden, Münster, Hannover, Weimar, Leipzig, Lübeck und sogar nach Paris. Lessing wurde speziell für dieses Bild mit der Goldenen Medaille, dem Orden der Ehrenlegion und 1842 mit dem Orden Pour le Mérite für Wissenschaft und Kunst ausgezeichnet[6].

Weite Kreise des Bürgertums begriffen Lessings Bild als Ausdruck der Opposition gegen Monarchie und kirchliche Orthodoxie und für die Selbstbestimmung des tschechischen und deutschen Volkes. Der Kommentar eines liberalen Kunstkritikers hob das revolutionäre Element akzentuiert hervor: „Es klingt einem daraus entgegen wie der Choral: Eine feste Burg ist unser Gott, oder wie die Marseillaise, wenn sie in der heißesten Begeisterung und von den vollsten Instrumenten begleitet ertönen."[7] Ebenso betonte die „Rheinische Zeitung" die politische Dimension des Bildes: „Um wieviel bedeutsamer ist dieser Stoff für die Gegenwart, welche unter anderen Formen denselben Kampf der Geistesfreiheit gegen die Kirche noch einmal kämpft und zum Abschluß bringt."[8] Die Hus-Darstellung war so populär, daß sie zu einem beliebten Motiv im Kunstgewerbe wurde, z. B. erschien sie als Schnitzerei auf den Pfeifenköpfen der Handwerksburschen. Der Kunsthistoriker Rosenberg hob als Lessings Leistung im Rahmen der Kunstgeschichte des 19. Jahrhunderts hervor, daß er das Volk nicht als folkloristisches Beiwerk oder als passive Masse, sondern als Ansammlung selbständiger Individuen darstellte: „Lessing machte zum ersten Male die Männer und Frauen aus dem Volke nicht nur zu Teilnehmern an der Aktion, sondern zu Trägern selbständiger Empfindungen und Gedanken."[9] Die Zeitgenossen sahen darin vor allem auch die realistischen Elemente: „Lessing pflegte zuerst den Realismus."[10]

In den Jahren 1830–1836 kann man also den Beginn realistischer Tendenzen in der Düsseldorfer Historienmalerei feststellen, allerdings noch in einer traditionellen Form, die als Medium aktueller Auffassungen benutzt wurde.

Ausbildung in der Düsseldorfer Akademie: Ideal und Wirklichkeit

Schadow kam 1826 im Auftrag der preußischen Regierung als Direktor der Akademie von Berlin nach Düsseldorf. Zuvor lebte er lange Zeit in der Lucasbrüderschaft in Rom, einer Gruppe romantischer Maler, die Katholizismus und Mittelalter – so wie sie sie interpretierten – als Maßstab für Leben und Kunst ansahen. Wenn auch Schadow mit stark romantisch-idealistischen Tendenzen nach Düsseldorf kam, vertrat er jedoch stets die Auffassung, daß der ideale Gegenstand mit „naturgemäßer Wirklichkeit" dargestellt werden müsse. Ja, Schadow formulierte selber programmatisch: „die möglichst angemessene Auffassung des Gegenstandes, die naturgetreue Darstellung desselben ist die Tendenz und Methode der Düsseldorfer Schule."[11] Den Malern wurde also bereits in der Ausbildung die genaue Beobachtung der Realität abverlangt, aber das Studium von Landschaft, Figur und Porträt blieb im Detailrealismus stecken. Die gesellschaftliche Realität kam nicht in den Blick.

Schadow blieb bei der romantisch-religiösen Malerei, und er forcierte diesen Stil als Reaktion auf die sich anbahnenden Konflikte mit seinen Schülern. 1830, im Jahr der wiederbeginnenden demokratischen Bewegung, ging er erneut nach Rom und „kam mit übermaltem Geist" zurück, wie Immermann, der in Düsseldorf lebte, ironisch anmerkte. Es bleibt Schadows Verdienst, den Schülern der Akademie in einer siebenjährigen intensiven Ausbildung ein außergewöhnliches handwerkliches Können vermittelt zu haben, das die Maler befähigte, ihre neuen Bildmotive wirkungsvoll zu gestalten.

Die Gegensätze in der Düsseldorfer Malerschule wurden in den Jahren 1830–1836 unüberbrückbar. Um Schadow und Lessing entstanden zwei Parteien: die romantisch-nazarenische unter Führung Schadows und die realistische mit Lessing als Hauptsprecher. Immermann, der Düsseldorfer Beobachter dieser Entwicklung, faßte die Situation treffend zusammen: „Die Restaurationszeit war überhaupt einem Sichgehenlassen im Angenehmen günstig; mit der Julirevolution trat die Kritik, die Skepsis, der Materialismus unwiderstehlich in alle Geister ein, sie mochten sich sträuben wie sie wollten. Zufällig fiel auch Schadows italienische Reise in die Zeit, er kam als Verwandelter zurück und seitdem begann das Auseinandertreten der Elemente. Deshalb setzte ich die Grenze der Anfänge in das Jahr 1830."[12]

Hinwendung zur Wirklichkeit

Die Ablehnung des traditionellen Malstils der Akademie wurde 1836 zum Bildprogramm der „Atelierszene" erhoben (Kat.Nr. 91). Es ist das Gemeinschaftswerk von sechs jungen Malern der realistischen Richtung, die, nachdem Hasenclever den Entwurf erstellt hatte, an der Ausführung des Bildes beteiligt waren, wie sie durch ihre sechs Unterschriften dokumentierten. In der Gestalt des modellstehenden langhaarigen Malers Wilm mit dem zerbeulten Hut, wird der Modellrealismus, d. h. die üblichen realistischen Detailstudien nach Modellen und die Räuberromantik parodiert. Die Ritterromantik wird durch die unbeachtet auf dem Boden liegenden Utensilien wie Rüstung und Degen, als längst abgetan und überholt dargestellt. Hasenclever selber, im Zentrum des Bildes, schleppt eine Modellpuppe fort und deutet damit ihre Überflüssigkeit im Akademiestudium an. Die Pose des verstaubt abseits stehenden Borghesischen Fechters ohne Arme kehrt als lebendige Geste – und damit überzeugender weil wirklichkeitsnäher – bei zwei Malerfreunden wieder.

Das an der Schule übliche übergroße Bildformat wird durch das abgewandte und von hinten zum Abstreifen der Pinsel und als Windfang benutzte große Bild im Hintergrund, über dem ein altes Hemd hängt, glossiert. Am Keilrahmen dieses großen Bildes hängt, dem Betrachter zugewandt, ein kleines Bildformat. Ebenso haben die Bilder auf den Staffeleien alle das von den dargestellten Malern bevorzugte kleinere Format. Dem feierlichen Ernst der nazarenischen Bruderschaft, den Schadow an der Akademie pflegte, ist der Übermut der Maler, der sich in der demonstrativ erhobenen Flasche zeigt, völlig konträr; wie auch die bei aller Lebensfreude zugleich doch nüchterne, unsentimentale Art des Umgangs der Maler miteinander. Das Atelier wurde von ihnen mit selbstbewußter Ironie „Sibiria" genannt, als Anspielung auf den Verbannungsort des zaristischen Regimes. Dieser Name steht auf dem Titel des Buches auf dem Boden, ein stolzer Hinweis auf ihren „kühlen" Realismus. Dieser realistische Stil war die Ursache für die „Verbannung" Hasenclevers, der seit seinem ersten selbständigen Bild von Schadow abgelehnt wurde. Er ging als Porträtist nach Remscheid. Das posenfreie Selbstbewußtsein der Maler wird deutlich in der Haltung Heines, der lässig rittlings auf einem Stuhl sitzend, die Beine von sich streckt, Pfeife raucht und die Szene amüsiert verfolgt. Er trägt ebenso wie zwei andere Maler einen simplen Malerkittel. Mit dieser Kleidung wird das Selbstverständnis der Künstler als Handwerker in erster Linie akzentuiert – im Gegensatz zu den mittelalterlich stilisierten Selbstdarstellungen der Nazarener mit Barett und Samtwams und den Gebärden von Heiligen.

Die Stimmung unter den jungen Künstlern Düsseldorfs in den dreißiger und vierziger Jahren schilderte Müller von Königswinter: „Der Geist der Kritik, der damals im ganzen Vaterlande frisch und lebendig erwachte, trat in das Leben der Schule. Das junge Deutschland brach seine thatenlustigen Lanzen, und wenn man ihm auch die Leidenschaftlichkeit vorwerfen muß, so darf man ihm doch die Anregung nicht absprechen. Die Kämpfer der Hallischen Jahrbücher folgten mit ihren scharfen und blanken Schwertern. An die Stelle des frommen Glaubens trat die zweifelnde Forschung. (. . .) Man wollte keine hohlen Abstraktionen mehr, man forderte contracte Darstellungen von Fleisch und Bein, die Aesthetik wurde eine andere . . ."[13]

Wilhelm Joseph Heine: Demokraten als politische Gefangene

Ein Jahr nach der „Hussitenpredigt" und der „Atelierszene" malte Wilhelm Joseph Heine das Bild „Gottesdienst in der Zuchthauskirche", 1837 (Leipzig, Museum der bildenden Künste, Abb. 37. Vgl. auch die Fassung im Kunstmuseum Düsseldorf, Kat.Nr. 98).

Heine war ein guter Freund von Hasenclever, wie aus der Atelierszene ersichtlich ist. Mit diesem Bild ging er weit über alles hinaus, was bisher in Düsseldorf und auch in seinem eigenen Werk üblich war. Heine hatte nach der obligatorischen siebenjährigen Ausbildung (1827–1835) an der Akademie mit einer Ausschließlichkeit wie kein anderer (wohl unter dem Einfluß von Lessing) sich der Darstellung sozialer Konflikte zugewandt. Sein Werkverzeichnis (bei Boetticher) besteht aus folgenden Nummern:

1. Der Wilddieb auf der Lauer
2. Die Wilddiebe, 1833
3. Der Schmuggler, 1834
4. Die Landstreicher, 1835
5. Die zerrissene Jacke, 1835
6. Bauernhaus, 1836
7. Verbrecher in der Kirche, 1837
8. Wiederholung des Bildes, 1838
9. Der Brillenhändler, 1838

Konsequent entwickelte er seine Themen weiter vom Motiv des Wilderers, das viel verbreitet war und als Opposition gegen die Vorrechte des Adels – hier das der Jagd – aufzufassen ist, bis zu seinem Hauptwerk „Gottesdienst in der Kirche", das vielfach auch als „Verbrecher in der Kirche" bezeichnet wurde.

Diese Versammlung in der Kirche hinter Gittern unter Militärbewachung ist schwer zu deuten. Um was für „Verbrecher", im Sprachgebrauch des 19. Jahrhunderts, kann es sich handeln? Offensichtlich sind es keine Entwurzelten aus der Unterschicht, also übliche Kriminelle, die ohne inneren Halt vor sich hin brüten. Da fällt zum Beispiel ein hübscher junger Mann mit gepflegtem Lockenkopf auf, der mit gekreuzten Beinen in weißen Strümpfen lässig auf dem Geländer sitzt. Ein hübsches rosa Tuch lose um den Hals geschlungen, mit Monokel im Auge, liest er in entspannter Haltung, wie einer, der nicht mühsam buchstabieren muß, der gern und häufig liest, also eher in der Haltung eines wohlsituierten Studenten. Ebenso scheinen die Drei vor der Säule nach Haltung und Kleidung selbstbewußte, gutausgebildete Männer bürgerlicher Herkunft zu sein, wie auch die an den Wänden hinten und links stehenden Männer. Ein Mann im hellen Weberkittel vorne links sieht aufrecht und trotzig an seinem Bewacher vorbei. – Den Gottesdienst, der selber nicht dargestellt ist, nehmen sie kaum wahr. Widerwillen, Ablehnung, Widerstand, unterdrückter Protest, versteckte Rebellion und Nachdenken zeigt sich in ihren Gesichtern. Ganz rechts im Bild schläft einer sogar unmittelbar neben der Wache. Nur einer hört der Predigt aufmerksam zu, der alte Mann vor der Säule, wie Kopfhaltung und Gesichtsausdruck deutlich machen. Wie kommen solche Männer ins Gefängnis?

Es war die Zeit der Demagogenverfolgungen, der Verfolgung von Arbeitern und Handwerkern, die sich zu organisieren suchten, der Verurteilung von Burschenschaftlern, die für nationale Einheit eintraten:

1835 verbot der Bundestag „für alle Zeit" die Schriften von Heinrich Heine, Georg Büchner, Ludwig Börne und des Jungen Deutschland.

1836, ein Jahr vor der Bildentstehung, verurteilte das preußische Kammergericht 204 Burschenschaftler wegen angeblichen Hochverrats und verhängte gegen 39 von ihnen die Todesstrafe. In den meisten Fällen erfolgten Begnadigungen zu lebenslänglicher Festung.

1837 wurden sieben Göttinger Professoren, u. a. Dahlmann, Gervinus, die Brüder Grimm entlassen und des Landes verwiesen, weil sie sich weigerten, ihren Diensteid auf den Fürsten Ernst August von Hannover zu leisten. Diese mutige Forderung nach verfassungsmäßigen Zuständen wurde vom Bürgertum sehr bewundert und unterstützt.

1837 beging Pfarrer Weidig, neben Georg Büchner der Verfasser des „Hessischen Landboten" und sein Mitkämpfer für eine deutsche Republik, nach fast zweijähriger Untersuchungshaft in Darmstadt Selbstmord. Die Öffentlichkeit nahm großen Anteil an diesem Vorfall. In liberalen Zeitungen des Rheinlandes forderte man daraufhin öffentliche Gerichtsbarkeit in allen deutschen Staaten.

Es ist nicht unwahrscheinlich, daß der alte Mann vor der Säule an Pfarrer Weidig erinnern soll. Als einziger hört er sehr konzentriert seinem „Kollegen" Pfarrer zu, er steht sehr exponiert im Vordergrund, eine energische, Respekt vermittelnde Persönlichkeit. Das Licht läßt seinen Kopf fast verklärt erscheinen – wie ein Erinnerungsbild an einen Verstorbenen. Es ist nicht abwegig, die wuchtige Säule im Bildzen-

37 W. Heine, Gottesdienst in der Zuchthauskirche, 1837. Leipzig, Museum der bildenden Künste

trum in Zusammenhang mit der Martersäule Christi zu bringen, die Säule also als Symbol des Leidens zu sehen[14].

Augenfälliger ist eine andere Identifikation im Bild. Der Mann im hellen Weberkittel hat Ähnlichkeit mit dem Maler Heine selbst, ähnlich sind Kopf, Haar- und Barttracht und Beine, wie aus einem Vergleich mit dessen Darstellung in der „Atelierszene" hervorgeht. Heine hat sich durch diese Identifikation mit den Gefangenen, insbesondere dem Weber, solidarisiert. Da es im Rheinland schon zu Weberaufständen gekommen war, ist es durchaus möglich, daß Heine bewußt diesen Weber im Bild nicht nur aufgenommen, sondern durch die Komposition sogar hervorgehoben hat.

Die Analyse der Personen zeigte, daß Heine einen entscheidenden politischen Konflikt der Jahre, in denen er an dem Bild malte, herausarbeitete. Das Bild entstand zur Zeit der Demagogenverfolgungen und gehört direkt in diesen Zusammenhang. Nicht Kriminelle im üblichen Sinn sind in der Kirche dargestellt, sondern politisch verfolgte liberale Bürger, Handwerker und Burschenschaftler, die nach dem Hambacher Fest von 1832 verschärften Verfolgungen ausgesetzt waren. Zwischen den beiden Doppelwachen stehen Oppositionelle, nicht vereinzelt, sondern als eine Gruppe von Männern, die, individuell gestaltet, sich einig weiß in ihrem Widerstandsgeist.

Heine macht deutlich, daß weder die Präsenz des Militärs, noch die Macht der Strafpredigt ihre Haltung brechen kann.

Auch in der Darstellung des Raumes ist eine Distanz zur Institution Kirche zu erkennen: kein Kreuz, kein tröstendes Heiligenbild, keine mildernde Kerze erscheinen in dieser „Kirche". Von einer Heiligenfigur an der Säule sind lediglich Sockel und Fuß gezeigt, nur durch diese wird man eigentlich an einen Kirchenraum erinnert. Der Raum ist kahl, Putz fällt an der Fensterleibung herab und Bodenfliesen sind zerbrochen. Mondlicht über vereisten Gipfeln verbreitet eine düstere Stimmung. Die Deutung der drei knieenden, verhüllten Frauen ist schwierig, vielleicht sind sie als Hinweis auf Frömmigkeit oder die übliche Funktion der Kirche zu verstehen.

Die Bedeutung des Bildes wurde vom liberalen Bürgertum sofort erkannt: Im Jahr der Entstehung, 1837, kaufte es der Kunstverein Leipzig für das Leipziger Museum an. Im 1. Jahresbericht, 12. Juni 1838, des soeben gegründeten Kunstvereins Leipzig heißt es, daß von den drei für das Museum angekauften Gemälden das von Heine für die Vervielfältigung bestimmt wurde, gemäß Paragraph 6 der Statuten, der vorsah, daß eines der angekauften Bilder für die Mitglieder vervielfältigt wurde: „Man wählte hierzu das Oelgemälde von Wilhelm Heine in Düsseldorf ‚Verbrecher in einer Kirche‘, welches während der Ausstellung allgemeines Interesse gefunden hatte. Eine Lithographie von bedeutender Größe und höchster Ausführung schien der Eigentümlichkeit dieses Gemäldes am meisten zu entsprechen; und um ein möglichst vollendetes Blatt zu erlangen, wandte man sich an Herrn Franz Hanfstängl in Dresden, dessen Leistungen durch sein Werk über die Dresdner Gemäldegalerie als die trefflichsten bekannt sind."

Der Leipziger Verleger Brockhaus, der zugleich Vorsitzender des Kunstvereins war, hatte auch über den Ankauf dieses Bildes mitentschieden. Derselbe Brockhaus, dessen Lexikon von 1836, die Bedeutung eines „Radikalen" z. B. folgendermaßen definierte:

„Daher muß eigentlich ein jeder, welcher die Unvollkommenheit eines gegebenen Zustandes erkennt und auf Heilung derselben denkt, ein Radikaler sein." Dies war Ausdruck der demokratischen Auffassungen des Bürgertums im Vormärz.

Nach allem Dargelegten scheint es nun nicht mehr verwunderlich, daß das politisch Brisante dieses Bildes damals nicht benannt wurde, nicht benannt werden konnte, wollte man sich nicht wegen Sympathie mit demokratischen Gesinnungen gefährden.

Es gibt in den dreißiger Jahren kein Bild in Deutschland, das derart direkt einen aktuellen politischen Konflikt zur Darstellung bringt. Wahrscheinlich ist dies überhaupt nur durch den irreführenden Titel des Bildes möglich gewesen; ähnlich wie sein Namensvetter Heinrich Heine, der über preußische Verhältnisse nur dadurch schreiben konnte, daß er sie als französische Zustände ausgab. Das Bürgertum konnte das Bild als Ausdruck der eigenen Gefangenschaft und Abhängigkeit von staatlicher Macht verstehen.

Das Bildthema hat Beziehung zu Lessings Hussitenpredigt. Dort werden nicht nur die bestehenden kirchlichen Machtverhältnisse in Frage gestellt, sondern auch Menschen aus dem Volk als selbständige und selbstbewußt handelnde Personen gezeigt. Heine jedoch verzichtet auf historische Verkleidungen und zeigt den Konflikt in aller Schärfe und Gegenwärtigkeit mit Sympathie für die Gefangenen. Erst in den vierziger Jahren greifen Karl Hübner, Hasenclever u. a. politisch brisante Themen mit ähnlicher Entschiedenheit wieder auf.

Es existieren drei Fassungen dieses Ölgemäldes:
Die erste Fassung aus dem Jahr 1837 befindet sich in Leipzig (Museum der bildenden Künste). Sonnenlicht fällt hell durch das Fenster auf eine Gruppe von aufrechten und selbstbewußten Männern, die in Haltung und Gesichtsausdruck Widerstand und Protest zeigen. Sie wirken seelisch und körperlich ungebrochen, Spuren der Gefangenschaft sind ihnen nicht anzumerken. Die Gegenüberstellung von der im Soldaten repräsentierten Staatsmacht und dem Mann im Weberkittel ist von höchster Gespanntheit. – Die zweite Fassung in Berlin (National-Galerie, DDR) ist signiert und datiert „W. Heine 1838". Die zuversichtliche Gesamtstimmung und die Kraft des Protestes entspricht der Leipziger Version. – Die dritte Fassung, die jetzt für das Kunstmuseum Düsseldorf angekauft wurde (Kat.Nr. 98), wirkt insgesamt düsterer und in psychologischer Hinsicht realistischer. Die Spuren der Gefangenschaft sind jetzt deutlich den Gesichtern abzulesen, insbesondere der Mann neben der Säule mit blassem, eingefallenem Gesicht wirkt verbittert, deprimiert, wenn auch nicht gebrochen, ebenso der Mann im Weberkittel. Der Kopf des alten Mannes vor der Säule wirkt verklärter als zuvor. Im Hintergrund legt ein Mann die Hand freundschaftlich auf die Schulter des neben ihm Stehenden. Das Tageslicht ist durch Mondlicht ersetzt worden.

Die Bedeutung der Kunstvereine im Vormärz

Da das Bürgertum bis 1848 von öffentlichen politischen Wirkungsmöglichkeiten ausgeschlossen war, blieb ihm in der Zeit des Vormärz vor allem die Kultur als Betätigungsfeld, die Musik ebenso wie die Literatur und Malerei.

1829 wurde in Düsseldorf der „Kunstverein für die Rheinlande und Westphalen" von Schadow und bürgerlichen Mäzenen gegründet. Er hatte vor allem die Funktion, direkte Kontakte zwischen Künstlern und Käufern herzustellen. Es war einer der zahlreichen Kunstvereine in Deutschland, die für die Entwicklung der neuen bürgerlichen Kunstrichtung außerordentlich wichtig waren. In Meyers „Conversations-Lexikon für die gebildeten Stände" heißt es 1851 unter dem Stichwort „Kunstvereine", ihr Zweck sei es, die Kunst von den Launen eines einzelnen Beschützers der Künste unabhängig zu machen, dadurch, daß die Künstler sich auf die

Organisation einer breiten kunstverständigen Käuferschicht in den Kunstvereinen stützen und dadurch freier arbeiten können. Eine Demokratisierung der Auftraggebung würde damit erreicht. Weiter heißt es dort: „Von besonderem Gewicht und Einfluß wurde aber bei dem Aufschwunge, den die Düsseldorfer Akademie unter Schadow nahm, der Düsseldorfer Kunstverein, der sich „Verein für die Rheinlande und Westphalen" nannte, 1829 gestiftet wurde und bereits gegen 5000 Aktien zu 5 Thalern zählt. Ein beständiger Ausschuß von Mitgliedern trifft die Auswahl der zu erwerbenden Kunstwerke und hat die zu machenden Bestellungen zu erwägen. 10 Mitglieder, die in Düsseldorf wohnhaft sein müssen, bilden den Verwaltungsrath, dem die innere Verwaltung obliegt. Der Verein veranstaltet jährliche Ausstellungen und Verlosungen. Seine Einrichtungen haben sich viele andere Vereine zum Muster genommen."

Die neu entwickelte Form der Aktiengesellschaft wurde also Grundlage der Effektivität auch der Kunstvereine. Um die Bedeutung des Düsseldorfer Kunstvereins mit Zahlen zu illustrieren, sei eine Aufstellung über die Ausgaben von 1829 bis 1900 genannt: Für Schenkungen an Kirchen 827 000 Mark, für den Ankauf von Gemälden zur Verlosung 2 047 300 Mark, für Vereinsblätter 1 263 614 Mark. (Vereinsblätter sind Jahresgaben für Mitglieder. In Stahlstichen oder Lithographien wurden die beliebtesten Gemälde der Saison reproduziert, wie z. B. Heines „Gottesdienst in der Zuchthauskirche" durch den Leipziger Kunstverein 1838.) Man ermißt die große wirtschaftliche Bedeutung des Vereins für Düsseldorfer Künstler, die unter diesen Umständen eine Basis ihrer materiellen Existenz hatten. Weiter erreichte es der Kunstverein, daß es zum guten Ton gehörte, ein Werk der Düsseldorfer Kunst präsentieren zu können.

Die Situation im Rheinland

Von 1813 bis 1830 verdoppelte sich im Rheinland der Warenumsatz, die besonders rasche Entwicklung der Verkehrsmittel förderte den weiteren wirtschaftlichen Aufstieg. Begünstigt durch die industrielle Entwicklung und seine wirtschaftliche Macht sowie durch moderne Rechtsverhältnisse (Code Napoleon), konnte das Bürgertum im Rheinland zuerst und am klarsten seine politischen Forderungen stellen: Beteiligung des „Volkes" an der Regierung. Bereits 1847 machten im preußischen Landtag die Rheinländer die Hälfte der Opposition aus. Ein Jahr später waren die Rheinländer Camphausen und Hansemann die ersten bürgerlichen Minister in Preußen. Die liberale junge Generation des Rheinlandes „kokettierte"[15] mit dem Sozialismus und Kommunismus. Unter dem Einfluß der Junghegelianer stehend, orientierten sie sich zunehmend an den französischen Revolutio-

nen und den französischen Sozialisten und beauftragten deutsche Sozialisten und radikale Demokraten mit der Leitung von Publikationsorganen, in denen ihre demokratischen Interessen vertreten werden sollten: so wurde Karl Marx 1842 als radikalem Demokraten die Redaktion der Rheinischen Zeitung übertragen, dem Sozialisten Brüggemann die Leitung der Kölnischen Zeitung (1843, nach Verbot der Rheinischen Zeitung). Der Sozialist Püttmann brachte die „Rheinischen Jahrbücher" heraus sowie das „Deutsche Bürgerbuch für 1845". Moses Hess veröffentlichte in Elberfeld 1845/46 den „Gesellschaftsspiegel", der sehr detaillierte und eindringliche Schilderungen sozialer Notstände brachte. Ebenso hatten die „Halleschen Jahrbücher", die der Linkshegelianer Ruge leitete, großen Einfluß auf das liberale Bürgertum. Brüggemann, Püttmann und Hess vertraten die Fraktion der „wahren Sozialisten", wie Marx und Engels sie bezeichneten. Der „wahre Sozialismus" fand gerade auch deswegen Zustimmung im Bürgertum, weil er die Illusion förderte, daß der Sozialismus mit den Mitteln der Vernunft, Menschenliebe und friedlichen Propaganda aufgebaut werden könne.

Düsseldorfer Künstler gehörten zu den Lesern dieser Zeitschriften. Hübner z. B. wählte Gedichte, die in diesen Schriften veröffentlicht wurden, als Vorlage für seine Gemälde.

Im Feuilleton der Rheinischen Zeitung (1842) wurde die neue Kunstrichtung der Düsseldorfer Maler lebhaft diskutiert, politisch gewertet und gefördert. Die Zeitung unterstützte die realistischen Ansätze bei Lessing und Rethel und forderte vor allem, verstärkt politische Inhalte in den Bildern darzustellen: „Jede Zeit hat ihren Gott, wer den nicht erkennt, dem ist nicht zu helfen. Der unsrige ist die Geschichte, aber nicht die abgestorbene, hinter uns liegende, sondern der lebendige, unaufhaltsame strebende Geist, der uns alle erfüllen soll, und dem wir in der Kunst, in der Wissenschaft, im Staate und im Leben dienen müssen."[16]

Müller von Königswinter und die Düsseldorfer Schule

Einer der wichtigsten Förderer der „sozialen Tendenzmalerei", wie sie damals genannt wurde, war der Arzt, Dichter und Kunstkritiker Wolfgang Müller von Königswinter (1816–1873) aus Düsseldorf. Schon 1842 berichtete er in der Rheinischen Zeitung von realistischen Tendenzen in der Malerei aus Paris. Ab 1846 erschienen seine Kritiken in der Düsseldorfer Zeitung; er saß im Verwaltungsrat und Ausschuß des Kunstvereins[17] und stand in täglichem persönlichen Kontakt mit den Malern.

Als Armenarzt der Stadt hatte Müller Einblick in die Notlage der Arbeiter und Kleinbürger. Täglich sah er die Notwendigkeit vor Augen, daß dem Volk nicht nur durch gelegentliche Wohltätigkeiten, sondern durch grundlegende Veränderungen geholfen werden muß. Er war der Meinung, daß auch die Kunst ein Instrument zur Aufklärung über die Bedürfnisse des Volkes sein könne. So schrieb er 1847 in der Düsseldorfer Zeitung: „Unsere Kunstgeschichte ist auch Politik. [...] Unsere Kunst, die streitbare Kirche unseres Künstlertums, ist ein großes Zeichen der Zeit, darum ist sie auch politisch. Je lauter die Aesthetiker rufen, daß unsere Kunst nichts Fertiges, daß sie nur ein Anlaufen und Ringen sei, um so bestimmter müssen die Politiker sagen, daß sie ihnen gehöre."[18] Entsprechend forderte er eine Kunst, aus der politische Lehren für die Gegenwart gezogen werden können: „Biblische und romantische historische Gegenstände zu malen, ist am Ende viel leichter, als Taten der neuesten Geschichte vorzuführen."[19] Deshalb betonte er mit Nachdruck, daß „in der Anschauung der Gegenwart [...] die eigentliche Kraft der Düsseldorfer Schule (liegt)". Unter den Historienmalern lobte er Lessing, weil dessen historische Darstellungen einen aktuellen fortschrittlichen Bezug haben. Er nannte sie deshalb „realistische Historienmalerei": „Sie (die Realisten) nehmen sich Stoffe aus Perioden, wo wirkliche Geschichtsschreibung der Völker und nicht allein der Fürsten, wie im Mittelalter, existierte. Sie lassen sich von Gedanken inspirieren, deren Lösung auch noch in unsere Tage hinüberspielt. Sie wenden sich in lebendigen Schilderungen den Kämpfen neuerer Zeit zu. [...] So quillt Leben aus Leben."[20] Es ist die Leistung von Müller von Königswinter, daß er den Realismus der Düsseldorfer Schule als Gegenbewegung gegen die Romantik erkannte, und durch seine Tätigkeit als Kritiker mithalf, diese Richtung in der Malerei durchzusetzen.

„Es ist ein großer Irrtum, wenn man meint, die Mittel bedingten das Kunstwerk, nein, das tut nur der Inhalt; ein warmes, lebendiges Menschenantlitz, frisch auf die Leinwand geworfen, ist mir lieber, als hundert tote Schnepfen und Hasen, wenn sie noch so meisterhaft gemalt sind."[21] Als Inhalt forderte er vor allem die Darstellung des Volkes. Dies sei die spezielle Stärke der Düsseldorfer Maler, sie seien „die Maler des Volkes und seiner Leiden und Freuden"[22]. So hob er die Bedeutung der Genremalerei, Szenen aus dem alltäglichen Volksleben, gegenüber der damals übermäßig geschätzten Historienmalerei hervor: „Manches Historienbild erscheint mir kleinlich genrehaft, dagegen dünkt mich manches Genrebild historisch, denn es zeigt großartige Ereignisse und gewaltige Charaktere."[23] Das heißt nichts anderes, als daß das Volk als Gegenstand des Genrebildes größere historische Bedeutung und Charakterstärke haben kann als die üblicherweise gemalten Herren und Heroen: Das Volk ersetzt als neues Subjekt der Geschichte die Feudalherren des Mittelalters in der Realität und im Bild. Man muß annehmen, daß Müller diese Äußerungen von 1853, also nach der Revo-

lution, in den vierziger Jahren in noch schärferer Form vertrat.

Müller war schon frühzeitig zur Entfaltung solcher Auffassungen angeregt worden: Seit seiner Studienzeit war er mit Freiligrath befreundet (1837), eine dauerhafte Freundschaft, die zu intensiven Kontakten mit anderen Sozialisten und radikalen Demokraten wie Kinkel, Heinrich Heine, Herwegh, Engels, Moses Hess führte. Er hatte seit 1845 Kontakte mit dem Bund der Kommunisten. 1844 gehörte Müller zu den Gründern des Düsseldorfer „Lokalvereins zum Wohl der arbeitenden Klassen", in dem er führend tätig war und Kontakt zum Kölner Arbeiterverein unterhielt, in dem Marx mitarbeitete. 1848 vertrat er als Delegierter die Düsseldorfer Bürger in Frankfurt. Unmittelbar nach seiner Rückkehr wurde er jedoch von ihnen wegen zu großer Zurückhaltung kritisiert und nicht wieder nominiert.

Inzwischen hatte Müller eine Kölner Bankierstochter geheiratet (1847); und es ist anzunehmen, daß die Rücksichten auf ihre Familie, die ihm später ein Leben als freier Schriftsteller ermöglichte, seine politische Umorientierung mitbewirkte. Jetzt teilte er die politische Haltung des Großbürgertums, das bereits im Sommer 1848 vor der konsequenten Durchsetzung demokratischer Forderungen zurückschreckte.

Hasenclevers Satiren auf die bürgerliche Bildung

Von 1838 bis 1841 lebte Hasenclever wegen der Düsseldorfer Auseinandersetzungen in München. Hier machte die „Testamentseröffnung" von Wilkie, die seit 1825 in München hing, größten Eindruck auf ihn. An Wilkie und den Satiren Hogarths geschult, den er durch Nachstiche seines Schwagers Th. Janssen kennenlernte, entwickelte sich Hasenclever immer stärker zum kritischen Darsteller bürgerlichen Lebens.

Immer wieder beschäftigte sich der Künstler mit dem Thema Lesegesellschaft. 1843 entstanden zwei Fassungen des „Lesekabinetts" (Remscheid, Städt. Museum [Kat.Nr. 92] und Berlin, National-Galerie, DDR). Schon 1835 waren die „Zeitungsleser" entstanden (Düsseldorf, Stadtgeschichtliches Museum, Abb. 38), ein Gemälde, in dem sich lebhaft diskutierende Handwerker und Kleinbürger mit Nachrichten aus der „Düsseldorfer Zeitung" auseinandersetzen. Die Lesekabinette boten in der Zeit des Vormärz die seltene Gelegenheit, sich über politische Verhältnisse zu informieren und diese zu diskutieren.

In Hasenclevers „Lesekabinett" sitzen Kleinbürger unter dem Licht der gerade erfundenen Gaslampe und widmen sich schweigend der Lektüre ihrer Zeitungen. Offensichtlich sind

38 J. P. Hasenclever, Zeitungsleser, 1835. Düsseldorf, Stadtgeschichtliches
Museum

so das „H" üben, wie schnell es dabei zu gewaltsameren
Auseinandersetzungen kommen wird, ist abzusehen. Hasenclever zeigt, daß das Verhalten dieses Bildungsbürgers als
Lehrer unzureichend ist, daß er wenig von den Kindern und
ihren lebendigen Bedürfnissen versteht.

Neben der Darstellung der Auseinandersetzung mit der
Presse in Lesezirkeln, der primitiven Aneignung von Ele-
mentarformen der Bildung in der Schule hat Hasenclever
eine dritte Form der bürgerlichen Beziehung zur Bildung
satirisch behandelt: die Auswirkung sentimental aufgefaßter
Literatur auf romantische Gemüter. „Die Sentimentale"
(1846) (Kat.Nr. 95) blickt in Tränen auf den Mondschein vor
dem Fenster. Die aufgeschlagenen Bücher, Goethes „Leiden
des jungen Werther" und Heinrich Claurens „Mimili" sind
Ursache ihrer tränenseligen Stimmung, ebenso ein Strauß
mit Rosen und Vergißmeinnicht, eine Rose als Lesezeichen,
der mit den Worten „Innigst geliebte Fanny" beginnende
Brief sowie das Porträt eines Husaren. Es ist eine ironisch
gemeinte Darstellung der Requisiten einer unsinnigen Ge-
fühlskultur. Der Künstler verspottet damit die Rührseligkeit
und Sentimentalität, die im Bürgertum der Vormärzzeit stark
verbreitet waren, als negative Erscheinungen der Bildung.

die Nachrichten wenig erfreulich; ebenso offensichtlich sind
diese ältlichen Kleinbürger zu kraftlos und resigniert, um
sich anders als rezeptiv zu verhalten. Es sind niedere Beamte,
Inhaber kleiner Geschäfte, Lehrer vielleicht, die nichts riskie-
ren wollen und nach der Parole des Vormärz „Ruhe ist die
erste Bürgerpflicht" leben, wenngleich sie sich keine Illusio-
nen über die politische Situation machen.

Die Kunstvereine erkannten diese Darstellung kleinbürgerlichen Lebens als überzeugend an: noch im gleichen Jahr,
1843, wurde Hasenclever zum Mitglied der Akademie der
Künste in Berlin ernannt.

Ebenso bedeutend ist das Thema Schule und Lehrerbildung
im Werk von Hasenclever. Die Gestalt des Lehrers Jobs
beschäftigte ihn seit 1837. Es sind Szenen zu Kortums „Jobsiade, oder Leben, Meinung und Taten des Hieronymus
Jobs, dem Kandidaten. Ein grotesk komisches Heldengedicht in drei Teilen" von 1784. Sind die ersten Jobsbilder
noch weitgehend satirische Illustrationen des Gedichts, so
sind die späteren Bilder „Jobs als Student" (Kat.Nr. 93) und
„Jobs als Schulmeister" 1845 (Kat.Nr. 94) satirisch-kritische
Darstellungen des herrschenden Schul- und Hochschulwe-
sens. Der völlig desorientierte Student, dem nur formales
Wissen und Spitzfindigkeiten abverlangt werden, versucht
bei Feiereien, seine Examensangst zu vergessen. Wenn er es
schließlich geschafft hat, wird er als Lehrer schlecht mit
Naturalien honoriert. Autoritär und beziehungslos steht er
einer viel zu großen Kindergruppe gegenüber. Wie lange sie

Sozialkritik von Hübner, Kleinenbroich und Schwingen

Wilhelm Hübner (1814–1879) kam aus Königsberg nach
Düsseldorf und trat 1837 als Schüler in die Akademie ein. Er
malte Alltagsszenen und übte sich darin, die soziale Lage des
Volkes genau zu erfassen. Berühmt wurde er, als er die
Notlage der Weber zum Gegenstand eines Bildes wählte. Die
schlesischen Weber (1844) (Kat.Nr. 110) schuf er ausschließlich zum Zweck der Aufklärung unter dem bürgerlichen
Publikum der Kunstvereine. Das Bild erschien im September
1844 auf einer Düsseldorfer Kunstausstellung; noch im gleichen Jahr wurde es in Köln, Berlin, Halberstadt, Frankfurt
und anderen Städten gezeigt. Hagen, ein um die Jahrhundertmitte in Berlin lebender Kunsthistoriker berichtet: „In
Berlin wurde das Werk auf der Ausstellung belagert und der
Eindruck schnitt auf die Herzen der Besucher dermaßen ein,
daß aus Mitleid bedeutende Aufträge an Leinwand bei den
armen Webern in Schlesien gemacht wurden."[24]

Das Gemälde entstand bereits vor dem Weberaufstand. Es
zeigt einige schlesische Weber, die einem Fabrikanten Leinen
bringen. Es sind Heimarbeiter, die ihren Sonntagsstaat angelegt haben, um wenigstens nach außen wie standesgemäße
Handwerker zu erscheinen, wenn sie schon verarmt und
abhängig sind. Der Unternehmer weist mit großer Geste ein
Stück Leinen zurück. Der Gestus und die Haltung erinnern

75

39 W. Kleinenbroich, Verbot der Rheinischen Zeitung, 1843. Privatbesitz

an fürstliche Herrscherporträts. Damit charakterisiert Hübner den bürgerlichen Unternehmer als Nachfolger feudaler Herrscher. Die Frau, die wochenlang an der Herstellung des Tuches arbeitete, sinkt ohnmächtig zusammen; sie sieht keine andere Möglichkeit, den Stoff zu verkaufen. Ein Angestellter prüft mit der Lupe ein Stück Stoff, dessen Hersteller mit schmerzlicher Besorgnis auf das Ergebnis wartet Ein junger Mann zeigt seiner verzagten Mutter die wenigen Münzen, die er für seine Ware bekam. Rechts verlassen zwei junge Männer den Raum, einer ballt voller Wut die Faust, während der andere die Hand auf den Arm seines Nachbarn legt und zum Himmel zeigt, als ob er sagte: „Sei ruhig, es gibt einen Richter, der ihn strafen wird." Die Szene ereignet sich in einem kalt aussehenden Vorsaal mit Steinfußboden, der Fabrikant steht auf einem prächtigen Teppich. Sein eleganter Sohn, mit Reitgerte an der Wand lehnend, betrachtet ungerührt das Elend der Weber. Im Hintergrund arbeiten Angestellte in luxuriös ausgestatteten Räumen.

In der „Kölnischen Zeitung" wurde das Gemälde als „sozialistisch und folglich zeitgemäß" bezeichnet, weil es, wie es dort heißt „das Streben unserer Epoche nach Aufhebung des schroffen Standesunterschiedes versinnbildlicht."[26]

Mitte der vierziger Jahre, als sich die Konflikte und damit auch das Bewußtsein von den Konflikten im Bürgertum zuspitzen, wählte Hübner Motive, die die Situation des Volkes im Zusammenhang mit der Wirtschaftskrise 1846/47 anschaulich machten, wobei er zugleich die Perspektive zur Lösung der Konflikte andeutete. Den „schlesischen Webern" folgten 1845 „Das Jagdrecht" (Kat.Nr. 111) und 1846 „Der Abschied der Auswanderer" (Kat.Nr. 112).

Mit dem Bild „Das Jagdrecht" wies Hübner auf die Willkür des Adels hin, der sich das Recht zubilligte, seine Jagden rücksichtslos auf den Feldern der Bauern zu veranstalten. Die Ernten der Bauern, die ihnen, wegen der hohen Abgaben an die adligen Grundherren, nur zum geringsten Teil blieben, wurden dadurch vielfach vernichtet. Darüber hinaus war es den Bauern bei Todesstrafe verboten, Wild, das die Felder vernichtete, abzuschießen.

Die Zustimmung, die das Bild fand, kommt in der Rezension zum Ausdruck, die 1845 in der Düsseldorfer Zeitung (Nr. 211) erschien: „. . . Hübner ist seit jener Zeit recht eigentlich der Maler des Proletariats geworden. Mit einem echten, treuen Menschenherzen hat er sich nach dem Weh und Leid einer Klasse unserer Mitbrüder umgesehen, die man nicht mit Unrecht die Parias unserer Tage nennt [. . .] Die letzte Arbeit des Künstlers übertrifft indes unserer Meinung nach all die früheren bei Weitem. Der Maler nennt es ‚Jagdrecht' nach einem gleichnamigen Gedicht von Wolfgang Müller, welches die erste Anregung zu dieser Komposition gab. Diese Bezeichnung führt uns schon von vornherein auf ein Gebiet, welches durch die verschiedenartigsten Nachrichten aus den Tagesblättern der jüngsten Zeit als kein besonders erfreuliches und lockendes bekannt ist. Wir denken hier gleich an jene stets wiederkehrenden Konflikte zwischen einem in dem Wesen der Menschen liegenden natürlichen Recht und zwischen den bestehenden Gesetzen, die für noble Passionen bevorrechteter Stände geschaffen, alte verrostete Privilegien einer überlebten Zeit schützen [. . .] Die ganze Darstellung ist ein Schrei des Entsetzens, ein Ruf nach blutiger Rache. Geht man so mit dem kostbaren Blute eines Vaters um, der in Sorge um Weib und Kind gegen ein Gesetz, dem es an aller moralischen Berechtigung fehlt, in die Schranken tritt? Schlägt man so das Leben eines Menschen in die Schanze, weil er eine privilegierte Bestie mordet, welche ihm sein Feld zerwühlt hat? . . ."

Mit dem Thema „Abschied der Auswanderer" griff Hübner einen sozialen Konflikt auf, der ebenfalls seit Jahren die Öffentlichkeit beunruhigte. Zu Tausenden waren Bauern, Arbeiter und verarmte Handwerker gezwungen, nach Übersee auszuwandern, in Deutschland ebenso wie im übrigen Europa, besonders in Irland. In Düsseldorf nahm man vor allem Anteil an der Auswanderung der vielen Eifelbauern. 1842 verfaßte Müller von Königswinter ein Gedicht zu diesem Thema, an das Hübner anknüpfte. 1846, im Jahr der Entstehung des Bildes, hieß es im Gesellschaftsspiegel (Jg. 1845/46, S. 142), der in Elberfeld herausgegeben wurde: „Die Auswanderungen sind die deutlichsten Symptome unserer sozialen Krankheit [. . .] Der eigentlichen produktiven Bevölkerung raubt das Capital die Früchte der Arbeit, [. . .] es gibt schon eine Menge Heimath- und Brodloser, und die Zahl der Proletarier wird sich noch mehren."

Hübner stieß an die Grenze bürgerlichen Wohlwollens, als er

im Gemälde „Die Wohltätigkeit in der Hütte der Armen" die soziale Geste des Bürgers angriff. An einem Beispiel zeigte er, daß die Wohltätigkeit allein am Elend im Grunde nichts ändern kann. Die Düsseldorfer Zeitung kritisierte: „dieses vorzügliche Gemälde (macht) einen verletzenden Eindruck, indem es verbittert."[25]

Wilhelm Kleinenbroich (1813–1895) wählte als einer der ersten als Motiv für ein Ölgemälde einen Arbeiter. Er stellte das Bild unter dem Titel „Der Proletarier" (1846) aus.

Drei Jahre früher, 1843, als die Rheinische Zeitung unter starkem öffentlichen Protest verboten wurde, reagierte er auf dieses Verbot sofort mit einem Gemälde „Verbot der Rheinischen Zeitung" (Abb. 39). Es zeigt die Betroffenheit des Volkes, insbesondere eines alten Soldaten mit Ehrenzeichen aus den Napoleonischen Kriegen sowie junge, gutgekleidete Männer, die die Zeitung trotz Verbot mit großer Entschiedenheit hochleben lassen. Zum besseren Verständnis ist zu sagen, daß z. B. die Förderer des „Kunstvereins für die Rheinlande und Westfalen" zugleich die Förderer der „Rheinischen Zeitung für Politik, Handel und Gewerbe" waren, nämlich Georg Jung vom Kölner Landgericht und der Bankier Dagobert Oppenheim. Die Zeitung wurde seit dem 1. Januar 1842 in Köln von Marx herausgegeben, der zu jener Zeit allerdings noch nicht als „Marxist", eher als Linksliberaler zu bezeichnen ist. Im neunköpfigen Aufsichtsrat saßen Industrielle, Ärzte und Juristen.

Kleinenbroich war an der Düsseldorfer Akademie ausgebildet worden und arbeitete als Zeichenlehrer im Kölner Arbeiterbildungsverein. Er hatte damit unmittelbare Beziehungen zu sozialistischen Theoretikern und Arbeitern. 1847 entstand das Bild „Die Mahl- und Schlachtsteuer" (Kat.Nr. 133).

Im Vordergrund werden dem armen Volk Steuern für sein bißchen Brot abverlangt, während im Hintergrund reiche Leute, der Bankier Oppenheim und seine Gattin aus Köln, von einer Jagd mit reicher Beute heimkehrend, unbehindert vorbeireiten.

Die Mahl- und Schlachtsteuer war eine Konsumsteuer, die vor allem von der ärmeren Bevölkerung für Getreide und Schlachtvieh entrichtet werden mußte, während die besitzenden Klassen nicht davon betroffen waren. Diese Steuer wurde als besonders ungerecht vielfach in der Presse angegriffen und 1848 als eine der ersten abgeschafft. Im Jahr der Entstehung des Bildes hieß es in der Düsseldorfer Zeitung: „Die Konsumtionsteuern der notwendigsten Lebensbedürfnisse sind überhaupt ein Verbrechen an der Menschlichkeit in Hinblick auf die Schonung und Delikatesse, mit welcher die Regiernden die aufgehäuften Schätze der Reichen und Reichsten hegen."[27]

Zu diesem Thema entstand ein zweites Bild im selben Jahr 1847: Peter Schwingen, der Porträtist und Genremaler, stellte ebenfalls diese einseitige Besteuerung in aller Klarheit zur Schau in seinem Bild „Das unversteuerte Brot". Müller von Königswinter, der das verlorengegangene Gemälde von Schwingen kannte, beschreibt das Bild: „Das ‚nicht verzollte Brot' ist eine derbe Satire auf die Schlacht- und Mahlsteuer. Wir sehen nämlich in das Tor einer Stadt. Steueraufseher greifen mit brutalem Ausdruck ein armes Bettelkind auf, das ein Laib Brot für seine Familie vorbeiträgt, während Jäger, die sich Rehe nachschleppen lassen und überdies von Wild strotzende Taschen umhängen haben, unbefangen und ungehindert, salutiert von den Dienern des Gesetzes, vorbeiziehen."[28]

„Die Pfändung", ein weiteres Gemälde von Peter Schwingen und wohl 1846 entstanden, scheint im engen Zusammenhang mit Hübners „Schlesischen Webern" zu stehen (Kat.Nr. 253). Das Bild zeigt die völlige Abhängigkeit einer großen Handwerkersfamilie, die als rechtschaffen und gläubig dargestellt wird, von einem reichen Bürger. Der Bürger tritt ebenso dominierend und kaltherzig auf wie der Unternehmer bei Hübner. Er scheint ein Werkzeug in der rechten Hand zu halten. Das würde heißen, das er sogar ein wichtiges Arbeitsmittel, Grundlage der Existenz dieses Handwerkers, ihm abverlangt. In Anwesenheit eines Juristen, der entsetzt und ungläubig das Schreiben des Schuldpapiers unterbricht, fordert der reichgekleidete Bürger alle Habseligkeiten des jungen Ehepaars mit zwei Kindern. Die Uhr steht bereits am Boden neben Tüchern, Töpfen und sogar der Kaffeemühle. Zwei Männer tragen konfiszierten Hausrat hinaus. Ihren Mienen und Gesten ist ihre Kritik an dem bedenkenlosen Vorgehen abzulesen. Diese beiden Männer erinnern an die beiden Protestierenden bei Hübner, ebenso die hingesunkene Frau, die von ihren verstörten, weinenden Kindern umschlungen wird, ferner auch die Beobachter der Szene in einem Nebenraum. – Wenn auch heute diese Situation allzu kraß erscheint, damals fehlte offensichtlich jeglicher Rechtsschutz für die in Abhängigkeit Geratenen, denn auch der Jurist in der Bildmitte ist sichtlich machtlos. Das Bild scheint eine deutliche Forderung nach Verbesserung der Rechtsverhältnisse zu enthalten.

Aus kunstgeschichtlicher Sicht heißt es dazu in Schaarschmidts 1902 erschienener Darstellung „Zur Geschichte der Düsseldorfer Kunst insbesondere im 19. Jahrhundert": „Zwei weniger bedeutende Künstler, deren Werk auch fast vergessen ist, versuchten Hübner nachzuahmen, es waren dies Wilhelm Kleinenbroich aus Köln und Peter Schwingen aus Godesberg."[29]

Die Rolle der Künstler in den Kämpfen in Düsseldorf 1848

Viele Künstler beteiligten sich aktiv an den Ereignissen 1848/49 in Düsseldorf, das neben Köln und Elberfeld ein

Zentrum der revolutionären Initiativen im Rheinland war. Anfang März, nachdem die Pariser Februarrevolution die seit Jahren gärende revolutionäre Bewegung allenthalben in Europa zutagetreten ließ, stellte man auch in Köln und Düsseldorf „Forderungen des Volkes" auf: man forderte Gesetzgebung und Verwaltung durch das Volk, allgemeines Wahlrecht und allgemeine Wählbarkeit, unbedingte Freiheit der Rede und Presse, Aufhebung des stehenden Heeres, Einführung einer allgemeinen Volksbewaffnung und freies Vereinigungsrecht. In Solingen und im Bergischen Land kam es zu Arbeiteraufständen, bei denen nicht nur Fabriken gestürmt, sondern auch Maschinen zerstört wurden. Im Rheinland, besonders in Elberfeld und Neuß, hatte die Revolution von Anfang an den doppelten Charakter einer bürgerlichen und proletarischen Bewegung.

In Düsseldorf konstituierte sich am 24. März die Bürgerwehr. Die alte Forderung nach der Bewaffnung des Volkes wurde damit von den Düsseldorfern – freilich in anderer Weise als in Preußen – realisiert. Unter den 66 gewählten Offizieren befanden sich elf Maler: Lessing wurde Zugführer, Hasenclever stellvertretender Zugführer, Hübner stellvertretender Zugführer, Rudolf Jordan Zugführer, Lorenz Clasen, Historienmaler und Herausgeber der Düsseldorfer Monathefte, Hauptmann der 7. Kompanie und stellvertretender Kommandant der Bürgerwehr. Weitere Künstler gehörten zu den Mannschaften der einzelnen Kompanien[30]. Es gab in Deutschland kein ähnliches Beispiel der Beteiligung von Künstlern an der Bürgerwehr. Zudem unterschied sich die Düsseldorfer Bürgerwehr beträchtlich von den Bürgerwehren anderer Städte dadurch, daß sie sich nicht zur Herstellung von Ruhe und Ordnung mißbrauchen ließ. Im Gegenteil, die Düsseldorfer Bürgerwehr unterstützte konsequent die Forderungen des Volkes.

Schon im März 1848 wurde die Polizei vom Düsseldorfer Oberbürgermeister beauftragt, die Bürgerwehr zu überwachen, da sie mehr im Sinne habe als den Schutz der ruheliebenden Bürger. Als der preußische König auf der Durchreise zum Kölner Dombaufest sich im August 1848 in Düsseldorf befand, weigerten sich die hierzu beorderten 137 Bürgergardisten, an seinem Empfang teilzunehmen[31].

„Die Bürgerwehr war aus allen Waffengattungen zusammengesetzt, denn man sah hier Gewehre, Büchsen, Flinten, Säbel, Lanzen, Metzgerknechte mit Beilen, Bauern mit Mistgabeln und Sensen, sogar zwei Sappeure und zwei Böller mit Pferden bespannt."[32]

Die meisten Legionäre trugen ihre gewöhnliche Kleidung und zeichneten sich nur durch Abzeichen vor den anderen Bürgern aus.[33]

Bis zum Herbst 1848 standen auch in Düsseldorf die Arbeiter auf der Seite der Demokraten. Im Oktober begannen sie, mit eigenen Forderungen aufzutreten. Lassalle, der im Volksclub in Düsseldorf die Arbeiter organisierte, wies sie auf die Notwendigkeit eines selbständigen Kampfes hin. Am 8. Oktober 1848 fand eine erste große Demonstration der Arbeiter unter roten Fahnen statt. Bürgermeister, Polizei und preußische Regierung waren sich schnell einig, daß man dagegen einschreiten müsse. Als Lorenz Clasen in seiner Eigenschaft als stellvertretender Bürgerwehrkommandant befragt wurde, ob man sich auf die Bürgerwehr verlassen könne, weigerte sich dieser entschieden, gegen demonstrierende Arbeiter und ihre rote Fahne vorzugehen[34]. Die meisten Mitglieder der Bürgerwehr hatten sich inzwischen zu Republikanern entwickelt. Einigen war dieser Schritt allerdings zu kühn, Lessing und Müller von Königswinter traten deswegen aus der Bürgerwehr aus. Angesichts des wachsenden Selbstbewußtseins der Arbeiter wurden sie wieder zu Vertretern einer Konstitutionellen Monarchie, Lessing wurde sogar ein wütender Gegner der Arbeiterbewegung.

Am 8. November erklärte sich die Mehrheit der Bürgerwehr zum „bewaffneten Organ der Revolution". In Neuß wurde das Zeughaus von der Bürgerwehr besetzt und die Verteilung der Waffen an das Volk vorbereitet. Cantador, Chef der Bürgerwehr, der diese als „Leibgarde der Freiheit" bezeichnete, eröffnete am 19. November dem Regierungspräsidenten, daß die Bürgerwehr die Steuerzahlungen nach Berlin unterbinden werde. In der Folge verlangten die Bürgerwehroffiziere in der Post Auskunft über die dort lagernden Geldsendungen. Dieser Vorfall wurde als Überfall deklariert und der Belagerungszustand über Düsseldorf verhängt. Am 24. November wurde die Bürgerwehr durch ministeriellen Beschluß aufgelöst, weil sie sich gegen die gesetzlichen Gewalten und Behörden aufgelehnt habe. Tags darauf wurden Cantador und Lassalle verhaftet.

Im Mai 1849 brach der offene Konflikt zwischen der Frankfurter Nationalversammlung und den Regierungen der deutschen Staaten in aller Schärfe aus. In der Rheinprovinz waren die großen Städte inzwischen Festungen des preußischen Militärs geworden. Bewaffnete Aufstände gelangen jedoch in Elberfeld, wo Engels dem Sicherheitsausschuß der Stadt angehörte, und in Iserlohn. Die Düsseldorfer und Elberfelder Demokraten hatten sich bereits am 30. April verbrüdert. Am 9. Mai, als von Düsseldorf aus die Regierungstruppen in Elberfeld ständig Verstärkung erhielten, forderte daher ein Emissär aus Elberfeld die Düsseldorfer auf, das Militär durch einen Aufstand aufzuhalten und dadurch die Kämpfe in Elberfeld zu entlasten. Es kam zu großen Menschenansammlungen in Düsseldorf; und als die preußische Infanterie erschien, bauten die Volksmassen Barrikaden. Eine Schilderung der Ereignisse um den Dichter Ferdinand Freiligrath (Abb. 40) macht vielleicht die Stimmung jener Zeit in Düsseldorf deutlicher.

Freiligrath, der seit 1845 radikaler Demokrat war, vertrat zunehmend sozialistische Positionen. Er lebte in Elberfeld und Köln – wo er mit Engels, Moses Hess und Koettgen

40   J. P. Hasenclever, Freiligrath, 1851. Berlin DDR, Nationalgalerie

Gehobnen Armes, weh'nden Haars dasteht er wild und
prächtig!
Die rost'ge Büchse legt er an, mit Fensterblei geladen:
Die rothe Fahne läßt er wehn hoch auf den Barrikaden!

Sie fliegt voran der Bürgerwehr, sie fliegt voran dem Heere
Die Throne gehn in Flammen auf, die Fürsten fliehn zum
Meere!
Die Adler fliehn; die Löwen fliehn: die Klauen und die
Zähne! –
Und seine Zukunft bildet selbst das Volk, das souveräne!

Das Gedicht gefiel ungemein, es wurde sofort gedruckt und
für einen Silbergroschen pro Exemplar fand es reißend Ab-
satz. Durch Freunde und Bekannte wurden 9000 Exemplare
in Düsseldorf, Elberfeld, Barmen und Krefeld rasch verkauft. Einige Tage später verlangte die Regierung die Vor-
führung des Verfassers und beschlagnahmte das Gedicht.
Nach vierwöchiger Untersuchungshaft kam er vor Gericht.
Nicht Polizisten begleiteten ihn dorthin, sondern Offiziere
der Bürgerwehr, darunter viele befreundete Künstler, möglicherweise auch Hasenclever[36]. Nach dem Freispruch wurde
er von der Bürgerwehr im Triumphzug durch die Stadt
geleitet und von der Volksmenge gefeiert. Später, 1850,
wurde er auf Vorschlag von Hasenclever, Leutze und Hübner zum Ehrenmitglied des „Malkastens" ernannt, nach Ein-
spruch der Regierung trat Freiligrath jedoch wieder zurück.

befreundet war – und seit 1848 in Düsseldorf. Er hatte daher
gute Kontakte mit Düsseldorfer Künstlern. Enge Freundschaft verband ihn mit Lessing, Hübner, Hasenclever, Pfän-
der, Seel und Kleinenbroich[35], also mit allen den Malern, die
mehr oder weniger sozialistische Standpunkte vertraten und
diese auch in ihrer Malerei zum Ausdruck brachten.
Er wurde Mitglied im Volksclub, in dem von weniger Be-
mittelten vor allem republikanische Positionen vertreten
wurden. Zur Verbesserung der Finanzen des Vereins beauftragte man ihn im Sommer 1848, ein Gedicht zu machen.
Daraufhin entstand in wenigen Tagen das Gedicht „Die
Toten an die Lebenden", eine Erinnerung an die im März
1848 in Berlin Gefallenen.

Zu viel des Hohns, zu viel der Schmach wird täglich euch
geboten:
Euch muß der Grimm geblieben sein – o, glaubt es uns, den
Todten!
Er blieb euch! ja, und er erwacht! er wird und muß erwachen!
Die halbe Revolution zur ganzen wird er machen!

Er wartet nur des Augenblicks: dann springt er auf allmäch-
tig;

Erste Darstellung selbstbewußt auftretender Arbeiter in der deutschen Malerei

Hasenclevers Gemälde „Arbeiter vor dem Magistrat 1848"
(Kat.Nr. 97) geht von einem historischen Ereignis aus, das
sich am 9. Oktober 1848 in und vor dem Rathaus von
Düsseldorf vollzogen hatte. Am 8. Oktober organisierte der
Volksclub, an dessen Spitze Julius Wulff, Lassalle und Freiligrath standen, die erste große Demonstration unter roten
Fahnen. Auf der Kundgebung, die in Gerresheim stattfand,
waren über 5000 Menschen anwesend. Schon am Tage darauf
zogen die Arbeiter „vor das Rathaus, drangen in den Sitzungssaal und forderten in ungestümer Weise, beschäftigt zu
werden. Der Gemeinderat konnte ihnen nichts weiter sagen,
als daß die Mittel erschöpft seien", wie es im Tagebuch eines
Augenzeugen heißt[37]. Diese Szene ist es, die Hasenclever
gemalt hat. Unter dem unmittelbaren Eindruck der Ereignisse entstand die Ölskizze, die 1855 von der Witwe des
Künstlers erworben wurde. Das Ölgemälde zu diesem
Thema wurde 1848 ausgeführt und kam – nach Ausstellungen in England und den Vereinigten Staaten – nach Düsseldorf erst jetzt zurück.

Bislang wurden nirgendwo in der Kunstliteratur die Hinweise aus Freiligraths Briefwechsel mit Marx und Engels aufgegriffen, aus denen hervorgeht, daß Freiligrath, der Freund Hasenclevers, am 12. Mai 1851 das Bild auf seiner Flucht mit nach England nahm. (Kurz vor dessen Abreise malte Hasenclever das Porträt Freiligraths [Abb. 40].) Bereits im Sommer 1851 wurde das Bild in London ausgestellt, wie Freiligrath an Marx berichtete[38]. Die Initiative Freiligraths, das Werk seines Freundes so schnell in einer Kunstausstellung der Öffentlichkeit bekannt zu machen, ist besonders beachtenswert, vergegenwärtigt man sich seine außerordentlich schwierige Situation als Emigrant ohne Geld und Familie im Ausland. Im Frühjahr 1852 forderte Freiligrath den ebenfalls in London lebenden Marx auf, sich das Bild von Hasenclever anzuschauen. Im Sommer 1852 wurde es offensichtlich in Manchester von Engels ausgestellt und 1853 war es im New Yorker Crystal Palace zu sehen. Marx forderte in einem Artikel in der „New York Daily Tribune" vom 12. August 1853[39] das New Yorker Publikum auf, sich das Bild anzusehen. Marx hatte diesen Artikel auf Bitten von Freiligrath in London verfaßt. Marx schreibt mit höchster Anerkennung: „What the writer could only analyze, the eminent painter has reproduced in its dramatic vitality." Marx betont also, daß das Bild des Malers die dramatische Vitalität der Auseinandersetzungen in den Revolutionstagen viel anschaulicher mache als er es in seiner Beschreibung vermocht habe und bezieht sich damit auf seine eigene Analyse der Revolutionsereignisse von 1848, die ebenfalls in Fortsetzungen in der „New York Daily Tribune" erschienen war.

Die Hauptfassung des Gemäldes entstand um 1848. Man vergegenwärtige sich: Das Bild wurde entworfen und bearbeitet während des Belagerungszustandes in Düsseldorf November 1848/Ende Januar 1849. Nach der befohlenen Auflösung und Entwaffnung der Bürgerwehr, in der Hasenclever Offizier war, während der Verhaftung von Freunden und Bekannten, der Auflösung aller politischer Vereine, während der Kämpfe im Mai 1849 im Rheinland, in Dresden, Baden und Berlin, die mit der oktroyierten Verfassung (Dreiklassen-Wahlrecht) im Dezember 1849 endeten.

Man schaut in einen Sitzungssaal; zwei Drittel des Bildes nehmen 22 Ratsherren am Tisch sitzend ein, sie bilden einen Kreis, der sich zum Betrachter und zu den sechs vor ihnen stehenden Arbeitern öffnet. Durch das geöffnete Fenster in der Bildmitte blickt man auf eine große aufgeregte Menschenansammlung auf dem Rathausplatz. Das Bild ist so angelegt, daß die Aufmerksamkeit immer wieder auf das Fenster hingelenkt wird: die linke Tischkante und die Stufe ergeben ebenso wie die Kopffreihe der Ratsherren und der Arbeiter dynamische Linien, die zum Fenster hinausweisen[40]. Ebenso weist ein Arbeiter mit gestrecktem Arm demonstrativ und mit Nachdruck zum Fenster. Ein Ratsdiener schließt das Fenster und versucht dadurch, die Verhandlung gegen die Rufe der Menge abzuschirmen, die die Forderungen der Arbeiter offensichtlich unterstützt.

Der Wortführer der Arbeiter präsentiert im vollen Bewußtsein seines Rechts ein Schriftstück „An den Wohllöblichen Stadtrath dahier . . . Gesuch um Arbeit". Er ist nah an die Ratsherren herangetreten, nur eine Stufe, diese ist allerdings sehr deutlich, verläuft zwischen den beiden Gruppen, die wie zwei Lager auf zwei Ebenen sich gegenüberstehen. Obgleich die Gruppe der Arbeiter tiefer steht, erscheint sie durch die größere Nähe zum Betrachter gewichtiger als selbst die Ratsherren, die sich von ihrem Stuhl erhoben haben. Die Ratsherren sind vor allem als Besitzbürger charakterisiert, sie sind erstaunt, verblüfft, empört, ja fassungslos über die Kühnheit der Arbeiter, die ihnen hier nicht mehr untertänig mit Bittschriften, sondern selbstbewußt mit Forderungen gegenübertreten. Offensichtlich sind sie ungeladen in die Sitzung eingedrungen, die Geschäftsordnung ist unterbrochen, die Glocke des aufgesprungenen Geschäftsführers, die Ruhe und Ordnung herstellen sollte, ist außer Kraft gesetzt.

Die aktuelle politische Situation wird durch Porträts, Fahnen und Kokarden genau faßbar: Drei Herrscherporträts in ovalen Medaillons an den Wänden des Rokoko-Interieurs zeigen die Mächtigkeit der feudalen Tradition. Akzentuiert und zugleich karikiert wird diese Tradition durch die schwarze Ritterrüstung mit Hellebarde in der Ecke des Saales: wie ein Schreckgespenst erscheint sie hinter den Bürgern. Das Visier ist hochgeklappt und erlaubt einen Blick in die gähnende Leere; jetzt ist sie noch gut als Garderobenständer für Hut und Regenschirm. – Die schleifchengeschmückte Lithographie im schlichten Rahmen zeigt den Erzherzog Johann, den Reichsverweser. Auf ihn war 1848 die Hoffnung der Bürger gerichtet, durch ihn wünschte man zu einem friedlichen Arrangement mit den Fürsten zu kommen. Das Glas des Bildes ist zersprungen – diese Hoffnung der Bürger ist spätestens im Herbst 1848 zerbrochen. –

Gemeinsam ist den Ratsherren und Demonstranten die schwarz-rot-goldene Fahne, die im Saal, auf der Lanze des Drachentöters auf dem Brunnen wie auch auf dem Haus gegenüber erscheint. Die Farben schwarz-rot-gold waren damals Inbegriff des Wunsches nach nationaler Einheit, mit diesem Zeichen war die Revolution im März 1848 begonnen worden. Schwarz-rot-goldene Kokarden tragen der bürgerlich gekleidete Redner auf dem Brunnen draußen wie auch der Wortführer der Arbeiter drinnen am Hut. Tatsächlich waren sich Bürger und Arbeiter in dieser Forderung einig. Daneben erscheint die rote Fahne auf dem Marktplatz. Diese war die Farbe derer, die sich nicht nur für nationale Einheit, sondern auch für die Abschaffung der Monarchie und Errichtung einer Republik auf der Basis von gleichem Wahlrecht für alle einsetzten, für eine sozialistische Republik. Linke Teile des Bürgertums und der Arbeiter erhoben solche Forderungen. Diese Gemeinsamkeit betont Hasenclever durch den Redner bürgerlichen Aussehens neben den Arbeitern mit roter Fahne draußen und durch den gutgekleideten Herrn im schwarzpaspelierten Mantel, der die Arbeiterdelegation im Hintergrund begleitet und mitberät. – Der Wortführer der Arbeiter ist ein älterer, bedachter, eher biederer Mann. Überzeugt von der selbstverständlichen Richtigkeit seiner Sache, betont er mit Anstand und Selbstbewußtsein ihr Recht auf Arbeit. – Zu Winterbeginn gab es in dem kleinen Düsseldorf etwa 600 Arbeitslose, die nur teilweise durch zusätzliche Erdarbeiten auf der Goltzheimer Insel beschäftigt wurden[41]. – Zwei Arbeiter unterstützen ihn nachdrücklich mit Armen und Fäusten, einer ist eher verlegen und unsicher.

Der leuchtend roten Jacke des Arbeiters auf der einen Seite entspricht in der Symbolik der Farben auf der andern Seite die goldgelbe Weste über dem Bauch des dickleibigen Bürgers. Gesteigert wird die Wirkung des Goldgelb durch das weiße große Schnupftuch und den Kontrast zur blauen, violett gefütterten Decke auf seinen Knien. Die goldene Uhr, goldene Knöpfe und Ringe kennzeichnen seine Zugehörigkeit zum Besitzbürgertum. Das Licht von draußen, einer ebenfalls symbolisch zu verstehenden Unwetterstimmung, beleuchtet die ganze Szene: hell hervorgehoben werden der echauffierte, schwitzende Bürger, das Porträt des Reichsverwesers, die Schriftstücke auf dem Tisch sowie vor allem das Papier in der Hand des Arbeiters in der Bildmitte vor dem Fenster.

Hasenclever zeigt sich als Realist, d. h. er bleibt bei der Beobachtung der Wirklichkeit, ohne sie ins Ideale zu überhöhen. Er charakterisiert das Verhältnis Bürger-Arbeiter Ende 1848 in seiner historischen Bedeutung, ohne sich in Details oder revolutionäres Pathos zu verlieren. Wie Balzac stellt er die Bürger satirisch dar, die Arbeiter dagegen als ernsthafte und besonnene aufrechte Menschen.

Es gibt vier verschiedene Fassungen dieses Themas, ein Zeichen dafür, wie intensiv Hasenclever sich damit befaßte (vgl. auch Kat.Nr. 97).

1. Aquarell über Bleistift, um 1848, Städt. Museum Remscheid, (Abb. Katalog „The Hudson and the Rhine", Kunstmuseum Düsseldorf 1976, Nr. 53).

2. Ölskizze, um 1848, Landesmuseum für Kunst- und Kulturgeschichte Münster i. W. (farbige Abb., Katalog „Kunst der bürgerlichen Revolution 1830–1848/49", S. 91) (Abb. 41).

3. Ölgemälde, um 1848, angekauft vom Kunstmuseum Düsseldorf. Von Freiligrath 1851 im Fluchtgepäck nach London gebracht. Mit der Beschriftung am Bildrahmen „Workmen and the Town Council 1848" aus New York 1976 zurückgekommen (Kat.Nr. 93).

4. Zweite Fassung des Ölgemäldes, 1848/49, leicht abgeschwächt. Bergisches Museum Schloß Burg an der Wupper (Abb. J. Ch. Roselt, Arbeiter und Stadtrat von Hasenclever,

41 J. P. Hasenclever, Arbeiter vor dem Magistrat, Ölskizze. Münster, Westfälisches Landesmuseum für Kunst und Kulturgeschichte, Dauerleihgabe des Westfälischen Kunstvereins

in: Romerike Berge, Zeitschrift für Heimatpflege im Bergischen Land, Nov. 1966).

Daß die im Fensterausschnitt sichtbare Architektur nicht diejenige des Düsseldorfer Marktplatzes ist, könnte damit erklärt werden, daß die Revolution inzwischen niedergeschlagen worden war und die Restauration ihren Einzug auch ins Rheinland und nach Düsseldorf gehalten hatte, weshalb der Künstler – bei allem Mut, den er mit der Ausführung dieses „heißen Eisens" noch immer bewies – den Schauplatz des Geschehens durch Veränderungen an der Architektur des Düsseldorfer Marktplatzes „neutralisiert" haben könnte[42].

Mindestens genauso einleuchtend ist die Erklärung, daß Hasenclever ganz bewußt die rheinische Revolution schlechthin, die ja auch in anderen Städten, wie Elberfeld und Solingen, in heftige Aktion trat, ohne lokale Bezüge darstellen wollte, um das Thema ins Allgemeingültige zu erheben. So hat es bereits der rezensierende Zeitgenosse aufgefaßt, der 1850 in der „Düsseldorfer Zeitung" schrieb: „Er hat Geschichte gemalt und Zustände dargestellt, wie sie waren, und wie sie uns allen noch erinnerlich sind. Der Ort der Handlung ist Deutschland"[43]. Auch sonst hat der Rezensent – hinter dem Anonymus verbirgt sich Wolfang Müller von Königswinter – die Situation richtig eingeschätzt, wenn er in der Besprechung der Erstfassung 1849 sagt, daß das Bild der politisch-sozialen Bewegung des vorigen Jahres seine Entstehung verdanke, ohne jedoch ein Tendenzbild zu sein. Der Künstler habe keine Parteistellung und keine Demonstration gewollt, „sondern nur die Schilderung einer Situation, in der es zu komischen und unterhaltenden Momenten Gelegenheit gab. Doch kommt gerade durch diese Auffassung der Stadt-

Die Düsseldorfer Monathefte

Auch die Mittel der Grafik setzten Düsseldorfer Künstler vielfach für politische Aufklärung ein. Lorenz Clasen, später stellvertretender Chef der Bürgerwehr, gründete 1847 mit einem großen Kreis mitarbeitender Künstler die Düsseldorfer Monathefte. Sie standen unter seiner Leitung bis 1850 und genossen im demokratischen Lager hohes Ansehen. Ihre Auflage steigerte sich schließlich auf 5000 Exemplare.

Einige besonders charakteristische Lithographien seien hervorgehoben. Adolph Schroedter (1805–1875), Die Wucherer, 1847 (Abb. 42). Zwei Geschäftsfreunde unterhalten sich in den Räumen von Herrn Fuchs, in denen gerade eine Ladung Säcke in die Lagerräume getragen wird. Vier eifrige Mäuse dienen Herrn Fuchs als Büroangestellte, sein Büroleiter ist ebenfalls als Fuchs charakterisiert; dieser hört dem Gespräch zu:

„Ich sage Ihnen, Herr Fuchs, das Malter Frucht ist abgeschlagen um einen ganzen Silbergroschen! – Entsetzlich! Wir sind ruiniert, und werden kaum noch 20 000 Rheinthaler an dieser Ladung verdienen! Da kann sich ein ehrlicher Mann wie unsereins aufhängen! –"

Dieses Litho entstand 1847, in dem Jahr der großen Hungersnot, die unter anderem dadurch verschärft wurde, daß die Händler das noch vorhandene Korn zurückhielten, um größere Profite zu erzielen. Schroedter zeigt hier die „bedauernswerte" Lage des pelzgekleideten Herrn Fuchs, dem die Angst, nicht genug profitieren zu können, an den Augen abzulesen ist und der deklamatorisch meint, sich aufhängen zu müssen, wenn er „nur" 20 000 Rheinthaler an einer Ladung verdient.

Ebenfalls 1847 entstand Schroedters Lithographie „Die Waarenzahler" (Abb. 43). Heimarbeiter liefern im Büro des Auftraggebers ihre Ware ab, an der sie vier Wochen gearbeitet haben:

„Herr, hier ist die Bestellung, verakkordiert zu 22 Reichsthaler; wir haben es uns vier Wochen sauer werden lassen."

Sie sind in der Gestalt armer gehetzter Hunde dargestellt, die von einer dicken Kröte observiert werden, während ein leitender Angestellter, ein Fuchs, die Antwort mitanhört:

„Laßt sehen, gute Leute – da habt Ihr erstens eine schöne Weste zu 4 Rthr. 10 Sgr. Dann ein Rest Kattun, 7 Ellen à 13 Sgr. 3 Rthr. 1 Sgr. 5 Pfund Kaffeebohnen à 11 Sgr. 1 Rthr. 25

42   A. Schroedter, Die Wucherer, 1847. Lithographie

rat am schlimmsten weg. Seine Furchtsamkeit, Ratlosigkeit und Beklommenheit macht ihn den ungefährlichen Arbeitern gegenüber – denn als solche sind diese hier dargestellt – lächerlich. Ohne Zweifel hat in jener Zeit der Stadtrat mancher Orte diese Rolle gespielt . . ." Wenn nicht der „Exzeß" auf dem Platze zu sehen wäre, „man würde nach den Personen der Arbeiter, nach ihrem Auftreten, nach ihrer Kleidung nicht auf ein Anliegen der Not, vielmehr auf irgendein gewöhnliches Gesuch schließen. Zum Teil sehen die Leute ganz milde und schüchtern, zum Teil etwas verkommen aus . . . Die Lage der arbeitenden Klasse hat auf diesem Bilde keineswegs eine so schreckliche Färbung". Was den dargestellten Gemeinderat in solche Ratlosigkeit versetze und ihm die Sache so schrecklich mache, sei, „weil geringe Leute es sich gegen allen Brauch, gegen alle sonst übliche Devotion herauszunehmen wagen, ihr Anliegen und ihr Elend dem hohen Stadtrat mit einem gewissen Nachdruck vorzustellen . . ."[44] Bei der Besprechung des Bildes von 1850 sagt der

Sgr. 4 Stück seidene Tücher à 1 Rthlr. 12 Sgr. macht 5 Rthlr. 18 Sgr.; sodann kriegt Ihr hier einen schönen Kanarienvogel nebst messingenem Käfig, zu 5 Rthrl. 20 Sgr.; – da kriegt Ihr noch grade 1 Rthlr. 16 Sgr. baar heraus."

Die Heimarbeiter, die Geld für ihre Familie, für Brot, Miete und Kleidung brauchen, denen die einfachsten Lebensmittel fehlen, werden mit billigen Waren abgespeist, für die sie nicht die geringste Verwendung haben und bekommen statt der vereinbarten 22 nur 1 Rheichsthaler und 16 Silbergroschen als bare Bezahlung. Die Methode der Bezahlung mit billigen Waren, das Trucksystem, war damals sehr verbreitet. Die Geschäftsleute zogen daraus doppelten Profit, da sie die Waren von ihren Geschäftspartnern billig bezogen, teuer in Anschlag brachten und das vom Lohn zurückbehaltene Bargeld wieder in den Handel stecken konnten. Hier werden, wie im vorigen Blatt Schroedters, soziale Verhältnisse in allegorischer Form dargestellt, um den Charakter frühkapitalistischer Ausbeutung durch die Übertragung auf Tiercharaktere noch deutlicher zu machen. Die Allegorie verunklärt nicht die Wirklichkeit, sondern pointiert sie.

Schroedter hatte seinen Realitätssinn schon frühzeitig – 1832 – bewiesen, als er die melancholische Sentimentalität, die Grundstimmung zahlreiche Bilder von Schadow und seinen früheren Schülern, in dem Bild „Die betrübten Lohgerber" (Kat. Nr. 246) karikierte. Er zeigt, wie den Gerbern Felle, die sie im Fluß waschen wollen, wegschwimmen, weil sie sich ihrer Trauer hingaben. Damit deutet Schroedter an, daß sich das Volk Melancholie nicht leisten kann und macht indirekt klar, daß die Hingabe an die Melancholie ein „Privileg" von Müßiggängern ist.

Kritik am Parlamentarismus ist das Fundament von Schroedters erfolgreichen Illustrationen zu den „Taten und Meinungen des Abgeordneten Piepmeyer", die 1848–1854 entstanden (Abb. 44). Den Namen „Piepmeyer" hatten die linken Abgeordneten der Paulskirche für den Typ des Parlamentariers erfunden, der seinen ängstlichen Opportunismus hinter wortreichen Beteuerungen der Gesinnungstüchtigkeit verbirgt. Der Typ jener Volksvertreter, die der revolutionären Sache durch ihr prinzipienloses Hin- und Hertaktieren nur Schaden brachten, hat Schroedter mit seinen Zeichnungen in aller Schärfe charakterisiert und der Kritik der Öffentlichkeit preisgegeben.

Kritik an der Haltung der Bürger und der Könige zeigt auch Andreas Achenbach, z. B. in der Lithographie aus den Düsseldorfer Monatheften 1848 „Ernst und feste Haltung der Könige". Es ist eine Karikatur auf die vom Wahlrecht bedrohten Könige. Der Bürger ist als konstitutioneller Monarchist in seiner Liebe zur Monarchie und zugleich zur bürgerlichen Verfassung gespalten. Achenbach veranschaulicht damit die gespaltene Haltung, die das Bürgertum 1848 charakterisierte.

Andreas Achenbach, „Strom der Zeit": Im Sommer 1848

43   A. Schroedter, Die Warenzahler, 1847. Lithographie

dürfte die Lithographie entstanden sein, denn sie zeigt den mit seinem Geld nach England geflohenen Bürgerkönig Louis-Philippe auf der britischen Insel, während der Strom der Revolution mit unwiderstehlicher Kraft den Kontinent überspült. Alle Könige fliehen ohnmächtig, teils schon untergehend oder selber die Krone abnehmend, teils von Bürgern noch gestützt, die sich angstvoll oder berechnend aus Furcht vor dem Gericht des Volkes an sie klammern. Michael, der Erzengel der Gerechtigkeit, kämpft auf der Seite des Volkes und gibt dem Kampf die höhere Weihe der Gerechtigkeit.

Mehrere Gruppen sind zu unterscheiden: Über die Leiche eines barfüßigen Mannes hinweg klammert sich im Mittelpunkt des Bildes ein Bürger im Schlafrock und Zipfelmütze an einen Monarchen, der offenbar im Begriff ist, mit erhobenen Armen ins Jenseits zu entschweben. Geschoben wird er von einer angstvollen Kreatur hinter ihm und begleitet von

44 A. Schroedter, Piepmeyer, 1848–54

einem verschreckten Publizisten. Die zweite Hauptgruppe rechts davon wiederholt dieses Motiv. Der König mit angstverzerrtem Gesicht wird von einem einfachen Mann getragen, halb heruntergezogen von einem Bürger, halb gestützt von einem zweiten Bürger, der sich mit hämischem Gaunergesicht und mit einem Stock in der Hand an ihn drängt. Hinter ihnen geht ein Mann mit Kaiserkrone in der Masse unter, ein weiterer Kronenträger streckt hilfesuchend die Arme in Richtung von Louis-Philippe. Ihnen folgt eine dritte Gruppe, die einen der Monarchen halb fortträgt, halb stützt. Rechts im Vordergrund versucht ein Mann mit Zopfperücke, sich gegen den Strom zu stemmen, aber ihm fehlt der Widerhalt für seine Hände. Ein Geistlicher in seiner Nähe ist auf haltloser Flucht, wobei ein Hofmann mit Zopfperücke

45 A. Achenbach, Szene auf dem Bahnhof von Elberfeld, 1848. Lithographie

sich an ihn klammert. Ein gekrönter Esel mit Scheuklappen flieht vor einem Mann mit Jakobinermütze, der, aus einem Buch lesend, die Masse offenbar mit seinen Reden vorwärtstreibt. Mit der Trikolore unter dem Engel ist das Zeichen gesetzt, unter dem die Massen vorwärtsströmen. Die erbärmlichen Kreaturen mit ihren fratzenhaften Gesichtern, die Achenbach als die königlichen Repräsentanten darstellt, zeigen seine Ablehnung des Feudalstaats. In der chaotischen Flucht und panischen Angst vor dem Volk enthüllt er Schwäche und Besiegbarkeit der Könige – aber auch die Gespaltenheit des Bürgertums.

Andreas Achenbach, „Szene auf dem Bahnhof von Elberfeld, 1848" (Abb. 45): Gutgekleidete Bürger steigen aus einem Eisenbahnabteil zweiter Klasse und werden von Elberfelder Revolutionären, Bürgern und Arbeitern erwartet und per Distanz eingeschätzt. Ein barfüßiger Arbeiter mit Ballonmütze meint selbstbewußt:

„Sind dat Düsseldorfer Demokrate? Dat sind jo ganz ordentliche Leut! –"

Er läßt sich keineswegs von der gutbürgerlichen Garderobe beeindrucken oder abschrecken. Für ihn gelten andere Maßstäbe: sind diese Leute brauchbare Mitarbeiter bei der gemeinsamen Sache der Revolution oder nicht? Der Arbeiter stellt die Frage an den Bürger neben ihm, der offensichtlich schon länger Kontakte mit den Düsseldorfern hatte.

Das entsprach der Realität. Seit Jahren bestanden Beziehungen zwischen Düsseldorfer und Elberfelder Sozialisten: Der Volksclub in Düsseldorf hatte gute Beziehungen zum Arbeiterverein in Elberfeld. (1845 las Müller von Königswinter in Elberfeld bei einer kommunistischen Versammlung seine Gedichte vor, natürlich hatten auch die mit ihm befreundeten Düsseldorfer Maler Kontakte in Elberfeld. Koettgen galt im Frühjahr 1845 als Anführer von Unruhen in Elberfeld.)

Von Beginn an hatte die Revolution in Elberfeld stark proletarischen Charakter. Die Kämpfe der Textilarbeiter wurden nirgendwo im Rheinland so entschlossen geführt wie hier. Marx forderte die Arbeiter auf, die Demokraten in ihren Kämpfen zu unterstützen. Diese spezifische Situation greift Achenbach auf. Das vorliegende Blatt zeigt die gegenseitige Kontaktaufnahme zwischen Bürgern und Arbeitern. Achenbach stellt die Arbeiter mit dem Selbstbewußtsein dar, das sie im Verlauf der Revolution gewannen, mit eigenen Maßstäben, vor denen die Bürger sich erst bewähren müssen. Der Begriff von „ordentlich" bekommt einen anderen Sinn, der für „ordentliche" Betrachter sicher nicht ohne Komik ist.

Nach 1850 entstanden kaum noch Werke sozialkritischen Inhalts. Es fehlten die Voraussetzungen dafür. Wie sich das Besitzbürgertum mit der von Preußen oktroyierten Verfassung und der Anwesenheit des Militärs arrangierte, zeigt Hasenclever mit Ingrimm in dem Gemälde die „bürgerliche Abendgesellschaft" (Potsdam, Staatl. Schlösser und Gärten, Potsdam-Sanssouci (Abb. 46)[45]. Ein großbürgerlicher Salon ist dargestellt, in dem eine elegante Gesellschaft, in gelöster Stimmung um einen Flügel versammelt, an einem Hauskonzert teilnimmt. Im Vordergrund, mit dem Rücken an den Flügel gelehnt, sitzt der dickleibige Hausherr, der sich vor Vergnügen kaum lassen kann, daß der Gesang seiner Gattin bei den preußischen Offizieren, denen er als Gastgeber besondere Aufmerksamkeit entgegenbringt, Wohlgefallen zu finden scheint. – Hasenclever entlarvt mit dieser satirischen Darstellung die Wehklagen des Besitzbürgertums über die oktroyierte Verfassung und die Untaten des Militärs als geheuchelt und zeigt dessen tatsächliche Aussöhnung mit den weiterbestehenden feudalen Machtverhältnissen. – Die weinseligen späteren Bilder Hasenclevers sind eher von Galgenhumor geprägt und in einem trockenen Atelierton gehalten. Er starb schon 1853, an Nervenfieber, wie es heißt.

Wenigstens hinzuweisen ist noch auf Emanuel Gottlieb Leutze, der, ohne tendenziös zu sein, solche Themen zu finden wußte, die in unmittelbarer Beziehung zu den freiheitlichen Ideen des Vormärz standen. Sein berühmtestes Bild „Washington überquert den Delaware" (Abb. 65) entstand 1850 in Düsseldorf.

Die meisten Düsseldorfer Künstler arrangierten sich notgedrungen und malten nur noch politisch unverfängliche Themen. Kleinenbroich beschäftigte sich hauptsächlich mit Dekorationsmalerei in Köln, Hübner gestaltete Szenen aus dem einfachen Volk, Koettgen und Leutze malten hervorragende Porträts, Lessing vor allem Landschaften.

46 J. P. Hasenclever, Musikalische Abendunterhaltung. Potsdam-Sanssouci, Staatliche Schlösser und Gärten, Potsdam-Sanssouci

Anmerkungen

1 Dieser Aufsatz ist eine Überarbeitung des Beitrages zum Katalog „Kunst der bürgerlichen Revolution von 1830–1848/49", veranstaltet von der Neuen Gesellschaft für bildende Kunst, Berlin 1972: „Die Widerspiegelung bürgerlich-demokratischer Strömungen in den Bildmotiven der Düsseldorfer Malerschule 1830–1858".
2 W. Hütt 1964, S. 27.
3 Püttmann, S. 39.
4 Hütt 1964, S. 55.
5 Buchholz, Geschichte der Familie Lessing, Bd. 2, S. 328 u. S. 324.
6 Markowitz, I. 1969, S. 136.
7 Müller von Königswinter, S. 128.
8 Rheinische Zeitung, Feuilleton Nr. 132, 1842.
9 A. Rosenberg, Bd. II, S. 377.
10 Allgemeine Zeitung, Beilage zu Nr. 92, 1858.
11 Handschriftliche Fassung eines Aufsatzes von W. von Schadow über „Zweck und Methode der Düsseldorfer Malerschule", zitiert bei Hütt, 1964, S. 15.
12 Immermann, S. 246.
13 Müller von Königswinter, S. 186.
14 Hütt 1964, S. 101.
15 Engels, Friedrich, Die Rolle der Gewalt in der Geschichte. In: Marx/Engels Werke, Bd. 21, S. 424.
16 Rheinische Zeitung. – Feuilleton Nr. 132, 1842.
17 W. Hütt 1955/I, S. 831.
18 Düsseldorfer Zeitung Nr. 199, 1847.
19 Müller von Königswinter, S. 88, 89.
20 Müller von Königswinter, S. 186.
21 Müller von Königswinter, S. 372.
22 Müller von Königswinter, S. 187.
23 Müller von Königswinter, S. 198.
24 Hagen, Bd. I, S. 17.
25 Düsseldorfer Zeitung, Nr. 140, 1845.
26 Hütt 1964, S. 103.
27 Düsseldorfer Zeitung, Nr. 307, 1847.
28 Müller von Königswinter, S. 301.
29 Schaarschmidt, S. 174.
30 Herchenbach, S. 32 f.
31 Düsseldorf 1848, Bilder und Dokumente, hrsg. vom Stadtarchiv Düsseldorf, Düsseldorf 1948, S. 22 und S. 50 f.
32 Düsseldorf 1848, S. 70.
33 Herchenbach, S. 117.
34 Herchenbach, S. 106.
35 Buchner, Wilhelm, Ferdinand Freiligrath, Ein Dichterleben in Briefen, 1882, Bd. I, S. 180, 331, Bd. II, S. 124.
36 Buchner, Bd. II, S. 209.
37 Herchenbach, S. 103.
38 Brief von Freiligrath an Marx, Juli 1853. In: Freiligraths Briefwechsel mit Marx und Engels, 1968, Bd. I, S. 67.
39 Freiligraths Briefwechsel, Bd. I, S. 40, 47, 67, Bd. II, S. 84.
40 Soiné, Kurt/Albertz, Wilhelm, Die Malerei von Johann Peter Hasenclever, Braunschweig 1977 (Examensarbeit).
41 Herchenbach, S. 74 und Düsseldorf 1848, S. 57.
42 Roselt, J. Christoph, Arbeiter und Stadtrat von Johann Peter Hasenclever. In: Romerike Berge, Zeitschrift für Heimatpflege im Bergischen Land, Nov. 1966, S. 73 f.
43 Düsseldorfer Zeitung, Nr. 78, 1850.
44 Düsseldorfer Zeitung, Nr. 213, 1849.
45 Die Ölstudie zu dem Gemälde befindet sich im Wallraf-Richartz-Museum, Köln.

Vera Leuschner

Der Landschafts- und Historienmaler Carl Friedrich Lessing (1808–80)

47 C. F. Sohn, Bildnis C. F. Lessing, 1833. Berlin DDR, Staatsbibliothek

Im November 1880, kurz nach Lessings Tod, antwortete Eduard Bendemann dem Kunstschriftsteller Friedrich Pecht, der über seine Schwierigkeiten bei der Abfassung eines Lessing-Artikels geklagt hatte, in einem Brief[1]: „Mir geht es ebenso und ich würde schon früher obige Sendung an Sie geschickt haben, wenn ich nicht mehrmals vergeblich einige Worte über ihn (Lessing) niederzuschreiben begonnen hätte."

Selbst ein Freund des Malers, der wie Lessing zum Mitbegründer der Schadow-Schule zählte und ähnliche künstlerische Ziele verfolgte, tut sich also rund 50 Jahre später schwer, ein Urteil über den Freund abzugeben.

Es kennzeichnet die Wirkung nicht nur von Lessings Schaffen, sondern auch der meisten übrigen Schadow-Schüler, daß die anfängliche Begeisterung des Publikums über die Werke besonders der 30er Jahre zunächst heftiger Kritik (40er Jahre) dann mehr und mehr einer gewissen Gleichgültigkeit gewichen war.

„Man kommt, wenn man im Stillen für sich die Dinge betrachtet, immer mit dem Urteile des Tages ins Gedränge", schrieb 1840 Carl Immermann und fährt fort: „So ist es mir mit den Ansichten über unsere Schule gegangen, nachdem der erste lyrische Taumel der Anfänge vorüber war, und das Urteil in seine Rechte trat. . . . Jetzt beginnt das Blatt sich zu wenden. Eine Umstimmung der Meinung naht ganz sicher an."[2]

Lessing (Abb. 47), in den 30er Jahren als „Genie der Schadow-Schule", als „Matador von allen Malern" bezeichnet, wird in diesem Katalog als einzigem Schadow-Schüler ein eigener Beitrag gewidmet, obwohl oder gerade weil er sich von den übrigen Schadow-Schülern in verschiedener Hinsicht unterscheidet.

So gehörte etwa die biblische Historienmalerei nicht zu seinen Themenbereichen, wodurch der Künstler eine eigenständigere Position gegenüber Wilhelm von Schadow einnahm, der gemäß dem nazarenischen Kunstideal fast ausschließlich die religiöse Malerei pflegte und förderte. Das Fehlen biblischer Darstellungen in Lessings Werk mag ein Ergebnis der rationalistischen Erziehung seines Vaters gewesen sein, der seinen Sohn noch in späteren Jahren mehrmals vor diesen Themen warnt: „. . . ein Gemählde aus der biblischen Geschichte, besonders die Scenen aus dem Tode Christi könen mir als ästhetischer Gegenstand nicht gefallen und weñ sie Gott selbst gemahlt."[3]

Lessing widmete sich, was in Düsseldorf ungewöhnlich war, der Landschafts- und Historienmalerei gleichermaßen.

„Mit der rechten Hand malt Lessing eine Landschaft, mit der linken ein trauerndes Königspaar und das ist noch besser", registrierte ein Rezensent der Berliner Kunstausstellung von 1830[4].

Lessing unterscheidet sich von den Schülern des engeren Schadow-Kreises auch dadurch, daß er niemals ein Lehramt innehatte. Als ihm 1846 ein solches am Städelschen Kunstinstitut in Frankfurt/M. angeboten wurde, zögerte er und lehnte schließlich ab: „Die Last des Unterrichtens und meine alte Gewohnheit, ganz unabhängig zu leben, würden bald zu einer Kündigung meinerseits geführt haben."[5]

Obwohl nicht der Typ des kunsthistorisch gebildeten Malers, wie ihn etwa Hübner vertrat, folgte Lessing 1858 doch dem Ruf zum Galeriedirektor nach Karlsruhe.

Dennoch hat Lessing sowohl als Landschaftsmaler – u. a. auf Achenbach, Scheuren, Schirmer, Pose, Lasinsky, Whittredge – als auch als Historienmaler – u. a. auf Rethel und Leutze – eine starke Wirkung ausgeübt.

Es fehlt in Lessings Biographie die für zahlreiche Schadow-Schüler, aber auch für einen Landschaftsmaler wie Wilhelm Schirmer fast obligatorische Italienreise. Die Kunst des Cinquecento, die im Werk vieler Düsseldorfer Maler eine entscheidende Rolle spielte, konnte in Lessings Werk nur vermittelt durch Werke und Reproduktionen anderer Künstler einen Niederschlag finden.

Im Gegensatz zu Schirmers Schaffen, das nach dessen 1839 unternommener Italienreise eine Orientierung am Typus der idealen Landschaft zeigt, hielt Lessing an der deutschen Landschaft fest. Den Reisen Schirmers in die Normandie und in die Schweiz stehen Lessings Reisen in die Eifel, den nördlichen Harz, in die Fränkische Schweiz gegenüber, sämtlich Gegenden, die von der Landschaftsmalerei noch kaum beachtet waren. Als sich Lessing 1866 auf Wunsch seines Dienstherren, des Großherzogs von Baden, in Vevey am Genfer See aufhielt, konnte den Künstler die Alpenlandschaft nicht begeistern, er fand sie sogar für die Landschaftsmalerei ungeeignet[6].

Carl Friedrich Lessing, am 15. 2. in Breslau geboren, in Polnisch-Wartenberg, Kreis Oels (später Groß-Wartenberg) aufgewachsen, begann 1821 oder 1822 ohne das Gymnasium absolviert zu haben, auf Wunsch des Vaters sein Studium an der damals von Schinkel geleiteten Bauakademie, das er jedoch ohne Lust und Erfolg betrieb und bald zugunsten der Malerei aufgab.

Eine wohl 1822 unternommene Rügenreise scheint ihn in dem Beschluß Maler zu werden, bestärkt zu haben. Wie auf so viele Maler des frühen 19. Jahrhunderts hat die Insel, die vor allem seit den Rügenlandschaften C. D. Friedrichs und den Dichtungen G. L. Th. Kosegartens zum Inbegriff der „nordisch-ossianischen" Landschaft wurde, auch auf Lessing einen nachhaltigen Einfluß ausgeübt.

In den folgenden Jahren unterzog sich Lessing der akademischen Ausbildung zum Maler. In den Schülerlisten der Berliner Akademie taucht sein Name mehrmals auf. 1824 beurteilte Heinrich Anton Dähling seine Leistungen mit den Worten: „Er hat Talent, arbeitet mit Leichtigkeit und macht gute Fortschritte" und versetzte ihn in die sog. „Gipsklasse"[7].

Bereits zwei Jahre später gab Lessing ein unter Dählings Anleitung gemaltes Landschaftsbild „Ein Kirchhof. Eigene Erfindung" auf die akademische Kunstausstellung in Berlin,

48 C. F. Lessing, Der Kirchhof, 1826. Cincinnati, Ohio, Cincinnati Art Museum

wo es eine wohlwollende Kritik und einen Käufer fand. Einflüsse der Grabes- und Friedhofsromantik, die in der Berliner Landschaftsmalerei dieser Zeit eine breite Rezeption gefunden hatte, sind in dem Bild deutlich zu spüren. Der Entwurf zum Gemälde[8] setzt ganz offensichtlich die Kenntnis von Jacob Ruisdaels „Judenfriedhof" in der Dresdner Galerie voraus (Reproduktionen nach dem Gemälde waren zahlreich). Eingeschlossen von einer alten Kirchhofsmauer liegt der einsame Friedhof, dessen Grabsteine zum großen Teil umgestürzt und von der Vegetation überwuchert sind, im fahlen Mondlicht (Abb. 48). Zwischen zwei alten Eichen links wird der Blick auf eine ruinöse romanische Kapelle gelenkt. Ein Baum mit abgestorbenen Ästen rechts rahmt mit der Eiche links einen vom Mondlicht hell beleuchteten Grabstein ein, der von einem kleinen Bach umspült wird.

Durch Carl Ferdinand Sohns Vermittlung nahm Lessing wohl schon 1825 Kontakt mit Wilhelm von Schadow auf. Eine „Februar 1826" datierte Bleistiftzeichnung, die offensichtlich Jacob und Rahel am Brunnen darstellt, ein Lieblingsthema der Romantik, kann als erster Niederschlag dieser neuen Beziehung gewertet werden[9]. Die Zeichnung blieb neben dem verschollenen Tobias-Karton 1827/28 die einzige biblische Darstellung Lessings.

Im Herbst 1826 gehörte Lessing mit Sohn, Hildebrandt und Hübner, denen sich Mücke, Köhler und Bendemann anschlossen, zu den auserwählten Schülern Schadows, die diesem nach Düsseldorf folgten, wo Schadow das Amt des Akademiedirektors übernahm. Mit dem Aufstieg der Schule begann auch Lessings Karriere, der sich nun unter dem Einfluß seines Lehrers intensiv der Figurenmalerei widmete, daneben aber die Landschaftsmalerei nicht vernachlässigte. In den ersten 15 Jahren der Düsseldorfer Zeit liegt Lessings produktivste und von künstlerischen Wandlungen am stärksten betroffene Schaffensphase, der hier vornehmlich unsere Aufmerksamkeit gelten soll.

49 C. F. Lessing, Bildnis Friedrich von Uechtritz, 1837. Berlin DDR, Sammlungen der Zeichnungen und Kupferstichkabinett

Nicht ohne Einfluß auf die künstlerische Entwicklung Lessings war die Bekanntschaft und Freundschaft mit dem Dichter Friedrich von Uechtritz, der auf die literarisch-historische Bildung und Stoffwahl der Düsseldorfer Künstler und insbesondere Lessings einwirkte (Abb. 49). Im ersten Band seiner „Blicke in das Düsseldorfer Kunst- und Künstlerleben" (1839) widmete er Lessing einen noch dem heutigen Leser als beste Quelle dienenden, lebendig geschriebenen Aufsatz.

Lessing wurde bereits kurz nach seiner Ankunft in Düsseldorf durch den Auftrag des Grafen Spee, die von der Cornelius-Schule begonnenen Barbarossa-Fresken in Schloß Heltorf um die Darstellungen der „Schlacht" und „Erstürmung von Ikonium" und des Todes Barbarossas zu ergänzen, auf die profane Historienmalerei hingelenkt[10]. Diesen Auftrag hatte Lessing Schadow zu verdanken, der den Grafen zur Weiterführung des angefangenen Unternehmens veranlassen konnte. Gemeinsam mit Heinrich Anton Mücke begab sich Lessing 1827 an die Vorbereitungen. Bereits der erste Ent-

wurf zur „Schlacht bei Ikonium" legt die Komposition im wesentlichen fest und zeigt, daß Julius Schnorrs Fresken zum Ariost im Casino Massimo in Rom für ihn vorbildlich waren[11]. Gegenüber dem Karton von 1828 und dem 1830 gemalten Fresko (Abb. 78) weicht der erste Entwurf nur wenig ab.

Es ist eine im gesamten Schaffen des Malers zu bemerkende Eigentümlichkeit, daß eigentliche Ideen- und Kompositionsskizzen, flüchtige Entwürfe also, fehlen. „Wie Minverva aus dem Haupte des Jupiter springen die malerischen Ideen sogleich in bestimmter Gestalt und gleichsam in voller Rüstung aus dem Haupte Lessings hervor", schrieb 1839 Friedrich von Uechtritz. „Er bedient sich dabei niemals eines Modells. Die schwersten, complicirtesten Stellungen, die kühnsten Bewegungen stehen mit wunderbarer Klarheit vor seinem inneren Auge und werden von ihm wie spielend aufs Papier geworfen."[12]

Die von Schadow gelehrte und 1828 auch in einer Programmschrift[13] vertretene Methode der Gemäldevorbereitung, die nach Aufzeichnung des Entwurfs ein intensives Modellstudium, die Anfertigung eines Kartons und die Festlegung der farblichen Gestaltung in einer Ölskizze vorsah, ist in den Studien zur „Schlacht bei Ikonium" für Lessing erstmalig zu belegen; sie behielt bis in die späte Schaffenszeit des Künstlers ihre Gültigkeit. Alle wichtigen Gestalten der „Schlacht bei Ikonium" werden in gesonderten Akt-, Gewand- und Porträtstudien festgehalten (Abb. 50). Die Studien zu den frühen Historienbildern stehen mit ihren feinen Schraffuren und Kreuzlagen, in der subtilen Wiedergabe der Modellierung des Körpers stilistisch noch ganz in der Tradition der Zeichenkunst der römischen Lukasbrüder und erweisen Lessing als Schüler Schadows.

Die Gepflogenheit Lessings und anderer Düsseldorfer Künstler, alle Figuren einzeln zu studieren, dabei ganz auf Figurengruppen zu verzichten und die Gestalten nur so weit auszuführen, als sie nicht von anderen verdeckt werden, setzte bereits im Stadium der Vorbereitung eine exakte Klärung der Komposition voraus.

Obwohl Lessing das Fresko „Die Schlacht bei Ikonium" 1830 erfolgreich fertigstellte, entzog er sich den ursprünglich eingegangenen Verpflichtungen, auch die „Erstürmung von Ikonium" und den „Tod Barbarossas" zu übernehmen. Aus welchen Gründen auch immer dies geschah, es war eine klare Absage an die Freskomalerei und verbunden damit an eine historische Monumentalmalerei, die ihren übergreifenden gedanklichen Zusammenhang im Zyklus, nicht im Einzelbild ausdrückte[14]. Cornelius' Idee von einer neu zu begründenden Feskomalerei war es gewesen, eine neue Öffentlichkeit und ein neues Nationalgefühl im Volk zu bilden[15]. Von der Erfüllung solcher Wünsche war die Schadowschule – gezwungenermaßen, da ohne landesherrliche Förderung – weit entfernt, wenn auch der 1829 gegründete „Kunstverein für die Rheinlande und Westphalen" mit Hilfe der eingehenden Beiträge die Monumentalmalerei förderte.

Lessing entwickelte in der Folgezeit eine am historischen Moment orientierte realistische Historienmalerei im Ölgemälde und hielt an diesem Grundsatz bis hin zu seinem letzten großen Historienbild „Luther und Eck" (1867) fest[16].

„Der Maler hat nur einen Moment und daher muß alles auf diesen hin sich beziehen, ein anderes ist es im Relief und im Zyklus", schrieb Lessing 1839 an seinen Freund H. F. G. von Rustige[17]. Neben der mehr von außen an den Künstler herangetragenen Beschäftigung mit dem Barbarossastoff für Heltorf, galten Lessings erste Bemühungen in der Figurenmalerei dem literarischen und historischen Genre. Hierher sind vor allem das „Trauernde Königspaar" (Kat.Nr. 155) von 1830, verschiedene Räuberbilder, von denen der „Räuber auf Bergeshöh' mit seinem schlafenden Knaben" (1832) (Kat.Nr. 156) das bekannteste ist, mehrere Darstellungen zur Ballade „Lenore" von G. A. Bürger[18] und ein Zyklus von fünf Szenen (Zeichnungen) zum Waltharilied, das Lessing in der Nachdichtung Gustav Schwabs kennenlernte[19], zu rechnen. 1830 sandte Lessing das „Trauernde Königspaar", 1832 die „Lenore", die ihren Bräutigam unter den heimkehrenden Soldaten vergebens sucht, im gleichen Jahr den „Räuber auf Bergeshöh'" zur Berliner Kunstausstellung. Alle drei Bilder fanden ein begeistertes Echo und begründeten den Ruf der Düsseldorfer Schule entscheidend mit. Allen Bildern ist die „elegische" Stimmung eigen, im ersten Fall ist es die Trauer des Königspaares um den Tod der Tochter, im zweiten Fall Lenores Trauer um den vermißten Bräutigam, im dritten Fall Trauer und Reue des aus der Gesellschaft ausgestoßenen Räubers. Gerade dieser Trauerbilder wurde das Publikum seit dem Ende der 30er Jahre überdrüssig, man sprach vom „Düsseldorfer Schmerz, von der Weichlichkeit, vom stereotyp gewordenen Brüten"[20].

Im „Trauernden Königspaar" erweist sich Lessing als ein Nachfolger der Nazarener mit ihrer Vorliebe für einfache Kompositionen. Man fühlt sich an eine Äußerung Overbecks erinnert, in der dieser das nazarenische Gestaltungsideal mit wenigen Sätzen umreißt:

„So können mich Szenen, in denen viel Handlung ist, große Compositionen mit vielen Figuren nicht so sehr interessieren, als vielmehr gewisse Gegenstände mit weniger Handlung, die aber im ganzen durch eine einfache, einfältige Zusammenstellung, durch Farbenton, durch die einfache Großheit der Nebensachen einen bestimmten Eindruck machen."[21]

Eine ganze Ahnenreihe klassizistischer und romantischer Vorbilder, so Wächters „Hiob", Kochs „Ugolino im Hungerturm", Cornelius' trauernde Hekuba im ehemaligen Glyptotheksfresko „Zerstörung von Troja" und das ehemals an gleicher Stelle befindliche Götterpaar Pluto und Perse-

50 C. F. Lessing, Studie zu einem Krieger der „Schlacht bei Ikonium", 1827/28. Cincinnati, Ohio, Cincinnati Art Museum

phone im Fresko „Orpheus im Hades", desselben Künstlers trauernder König im Titelbild der Nibelungen-Illustrationen, Overbecks „Vittoria Caldoni", auf die schon I. Jenderko-Sichelschmidt hinwies, schließlich Schadows Trauergestalt in „Josephs Traumdeutung" können als Vorläufer des Lessingschen Königspaares angeführt werden. Während aber in den meisten genannten Darstellungen tragische Schicksale aus Bibel und Mythologie gestaltet wurden, die als bekannt vorausgesetzt werden konnten, ist dies in Lessings Bild nicht der Fall. Im Vergleich mit Bendemanns „Trauernden Juden" (1832) kam daher der Berliner Kunstkritiker F. O. Gruppe zu dem Ergebnis:

„Ferner blieb es, um das mindeste zu sagen, für Lessing immer eine gewisse Unbequemlichkeit, daß er sich an ein neueres lyrisches Gedicht (Uhland) lehnte, welches wiederum auf nichts Historisches zurückgeht und ohne Boden im Reiche der Phantasie schwebt ... Bendemanns Gegenstand dagegen ist wahrhaft welthistorisch ..."[22]

Mit dem Zyklus zu Walter und Hildegund (Waltharilied) befreite sich Lessing, wenigstens vorübergehend, von dieser Gefahr der „Trauerromantik" (1831/33). Dieses mittellateinische Epos, von Gustav Schwab nachgedichtet, schildert die Flucht Walters von Aquitanien (Sohn des Westgotenkönigs Alphar) und seiner Braut Hildegund (Tochter des Burgunderkönigs Heinrich) vom Hofe Attilas, wohin sie im Kindesalter als Geiseln verschleppt worden waren, schließlich den Kampf Walters am Wasgenstein gegen eine in Hortgier vom Frankenkönig Gunther aufgebotene Heldenschar.

Neben verschiedenen Szenen der Flucht wählte Lessing in der abgebildeten Zeichnung den Moment, in dem Walter, bereits wieder auf heimatlichen Boden, auf einem Berghang ausruht, während Hildegund wacht, um den Bräutigam bei möglicher Gefahr durch Verfolger oder Angreifer zu wecken

51 C. F. Lessing, Walter und Hildegund, 1831. Cincinnati, Ohio, Cincinnati Art Museum

(Abb. 51). Wie in wenigen anderen Darstellungen ist es Lessing in dieser Zeichnung gelungen, Ruhe und Spannung zugleich – gemäß der dichterischen Vorlage – auszudrücken. Die Darstellung weist deutlich Analogien zu dem Gemälde des Schweizer Malers Louis Léopold Robert „Ein schlafender Räuber, von einem Mädchen bewacht" auf, das Lessing 1824 auf der Berliner Kunstausstellung mit Sicherheit gesehen hat, und dem gleichfalls davon abhängigen „Räuber auf Bergeshöh"[23]. Im Gemälde, das Lessing erst sieben Jahre später, 1838, nach diesem Entwurf malte, ist die Geschlossenheit der Gruppe aufgelöst, das Spannungsmoment weitgehend verloren[24]. Bemühungen des Künstlers um historisches Kostüm lenken von der Konzentration auf die Gruppe ab.

Lessings Literatur und Sage verpflichtete Genredarstellungen haben nichts gemein mit dem in den 30er Jahren aufkommenden, realistischen, teils satirischen, teils sozialkritischen Genre Carl Hübners, J. P. Hasenclevers und Wilhelm Heines, obwohl beispielsweise Püttmann versuchte, aus dem „Räuber auf Bergeshöh" eine derartige, sozialkritische Aussage herauszulesen.

Etwa gleichzeitig mit der Entstehung der Zeichnungen zum Waltharilied, zur „Lenore" und zum „Räuber auf Bergeshöh" entstand Lessings Entwurf zur Hussitenpredigt

(1831)[25], mit dessen Gemäldeausführung (1836) Lessing seinen Ruf als Historienmaler festigte (Kat.Nr. 159). Genau genommen handelte es sich auch hier noch um ein Genrebild, da kein konkreter historischer Moment dargestellt ist, und auch die Benennung des Predigers Schwierigkeiten bereitet. Die Zuhörer, die nach Stand, Lebensalter und Gemütsbewegung differenziert werden, machen den besonderen Realismus im Sinne von lebensnaher, psychologisierender Darstellung des Bildes aus. Gerade dieser Realismus wurde in späteren Jahren von Wilhelm von Schadow, der die Begriffe Genre und Realismus fast synonym gebrauchte, als Angriff auf den Idealismus nazarenischer Darstellungen empfunden.

A. Rosenberg betonte später, Lessing habe in seiner „Hussitenpredigt" als erster den „tiers état" in die Historienmalerei eingeführt[26]. A. Hagen definierte 1857 den Unterschied zwischen Genre und Historie als Klassenunterschied[27] und betonte die politische Wirkung, die die französische Juli-Revolution auf die Genremalerei ausübte.

Damit ist die Frage nach der politischen Aussage der „Hussitenpredigt" aufgeworfen, die W. Hütt und H. Gagel in neuester Zeit beschäftigte[28]. Beide sahen wohl zu Recht in diesem Bild eine Stellungnahme zugunsten eines demokratischen Liberalismus. Auch wenn von Uechtritz die Düsseldorfer Künstler als unpolitisch bezeichnete, dürften die Ereignisse des Jahres 1830 nicht spurlos an ihnen vorübergegangen sein. Ausgehend von der französischen Juli-Revolution 1830 erhielten auch in Deutschland verschiedene Staaten Verfassungen, entstand die kämpferische, politisch oppositionelle Bewegung des „Jungen Deutschland", wurden auf dem von breiten Volksschichten getragenen und organisierten Hambacher Fest (1832) Reden über Volkssouveränität und nationale Einheitspolitik gehalten. Vor diesem Hintergrund sind Aufzeichnung und Ausstellung (1832) von Lessings „Hussitenpredigt" zu sehen. 1836 erkannte Franz Kugler in dem Gemälde die Darstellung eines „Freiheitskampfes", in dem demonstrativ hochgehaltenen Kelch das Symbol der „Befreiung von den Vorrechten des Priesterstandes"[29]. So konnte Lessing, der das Thema einer Anregung von Uechtritz' verdankte, in der Freiheitsbewegung der Hussiten eine Aktualisierung der politischen Situation seiner eigenen Zeit sehen.

Die eindeutig politische Interpretation, die das Thema der Hussitenkriege in der Literatur des Vormärz und 1848, besonders in Böhmen, aber auch in Frankreich und Deutschland erfuhr, stützt diese Vermutung[30]. Die Gestalt des Hus trat gegenüber der des radikaleren, militärischen Führers der Hussiten, Jan Žižka, dem offensichtlich auch Lessings besonderes Interesse galt, zurück. Žižka wurde sowohl von den nach völliger Autonomie strebenden tschechischen Radikalen um 1848, als auch von den Repräsentanten der deutsch-böhmischen Literatur des Vormärz gefeiert.

In seinem „Žižka" von 1846 versuchte Alfred Meißner (1822–85) seinen Helden als überzeugten Demokraten hinzustellen, der konsequent die ihm angetragene Krone Böhmens ablehnt. Die Hussitenkriege verstand der Dichter, den Lessing durch W. Müller von Königswinter vermutlich persönlich kennenlernte, nicht als Religions-, sondern als Freiheitskriege. In seinen „Albigensern" feierte Nicolaus Lenau die Hussiten als Vorläufer von Reformation und französischer Revolution (entstanden zwischen 1838 und 1842). Ähnliche Auffassungen finden sich in den Werken der französischen Dichterin George Sand (1804–76) und bei dem Historiker Louis Blanc, der in seiner 1847 erschienenen „Histoire de la Révolution française" Hus zum Vorbild und Vorläufer der französischen Revolution stempelte.

Seinem Vater gegenüber erwähnte Lessing 1834 die Arbeit an einer „Predigt der Taboriten", womit er nur die „Hussitenpredigt" gemeint haben kann[31]. Das zeigt an, daß sein Interesse vornehmlich diesem radikalen Flügel der Hussiten um Jan Žižka und Jan Želivský galt, deren Anhänger in Anlehnung an den im Alten Testament genannten Berg Tabor einen in Südböhmen gelegenen Berg, später eine Stadt, ebenfalls Tabor nannten. Die tägliche Predigt und das gemeinsame Abendmahl unter freiem Himmel wurden Bestandteil des taboritischen Gottesdienstes. Wenn Lessing sich zum Fürsprecher der Taboriten machte, so konnte dies, übertragen auf die Zeit des Vormärz, als ein Eintreten für demokratische Forderungen verstanden werden.

Die Kenntnis der historischen Zusammenhänge macht es verständlich, wenn Lessing in seiner „Hussitenpredigt" auf die Ikonographie der „Verklärung", die nach christlicher Überlieferung auf dem Berg Tabor stattgefunden hatte, zurückgreift. Formale Analogien zu der im 19. Jahrhundert so hochgeschätzten Transfiguration Raffaels, und zwar weniger zum Gemälde als vielmehr zum sog. Modello sind unübersehbar[32]. Ebenso ist auf die Ikonographie der „Predigt Johannes des Täufers" schon mehrmals hingewiesen worden, besonders auf die Darstellung Andrea del Sartos[33]. Darstellungen der Johannespredigt in niederländischen Beispielen des 16. und 17. Jahrhunderts, die die Szene nicht selten in einen Wald verlegen, mögen Lessing dazu angeregt haben, den Schauplatz seiner „Hussitenpredigt" als Waldrand zu kennzeichnen. In Lucas Cranachs Holzschnitt fand Lessing vielleicht den Gedanken, die Zuhörer (der Johannespredigt) als Angehörige verschiedener Stände zu kennzeichnen, vorweggenommen. Die Verwandtschaft zu Overbecks Zeichnung der Johannespredigt schließlich, die sich in einigen Figuren ganz deutlich äußert, ist auffällig und läßt auf eine Abhängigkeit Lessings schließen. Er muß die 1827 gezeichnete Fassung, die in Deutschland durch Stichreproduktionen und Lithographien verbreitet war, gekannt haben[34]. Bezüge doppelter Natur lassen sich auch zu Darstellungen der Bergpredigt, die ebenfalls mit dem Berg Tabor in Verbindung

52 C. F. Lessing, Hussitenschar, einem Prediger mit der Monstranz folgend, um 1831. Dresden, Staatliche Kunstsammlungen, Kupferstichkabinett

gebracht wurde, feststellen. Eine Anlehnung Lessings an Bildlösungen dieses Themas mit zentral angeordneter, auf einem Hügel stehender Predigerfigur – man denke etwa an Rossellis Fresko von 1482 in der Sixtinischen Kapelle –, um den sich das zuhörende Volk (bzw. Apostel und Volk) schart, war insofern auch historisch naheliegend, als der Bergpredigt in den sozialen und religiösen Vorstellungen der Taboriten eine entscheidende Bedeutung beigemessen wurde: die unteren Bevölkerungsschichten, aus denen sich die Taboriten weitgehend rekrutierten, konnten sich mit den Armen, die nach ihrer Auslegung in den Seligpreisungen allein angesprochen waren, identifizieren.

Es ist also im Sinne Lankheits und Bialostockis[35] festzustellen, daß sich Lessing für seine Hussitenpredigt an verschiedene – vom Grundgehalt her verwandte – Themen der christlichen Ikonographie anlehnt, sie aber mit an seiner Zeit orientierten Inhalten füllt. Dies gilt auch für verschiedene andere Historiengemälde Lessings, worauf I. Jenderko-Sichelschmidt hingewiesen hat.

Interessant ist der Vergleich mit einer weiteren Zeichnung (Abb. 52) zu den Hussitenkriegen[36], deren Analogien zur

„Hussitenpredigt" unübersehbar sind: in der Physiognomie, Haltung und Gestik des Monstranzträgers, ebenso wie in seinem Gefolge und in der Schilderung des Schauplatzes (Eiche und Buche, im Hintergrund Kapelle). In diesem Entwurf, der vermutlich beschnitten wurde[37], ist es Lessing noch besser als in der „Hussitenpredigt" gelungen, den politisch-religiösen Fanatismus der zum Kampf bereiten Hussiten wiederzugeben, was schon allein durch das Motiv des stürmischen Vorwärtsschreitens zum Ausdruck kommt.

Schon 1835 wandte sich Lessing mit dem – heute verschollenen – Entwurf „Hus vor dem Konzil" der Gestalt des böhmischen Reformators selbst zu. Das 1842 fertiggestellte Gemälde, sowie der „Hus vor dem Scheiterhaufen" – in zwei Entwürfen von 1844 und 1845 vorbereitet, 1850 in Öl ausgeführt – begründeten Lessings Ruf als „Hus-Maler". Während seiner Arbeit am „Hus vor dem Konzil" mußte sich Lessing gegen Vorwürfe zur Wehr setzen, die in der Darstellung einen Angriff auf die katholische Kirche sahen. In diesem Sinne bezeichnete Schadow das Bild 1841 als „Resultat des Parteihasses"[38]. Aber selbst wenn der Vater des Künstlers diesen 1842 an die Tradition der Lessings erinnert und ihn davor warnt, sich in Konfessionsstreitigkeiten einzulassen, und selbst wenn Lessing sich 1842 der Tatsache bewußt ist, daß er mit dem „Hus vor dem Konzil" die katholische Kirche beleidigt habe[39], muß doch einschränkend festgestellt werden, daß Lessings vermeintliche Sympathieerklärungen und Parteinahmen für die „Helden" seiner Historienbilder – gleichgültig ob es sich um Hus, Luther, Ezzelino da Romano oder Heinrich V. handelt – durchaus nicht eindeutig aus den Darstellungen herausgelesen werden können, sondern ihre Wirkung erst vor dem Hintergrund der politisch-konfessionell zugespitzten Situation in den Rheinlanden erhielten. Hinzu kam die seit 1830 und verstärkt seit 1839 bemerkbare, starre katholisch-nazarenische Haltung und Kunstauffassung Wilhelm von Schadows in Düsseldorf und Philipp Veits in Frankfurt.

Seit den 30er Jahren bahnte sich in den Rheinlanden zwischen katholischer Kirche und preußisch-protestantischem Staat ein Konflikt an, der, entzündet an einer Lehrstreitigkeit und dem Problem der konfessionellen Mischehe, im November 1837 mit der Gefangennahme des Kölner Erzbischofs Droste zu Vischering zum Ausbruch gelangte. Die Empörung in der katholischen Bevölkerung des Rheinlandes war ungeheuer und es knüpfte sich an das Ereignis ein ausgedehnter Streit, in dem Joseph Görres mit seinem „Athanasius" federführend war. Der 1838 entstandene Entwurf Lessings „Die Gefangennahme des Papstes Paschalis II. durch Heinrich V."[40] (Kat.Nr. 160) mag als eine Stellungnahme in diesem Streit gedeutet werden, denn die Szene aus dem Investiturstreit mußte die Zeitgenossen an die tagespolitische Parallele erinnern. Dagegen spricht dann allerdings, daß Schadow die Komposition befürwortete und der Kunstver-

ein das 1840 danach ausgeführte Gemälde beim Künstler bestellte.

So kommt es, daß die Meinung, Lessing habe die Geschichte nur objektiv darstellen wollen, der Ansicht seiner Gegner, er habe politische Tendenzbilder schaffen wollen, unversöhnlich gegenüberstand. 1880 beurteilte Bendemann den Sachverhalt in dem oben zitierten Brief an Friedrich Pecht wie folgt: Pechts Vorwurf der „Verquickung politisch-religiöser Tendenzen" „mit einem mageren malerischen Talente" hält Bendemann entgegen, „daß Tendenzen bei Lessing nicht vorhanden waren. Die religiösen oder kirchlich-historischen Gegenstände vielmehr, waren ihm naturgemäß: daß sie in unserer Zeit ihre Anregungen fanden ist natürlich; aber doch nicht zu tadeln, daß er ergriff, was in der Zeit lag? – Er war ein entschiedener Protestant im weitesten Sinne des Wortes; nicht etwa kirchlich, . . . das lag ihm viel ferner als mir – ganz weit ab! Aber alles so herkömlich Eingeschobene in Kunst und Leben war ihm zuwider. Er hat tüchtig aufgeräumt in solchen Dingen und ist dadurch für uns sicherlich und mindestens (ich glaube aber für die ganze Malerei) reformatorisch geworden."

Das Werk des Landschaftsmalers Lessing teilt sich wie das so vieler seiner Zeitgenossen in eine dem objektiven Naturstudium gewidmete und eine von Erfindung, künstlerischer Gestaltung und stimmungshafter Überhöhung bestimmte Richtung. Eine unbefangene und von traditionellen Kompositionsprinzipien freie Naturanschauung war möglich wie der große Anteil an Landschafts-, Pflanzen-, Architektur- und Felsstudien in Lessings zeichnerischem Werk beweist. Ihnen kommt aber im Hinblick auf das offizielle, auf Ausstellungen gezeigte und vom Sammler geschätzte Atelierbild lediglich ein Materialwert zu. Nur in Ausnahmefällen gelangten der Naturstudie vergleichbare authentische Landschaftsdarstellungen bei Lessing zur Ausführung in Öl[41].

Der bis über die Mitte des 19. Jahrhunderts hinaus von den Verfechtern der idealen Landschaft bzw. denen der im Friedrich-Carus'schen Sinne romantischen Landschaft vertretenen Ansicht, dem Naturalismus als platter Naturkopie und bloßer Naturnachahmung könne kein künstlerischer Wert beigemessen werden, ist Lessing besonders in seinem Frühwerk noch weitgehend verpflichtet.

Die gedanklich und stimmungshaft überhöhte Landschaft Lessings ist anfangs noch deutlich von den Vorbildern seiner Berliner Studienzeit, insbesondere von Friedrich und Schinkel geprägt. Friedrichs Einfluß tritt in Lessings „Kirchhof" von 1826, seiner verschollenen „Ansicht eines Teiles der Abtei Altenberg bei Köln" (1828) und schließlich im „Klosterhof im Schnee" (Kat.Nr. 154) (1829) und dessen Bildvarianten deutlich hervor. Das führte bereits 1830 dazu, daß sich mit der seit den 20er Jahren einsetzenden Kritik an Friedrich die Ansicht verband, Lessing sei der Nachfolger und Vollender Friedrichscher Landschaftsauffassung, er habe gerade das besessen, „was Friedrich fehlte, ein tieferes und frischeres Studium der Natur"[42].

Dabei übersah man freilich, daß Lessing etwa in seinem „Klosterhof im Schnee" zwar die Motive Winter, Mönchsprozession und Begräbnis von Friedrichs „Abtei im Eichwald" (1809) bzw. dessen „Klosterfriedhof im Schnee" (1819) übernahm, diesen Vergänglichkeitssymbolen aber keine über die Darstellung hinausweisende Bedeutung verlieh.

In Friedrichs „Abtei im Eichwald" wird ein irreales Geschehen in einen Raum gestellt, dessen Horizont nicht wahrzunehmen ist, daher den Eindruck der Unendlichkeit vermittelt. Mönche mit einem Sarg schreiten über einen winterlich verschneiten Friedhof, auf das Portal einer zerstörten Kirche zu, in dem ein großes Kreuz aufragt. Woher sie kommen und wohin sie gehen bleibt offen. Alte, abgestorbene Eichen scheinen den Platz zu markieren, wo einst die Kirche stand. Die formale Gestaltung steht zeichenhaft für die symbolische Aussage. Über Tod und Vergänglichkeit hinaus deuten Kreuz und Morgenröte auf neues Leben, auf Auferstehung.

Verglichen mit einer solchen Aussage und Bildgestaltung gibt Lessings Darstellung eine reale Handlung in einem realen Raum wieder. Die Gedanken von Winter, Tod und Vergänglichkeit werden nur durch die Gegenstände und Handlungen selbst ausgedrückt: ein „Bild der Vernichtung ohne ein Jenseits"[43]. Ganz im Gegensatz zu Friedrichs weiter Landschaft ist Lessings Bildraum eng und nahsichtig. Keine Ruine, sondern ein intaktes romanisches Kloster, durch dessen Kreuzgang die Mönche zur Kapelle schreiten, ist dargestellt.

Carl von Lorck hat zuerst auf die ablehnende Äußerung Goethes angesichts der Landschaft Lessings aufmerksam gemacht[44]. Der Dichter sah in Lessings Bild „lauter Negationen des Lebens" und identifizierte in einer an anderer Stelle überlieferten Äußerung mit dem Hinweis: „dem guten Friedrich in Dresden ist's nicht anders ergangen, von dem haben wir dergleichen Landschaften in Menge"[45] Lessings Intentionen mit denen Friedrichs; dies, obwohl er als einer der wenigen Kritiker die symbolische Bedeutung der Landschaften Friedrichs als religiöse Landschaften erkannte.

Der Einfluß Schinkelscher Landschaften wird bereits in Lessings „Ritterburg" (bzw. „Felsenschloß", Kat.Nr. 153) offenbar. Das Motiv des steil aufragenden, den Mittelgrund einseitig versperrenden Felsmassivs mit bekrönender Burg ist zwar schon in der niederländischen und deutschen Landschaftsmalerei des 16. Jahrhunderts anzutreffen; es dürfte Lessing aber in Verbindung mit der eigentümlichen Beleuchtung, die den Burgberg als dunkle Kulisse vor den hellen Hintergrund setzt, aus Landschaften Schinkels, etwa dessen „Gotische Kirche auf einem Felsen am Meer" (Kat.Nr. 224) vertraut gewesen sein. Schinkel läßt den gotischen Dom der

53 C. F. Lessing, Landschaft mit Kloster, Mönch und Chorknaben, 1831. Köln, Wallraf-Richartz-Museum

Stadt – ebenso wie Lessing seine Felsenburg – als dunkles Monument gegen den von der Abendsonne erleuchteten Himmel aufragen. Auch in der 1814 für Gneisenau geschaffenen Landschaft Schinkels, „Der Abend" wird die untergehende Sonne von einem Berg, Hauptakzent des Bildes, verdeckt.

Auch das Kompositionsschema der „Überschaulandschaft", ebenfalls schon in der Malerei des 16. Jahrhunderts geläufig, ist Lessing sicherlich durch Schinkels Landschaften vermittelt worden. Eigene Landschaftserlebnisse an Rhein und Mosel mögen Lessing in der Wahl dieses Landschaftstyps bestärkt haben.

In seiner „Abendlandschaft mit Kloster, Mönch und Chorknaben" (Abb. 53) die im Entwurf 1831 entstand, 1834 für Schadow in Öl ausgeführt (genannt „Das Kloster")[45a], ist ein hoher Betrachterstandpunkt angenommen, damit verbunden der Blick in weite Fernen gegeben. Die Abendsonne, die hinter den Gewitterwolken hervorbricht, beleuchtet die dünnstämmige Baumgruppe im Vordergrund, die sich wie ein Gitter vor den Hintergrund schiebt. Im Schatten der Wolken liegend, bildet der sich dunkel erhebende Burgberg einen Kontrast zu der hellen Flußebene im Hintergrund. Die fast theatralische Lichtführung begegnet in Schinkels Bild „Morgen" wieder mit seinen ähnlich beleuchteten Baumgruppen und im „Felsenschloß an einem Fluß", jenem nach einer Erzählung Brentanos gemalten Bild[46].

Die in Lessings „Abendlandschaft" literarisch anmutende Staffage läßt dem Betrachter für die Deutung freien Spielraum, was denn auch in den leicht voneinander abweichenden Interpretationen der Zeitgenossen zum Ausdruck kam. Der Mönch, so hat man die Staffage wohl zu deuten, ist mit

54 C. F. Lessing, Studie zur Burgruine Are, 1827. Cincinnati, Ohio, Cincinnati Art Museum

dem unter dem Tuch verborgenen Allerheiligsten auf dem Wege zu einem Kranken oder Sterbenden. Assoziationen an die „Habsburglegende", jener in der Romantik so häufig dargestellten Szene, die die Begegnung zwischen Rudolf von Habsburg und dem Priester schildert, stellen sich ein. Es ist typisch für Lessings Staffage, daß er solche literarischen Vorbilder fragmentarisch verwertet. F. Th. Vischer, der die literarische Staffage in Lessings Landschaften als „störenden Zusatz" und „historische Gicht" verabscheute, rügte die Staffage in dieser Landschaft: „... So sagt man denn, was schon in der Landschaft gesagt ist, noch einmal durch eine pretentiöse Staffage ... Womöglich muß dann noch die beliebte Allegorie mithelfen, wie z. B. in Lessings berühmter Abendlandschaft der Priester, der das Sakrament für einen Sterbenden trägt, uns höchst absichtsvoll und philosophisch zu sagen scheint: seht, dieser Abend ist eine Allegorie vom Lebensabend des Menschen ...."[47] In verschiedenen anderen Landschaften, wie etwa der „1000jährigen Eiche", dem „Köhler, der einem Reiter den Weg weist" oder der „Brandstätte mit Erschlagenem" begegnet die novellistische Staffage wieder, die den Betrachter über ihre Bedeutung im Unklaren läßt. „Nur eine Vereinigung von Historien- und Landschaftsmalerei ist imstande solche Produkte an das Licht zu fördern ..." äußerte Müller von Königswinter über diese von ihm geschätzten Bilder[48].

In der Minderzahl, aber den realistischeren Zug der Landschaft Lessings ankündigend, taucht seit den 30er Jahren auch die Wanderer-, Reiter-, Köhler-, Jäger- und Bauernstaffage auf. Dagegen scheint die verstärkt seit den 30er und 40er Jahren begegnende „Soldatenstaffage aus dem 30jährigen Krieg" (vgl. Kat.Nr. 163), die manche Landschaften schon fast zu Historienbildern umdeutet, eher wieder rückläufige Tendenzen zu bezeichnen[49].

Der Gegensatz zwischen Erfindung und Naturnachahmung im Landschaftsbild ist in den Anfängen der Düsseldorfer Landschaftsmalerei, im frühen Schaffen Lessings und Schirmers, besonders ausgeprägt. Bald nach Lessings Ankunft in Düsseldorf traten die beiden Maler in ein freundschaftliches Verhältnis zueinander und gründeten nach dem Vorbild der Historienmaler 1827 einen landschaftlichen Komponierverein, „wonach wir uns verpflichteten, etwa alle 14 Tage eine Komposition in Zeichnung vorzulegen"[50], schreibt Schirmer in seinen Lebenserinnerungen. Zur gleichen Zeit fanden – wie Schirmer weiter berichtet – die Romane Walter Scotts in Düsseldorf großes Interesse und so ist es nicht verwunderlich, wenn Lessings erste Zeichnung für diesen Komponierverein – ganz im Sinne eines Historienbildes – „eine Anregung aus Walter Scotts ‚Abt‘, Schloß Lochleven, ein Felsenschloß inmitten eines rings von hohen Ufern umgebenen Sees" entstand. Von Anfang an scheint Lessings Neigung zur literarischen Assoziation in der Landschaft stärker gewesen zu sein als die Schirmers, der sich mit seinen Entwürfen auf eigene Landschaftserlebnisse stützte.

Gleichzeitig aber unterzogen sich Lessing und Schirmer im Frühjahr 1827 einem intensiven Naturstudium, nicht nur in Zeichnungen, sondern auch in Ölstudien „von der Größe eines großen Oktavblattes", die sie in gegenseitigem Erfahrungsaustausch entwickelten. Leider fehlt von solchen Ölstudien Lessings jede Spur. Auch in seinem späteren Werk sind Ölstudien nicht nachweisbar, während sie für Schirmer in reichem Umfang überliefert sind. Lessing scheint mithin stärker zur graphischen als zur malerischen Erfassung der Natur tendiert zu haben. Im Sommer 1827 begaben sich beide Künstler auf eine Reise nach Altenberg, wo sie die bereits im Verfall befindliche Zisterzienserkirche fesselte. Anschließend reiste Lessing, angeregt von Studien des Cornelius-Schülers Götzenberger, nach Altenahr, ins felsige Ahrtal, eigens zu dem Zweck, „hier zu seinem Schlosse Felsstudien zu machen."

Zwischen dem 17. und 25. August 1827 skizzierte Lessing hier in acht Studien die bizarren Felsen und hielt in einer weiteren Studie die Ansicht der Burgruine Are oberhalb von Altenahr fest (Abb. 54). Die leicht lavierten Bleistiftstudien geben meist nur isolierte Teilansichten der Felsenlandschaft wieder – ein Kennzeichen der Lessingschen Naturstudie bis in die 50er Jahre hinein[51]. Dagegen legte Schirmer in seinen Studien der Ahrtalreise von 1831 größeren Wert auf die Erfassung eines weiten Landschaftsraumes, insbesondere auch auf die Verbindung des malerischen Ortes Altenahr mit der sie umgebenden Felsenlandschaft[52]. Lessings Studie der Burgruine hat dann dem Gemälde „Ritterburg" zugrunde gelegen, wie H. Appel anhand des rechteckigen Turmes mit Erker – einer „Rekonstruktion" Lessings – nachgewiesen hat[53]. Im übrigen läßt sich von den gezeichneten Studien aus dem Ahrtal im Gemälde kein Detail als exakte Übernahme nachweisen. Dies entspricht Schirmers Angaben: „Lessing hatte zu seinem Schloß Lochleven nur wenige Studien an der Ahr gemacht, aber sein künstlerisches Gedächtnis hatte die Organisation des Schiefers mit geologischer Genauigkeit sich derart eingeprägt, daß man jedes Stück, was er später in dieser Steinart zeichnete oder malte für ein Studium nach der Natur hielt."[54]

1827/28 war Lessing im Auftrag des Konsul Wagener aus Berlin dann mit der Ausführung seines „Schloß Lochleven", das später den Namen „Ritterburg" erhielt beschäftigt, und dessen Bildentstehung ganz dem eines Historienbildes entsprach: dem literarisch inspirierten Entwurf folgte das Naturstudium, das seinen Niederschlag im realistischen Detail des Gemäldes fand, an dessen ursprünglicher, aus der Phantasie aufgezeichneter Komposition jedoch keine Änderungen im Sinne eines natürlicheren Landschaftsraumes vorgenommen wurden.

In seinem Gemälde „Eifellandschaft" (Abb. 55) von 1834 ist Lessing dann einen Schritt weitergegangen, indem das Landschaftserlebnis der Aufzeichnung des Entwurfs voranging[55]. Das als besonders realistisch gerühmte Ölbild kompiliert verschiedene, in Studien nachweisbare und exakt lokalisierbare Naturausschnitte, die Lessing auf seiner Eifelreise von 1832 in sein Skizzenbuch aufgenommen hatte (Abb. 56). Die Reise in diese von Menschen noch wenig berührte Landschaft entsprach Lessings Sehnsucht nach Ursprünglichkeit. In den „vulkanischen Oeden der Eifel" trat ihm „die Natur in der reinen, gleichsam nackten Eigenthümlichkeit ihres Daseins entgegen" schrieb später von Uechtritz[56]. Im Ergebnis entstand eine Landschaft, die „im Charakter . . . der Gegend bei Gerolstein sehr ähnlich ist . . . manches habe ich sogar benutzen oder vielmehr direkt verwenden können" schrieb der Maler in einem Brief an Lasinsky[57]. Er verzichtete also auch hier nicht auf die Komposition. Dies macht sich in dem gegenüber der Wirklichkeit ins Alpine gesteigerten Felsmassiv hinter dem Dorf besonders bemerkbar, weshalb auch das Maar vor der Ortschaft im Schatten liegt. Während die heimische Staffage und die Ortschaft am Fuße des Gebirges auf wirklichkeitsnahe Darstellung abzielen, bewirkt die Vernachlässigung der Luftperspektive – ähnlich wie in der Felsenlandschaft von 1830[58] – einen unrealistischen Gesamteindruck.

Viele Zeitgenossen und auch spätere Autoren sahen in Lessings Eifellandschaft den Wendepunkt zum Realismus. Dies muß insofern eingeschränkt werden, als zahlreiche im Entwurf schon vor der Eifelreise von 1832 entstandene, der romantischen Phase des frühen Schaffens verhaftete Kompositionen für den Künstler ihre Gültigkeit behielten und bei

55 C. F. Lessing, Eifellandschaft, 1834. Warschau, Nationalmuseum

56 C. F. Lessing, Studie aus der Eifel, 1832. Cincinnati, Ohio, Cincinnati Art Museum

95

meist nur geringen Abweichungen vom ursprünglichen Entwurf zu Gemälden ausgeführt wurden. Hier wird die Verspätung des Gemäldes gegenüber dem Entwurf zu einem Problem in der Beurteilung der künstlerischen Entwicklung.

Lessing hat sich nach der Eifelreise vor allem der Harzlandschaft zugewandt, die er auf zahlreichen Studienreisen (1836, 1842, 1852, 1853, 1864, 1874, 1878) erforschte. Sie entsprach ebenso wie die felsige Landschaft um Pottenstein in der Fränkischen Schweiz (Studienreisen 1877/8) seiner Suche nach ursprünglichen, rauhen und felsigen Landschaften. Aus dieser Vorliebe heraus bemängelte Lessing an der Umgebung von Karlsruhe, sie habe „für den Maler den Fehler der zu großen und zu sehr verbreiteten Kultur"[59].

Lessings Wirkung auf die Landschaftsmalerei seiner Zeit kann hier nicht behandelt werden. Angemerkt sei nur, daß C. Scheuren, der noch als reifer Mann seine Verehrung für Lessings Bilder zum Ausdruck brachte[60], zahlreiche Kopien nach Werken Lessings anfertigte und die romantisch staffierte Landschaft weiterführte. Einflüsse auf Pose machen sich in dessen „Landschaft mit Mühle (1833)[61], auf Adolf Lasinsky in dessen „Eifelsee" (1841)[62], auf Andreas Achenbach in dessen „Gebirgiger Flußlandschaft" (1834)[63] bemerkbar.

Anmerkungen

1 Staatsbibliothek, München, Handschriftensammlung; Briefmanuskript(?) vom 6. 11. 1880.
2 Carl Leberecht Immermann, Werke. Hg. von Werner Deetjen, T. 1–6, Berlin 1911; Bd. 5, S. 273.
3 Carl Robert Lessings Bücher und Handschriftensammlung, hg. von Gotthold Lessing, bearb. von I. Lessing und A. Buchholtz, 3 Bde., Berlin 1914–16; Bd. 1, 1914, S. 257/688.
4 Antikritik der Berliner Kunstausstellung des Herbstes 1830, Nr. 393.
5 Arend Buchholtz, Die Geschichte der Familie Lessing. Hg. von Robert Lessing, 2 Bde., Berlin 1909; Bd. 2, S. 327.
6 Th. Frimmel, Carl Friedrich Lessing. In: Von alter und neuer Kunst, Wien o. J. (nach 1922), S. 104–106.
7 „Rapport über die Schüler der 1ten Zeichenklasse bei der Königlichen Academie der Künste in Berlin vom Octbr. 1823 bis April 1824", von Dähling, 2. Seite Nr. 5: Notiz zu Lessing; Archiv der Akademie der Bildenden Künste, Berlin-West, Akte 6, Abtlg. No 1 b.
8 Entwurf: Cincinnati, Ohio, Cincinnati Art Museum, Inv.Nr. 1882.10; V. Leuschner Nr. 11.
   Gemälde: I. Jenderko-Sichelschmidt, Nr. 1 (Kunsthandel).
9 Cincinnati Art Museum, Ohio, Inv.Nr. 1882.41, V. Leuschner Nr. 184.
10 Vgl. I. Jenderko-Sichelschmidt, S. 9.
11 Cincinnati Art Museum, Ohio, Inv.Nr. 1882.38; V. Leuschner Nr. 188 (bzw. 191).
12 F. von Uechtritz, Bd. 1, S. 367 ff.
13 „Gedanken über eine folgerichtige Ausbildung des Malers", zuerst abgedr. in: Berliner Kunstblatt 1, 1828, 264–73; später in: A. v. Raczynski, Bd. 1, S. 319–330.
14 Vgl. hierzu ausführlich I. Jenderko-Sichelschmidt, S. 216.
15 Ernst Förster, Peter von Cornelius, S. 152–157: Brief an Joseph Görres, Rom 3. 11. 1814 (speziell S. 155).
16 Vgl. hierzu: I. Jenderko-Sichelschmidt, Nr. 133, S. 145 ff., S. 210 ff.
17 Unveröffentlichter Brief vom 30. 7. 1839, Düsseldorf, Heinrich Heine-Institut 30.471.
18 2 Entwürfe von 1829 im Cincinnati Art Museum, Ohio, Inv.Nr. 1882.44, vgl. Kat. Ausst. Cincinnati 1972, Drawings by C. F. Lessing 1808–80, Abb. S. 24 und 1882.45, V. Leuschner Nr. 193, 194. Gemälde: I. Jenderko-Sichelschmidt, Nr. 18.
19 Cincinnati Art Museum, Ohio
   1882.49 – V. Leuschner Nr. 201
   1882.47 – V. Leuschner Nr. 202; vgl. Kat. Ausst. Cincinnati 1972, Drawings by Carl Friedrich Lessing 1808–1880, Abb. S. 24.
   1882.50 – V. Leuschner Nr. 203, Düsseldorf, Kunstmuseum Inv.Nr. 47/266 – Leuschner Nr. 219, Dresden, Kupferstichkabinett, Inv.Nr. 1934-33, V. Leuschner Nr. 246
20 C. Immermann, a.a.O. (2), S. 273.
21 Zit. nach L. Grote, Joseph Sutter und der nazarenische Gedanke (= Studien zur Kunst des 19. Jahrhunderts, Bd. 14), München 1972, S. 66.
22 Allgemeine Preußische Staatszeitung vom 14. 10. 1832, No. 286, S. 1147.
23 Foto: Bildarchiv Foto Marburg, Nr. 48482.
24 I. Jenderko-Sichelschmidt, Nr. 43, Nürnberg, GNM.
25 Stiftung Paul Luchtenberg, Burscheid, z. Zt.: Schloß Burg a. d. Wupper; Kat. The Hudson and the Rhine, Düsseldorf 1976, Abb. 88; V. Leuschner Nr. 207.
26 A. Rosenberg, Bd. 2, S. 377.
27 A. Hagen, Bd. 1, S. 288.
28 W. Hütt 1964, S. 54 ff.
   H. Gagel, Die Widerspiegelung bürgerlich-demokratischer Strömungen in den Bildmotiven der Düsseldorfer Malerschule 1830–1850, S. 119 ff., in: Kat. Ausst. Berlin 1973 (Neue Gesellschaft für Bildende Kunst), Kunst der bürgerlichen Revolution von 1830 bis 1848/49.
29 Vgl. I. Jenderko-Sichelschmidt, S. 39 ff.
30 Vgl. zu diesem Problem: Hermann Schmidt, Hus und Hussitismus in der tschechischen Literatur des 19. und 20. Jahrhunderts. Phil. Diss. München 1969 (= Slavistische Beiträge 36).
31 Carl Robert Lessings Bücher- und Handschriftensammlung, a.a.O. (3), Bd. 1, 1914, S. 263, Dok. 707.
32 Vgl. K. Oberhuber, Vorzeichnungen zu Raffaels Transfiguration, in: Jb. der Berliner Museen 4, 1962, 116; der Modello in Wien, kein Original Raffaels, war durch Lithographie 1826 publiziert worden.
33 Wandmalerei im Chiostro dello Scalzo in Florenz, 1515.
34 Die Fassung der Johannespredigt von 1827 in der Kunsthalle Karlsruhe unterscheidet sich nur geringfügig von der 1831 datierten im Düsseldorfer Kunstmuseum aufbewahrten (Inv.Nr. FP 10989), die Schadow 1831 bei seinem Romaufenthalt von Overbeck für die Sammlung der Düsseldorfer Akademie erworben hatte. Zur Verbreitung der Lithographie vgl.: E. Geller, Ernste Künstler, fröhliche Menschen, München 1947, S. 176.
35 Vgl. Jan Białostocki, Romantische Ikonographie, in: Stil und Ikonographie, Studien zur Kunstwissenschaft, Dresden 1965, 156–181.
   K. Lankheit, Nibelungen-Illustrationen der Romantik. Zur Säkularisierung christlicher Bildthemen im 19. Jahrh. In: Ztschr. des Ver. f. Kunstwiss. 7, 1953, 95–112.
36 Dresden, Staatliche Kunstsammlungen, Kupferstichkabinett, Inv.Nr. 1908–637, V. Leuschner Nr. 208.
37 Der nach links gerichtete Blick verschiedener Hussiten, die Geste des Monstranzträgers, der Schwanz eines Pferdes am linken Bildrand und die einseitige Abrundung des Blattes (oben rechts) sprechen dafür.
38 Brief Wilhelm Schadows an Julius Hübner, Düsseldorf, Heinrich-Heine-Institut; abgedruckt bei H. Schmidt, Alfred Rethel, in: Jb. des rhein. Ver. f. Denkmalpflege und Heimatschutz, 1958, 175/76.
39 1. Brief des Vaters: A. Buchholtz, a.a.O. (5), Bd. 2, S. 313;
   2. Brief Lessings an Julius Hübner, 4. 12. 1842; Heinrich-Heine-Institut, Düsseldorf.
40 Cincinnati Art Museum, Ohio, Inv.Nr. 1882.54, V. Leuschner Nr. 240.
41 Einige Ölbilder kleineren Formats seien hier genannt:
   1. Eifellandschaft, undatiert, Slg. Georg Schäfer, Schweinfurt, I. Jen-

derko-Sichelschmidt, Nr. 15, Abb. in Kat. Ausst. Nürnberg 1967, Öl/Lwd. 15,5 × 22,5 cm.

2. Landschaft, undatiert, Kunsthalle Bremen, I. Jenderko-Sichel-schmidt, Nr. 27, Öl/Lwd. 47,5 × 62 cm. Bez. u. r.: C. F. L.

3. Eifellandschaft, undatiert, um 1834 oder eher, Ansicht von Altenahr, Hannover, Niedersächs. Landesgalerie, I. Jenderko-Sichelschmidt, Nr. 17, Öl/Lwd. 20 × 28,5 cm.

4. Flußtal mit Burgen und Stadt, Bez.: C. F. L. 1840, Sammlung Georg Schäfer, Schweinfurt, I. Jenderko-Sichelschmidt, Nr. 14; Abb. in Kat. Ausst. Nürnberg, 1967, Öl/Holz 16 × 22,5 cm.

42 F. O. Gruppe, in: Allg. Preuß. Staatszeitung vom 13. 10. 1834, No. 284, S. 1154.

43 R. Wiegmann, S. 105.

44 C. von Lorck, Goethe und Lessings Klosterhof im Schnee. In: Wallraf-Richartz-Jahrb. 9, 1936, S. 205–222.

45 Vgl. W. Herbig, Goethes Gespräche, Bd. 3, II (1825–32), Stuttgart/Zürich 1972, 803/04. Die Äußerung Goethes zu Lessings Klosterhof muß vermutlich in das Jahr 1831 datiert werden; Goethe lag höchstwahr-scheinlich eine Lithographie nach dem 1830 in Berlin ausgestellten Ge-mälde „Klosterhof im Schnee" vor.

45a Entwurf, Köln, Wallraf-Richartz-Museum, Inv.Nr. 1937/519, V. Leuschner Nr. 39; Gemälde: I. Jenderko-Sichelschmidt, Nr. 22.

46 „Der Morgen", 1813, Berlin (West), Nationalgalerie; „Felsenschloß" 1820, Berlin (West), Nationalgalerie.

47 F. Th. Vischer, Kritische Gänge, 2 Bde., Tübingen 1844, S. 219 und 229.

48 W. Müller von Königswinter, S. 105/06.

49 Vgl. den Abschnitt über die „Historische Landschaft" bei I. Jenderko-Sichelschmidt, S. 197 ff.

50 Paul Kauhausen, Lebenserinnerungen Schirmer, S. 60.

51 Cincinnati Art Museum, Ohio, Inv.Nr. 1882.3132, 3133, 3141–3145, 3148; V. Leuschner L 7–15.

52 H. Appel, 1974, S. 249–262, Abb. 231, 232.

53 Ebenda, S. 251.

54 P. Kauhausen, Lebenserinnerungen Schirmer, S. 65.

55 Nationalmuseum Warschau, Inv.Nr. 186043; I. Jenderko-Sichelschmidt, a.a.O. (8), Nr. 21.

56 F. von Uechtritz, 1, 1839, S. 395.

57 Brief Lessings an Adolf Lasinsky 20. 2. 1830, Heinrich-Heine-Institut, Düsseldorf 63 G 1646.

58 M. Lehmann/V. Leuschner, S. 39 ff., Abb. 6.

59 A. Buchholtz, a.a.O. (5), S. 340.

60 Vgl. Brief C. Scheurens an Karrmann, undatiert um 1863; Cincinnati Art Museum, Ohio.

61 Düsseldorf, Kunstmuseum; I. Markowitz 1969, S. 239, Abb. 173.

62 Koblenz, Mittelrhein-Museum, Inv.Nr. M 485; Kat. Ausst. Schleiden 1969, Die Eifel im Landschaftsbild, Kat. 72, Abb. S. 27, hier wohl fälschlich Aug. Gustav Lasinsky zugeschrieben.

63 Düsseldorf, Kunstmuseum, I. Markowitz 1969, S. 21, Abb. 5.

Die Verfasserin hat kürzlich eine Dissertation mit dem Titel „Carl Friedrich Lessing (1808–80). Die Handzeichnungen" fertiggestellt und verweist bei der Erwähnung von Zeichnungen Lessings in den Anmerkungen auf die Nummern ihres Kataloges.

Ingrid Jenderko-Sichelschmidt

Die profane Historienmalerei 1826–1860

Bald nachdem Wilhelm von Schadow 1826 die Leitung der Düsseldorfer Akademie übernommen hatte, gelang es ihm, einen wichtigen, einige Jahre zuvor an Cornelius ergangenen Auftrag fortzuführen: Die Ausmalung des Gartensaales von Schloß Heltorf mit Szenen aus der Geschichte Kaiser Friedrichs I. Barbarossa, die der Cornelius-Schüler Stürmer 1825 begonnen hatte.

Dieser Auftrag des Grafen von Spee, den er „beseelt von Liebe zur vaterländischen Geschichte"[1] erteilt hatte, kennzeichnet die Vorliebe der Zeit für geschichtliche Themen – als Schmuck für den Gartensaal einer privaten Villa könnte man sich auch weniger bedeutungsschwere Motive vorstellen – und vor allem eine neue Sicht der Vergangenheit, ein national betontes Geschichtsbewußtsein, das sich nach der romantisch-schwärmerischen Mittelalter-Sehnsucht während der Freiheitskriege entwickelt hatte.

Gerade im Rheinland hatten Ferdinand Franz Wallraf, die Brüder Boisserée und ihr Kreis als erste Sammler und Retter des von den Revolutionskriegen und der Säkularisation bedrohten „altdeutschen Erbes" diese Entwicklung wesentlich mitgetragen, und am Torso des Kölner Doms entzündete sich nach der Wiederentdeckung der Gotik als eines „nationalen" Stils die Begeisterung für die geschichtliche Vergangenheit, die nun in lebendiger Beziehung zur Gegenwart gesehen und als Anspruch und Verpflichtung für die eigene Zeit verstanden wurde. „In seiner trümmerhaften Unvollendung, in seiner Verlassenheit ist er (der Dom) ein Bild gewesen von Teutschland seit der Sprach- und Gedankenverwirrung, so werde er dann auch ein Symbol des neuen Reiches, das wir bauen wollen . . .", schrieb Josef Görres 1814 im „Rheinischen Merkur"[2].

Zur selben Zeit gewannen die Boisserées den preußischen Kronprinzen Friedrich Wilhelm für diese Idee der Vollendung des Kölner „Nationaldenkmals", und um Goethe bemühten sich in gleicher Begeisterung Ernst Moritz Arndt und der Freiherr vom Stein.

Des letzteren umfassendes „patriotisches Kunstprogramm" für seine Schlösser in Nassau und Cappenberg[3] mag dem Grafen von Spee ein besonderes Vorbild gewesen sein. Denn Stein, dessen politisches Denken und Handeln dem Ziel eines geeinten Deutschen Reiches galt, wünschte vor allem Darstellungen aus der Geschichte der deutschen Kaiserzeit; er forderte von den Künstlern auch die dazu notwendigen Quellen- und Literaturstudien entsprechend dem neuesten Stand der geschichtswissenschaftlichen Forschung[4], und da er Geschichte als lebendig in die Gegenwart weiterwirkend verstand, waren ihm historische Ereignisse auch ein Spiegel der eigenen Zeit. So sah er in der siegreichen Schlacht Kaiser Ottos I. gegen die Ungarn, die er von Karl Wilhelm Kolbe malen ließ (Abb. 57)[5], auch ein Bild der Leipziger Völkerschlacht, eine Erinnerung an die große vaterländische Zeit der Freiheitskriege.

Ähnlich verhält es sich wohl auch mit der Wahl des Themas „Barbarossa" für den Heltorfer Zyklus: Denn nach der literarischen Wiederentdeckung der Staufer durch J. J. Bodmer und J. G. Herder seit der Mitte des 18. Jahrhunderts, galt zu Beginn des 19. Jahrhunderts dann Friedrich Barbarossa als glanzvollste Gestalt der deutschen Kaiserzeit. Er schien am vollkommensten das Heilige Reich zu verkörpern; „sein Tod auf dem Kreuzzug rückte ihn in die Nähe der Heiligen und Märtyrer, schlug eine Brücke auch zum Befreiungskrieg, der ‚ein Kreuzzug . . . ein heilger Krieg' genannt worden ist (Theodor Körner, Aufruf aus ‚Leier und Schwert')"[6]. Die allgemeine Popularisierung Barbarossas bewirkte 1817 Friedrich Rückert mit seinem Gedicht über den im Kyffhäuser schlafenden Kaiser, der die Wiederkunft des Reiches erwartet.

Barbarossa wurde damit zur wirkungsvollsten Symbolgestalt für die Bestrebungen um die nationale Einheit – folgerichtig wurde am Ende des 19. Jahrhunderts in den Wandbildern der Goslarer Kaiserpfalz von H. Wislicenus der erwachte Barbarossa Kaiser Wilhelm I. als dem Wiedererwecker des Deutschen Reiches gegenübergestellt[7].

Seit den 20er Jahren des 19. Jahrhunderts ergab sich eine regelrechte Staufer- und Barbarossa-Inflation in Literatur, Musik und bildender Kunst: 1822–25 erschienen Friedrich von Raumers 6 Bände zur „Geschichte der Hohenstaufen", Immermann, Grabbe und Raupach dramatisierten den historischen Stoff, und der königlich-preußische Hofkomponist Gasparo Spontini komponierte „Agnes von Hohenstaufen" als Hochzeitsoper, die zur Vermählung des späteren Kaisers Wilhelm I. mit Augusta von Sachsen-Weimar 1829 mit Bühnenbildern von Karl Friedrich Schinkel aufgeführt wurde[8].

Das Kreuzzugsthema gewann zusätzlich an aktueller Bedeutung durch den Freiheitskampf der Griechen gegen die Türken (1821–29), den alle „Philhellenen" Europas und Amerikas mit großem Engagement verfolgten. Der berühmteste unter ihnen war Lord Byron, der „auf eigenem Schiff mit Gefolgsleuten, Dienern und Geld nach Griechenland gefahren kam . . . Der leidende Romantiker erwies sich in seinen letzten Tagen als tüchtiger Exerziermeister, Organisator und

Diplomat . . . Vielleicht aber war sein frühes Sterben vor Missolonghi im April 1824 das beste, was er für die Rebellen leisten konnte. Denn es bewegte Europa, wie seit den Heldentaten des jungen Bonaparte nichts es bewegt hatte. Goethes Faust gibt Zeugnis davon"[9].

Für die jungen Düsseldorfer Künstler – Lessing, Mücke, Plüddemann – brachte der Heltorfer Zyklus (Abb. 73–84) also die Konfrontation mit einem aktuellen Thema, das nicht nur Anregungen zu historischen Studien und politischen Überlegungen bot, sondern die Künstler auch vor die Aufgabe stellte, Bildformen für Motive zu finden, die bis dahin noch ohne festgelegte ikonographische Tradition waren. Wie allgemein mit dem Aufkommen der Geschichtsmalerei zu beobachten, übernahmen auch die Düsseldorfer für einige Themen ikonographische Formen der religiösen Bildtradition, wobei sich aus der wechselseitigen Interpretation von überlieferter Form und neuem Inhalt stärker eine Sakralisierung der realen Geschichte als eine Profanierung der religiösen Tradition ergab – zunächst jedenfalls.

Diese erste erfolgreich bewältigte Aufgabe zog zahlreiche Aufträge für Wandmalereien nach sich[10]. Allerdings ist in diesem Zusammenhang auch Schadows Organisationstalent zu würdigen, der sich um die praktischen Belange seiner Schüler genauso kümmerte wie um die künstlerischen. Er verstand es nicht nur, Verbindungen und Kontakte zu privaten Mäzenen, zu einzelnen kunstinteressierten Persönlichkeiten – wie z. B. zu Prinz Friedrich von Preußen, der in Düsseldorf residierte – anzubahnen und zu pflegen, sondern er gehörte auch zu den wichtigsten Gründern (1829) des „Kunstvereins für die Rheinlande und Westfalen", der in der Folgezeit durch regelmäßige Ausstellungen, Ankäufe und Vermittlung von Aufträgen die Düsseldorfer Künstler und die „Veröffentlichung" ihrer Werke wesentlich förderte.

Wenn auch Schadow selbst entsprechend der tradierten Hierarchie der Bildgattungen in der religiösen Historienmalerei die wichtigste künstlerische Aufgabe sah, so stand er am Beginn seiner Düsseldorfer Tätigkeit doch allen Sparten der Malerei aufgeschlossen und tolerant gegenüber, d. h. er versuchte, seine Schüler ihren besonderen Talenten entsprechend auszubilden und zu fördern. Auch galt ihm nicht ausschließlich die Fresko-Malerei als höchstes Ziel, im Gegensatz zu Cornelius hielt er vielmehr die Ölmalerei für geeigneter, um seine künstlerischen Vorstellungen der „vollkommen naturgemäßen Ausführung einer dichterischen Idee in Form und Farbe" zu verwirklichen. Im Grunde hielt Schadow sich und seinen Schülern zunächst alle Möglichkeiten offen, und diese Vielseitigkeit – die allerdings nur die ersten Jahre von Schadows Lehrtätigkeit auszeichnete – bot eine der Voraussetzungen für das rasche Aufblühen und den weitreichenden Erfolg der Schule.

Einer der nächsten Aufträge war die Ausmalung des kleinen Rittersaales der Burg Stolzenfels am Rhein bei Koblenz[11].

57 K. W. Kolbe, Kaiser Ottos Sieg über die Ungarn. Schloß Cappenberg, Museum für Kunst und Kulturgeschichte der Stadt Dortmund

Aus der Stauferzeit stammend war die Burg seit dem 17. Jahrhundert verfallen, 1802 schließlich als Ruine in den Besitz der Stadt Koblenz gelangt, die sie 1823 dem preußischen Kronprinzen, dem späteren König Friedrich Wilhelm IV. schenkte[12]. Im Gegensatz zu seinem Vater, König Friedrich Wilhelm III., war der Prinz im Rheinland, das seit 1815 zu Preußen gehörte, sehr beliebt – und er liebte seinerseits die „neue Provinz", erfüllt von Begeisterung für das Mittelalter, die Gotik und die romantische Rheinlandschaft. Nach der Schenkung äußerte der Prinz sofort den Wunsch, eine Wohnung auf der Burg für sich einzurichten. Der Ausbau der Burg erfolgte jedoch erst zwischen 1835 und 1842. Am 15. September 1842 zog Friedrich Wilhelm (seit 1840 König) mit großem Gefolge in altdeutscher Tracht mit Fackelzug auf der Burg ein, die nach seinem ausdrücklichen Wunsch als „Ritterburg" wiederhergestellt worden war.

1843–46 führte dann Hermann Stilke, der einige Zeit zum Kreis um Cornelius gehört hatte, die sechs Wandgemälde zu den ritterlichen Tugenden im kleinen Rittersaal aus, der als Salon des Königs gedacht war[13].

Die Folge der sechs Wandbilder ist durch einen sockelartigen Rankenfries zusammengefaßt, in dem unter jeder Darstellung die entsprechende allegorische Figur wie ein Bildtitel erscheint. Ähnliche Rankenfriese mit allegorischen Motiven hatten die Cornelius-Schüler, Förster, Herrmann und Götzenberger 1823–34 in Verbindung mit den Fakultätsbildern der Bonner Universitätsaula gemalt; auch Stürmers Fresko in Heltorf „Barbarossa und Alexander III." und Mückes „Der Kniefall Heinrichs des Löwen" in Heltorf sind von solchen Rankenfriesen mit erläuternden Figuren gerahmt.

„Der Glaube" oder die „Beharrlichkeit" (Abb. 58) wird durch Gottfried von Bouillon verkörpert, der die Waffen an

58 H. Stilke, Der Glaube (Gottfried von Bouillon), 1843–46. Schloß Stolzenfels bei Koblenz

59 H. Stilke, Die Gerechtigkeit (Rudolf von Habsburg), 1843–46. Schloß Stolzenfels bei Koblenz

der Grabeskirche in Jerusalem niederlegt. In einem leuchtenden Gewand erhöht über den Kreuzfahrern kniend, erinnert Gottfried an Darstellungen von „Christus am Ölberg"; damit Assoziationen an die Erlösung hervorrufend, erscheint Gottfried hier als der „Erlöser" der heiligen Stätten von der Herrschaft der Ungläubigen.

Neben dem „Glauben" die Personifikation der „Gerechtigkeit" (Abb. 59) in Gestalt Kaiser Rudolfs von Habsburg, der den Landfrieden wiederherstellt und die Raubritter richtet. Hier mag Stilke Anregungen von Rethels Gemälde „Der Hl. Bonifatius" von 1832[14] für die Haltung und Gebärde des Kaisers erhalten haben, während die psychologische Schilderung der verschiedenen Verhaltens- und Ausdrucksweisen in den Figurengruppen an Lessings „Hussitenpredigt" (Kat.Nr. 159) erinnert; der Ausblick auf eine Burg rechts im Hintergrund schließlich weist auf Mückes entsprechendes Motiv im linken Teil seines Freskos „Der Kniefall Heinrichs des Löwen" in Heltorf.

Als „Treue" (Abb. 60) erscheint – in der theatralischen Übersteigerung der Gebärden ans Groteske grenzend – Hermann von Siebeneichen, der Friedrich Barbarossa vor einem Anschlag in Susa rettet, indem er sich selbst opfert[15], und als „Tapferkeit" (Abb. 61) der blinde König Johann von Böhmen (Vater Kaiser Karls IV.), der in der Schlacht von Crécy 1346 getreu seinem Ritterideal den Heldentod der Niederlage vorzieht, sein Pferd mit denen von zwei anderen Rittern zusammenbinden und sich in die Schlacht führen läßt. Lessings Gestalt des siegreichen Barbarossa aus der Heltorfer „Schlacht bei Iconium" dient hier der Verklärung des Heldentodes und der ritterlichen Ehre.

„Gesang" oder „Poesie" (Abb. 62) werden geschildert in der „Rheinfahrt König Philipps von Schwaben mit seiner Gemahlin Irene" in Begleitung Walthers von der Vogelweide – der in Philipps Diensten stand – und der bekanntesten Minnesänger, und auf dem Bild der „Minne" (Abb. 63) empfängt Kaiser Friedrich II. seine Braut Isabella von England auf der Burg Stolzenfels, wobei die Szene mit Requisiten aus der Bildtradition der „Anbetung der Könige" versetzt ist.

Neben den Anregungen, die die Heltorfer Fresken in ikonographischer Hinsicht boten, hat Stilke hier für seine Tugendfolge auch die Ergebnisse der Düsseldorfer Malerei der 30er Jahre verarbeitet: Die schmale Vordergrundszene, in der sich die Geschehnisse vor kulissenhaftem Hintergrund abspielen, entspricht der Bühnengestaltung Immermanns, die die Kompositionen von Lessing, Bendemann und anderen geprägt hatte. Dazu der einer monumentalen Aussage entgegenstehende überreiche Detailrealismus und die theaterhafte Wirkung der Szenen, die über die eines „lebenden Bildes" nicht hinausreicht.

Wenn auch für alle diese Darstellungen reale historische Anhaltspunkte vorliegen, so geht es in dieser Folge dennoch nicht um eine Vergegenwärtigung bedeutender historischer

Ereignisse; wichtig ist vielmehr der exemplarische Charakter der einzelnen Szenen – „die Moral von der Geschicht" – und von daher spielen historische Ungenauigkeiten wie z. B. bei der „Minne" auch keine Rolle – Friedrich II. und Isabella heirateten 1235, also vor Erbauung der Burg und außerdem in Worms[16]. Der tiefere Sinn des Zyklus ist kein historisch-politischer, er liegt vielmehr in dem Gedanken der Huldigung an König Friedrich Wilhelm IV. als dem ritterlich-tugendhaften und kunstsinnigen Herrscher.

Am Außenbau der Burg ergänzen zwei Fresken von August Gustav Lasinsky das malerische Programm: An der Rheinfront „König Ruprecht landet am 20. August 1400 am Rhein mit seinem Neffen, dem Grafen von Hohenzollern, zum Besuch des Trierer Kurfürsten auf Stolzenfels" und über dem inneren Tor das Ehewappen Preußen – Bayern (Friedrich Wilhelm IV. war mit Elisabeth von Bayern verheiratet) mit der Porta Nigra zu Trier und dem Kölner Dom als den „Brennpunkten" der preußischen Denkmalpflege im Rheinland"[17].

Damit waren einmal – wenn auch lose – historische Beziehungen zwischen den Wittelsbachern und den Hohenzollern angedeutet sowie eine Verbindung beider Dynastien mit dem Rhein, und außerdem wurden die „nationalen" Aufgaben im künstlerischen Bereich angesprochen, für deren Durchführung man sich die gleiche Förderung erhoffte, die den Wiederaufbau von Stolzenfels erreicht hatte.

Insgesamt erscheint die Burg Stolzenfels als späte Krönung der Rheinromantik – und damit schon fast als Anachronismus in den 40er Jahren, in denen sich längst andere Aspekte und Probleme im Zusammenhang mit der Historienmalerei ergeben hatten.

Inzwischen hatte Lessing mit einigen Bildern heftige Diskussionen ausgelöst, die sich weit über Düsseldorf hinaus zu einem regelrechten Meinungskrieg entwickelten. In der „Hussitenpredigt" von 1836, der „Gefangennahme des Papstes Paschalis durch Heinrich V." von 1840 (Kat.Nr. 160) und dem „Hus im Verhör zu Konstanz' von 1842 hatte er mit historischen Themen auf die aktuelle Tagespolitik reagiert und dabei eindeutig Partei ergriffen: für die protestantische Minderheit in den vorreformatorischen Religionskämpfen und für die kaiserliche Partei im Investiturstreit; und dies im katholischen Rheinland, so sich vor dem Hintergrund der allgemeinen Spannungen zwischen Preußen und Rheinländern vor allem die kirchenpolitischen Auseinandersetzungen in den 30er Jahren zuspitzten und 1837 im Verlauf der „Kölner Wirren" um das Problem der konfessionellen Mischehen in der Verhaftung des Kölner Erzbischofs Droste zu Vischering (vgl. Kat. Nr. 116) gipfelten[18].

Diese „Tendenzbilder" führten nicht nur zum Zerwürfnis zwischen Lessing und dem schon 1814 zum Katholizismus konvertierten Schadow, sondern veranlaßten auch den Nazarener Philipp Veit, aus Protest sein Amt als Direktor des

60 H. Stilke, Die Treue (Hermann von Siebeneichen), 1843–46. Schloß Stolzenfels bei Koblenz

61 H. Stilke, Die Tapferkeit (Johann von Böhmen), 1843–46. Schloß Stolzenfels bei Koblenz

62 H. Stilke, Gesang oder Poesie (Rheinfahrt König Philipps von Schwaben), 1843–46. Schloß Stolzenfels bei Koblenz

63 H. Stilke, Die Minne (Friedrich II. empfängt seine Braut Isabella von England auf Schloß Stolzenfels), 1843–46.

Städel niederzulegen, als der „Hus im Verhör" 1843 für dieses Institut angekauft wurde.

Die Tatsache, daß Friedrich Wilhelm, nachdem er die Entwürfe zur „Hussitenpredigt" und zur „Gefangennahme des Papstes Paschalis" gesehen hatte, Lessing mit der Ausführung dieser Themen in großformatigen Gemälden beauftragte, zeigt, daß die politische Brisanz und die propagandistische Bedeutung dieser Historien durchaus erkannt wurde.

Lessings Themen (seit 1848 arbeitete er auch an Bildern zu Martin Luther) und deren Anerkennung durch den preußischen König scheinen – im Rückblick – die spätere Entwicklung der „Hohenzollern-Ideologie" vorwegzunehmen, nach der das preußische Königtum bzw. das in der „kleindeutschen Reichslösung" verwirklichte preußische Kaisertum seine historische Legitimation und sein Selbstverständnis auf der antipäpstlichen Haltung der Stauferkaiser und auf der Reformation Martin Luthers gründete – und im Goslarer Zyklus programmatisch veranschaulichte.

Innerhalb der Düsseldorfer Schule war Lessings Malerei von großem Einfluß, obwohl er kein offizielles Lehramt innehatte. So wurde Alfred Rethel, der 13jährig 1830 nach Düsseldorf kam, zwar Schüler von Heinrich Christoph Kolbe, Theodor Hildebrandt und Schadow, ließ sich aber vor allem von Lessings Historien beeindrucken. Er zeichnete Motive aus der „Schlacht bei Iconium" und holte sich Anregungen aus Lessings „Hussitenpredigt" für seinen Bonifatius-Zy-

klus. In der „Predigt des hl. Bonifatius" (Abb. 64) von 1835[19] gastieren einige Hussiten als Heiden, und auch die jeweiligen Gemütsverfassungen von Betroffenheit bis zu seelenvoller Hingabe sind von Lessings Vorbild inspiriert.

Letzteres gilt auch noch von der „Andacht der Haugianer" (Kat.Nr. 256), die der Norweger Adolph Tidemand 1848 schuf. Auch die Komposition, die Gruppierung der Zuhörer um den erhöht stehenden Prediger ist der Hussitenpredigt verwandt, allerdings arbeitete Tidemand mit anderen malerischen Mitteln als Lessing und erreichte mit seinen dramatischen Lichteffekten eine intensivere Zusammenbindung der Szene.

Als Lessing an seinem „Hus im Verhör" arbeitete, kam der Deutsch-Amerikaner Emanuel Leutze 1841 nach Düsseldorf, schloß sich Lessing an und begann seine Folge von Gemälden zur Geschichte des Christoph Columbus mit dem Bild „Columbus vor dem Hohen Rat von Salamanca" (1841 vollendet), das unter dem direkten Einfluß von Lessings Gemälde entstand. Auch in seinem 1843 in München gemalten Bild „König Ferdinand nimmt Columbus die Ketten ab"[20] übernahm Leutze Motive aus Lessings „Hus", und zwar insbesondere für die Hauptperson sowie für die Gruppe der Geistlichen (Kat.Nr. 165).

Wiederum in Düsseldorf entstand 1850 Leutzes berühmtestes Bild „Washington überquert den Delaware" (Abb. 65). Hatten sich die Columbus-Szenen auf Amerikas historische Frühzeit bezogen, so stellte Leutze nun in dem „Washington" ein hochbedeutendes, folgenreiches Ereignis aus dem amerikanischen Unabhängigkeitskrieg dar. Washingtons tollkühne Überquerung des vereisten Delaware-Flusses am 25. 2. 1776 führte zu dem entscheidenden Sieg der Amerikaner über die Engländer.

Wie seine Düsseldorfer Kollegen hatte auch Leutze ausgiebige historische und antiquarische Studien schon für seine Columbus-Folge betrieben. Für seinen „Washington" suchte er gemäß den Gepflogenheiten der Schadow-Schule unter den Malerkollegen zunächst nach Modellen, befand aber alle Deutschen „entweder als zu klein oder in ihren Gliedmaßen als zu schmal" und ließ daher seine gerade aus Amerika angekommenen Landsleute Whittredge und Johnson – Whittredge für Washington – Modell stehen. Eine Kopie der originalen Uniform wurde aus New York besorgt, und Jean-Antoine Houdons bekannte Washington-Büste von 1785 diente als Vorbild für Washingtons Kopf[21].

Leutze beschränkte aber die Aussage des Bildes nicht auf eine historisch möglichst korrekte Nacherzählung des geschichtlichen Ereignisses, bei dem der Ausgang der bevorstehenden Schlacht immerhin noch ungewiß war; er zeigt den Gegner überhaupt nicht, so daß der Betrachter von vornherein gezwungen ist, sich mit der Partei Washingtons zu identifizieren. Dazu läßt Leutzes Interpretation Washingtons als des überaus mutigen und entschlossenen Feldherrn keinen Zweifel am siegreichen Ausgang des Unternehmens, und Washington erscheint in Leutzes Auffassung zugleich auch als der weitblickende Staatsmann, der das „Staatsschiff"[22] ebenso kühn wie erfolgreich durch alle politischen Wogen führt. Damit verdichtet Leutze die Wiedergabe eines bestimmten historischen Moments zu einem zeitlos gültigen „Denkmal" für den ersten Präsidenten der Vereinigten Staaten.

Der Enthusiasmus, mit dem Leutzes Bild in Deutschland und Amerika aufgenommen wurde, gründete vor allem auch darauf, daß hier ein bedeutendes nationales Ereignis in überzeugend-energischer Form und unbekümmert-lebhafter Farbigkeit so eindringlich geschildert war, daß alle patriotischen Herzen höher schlagen mußten. Und genau diesen Effekt hatten einige Jahre zuvor zwei Gemälde der belgischen Historienmaler Louis Gallait und Edouard de Bièfve: „Die Abdankung Karls V." (Abb. 66) und „Der Kompromiß des niederländischen Adels" (Abb. 67)[23]. 1841 vollendet, wurden die Bilder ab 1842 in den wichtigsten Ausstellungsstädten Deutschlands gezeigt. Diese Ausstellungsreise glich einem Triumphzug, dem „Sieg einer neuen Historienmalerei" und damit zugleich der „Niederlage" der bis dahin gefeierten Düsseldorfer Historien, ebenso der Münchner Malerei cornelianischer Prägung.

Die Diskussion entbrannte auf der Berliner Ausstellung 1842/43, bei der Lessings „Hus im Verhör" neben den Belgiern hing.

64 A. Rethel, Predigt des Hl. Bonifatius, 1835. Aachen, Suermondt-Museum

Gallait und de Bièfve hatten nicht nur die politisch-nationale Vergangenheit erweckt, sondern auch die große kunsthistorische Tradition, die selbstverständlich Rubens hieß. Darin war ihnen Gustave Wappers vorangegangen, er hatte mit dem Rückgriff auf Flanderns größten Maler auch ein Zeichen künstlerisch-patriotischen Selbstbewußtseins gesetzt[24].

Da Belgien gerade (1830) die nationalstaatliche Selbständigkeit errungen hatte, spiegelten diese Historienbilder den nationalen Stolz und das umfassende patriotische Selbstverständnis des jungen Staates.

65 E. Leutze, Washington überquert den Delaware, 1850. New York, Metropolitan Museum of Art

66 L. Gallait, Die Abdankung Karls V., 1841. Brüssel, Musées Royaux des Beaux-Arts

67 E. de Bièfve, Der Kompromiß des niederländischen Adels, 1841. Brüssel, Musées Royaux des Beaux-Arts

Dies alles schien Lessings vergleichsweise schwerer zugänglichem „Hus" zu fehlen, auch mußten Lessings ruhig-ausgewogene Farbgebung und seine sorgsame Malweise neben der malerischen Bravour der Belgier verblassen. „. . . hier (in den belgischen Bildern) sehen wir endlich einen geschichtlichen Styl vor uns . . . großartige Momente von hohem nationalen Interesse fassen hier eine endlose Menge bedeutender Individualitäten zu einem Ganzen zusammen . . .", schrieb A. Hagen[25], und Jakob Burckhardt vermißte – allerdings nicht nur bei Lessing, sondern bei der gesamten deutschen Historienmalerei – den „dramatisch-historischen Atem"; den Grund für diesen Mangel sah er darin, daß „den Deutschen bisher ein öffentliches Leben fehlte, welches allein eine höhere historische Kunst zu erzeugen imstande ist . . .". Jedoch war Burckhardt davon überzeugt, daß sich in Deutschland eine „wahrhafte Historienmalerei" entwickeln werde: „Wir bauen mit Sicherheit auf das in unseren Tagen so kräftig erwachende öffentliche Leben, auf den eine neue Geschichtsperiode verheißenden nationalen Aufschwung und glauben, daß ein historischer Styl sich in kurzer Zeit kundgeben müsse. . . . Jedenfalls aber lassen sich für die Zukunft der deutschen Kunst die erfreulichsten Hoffnungen schöpfen: Wenn einmal zu dieser charakteristischen Durchbildung ohnegleichen (bei Lessings „Hus") ein dramatischer Inhalt tritt, so muß die deutsche Malerei die der Nachbarvölker bei weitem überragen . . ."[26].

In ähnlichem Sinne äußerte sich Franz Kugler, er maß dem „großen Meinungskrieg" um die belgischen Bilder und Lessings „Hus im Verhör" „fast ein ebenso bedeutendes Inter-

esse" zu wie den Gegenständen, denen er galt: „Ich bin sehr geneigt, ihn als Zeugnis einer lebhaften Krisis, in der sich gerade jetzt die deutsche oder wenigstens die norddeutsche Kunst befindet, zu betrachten . . . Die Kunstgeschichte unserer Tage ist im Begriff, die Stufe, auf der sie sich seit etwa drei Lustren bewegt hat, zu verlassen und eine neue Stufe zu betreten . . ."[27].

In der Tat gilt die Zeit um 1840 in Deutschland als „Wende von der romantischen Gedankenmalerei zur realistischen Geschichtsmalerei"[28], und die sehr kritischen Beurteilungen, auf die sowohl Philipp Veits monumentales Fresko, das er für das Städelsche Kunstinstitut geschaffen hatte, „Die Einführung der Künste in Deutschland durch das Christentum" von 1836[29] als auch Friedrich Overbecks künstlerisches und religiöses Glaubensbekenntnis „Der Triumph der Religion in den Künsten" von 1840[30] und Peter Cornelius' Fresko „Das jüngste Gericht" von 1840 in der Münchner Ludwigskirche[31] stießen, sind Kennzeichen dieser Wende. Außerdem kam es 1840 zum Bruch zwischen König Ludwig und Cornelius, der infolgedessen München verließ und nach Berlin ging. Ein weiteres Symptom ist die Auseinandersetzung zwischen König Ludwig I. und Schnorr von Carolsfeld um das Programm der historischen Zyklen in der Münchner Residenz (1835–1842)[32].

Die von den belgischen Bildern ausgelöste Diskussion um Sinn und Aufgabe der Historienmalerei richtete sich in erster Linie gegen die romantisch-nazarenische Tradition, wie sie von Cornelius in München und von Schadow in Düsseldorf vertreten wurde. Sie betraf weniger Lessing und seine realistische Sicht der Geschichte, wie in den Kritiken von Kugler und Burckhardt deutlich wurde. Außerdem hatte Lessing sich längst von den künstlerischen Vorstellungen und Zielen Schadows und seines engeren Kreises entfernt.

Auch das „belgische Kolorit" war in Düsseldorf längst durch Hildebrandt bekannt geworden, und von daher war der Einfluß der Belgier auf die Münchner Malerei wesentlich stärker als auf die Düsseldorfer. Hier blieben nach wie vor beide Strömungen, die „idealistische" und die „realistische" nebeneinander lebendig, wobei erstere vor allem die Monumentalmalerei prägte, während letztere in der Ölmalerei zur Geltung kam, aber abgesehen von Lessing und Leutze überwiegend zu historisch kostümierten Genreszenen führte.

Ganz im Sinne Schadows und zugleich in der Nachfolge des Cornelius arbeitete Eduard Bendemann, der 1838 an die Dresdener Akademie berufen wurde und gleichzeitig vom sächsischen Königshaus den Auftrag erhielt, Thron- und Ballsaal im königlichen Schloß zu Dresden auszumalen (vollendet 1855)[33].

Bendemann entwarf ein gedankenreiches Programm, in dem sich Historie, Allegorie, Mythos und Genre zu einem „gewissermaßen poetisch-philosophischen Bekenntnis" (R. Wiegmann) des Künstlers verbanden.

Im Thronsaal erschien in vier Wandbildern auf der Seite der Landesvertretung – gegenüber der von Herrschertugenden und Gesetzesgebern umgebenen Saxonia – Heinrich I. nicht nur als der erste der mittelalterlichen Sachsenkaiser, der z. B. wie Barbarossa über die Sarazenen in Lessings Heltorfer „Schlacht bei Iconium" über die Ungarn siegte, sondern auch als Repräsentant monarchischer Herrschaft schlechthin, da seinen Taten zugleich die vier gesellschaftlichen Stände zugeordnet waren, deren Zusammenwirken wiederum in allegorischer Gestalt geschildert wurde.

Ein umlaufender Fries auf Goldgrund zeigte „nach christlicher Anschauungsweise das menschliche Leben mit seinen Beschäftigungen und Mühen von der Geburt bis zum Tode ..." (Droysen), wobei Allegorien der christlichen Tugenden als Maßstäbe allen Handelns in den Ablauf des menschlichen Lebens eingefügt waren.

Den Ballsaal schmückte Bendemann mit dem „griechischen Leben als Grundlage der Kultur, der Lebensfreude und des heiteren Lebensgenusses", wobei auch hier der Ablauf des menschlichen Lebens als Fries erschien, jedoch dem Thema angemessen in antikisierender Grisaillemalerei auf blauem Grund (Abb. 68).

Vier große Wandbilder illustrierten mit „Apoll", „Dionysos", der „Hochzeit der Thetis" und der „Hochzeit Alexanders mit Roxane" – nach Droysen – Beginn und Ende der Blütezeit Griechenlands.

Die Form des Wandfrieses unterhalb der Decke hatte zuerst Julius Hübner 1837 für den malerischen Schmuck von Schadows Wohnhaus in Düsseldorf gefunden. Dort führten nach

68 E. Bendemann, Entwürfe zum Fries im Ballsaal des Dresdener Schlosses: Kindheit, musische Spiele, Hochzeit. Düsseldorf, Kunstmuseum

Hübners Entwurf Lessing und Steinbrück die Darstellungen der vier Lebensalter aus, die zugleich auch die vier Tages- und die vier Jahreszeiten umfaßten. Vermutlich war auch Bendemann an der Ausführung beteiligt, jedenfalls hat er aus diesem Fries formale und inhaltliche Anregungen für seine eigenen Arbeiten in Dresden entnommen[34].

Für den Dresdener Auftrag reiste Bendemann 1841 eigens nach Italien, um die Wandmalereien der „großen Meister" zu studieren, dabei hat er sich aber sicher auch Anregungen aus den Freskenzyklen der Nazarener in Rom geholt; in seinem Entwurf „Handel" (Abb. 69) zeichnet er als drittes Bild so etwas wie „Sklavenhandel", dem offensichtlich Overbecks „Verkauf Josephs" aus der Casa Bartholdy in Rom als Vorlage diente.

69 E. Bendemann, Entwürfe zum Fries im Thronsaal des Dresdener Schlosses: Handel, Industrie, Wissenschaft. Düsseldorf, Kunstmuseum

70 H. Plüddemann, Entwürfe zum Fries im Elberfelder Rathaus: Religion, Handel. Düsseldorf, Kunstmuseum

Als stilistisches Vorbild für die großen Wandbilder im Ballsaal schwebten Bendemann wohl die Münchner Glyptothek Fresken vor, in denen Cornelius, ausgehend von der Hochrenaissance, eine eigene, die Vorbilder romantisch umdeutende Formensprache geschaffen hatte. Außerdem war des Cornelius Zyklus wohl auch nicht ohne Einfluß auf Bendemanns Programm. Ein direkter Zusammenhang ist mit den Motiven der vier Elemente im Göttersaal der Glyptothek gegeben, die jeweils von Eros gebändigt werden: Bei Bendemann erscheint Eros ebenfalls als „Beherrscher der Elemente" in den Fries unterbrechenden farbigen Gruppenbildern, wo Eros die Elemente durch Harmonie vereinigt bzw. den Kampf der Elemente scheidet[35].

Allerdings fehlte Bendemann der geniale Atem des Cornelius, der Überliefertes nicht nur eklektizistisch zitiert, sondern in eigener Interpretation neue übergreifende Zusammenhänge, gleichsam „subjektive Mythologien" geschaffen hatte. Bendemanns Dresdener Themenwahl mutet dagegen, trotz aller „sächsischen Beziehungen" im Thronsaal, zufällig und austauschbar an; sein Programm war sicher groß und umfassend gedacht, aber im Zusammenhang der genrehaft breiten Lebensschilderung mit den belehrenden und ermahnenden Akzenten wirken die großen historischen und mythologischen Szenen wie biedermeierliche Bildungserlebnisse.

Zu den traditionellen Aufgaben, die sich in der Ausmalung von Kirchen und Residenzen stellten, kamen um die Mitte des 19. Jahrhunderts zahlreiche Aufträge für Verwaltungs-

und Justizbauten, für Universitäten, Schulen und Theater, die von staatlichen und kommunalen Stellen, oft unter Mitwirkung des Kunstvereins, vergeben wurden.

Am Beginn der Rathaus-Dekorationen steht der 1841–44 gemalte Freskenfries im Elberfelder Rathaus, den Heinrich Mücke, Hermann Plüddemann (Kat.Nr. 183), Josef Fay und Lorenz Clasen gemeinsam ausführten[36].

Es ging darum, „symbolische Darstellungen des öffentlichen Lebens von frühester Zeit an" zu schaffen, und so entwarfen die Künstler ein Programm, das „Geschichts- und Lebensbilder des germanischen Volkes bis zur Schlacht im Teutoburger Wald" (Fay), die „Einführung des Christentums im Wuppertale durch Suitbert, den Apostel des Bergischen Landes" (Mücke), die „Blüte des mittelalterlichen Lebens und der Stände" (Plüddemann) und die „Segnungen des Friedens und des Gewerbefleißes", dazu den „Einzug eines geliebten Herrscherpaares" (Clasen) umfaßte.

Nach dem, was sich aus Plüddemanns Entwürfen (Abb. 70) entnehmen läßt, ergeben sich nicht nur in der Wahl der Themen, sondern auch in Einzelheiten Parallelen zu Bendemanns Dresdener Thronsaalfries; hier wie dort werden beim „Handel" Waren in Bündeln und Säcken in Schiffe verladen, und per Schiff gelangt man zu den „Wilden", die unter Palmen hausen. Während bei Bendemann aber ein Kaufmann versucht, der stillenden Eingeborenenfrau einen Spiegel anzubieten, werden die Eingeborenen bei Plüddemann missioniert und getauft, und zwar anscheinend von protestantischen Geistlichen – womit ein Hinweis auf die starke protestantische Tradition im Bergischen Land gegeben wäre.

Auch den von Fay (schriftlich) überlieferten Darstellungen des „Familienlebens", der „Erziehung", der „Spiele der Männer", „Würfelspiele", „Jagd" usw. entsprachen ähnliche Themen in Bendemanns antikem Lebensfries im Dresdener Ballsaal.

Von den Zeitgenossen wurden die Elberfelder Fresken zum Teil gerühmt (Müller von Königswinter), zum Teil kritisch am Anspruch der „monumentalen Auffassung" gemessen; das Streben nach „einfachen Linien und großartigen Formen" wurde betont, aber „die Bilder verlassen häufig die Grenzen der Individualität. In den einzelnen Szenen gibt es viel Schönes, allein wenig Wahres, das heißt durch und durch richtig Gedachtes . . . In der Komposition ist das Bestreben nach möglichster Einfachheit und Großartigkeit sowie die Absicht sichtbar, sich von der Genremalerei, die dieser Aufgabe ziemlich nahe lag, so fern wie möglich zu halten . . ."[37].

Insgesamt scheinen die Elberfelder Fresken – wohl ohne allegorische Erläuterungen – „Bilder aus deutscher Vergangenheit" unter lokalhistorischen Aspekten vermittelt zu haben, wie sie den erzieherischen und „bildenden" Ansprüchen solcher Dekorationen entsprachen. Außerdem wird in der Betonung von Handel und Gewerbe auch auf die „materiellen" Leistungen der Vorfahren hingewiesen, die wiederum verpflichtend in die Gegenwart weiterwirken.

Gegenüber den zahlreichen, meist nur schriftlich überlieferten Rathaus-Dekorationen von lokalgeschichtlicher Bedeutung entstand zwischen 1838 und 1852 im Frankfurter Römer ein heute noch erhaltenes, umfassendes reichsgeschichtliches Programm. Entgegen aller Gewohnheit besteht dieses Programm nicht aus einem Zyklus bedeutender geschichtlicher Ereignisse; es erscheinen vielmehr an den Wänden des Kaisersaals die deutschen Kaiser von Karl dem Großen bis zu Franz II. als ganzfigurige „gemalte Denkmäler", und mit dieser lapidaren Aufzählung wird die große Tradition, die Macht und Herrlichkeit des alten Reiches viel eindringlicher „beschworen" als mit irgendwelchen Szenen aus der Geschichte der deutschen Kaiserzeit.

Die Anregung zu dieser Bilderfolge war vom Städel ausgegangen, gestiftet wurden die Bilder von den Fürsten, den Städten und engagierten Bürgern, vor allem von Frankfurtern. An der Ausführung waren neben anderen Künstlern (z. B. Veit, Steinle) auch mehrere Düsseldorfer beteiligt: Lessing (Barbarossa), Hübner (Friedrich III.) Bendemann (Lothar von Supplinburg), Rethel (Maximilian I., Maximilian II., Philipp von Schwaben, Karl V.), O. Mengelberg (Heinrich IV.), A. G. Lasinsky (Rudolf I.) und J. Kiederich (Heinrich V.)[38].

Mit diesen Kaiserbildern wurde auch die Tradition Frankfurts als der Krönungsstadt der deutschen Kaiser seit dem 16. Jahrhundert lebendig. Aber vor allem verwies die imposante „Ahnengalerie" auf die aus der Geschichte resultierende Verpflichtung für die Gegenwart – in der die Nationalversammlung in Frankfurt über die Zukunft des Reiches beriet[39].

Etwa gleichzeitig mit dem Kaiserprogramm für den Frankfurter Römer wurde die Ausmalung eines ebenso geschichtsträchtigen Gebäudes beschlossen: die des Aachener Rathauses, der alten karolingischen Kaiserpfalz.

Die Initiative dazu war von dem Aachener Bürger Gustav Schwenger ausgegangen, der 1838 mit dem Kunstverein für die Rheinlande und Westfalen Verhandlungen über einen Auftrag an Künstler der Düsseldorfer Schule aufgenommen hatte. Die aus dem 18. Jahrhundert stammenden Fresken im Kaisersaal des Rathauses sollten durch eine neue Folge von Wandbildern ersetzt werden[40].

1839 schrieb der Verein unter Beteiligung der Stadt Aachen einen beschränkten Wettbewerb aus, zu dem Mücke, Bendemann, Stilke, Ludwig Haach und Alfred Rethel aufgefordert wurden: „Den Gegenstand der Fresken sollen die bedeutenden Momente aus dem Leben Kaiser Karls des Großen in historischer und symbolischer Auffassung bilden, mit möglichster Beziehung sowohl auf ihre allgemeine geschichtliche Bedeutung als auch auf die Stadt Aachen, als dessen Lieblingsaufenthalt."

Befürwortet von Carl Schnaase – gegen den Willen Schadows – gewann Rethel, der 1836 Düsseldorf verlassen hatte und nach Frankfurt zu Veit gegangen war, den Wettbewerb. Er hatte sieben Entwürfe eingereicht (Sturz der Irminsul 772, Schlacht bei Cordoba 778, Taufe Widukinds 775, Frankfurter Synode 794, Kaiserkrönung Karls des Großen 800, Krönung Ludwigs des Frommen 813 und Eröffnung der Gruft Karls des Großen durch Kaiser Otto III. 1000) und dazu erläutert: „In Bezug auf die Wahl der historischen Gegenstände ließ ich mich durch den Grundgedanken bestimmen, der sich in Karls Leben ausspricht und in seiner geschichtlichen, folgenreichen Unternehmung immer wiederkehrt: Durchdringung des Staates mit christlichen Prinzipien, Ausrottung und Umgestaltung der heidnischen Natur und Verhältnisse, bewerkstelligt durch Einführung des Christentums, als dessen Haupt der Papst gedacht wurde. Karl erscheint wie überall als der christliche Held, der Gegensatz zu Heidentum und Mohammedanismus." Außerdem führte Rethel die historischen Quellen an, auf denen er sein Programm aufgebaut hatte. Sein Freund, der Altphilologe und Historiker Dr. Konrad Hechtel in Frankfurt, hatte ihm wohl bei der Auswahl der Quellen und bei der Formulierung des Programms geholfen.

Bis Rethel mit der Arbeit beginnen konnte, vergingen allerdings noch einige Jahre. Abgesehen vom Umbau des Kaisersaals, ergaben sich langwierige Auseinandersetzungen um Programm und Finanzierung. Nachdem Rethel 1846 persönlich in Berlin König Friedrich Wilhelm IV. seine Entwürfe vorgelegt hatte, und dieser den Aachenern auch finanzielle Unterstützung zugesagt hatte, konnte Rethel 1847 endlich mit der Ausführung des ersten Freskos beginnen. Die Zwischenzeit hatte er zu einer Reise nach Rom genutzt, um vor allem Raffaels Fresken zu studieren. Außerdem hatte er 1842–44 die Aquarellfolge zu Hannibals Alpenübergang geschaffen.

Nach einigen Programmänderungen umfaßte der Aachener Zyklus nun die folgenden Darstellungen: Otto III. in der Gruft Karls des Großen; Sturz der Irminsul (Kat.Nr. 193); Schlacht bei Cordoba; Einzug in Pavia (Kat.Nr. 194); Taufe Widukinds; Krönung Karls des Großen; Krönung Ludwigs des Frommen; Bau des Aachener Münsters.

Rethel selbst konnte nur bis 1853 in Aachen arbeiten, d. h. nur vier Fresken ausführen, da dann seine Geisteskrankheit endgültig ausbrach, Vollendet wurde der Zyklus von seinem Schüler Josef Kehren, der schon mit ihm an den Fresken gearbeitet hatte[41].

„Kaiser Otto III. in der Gruft Karls des Großen im Jahre 1000" (Abb. 71) – das in der historischen Chronologie späteste Thema, zugleich auch als Apotheose Karls des Großen die „Summe" des ganzen Zyklus – war das Fresko, mit dem Rethel seine Arbeit begann. 1840 hatte er in seiner Programmschrift erklärt: „Unter den Nachfolgern Karls ist es

71　A. Rethel, Kaiser Otto III. in der Gruft Karls des Großen im Jahre 1000, 1847. Ölskizze für das Fresko im Aachener Rathaus. Düsseldorf, Kunstmuseum

keinem gelungen, dieses großen Kaisers Herrlichkeit zu erneuern. Im Drange schwerer Zeiten, welchen das Reich unter den Karolingern fast erlag, suchte das niedergebeugte Nationalgefühl sich durch liebevolle Betrachtung seiner großen Vergangenheit für den Jammer der Gegenwart zu entschädigen, und die ehrwürdige Gestalt des gewaltigen Karl bildete sich auf diese Weise in der Volksverehrung zu einem Ideal aus, dessen Verwirklichung Ziel und Streben der mächtigsten Kaiser des Mittelalters wird. Mit hoher Begeisterung für die Tugend seines großen Ahnen pilgert Otto III. nach Aachen, läßt sich die Gruft öffnen und stärkt sich durch inbrünstiges Gebet vor der mächtigen Leiche, zur Nacheiferung in Gesinnung und Taten."

In diesen Formulierungen Rethels ist auch der „Jammer" der Gegenwart um 1840 angesprochen; und Rethels Komposition mit der beherrschenden Gestalt des entrückten „übermenschlichen" Kaisers setzt ein umfassendes Symbol für Kaisertum und Reich – verdeutlicht in den detailliert geschilderten Reichsinsignien – wobei in der Gestalt des thronenden Karl zugleich auch die Kyffhäuser-Sage anklingt[42].

Das zweite Fresko „Der Sturz der Irminsul" (1848) (Kat.Nr. 193) schildert „den ersten Sieg Karls über die Sachsen bei Paderborn 772. Durch diese Schlacht beginnt der junge Held seine Siegesbahn, die Irminsäule stürzt, dem Sachsenvolke eine Warnung, daß dem Wachsen des christlichen Helden selbst der Pfeiler des Weltalls nicht zu widerstehen vermag, den freien Kämpfern eine Weissagung künftigen Triumphes"[43].

Dementsprechend setzt Rethel mit diesem historischen Ereignis Karl dem Großen auch formal ein „Denkmal": Wirkungsvoll überfangen von der Fahne mit dem deutschen Adler, der ein Kreuz auf der Brust trägt, erscheint der Kaiser als der alle Beteiligten, auch die Geistlichkeit, überragende Sieger. Allerdings ist dieser Sieg nun – 1848, d. h. acht Jahre

nach der Entstehung der Programmschrift – nicht mehr ausschließlich als Triumph des „christgläubigen Helden" gemeint, sondern entsprechend der in der Geschichtsschreibung auch verbreiteten Bewertung der Sachsenkriege als „Werk der deutschen Einigung"; darauf weisen die Veränderungen hin, die Rethel in den Entwürfen zu seinem Fresko an den Emblemen der Fahne vornahm.

Für die „Schlacht bei Cordoba" (1849/50) (Abb. 72) hatte Rethel, im Gegensatz zu den anderen Themen, keine historischen Quellen herangezogen, sondern Friedrich Schlegels Rolandromanze nach dem sogenannten Pseudo-Turpin[44]; „das Historisch-Bedeutsame aber, welches mich bestimmt, gerade diesen Gegenstand unter die Hauptkompositionen mit aufzunehmen, liegt für mich darin, daß die Zeit der Kreuzzüge sowie überhaupt das ganze Mittelalter seine kirchlichen und staatlichen Verhältnisse, die Kaiser ihre Prätentionen, die Päpste ihre an sie gemachten Schenkungen auf Karl zurückführten, in diesem Heerzug gegen die Ungläubigen ein großartiges, ihren Glaubenseifer und Heldenmut mächtig anfeuerndes Beispiel kaiserlicher Ritterlichkeit verehrten . . ."

Schlachtendarstellungen galt Rethels besondere Vorliebe schon als Kind, und in seinen Düsseldorfer Anfängen beeindruckte ihn Lessings Heltorfer „Schlacht bei Iconium", die er offensichtlich bei der Arbeit an seiner „Schlacht bei Cordoba" nicht vergessen hatte. Von Lessing hatte er gelernt, die Hauptfigur durch große Gesten und Bewegungen zu dramatisieren, jedoch nimmt Rethel diesen Gesten und Bewegungen das Momentane und damit auch den „anekdotenhaften Beigeschmack", indem er sie dem strengen geometrischen System der Senkrechten und Waagerechten unterordnet[45]. Wiederum erreicht Rethel in seiner Komposition eine Monumentalisierung des Kaisers, der als Triumphator über das Heidentum erscheint.

Auffallend ist, daß Rethel neben der Kreuzesfahne und der Adlerfahne eine dritte Fahne mit den Farben Schwarz-Gold-Rot über dem Frankenheer wehen läßt; diese Fahne (gleichbedeutend mit Schwarz-Rot-Gold) war bis 1848 in den deutschen Staaten verboten, sie wurde als „Symbol von Kaiser und Reich" verstanden – vielen galt sie auch als Fahne Barbarossas. 1848 wurde sie zur deutschen Bundesflagge erklärt. Auf diese Weise stellt Rethel bei der Ausführung des Freskos 1849/50 wieder einen Bezug zu seiner Gegenwart her: Indem er dem christlichen Heer Karls des Großen die Fahne des deutschen Bundes verleiht, deutet er die Hoffnungen auf ein Wiedererstehen des Deutschen Reiches an unter Führung eines ebenso beispielhaften und machtvollen Kaisers wie Karl der Große es gewesen war.

Als letztes Aachener Werk malte Rethel 1851 den „Einzug Karls des Großen in Pavia" nach dem Sieg 774 über Desiderius, den letzten langobardischen und arianischen König. Da der Entwurf erst nachträglich im Zusammenhang mit der

Veränderung des Saales entstanden war, sagt die Programmschrift nichts dazu, jedoch schrieb Rethel 1851 an seine Braut: „... außerdem bin ich noch mit dem gefangenen Langobardenkönig beschäftigt – ein wichtiger Gegensatz zum Kaiser – so ich glaube, glücklich gewesen zu sein – der Kaiser ist recht zu einem nordisch deutschen siegenden Fürsten geworden, wogegen der andere als Südländer gelb und giftig in wilder Aufregung, im Vorgefühl der letzte seines Stammes, der letzte König der Langobarden und letzte Hauptstütze der Arianer gewesen zu sein – sich entschieden absetzt ...“

Wiederum erscheint Karl der Große, lorbeerbekränzt, die Langobardenkrone in der Hand haltend, als triumphierender Sieger – wie ein Reiterdenkmal – im Zentrum der Komposition; vor ihm werden die Kreuzesfahne, die Adlerfahne und die Fahne des Deutschen Bundes durch einen Triumphbogen getragen, dessen Reliefschmuck Motive aus Thorwaldsens „Einzug Alexanders in Babylon“ aufweist. Als Gegenstück zu diesem Fresko war „Karls Krönung zum römischen Kaiser“ gedacht, die den Anspruch erfüllen sollte, der hier angedeutet ist.

Aber Rethels Aachener Werk blieb ein Torso; wenn auch Kehren nach Rethels Entwürfen arbeitete, so konnte er doch dessen differenzierte, sich mit den Geschehnissen seiner Zeit verändernde Sicht nicht nachvollziehen – und ebensowenig Rethels Stil.

Trotzdem sind Rethels Fresken ein eindrucksvolles „Nationaldenkmal“, dessen komplexe Aussage nicht nur Karl dem Großen als geschichtlicher Persönlichkeit, als erstem Kaiser des Heiligen Römischen Reiches Deutscher Nation gilt, sondern vor allem – und dies wird deutlich in der Verbindung Karls mit Barbarossa und den Kreuzzügen – der umfassenden Idee des mittelalterlich-christlichen Kaisertums, die im Zusammenhang der Bestrebungen um die Wiedererrichtung eines deutschen Reiches beschworen wurde. Diese Idee blieb für Rethel auch nach der Revolution 1848 und nach der Ablehnung der Kaiserkrone durch Friedrich Wilhelm IV. 1849 verbindlich.

Die „wahrhaft monumentale Wirkung“ seiner Fresken erreichte Rethel, indem er bedeutende historische Ereignisse auswählte, deren Nachwirkungen weit über die Zeit Karls des Großen hinausreichten und die von daher einem überzeitlichen Zusammenhang eingebunden waren, wobei sich Rethels künstlerische Formulierungen aber weder in tagespolitischer Aktualität erschöpften, noch zu pseudo-philosophischen Spekulationen ausarteten wie etwa Kaulbachs Weltgeschichtsfresken im Berliner Neuen Museum (1847–63). Rethel verzichtete auf jede allegorische Erläuterung, und ebenso fehlen bei ihm alle genrehaft-volkstümlichen Elemente.

Aus den ausführlichen historischen und antiquarischen Quellenstudien, die er für seine Fresken betrieben hatte,

72 A. Rethel, Die Schlacht bei Cordoba, 1849. Ölskizze für das Fresko im Aachener Rathaus. Düsseldorf, Kunstmuseum

entnahm Rethel nur solche Details, die der Steigerung der Bildaussage dienten; bisweilen vernachlässigte er die historische Richtigkeit zugunsten der übergreifenden Bedeutung seiner Themen – und entging damit der Gefahr der oberflächlichen „Kostümmalerei“, wie sie sich unter dem Einfluß der belgischen Historienmalerei verbreitet hatte.

Schließlich entwickelte er aus der künstlerischen Tradition der Nazarener und den realistischen Strömungen der ersten Jahrhunderthälfte – beiden war er an der Düsseldorfer Akademie begegnet – einen eigenen, von heroischem Pathos ebenso wie von „frostiger Strenge“ erfüllten Stil, mit dem es ihm gelang, die geschichtlichen Ereignisse zu einem „nationalen Denkmal“ zu stilisieren[46]. Damit stellen Rethels Karlsfresken die konsequenteste Verwirklichung von Geschichtsmalerei dar, wie sie sich zu Beginn des Jahrhunderts schon der Freiherr vom Stein gewünscht hatte, und wie sie Rethels Zeitgenosse, der Philosoph Friedrich Theodor Vischer, 1841 in seiner (vernichtenden) Kritik an Overbecks „Triumph der Religion in den Künsten“ forderte: „... Die Geschichte, die Welt als Schauplatz des Herrn, die naturgemäße Wirklichkeit in scharfen, nicht romantisch schwankenden, festen Umrissen ... das ist das Feld des modernen Künstlers.“[47]

Nach diesem Höhepunkt, den die Düsseldorfer Historienmalerei in Rethels Werk erreicht hatte, verlor die Düsseldorfer Schule bald an Attraktivität und Bedeutung; einige der bekanntesten Maler verließen die Stadt, und Schadow gab schließlich 1859 sein Amt als Direktor der Akademie auf. „Modern“ wurde nun die effektvolle Münchner Historienmalerei Pilotys und Kaulbachs, der Nachfolger von Cornelius als Direktor der Münchner Akademie geworden war.

Eine eigene Tradition innerhalb der profanen Historienmalerei hatte die „Schlachtenmalerei", die im frühen 19. Jahrhundert während der napoleonischen Kriege zu besonderer Bedeutung kam und zu einem lebhaften Austausch auf dem Gebiet der offiziellen Kunst zwischen Paris und den deutschen Hauptstädten führte. Auffallend ist dabei der starke Einfluß der französischen Kunst: In den großen Schlachten- und Einzugsbildern traten die preußischen, russischen und österreichischen Sieger an die Stelle Napoleons und seiner Generäle, wie sie die Pariser Maler dargestellt hatten, und Friedrich Wilhelm III. bestellte sogar eine große Darstellung der preußischen Fahnenweihe 1814 auf dem Pariser Marsfeld bei dem bekannten Schlachtenlandschafter Napoleons C. Vernet[48].

Nachdem in der Restaurationszeit die friedlicheren Parade- und Einzugsbilder (z. B. F. Krügers in Berlin) in den Vordergrund gerückt waren, wurden in der Düsseldorfer Schule kriegerische Ereignisse zunächst nur im historischen Gewand z. B. der Kreuzzüge, des 30jährigen Krieges oder anderer Kämpfe des 17. Jahrhunderts gemalt. Auch Wilhelm Camphausen, der Düsseldorfer Künstler, der sich später zu dem bekanntesten Schlachtenmaler entwickeln sollte, begann mit solchen Darstellungen.

Ihm war sicher die französische Tradition bekannt, denn für seinen „Prinz Eugen bei Belgrad" (Kat.Nr. 41) von 1842 ließ er sich deutlich von Horace Vernets Gemälde anregen: „Le Duc d'Orléans passant en revue le premier régiment de hussards", das 1819 lithographiert worden war[49].

Später wandte Camphausen sich der neueren Geschichte und den Freiheitskriegen zu. Er wurde vom preußischen Hof gefördert und nahm schließlich als Kriegsmaler an den Feldzügen gegen Dänemark 1864 und gegen Österreich 1866 teil. Hier gab es endlich wieder preußische Siege zu feiern – und nachdem die zuvor historisch verschlüsselt formulierten politischen Anschauungen, Wünsche und Ansprüche 1871 erfüllt schienen, fiel auch der Historienmalerei eine neue Aufgabe zu: Die „Dokumentation" des Zeitgeschehens, die sich der Geschichte zur Glorifizierung der Gegenwart bediente.

Anmerkungen

1 E. Förster, Brief aus Düsseldorf an Karl Vogel in Dresden, Kunst-Blatt 6, 1828, S. 306.

2 E. Mülhaupt, Der Kölner Dom im Zwielicht der Kirchen- und Geistesgeschichte, Düsseldorf 1965, S. 24.

3 Vgl. G. Eimer, Caspar David Friedrich und die Gotik, Hamburg 1963, S. 39 ff.

4 Stein war an der historischen Forschung besonders gelegen, 1819 hatte er die Gründung der „Gesellschaft für Deutschlands ältere Geschichtskunde" angeregt, von der ab 1820 die „Monumenta Germaniae Historica" herausgegeben wurden, die wichtigste Quellensammlung der mittelalterlichen Geschichte.

5 Karl Wilhelm Kolbe: „Kaiser Otto in der Schlacht auf dem Lechfeld" (1826–31), Öl auf Leinwand, 203,5 × 329,5 cm, Dortmund, Museum für Kunst und Kulturgeschichte, Schloß Cappenberg, Besitz Albrecht Graf von Kanitz. Kolbe war dem Freiherrn vom Stein dadurch bekannt geworden, daß er 1820 den Auftrag des Prinzen Friedrich von Preußen erhalten hatte, für die Fenster des großen Remters der Marienburg die Glasmalerei zu entwerfen. Die Wiederherstellung der Marienburg wurde parallel zum Kölner Domprojekt als entsprechende nationale Aufgabe ab 1817 betrieben (vgl. Kat.Nr. 145).

6 K. Löcher 1977, Bd. III, S. 296.

7 Vgl. M. Arndt, Die Goslarer Kaiserpfalz als Nationaldenkmal, Hildesheim 1976.

8 Vgl. Löcher, S. 296.

9 G. Mann, Politische Entwicklung 1815–71, in: „Das 19. Jahrhundert", Propyläen-Weltgeschichte, Bd. VIII, Berlin/Frankfurt 1960, S. 395.

10 Vgl. I. Markowitz 1973, S. 47 ff.

11 W. Bornheim gen. Schilling, Schloß Stolzenfels, Große Baudenkmäler, Heft 135, Berlin 1970.

12 Vgl. P. Kaufmann, W. von Schadow. Ein Erneuerer rheinischen Kunstlebens, in: Annalen des Historischen Vereins für den Niederrhein, 115, 1929, S. 398 ff. über die diplomatischen Hintergründe der Schenkung.

13 Ernst Deger, der an den Wandmalereien der Appolinaris-Kirche beteiligt war, malte seit 1851 die erst 1845 errichtete Schloßkapelle auf Stolzenfels aus.

14 Farbabbildung in: W. Hütt 1964, nach S. 64.

15 Vgl. F. von Raumer, Die Geschichte der Hohenstaufen, Bd. II, 1823, S. 212.

16 Entwurf Stilkes für das Wandbild „Minne" der graphischen Sammlung des Kunstmuseums Düsseldorf (Inv.Nr. 14/11). Stilke folgt der Schilderung der Begebenheit bei A. Klein, Rheinreise von Mainz bis Köln, Koblenz 1828, S. 129 f. Zur „Fälschung" der geschichtlichen Überlieferung vgl. Ausst.-Kat. Die Staufer, Stuttgart 1977, Bd. I, Nr. 1053, Abb. 708.

17 Vgl. Bornheim gen. Schilling, a.a.O., S. 14.

18 Vgl. H. Schroers, Die Kölner Wirren, Bonn 1927; F. Schnabel, Die katholische Kirche in Deutschland, in: Deutsche Geschichte im 19. Jahrhundert, Freiburg i. Br. 7, 1967, S. 138 ff.

19 1835, Öl auf Leinwand, 183 × 213 cm, Aachen, Suermondt-Museum.

20 Vgl. The Hudson and the Rhine, Düsseldorf 1976, Kat.Nr. 102 mit Abb.

21 Vgl. ebenda, Kat.Nr. 105.

22 Vgl. R. Schoch, Das Herrscherbild in der Malerei des 19. Jahrhunderts, München 1975, S. 116, Anm. 543.

23 Gallait: „Die Abdankung Karls V.", Öl auf Leinwand, 485 × 683 cm, Brüssel, Musées Royaux des Beaux-Arts; kleinere Wiederholung von 1842, Öl auf Leinwand, 121 × 170 cm, im Städel in Frankfurt. De Bièfve: „Der Kompromiß . . .", Öl auf Leinwand, 482 × 680 cm, Brüssel, Musées Royaux des Beaux-Arts.

24 Vgl. F. Baumgart, Vom Klassizismus zur Romantik, 1750–1832, Köln 1974, S. 193; derselbe: „Idealismus und Realismus 1830–1880", Köln 1975, S. 37.

25 A. Hagen, Teil 1, Berlin 1857, S. 426 ff.

26 J. Burckhardt, Bericht über die Kunstausstellung zu Berlin im Herbst 1842, Kunst-Blatt 24, Nr. 3, 1843.

27 F. Kugler, Neues aus Berlin, Kunst-Blatt 24, Nr. 6, 1843.

28 Vgl. H. von Einem, Die Tragödie der Karls-Fresken Alfred Rethels in: Arbeitsgemeinschaft für Forschung des Landes Nordrhein-Westfalen, Geisteswissenschaften, Heft 148, Köln und Opladen 1968, S. 12 f.

29 Fresko, auf Leinwand übertragen, linker Teil „Italia", 283 × 190 cm; Mitte „Einführung der Künste", 283 × 611 cm, rechter Teil „Germania", 283 × 190 cm, Städel, Frankfurt; vgl. E. Förster, Geschichte der deutschen Kunst, Band V, Leipzig 1860, S. 454.

30 Öl auf Leinwand, 289 × 390 cm, Frankfurt, Städel; vgl. F. Th. Vischer, Kritische Gänge, Bd. I, Tübingen 1844, S. 169 ff.

31 Vgl. F. Kugler, Kleine Schriften. Studien zur Kunstgeschichte, Bd. III, 1854, S. 543.

32 Vgl. J. Schnorr von Carolsfeld: Künstlerische Wege und Ziele, Leipzig 1909, S. 57 ff.

33 Heute zerstört. Vgl. A. Rosenberg, Bd. II, S. 390 ff. I. Markowitz 1973, S. 48 ff. mit detaillierter Aufzählung der einzelnen Themen und Lit.-Angaben.

34 Vgl. ebenda, S. 68, Abb. 37, 38.

35 Vgl. E. Spickernagel, Zur Monumentalmalerei der Nazarener in Deutschland, in: Die Nazarener, Frankfurt 1977, S. 258 ff.

36 Der Fries wurde schon 1869 zerstört; erhalten sind Entwürfe Plüddemanns im Düsseldorfer Kunstmuseum. Vgl. Markowitz 1973, S. 44 f., Abb. 25–27 und Kat.Nr. 183.

37 Kunst-Blatt 1844, zitiert nach Markowitz 1973, S. 77.

38 Von den Frankfurter Kaiserbildnissen mag Bendemann angeregt worden sein zu seinen Tondobildnissen der Vertreter von Kunst, Wissenschaft, Handel und Industrie im rheinischen Raum, die er seinem Fries im Düsseldorfer Realgymnasium (1861–66) einfügte. Vgl. Markowitz 1973, S. 63, Abb. 21, 22.

39 Zum Römer vgl.: Die Deutschen Kaiser nach den Bildern des Kaisersaals im Römer zu Frankfurt am Main. Frankfurt am Main o. J. (1853), mit Reproduktionen aller Kaiserbilder und einer Gesamtaufnahme des Saales; Markowitz 1973, S. 60; K. Löcher, S. 298.

40 Vgl. für das Folgende Detlef Hoffmann, Die Karlsfresken Alfred Rethels, Diss. Freiburg 1968; I. Markowitz 1973, S. 60 ff.; Donat de Chapeaurouge, S. 136 ff.

41 Die Wandgemälde im Treppenhaus, die Rethel eigentlich auch hätte malen sollen, wurden schließlich 1898 von Albert Baur ausgeführt: „Friedrich Barbarossa nimmt den Aachener Bürgern den Eid ab, ihre Stadt zu befestigen" und „Entdeckung der Quellen durch Granus Serenus". Nach den Zerstörungen des Zweiten Weltkrieges wurden Rethels Fresken von Franz Stiewi restauriert.

42 Vgl. D. Hoffmann, a.a.O., S. 80.

43 Rethel konnte hier an seine eigenen Bonifatius-Bilder anknüpfen, vor allem an die „Predigt". Die Bekehrung der germanischen Stämme war in den 30er Jahren ein beliebtes Thema, vgl. Veits Fresko „Einführung der Künste . . .", bei dem die gefällte Wotanseiche erscheint; Schnorr, „Bekehrung der Sachsen", München.

44 Vgl. von Einem, a.a.O., S. 23.

45 Vgl. D. Hoffmann, a.a.O., S. 134; W. Becker, S. 92 f.

46 Vgl. Hoffmann, a.a.O., S. 222 ff.

47 F. Th. Vischer, Kritische Gänge, I, Tübingen 1844, S. 193.

48 Vgl. W. Becker, S. 85 ff., Abb. 156.

49 Vgl. W. Becker, Abb. 165.

Dieter Graf

Die Fresken von Schloß Heltorf

Als Reichsgraf Franz Joseph Anton von Spee[1] das Herrenhaus seines bei Angermund in der Nachbarschaft Düsseldorfs gelegenen Schlosses Heltorf in den Jahren 1822–27 erneuern ließ[2], ist er wegen der Ausmalung des Gartensaales schon sehr frühzeitig und noch während der Bauzeit mit Peter von Cornelius in Verbindung getreten[3]: Das erste der Wandbilder, Carl Stürmers „Versöhnung Friedrich Barbarossas mit Papst Alexander" war bereits 1825 in Arbeit und wurde 1826 vollendet. Doch die großen Erwartungen hinsichtlich einer Erneuerung der vaterländischen Kunst und einer Wiederbelebung rheinischen Kunstlebens, die der auftragswillige rheinische Adel mit der Berufung des Peter von Cornelius nach Düsseldorf verbunden hatte[3], vermochte dieser nicht zu erfüllen.

Cornelius und seine Anfänge in Düsseldorf:

Cornelius war zwar bereits im Herbst 1819 von der preußischen Regierung zum Direktor der Düsseldorfer Akademie ernannt worden, konnte dieses Amt jedoch erst zwei Jahre später, im Oktober 1821 antreten. Dabei hatte ihm die preußische Regierung zugestanden, die Sommermonate in München zu verbringen, um dort die Ausmalung der Glyptothek nach jenen Entwürfen fortzuführen, die er während der Wintermonate in Düsseldorf erarbeitet hatte[4].
Die Durchführung der malerischen Ausstattung der Glyptothek erwies sich als sehr viel langwieriger, als Cornelius dies wohl zunächst angenommen hatte, so daß er noch vor Antritt seiner Tätigkeit in Düsseldorf erwog, der preußischen Regierung Friedrich Overbeck als Direktor der Düsseldorfer Akademie vorzuschlagen[5]. Cornelius hatte zweifellos schon damals erkannt, daß ein Doppelengagement in Düsseldorf und München auf die Dauer nicht zu bewältigen war.
In Düsseldorf ließen der Mangel an Lehrpersonal und Unterrichtsmitteln, aber auch die unzulängliche räumliche Ausstattung den Lehrbetrieb an der Akademie nur schwer in Gang kommen. Ungeachtet dieser technischen Schwierigkeiten konnte Cornelius jedoch schon im Herbst 1821 in

einem an König Friedrich Wilhelm III. gerichteten Schreiben berichten: „An die Schule ergehen aus der ganzen Provinz schöne und große Aufträge, so daß junge Talente reiche Veranlassung zum Studium und große Aufforderung zur Ausbildung und mannigfaltigen Entwicklung finden"[6]. Wie schwierig sich jedoch bei der engen Bindung von Cornelius an den Münchner Hof die Ausführung dieser von ihm nicht im einzelnen aufgeführten Aufträge erwies, ist den Beiträgen von Frank Büttner und Ingrid Jenderko-Sichelschmidt zu entnehmen. Manches verblieb im Stadium der Planung, anderes konnte nicht zu Ende gebracht werden. Cornelius selbst hat sich bei keinem der dort genannten rheinischen Freskenzyklen auch an der Ausführung beteiligt, sondern mußte dies seinen Schülern Stilke und Stürmer, Hermann, Förster und Götzenberger überlassen. Er mußte sich darauf beschränken, allenfalls beratend und korrigierend in die Durchführung einzugreifen.
Es ist jedoch keine Frage, daß Cornelius der Spiritus Rector all jener Unternehmungen war, so daß er zu Recht als der Begründer der Monumentalmalerei des 19. Jahrhunderts in den Rheinlanden gelten darf. Ihm ist auch die entscheidende Rolle bei der Planung des Gemäldezyklus im Gartensaal von Schloß Heltorf zuzubilligen[7].

Situation und ikonographisches Programm:

Der rechteckige Gartensaal von Schloß Heltorf liegt im östlichen Teil des Herrenhauses. An der Nordseite, der Gartenseite, öffnet er sich in drei rundbogigen, durch Fenstertüren geschlossenen Arkaden. Verbindung zu den benachbarten Räumen hat der Saal durch zwei Türen, die jeweils die schmalere Eingangswand und die breitere Ostwand achsensymmetrisch unterteilen. Dadurch ergeben sich an Süd- und Ostwand je zwei untereinander gleichgroße Bildfelder. Auf der geschlossenen Westwand sind es drei, von denen das mittlere breiter ist als die beiden seitlichen. Ferner sind sowohl die oberhalb der beiden Türen verbleibenden Wandfelder wie auch die Stirnseiten der beiden Pfeiler der zum Garten gelegenen Nordwand des Raumes zur Aufnahme von Wandbildern genutzt.
Die Hauptbilder von ca. 2,50 m Höhe setzen über einer ornamental bemalten, heute durch eine hölzerne Verkleidung bedeckten Sockelzone von etwa 1,20 m Höhe an und reichen bis zum stukkierten Deckengesims. Seitlich sind die Fresken, die als vor der Wand hängende Bildteppiche konzipiert sind, voneinander durch ornamentierte Wandstreifen geschieden[8].
Als Bildprogramm wählte man Begebenheiten aus dem Leben Kaiser Friedrich I. Barbarossa. Ohne Zweifel ist diese Wahl als unmittelbarer Reflex auf die zwischen 1823 und

1825 in sechs Bänden erschienene „Geschichte der Hohenstaufen und ihrer Zeit" des Historikers Friedrich von Raumer zu verstehen. Kurt Löcher hat darauf verwiesen, wie in
Raumers Darstellung „die Vielfalt der Schauplätze, die Fülle
der Persönlichkeiten und ihre wechselnden Schicksale, die
weltpolitische Tragweite der Verwicklungen und der über
allem liegende Glanz des Rittertums die Dichter anzogen."
„Immermann (vgl. Kat.Nr. 216), Grabbe, Raupach dramatisierten die staufischen Lebensbilder"[9]; und auch die bildenden Künstler fanden in der Vita Barbarossas lohnende Themen für ihre Historienbilder.

Die Ausmalung des Gartensaales von Schloß Heltorf ist der
erste – wenn auch mit Unterbrechungen ausgeführte – Zyklus monumentaler Wandmalerei zu diesem Thema im 19.
Jahrhundert und war schon von daher für den Ruf der
aufblühenden Düsseldorfer Malerschule von entscheidender
Bedeutung.

Der Zyklus beginnt in der historischen Abfolge der dargestellten Ereignisse aus dem Leben Kaiser Friedrichs I. – das ist
jedoch nicht die Reihenfolge der zeitlichen Entstehung der
einzelnen Bilder – an der Ostwand mit der „Krönung Barbarossas in Rom" (1155), es folgt nach rechts die „Unterwerfung der Mailänder" (1162). Auf der Eingangswand sind die
„Aussöhnung Barbarossas mit Papst Alexander III. zu Venedig" (1177) und „Heinrichs des Löwen Kniefall in Erfurt"
(1181) dargestellt. Die Bildfolge setzt sich auf der Westwand
mit drei Szenen aus dem von Friedrich angeführten dritten
Kreuzzug fort: Das der Eingangswand benachbarte Fresko
zeigt die Erstürmung von Ikonium durch Barbarossas Sohn
Friedrich von Schwaben. Das Mittelbild stellt die Schlacht
von Ikonium vor und den Abschluß der szenischen Darstellungen bildet die Bergung der Leiche Barbarossas an den
Ufern des Kalikadnos (1190).

Über der Tür in der Ostwand ist als Grisaillemalerei in der
Art eines Stuckreliefs auf Goldgrund die Gesandtschaft der
Engländer dargestellt, über der Eingangstür in gleicher
Technik die Demütigung Heinrichs des Löwen. Schließlich
erscheinen als Einzelfiguren auf den Stirnseiten der beiden
Pfeiler der Gartenseite links Bischof Otto von Freising, Bio-
graph und Onkel Kaiser Friedrich Barbarossas, und rechts
Bernhard von Clairvaux als Prediger der Kreuzzüge.

Die Ausmalung des Gartensaales:

Während des Direktorats von Cornelius hatte Carl Stürmer
1825/26 die „Aussöhnung Barbarossas mit Papst Alexander
III." gemalt (Abb. 73). Bereits 1826 folgte er Cornelius nach
München und das begonnene Werk blieb unfertig liegen.
Den Karton für das Fresko ließ Stürmer offenbar in der
Düsseldorfer Akademie zurück, denn noch auf Johann Peter

73 C. Stürmer, Aussöhnung Barbarossas mit Papst Alexander III. Schloß
Heltorf

Hasenclevers 1836 entstandener „Atelierszene" (Kat.Nr. 91)
ist er – teilweise verdeckt – an der linken Wand des Atelierraumes zu sehen[10].

Cornelius hatte Düsseldorf im Mai 1825 verlassen. Als inte-
rimistischer Leiter der Akademie war Karl Mosler bestellt
worden. Als Wilhelm von Schadow im November 1826 die
Leitung der Düsseldorfer Akademie übernahm, muß diese

74 H. Mücke, Kniefall Heinrichs des Löwen. Schloß Heltorf

75/76 links: C. Stürmer, Grotesken, Detail; rechts: H. Mücke, Grotesken, Detail. Schloß Heltorf

Heinrich Mücke und Carl Friedrich Lessing übertragen. Dabei erfuhr das von Cornelius vorgesehene Bildprogramm insofern Veränderungen, als an Stelle der ursprünglich geplanten Darstellung „das Reichsfest zu Mainz" (1188) nun „der Kniefall Heinrichs des Löwen in Erfurt" (1187) trat. Außerdem wurde der Zyklus mit der „Erstürmung von Ikonium" um eine weitere Darstellung erweitert[13].

Mücke und Lessing begannen gleichzeitig mit der Fortführung der Ausmalung. Mücke nahm zunächst mit der Darstellung des „Kniefalls Heinrichs des Löwen" das Pendant zu Stürmers „Versöhnung Barbarossas" in Angriff, um damit die Dekoration der Eingangswand zu vervollständigen (Abb. 74). Er vermied dabei in seiner Darstellung nicht nur die offenkundige Trockenheit der Stürmerschen, von Cornelius abgeleiteten Formensprache, sondern auch das bewußt Altertümelnde, wie es in dem Fresko Stürmers in der Aufsicht, aber auch in der verkleinernden Staffelung der Figuren im Mittelgrund sichtbar wird. Dies sind Züge, die Stürmers Rückgriff auf Kompositionsschemata etwa Federico Zuccaris und anderer in der zweiten Hälfte des 16. Jahrhunderts in Rom tätiger Künstler zeigen, die ihrerseits häufig Kompositionsprinzipien spätgotischer Malerei wieder aufnahmen.

Stürmer und Mücke beziehen sich aber auch auf Raphael: Ähnlich wie jener sich in der „Schule von Athen" selbst dargestellt hat, geben auch sie sich, angetan mit Raphaels Mantel und Barett, in ihren Fresken ein Stelldichein. Auch der in Mückes Fresko links vorn sitzende Bischof dürfte als Motiv von Raphaels „Krönung Karls des Großen" (Vatikan, Stanza dell'Incendio) angeregt worden sein.

Unter diejenigen, welche im Mittelgrund des Bildes als Zuschauer dem Kniefall Heinrichs beiwohnen, hat Mücke auch seinen Lehrer und Mentor Schadow aufgenommen, der hier wie ein Patrizier des 16. Jahrhunderts einen pelzgefütterten Rock trägt. Auch der einen oder anderen der übrigen Figuren des Mittelgrundes mag der Maler die Züge eines seiner Malerfreunde verliehen haben, war es doch damals an der Düsseldorfer Akademie gute, bereits von den Nazarenern in Rom geübte Tradition, daß man einander Modell stand. Auch das gemeinschaftliche Leben, das die jungen Künstler zumindest in ihren ersten Düsseldorfer Jahren führten, erinnert unmittelbar an die Lebens- und Wohngemeinschaft der Lukasbrüder in Rom[14].

Ganz in der Tradition der Raphaelschen Loggiendekoration stehen die Rahmenleisten des Stürmerschen Freskos (Abb. 73 u. 75) in der Kombination von Rankenwerk, Früchten und Tieren, allegorischen Figuren und zwar gemalten, aber als Stuckreliefs vorzustellenden kleinformatigen Darstellungen, die sich auf den im Investiturstreit ausgetragenen kontroversen Führungsanspruch zwischen Papsttum und Kaisertum beziehen. Das Groteskenwerk dieser Randleisten läßt eine ähnlich vorzügliche Begabung für das Ornament erken-

sich nach dem Exodus der Corneliusschule in einem ähnlich desolaten Zustand befunden haben wie 1821, bevor Cornelius sein Amt angetreten hatte[11]. Es gelang Schadow jedoch mit Hilfe seiner zahlreichen Schüler, die ihm aus Berlin an den Rhein gefolgt waren – unter ihnen auch Lessing und Mücke – die Akademie in wenigen Jahren zu ihrer höchsten Blüte zu führen.

Wie Schadow in seinen „Jugend-Erinnerungen" berichtet, war es damals seine „drängendste Sorte, den strebsamen jungen Malern eine angemessene Beschäftigung zu verschaffen". Schon bald trat Schadow daher mit dem Grafen Spee wegen der Fortführung der Ausmalung von Schloß Heltorf in Verbindung. „Auf mein Zureden ließ damals der treffliche Graf Spee die Frescomalereien auf seinem Gut Helldorf, welche nach Cornelius' Abgang ins Stocken geraten waren, wieder aufnehmen."[12]

Die Ausführung der noch fehlenden Freskogemälde wurde

nen wie die entsprechenden Rahmenleisten bei Mückes Fresko (Abb. 74 u. 76). Dort ist das Rankenwerk in „gotischem" Stil gehalten, bevölkert von Schongauerschen Teufelswesen, von wilden Leuten, aber auch von musizierenden Putten und Sirenen. Die Hauptbilder der linken Randleiste zeigen die gleichsam typologische Gleichsetzung von Kaiser Friedrich Barbarossa mit Kaiser Karl dem Großen, die Szenen der rechten Randleiste dagegen sind offenbar dem Bereich der Fabel und der ritterlichen Minne entnommen. Angesichts der auch hier gezeigten Formenphantasie und der reizenden genrehaften Szenen muß man es bedauern, daß bei der Ausmalung der Längswände des Gartensaales auf ähnlich aufwendige Randleisten zwischen den einzelnen Bildern verzichtet wurde, zugunsten eines einheitlichen schlichten Rankenornaments aus Weinlaub auf Goldgrund, aufgelegt auf gemalte Marmorleisten.

Mücke setzte nun, in der historischen Abfolge der Szenen rückwärts gehend, den ihm zugefallenen Teil der Raumdekoration mit der „Unterwerfung der Mailänder" (1162) fort (Abb. 77). Bei Raumer heißt es: Die Stadt „ward nicht geplündert, sondern das bewegliche Eigentum den Bürgern gelassen; die Häuser wurden nicht niedergerissen, die Kirchen nicht zerstört und kein Salz auf den, mit dem Pfluge aufgerissenen Boden als Zeichen ewiger Verwüstung ausgestreut. Vielmehr ging der Befehl oder die Erlaubnis des Zerstörens nur auf die Mauern, Gräben und Türme, kurz gegen die Befestigungen der Stadt"[15]. Das Fresko war 1833 vollendet. Von den umfangreichen zeichnerischen und malerischen Vorarbeiten, die jedem dieser Fresken zugrunde lagen (vgl. Anm. 13) hat sich nur eine, zwar in einigen Partien unfertig gebliebene, zum größeren Teil jedoch modellhaft ausgeführte Ölstudie erhalten (Kat.Nr. 169). Der 1832 in Berlin ausgestellte Karton ist verschollen.

Die Darstellung des erhöht sitzenden, von Ratgebern umgebenen Herrschers, der hier gedankenverloren auf die Schar der bittend und wehklagend zu seinen Füßen vorüberziehenden Mailänder herabblickt, folgt einem Kompositionsschema, das sich von Raphaels Teppichkarton „die Erblindung des Zauberers Elymas" (London, Victoria and Albert Museum), über das „Urteil Salomons" von 1649 des Nicolas Poussin (Paris, Louvre) bis hin zu einem von Carlo Maratta entworfenen Thesenblatt mit einer Allegorie auf das Pontifikat Papst Innozenz XII.(1691–1700) verfolgen läßt, um nur einige wenige Beispiele zu nennen. Mücke mag das Thesenblatt (Abb. 78), aber auch einen der fünf verschiedenen nach Poussins Gemälde ausgeführten Stiche gekannt haben, da sich Exemplare beider Blätter in der 1778 für die Düsseldorfer Akademie angekauften Sammlung von Lambert Krahe (1712–1790) befanden, des ersten Direktors der Akademie. Mücke verbrachte nach der Fertigstellung dieses Freskos 1833 einen von der preußischen Regierung bewilligten Studienaufenthalt in Italien, von dem er 1834 zurückkehrte.

77 H. Mücke, Unterwerfung der Mailänder, Schloß Heltorf

Da auf der vorbereitenden Ölskizze (Kat.Nr. 169) im Hintergrund eine mittelalterliche Stadt zu sehen ist, im ausgeführten Fresko jedoch der Mailänder Dom, ist es durchaus denkbar, daß Mücke diesen erst nach seiner Rückkehr aus Italien nach einer auf der Reise entstandenen Skizze eingefügt hat.

Als letztes der drei großen Wandgemälde, die Mücke auszuführen hatte, malte er 1838 die Krönung Kaiser Friedrich Barbarossas durch Papst Hadrian IV. 1155 in Rom, das innerhalb der Szenen aus der Vita des Kaisers zeitlich frühe-

78 R. van Audenaerde nach C. Maratta, Allegorie auf das Pontifikat Papst Innozenz' XII. Kupferstich

115

79   H. Mücke, Krönung Friedrich Barbarossas. Schloß Heltorf

79a   H. Mücke, Die Gesandtschaft der Engländer. Schloß Heltorf

ste Ereignis (Abb. 79). Die Krönung wurde in Alt-St. Peter vollzogen. Der Schauplatz ist daher vom Künstler folgerichtig in einen „frühchristlichen" Kirchenraum verlegt worden, wie ihn Mücke in Rom in vielen Beispielen sehen konnte. Die Disposition des Raums ist jedoch durch den rein zitathaften Charakter der gegebenen Architekturdetails im einzelnen nicht nachvollziehbar.

Dem Papst sind kirchliche Würdenträger zugeordnet, vor denen links unten eine Gruppe von Zuschauern zu sehen ist. Die rechte Bildhälfte ist nicht allein dem akklamierenden Gefolge des Kaisers vorbehalten, denn auf einer Bank sitzend ist auch ein Bischof gegeben. Ihm hat Mücke auf Veranlassung des Grafen Spee die Züge des Kölner Erzbischofs Clemens August Droste zu Vischering verliehen, der auf Anweisung der preußischen Regierung während des Kölner Kirchenstreits 1837–39 in Festungshaft genommen worden war (vgl. hierzu Kat.Nr. 116). 1839 porträtierte Franz Ittenbach auf Wunsch der Familie des Erzbischofs und auf Empfehlung Wilhelm von Schadows den Erzbischof und zeichnete bei dieser Gelegenheit auch das Profilbildnis des Kirchenfürsten, das dann Mücke nachträglich seinem Fresko einfügte. Der Name des Erzbischofs erscheint auf dem Rand seiner Mitra.

Mücke hat auch bei diesem Bilde Anregungen aufgenommen, die er von den Fresken Raphaels im vatikanischen Palast erhalten hatte und die er durch seine Italienreise nun auch aus eigener Anschauung kannte. Für die Gestalt des sitzenden Erzbischofs sei wiederum auf Raphaels „Krönung Karls des Großen" verwiesen. Dagegen ist die Frau mit ihrem Kind im Vordergrund links dem Motivschatz der

Darstellung von Heiligenmartyrien des römischen Seicento entnommen. Nicht nur Kaiser Barbarossa, auch einige Ritter seines Gefolges tragen unverkennbar porträthafte Züge. Auch hier dürften sich wieder Mückes Malerfreunde als Modell zur Verfügung gestellt haben[16].

Die Tätigkeit Mückes im Gartensaal von Schloß Heltorf fand ihren Abschluß mit der Ausführung der Grisaille-Bilder über den beiden Türen (Abb. 79a/b) und den beiden 1840 vollendeten Einzelfiguren des Bischofs Otto von Freising (Abb. 80 a) und des Bernhard von Clairvaux (Abb. 80 c), welche in der Art von – hier allerdings ganz frontal gegebenen – Assistenzfiguren einer Sacra Conversazione des frühen Cinquecento gegeben sind, wie diese den Schülern der Düsseldorfer Akademie beispielhaft in einem dem Giovanni Bellini zugeschriebenen Triptychon (Abb 80 b) zur Verfügung standen[17].

Da Mücke seine Tätigkeit in Heltorf mit der Darstellung des „Kniefalls Heinrichs des Löwen" begonnen hatte, konnte Lessing aus rein praktischen Gründen nicht zur gleichen Zeit mit dem räumlich und in der historischen Abfolge benachbarten Bild, der „Erstürmung Ikoniums" beginnen, da das zur Ausführung von Mückes Fresko notwendige Gerüst dies nicht zuließ. Lessing malte daher zunächst das Mittelbild der Westwand, die „Schlacht bei Ikonium" (Abb. 81).

Raumer schildert, wie der Sieg der Kreuzfahrer das Verdienst Barbarossas war: „. . . Von allen Seiten drangen jetzt die Türken auf die Pilger ein . . . Als aber die Seinen wirklich anfingen zu weichen, rief der Greis (Barbarossa) mit lauter Stimme und durch seinen Heldenmut wunderbar verjüngt: ‚Warum zögert ihr? . . . jetzt ist die rechte Zeit, folgt mir, Christus siegt, Christus herrscht!' Mit diesen Worten sprengte Friedrich in die Feinde, es folgten ihm seine Mannen, und in demselben Augenblicke gewahrte man die christlichen Fahnen auf den Türmen von Iconium . . .", das Barbarossas Sohn Friedrich inzwischen erstürmt hatte.

Es war dies das erste Historienbild Lessings und schon der 1828 auf der Berliner Kunstausstellung gezeigte Karton wurde mit Begeisterung aufgenommen[18].

79b   H. Mücke, Demütigung Heinrichs des Löwen. Schloß Heltorf

80   links: H. Mücke, Otto von Freising. Schloß Heltorf; Mitte: G. Bellini(?), Petrus und ein Ordensheiliger, Detail eines Triptychons. Düsseldorf, Kunstmuseum; rechts: H. Mücke, Bernhard von Clairvaux. Schloß Heltorf

In der Tat ist Lessings Gemälde sicher die bedeutendste Komposition des ganzen Zyklus. Unter den von Ingrid Jenderko-Sichelschmidt zitierten Stimmen, die sich zu dem Karton äußerten, heißt es u. a.: „Kühne und dreiste Motive beleben diesen jugendlichen Entwurf . . .“[19], und . . . „Der jugendliche Landschaftsmaler, dem wir schon den Kranz in seinem Fache reichen möchten, tritt in seinem Karton als Historienmaler auf, der ebenso über alle Schranken des bisher gesehenen mit genialer Kraft zu brechen droht, wie sein Friedrich Barbarossa durch das Getümmel hervorsprengt“[20].

Schon Athanasius Graf Raczynski hatte anläßlich seiner Besprechung des Kartons bei der Gestalt des aus dem Bilde herausprengenden Kaisers auf Raphaels „Vertreibung des Heliodor“ verwiesen[21] (Abb. 82). Diese Verbindung ist unmittelbar einleuchtend, zugleich aber wird sichtbar, wie souverän sich der Künstler jenes Motives bediente, wie es zum Kristallisationspunkt seiner großartig bewegten, dramatisch erfaßten und dennoch in weiser Ökonomie nur auf relativ wenige Figuren beschränkten Komposition wurde[22].

Friedrich von Uechtritz hatte diese Vorzüge der Komposition Lessings erkannt, wenn er von den wenigen Figuren sprach, „die doch die Wirkung eines großen Schlachtengetümmels . . . machen“. Und er bemerkte weiter richtig: „Es war kein gewöhnliches Schlachtenbild, kein unerfreuliches Chaos sich durcheinanderwirrender Gestalten ohne lebendigen Mittelpunkt, was uns so oft als ein solches geboten wird, nicht das Schlachten und Würgen war die Hauptsache, sondern eine Verherrlichung des Kriegermuthes, der Heldengröße trat mir entgegen, wie sie mir in bildlicher Darstellung kaum jemals begegnet war“[23].

Bei aller Zustimmung, die Lessing mit dem Karton für sein Fresko gefunden hatte, war er von den Möglichkeiten enttäuscht, die ihm die Freskotechnik bei der Ausführung des Gemäldes bot. Detailreichtum und farbliche Differenzierung, wie ihm dies die vertraute Technik der Ölmalerei erlaubte, konnte er im Medium der Freskotechnik nicht in gewünschtem Maße verwirklichen[24].

Für das zweite der ihm übertragenen Wandbilder, die „Erstürmung von Ikonium“ hatte der Künstler zwar noch im Januar 1831 einen sehr eingehenden Entwurf gezeichnet[25] und 1838 ein Ölgemälde in der Art eines vollständig durchgeführten Modello geschaffen. Die Ausführung nach diesem Modello jedoch überließ er Hermann Plüddemann, der das Fresko 1839 fertigstellte (Abb. 83).

Das dritte und letzte der C. F. Lessing übertragenen Freskogemälde sollte den Tod Kaiser Friedrich Barbarossas darstellen. Bereits 1829 hatte er auch hierfür einen Entwurf gezeichnet. Der Künstler konnte sich jedoch nicht dazu verstehen, „dem Beschauer die greise, nackte, vom Wasser triefende Gestalt Barbarossas vorzuführen“ wie Uechtritz sehr drastisch bemerkt[26], sondern Lessing habe angenommen, „daß derselbe seinen Unfall noch einige Zeit überlebt habe“[27]. Diese Annahme gab Lessing die Möglichkeit, den sterbenden Kaiser sitzend, umgeben von seinen Getreuen zu zeigen. Er konnte sich jedoch mit seiner zwar auf die Wahrung der Würde des Kaisers bedachten aber doch sehr eigenmächtigen Interpretation des historischen Sachverhaltes nicht durchsetzen, worauf der Künstler auf Anraten von Uechtritz' seine Komposition in eine Darstellung „Tod Kaiser Friedrichs II.“ abänderte[28] (Abb. 84). Danach scheint Lessing das ihm für Heltorf gestellte Thema nicht weiter verfolgt zu haben. Jedenfalls führte Plüddemann 1841 das Fresko „der Tod

81   C. F. Lessing, Die Schlacht bei Ikonium. Schloß Heltorf

Friedrich Barbarossas" nach eigenen Entwürfen aus (Abb. 85). Damit war die Ausmalung des Gartensaales von Schloß Heltorf abgeschlossen.

Zeitgeschichtliche Bezüge des Freskenzyklus:

Sowohl die zeitgenössischen Kritiker der in Schloß Heltorf tätigen Künstler als auch spätere Autoren wie etwa Schaar-

82   Raffael, Die Vertreibung des Heliodor, Detail. Rom, Vatikan

schmidt und Koetschau haben die Bilder des Heltorfer Freskenzyklus vor allem auf ihre künstlerische Form und ihren historischen Gehalt hin befragt. Auch Wolfgang Hütt war noch der Meinung, die Historienmalerei der Düsseldorfer Malerschule sei „ein vollkommener Ausdruck der tiefen Resignation, der im Ergebnis der Politik der ‚Heiligen Allianz‘ das deutsche Bürgertum nach 1813 anheimfiel"[29]. Zu einer ähnlichen Beurteilung gelangte 1977 auch Kurt Löcher, wenn er hinsichtlich des Bildprogramms des Heltorfer Gartensaales bemerkt: „Einen strengeren geschichtlichen Sinn wird man bei den Düsseldorfer Malern, denen das Denken nach Bildern in größeren Zusammenhängen ungewohnt war, nicht erwarten dürfen . . . Offensichtlich war von Beginn an der Wunsch des Auftraggebers bindend, die historische und politische Realität verklärend darzustellen. Statt Friedrichs Demütigung vor dem Löwen in Chiavenna, die sehr wohl an den Abfall der Rheinbundfürsten hätte gemahnen können, sieht man Heinrichs Kniefall in Erfurt, statt der Demütigung des Kaisers vor dem Papst einen „Bruderkuß" im Zeichen der Versöhnung. Hier wird den Bemühungen der preußischen Regierung, die Konfessionen in den Rheinlanden miteinander – und das hieß vor allem die katholische Kirche mit dem preußischen Staat – zu versöhnen, Rechnung getragen."[30]

Erst kürzlich hat nun Donat de Chapeaurouge erneut die Frage nach der „politischen Signifikanz" dieser Geschichtsmalerei gestellt[31]. Auch er bemerkt zu dem Fresko Stürmers, daß dort eben nicht die Demütigung des Kaisers vor dem Papst gezeigt wird, sondern jener auf den Kniefall des Kaisers folgende „Kuß des Friedens" (Raumer) und er schließt daraus zu Recht: „Es kam dem Auftraggeber offenbar darauf an, den Kaiser als den im Bild erscheinenden Vertreter des preußischen Königs nicht in eine unterwürfige Rolle gegenüber dem Papst als dem Vertreter der Kirche zu drängen."[32] Gewiß darf man aber auch Cornelius unterstellen, daß er – als der von der preußischen Regierung bestellte Akademiedirektor zugleich für die Wahl der Themen mit verantwortlich – der gleichen Auffassung war.

In der Bildform von Mückes „Kniefall Heinrichs des Löwen vor Barbarossa" sieht Donat de Chapeaurouge dieser weltlichen Szene „das Pathos eines religiösen Aktes verliehen", nachdem schon Irene Markowitz bemerkt hatte, daß der Segensgestus des Kaisers diesem sakrale Würde verleihe[33]. Chapeaurouge erscheint es „offenkundig, daß nach dem Auftakt mit der Versöhnung von Staat und Kirche im zweiten Bild die Aufhebung der Zwistigkeiten unter den Bundesstaaten propagiert werden soll . . . Unterordnung der einzelnen Fürsten unter die Macht des Kaisers ist das Ziel, das dem Auftraggeber bei der Wahl dieses Themas vorgeschwebt haben muß"[34].

Gewiß wird man Donat de Chapeaurouge auch zustimmen, wenn er aus der Tatsache, daß Mückes „Unterwerfung der

83 H. Plüddemann nach C. F. Lessing, Die Erstürmung von Ikonium. Schloß Heltorf

85 H. Plüddemann, Der Tod Friedrich Barbarossas. Schloß Heltorf

Mailänder" das Kompositionsschema von Darstellungen des Salomonischen Urteils zugrunde liegt, folgert: „Daß Mücke Barbarossa derart in die Nähe Salomos rückt, zeigt, welche

84 J. Keller nach C. F. Lessing, Der Tod Kaiser Friedrichs II. Stich

Herrscherqualitäten er und sein Auftraggeber sich von einem neuen Kaiser erhofften, wenn es darum gehen sollte, Aufrührer gegen die Reichsgewalt zu bestrafen"[35]. Bei der Suche nach möglichen aktuellen Bezügen sollte aber nicht übersehen werden, daß durch die Darstellung des Salomonischen Urteils generell und in aller Regel die Hoffnung auf eine weise und gerechte Staatsführung der Mächtigen zum Ausdruck gebracht wurde oder daß sich der Auftraggeber eines solchen Bildes zuweilen selbst in der Rolle eines neuen Salomo sah. Eine durch die Kompositionsform des Bildes zu erschließende Gleichsetzung Friedrich Barbarossas mit Salomon in Heltorf hätte daher auch ohne den vermuteten aktuellen Bezug seinen Sinn, zumal sich die dem Auftraggeber unterstellte Hoffnung auf einen neuen Kaiser überhaupt nicht belegen läßt.

Offenbar noch stärker in den Erfolgszwang seiner eigenen Argumentation gerät schließlich Donat de Chapeaurouge, wenn er aus der Tatsache der Darstellung zweier Kampfszenen aus dem von Barbarossa angeführten Kreuzzug nicht nur schließt: „Offenkundig muß das Thema für den Auftraggeber besondere Aktualität besessen haben", sondern in einer Gleichsetzung des Kreuzzuges mit dem Freiheitskampf der Griechen zwischen 1821 und 1829 den beiden Bildern die Deutung unterlegt, wonach es im Sinne des Grafen Spee die Aufgabe des neuen Reiches sein müsse, die Partei der Kreuzfahrer, also der Griechen zu nehmen[36]. Den hier geäußerten Vermutungen kann man nur noch schwer folgen.

Man nimmt daher mit Erleichterung wahr, daß das letzte Bild des Zyklus, die Bergung der Leiche Barbarossas, aus der Beweisführung des Autors ausgeklammert blieb und stellt zugleich mit Verwunderung fest, warum sich Donat de Chapeaurouge nicht zu dem ersten Bild des Zyklus, der Kaiserkrönung Barbarossas durch Papst Hadrian IV. geäußert hat, da dieses Bild durch die Einführung der Gestalt des von der Preußischen Regierung in Festungshaft genommenen Kölner Erzbischofs Droste zu Vischering nun tatsächlich einen ganz unbezweifelbaren Bezug zur aktuellen Politik Preußens gewann.

Der streitbare Kölner Erzbischof hatte während des Kölner Kirchenstreites mit Nachdruck die Rechte der katholischen Kirche gegenüber dem preußischen Staat vertreten und war dafür inhaftiert worden. Wenn Mücke ihn nun auf Veranlassung des Grafen Spee, der von Franz Ittenbach überdies ein Porträt des in Gefangenschaft befindlichen Erzbischofs malen ließ (Kat.Nr. 116), an so prominenter Stelle in das Krönungsbild einführte, kann kein Zweifel daran bestehen, daß Reichsgraf Franz Anton von Spee, Katholik und Rheinländer, ganz eindeutig auf der durch den kämpferischen Erzbischof vertretenen Seite des rheinischen Katholizismus stand.

In dem Gemälde empfängt Friedrich Barbarossa die Kaiserkrone aus der Hand des Papstes. Diese Manifestation des Primats von geistlicher Macht vor weltlicher Gewalt hat in der Gestalt des Kölner Erzbischofs nun in der Tat einen Bezug zur aktuellen politischen Situation jener Jahre in den Rheinlanden erhalten, wie er präziser und eindeutiger kaum denkbar ist.

Anmerkungen

1 Zur Person des Grafen von Spee siehe: Schmitz, Graf Franz Joseph Anton von Spee, in: Jan Wellem, 5, 1930, S. 292 ff.; ferner: Reichsgraf Franz J. Anton von Spee, in: Zwischen Anger und Schwarzbach, hrsg. von Hans Stöcker, Düsseldorf 1975, S. 63 ff.

2 Der Architekt war H. T. Freyse. Vgl. Die Kunstdenkmäler der Rheinprovinz, hrsg. von Paul Clemen, Bd. III, I, Düsseldorf 1894, S. 109 ff. Eine Abbildung des Herrenhauses in: Zwischen Anger und Schwarzbach, a.a.O., Abb. 5.

3 So konnte Cornelius am 13. November 1824 dem in München verbliebenem Maler Schlotthauer berichten: "Obschon jetzt bei der Errichtung des neuen Locals die hiesige Akademie mehr Räume hat als die in München, so ist doch Alles überfüllt und das ganze ist eine große Werkstätte, wo Aufträge aller Art ausgeführt werden. Die Sache hat hier einen unglaublichen Segen. Es ist mir leid, daß Du meine Freude durch den Anblick nicht teilen kannst. Dem edeln Beispiele des Minister Stein folgend beeifert sich der hiesige Adel seine Landhäuser mit Frescomalereien ausschmücken zu lassen; nur in der Nähe von Düsseldorf werden 4, sage vier große Werke unternommen von den edeln Familien v. Stein, v. Plessen, v. Spee, v. Hompesch. Es ist eine wahre Lust, ein rechtes Leben!" (Förster, I, S. 347).

4 Vgl. den Beitrag von F. Büttner: Peter Cornelius in Düsseldorf.

5 Brief vom 10. Mai 1821 an Overbeck, vgl. Förster, Bd. I, 1874, S. 245 ff.

6 Förster, I, S. 253 ff.

7 Eine Durchsicht der Archivbestände der Familie des Grafen von Spee könnte hierüber wohl genaueren Aufschluß geben.

8 Vgl. die Raumaufnahmen bei Schaarschmidt, S. 93 und bei Koetschau, Abb. 46.

9 Löcher 1977, S. 296.

10 Die Richtigkeit der Vermutung von I. Markowitz 1969, S. 116, es handele sich bei Hasenclevers "Atelierszene" um die Wiedergabe eines damals existenten Atelierraumes der im alten Schloß befindlichen Akademie, ist dadurch erwiesen.

11 Schadow berichtet in seinen Jugend-Erinnerungen (Kölnische Zeitung vom 17. 9. 1891, 13. Folge): "Nicht ohne Schmerz, aber doch voll freudiger Erregung verließ ich 1826 Berlin zum andernmal. Nach achttägiger Reise langte ich am Rhein an. Was fand ich vor? Was bot mir Düsseldorf? Trauriger Anblick, um so melancholischer, als der Herbst seine Wolkenschleier über den Rhein legte! Das alte Schloß der Herzöge von Cleve-Jülich-Berg, welches als Kunstakademie benutzt wurde, war im übelsten Zustande . . . Im Innern war das Schloß noch verkommener als im Äußeren. Die Räume sahen düster und vernachlässigt aus. Teils standen sie leer, teils waren sie von talentlosen Schülern besetzt; die begabten hatten Cornelius nach München begleitet, nur Schirmer, welcher der Akademie zu großer Ehre gereichen sollte, und Stilke waren zurückgeblieben."

12 Schadow, Jugend-Erinnerungen, a.a.O.

13 Vgl. Jenderko-Sichelschmidt, S. 10 f. Bei Ingrid Jenderko-Sichelschmidt finden sich die ebenso präzisen wie erschöpfenden Angaben zu allen Arbeiten Lessings, die im Zusammenhang mit der Ausmalung von Schloß Heltorf entstanden sind. Siehe auch Abb. 50.

14 "Die Einigkeit", schreibt der Vater (Lessings), "die ich im Jahre 1830 unter diesen jungen Malern traf, war wirklich eine seltene. Sie wohnten größtentheils in einem Hause, hatten nur ein Schreibzeug, das derjenige, der schreiben wollte, in den Stuben seiner Commilitonen suchen mußte, und eine Kasse, welche einer von ihnen, der dazumal gerade sein Militärjahr abdiente, führte. Diese Kassenverwaltung war so originell, daß man sah, sie verlangten vom Leben wenig und gingen nur mit Ernst ihrer Ausbildung als Maler nach. Die meisten, und Carl à la tête, lebten aufs äußerste streng und sparsam" (F. von Üchtritz, I, S. 336 f.).

15 F. von Raumer, Geschichte der Hohenstaufen und ihrer Zeit, Bd. 2, Leipzig 1823, S. 140 f.

16 Vgl. auch die entsprechenden Angaben zu C. F. Lessings Hussitenpredigt, Kat.Nr. 159.

17 Das Giovanni Bellini zugeschriebene Gemälde Inv.Nr. 2546 wurde 1831 unter Schadow durch Mosler vom Kunsthändler Eberhardt in Frankfurt a. M. für die Sammlung der Kunstakademie erworben.

18 Vgl. zum Folgenden I. Jenderko-Sichelschmidt, S. 10 ff.

19 Kunstblatt 10, 1829, Nr. 13.

20 Kunstblatt 10, 1829, Nr. 25.

21 Raczynski, 1836, I, S. 163.

22 Zu weiteren Anregungen, die Lessing offenbar bei der Komposition seines Bildes verwendet hat, vgl. I. Jenderko-Sichelschmidt, S. 16 ff.; und K. W. Kolbes Gemälde "Kaiser Ottos I. Sieg über die Ungarn", Abb. 57.

23 F. v. Üchtritz, I, S. 322.

24 "Was insbesondere Lessing angeht, fällt es in die Augen, daß ihm das helle, wolkenlose, in die Breite gehende und sich mehr in der Einheit des Gedankens als der Innigkeit der Empfindung concentrirende Element des Fresco im ganzen wenig zusagen könne. Auch verlangt er bei seiner Richtung auf Natur und Naturwahrheit einen tieferen Grad der Ausführung, als diese Malerei zu geben geeignet ist" (F. von Üchtritz, I, S. 364). Bei den in der Ära Schadows ausgeführten Fresken in Heltorf kritisiert er: "daß sie der Beleuchtung und dem Colorit nach zu sehr wie Oelbilder behandelt sind und daher die Wand, auf der sie sich befinden, mehr verdunkeln als zieren" (ebenda, S. 365).

25 Kunstmuseum Düsseldorf, Graphische Sammlung, Inv.Nr. 49/80. Zuletzt behandelt bei U. Ricke-Immel 1978, Kat.Nr. 639.

26 F. v. Üchtritz, I, 1839, S. 416.

27 F. v. Üchtritz, I, 1939, S. 417.

28 Die 1834 von Josef Keller gestochene Komposition läßt in ihrem Aufbau
    wie in der Passivität der den Kaiser umgebenden Figuren, ihrer melan-
    cholisch zur Schau getragenen Trauer eine ganz ähnliche Auffassung
    erkennen, wie das vom Künstler 1830 vollendete Gemälde „das trauernde
    Königspaar" (Kat.Nr. 155). Die ursprünglich im Hinblick auf das Hel-
    torfer Fresko entstandene Zeichnung „der Tod Friedrich Barbarossas"
    befindet sich im Art Museum, Cincinnati.

29 W. Hütt 1964, S. 22.

30 K. Löcher, S. 297.

31 Donat de Chapeaurouge, Die deutsche Geschichtsmalerei von 1800 bis
    1850 und ihre politische Signifikanz, Zeitschrift des deutschen Vereins
    für Kunstwissenschaft, XXXI, 1977, S. 136 ff.

32 Ebenda, S. 122.

33 I. Markowitz 1973, S. 75.

34 Chapeaurouge, S. 124.

35 Ebenda, S. 124.

36 Ebenda, S. 124.

Dieter Graf

Die Düsseldorfer Spätnazarener in Remagen und Stolzenfels

„Eine der eigenthümlichsten Erscheinungen innerhalb der neuern deutschen Kunst ist jene Gruppe von Künstlern, die sich unbekümmert um all' die suchenden, aufstrebenden, fortschreitenden Strömungen in ihrer Umgebung zusammenschloß, um noch ganz im Sinne von um fast ein halbes Jahrhundert rückwärtsliegenden Bestrebungen das Heil der Kunst und damit ihr Seelenheil in einem bewußten Zurückgehen auf die klösterliche Frömmigkeit und die ascetische Kunst gewisser alter Italiener zu suchen. Diese Leute standen fast genau auf demselben Boden, wie die römischen Nazarener, sie besaßen dieselbe Frömmigkeit, dieselbe Begeisterung und waren in Bezug auf die Entwickelung ihrer Kunst fast demselben Irrthum verfallen, wie jene, nämlich etwas Neues und Lebensfähiges im engsten Anschluß an etwas vergangenes, Abgeschlossenes und Fremdländisches aufbauen zu wollen."

Mit dieser kritischen Wertung leitet Friedrich Schaarschmidt die Darstellung von Leben und Werk der Düsseldorfer Spätnazarener in seinem Werk „Zur Geschichte der Düsseldorfer Kunst, insbesondere des 19. Jahrhunderts" (1902) ein[1]. Seine Bemerkungen zielen auf jene neudeutsch-religiöse Malerei der Düsseldorfer Malerschule, wie sie im Werk von Ernst Deger, Franz Ittenbach und den Brüdern Karl und Andreas Müller am vollkommensten vertreten ist.

In der Tat stand für Wilhelm von Schadow, dem Lehrer und Mentor jener Maler, die Vorbildlichkeit des nazarenischen Stiles im Bereich der religiösen Historienmalerei außer Frage. Schadow selbst hatte die Jahre 1811–1819 mit Cornelius und Overbeck in Rom verbracht, war dort 1813 in den Lukasbund aufgenommen worden und 1814 zum katholischen Glauben konvertiert. Mit Overbeck, Cornelius und Philipp Veit beteiligte er sich in Rom an der Ausmalung der Casa Bartholdy, wie der Palazzo Zuccari damals nach seinem Bewohner, dem preußischen Generalkonsul in Rom, Jacob Salomon Bartholdy genannt wurde.

1830/31 hatte Schadow mit seinen Schülern Hübner, Hildebrandt, Bendemann und Sohn eine Reise nach Italien unternommen und war in Rom bei Overbeck gewesen, der 1819 bei der Rückkehr seiner Malerfreunde Cornelius und Schadow nach Deutschland in der Ewigen Stadt zurückgeblieben war und hier seither als Wahrer und Hüter der reinen nazarenischen Kunstweise lebte. Schadow hatte sich offenbar durch Overbeck erneut auf die von diesem in aller Strenge und Unerbittlichkeit postulierte Aufgabe einer Erneuerung der religiösen Malerei verpflichten lassen. Wie Immermann bemerkt, ist Schadow von dieser Reise „mit übermaltem Geiste" zurückgekommen. Damals hatte er auch von Overbeck eine großformatige Zeichnung, eine „Predigt Johannes des Täufers" erworben um sie seinen in Düsseldorf verbliebenen Schülern als Exemplum nazarenischer Kunstübung vorzustellen[2].

Wenn Wilhelm von Schadow als Direktor der Düsseldorfer Akademie – im Gegensatz zu Peter Cornelius, seinem Vorgänger im Amte – auch alle übrigen Gattungen der Malerei gefördert oder zumindest doch geduldet hatte, so hatte er doch an der Gültigkeit der traditionellen Rangordnung der Gattungen, innerhalb derer die religiöse Historienmalerei den ersten Platz einnahm, keinen Zweifel gelassen. Die eigene Hinwendung zur religiösen Historie sowie die Förderung gerade jener Schüler, die die gleiche Richtung verfolgten, ist auch den Zeitgenossen Schadows nicht verborgen geblieben. So bemerkt etwa Friedrich von Uechtritz: „In den letzten Jahren und seit seiner (Schadows) Italienischen Reise im Jahre 1830 hat nun freilich die schon immer vorhandne katholisch-religiöse Tendenz desselben ihn von dem früher betretnen Wege abgeführt und die ihm angeborne Vielseitigkeit und Empfänglichkeit geschmälert. Es ist seitdem eine bestimmte Kunstrichtung, die katholisch-kirchliche, der er selber in seinen eignen Werken huldigt, welche er, insofern sie bei seinen Schülern hervortritt, besonders begünstigt. Diese Begünstigung ist nicht ohne Nachwirkung geblieben. Die Schüler, die dieser Richtung folgen, haben sich auffallend vermehrt. Dieselben arbeiten in der nächsten Umgebung des Meisters, von ihm mit vorzüglicher Sorgfalt gepflegt und behütet."[3]

St. Apollinaris in Remagen

Als der Freiherr Franz Egon von Fürstenberg-Stammheim im Jahre 1836 aus dem Besitz der Familie Boisserée den Apollinarisberg mit Kirche und Propstei erwarb und schon alsbald die Ausmalung jener alten Wallfahrtskirche plante, bot sich hier den Düsseldorfer Spätnazarenern unversehens die Gelegenheit, einen ganzen Kirchenraum einheitlich mit Fresken auszustatten[4].
Das Außerordentliche eines solchen Unternehmens muß ausdrücklich betont werden, hatte sich die Tätigkeit der Nazarener im kirchlichen Bereich doch bisher auf die Anfertigung von Altargemälden beschränkt. Lediglich Peter von Cornelius hatte vom Bayerischen Kronprinzen Ludwig mit der Ausmalung der Münchner Ludwigskirche (1836–39) einen nach Umfang und Bedeutung vergleichbaren Auftrag erhalten.
Wilhelm von Schadow, mit dem Freiherrn von Fürstenberg-Stammheim befreundet, führte die Verhandlungen für seine Schüler. Zunächst brachte er Ernst Deger und die Brüder Andreas und Carl Müller in Vorschlag. Wenig später kam – ebenfalls auf Wunsch Schadows – als vierter Künstler Franz Ittenbach hinzu. Deger, aus Bockenem bei Hildesheim stammend, hatte seine Ausbildung zunächst unter Wilhelm Wach an der Berliner Akademie begonnen und war 1829 nach Düsseldorf zu Schadow gekommen. 1832 folgte der aus Königswinter gebürtige Ittenbach. 1834 bzw. 1835 hatten die Brüder Andreas und Carl Müller die Düsseldorfer Akademie bezogen.
Franz Egon von Fürstenberg-Stammheim hatte zunächst an eine Ausmalung des bereits bestehenden Kirchenbaus gedacht und in dieser Absicht bereits die Fundamente des Baus sichern lassen. Das Projekt einer Freskierung der Wände drohte jedoch zu scheitern, als der Bauinspektor Johann Claudius von Lassaulx die Baufälligkeit der Kirche fest-

stellte. Da zu befürchten war, daß durch Bewegungen der Außenmauern die geplanten Fresken schon bald nach ihrer Fertigstellung beschädigt werden würden, hatte Lassaulx vorgeschlagen, auf bewegliche Gemälde auf großen Holztafeln auszuweichen. Bei einem Ortstermin am 2. April 1838, zu dem Wilhelm von Schadow, Carl Müller und Rudolf Wiegmann, der Leiter der Architekturklasse der Akademie eingeladen worden waren, entschied der Auftraggeber, die alte Kirche solle niedergerissen und durch einen Neubau ersetzt werden. Dieser wurde nach Plänen von Friedrich Zwirner, dem Kölner Dombaumeister in gotischen Formen errichtet. Mit Rücksicht auf die geplante Ausmalung, die große, zusammenhängende Wandfelder erforderte, beschränkte sich Zwirner auf die Anbringung nur weniger Fenster. Die Grundsteinlegung der Kirche fand bereits im Juli 1838 statt. 1843 war der Bau so weit gediehen, daß mit der Ausmalung begonnen werden konnte (Abb. 86).
Zur Vorbereitung auf ihre große Aufgabe hatte Schadow seine Schüler nach Italien geschickt. Deger und Andreas Müller, die ohnehin eine solche Reise geplant hatten, warteten zunächst den Gang der Verhandlungen zwischen dem Freiherrn und Schadow ab und brachen schließlich im September 1837 auf. Sie nahmen den Weg über München, wo Andreas Müller bereits 1833 die Akademie unter Schnorr von Carolsfeld und Peter von Cornelius besucht hatte, da sie sich bei diesen eine Einführung in die von ihnen bisher noch nicht geübte Freskotechnik erhofften.
Nach ihrer Ankunft in Rom wohnten die beiden Malerfreunde mit Sulpiz Boisserée unter einem Dach. Inspiriert von den Freskendekorationen des Quattrocento, die sie auf ihrer Reise an vielen Orten aufgesucht hatten und von denen sie auch in Rom hervorragende Beispiele täglich vor Augen hatten, begannen die Künstler mit den Entwurfsarbeiten für den geplanten Freskenzyklus. Das Programm der Darstellungen hatten sie noch in Düsseldorf – wohl unter Mithilfe Schadows – selbst entwickelt und der Auftraggeber hatte nur sehr geringe Änderungswünsche geäußert[5].
Weitere Korrekturen des Programms – aber auch diese für das Ganze nicht entscheidend – ergaben sich in der Diskussion mit Sulpiz Boisserée und Friedrich Overbeck, mit dem die „Maler vom Apollinarisberg" in engster Verbindung standen[6]. Inzwischen hatte Schadow in Düsseldorf den Vertrag über die Ausmalung der Kirche mit dem Auftraggeber ausgehandelt. Nachdem auch noch die Aufrisse des entstehenden Neubaus in Rom eingetroffen waren, konnten die Künstler mit der Ausarbeitung maßstabgerechter Entwürfe beginnen.
Am Ende des Jahres 1839 gelangten schließlich auch Carl Müller und Franz Ittenbach nach Rom. Sie kamen in Begleitung Schadows. Gewiß war es nicht nur die frühe italienische Malerei, die Schadow veranlaßt hatte, seine Schüler zur Vorbereitung der geplanten Ausmalung der Apollinariskirche

nach Italien zu schicken, sondern es war vor allem auch der in Rom lebende Overbeck, dem er sie zuführen wollte. Overbeck selbst hatte ja bereits ein Vierteljahrhundert zuvor in seinem Werk jene Anverwandlung der von ihm als vorbildlich erachteten italienischen Malerei des Quattrocento vollzogen. Seither galt seine Kunst im Bereich religiöser Malerei nazarenischer Prägung bis in die zweite Jahrhunderthälfte hinein als kanonisch.

Von Rom aus unternahmen die jungen Maler Studienreisen in die Toskana und nach Umbrien, wo sie fleißig die Fresken der frühen italienischen Meister kopierten[6a]. In der intensiven Beschäftigung mit diesen Werken und angeleitet und kontrolliert durch Overbeck gelangten sie in ihren eigenen Entwürfen für die Apollinariskirche zu einer sehr engen Korrespondenz mit den bewunderten Vorbildern.

Anläßlich der endgültigen Ausfertigung des Vertrages[7] hatte der Freiherr von Füstenberg am 14. März 1838 an Schadow geschrieben: „So wäre es denn, besonders durch ihre so sehr freundlich thätige Mitwirkung, in ein gehöriges Geleise geordnet und mit dem allseitigen aufrichtigsten Willen und Wunsche, ein gottgefälliges, zur Förderung echt christlichen Sinnes ausfallendes Werk entstehen zu sehen und als ein für die späteste Nachwelt bleibendes Denkmal hinzustellen: daß auch in unsern jetzigen Tagen und Zeiten ein solcher Sinn nicht erloschen und, Gott Dank, Männer von unserer Rheinischen Kunstakademie gebildet werden, welche so etwas mit einem im wahren Christentum beseelten Gemüthe darzustellen und auszuführen im Stande sind."[8]

Nun, nachdem die Künstler aus Italien zurückgekehrt waren[9], hatten sie die hohen Erwartungen des Auftraggebers einzulösen. Deger und Andreas Müller hatten bereits im Sommer 1843 mit der Ausmalung begonnen, Carl Müller und Ittenbach folgten ihnen im Frühjahr 1844. Die gute Jahreszeit auch der folgenden Jahre verbrachten sie nun auf dem Apollinarisberg. In den Wintermonaten, in denen ein Arbeiten auf dem Gerüst, eine Ausübung der Freskomalerei nicht möglich waren, hatten sie Gelegenheit in Düsseldorf an ihren Entwürfen zu arbeiten. Die Maler verband eine enge Freundschaft. Noch einmal sollte sich hier die auch von den Mitgliedern des Lukasbundes in Rom erstrebte Einheit von Kunst und Leben verwirklichen. Die ernste und innige Frömmigkeit ihrer Bilder entsprach ihrem von christlichen Idealen geprägten Leben.

Carl Müller berichtet über die Arbeit in der Apollinariskirche: „Gar traulich und die Arbeit fördernd war es, wenn wir über Tag auf dem Gerüste, jeder an einer andern Stelle der Kirche, seine frisch gekälkte Wand bemalte und wir dazu vierstimmige Palestrina'sche Weisen sangen, die dann, in dem hohen Gewölbe verhallend, uns lebhaft wieder in das kirchliche Leben Rom's zurückversetzten. Gar erquickend war es alsdann am Abend, unter ernsten und heitern Gesprächen in der herrlichen Landschaft umherzustreifen. Es fehlte

86 Remagen, Apollinariskirche

uns auch niemals an belebender geistiger Anregung, welche uns der häufige Besuch lieber Freunde und vieler hervorragender Männer jener Zeit immer auf's neue zuführte."[10]

Dem unterschiedlichen Anteil an der Ausmalung der Kirche entsprechend fanden die Arbeiten der Künstler einen unterschiedlichen Abschluß: Franz Ittenbach hatte seinen Anteil bereits 1849 vollendet, Carl Müller 1850, Ernst Deger 1851. Andreas Müller, der auch das ganze dekorative System der Rahmungen auszuführen hatte, war damit noch bis zum Jahre 1853 beschäftigt. Die Weihe der Kirche fand erst am 28. März 1857 statt.

Das ikonographische Programm

Die Kirche (Abb. 86) ist über dem Grundriß eines griechischen Kreuzes errichtet und mit Kreuzrippengewölben eingedeckt. Der östliche Kreuzarm dient als Vorchor und öffnet

87   C. Müller, Geburt Mariens und Die vorbildlichen Frauen. Aquarellskizze
für Remagen, Apollinariskirche

88   C. Müller, Krönung Mariens. Aquarellskizze für Remagen, Apollinariskirche

sich in einem Triumphbogen nach dem leicht eingezogenen polygonalen Chorhaupt mit ⅝ Schluß.

Alle Wandflächen sind oberhalb einer ca. 3 m hohen Sockelzone bemalt. Die zyklischen Darstellungen sind drei Themenkreisen entnommen: dem Leben Jesu, dem Marienleben und dem Leben des Titelheiligen der Kirche. Die Szenen aus dem Leben Jesu finden sich auf der Nordwand von Langhaus, Querhaus und Vorchor. Die Südwand von Langhaus, Querhaus und Vorchor trägt die Szenen aus dem Marienleben. Ost- und Westwand der beiden Querarme zeigen in vier großen, querrechteckigen Tableaus Szenen aus dem Leben des Titelheiligen der Kirche, ausgeführt von Andreas Mül-

ler. Dargestellt sind an der Ostwand die „Weihe des Heiligen Apollinaris zum Bischof" durch Petrus in Rom (Kat.Nr. 172), auf der gegenüberliegenden Westwand die „Auferweckung der Tochter des Stadthauptmanns von Ravenna durch Apollinaris" (Kat.Nr. 173), im nördlichen Querhaus auf der Westwand die „Zerstörung der Jupiterstatue durch das Gebet des Heiligen", auf der Südwand schließlich „Der Tod des Heiligen Apollinaris". Diese Hauptszenen werden von Nebenszenen begleitet, die sich unterhalb des Hauptbildes befinden, und zu dessen Seiten in Randstreifen allegorische Figuren und Heilige unter Baldachinen erscheinen, u. a. die Namenspatrone der Familie Fürstenberg. Ebenfalls von

Andreas Müller scheint die Bemalung der Schildwände oberhalb der vier Bilder aus dem Leben des Titelheiligen zu stammen. Dort sind auf ornamentiertem Grunde allegorische Gestalten christlicher Tugenden dargestellt.

Im Gegensatz zu den Szenen aus der Lebensgeschichte des Heiligen Apollinaris nehmen die Darstellungen aus dem Leben Christi bzw. aus dem Marienleben die gesamte Wandfläche oberhalb der Sockelzone einschließlich der Schildwände ein. Dem spitzbogig geschlossenen Hauptbilde sind, entsprechend den Kompositionen Andreas Müllers, in einer „Predellenzone" jeweils begleitende Nebenszenen zugeordnet.

Die Darstellung des Lebens Christi beginnt an der Nordwand des Langhauses mit Ernst Degers „Geburt Christi" (Kat.Nr. 60) der als begleitende Szenen Franz Ittenbachs „Darbringung Christi im Tempel" und „Der 12jährige Jesus im Tempel" zugeordnet sind. Die Stirnwand des nördlichen Querhauses wird von Degers Kreuzigungsfresko eingenommen (Kat.Nr. 61). Auch die Darstellungen in der Predellenzone „Christus am Ölberg", „Die Geißelung", „Die Dornenkrönung" und „Die Kreuztragung" sind hier von Deger ausgeführt worden. Nach der Verbildlichung der Jugend und der Passion Christi folgt nun auf der Nordwand des Vorchores mit Degers „Auferstehung Christi" und den von Ittenbach gemalten Nebenszenen „Christus als Gärtner" und der „Schlüsselübergabe an Petrus", eine Darstellung des Triumphes des Erlösers.

Auch der Bilderzyklus aus dem Marienleben beginnt im Langhaus. Dort hat an der Südwand Carl Müller die Geburt Mariens dargestellt, darunter erscheinen mit Eva, Sarah, Rachel, Abisang, Esther, Abigail, Judith und Bathseba die „vorbildlichen Frauen" (Abb. 87). Das Hauptbild wird in der Predellenzone begleitet von Ittenbachs „Begrüßung zwischen Joachim und Anna" und „Mariae Tempelgang". Ebenfalls von Carl Müller ausgeführt wurde die „Verkündigung an Maria", auf der Stirnwand des südlichen Querhauses (Kat.Nr. 174). Die der Verkündigung zugeordneten Szenen der „Verlobung Mariens" und der „Begegnung an der goldenen Pforte" stammen von Ittenbach. Auch bei dem letzten der mariologischen Themen, das auf der Südwand des Langchores behandelt wird, sind „Himmelfahrt und Krönung Mariens" von Carl Müller (Abb. 88), „Tod und Begräbnis Mariens" dagegen von Ittenbach dargestellt worden.

An der Ausmalung des Triumphbogens waren wiederum alle vier Künstler beteiligt. Von Deger stammen die als Altarbilder konzipierten Darstellungen von Maria mit dem Kinde auf der Evangelienseite und des Heiligen Joseph auf der Epistelseite. Carl Müller malte das im Scheitel des Triumphbogens erscheinende apokalyptische Lamm, das von den Evangelistensymbolen umgeben ist und von Engelschören verehrt wird. Auf der Innenseite des Triumphbogens hat Ittenbach nach Entwürfen von Carl Müller in Grisaillemalerei sieben Medaillons mit der Darstellung der sieben Sakra-

89   C. Müller nach Fra Angelico, Verkündigung. Düsseldorf, Kunstmuseum

mente gemalt, eingefügt in ein Ornamentband, das Andreas Müller entworfen und ausgeführt hat.

In der Wölbung des Chorhauptes endlich, die mit Rücksicht auf die geplante Ausmalung ohne Rippen aufgemauert wurde, erscheint, von Deger gemalt, Christus als Richter zwischen den als Fürbitter gegebenen Gestalten von Maria und Johannes dem Täufer auf Goldgrund (Abb. 90). Von den Seiten kommen Gestalten des Alten Testaments heran. Darunter hat Ittenbach auf den Wänden des Chorhaupts die mächtigen Gestalten der vier Evangelisten sowie zwischen

90   E. Deger, Deesis. Aquarellskizze für Remagen, Apollinariskirche

91 E. Deger, Adam und Eva. Schloß Stolzenfels bei Koblenz

ihnen die Heiligen Petrus und Apollinaris dargestellt
(Kat.Nr. 117).
Obgleich die vier Maler von den gleichen Voraussetzungen
ausgingen und zur Vorbereitung ihrer Fresken die gleichen
Bildquellen studierten, sind sie doch entsprechend ihrer eigenen künstlerischen Individualität jeweils anderen Vorbildern gefolgt. Carl Müller, neben Ittenbach sicher das lyrisch-
ste Temperament, hat sich in seinen Bildern vor allem an der
Kunst des Fra Angelico orientiert, dessen Verkündigungsfresko im Kloster von San Marco in Florenz er in einer sehr

93 E. Deger: Die Kreuzigung (links), Die Himmelfahrt Christi (rechts).
Schloß Stolzenfels bei Koblenz

einfühlsamen Sepiazeichnung kopiert hat[11] (Abb. 89). Ittenbach ist ihm darin gefolgt. Carl Müller hat sich aber, zumindest bei der Darstellung der „Vorbildlichen Frauen" (Abb.
87) auch an Figuren des reifen Raphael orientiert, den Overbeck bereits ablehnte, da er in diesen späteren Werken des
sonst so geschätzten Meisters bereits den Keim des Verfalls
der Kunst späterer Zeit zu sehen glaubte.
Andreas Müller hat sich offenbar bei der Komposition der
großen Bildfelder mit begleitenden Nebenszenen von Deko-
rationssystemen inspirieren lassen, wie er sie in Sta Croce in
Florenz oder auch in der Kapelle Nikolaus V. im Vatikan
gesehen hatte. In den Hauptszenen seiner Bilder übersetzt er
Kompositionen wie etwa die Fresken Domenichinos in S.
Luigi dei Francesi, Rom und in der Abbazia von Grottafer-
rata zurück in das Idiom der Kunst des Quattrocento. Am
freiesten gegenüber der Bildtradition verhält sich Deger.

92 E. Deger, Die Heilige Familie. Schloß Stolzenfels bei Koblenz

94 E. Deger, Die Kreuzigung, Detail. Schloß Stolzenfels bei Koblenz

95 E. Deger, Studie zu einem drohenden Mann. Düsseldorf, Kunstmuseum

tigung von Altarbildern und für Gemälde religiösen Inhalts für den privaten Gebrauch. Bestellungen kamen aus Breslau und Königsberg, Bilder gingen nach Frankreich und England. Aber im Bereich der Monumentalmalerei stellten sich die erhofften großen Aufträge nicht ein oder sie zerschlugen sich. Weder ließ sich für Ittenbach der Plan einer Ausmalung der Pfarrkirche von Andernach verwirklichen, noch kam es zur Ausmalung der Wallfahrtskirche Notre Dame de la Garde in Marseille, zu der Carl Müller aufgefordert worden war, und wofür er einige Entwürfe gezeichnet und sogar Kartons vorbereitet hatte.

Nur Ernst Deger war gleich im Anschluß an die Ausmalung der Apollinariskirche ein ebenso bedeutender Auftrag zugekommen, als Friedrich Wilhelm IV. ihn mit der Ausmalung der 1843–45 neu erbauten Kapelle von Schloß Stolzenfels betraute.

Die Ausmalung der Kapelle von Schloß Stolzenfels

Auch bei diesem Auftrag vermittelte Schadow und führte weitgehend die Korrespondenz mit dem preußischen Hofe[11]. Auch hier aber hatte Deger offenbar das Bildprogramm selbst erarbeitet, auch wenn man annehmen möchte, daß Friedrich Wilhelm IV. selbst gewisse Vorstellungen entwickelt haben wird. Das Thema ist Sündenfall und Erlösung des Menschengeschlechts. Nachdem König Friedrich Wilhelm IV. den Entwürfen Degers zugestimmt hatte, führte der Künstler die Ausmalung in den Jahren 1853–57 aus. Der zierliche Kapellenbau ist ähnlich wie die Apollinariskir-

Zwar folgt auch er den gleichen Kompositionsschemata, die auch den Bildern seiner Freunde zugrunde liegen, doch bewegen sich seine Figuren freier und selbstverständlicher. Allerdings schaut auch das Modell gelegentlich stärker heraus.

Hatte schon während der Ausmalung Friedrich Wilhelm IV. im September 1847 die Kirche auf dem Apollinarisberg besichtigt und sein Interesse an den Fresken auch durch seine späteren Besuchen 1852 und 1854 unter Beweis gestellt, so setzte nach der Einweihung der Kirche 1857 geradezu eine Wallfahrt von Kunstliebhabern ein. In manchen Sommermonaten kamen mehr als 30 000 Besucher. Eine Blütezeit für die religiöse Malerei nazarenischer Prägung brach dennoch nicht an.

Zwar erhielten die Künstler zahlreiche Aufträge zur Anfer-

96 E. Deger, Ausgießung des Heiligen Geistes. Schloß Stolzenfels bei Koblenz

arms dargestellt, auf der Ostwand die „Himmelfahrt Christi". Im Langchor stehen sich die „Ausgießung des Heiligen Geistes" und das „Jüngste Gericht" (Nordwand) gegenüber. Die figürlichen Szenen sind über einer Sockelzone, die mit gemalten, fein ornamentierten Seidenstoffen geschmückt ist, auf Goldgrund gemalt.

Die einer Ausmalung gewiß ungünstige Architektur mit den überschmalen Wandfeldern in den Querarmen und den Fensterrosen an den Stirnwänden des Querhauses muß Deger herausgefordert haben. So bezieht er die großen Rundfenster des Querhauses wie selbstverständlich in seine Bildkomposition mit ein. Ähnlich verfährt er bei den Fresken im Langchor, dessen Wände in der oberen Hälfte jeweils durch die auf einer Konsole ruhenden Gewölberippen unterteilt werden[12].

Gegenüber seinen Fresken in der Apollinariskirche hat der Künstler eine überraschende Freiheit in der Anlage der Bildkomposition gefunden, aber auch eine neue Sicherheit in der Zeichnung der Figuren, die er in sorgfältigen, am Modell erprobten Einzelstudien vorbereitet hat, wie dies etwa aus einer Studie für einen der Juden unter dem Kreuz Christi zu ersehen ist[13] (Abb. 95).

Hier rührt sich ein Realismus der Darstellung, der vielleicht am überzeugendsten in der Paradieses-Szene (Abb. 91) erkennbar wird. Auch der ikonographischen Tradition gegenüber verhält sich Ernst Deger überraschend unabhängig, so etwa in der „Anbetung des Kindes" wo er die Hirten und die Magier zugleich um die Krippe mit dem Kinde versammelt oder im Pfingstbild (Abb. 96), wo außer der Taube des Heiligen Geistes auch Gottvater und Christus erscheinen.

Deger war unter seinen Düsseldorfer Malerfreunden nazarenischer Richtung gewiß der Begabteste. Mit dem Freskenzyklus der Kapelle von Schloß Stolzenfels — einem wahrhaft königlichen Auftrag — hat er sein Hauptwerk geschaffen. Von hier aus führt der Weg zur religiösen Historienmalerei Eduard von Gebhardts.

che über kreuzförmigem Grundriß errichtet, doch sind die Querarme kürzer als dort. Das Chorhaupt öffnet sich in drei schlanken Maßwerkfenstern. Die Stirnwände des Querhauses tragen ein Rosenfenster. Vom Schloß aus gelangt man über einen Steg auf die Empore der gegenüber dem Schlosse tiefer liegenden Kapelle und steht dort unmittelbar vor den Darstellungen „Adam und Eva im Garten Eden" (Abb. 91), „Sündenfall" und „Kain erschlägt Abel", die die Schildwände des Langhauses einnehmen.

Im nördlichen Querhaus folgen im Schildbogen der Westwand die „Opferung Isaacs" und darunter die „Verkündigung an Maria". Die Stirnwand zeigt unterhalb des Rosenfensters die Heilige Familie mit den Hirten und den Heiligen Drei Königen bei der Krippe (Abb. 92). Die schmale Ostwand des Querarmes ist von einer vielfigurigen Kreuzigung eingenommen (Abb. 93 u. 94).

Außerhalb des eigentlichen heilsgeschichtlichen Bildprogramms erscheint an der Westwand des südlichen Querarms König David. Er ist der benachbarten Orgel zugeordnet. Die „Auferstehung Christi" ist auf der Stirnwand dieses Quer-

Anmerkungen

1 Schaarschmidt, S. 133.
2 Kunstmuseum Düsseldorf, Graphische Sammlung, Inv.Nr. FP 10989. Siehe Dieter Graf, Handzeichnungen und Aquarelle 1800–1850. Bildhefte des Kunstmuseums Düsseldorf 8, 1971, Kat.Nr. 30, Abb. 13.
3 F. v. Üchtritz, I, 1839, S. 137.
   Dennoch hatte Schadow die Gefahr eines starren Festhaltens an einmal gefundnen Formulierungen erkannt, wenn er nach seiner Rückkehr aus Rom an Overbeck schreibt und dabei auf eine Kontroverse mit Johannes Veit während seines römischen Aufenthalts zurückkommt: „Die Veranlassung meines Gesprächs mit unserm trefflichen Veit entstand aus der Vorzeigung eines Christuskopfs, welchen er gemalt. Bei der Betrachtung desselben stieg in mir der Gedanke auf: Wüßte der Mann, wie ein Menschenkopf eigentlich aussieht, so würde die schöne und fromme

Empfindung, die ihn wirklich belebte, als er es malte, auch andern vollkommen klar werden. Nach 20 Jahren fand ich ihn aber in der Beziehung des Wissens ganz auf demselben Fleck. Woran liegt dies? Bei der jungen Leute Arbeit in Deiner Werkstatt sah ich ganz dasselbe, obgleich deren Meister sehr schön zeichnet. Woran liegt dies?"
Im gleichen Brief kritisiert er auch Overbecks Auffassung, künstlerische Tätigkeit sei nur dann von Wert, wenn sie religiöse Themen zum Inhalt habe: „Meinst Du nun, wie es fast erscheint, diese Verwirklichung sei überhaupt nur von wahrem Werth, wenn es Ideen religiöser Art, zur unmittelbaren Verherrlichung Gottes beträfe, so denkst Du als wahrer Christ im eigentlichsten Sinne des Worts, und wollte der allmächtige Gott, wir fänden auf diese Art Brot und Beschäftigung. Allein, mein Freund, alles dient zur Verherrlichung Gottes, auch wenn ich jemandes häßliche Nase nachmale, denn ich finde selbst dabei noch Gelegenheit genug, die Weisheit seiner Schöpfungen zu bewundern, und so dient selbst dies mein Gefühl zur Verherrlichung Gottes. Mittelbar dient jedes gute Bild, wenn auch nicht zur christlichen Erbauung meines Nebenmenschen, doch zur Verherrlichung Gottes. . . . Kann ich meinen Schülern aus positivem Glauben hervorgehende Ideen einpflanzen, lehre mich, wie macht man das? Sie sind meist als Deisten erzogen, Gott allein gibt den Glauben. Meinst Du, ich bin wie die Berliner und halte sie oder rathe ab, christliche Gegenstände zu componieren? Ich bin mir im Gegentheil bewußt, immer mittelbar darauf hinzuweisen. In Berlin habe ich 6 Jahre gegen die materialistische und ideenlose Ansicht der Kunst angekämpft; meint Ihr, ich wollte mich aber nicht gegen den umgekehrten Irrthum wahren? Bilder sind, wie Menschen, verkörpte Geister; deshalb muß deren Schöpfer doch genau wissen, wie ein Körper beschaffen ist. Selig, dreimal selig jene alten Meister, welche mit wahrer Kindlichkeit an nichts anders dachten, als wie sie besser zeichnen und malen lernen wollten, das andre verstand sich von selbst, weil kein verkehrtes Streben die Ideen in ihren Quellen getrübt hatte. (Margaret Howitt, Friedrich Overbeck. Sein Leben und Schaffen. Bd. 1, Freiburg 1886, S. 545 ff.)

4 Erzbischof Rainald von Dassel, Kanzler des Reiches, hatte nach der Unterwerfung der Mailänder 1162 durch Friedrich Barbarossa bei seiner Rückkehr nach Köln nicht nur die Gebeine der Heiligen Drei Könige mit sich geführt, sondern auch jene des ravennatischen Bischofs Apollinaris. Nach der Legende war das Schiff des Erzbischofs auf der Fahrt von Koblenz nach Köln in der Nähe des heutigen Apollinarisberges solange nicht von der Stelle zu bringen gewesen, bis Rainald von Dassel die Reliquien des Heiligen Apollinaris in die bereits damals bestehende Martinskapelle übertragen ließ. Die im frühen 13. Jahrhundert erneuerte Kirche wurde zu einem Wallfahrtsort. Durch den Reichsdeputationshauptschluß 1803 fiel auch die Propstei unter die Säkularisation der Kirchengüter. Die Kirche diente als Stall und Scheune. 1807 erwarb Sulpiz Boisserée den Apollinarisberg für sich und seinen Bruder Melchior. Nachdem 1827 die zwischenzeitlich nach Siegburg verbrachten Reliquien des Heiligen Apollinaris in die Kirche zurückgebracht worden waren, begannen auch die Wallfahrten nach dem Apollinarisberg wieder.

5 Vgl. Heinrich Finke, Carl Müller. Sein Leben und künstlerisches Schaffen, Köln 1896, S. 23 f., S. 26

6 Vgl. ebenda, S. 28 f.

6a Finke, Franz Iltenbach (vgl. Anm. 7), S. 39 f.

7 Vom Oktober 1838 an sollten die vier Maler sieben Jahre lang ein Honorar erhalten, das für Deger als den Leiter des Unternehmens eine Summe von jährlich 1200 Taler, für den ebenfalls verheirateten Andreas Müller 800 Taler und für Carl Müller und Ittenbach je 400 Taler betrug. „In dem Falle obgenannte Künstler die Arbeiten in kürzerem Zeitraum als sieben Jahren vollenden, heißt es in dem Vertrag, „erhalten sie nichtsdestoweniger die oben stipulierte Summe; sollten dieselben aber acht oder mehrere Jahre zur Vollendung bedürfen, so gewährt der Reichsfreiherr von Fürstenberg im ganzen noch die runde Summe von dreitausend Thalern" . . . Die Unkosten der Farben, Mal-Utensilien, des Farbenreibers, der Quäste, der notwendigen Decorationsmahlerey in der Kirche, der Vergoldung, werden von dem Herrn Besteller übernommen. Die ersten Handzeichnungen in Aquarell verbleiben dem Herrn Besteller, die Cartons hingegen bleiben Eigenthum der Maler". Die Summe wurde 1845 um weitere 4800 Taler erhöht, da die Ausmalung des Chorbogens der Kirche und die Auslieferung der Skizzen für die ornamentalen Rahmungen der figürlichen Szenen hinzukamen. (Mitgeteilt nach Heinrich Finke, Der Madonnenmaler Franz Ittenbach, Köln 1898, S. 44.)

8 Finke, Carl Müller, S. 26.

9 Deger und Andreas Müller waren 1841 aus Rom zurückgekehrt. Carl Müller und Ittenbach folgten 1842. Ittenbach verbrachte die Monate Mai-August auf der Rückreise nach Düsseldorf in München, wo er sich mit Schraudolph an der Ausmalung der Bonifatiuskirche beteiligte, um sich mit der Freskotechnik vertraut zu machen.

10 Finke, Franz Ittenbach, S. 46.

11 Vgl. Paul Kaufman, Wilhelm von Schadow, ein Erneuerer rheinischen Kunstlebens. Die Ausmalung der Stolzenfelder Schloßkapelle durch Ernst Deger, in: Annalen des Historischen Vereins für den Niederrhein, 115, 1929, S. 395 ff.

12 Die Kartons für diese Fresken sind abgebildet bei Karl Koetschau, Einige Kartons und Bilder von Ernst Deger (Pempelfort. Sammlung kleiner Düsseldorfer Kunstschriften, Heft 6), Düsseldorf 1925. Die ausgeführten Fresken sind abgebildet bei Schaarschmidt, S. 143 u. 144.

13 Kunstmuseum Düsseldorf, Graphische Sammlung, Inv.Nr. FP 14518. Das Blatt gehört zu einer größeren Folge von Einzelstudien, die sich für das Kreuzigungsfresko erhalten haben. Vgl. U. Ricke-Immel, 1978, Kat.Nr. 303–329.

Rudolf Theilmann

Schirmer und die Düsseldorfer Landschaftsmalerei

Dem Andenken Heinrich Appels gewidmet

„... und Schirmer gründete die Landschaft"[1]

Als Johann Wilhelm Schirmer nach Abschluß einer Buchhändlerlehre Anfang März 1825 von seiner Heimatstadt Jülich nach Düsseldorf übergesiedelt und in die Elementarklasse der Kunstakademie eingetreten war, bereitete sich Peter von Cornelius, seit 1819 Direktor dieses Instituts, gerade auf seinen Umzug nach München vor, wohin ihn König Ludwig I. als Nachfolger des 1824 verstorbenen Peter von Langer berufen hatte. Zweifellos bedeutete diese kunstpolitische Entscheidung des bayerischen Monarchen für die Zukunft der Düsseldorfer Akademie eine einschneidende Zäsur. Es ist kaum vorstellbar, daß der junge Schirmer, der sich nach eigenen Worten schon „zu Hause immer mehr zur Landschaftsmalerei hingezogen"[2] fühlte, unter dem strengen Direktorat des vom Nazarenertum geistig wie künstlerisch geprägten, in festen hierarchischen Vorstellungen denkenden und handelnden Meisters einer hehren Idealen verpflichteten Figuralkunst binnen kurzem am Rhein zur unbestrittenen Autorität im Landschaftsfach hätte reifen können. Im Gegensatz zu den Akademien in München, Dresden oder Berlin war in Düsseldorf unter der Ägide Cornelius' die Landschaftsmalerei noch als „Gattungsmalerei" diskriminiert und deshalb nicht in das Lehrprogramm aufgenommen worden.[3] So ist es kaum verwunderlich, daß der designierte Münchener Akademiedirektor und Protegé Ludwigs I. im Hinblick auf seine neue Wirkungsstätte lakonisch argumentierte: „Einen Lehrstuhl für Genre- und Landschaftsmalerei halte ich für überflüssig. Die wahre Kunst kennt kein abgesondertes Fach, sie umfaßt die ganze sichtbare Natur. Die Gattungsmalerei ist eine Art von Moos und Flechtgewächs am großen Stamm der Kunst".[4] Am 3. 10. 1826 reagierte der König auf diese Empfehlung mit dem Beschluß, daß „die Stelle eines Professors der Landschaftsmalerei künftig nicht mehr besetzt werden"[5] sollte.

1826 trat Wilhelm von Schadow in Düsseldorf die Nachfolge Cornelius' an. Obwohl auch er dem Kreis der in Rom tätigen Nazarener entstammte und sich mit ihnen an der Ausmalung der Casa Bartholdy beteiligt hatte, war er doch in seiner Kunst nicht ausschließlich auf die Darstellung vaterländischer Gesinnungen und religiöser Überzeugungen fixiert wie sein kompromißloser Vorgänger im Amt. Der cornelianische Dogmatismus beharrte auf einer spröden reinen Liniensprache und billigte der Farbe keinen Eigenwert zu. Folgerichtig klassifizierte Schirmer Fresken, die aus dieser Schule hervorgegangen waren, als „illuminierte Zeichnungen".[6] Dieser Doktrin antwortete Schadow nicht nur mit einer mehr am Naturobjekt orientierten Formensprache, die sich vor allem wieder auf die sinnlichen Qualitäten des farbigen Erscheinungsbildes besann, er bewies auch als Lehrer Verständnis für ein breiter gefächertes thematisches Interesse seiner Schüler. Diese pädagogischen Eigenschaften waren wohl mit ausschlaggebend, daß vier junge Künstler – Julius Hübner, Carl Friedrich Lessing, Carl Ferdinand Sohn und Theodor Hildebrandt – ihrem Meister von Berlin an den Rhein folgten. Vor allem Lessing sollte für die Entwicklung der Düsseldorfer Malerschule richtungweisend werden. Sein Erscheinen in Düsseldorf war die Initialzündung für das geradezu explosionsartige Anwachsen eines all die Jahre vernachlässigten Studienfaches: der Landschaftsmalerei. Für den weiteren Ausbildungsgang Schirmers sollte diese Duplizität glücklicher Umstände ungeahnte Folgen haben. Während er als Landschafter noch heimlich dilettierte, hatte er die obligatorischen Aufgaben in der Gips- und Elementarklasse, wie das Kopieren nach antiken Köpfen oder das Ausschraffieren der Laokoon-Gruppe, gewissenhaft absolviert. Und auch unter der Obhut Schadows mußte der strebsame Eleve die Fron des anstrengenden und ungeliebten Figurenstudiums zunächst noch auf sich nehmen. Aber lange konnten dem Lehrer die eigentlichen Interessen und Neigungen seines Schülers nicht mehr verborgen bleiben. Inzwischen hatten sich Schirmer und der um ein Jahr jüngere Lessing, der 1826 als Landschaftsmaler mit dem „Klosterfriedhof" erfolgreich in Berlin debütierte, angefreundet. Beide Künstler verband die Absicht und die Willenskraft, auch ohne offiziellen Unterricht sich das notwendige Vokabular auf diesem Spezialgebiet anzueignen, wobei Schirmer die weiter fortgeschrittenen Leistungen des Freundes neidlos anerkannte: „Dazu kam es, daß Lessingsche Zeichnungen mich ganz außerordentlich ansprachen ..."[7] Und schließlich war es Schadow selbst, der seinen Schüler aufforderte, ihm die im Verborgenen entstandenen Landschaftskompositionen zu zeigen: „... als ich dessen eingedenk meine Versuche vorlegte, gefielen ihm dieselben nicht allein recht gut, er äußerte auch gleich den Wunsch, eines der Blätter gemalt zu sehen, und ich sollte nur frisch es versuchen. Lessing würde mir dann schon von Nutzen sein, wenn ich stecken bliebe; er müßte sich sehr irren, wenn ich nicht dermaleinst sein Ruysdael werden würde . . ."[8] Zweifellos beflügelte diese überraschende Reaktion den Enthusiasmus Schirmers. Rasch entschlossen gründeten er und Lessing im Winter 1827 einen „landschaftlichen Komponierverein", dessen Sinn und Zweck es war, im vierzehntägigen Turnus jedem Mitglied die Möglichkeit zu geben, „eine Komposition in Zeichnung vorzulegen."[9] In den Motiven, die Schirmer in diesem frühen Entwicklungsstadium anbot, mischten sich naiv-realistische Landschaftsnotizen und schlicht-romantische Naturpoesie, hingegen Lessings inhaltsbetonte Thematik eindeutig von der zeitgenössischen Dichtung (Walter Scott, Ludwig Uhland) und historischen Literatur[10] inspiriert war. Aus dieser Anfangsphase (Frühjahr 1827) datieren Schirmers erste, zusammen mit Lessing[11] systematisch betriebene Naturstudien in der Umgebung Düsseldorfs, zunächst noch mit Stift und Skizzenblock, bald danach auch mit dem Malkasten. Dabei leitete ihn der für diese Zeit geradezu revolutionär anmutende „Grundsatz, daß man alles in Gottes schöner Natur darstellen dürfe, wenn man es nur recht treu und genau ausführe."[12] Das überaus gründliche und rastlose Bemühen um eine umfassende Erkenntnis der Natur, wobei auch dem scheinbar nebensächlichsten Detail die gespannte Aufmerksamkeit nicht versagt wurde, ist kennzeichnend für Schirmers hervorragende Serie penibel gemalter Ölstudien aus den Jahren 1827–1830. Dieses mit fast wissenschaftlicher Akribie zusammengetragene reiche Inventar war gleichsam das Startkapital des Künstlers, ein kostbarer Vorrat an elementaren Bausteinen, die für die späteren komponierten Landschaften die unabdingbare Voraussetzung waren. Als ein Beispiel unter mehreren sei die „Bachschleuse" im Düsseldorfer Kunstmuseum zitiert (Abb. 97).[13] Wie bei vergleichbaren Studien wählte Schirmer auch in diesem Fall einen eng begrenzten Bildausschnitt, um sich voll und ganz auf das ins Zentrum gerückte Schilf, den Wasserschierling, die verschiedenen Rosen und die übrigen, mit botanischer Exaktheit beschriebenen, in dunkelgrünen und braunen Farben gemalten Pflanzen zu konzentrieren. „Ein entwickelter Sinn für das Charakteristische der einzelnen Pflanzenarten, für Struktur und Oberflächenbeschaffenheit, für das Organische läßt sich leicht erkennen."[14] Handelt es sich scheinbar auch nur um ein beliebig herausgegriffenes Landschaftsfragment, so zeigt sich bei näherem Betrachten die ordnende Hand des Künstlers. Ohne verunklärende Überschneidungen wurden die Pflanzen klar ablesbar ins Bild gesetzt, bewußt hinterfangen von der genau die Mittelachse bezeichnenden Schleuse.

Ein vitales Interesse an der Natur in all ihren vielfältigen Erscheinungsformen trieb Schirmer zu diesen Leistungen. Mit großem Einfühlungsvermögen und religiöser Hingabe schilderte der Künstler unbefangen eine Welt im Kleinen. Aber niemals hätte er diesen Studien das Prädikat einer künstlerischen Leistung zuerkannt, niemals wäre es ihm in

97 J. W. Schirmer, Die Bachschleuse, 1830. Düsseldorf, Kunstmuseum

den Sinn gekommen, mit diesen frischen, den unmittelbaren Natureindruck wiedergebenden Malpappen an die Öffentlichkeit zu treten, um sie dem Publikum in einer Ausstellung zu präsentieren. Diese Studien waren lediglich das für große Kompositionen zu verarbeitende Rohmaterial, meist als Füllsel für die vordere Bildzone. So begegnet man z. B. dem Schilf aus der „Bachschleuse" wieder im Vordergrund des 1832 gemalten, im Zweiten Weltkrieg zerstörten Bildes „Deutscher Waldteich" (Abb. 98).[15]

98 J. W. Schirmer, Deutscher Waldteich, 1832. Berlin, National-Galerie, verschollen

131

Die raschen Fortschritte, die Schirmer in wenigen Jahren verbuchen konnte, die stets lobende Anerkennung, die seinen Bildern schon in der Frühzeit nicht versagt blieb[16] und der Wunsch etlicher Mitschüler, als Landschaftsmaler ausgebildet zu werden, veranlaßten Schadow im Jahre 1829, seinem ehemaligen Schüler die Leitung einer Klasse in Eigenverantwortung anzutragen, um den „jungen Anfängern etwas behilflich zu sein . . .“[17] Aus diesem bescheidenen Anfang sollte die Düsseldorfer Landschafterschule hervorgehen, welche in ihrer späteren Entfaltung soviel zum Ruhme der Düsseldorfer Schule beigetragen hat.“[18]

Bevor Schirmer 1830 erstmals die engeren Grenzen seiner Heimat verließ und ins benachbarte Belgien reiste, hatte er in den Jahren 1828 und 1829 während der Ferienmonate in zwei Etappen die Eifel und das Bergische Land erwandert. Diese systematischen Erkundigungsreisen in die Eifel, zur Ahr und an die Mosel wiederholte er in Begleitung einiger Schüler 1831.[19] 1833 wählte er die Ahr abermals zum Studienplatz und 1834 führte ihn der Weg zum Rhein, in den Hunsrück sowie nach Darmstadt und Frankfurt. Auf all diesen Wanderungen entdeckte er für die Landschaftsmalerei immer neue Themenbereiche. Sein unermüdlicher Drang, schon vorhandenes Wissen zu vertiefen und durch sorgfältiges Naturstudium vor allem auch die Besonderheiten geologischer Strukturen kennenzulernen, erbrachte eine außerordentliche Vielfalt gezeichneter und gemalter Motive. Die Ehrfurcht vor der Natur in all ihren mannigfachen Ausprägungen war tief in seinem Wesen verwurzelt. Und diese Einsichten und Überzeugungen verstand er mit großem pädagogischen Geschick seinen Schülern zu vermitteln, die ihn als „unbedingte Autorität“[20] anerkannten. Als Schadow 1831 von einem Rom-Aufenthalt nach Düsseldorf zurückkehrte, konnte er sich vom erfolgreichen Fortgang der Landschaftsklasse überzeugen. Am 29. 7. 1831 schrieb Schirmer seiner Mutter: „Auch mit der Klasse, die ich unterrichte, war er zufrieden.“[21] In Anerkennung seiner Verdienste übertrug ihm Schadow, „der humanste Patron der Landschaft“[22], im Herbst desselben Jahres „die Leitung einiger Landschaftsmaler zu einem Kurse, mit Stipendium von der Akademie.“[23] Seine Persönlichkeit wie seine künstlerischen Fähigkeiten galten als vorbildlich. Im Wintersemester 1830/1831 wurden ihm von der Akademieleitung zum wiederholten Male „ausgezeichnete“ Anlagen, „sehr großer“ Fleiß und „musterhaftes“ Betragen attestiert.[24] Seine in Düsseldorf führende Position auf dem Feld der Landschaftsmalerei fand bereits in dieser frühen Periode allseits Anerkennung. Die Kunstkritik apostrophierte ihn als „das bemerkenswertheste Talent“[25] und als den „Vater dieser ganzen Generation . . ., der auch um die Meisten von ihnen als Lehrer Verdienste hat“[26], pries ihn gar als „Ordensmeister der Düsseldorfer Landschafter“[27] und bestätigte, er sei „der vorzüglichste aller hiesigen.“[28] Bevor Schirmer 1839/1840 die für einen Landschaftsmaler seiner Generation obligate Italienreise antrat, besuchte er noch die Schweiz (1835, 1837) und Frankreich (1836). Am 1. 8. 1836 fuhr er in Begleitung seines Direktors Schadow und des befreundeten Komponisten Felix Mendelssohn-Bartholdy über Holland in die Normandie. Gemessen am Standard der europäischen Landschaftsmalerei gehören die während dieses Aufenthalts entstandenen kleinformatigen Bilder zum Bedeutendsten wie auch Außergewöhnlichsten dieser Jahre.[29] Als Beispiel sei „Harfleur bei Le Havre“ (Kat.Nr. 228) erwähnt, eine im Schaffen Schirmers völlig atypische Stadtansicht. Aber nicht allein das Motiv erregt Verwunderung, vielmehr irritiert die sachlich-kühl registrierende Bestandsaufnahme der idyllischen französischen Kleinstadt mit dem majestätisch die Häuserzeilen überragenden Turm der Kirche St. Martin. Es ist erstaunlich, mit welcher Gelassenheit und Souveränität Schirmer sich des Motivs annahm. Die schlichte Präsenz dieses malerischen Winkels war so eindrucksvoll, daß wesentliche Elemente des herkömmlichen Bildaufbaus, wie der mit Versatzstücken zu staffierende Vordergrundstreifen, bewußt aufgegeben wurden. Auf alle beschaulich-genrehaften Beigaben wurde verzichtet. Mit ungewohnter Objektivität ist die Vedute aufgenommen, ohne allerdings dem Detail zuviel Bedeutung beizumessen. Was dieses Juwel vor allem auszeichnet, ist die dünnflüssige, nuancenreich-hellfarbige Malerei, die Natürlichkeit des einfallenden Sonnenlichts, das zarte Kolorit der Schatten und die vibrierende Luft: Ein extrem frühes, atmosphärisch reiches Exempel deutscher realistischer Freilichtmalerei. Aber die Zeit war noch nicht reif für eine kontinuierliche Weiterentwicklung dieser momentanen Stilphase, und Schirmer selbst hätte dafür auch kaum Verständnis gehabt.

Ein Jahr später brachte er aus der Schweiz eine Reihe von Studien mit, die direkt an die Normandie-Serie anschließen. Die auf dieser Reise gleichsam im Vorübergehen wahrgenommene „Alpenlandschaft“ (Kat.Nr. 229), eine mit breitem Pinsel frisch, hell und saftig gemalte Landschaftsimpression aus dem Aaretal bei Meiringen, ist ohne den vorausgegangenen Frankreich-Aufenthalt kaum vorstellbar. Die vehemente Malerei verweilt nicht bei Einzelheiten, sondern protokolliert mit raffendem Strich, summarisch und ohne Rücksicht auf überkommene Kompositionsprinzipien. Diese verblüffend unkonventionelle Sehweise veranlaßte Max Osborn anläßlich einer für die Berliner Nationalgalerie erworbenen, wohl gleichzeitig mit dem Düsseldorfer Bild entstandenen „Gebirgslandschaft“ zu der Bemerkung, daß dergleichen Werke abermals zeigen, „was aus der deutschen Malerei um 1850 hätte werden können, wenn die Verhältnisse andere gewesen wären.“[30] Nach Hause zurückgekehrt, wandte sich Schirmer jedoch umgehend wieder der konventionell komponierten Landschaft zu. Die rasch zupackende Malerei blieb Episode. Zwi-

schen November 1837 und Frühjahr 1838[31] arbeitete er im
Anschluß an die gerade zu Ende gegangene zweite Reise in
die Schweiz an dem monumentalen „Wetterhorn" (Kat.Nr.
230). Niemand käme auf die Idee, für dieses Gemälde und die
unmittelbar davor entstandenen Studien denselben Autor zu
reklamieren. Eine bewußt nach herkömmlichem akademi-
schem Rezept komponierte Gebirgslandschaft türmt sich vor
dem Betrachter auf: Exakt gezeichnete Vordergrundpflan-
zen und stark betonte Seitenkulissen, die vom heroisch im
Hintergrund aufragenden Wetterhorn formal verklammert
werden; vehementer Hell-Dunkel-Kontrast zwischen vorde-
rer und hinterer Bildzone, um das Gebirgsmassiv optisch zu
steigern. Wie für viele Gemälde der Düsseldorfer Schule ist
auch hier der Verzicht auf konsequente Farb- und Luftperspektive typisch. Eine zuweilen harte Zeichnung umreißt
und gliedert die Volumina, braune, nach Grau gebrochene
Töne dominieren. Das Kompositionsgerüst bilden drei über-
einander gelegte Schichten, die gleichzeitig den Tiefenraum
artikulieren, verbunden durch ein engmaschiges Netz optisch korrespondierender Bezugslinien. Die vor Ort unbefangen und flüchtig notierte Gebirgswelt wurde im Atelier in
ein bewußt kalkuliertes, pathetisch inszeniertes Kunstwerk
verwandelt, das die Kenntnis des 1824 gemalten „Reichen-
bachtal mit dem Wetterhorn" von Joseph Anton Koch verrät.[32]
Als letztes großformatiges Gemälde vor der Italienreise entstand die „Landschaft mit dem Heidelberger Schloß"
(Kat.Nr. 231). Dieses Bild zeigt mit aller Deutlichkeit den
Weg, den Schirmer künftig beschreiten wird. Behandelt das
Gemälde – wenn auch verfremdet – noch ein „vaterländi-
sches" Thema, so atmet die ausgeklügelte, aus vielerlei Ein-
zelteilen zusammengefügte Szenerie bereits den Geist ideal
komponierter südlicher Landschaften. Als das Bild im November 1839 in Düsseldorf ausgestellt war, vermerkte ein
Rezensent zu Recht: „Die Formen sind durchweg deutsch,
aber das Ganze hat etwas, das an italienische Natur erinnert."[33] Die im milden Licht verschwimmende, klar über-
schaubare und nur knapp akzentuierte Flußlandschaft im
Hintergrund kontrastiert lebhaft mit dem mittleren und vorderen Bildstreifen, wo man den Eindruck hat, als kompilierte
Schirmer eine Vielzahl heterogener Einzelmotive. Diese formale wie geistige Inkonsequenz, der Versuch, eine ideal
konzipierte Landschaft mit beliebigen Versatzstücken aus
dem Vorrat realistischer Naturstudien anzufüllen, provozierte den späteren Karlsruher Schirmer-Schüler Eugen
Bracht zur folgenden distanziert-ablehnenden Stellungnahme: „Dagegen ließ mich die Kombination beim Schirmer'schen großen Werke vom Heidelberger Schloss mit seinem als Sorakte behandelten Melibokusprofil, mit den Ka-
stanien vom Albanergebirge und den Pilgern, und andererseits den im Maßstab vergriffenen Vordergrund in naturalistischer Wiedergabe von Felsblöcken mit Kastanienschöss-

99 J. W. Schirmer nach G. Dughet, Prophezeiung des Basilikles, 1839/40.
Neuss, Clemens-Sels-Museum

lingen und Brombeerranken recht kalt, entsprechend dem
Mangel an Einheit des Aufbaues und der Erscheinung."[34]
Dieses vielschichtige Bild – ein Symbol der Italiensehnsucht,
aber auch ein Zwitterwesen aus nördlichem und südlichem

100 G. Dughet, Prophezeiung des Basilikles. Rom, S. Martino ai Monti

Kunstideal – schließt die erste Phase seiner Entwicklung ab, um gleichzeitig in das neue, im Zeichen der klassischen Landschaft stehende Jahrzehnt überzuleiten.

1839 wurde Schirmer in Düsseldorf offiziell der Professorentitel verliehen, wenig später, am 23. 7. 1839, brach er nach Italien auf.[35] Über ein Jahr lebte er hauptsächlich in Rom, streifte durch die Campagna, die Sabiner- und Albaner Berge. Die Landschaft um Rom wurde ihm zum großen Erlebnis, vor allem aber machte er sich bei häufigen Galeriebesuchen mit der Kunst Poussins, Claude Lorrains und Gaspard Dughets vertraut, die fortan seine Malerei entscheidend prägten.[36] Erhalten haben sich in einem „Skizzenbuch Italien 1839/40"[37] vier mit Bleistift und Sepiapinsel angelegte Kopien Schirmers nach Bildern Dughets. Ein Blatt, fol. 20 (Abb. 99), geht auf dessen Darstellung der „Prophezeiung des Basilikles" in S. Martino ai Monti in Rom zurück (Abb. 100).[38] Es ist erstaunlich, wie instinktsicher Schirmer gerade diejenigen Vorlagen kopierte, die seinen eigenen Intentionen am ehesten förderlich waren. Die Ungereimtheiten der Heidelberger Ideallandschaft (Kat.Nr. 231) sind jetzt gleichsam im Handstreich beseitigt: Die Komposition ist klar ablesbar, die aufeinander folgenden Ebenen schaffen ein räumliches Kontinuum, Diagonalen suggerieren und erschließen die Tiefe, Licht und Schattenmassen sind übersichtlich verteilt, gliedern und rhythmisieren das Bildfeld und fassen die verschiedenen Landschaftselemente zu großen Gruppen zusammen. Es ist die typische, im Barock in voller Blüte stehende heroische Landschaft, die Schirmer faszinierte und die ihm fortan Vorbild war. Eine Zeitlang, etwa bis zur Mitte der 1840er Jahre, trat die alte Leitfigur Ruisdael in den Hintergrund.

Schirmer genoß das Land, wo – nach Goethe – „die Schönheit deutlicher, verständlicher ist als bei uns."[39] Aber er wahrte kritische Distanz und verfiel nicht einem irrationalen Enthusiasmus wie viele seiner Kollegen. Er arbeitete konzentriert, manchmal bis zur physischen Erschöpfung[40], und nutzte seine Zeit, um die Eigenarten der fremden Natur intensiv zu studieren. Der künstlerische Ertrag dieses Aufenthalts ist von höchster Qualität, vergleichbar den in der Normandie (1836) und der Schweiz (1837) erzielten Ergebnissen. Die Weite der Landschaft wurde bewußt erlebt. Eine großzügige Linienführung, die alles Kleinteilige meidet, schafft übergreifende Formzusammenhänge. Mit scharfem Auge beobachtete und registrierte der Künstler feinste Farbnuancen und notierte die unterschiedlichsten Stimmungswerte. Es überrascht die absichtslose Natürlichkeit, mit der das klassische Land präsentiert wird, wobei die unprätentiöse, kompromißlose Vergegenwärtigung manches Landschaftsausschnitts an Studien Karl Blechens erinnert.

Die 1839 entstandene „Italienische Landschaft" (Kat.Nr. 232) lebt von dem spannungsreichen Gegensatz abrupter Hell-Dunkel-Kontraste. Die machtvoll ausladende, detailliert gezeichnete Kastanie in der linken verschatteten Bildhälfte kontrastiert mit dem großzügig und breit gemalten, vom grellen Sonnenlicht überstrahlten hügeligen Mittelgrund und der sich weit dehnenden Campagna im Hintergrund. Das frische Kolorit vermittelt den Eindruck einer unmittelbar erlebten Stimmung. Die italienische Landschaft wurde nicht als Schauplatz bedeutender historischer oder mythologischer Begebenheiten erfahren und interpretiert, sondern als ein Stück Natur, deren momentanes malerisches Erscheinungsbild zur Darstellung reizte.

Es ist erstaunlich, in welchem Umfang all die Anregungen, die Schirmer während des Aufenthalts in Italien empfangen hatte, seit der Rückkehr nach Düsseldorf Ende Oktober 1840 in seinem Werk verarbeitet wurden. Der Heimkehrer mutierte in kürzester Zeit zum führenden Repräsentanten jener „stylisirten Landschaft", die, wie Max Schasler formulierte, „in gewisser Beziehung als die edelste und geistig bedeutendste Art der Landschaftsmalerei obenan gestellt werden"[41] kann. Der Künstler hatte in Italien den Blick für eine großzügige Organisation des Bildraums geschärft und seine Liniensprache an der Tektonik dieser harmonisch strukturierten Natur geschult. Aber es war nicht nur das berauschende Erlebnis einer betörenden Landschaft, die er begierig in sich aufgenommen hatte, es war vor allem die geistige Auseinandersetzung mit dem Werk Dughets, Poussins und Claude Lorrains, das er ausgiebig studierte. Ein Großteil der Landschaftskompositionen, die in der Folgezeit entstanden, geben Zeugnis davon, wie sehr sich Schirmer der Grammatik der Franzosen verpflichtet wußte, wie schnell aber auch ein allzu starr gehandhabtes Stilprinzip die Malerei in eine Sackgasse führen kann, wenn die lebendige Zwiesprache mit der Natur ausbleibt. Schirmer hatte zur Lösung seiner Aufgaben nun stets eine Formel, eine „Manier", parat, die allerdings nur wenige Varianten zuließ, so daß die Schöpfungen vielfach jegliche Natürlichkeit einbüßten und in einer rein rhetorischen Geste erstarrten. Die oft gepriesenen poetischen Landschaftsdichtungen können den Mangel an malerischer Substanz nicht verwischen. Die forcierte Betonung des Bildinhalts, die gleichsam in die Illustration einer bestimmten literarisch-philosophischen Aussage mündet, ging oft zu Lasten rein künstlerischer Fragen und Antworten. Schirmer betrachtete die Natur fortan selektiv, unterwarf sie einem strengen Auswahlprinzip und überprüfte die Darstellungswürdigkeit ihrer verschiedenartigsten Ausprägungen. Diese Methode zeugte Kompositionen, die nur noch entfernt an reale topographische Situationen erinnern. Denn: „Der Landschaftsmaler soll aber, wenn er seinem Berufe ganz genügen will, etwas beßres, als ein bloßer Abschreiber seyn."[42] So ist es auch nicht verwunderlich, daß die Reaktion auf die nach 1840 entstandenen Gemälde zwiespältig war. Lobte man auf der einen Seite den „strengen, markigen Ernst", der „wohl einem Poussin verglichen werden"[43] kann, so wurde schon zu Beginn dieser mittleren Schaffensperiode verhaltene Kritik laut. Am 30. 7. 1841 schrieb der Maler Adolf Schrödter seinem Freund Wilhelm Nerenz nach Dresden: „Schirmers große italiänische Landschaften sind brav und schön gemalt, das muss man sich gestehn – doch machen sie nicht recht warm, u. finden nur zögernde Bewunderer . . .“[44] Neben diesen italianisierenden Kompositionen entstehen in diesem Jahrzehnt auch Bilder, die vor allem in Anlehnung an Ruisdael den Charakter der niederländischen Landschaft wieder aufnehmen.

Schirmers letzte Entwicklungsphase fällt zeitlich mit seinem Wegzug nach Karlsruhe zusammen, wohin ihn Großherzog Friedrich I. von Baden 1854 als Leiter der neu gegründeten Kunstschule berufen hatte, die nach Düsseldorfer Vorbild organisiert werden sollte.[45] Der Entschluß Schirmers, das Rheinland zu verlassen, wurde lebhaft bedauert. Noch Jahre später beklagte man den „unersetzlichen Verlust“, den „Düsseldorf durch die Uebersiedelung dieses Meisters und Lehrers nach Karlsruhe erlitten hat.“[46] Aber welche Beweggründe gaben den Ausschlag zugunsten Karlsruhes? Sicherlich lockten ihn nicht nur der ehrenvolle Auftrag des badischen Regenten und das gewiß nicht alltägliche Angebot, ein junges Institut in eigener Regie zu führen. Folgt man der Statistik, so sah sich Schirmer als Lehrer zunehmend isoliert. Die Klassenfrequenz war in den letzten beiden Düsseldorfer Jahren 1853/1854 auf 16 bzw. 15 Schüler abgesunken, der tiefste Stand seit dem Jahre 1831. Schirmers starrsinnige Prinzipientreue, seine seit der Italienreise mobilisierten Abwehrkräfte gegen die „reale Richtung unserer Zeit“[47], sein zunehmend religiöses Engagement, das in der Forderung gipfelte, „jede Kunst und jede Wissenschaft“ dürfe „der Kirche dienen“[48], widersetzten sich dem Zeitgeist. Inzwischen war der Stern Andreas Achenbachs aufgegangen, der den Ruhm Schirmers bereits überstrahlte. Seine Kunst hatte allgemein an Attraktivität verloren, ihr war am Rhein der geistige Nährboden entzogen. „In Düsseldorf wäre ich verschmachtet und verdorret“, schrieb er am 15. 5. 1855 seinem Freund Schnaase[49] und rechtfertigte damit nochmals seine Entscheidung für Karlsruhe.

In den letzten neun Lebensjahren stehen die großen biblischen Landschaftszyklen im Mittelpunkt seines Schaffens. Der Künstler fügte seinem Œuvre mit diesen Arbeiten einen neuen Akzent hinzu, da die über die Figurenstaffage vermittelte religiöse Thematik jetzt sein ganzes Interesse beanspruchte. Den bekanntesten Komplex dieser Serie, die Karlsruher Tageszeitenbilder, definierte Schirmer selbst als sein „Haupt-Werk.“[50] Über zwei Dutzend Vorstudien und Varianten gehen der endgültigen, 1857 vollendeten Fassung voraus. Aber es ging dem Künstler nicht mehr um neue Antworten auf alte künstlerische Fragen, zu sehr waren seine Intentionen auf eine idealistisch-spekulative Gedankenkunst fixiert. Es sollte über die Staffage vor allem an das moralisch-sittliche Bewußtsein des Betrachters appelliert werden, wobei das Samariterbild („Der Abend“) direkt auf einen Abschnitt in Sulzers berühmter Ästhetik zurückzugehen scheint, wo geäußert wird: „Wer wird ohne heilsame Rührung sehen wie ein wohlthätiger Mann einen von Mördern in einer Wildniß beraubten und hartverwundeten Menschen erquiket, ihn auf sein Pferd setzet, und wieder zu den Seinigen bringet?“[51] Schirmer suchte nach prägnanten Formulierungen für seine Bildgeschichten, die in einen idealen, der Szene angemessenen und sie in Stimmung und Ausdruck steigernden Landschaftsraum eingebettet werden sollten. Während er sich mit den Figurengruppen schwer tat und nach Möglichkeit von anderen Künstlern seinen Vorstellungen entsprechende Staffagen direkt übernahm[52], fügte er die Landschaften aus vielen Einzelstudien zusammen. Trotz dieser auf unmittelbarer Naturanschauung verzichtenden Arbeitsweise vermittelt gerade der Kasseler Zyklus (Kat.Nr. 236–39) noch den zündenden Funken einer spontan gefaßten und zügig niedergeschriebenen Idee. Hingegen mangelt es der abschließenden Karlsruher Serie durch das formelhaft-schematische Aufzählen von Details und den leblos-unpersönlichen Pinselduktus an Überzeugungskraft.

Aber auch in dieser Spätphase fand Schirmer gelegentlich zu einfachen Motiven zurück. Die 1859 entstandene Naturstudie „Aus dem Neckartal“ (Kat.Nr. 240) beweist, daß der Künstler noch Sinn hatte für inhaltlich völlig belanglose, malerisch jedoch überaus reizvolle Sujets, deren koloristischen Reichtum er mit wachem Auge höchst sensibel einfing.

Schirmers Kunst läßt sich schwer auf einen Nenner bringen. Lernen wir ihn auf der einen Seite, im privaten Bereich, als überaus gewissenhaften und vorbehaltlosen Schilderer intimer Flecken kennen oder treffen ihn als einfühlsamen und unprätentiösen Beobachter irgendeines Naturabschnitts, so sehen wir andrerseits, im offiziellen Bereich auf Ausstellungen, den akademischen Maler großformatiger idealer Landschaftskonzepte, die in Anlehnung an die barocke Überlieferung nach einem ausgeklügelten Formenkanon entwickelt wurden. Auf beiden Ebenen hat Schirmer beispielhafte Lösungen gefunden, aber beide Ebenen wußte er ein Leben lang sorgfältig voneinander zu trennen. Die von uns heute wegen ihrer überragenden malerischen Qualitäten überaus geschätzte Naturstudie war ihm lediglich Mittel zum Zweck. Die Vielzahl realistischer Bildbeispiele, die mehrheitlich Naturstudien oder Reisenotizen waren, ändern nichts an der Tatsache, daß Schirmer aus tiefster Überzeugung der klassisch-idealen Landschaft bedingungslos zugetan war, deren Präferenz gegenüber der „Portraitlandschaft“[53] für ihn außer Frage stand. Und in diesem Geiste wurden auch seine Schüler ausgebildet.

Spricht man in jener Zeit von „Naturwahrheit“, so ist damit immer nur das im Vergleich mit der Natur „realistisch“

wiedergegebene Detail (Pflanzen oder Bäume) gemeint, nicht aber das Bildthema selbst im Sinne einer topographisch getreuen Zustandsbeschreibung. In vielen Fällen stellte das Motiv eine erfundene – aber im einzelnen „naturwahre" – ideale Gegend dar. Für die Bildgenese läßt sich kein verbindlicher Ablauf konstatieren. Entweder lag das geistige Konzept fertig vor und es mußten nur noch die notwendigen Einzelteile vor der Natur erarbeitet werden oder es bestand die Möglichkeit, erst auf der Basis vorhandener Studien eine Vorstellung zu entwickeln. Diese Vermischung realistischer und idealistischer Gestaltungsprinzipien ist symptomatisch für die Düsseldorfer Landschaftsschule.

Als Schirmer 1829 die provisorische Leitung einer Klasse zur Ausbildung von Landschaftsmalern übertragen bekam, hatte er mit J. Bellut, H. Koch, J. A. Lasinsky, C. N. Scheuren und A. Wegelin seine ersten fünf Schüler zu unterrichten. Das allgemeine Interesse an diesem neuen „Fach" und auch das pädagogische Geschick des jungen Lehrers erklären die bis zur Mitte der 1830er Jahre rapide steigenden Studentenzahlen. Den absoluten Höchststand erreichte die Klasse 1836 mit 48 Schülern. Danach sanken die Eintragungen auf 33 (1838) und 20 (1841), um dann mit 28 Anmeldungen im Jahre 1843 das beste Ergebnis nach der Italienreise zu erzielen. In den folgenden zehn Jahren hatte Schirmer pro Studienjahr durchschnittlich 20 Schüler zu betreuen, wobei der Trend eindeutig rückläufig war. Obwohl es keine zeitgenössischen Berichte über den Ablauf des Unterrichts gibt, läßt sich der Ausbildungsgang in der Landschaftsklasse einfach rekonstruieren, da Schirmer später in Karlsruhe nach der gleichen Methode vorging.[54] Auf die „vorbereitende Malklasse", in der man sowohl nach Ölstudien, Zeichnungen und ausgeführten Kompositionen des Lehrers kopierte als auch im Freien und auf Reisen intensives Naturstudium unter seiner Anleitung betrieb, folgte die „Klasse der ausübenden Künstler". Die Studierenden, die in diese abschließende Klasse aufgestiegen waren, führten Gemälde nach eigenen Entwürfen aus, „die nur noch der Leitung des Lehrers in Bezug auf die höheren ästhetischen Anforderungen bedürfen."[55] Der Besuch dieser Künstlerklasse war auf fünf Jahre begrenzt.

Zu den ersten Schülern Schirmers zählte der aus Aachen stammende Caspar Scheuren, ein ausgesprochenes Naturtalent, das schon früh von sich reden machte. Seit dem Wintersemester 1830/1831 studierte er in der „Klasse der ausübenden Künstler", wo er rasch avancierte. Nach zwei Jahren bestätigte man ihm „vortreffliche" Anlagen, „sehr guten" Fleiß und „sehr gutes" Betragen.[56] Neben Schirmer war es vor allem Lessing, dessen Burgen-, Räuber- und Klosterromantik den „mit wahrhaft verschwenderischen Gaben"[57] gesegneten Eleven tief beeindruckte. So kreisen denn auch seine in den 1830er Jahren entstandenen, stets bejubelten Kompositionen um einen vergleichsweise schmalen Vorrat verwandter Versatzstücke: Burgen, Schlösser, Klöster, Räu-

ber, Pilger, sumpfige Flußlandschaften, Uferstreifen mit machtvollen Eichen. Diese Thematik, in der die genrehafte Staffage und ein kräftiges Kolorit – im Gegensatz zu Schirmer – eine tragende Rolle spielten, verdiente bereits 1830 eine „rühmliche Auszeichnung."[58] Scheuren galt bald als äußerst phantasiebegabter, geistreicher und unermüdlicher, aber mit leichter Hand arbeitender Künstler, der sich nicht lange um seinen Stoff mühen mußte. Wenngleich immer wieder wohlmeinende Stimmen laut wurden und ihm „mehr Sammlung und Ruhe"[59] wünschten, so wurde dieses allerorten beklagte Manko relativiert durch den Hinweis, „daß sich hinter seinen Fehlern noch größere Tugenden offenbaren, nämlich die Tugenden eines genialen Geistes."[60] Man scheute sich nicht, ihn „einen Lessing Ebenbürtigen"[61] zu nennen, und pries seine „unversiegbare Genialität."[62] Daß Scheuren jedoch weder mit der gestalterischen Kraft und Transparenz Schirmers begabt war noch mit dem tiefen Ernst Lessings konkurrieren konnte, beweisen Bilder wie die 1846 datierte „Gewitterlandschaft" (Kat.Nr. 221). Es stört nicht so sehr die oberflächliche Effekthascherei des flackernden Lichtspiels, das Unruhe in die Komposition trägt, oder die um Inhalt allzu bemühte Phantasie. Vielmehr vermißt man gerade die Tugenden, die für die Schirmer-Schule verbindlich sind: die Korrektheit im Detail, die exakte Zeichnung, das charakteristische Kolorit. Die Vertrautheit mit holländischen Landschaftern des 17. Jahrhunderts (J. van Goyen, J. van Ruisdael) erwarb sich Scheuren sicherlich schon bei Schirmer, dem er ihnen auch viel zu verdanken hatte.

In den 1850er Jahren befaßte sich Scheuren vorwiegend mit dem Aquarell und gestaltete außer den berühmten Folgen mit Rheinansichten und dem „Album der Burg Stolzenfels" eine Vielzahl vorzüglicher Arabeskenzeichnungen, Titel- und Dedikationsblätter, Glückwunschadressen, Diplome, Ehrenbürgerbriefe, wobei er mit großem Geschick Landschaft, Allegorie und Ornament kombinierte.

Wie Scheuren gehörte auch der Koblenzer Johann Adolf Lasinsky zu den ersten, die sich in der „Klasse der ausübenden Künstler" unter Schirmers Obhut begaben. Er hatte zuvor schon sehr viel am Rhein, an der Mosel und Lahn skizziert, ließ sich aber dann „im Malen ausbilden, denn seine Farbe ist nicht viel wert."[63] Auch er galt von Anfang an als ein großes, vielversprechendes Talent, dessen „ausgezeichnete" Anlagen, „musterhafter" Fleiß und „tadelloses" Betragen gerühmt wurden.[64] Thematisch geriet er alsbald in den Bann Lessings, den er auf seinen Studienreisen in die Eifel begleitet hatte. Ein bezeichnendes Beispiel dieser frühen Entwicklungsstufe ist der 1830 entstandene „Erker am alten Rathaus zu Koblenz" (Kat.Nr. 151). Die Wahl gerade dieses Architekturstils entspricht der romantischen Vorliebe Schirmers[65], aber auch Lessings, für die Gotik. Lasinsky hält sich mit der Akribie eines Bauzeichners an die spätgotische Architektur. Genau beobachtete Licht-Schatten-Kontraste und eine subtil nuancierte Tonmalerei betonen die Plastizität des Baukörpers. Im Gegensatz zu Scheuren besticht bei ihm die geduldige, naturwahre Durchführung des Details. In seinem späteren Schaffen gelangen ihm effektvolle Stimmungslandschaften, denen sorgfältige Naturstudien vorausgingen.

Ein allem Dramatischen und Bizarren abgeneigter Künstler war Friedrich Heunert aus Soest, der auch zum „Urstamm"[66] der Düsseldorfer Landschafter gehörte. Vorzugsweise im intimen Kleinformat malte er freundliche, heiter gestimmte „Porträts" seiner westfälischen Heimat. Auffallend ist die akkurate, glatt vertriebene Malweise, die, wie auch beim Blick ins Lennetal in der Nähe von Hohensyburg (Kat.Nr. 101), jedes Motiv mit gleicher Liebe und Hingabe behandelte.

Adolf Hoeninghaus aus Krefeld übertrug die von seinem Vater, einem bekannten Mineralogen, vererbten naturwissenschaftlichen Interessen auf die Landschaft, deren Gesteinsschichten er mit einem an Lessing gemahnenden Eifer erforschte. Zu Schirmer hatte er persönlich ein sehr inniges Verhältnis, „sein großes . . . Kunstinteresse verband uns immer mehr, sodaß wir Freunde wurden."[67] Vielfältig waren die Anregungen, die ihm Schirmer während gemeinsam unternommener Studienfahrten in die Eifel[68] sowie in der Malklasse gab. „Weniger romantisch veranlagt wie sein Lehrer, neigte er einem stärkeren Realismus in fast übertriebener Schärfe der Zeichnung zu."[69] Doch eignet den in den 1830er Jahren entstandenen Landschaften noch ein ausgesprochen lyrischer Grundton. Aber auch diese frühen Bilder tragen bereits den unverwechselbaren Stempel eines mineralogisch äußerst versierten Fachmannes. So zeigt das Motiv aus dem Ahrtal (Kat.Nr. 107) am rechten Bildrand eine steil abfallende Felskulisse, deren zeichnerisch präzise markierten Strukturen sofort ins Auge fallen.

Seit 1830 war Eduard Wilhelm Pose, ein gebürtiger Düsseldorfer, Schüler der „Klasse der ausübenden Künstler". Die Schülerlisten bescheinigen ihm für das Wintersemester 1832/1833 „bedeutende" Anlagen, „erfreulichen" Fleiß und „gutes" Betragen.[70] Seine ersten Landschaften stellten Gegenden aus der Eifel dar, die im Ton, in der Stimmung und in der Staffierung an thematisch verwandte Kompositionen Lessings erinnern. Erst nach der 1836 zusammen mit Andreas Achenbach unternommenen Reise nach München, wo er Rottmann kennenlernte, löste er sich von diesem Einfluß. Für seine weitere Entwicklung höchst bedeutsam wurde ein dreijähriger Italien-Aufenthalt (1842–1845). Pose erlebte die Weite und Großzügigkeit dieser Natur als Befreiung von frühen Leitbildern und erfuhr voll Hingabe ihren sanft gleitenden harmonischen Linienfluß. Ein reifes, wohl in Deutschland nach Studien lebendig gemaltes Dokument dieser Umorientierung ist die 1855 datierte „Campagnalandschaft" (Kat.Nr. 186) bei Tor del Quinto.[71] Drei bildparallele Schichten, die gegen den Hintergrund perspektivisch verkürzt gezeichnet sind, gliedern – unterstützt durch alternierende Dunkel-Hell-Kontraste – den Tiefenraum. Ein Weg und ein Fluß winden sich von zwei Seiten diagonal in den Mittelgrund. Die Bildanteile sind genau ausgewogen, Landschaft und Himmel nehmen je eine Hälfte ein. Die höchste Bergspitze im Hintergrund markiert den Bildmittelpunkt. Dieses disziplinierte, aber dennoch ungekünstelte Arrangement garantiert Ausgewogenheit und Harmonie ohne gravierende kompositionelle Eingriffe. Die Ebene ist weit überschaubar, keine Requisiten verstellen den Blick in die Ferne. Pose kannte zweifellos die italienischen Studien Schirmers, die ihn in seinen Anschauungen bestätigten.

An zwei Künstler sei in diesem Zusammenhang noch erinnert, deren Werk bis zum heutigen Tage leider viel zu wenig Beachtung fand: Ludwig Hugo Becker und Julius Rollmann. Beckers 1865 entstandener „Berghang" (Kat.Nr. 23), eine lichtdurchflutete Perle der Freilichtmalerei und wie viele gleichartige Naturaufnahmen „ein Bild voll Vollendung im Kleinen"[72], weist in der Kühnheit des Bildausschnitts und in der frischen unkonventionellen Farbgebung über verwandte Studien seines Lehrers Schirmer hinaus. Rollmann, der sich mit Becker, Carl Irmer und Wilhelm Busch zu Studienzwecken mehrfach in den deutschen Alpen aufhielt, war stark beeinflußt von dem reichen Studienmaterial Schirmers, dessen Klasse er allerdings nie angehörte. Der sehr stimmungsvolle, breit und mit Verve gemalte „Obersee" (Kat.Nr. 199) von 1855 verrät vor allem in den delikat variierten Braun- und Grünwerten das Vorbild Schirmers, wenngleich der breite Vortrag und die Intensität der grünen Tonskala bereits eine fortgeschrittene Stilphase anzeigen.

Der bedeutendste Schirmer-Schüler, dessen Genie die Kunstwelt fast ein Jahrhundert lang in Atem hielt, war Andreas Achenbach. Ein frühreifes, ungestümes malerisches Temperament setzte sich respektlos über alle Schranken hinweg. Noch bevor er 1832 in die Klasse Schirmers aufgenommen wurde, lieferte er mit einem wahren Geniestreich den Beweis für sein überragendes Talent. Als Sechzehnjähriger konterfeite er „Die alte Akademie in Düsseldorf" (Kat.Nr. 1), ein kühnes Bravourstück, das in der präzisen wirklichkeitstreuen Wiedergabe der Architektur Genüge fand. Diese nüchtern-sachliche Sehweise war in der damaligen Düsseldorfer Malerei ohne Beispiel, geschweige denn hatte sie Anspruch auf künstlerische Wertschätzung. Bis 1836 studierte er dann bei Schirmer, dessen Unterricht ihm „zuwider"[73] war. Achenbach hatte größte Mühe, sich in diese Gemeinschaft zu fügen. „Ich war sehr vorlaut, machte gern schlechte Witze, verfeindete mich mit meinen Kollegen und stand allein."[74] Die Eintragungen in den Schülerlisten vom Jahre 1832/1833 lobten zwar „sehr bedeutende" Anlagen, bemängelten aber „wenig" Fleiß und „schlechtes" Betragen.[75] Als der Rebell 1836 wegen Unstimmigkeiten mit der Direktion

Düsseldorf den Rücken kehrte und nach München übersiedelte, war sein Name bereits ein Gütesiegel ersten Ranges. Inzwischen hatte er die Marinemalerei für sich entdeckt, der er mit nie erlahmender Produktivität bis ins hohe Alter treu blieb und die bald in ganz Deutschland Nachahmer finden sollte. Die unerhörte Meisterschaft, die er binnen kurzem auf diesem Gebiet erlangte, war für die Kunstkritik Anlaß genug, nur noch „Arbeiten der berühmten niederländischen Maler dieses Fachs"[76] zum Vergleich heranzuziehen. Mit atemberaubender Virtuosität schilderte er sturmgepeitschte Meereswogen unter drohendem Gewitterhimmel, die in Seenot geratene Schiffe wie einen Spielball auf und ab tanzen lassen, und er beobachtete aufmerksam die Fischer, die mit letztem Einsatz der geballten Naturgewalt widerstehen.

Seit 1836 malte er mit großem Erfolg norwegische Landschaften, ohne dieses Land aus eigener Anschauung zu kennen.[77] Zeichnerische Brillanz und ein ausgeprägter Sinn für koloristische Einheitlichkeit charakterisieren diese freierfundenen Kompositionen, deren „norwegische Felsen auf dem Hunsrücken in der Nähe von Simmern gewachsen sind."[78]

In den 1850er und 1860er Jahren stand der „Meteor am Himmel der Landschaftsmalerei"[79] im Zenit eines geradezu rauschhaften Schaffensprozesses. Ohne Einschränkung galt er als unerreichter „Führer der naturalistischen Richtung"[80], als ein wahrhafter Titan, dessen unablässiger Leistungsstrom mit herkömmlichen Wertmaßstäben nicht mehr zu fassen war. Die Kritik mühte sich schier atemlos, mit immer neuen Superlativen diesem Phänomen Herr zu werden. Man begriff den Künstler als gottbegnadete, über außergewöhnliche Fähigkeiten souverän gebietende unfehlbare Schöpfernatur, die strahlend das „Morgenrot des Realismus in Deutschland"[81] verkörperte und zugleich in ungeahnter Vollendung einen absoluten Grenzwert dessen markierte, „was . . . die gesunde Anschauung und Wiedergabe der Natur auf dem Gebiete der Landschaftsmalerei leisten kann."[82] Und selbst die von allen Theoretikern einhellig als musterhafte Vorbilder gepriesenen Repräsentanten der barocken Landschaft verblaßten hinter seinem Stern: „Er ist in einem Sinne, wie es kaum jemals ein Maler war, auch Claude Lorrain und Ruysdael nicht, der Herrscher über Land und Meer . . ."[83] Neben Marinen- und Strandbildern begeisterten vor allem seine im Charakter der westfälischen oder niederländischen Landschaft angelegten, häufig mit einer Mühle staffierten Kompositionen, ein auch von den Malerkollegen geschätztes Sujet. Die 1866 entstandene „Erftmühle" (Kat.Nr. 6) stellt ein Hauptwerk dieses Themenbereichs dar. Obwohl ein ganz bestimmter Landschaftstyp und seine einzelnen Bestandteile in enger Anlehnung an die Natur wirklichkeitsgetreu wiedergegeben sind, ist eine genaue Lokalisierung des Motivs nicht möglich. Diese Mißachtung topographischer Eindeutigkeit oder gar Exaktheit bei gleichzeitigem intensivem Bemühen um naturhafte Gestaltung ist ein Symptom der Düs-

seldorfer Landschaftsmalerei. Achenbach steht in dieser Schultradition, die er folgerichtig fortgeführt hat. Es gelang ihm, seinen aus der Erinnerung entwickelten, im Idiom einer real existenten Gegend ausgeführten Kompositionen ganzheitlich ein Höchstmaß an Glaubwürdigkeit mitzuteilen, wobei er sich nicht auf eine nur realistische Detailschilderung beschränkte wie die noch in romantischen oder heroischen Kategorien denkenden Düsseldorfer Künstler der ersten Stunde. Achenbach überwand diese die Natur nur im Hinblick auf ihre literarisch-philosophischen Qualitäten selektiv auswertende Malerei. „Er gab die landschaftliche Erscheinung um ihrer selbst willen und das Natürliche ohne jede Nebenbedeutung."[84]

Eine weitere wichtige Werkgruppe stellen die seit 1862 entstandenen Ansichten holländischer und belgischer Hafenstädte dar. Der 1876 datierte monumentale „Fischmarkt in Ostende" (Kat.Nr. 7) mit der korrekt wiedergegebenen alten Stadtsilhouette im Hintergrund, das bedeutendste Beispiel aus dieser Serie, beeindruckt durch eine kunstvoll arrangierte Zusammenschau von Hafenanlage, Alltagsszene und Architektur. Die Statik der machtvoll ausladenden, das Bildgefüge stabilisierenden Segel in der verschatteten linken Bildhälfte kontrastiert lebhaft mit der dynamischen, geschäftig drängenden Menschenmenge auf dem lichterfüllten Markt, wohin die energisch geführte Diagonale des Fischerbootes im Vordergrund den Blick lenkt. Diesem Geschick für stimmungsvolle Effekte entspricht auch die differenzierte Farbigkeit. Mit koloristischem Raffinement ist die hinter einem Dunstschleier nur schemenhaft wahrnehmbare Stadtansicht in Gegensatz gebracht zu der klaren formbetonten Linienführung der Segel und Schiffsmasten.

In den 1880er Jahren erlahmte zusehends der schöpferische Elan Achenbachs. Der Markt wurde überschwemmt mit zahlreichen Varianten einst erfolgreicher Kompositionen. Dies war auch der Zeitpunkt, da erstmals massive Kritik an dem einst vorbehaltlos gefeierten Künstler laut wurde. „Die Bilder von Achenbach sind in der Mehrzahl unerträglich, weil sie sich in so wenigen und nur unwesentlichen Dingen von einander unterscheiden."[85] Man bemängelte „ein fast unverhülltes Virtuosentum" und kreidete ihm „ein ewiges Wiederkäuen derselben Motive"[86] an. Besonders hart ging Karl Stauffer-Bern mit „Achenbach und Konsorten" ins Gericht. Seine Anschuldigungen gipfelten in dem Vorwurf, die Marinen seien „auswendig gemalt . . ., nicht auf unmittelbarer Beobachtung basierend . . . Seifenschaum und Mehlsuppe und Pinselgymnastik, aber kein Meer. Vergegenwärtigen Sie sich gefälligst einmal, daß z. B. Andreas Achenbach seit dreißig Jahren beinahe nichts, gar nichts malt als immer dasselbe sogenannte sturmgepeitschte Meer, oder denselben Mühlbach mit derselben Mühle in derselben Stimmung."[87]

Während seiner 25jährigen Lehrtätigkeit studierten 146 angehende Landschaftsmaler in der Klasse Schirmers. Es war vor allem auch sein Name, der der Düsseldorfer Schule zu raschem Ruhm verhalf. Bald stellten diese Künstler auf Ausstellungen das Hauptkontingent der Bilder, heimsten große Erfolge ein und behielten „im Allgemeinen die Herrschaft über die anderen Genres."[88] Was diese Gemälde bei allen Unterschieden des Temperaments und trotz stilistischer Vielfalt verband, war ein solides, gründliches Naturstudium. „Diese, allen düsseldorfer Landschaftsmalern gleichsam von Kindesbeinen an eingepflanzte Achtung und vorausgesetzte Uebung vor der Natur ist es denn auch vornämlich was ihre Leistungen so einheitlich durchdringt . . ."[89] Folgte ein Teil der Schüler mehr den Prinzipien klassisch-idealer Landschaftsdichtung im Sinne Schirmers, so hatte sich die andere, zukunftsorientierte Richtung der Schilderung vergleichsweise einfacher Themen verschrieben. Dieser zweiten Gruppe ist der Norweger Hans Frederik Gude zuzurechnen, ein „Vermittler zwischen der Idealität Schirmer's und dem Naturalismus Achenbach's."[90]

Am 27. 11. 1854 trat Gude als Nachfolger Schirmers die Leitung der Landschaftsklasse an, der er mit großem Erfolg bis zum Jahre 1862 vorstand. Seine Popularität und sein Ruf trugen viel zur Attraktivität der Düsseldorfer Akademie auch außerhalb der Grenzen Deutschlands bei; der mit seinem Amtsantritt verstärkt einsetzende Zustrom norwegischer Kunstschüler ist ein Beweis dafür.[91] Gude studierte 1842–1844 in der Klasse Schirmers, nachdem er zuvor im Privatatelier Andreas Achenbachs unterrichtet wurde. Der Realismus Achenbachs stimulierte ihn dabei mehr als Schirmers gerade zu diesem Zeitpunkt vehement einsetzende Hinwendung zur klassischen Landschaft. Dennoch schuf er sich erst unter Schirmers Anleitung durch eifriges Naturstudium eine solide Grundlage für seine späteren Arbeiten. Zeitlebens beharrte er auf dem „Düsseldorfer Respekt vor der Natur, als der sichersten Quelle, aus der man schöpfen konnte . . ."[92] Das norwegische und bayerische Hochgebirge, bizarre Fjordlandschaften und einsame Küstenstreifen kennzeichnen seine thematische Spannweite. All diesen Bildern eignet eine unpathetisch ernste Natürlichkeit und ein Hang zur Objektivität, ohne dabei dem Detail dieselbe Aufmerksamkeit zu widmen wie Schirmer. Gudes Malweise ist großzügiger, aber deshalb nicht weniger korrekt. Seine zahlreichen Gebirgslandschaften verraten wohl das Vorbild Achenbachs, jedoch setzt die systematisch geschichtete Natur auch die Kenntnis der Schweizer Alpenbilder seines Lehrers Schirmer voraus. Schadow schien diese um sich greifende prosaische Naturbetrachtung mit Unbehagen zu verfolgen. Vergeblich mühte er sich 1857 um eine Kurskorrektur, als er seinen zuständigen Minister bat, die Leitung der Landschaftsklasse wieder einem Repräsentanten der „idealen Richtung" anzuvertrauen, um der „fast aller Orten in üppiger Blüte sich ausbreitenden naturalistischen Richtung aus-

gleichend und reinigend"[93] entgegen zu wirken. Aber nicht nur die jungen Kunstschüler folgten voller Begeisterung diesem Stilwandel, auch die Gunst des Publikums konnte Gude im Laufe der Zeit gewinnen, so daß er „den zahlreichen Aufträgen, die ihm von allen Seiten der gebildeten Welt zukommen, kaum zu genügen"[94] vermochte. Die überwältigenden Erfolge Andreas Achenbachs hatten auch dem eine vergleichbare Position vertretenden Norweger den Weg bereitet. Gude, der wie „kein hiesiger Landschaftsmaler . . . an die Genialität des ältern Achenbach erinnert"[95], vermochte mit ausgeprägter Sensibilität und wachem Sinn die Stimmung und den spezifischen Reiz einer bestimmten Gegend mitzuteilen.[96] Poesie und Wirklichkeit durchdringen sich in seinem Werk makellos.

Auf eigenen Wunsch schied der Künstler am 19. 11. 1862 nach achtjähriger erfolgreicher Tätigkeit aus dem Lehrerkollegium aus. Bevor Oswald Achenbach 1863 offiziell als Nachfolger bestätigt wurde, leitete Gudes Schüler Karl Irmer interimistisch die Klasse. Die bedeutendsten der zwischen 1854 und 1862 eingeschriebenen 48 Schüler waren Anders Askevold, Frederik Collett, Lars Hertervig, Karl Irmer, Hjalmar Munsterhjelm, Amaldus Nielsen, Axel Nordgren und Theodor Poeckh. Gudes Unterricht war von liberalen Grundsätzen geprägt. Keinem Schüler sollte das Kunstideal des Lehrers Verpflichtung sein, jeder wurde nach seinen Fähigkeiten gefördert. So ist es verständlich, daß so grundverschiedene Talente wie Collett oder Hertervig nach Düsseldorf kamen. Irritierte Hertervig, eine ganz außergewöhnliche, leider durch Geisteskrankheit in seiner Entwicklung behinderte Begabung, durch seltsam verwunschene, märchenhaft-surreale Landschaftsvisionen, so wandte sich Collett konsequent der Freilichtmalerei zu.

Am 1. 3. 1863 hatte Oswald Achenbach die Nachfolge Gudes angetreten. Wie sein Vorgänger studierte auch er einst an der Düsseldorfer Akademie (seit 1835), ohne allerdings je in einem offiziellen Schülerverhältnis zu Schirmer gestanden zu haben. Die erste Ausbildung hatte er bei seinem um zwölf Jahre älteren Bruder Andreas erhalten. Dennoch ist der starke Einfluß Schirmers auf das Frühwerk unverkennbar.

Die während Achenbachs erstem Rom-Aufenthalt 1850 entstandenen „Zypressen" (Kat.Nr. 9) aus dem Park der Villa d'Este in Tivoli sind ohne die Kenntnis einer zehn Jahre zuvor gemalten Ölstudie Schirmers (Kat.Nr. 233) nicht vorstellbar. Beide Künstler zwängten das Motiv in ein enges Hochformat und erreichten eine gleichsam heroische Monumentalisierung dieser drängend-pulsierenden Vegetation, deren olivgrün-braunes Kolorit effektvoll mit dem intensiven Blau des Himmels kontrastiert. Doch werden prinzipielle Unterschiede bei näherem Betrachten augenfällig. Bei Schirmer dominieren Detailreichtum, kraftvolle Malweise und Betonung des Bildausschnitts, Achenbachs Pinselführung ist lockerer und weicher, die näher zusammengerückten

101 J. W. Schirmer, Heranziehendes Gewitter in der römischen Campagna. Karlsruhe, Staatliche Kunsthalle

Bäume sind als geschlossene Masse mit vereinheitlichender Kontur aufgefaßt. Diese Italienreise prägte entscheidend seine weitere künstlerische Entwicklung. Die Landschaft der römischen Campagna nahm zunächst sein ganzes Interesse in Anspruch. Wie sehr Achenbach in dieser Frühphase noch dem Vorbild Schirmers verpflichtet war, beweist auch die wohl um 1855 zu datierende „Campagnalandschaft" (Kat.Nr. 11), ein dunkeltoniges Bild, dem durch das keilförmig gebündelte Licht am Firmament ein starker Tiefensog eignet. Das Gemälde entstand wohl ein wenig später als Schirmers „Heranziehendes Gewitter in der römischen Campagna" (Abb. 101). Wenngleich Achenbach auch nicht den strengen Regeln der Schirmerschen Komposition schulmäßig folgte, so gibt es doch manche ins Auge fallende Parallelen: die Gliederung des Himmels mit den von rechts ins Bild ziehenden Gewitterwolken, der Sorakte im Hintergrund, die detailliert gezeichneten Pflanzen und Steine in der vorderen Zone oder der mit Bäumen und Felsen staffierte rechte Mittelgrund, wodurch der Blick nach hinten verstellt ist. Im Gegensatz zu Schirmer sind die Figuren nicht nur wesentlich größer dimensioniert, es wurde vor allem auch ihre Funktion in der Natur neu definiert und bewertet.[97] Und gerade die genau kalkulierte Wahl der figürlichen Staffage trug ihm häufig viel Beifall ein. Gezielt bemühte er sich um die jeweils passenden italienischen Volkstypen, womit er den Eindruck größtmöglicher Naturnähe erreichte.

Obwohl Oswald schon von Anbegin in die Schußlinie kritischer Beobachter geriet, stellte man ihn doch mit seinem Bruder Andreas auf eine Stufe und lobte die „Düsseldorfer Dioskuren"[98] überschwenglich als „das geniale Brüderpaar."[99]

In wenigen Jahren avancierte Achenbach in Deutschland zum erfolgreichsten Schilderer des Südens. „Niemand hat wie dieser eminent begabte Künstler jemals die italienische Natur in so charakteristischer Weise dargestellt."[100] Aber Oswald besaß weder einen Sinn für die Schattenseiten dieser Postkartenidyllen noch kümmerten ihn die realen Verhältnisse, unter denen seine meist gut gelaunten, malerisch drapierten Assistenzfiguren lebten.

In Italien begriff er Licht und Farbe, „im vollen Gegensatz zur Herrschaft der strengen Linie"[101], als Konstanten seiner Kunst. Alle möglichen Aspekte der Beleuchtung variierte er mit großem Geschick und Lust am frappierenden Effekt. Licht wurde zum eigentlichen Inhalt seiner Kunst, wobei heiter und freundlich gestimmte Motive eindeutig überwiegen. Immer wieder verkündet die grelle blendende Sonnenscheibe einen brütendheißen Tag oder sie versinkt als Feuerball am orangerot-goldenen Abendhimmel, so daß ein Spötter schreiben konnte: „Wenn im Reiche des fünften Karl die Sonne nimmer unterging, bei Oswald Achenbach geht sie – immer unter."[102] Ähnlich wie seinem Bruder Andreas wurde aber auch Oswald schon relativ früh die ständige Wiederholung einiger populärer Themen „in fast fabrikmäßiger Vielmalerei nach einem nun fast stereotyp gewordenen System"[103] zum Vorwurf gemacht. „Wie wenig es O. Achenbach auf wirklich künstlerisches Schaffen ankommt, beweist schon der Umstand, daß man seine ‚Ansichten von Neapel' zu Dutzenden zählen kann, ohne daß in ihnen, weder in Auffassung des Motivs noch der Stimmung, besondere Unterschiede zur Erscheinung kämen."[104] Oft provozierten auch übertriebene, auf die Sensationsgier des Publikums zielende theatralische Beleuchtungseffekte und eine geradezu orgiastische Lichtregie den Unwillen der Kritiker. In vielen dieser technischen Bravourleistungen entfachte der Künstler ein koloristisches Feuerwerk, „als male er in der Absicht, den Fremdenverkehr zu heben."[105] Oswalds Landschaften basieren immer auf persönlichem Augenschein und lassen sich – im Gegensatz zu Schirmers erdichteten Idealkompositionen – ohne Ausnahme fast mühelos topographisch fixieren, ja, sie haben zuweilen Vedutencharakter. Allerdings vermittelt er in den meisten Fällen kein absolut naturwahres Abbild, sondern bevorzugt bewußt eine den Effekt einkalkulierende schönfärberische Attitüde. In vielen Bildern vermischt sich daher die „objektive Realität der wirklichen Natur mit freiester Subjektivität künstlerischen Erfassens der Stimmung."[106]

In Achenbachs Klasse waren zwischen 1863 und Dückers provisorischer Amtsübernahme (1872) 50 Schüler offiziell eingetragen, von denen einige großes Ansehen erlangten: Gregor von Bochmann, Themistocles von Eckenbrecher, Theodor Hagen, Albert Hertel, Louis Kolitz, Ascan Lutteroth, Georg Rasmussen, Carl Seibels und Christian Wilberg. Keiner dieser Künstler verharrte in bloßer Nachahmung Achenbachscher Thematik und Stilprinzipien.[107] Manchem bedeutete die Düsseldorfer Ausbildung die Voraussetzung für eine spätere Hinwendung zum Realismus (Hagen, Hertel,

Seibels). Pädagogisches Engagement, Gewissenhaftigkeit und Geschick im Umgang mit den Studierenden erklären die Sympathien, deren er sich erfreute. Louis Kolitz, 1865–1869 Schüler Achenbachs und seit 1879 Direktor der Kasseler Akademie, resümierte die Unterrichtsmethode in wenigen Sätzen: „Das Hauptgewicht in seiner Lehrtätigkeit legte Oswald Achenbach auf die Komposition in dem Sinne, daß das Motiv, die Gegenstände eines Bildes, sich der effektvollen Verteilung von Helligkeit und Dunkelheit, der geschmackvollen Wirkung der Farbentöne unterordnen müßten . . . Um sich verständlich zu machen, griff er manchmal zur Palette des Schülers und malte mit breiten Pinselstrichen, indem er den Lichteffekt des ganzen Bildes änderte . . . er wußte der Selbständigkeit, der besonderen Begabung eines Schülers aufs äußerste zu folgen. Nebenbei verwies er auf die Bilder seines Bruders Andreas, auch auf die Kompositionen Turners."[108]

Es scheint fast so, als habe – wie im Falle Schirmers – Achenbachs nachlassende Popularität als Akademieprofessor das freiwillige Ausscheiden aus dem Lehrerkollegium beschleunigt. In Presseberichten wurde „darauf hingewiesen, daß der Einfluß Oswald Achenbach's ersichtlich demjenigen Dücker's zu weichen beginne . . ."[109] Zweifellos war diese Reaktion in einem allgemeinen Stilwandel begründet. Die über Generationen von nahezu allen Landschaftern uneingeschränkt akzeptierte Vorbildlichkeit der italienischen Natur wurde plötzlich in Zweifel gezogen, und Oswald Achenbach galt „letzten Endes" als „der einzige Fortsetzer des nachitalienischen Schirmer am Niederrhein."[110] Die vorimpressionistische Kunst Frankreichs hatte inzwischen in Düsseldorf an Einfluß gewonnen, was sich künftig nicht nur auf die Malweise, sondern vor allem auch auf die Themenwahl auswirken sollte. So war es nur konsequent, daß mit dem Balten Eugen Dücker ein Künstler an den Rhein berufen wurde, der sich gerade mit diesen zeitgenössischen Strömungen auseinandersetzte. Im Wintersemester 1874/1875 hatte Dücker nach langwierigen Verhandlungen mit der Direktion offiziell die Nachfolge Achenbachs angetreten.[111] Unter seiner stetigen Führung erlebte das Landschaftsfach in den folgenden vier Jahrzehnten einen Aufschwung, der nur mit der Pionierleistung Schirmers zu vergleichen ist. Thematisch griff Dücker die einst durch Andreas Achenbach in Düsseldorf popularisierte Marinemalerei wieder auf, verkehrte jedoch die Intentionen seines berühmten Zeitgenossen ins Gegenteil. Er distanzierte sich entschieden vom Drama der wild bewegten, in Aufruhr geratenen See, die direkt auf die Emotionen des Betrachters abzielte. Dücker ergründete den Reiz stiller Buchten und Ostseestrände in seiner baltischen Heimat, er thematisierte Ruhe und Harmonie. Seine Kunst hatte sich im Laufe der Zeit von der Düsseldorfer Schultradition weit entfernt. Der einst so bedeutsame Bildinhalt verlor zusehends an Gewicht, während die rein malerische Substanz auch und gerade belangloser Motive in den Mittelpunkt des Interesses rückte. Dücker betrieb ein intensives und systematisches Studium koloristischer Phänomene und lauschte der Natur eine raffinierte Palette feinster Tonnuancen ab. Diese einfache, aber klare Sprache des Künstlers, der ohne kompositorischen Zierrat Genüge fand in der bloßen Vergegenwärtigung eines schlichten Motivs, „wirkte . . . geradezu epochemachend."[112]

1885 malte Dücker sein großes Strandbild (Kat.Nr. 66), ein wichtiges Dokument seiner mittleren Schaffensphase, das eine Partie bei Arcona auf Rügen wiedergibt. Landschaftsausschnitt, Einzelmotive sowie das in horizontalen Schichten einfach und klar gegliederte Bildgerüst zeigen auffallende Übereinstimmungen mit Schirmers Meeresstudie „Steiniger Strand" (Kat.Nr. 227), die 1836 in der Normandie gemalt wurde. Es ist kaum denkbar, daß Dücker sein Gemälde ohne die Kenntnis dieses Sujets oder vergleichbarer Studien Schirmers konzipierte. Der Verzicht auf rahmende Seitenkulissen und die schlichte Natürlichkeit der räumlichen Organisation vermögen nicht darüber hinwegzutäuschen, daß auch in diesem Beispiel überlegt komponierte Einzelbereiche, wie der Vordergrund mit den rhythmisch aufgereihten, genau gezeichneten Steinbrocken, die Tradition der Düsseldorfer Landschaftsschule nicht verleugnen können.

Dücker, „der vielbewährte Maler der Ostsee"[113], unterrichtete während seiner mehr als 40jährigen, überaus erfolgreichen Lehrtätigkeit 82 eingetragene Schüler, zu denen u. a. die später berühmt gewordenen Max Clarenbach, Hans Herrmann, Olof Jernberg, Friedrich Kallmorgen, Eugen Kampf, Hellmuth Liesegang, Otto Modersohn, Erich Nikutowski, Walter Ophey, Fritz Overbeck und Otto Strützel zählten. Es war das große Verdienst Dückers, die unterschiedlichsten Begabungen nach Kräften individuell zu fördern. Was er ihnen als verbindliche Richtschnur mitteilen konnte und wollte, war „Treue gegen die Natur und Scheu vor der Wirklichkeit."[114] Sein weitreichender Einfluß als Akademieprofessor kann durchaus an der Position Schirmers gemessen werden. Dücker vertrat eine Mittlerrolle zwischen Tradition und Neuzeit, der er den Weg ebnete: Der 1908 noch während seiner Amtsperiode ins Leben gerufene Düsseldorfer „Sonderbund"[115] hatte „der alten Kunst in dieser neuen Stadt ihr Angesicht, das zu lange über'm Genick nach hinten sah, sacht und schmerzlos wieder nach vorne"[116] gedreht.

Anmerkungen

1 K. Immermann, S. 34.
2 P. Kauhausen, Lebenserinnerungen Schirmer.
3 Diese Abneigung gegen die Landschaftsmalerei hat ihre Wurzeln auch in G. E. Lessings kritischer Studie „Laokoon oder Über die Grenzen der Malerei und Poesie" (1766). Lessing attestierte nur dem Menschen die

„höchste körperliche Schönheit . . . vermöge des Ideals. Dieses Ideal findet bei den Tieren schon weniger, in der vegetabilischen und leblosen Natur aber gar nicht statt. Dieses ist es, was dem Blumen- und Landschaftsmaler seinen Rang anweiset. Er ahmet Schönheiten nach, die keines Ideals fähig sind; er arbeitet also bloß mit dem Auge und mit der Hand; und das Genie hat an seinem Werke wenig oder gar keinen Anteil" (G. E. Lessing, Laokoon oder Über die Grenzen der Malerei und Poesie, in: Lessing, Werke, 2. Bd., hrsg. von P. Stapf, Wiesbaden o. J., S. 491). Hellsichtig prognostizierte dagegen der um 17 Jahre jüngere Wilhelm Heinse in seinem 1787 erschienenen Künstlerroman „Ardinghello und die glückseligen Inseln" der Landschaftsmalerei eine große Zukunft: „Die Landschaftsmalerei wird auch endlich alle andre verdrängen. Und also können wir gewissermaßen die Griechen übertreffen, weil wir uns gerad an die wahren Gegenstände machen, die sie verfehlt haben" (W. Heinse, Ardinghello und die glückseligen Inseln. Kritische Studienausgabe, Stuttgart 1975, S. 181).

4 Schreiben vom Dezember 1825; zitiert nach: A. Kuhn, Peter Cornelius und die geistigen Strömungen seiner Zeit, Berlin 1921, S. 160.

5 Zitiert nach: S. Wichmann, Wilhelm von Kobell. Monographie und kritisches Verzeichnis der Werke, München 1970, S. 29. Im Landschaftsfach hatte bis zu diesem Zeitpunkt Wilhelm von Kobell unterrichtet.

6 Vgl. Anm. 2, S. 48.

7 Vgl. Anm. 2, S. 58.

8 Vgl. Anm. 2, S. 58. Die Landschaften der Holländer Everdingen, Hobbema und J. van Ruisdael hatten Schirmer schon seit frühester Jugend interessiert. So radierte er 1822 seine erste Platte nach Ruisdaels „Rehjagd", 1823 folgten zwei Blätter „in Everdingen's Geschmack" (A. Andresen, Die deutschen Maler-Radirer des 19. Jahrhunderts, 2. Bd., Leipzig 1867, Nr. 1, 4 und 5). Die Kunstkritik, die vor allem in den 1830er Jahren Stilparallelen mit den Holländern registrierte, lobte vor allem Schirmers „Meisterschaft in Ausführung der Bäume, wie bei den bessern Werken Ruisdael's" (Kunstblatt 1834, Nr. 81, S. 324).

9 Vgl. Anm. 2, S. 60.

10 Vgl. M. Lehmann/V. Leuschner, S. 44 ff. mit Anm. 35.

11 „Um nicht in die bisher geübte Manier des Baumschlages zu geraten, begann ich auf Lessings Rat mit Details von Blättern und Stämmen der Bäume, vorzüglich der Eiche und Buche, bald in nächster Nähe, bald in größerer Entfernung" (vgl. Anm. 2, S. 60). Obwohl hier nicht der Ort ist, die Verbindung Schirmer–Lessing grundlegend zu reflektieren und die verschiedenen Positionen, das wechselseitige Geben und Nehmen der beiden näher zu bestimmen, muß in gebotener Kürze festgestellt werden, daß Schirmer in keinem direkten Abhängigkeitsverhältnis zu Lessing stand und auch nicht – wie oft in der Literatur erwähnt wird – als sein Schüler bezeichnet werden kann. Aber unbestritten war es Lessing, der ihm anfänglich Mut machte und prinzipiellen Rat erteilte, waren doch seine Leistungen als Landschaftsmaler schon vor der Übersiedlung nach Düsseldorf anerkannt. Dennoch profitierte auch er von dem außergewöhnlichen Talent des Freundes. Kauhausen beruft sich in diesem Zusammenhang auf einen leider nicht mehr nachweisbaren Brief Schirmers an Karl Schnaase vom Jahre 1858, in dem jener den „Irrtum der Zusammengehörigkeit" mit Lessing „nachdrücklich zurückwies" (vgl. Anm. 2, S. 106 und ebenda, Anm. 117). Völlig unzureichend ist indessen lediglich der 1838 verfaßte Beitrag „Der Zeitgeist in der Düsseldorfer Akademie" von Arnold Ruge, der Schirmer überhaupt nicht zur Kenntnis nimmt, vielmehr Lessing als Ahnherr einer „Schule in der Schule" zitiert (A. Ruge's sämmtliche Werke, 3. Bd., Mannheim 1847², S. 193).

12 Vgl. Anm. 2, S. 67. Wenngleich diese Äußerung relativiert werden muß im Hinblick auf Schirmers „offizielle" Malerei, die ganz anderen Gesetzen folgt als die einfache Naturstudie, so sei doch an die lange verbindliche Kunsttheorie des Klassizismus erinnert, wonach – wie Carl Ludwig Fernow kategorisch formulierte – „der einzelne Gegenstand . . . für sich keine ästhetische Bedeutung und kein Interesse" habe (zitiert nach: H. von Einem, Carl Ludwig Fernow. Eine Studie zum deutschen Klassizismus, Berlin 1935, S. 51).

13 I. Markowitz 1969, S. 298/299 mit Abb. 215.

14 K. Zimmermann, Johann Wilhelm Schirmer, Saalfeld 1920, S. 15.

15 Ehemals Nationalgalerie Berlin, Kat. 308.

16 1828 konnte er sein erstes wichtiges Gemälde „Deutscher Urwald" (heute verschollen) auf Vermittlung Schadows dem Kommerzienrat Koch nach Köln verkaufen. Das Bild, das im selben Jahr noch auf der jährlichen Berliner Kunstausstellung gezeigt wurde, fand in der Lokalpresse breite Zustimmung. Und am 31. 12. 1828 schrieb der Künstler an seine Mutter: „Daß ich jetzt sehr gut auskomme, weißt Du liebe Mutter, und daß mein künftiges Fortkommen noch besser geht, liegt nur an mir selbst, denn meine Arbeit gefällt, und es werden mehr Bilder gesucht, als wir malen können" (vgl. Anm. 2, S. 87).

17 Die ersten, im Studienjahr 1829/1830 für das Fach „Landschaft" eingetragenen Schüler waren: Bellut, Koch, Lasinsky, Scheuren und Wegelin.

18 Vgl. Anm. 2, S. 68.

19 Vgl. H. Appel 1974, S. 249–262.

20 Vgl. Anm. 2, S. 68.

21 Vgl. Anm. 2, S. 91.

22 Vgl. Anm. 1, S. 80.

23 Zitiert nach: Zimmermann, a.a.O., S. 23. Erst im März 1836 wurde er mit 300 Talern Gehalt als Hilfslehrer fest angestellt.

24 Eintrag in den Schülerlisten, die sich im Hauptstaatsarchiv Düsseldorf, Schloß Kalkum, befinden.

25 Kunstblatt 1830, Nr. 83, S. 329.

26 Kunstblatt 1834, Nr. 72, S. 285.

27 Kunstblatt 1835, Nr. 5, S. 19.

28 Kunstblatt 1835, Nr. 75, S. 309.

29 „Diese Hellmalerei und die mit ihr verbundene Auflockerung der Farbe entwickelte sich in Deutschland zu einer Zeit, als in Frankreich der Impressionismus noch nicht einmal in den Anfängen steckte . . . Die Blüte dieser Kunst erschloß sich zu früh und brachte keine Frucht" (W. Hütt 1964, S. 73).

30 Kunstchronik NF. XXII, 1911, Sp. 629.

31 Das Bild war spätestens Anfang April 1838 vollendet (vgl. Kunstblatt 1838, Nr. 46, S. 182).

32 Vgl. O. R. von Lutterotti, Joseph Anton Koch, Berlin 1940, Abb. 59.

33 Kunstblatt 1840, Nr. 20, S. 77. Schirmers Komposition erinnert vor allem in Einzelmotiven und im Aufbau der rechten Bildhälfte an Carl Philipp Fohrs berühmte „Landschaft bei Rocca Canterano" von 1818, die ihm sehr wahrscheinlich bekannt war (vgl. Ausstellungskatalog „Darmstadt in der Zeit des Klassizismus und der Romantik", Darmstadt, Mathildenhöhe, 19. 11. 1978–14. 1. 1979, Abb. S. 279).

34 Die Lebenserinnerungen von Eugen Bracht, hrsg. von R. Theilmann, Karlsruhe 1973, S. 58.

35 Während seiner Abwesenheit von Düsseldorf versah Lessing das Lehramt an der Akademie.

36 Für den deutschen Klassizismus, der der Landschaftsmalerei bis weit ins 19. Jahrhundert das verbindliche theoretische Fundament gab, waren Poussin und Claude Lorrain die immer wieder zitierten absoluten Leitfiguren (vgl. u. a. die Abhandlungen von C. C. von Hagedorn, S. Gessner und H. Meyer). Diese Meinung teilte auch Goethe, der Schirmers Zeitgenossen Friedrich Preller d. Ä. bei Antritt seiner Italienreise als „Reisesegen" den Rat gab, „sich nicht verwirren zu lassen, sich besonders an Poussin und Claude Lorrain zu halten und vor allem die Werke dieser beiden Großen zu studieren, damit ihm deutlich werde, wie sie die Natur angesehen . . . haben" (J. P. Eckermann, Gespräche mit Goethe. Auswahl und Nachwort von W. Flemmer, Goldmanns Gelbe Taschenbücher 950/951, S. 332/333).

37 Clemens-Sels-Museum Neuss, Inv. Nr. 1979/54

38 Vgl. D. Sutton, Gaspard Dughet. Some aspects of his art, in: Gazette des Beaux-Arts, Jg. 104, LX, 1962, S. 287, Abb. 14.

39 Zitiert nach: Ausstellungskatalog „Friedrich Preller. Ausstellung anläßlich seines 100. Todestages", Kunstsammlungen zu Weimar, 3. 8.–17. 9. 1978, o. S. Diese These vertrat nachdrücklich auch der klassizistische Theoretiker Fernow, in dessen Wertskala vorbildlicher Naturformen

Italien den höchsten Rang einnahm, während die niederländische Landschaft – „weil jene Gegenden nie eine dichterische Vorzeit gehabt haben" – ganz unten rangiert (vgl. H. v. Einem, Carl Ludwig Fernow. Eine Studie zum deutschen Klassizismus, Berlin 1935, S. 54).

40 „In Tivoli habe ich mehr gearbeitet als jemals in meinem Leben, so daß ich zuletzt mit der Feder in der Hand fast keinen Strich mehr machen konnte" (zitiert nach: Zimmermann, a.a.O., S. 31).

41 Dioskuren XV, 1870, S. 376.

42 F. von Uechtritz, 1. Bd., S. 25.

43 Kunstblatt 1848, Nr. 49, S. 195.

44 Unveröffentlichter Brief in Privatbesitz.

45 Vgl. R. Theilmann 1971, S. 110 ff.

46 Deutsches Kunstblatt VIII, 1857, S. 20.

47 Unveröffentlichtes Schreiben an Karl Schnaase vom 5. 1. 1862 im Archiv für bildende Kunst, Nürnberg.

48 Vgl. Anm. 47.

49 Unveröffentlichtes Schreiben im Archiv für bildende Kunst, Nürnberg.

50 Brief an den Bremer Großkaufmann Philipp Graeven vom 12. 11. 1857; zitiert nach: J. A. Beringer, Briefe von J. W. Schirmer, in: Die Pyramide, 1924, Nr. 3.

51 J. G. Sulzer, Allgemeine Theorie der schönen Künste, 3. Bd., 2. Aufl., Leipzig 1793 (reprografischer Nachdruck der 2. Aufl., Hildesheim 1967), S. 147.

52 Als Staffage zum „Abend" („Der Barmherzige Samariter") verwendete er eine Komposition Alfred Rethels (Städelsches Kunstinstitut Frankfurt, Kupferstichkabinett, Inv. 13047; vgl. H. Schmidt, Alfred Rethel, Neuss 1959, Abb. S. 130).

53 Schirmer entsprach mit dieser Einstellung vollkommen dem Zeitgeschmack. Die „Portraitlandschaft" oder „Vedute" wurde in der ersten Jahrhunderthälfte ausnahmslos als die niedrigste Gattung der Landschaftsmalerei abqualifiziert: „... die sinnlosen Bilder und affenmäßigen Copien, welche man ... zur Schande der Kunst anfertigt und Portraitlandschaft nennt" (H. Püttmann, S. 199).

54 Vgl. Anm. 45.

55 R. Wiegmann, S. 42.

56 Vgl. Anm. 24.

57 Müller von Königswinter, S. 363.

58 Kunstblatt 1830, Nr. 83, S. 330.

59 Kunstblatt 1836, Nr. 82, S. 340.

60 Vgl. Anm. 57, S. 365.

61 W. Weingärtner, Studien zur Geschichte der bildenden Künste im neunzehnten Jahrhundert, in: Dioskuren VI, 1861, S. 67.

62 Dioskuren II, 1857, S. 229.

63 Brief Schirmers an seine Mutter vom (vermutlich) November oder Dezember 1828; vgl. Anm. 2, S. 87.

64 Vgl. Anm. 24.

65 „Der schönste oder nur allein darstellbar mögliche Baustil war der gotische ..." (vgl. Anm. 2, S. 67).

66 Kunstchronik XII, 1877, Sp. 177.

67 Vgl. Anm. 2, S. 64.

68 Vgl. Anm. 19.

69 M. Creutz, Adolf Höninghaus, in: Wallraf-Richartz-Jahrbuch II, 1925, S. 162.

70 Vgl. Anm. 24.

71 Für das Jahr 1855 ist keine Italienreise überliefert; ein zweiter Aufenthalt im Süden datiert vom Jahre 1849.

72 L. Bund, Zur Erinnerung an L. Hugo Becker, in: Zeitschrift für bildende Kunst VIII, 1873, S. 278.

73 Aus Andreas Achenbachs Jugend. Von ihm selbst erzählt, in: Mitteilungen des Kunstvereins für die Rheinlande und Westfalen IV, Heft 1, 1933, S. 3 ff.

74 Vgl. Anm. 73.

75 Vgl. Anm. 24.

76 Kunstblatt 1836, Nr. 82, S. 339.

77 Die erste Reise nach Norwegen datiert aus dem Jahre 1839.

78 Kunstchronik XXI, 1886, Sp. 3.

79 Vgl. Anm. 57, S. 334.

80 Vgl. Anm. 57, S. 340.

81 K. von Perfall, Die Achenbach-Feier in Düsseldorf, in: Kunst für Alle I, 1886, S. 17.

82 Kunstchronik XII, 1877, Sp. 236.

83 Dioskuren VI, 1861, S. 357.

84 Thieme-Becker I, 1907, S. 43.

85 Kunst für Alle XI, 1896, S. 188.

86 W. Cohen, Die bildenden Künste. Malerei und Skulptur, in: Die Rheinprovinz 1815–1915, 2. Bd., Bonn 1917, S. 442, 443.

87 Brief Stauffer-Berns vom 8. 7. 1887 an eine Freundin; zitiert nach: O. Brahm, Karl Stauffer-Bern. Sein Leben, seine Briefe, seine Gedichte, Leipzig 1903, S. 119, 121.

88 Deutsches Kunstblatt I, 1850, S. 332.

89 Deutsches Kunstblatt V, 1854, S. 388. Aber man erhob oft auch den Vorwurf der zu großen „Aehnlichkeit der Bilder untereinander, sowohl in der technischen Behandlung als im Geiste. Hatte man eines gesehen, so kannte man, wenn auch nicht alle, so doch die meisten" (Kunstblatt 1845, Nr. 97, S. 405).

90 Vgl. Anm. 89, S. 388.

91 Vgl. Düsseldorf und der Norden 1976, S. 11 ff. Der in Dresden ansässige norwegische Landschaftsmaler Johann Christian Clausen Dahl, ein Freund C. D. Friedrichs, mokierte sich über den Wahn seiner Landsleute, die Düsseldorfer Schule als die „alleinseligmachende Kirche" zu betrachten (E. Gudenrath, Norwegische Maler von J. C. Dahl bis Edward Munch, Berlin o. J., S. 16).

92 Hans Gude, Karlsruher Künstlererinnerungen. Aus dem Norwegischen übersetzt von Carèn Lessing, Karlsruhe 1920, S. 7.

93 Zitiert nach: H. Appel 1973, S. 94.

94 Kunstchronik IV, 1869, S. 173.

95 Vgl. Anm. 57, S. 343.

96 Um vor allem eine ihm unbekannte Natur (z. B. Wales, wo er sich 1862–1864 aufhielt) mit all ihren charakteristischen Eigenschaften wirklichkeitsgetreu zu erfassen, bediente er sich eine Zeitlang sogar der Fotografie als künstlerisches Medium (vgl. Anm. 91, S. 14). Diese realistischen Tendenzen, die mitunter in reine Freilichtmalerei mündeten, lassen sich vor allem auch während seines Karlsruher Aufenthalts (1864–1880) beobachten (vgl. Anm. 91, Kat.Nr. 63 mit Abb. S. 84).

97 „Erst in der römischen Campagna wurde Oswald Achenbach das Verhältnis von Gestalt und Landschaft zu einem künstlerischen Problem. Er hat bald erkannt, daß er die Gestalten in ihrem künstlerischen Verhältnis zu Büschen und Bäumen ... vergrößern mußte, um sie wirksam im Bildgefüge zur Geltung zu bringen" (J. H. Schmidt, Oswald Achenbach, 2. Aufl., Düsseldorf 1946, S. 36).

98 Kunstchronik XII, 1877, Sp. 235.

99 Kunstchronik XV, 1880, Sp. 429.

100 Vgl. Anm. 61, S. 75.

101 Thieme-Becker I, 1907, S. 43.

102 Zeitschrift für bildende Kunst XXIII, 1888, S. 255.

103 Dioskuren IX, 1864, S. 424.

104 Vgl. Anm. 103. Achenbach hatte 1857 Neapel kennengelernt. „Nie ... vergesse ich den Eindruck, den ich empfing, als ich zum ersten Male im Hafen von Neapel landete ... Dieser Eindruck war entscheidend für mein Leben und für meine Kunst!" (Zitiert nach: C. Achenbach, Oswald Achenbach in Kunst und Leben, Köln 1912, S. 11/12).

105 C. Gurlitt, Die deutsche Kunst des Neunzehnten Jahrhunderts, 2. Aufl., Berlin 1900, S. 407.

106 Vgl. Anm. 61, S. 75.

107 Lediglich Oswalds Schwäger Albert Flamm und Albert Arnz, die beide nicht dem Klassenverband angehörten, orientierten sich zeitlebens an seiner Interpretation der italienischen Landschaft.

108 Zitiert nach: C. Achenbach, Oswald Achenbach in Kunst und Leben, Köln 1912, S. 89–91.

109 Kunstchronik VIII, 1873, Sp. 214. Die Schülerzahl war zwischen 1868 und 1871 von 22 auf 9 gesunken, wozu sicherlich auch die Kriegswirren 1870/1871 beigetragen haben.
110 Kunst für Alle XXXV, 1920, S. 230.
111 I. Markowitz 1969 nennt als Berufungsdatum 1872 (vgl. Anm. 13, S. 86); diese Angabe ist nicht korrekt, da die provisorische (1872) mit der offiziellen Amtsübernahme (1874) verwechselt wird.
112 Thieme-Becker X, 1914, S. 52.
113 Dioskuren XIX, 1874, S. 132.
114 E. Liesegang, Eugen Dücker, in: Die Rheinlande, 3. Bd., 1901/1902, S. 42.
115 Zu dieser Gruppe gehörten die Dücker-Schüler Max Clarenbach und Walter Ophey sowie Julius Bretz, August Deusser, Wilhelm Schmurr, Alfred und Otto Sohn-Rethel.
116 Der Sonderbund, Ausstellung in der Galerie G. Paffrath, Düsseldorf, 21. 4.–20. 6. 1964, o. S.

Rudolf Theilmann

Die Schülerlisten der Landschafterklassen von Schirmer bis Dücker

Die folgenden vier Tabellen wurden auf der Basis der alten Schülerlisten der Düsseldorfer Kunstakademie erarbeitet. Eine Abschrift dieser im Hauptstaatsarchiv auf Schloß Kalkum verwahrten Verzeichnisse befindet sich im Kunstmuseum Düsseldorf, wo der Verf. Gelegenheit zur Einsichtnahme hatte. Die Auswertung dieses Quellenmaterials bietet endlich die Möglichkeit, sich über die von Johann Wilhelm Schirmer, Hans Frederik Gude, Oswald Achenbach und Eugen Dücker geleiteten Landschafterklassen erstmals umfassend zu informieren, zumal auch eine Vielzahl der in den bekannten Nachschlagewerken genannten Daten korrigiert werden konnte.

Schirmer – Schule

Name des Schülers u. Lebensdaten	Schüler in den Jahren
Abbema, Wilhelm von (1812–1889)	1832–1834
Achenbach, Andreas (1815–1910)	1832–1836
Adlof, Josef (um 1820–?)	1838–1840
Adloff, Carl (1819–1863)	1836
Arnold, Friedrich (1814–?)	1842/1843

Name des Schülers u. Lebensdaten	Schüler in den Jahren
Becker (um 1807–?)	1832/1833
Becker, August (1822–1887)	1840
Becker, Ludwig Hugo (1833–1868)	1852–1854
Becker, Wilhelm (um 1807–?)	1834
Bellut, Johann (um 1810–?)	1829/1830
Berkmann (um 1824–?)	1849
Bernardi, Joseph (1826–1907)	1843–1846
Böcking, Adolf (um 1783–?)	1832–1834
Böcklin, Arnold (1827–1901)	1845–1847
Böder, Josef (um 1814–?)	1830/1831
Both, Hermann (1826–1861)	1849–1852
Bott, Emil (um 1827–?)	1847/1848
Breslauer, Christian (1805–1882)	1832–1836
Brüning, Eduard (um 1820–?)	1844–1846
Bürckhardt, Friedrich (um 1832–?)	1851/1852
Burnier, Richard (1826–1884)	1850
Canton, Gustav Jakob (1813–1885)	1838–1847
Cappelen, Herman August (1827–1852)	1849/1850
Conrad, Carl Emanuel (1810–1873)	1835–1839
Dahl, Carl (1813/14–nach 1862)	1833–1838
Dammann, Wilhelm (um 1820–?)	1838/1839
Denis, Epiphane (1823–1891)	1841/1842
Dielmann, Jacob (1809–1885)	1836
Döring, Adolf (um 1815–?)	1833–1836
Eckersberg, Johann F. (1822–1870)	1847/1848
Eckert, Georg Maria (1828–1903)	1850–1852
Ehemant, Friedrich J. (1804–1842)	1833–1836
Eickhorn, Fritz (um 1822–?)	1843/1844
Engel, Gottfried (1824–?)	1847/1848
Feuerbach, Anselm (1829–1880)	1845–1848
Fischer, Richard (1826–?)	1850
Fischer, Richard (um 1829–?)	1849–1851
Frederich, Eduard (1811–1864)	1836–1840
Fries, Bernhard (1820–1879)	1840–1843
Funk, Heinrich (1807–1877)	1830–1836
Grieben, Eduard (1813–1870)	1834–1836

Name des Schülers u. Lebensdaten	Schüler in den Jahren
Groos, Wilhelm (1826–?)	1842–1847
Gude, Hans Frederik (1825–1903)	1842–1844
Guerard, Eugen von (1811–1901)	1841–1844
Haecke, Joseph (1811–?)	1833–1839
Hagen, Ludwig Ch. (?–?)	1835/1836
Happel, Peter Heinrich (1813–1854)	1834–1837, 1840–1843
Hart, James McDougal (1828–1901)	1850–1853
Hartmann, Friedrich (1822–1902)	1847–1849
Heerdt, Christian (1812–1878)	1836
Heidenthal, Nicola (um 1818–?)	1835–1838
Hengsbach, Franz (1814–1883)	1834–1840
Herzog, Hermann (1832–?)	1851–1854
Heunert, Friedrich (1808–1876)	1830–1838
Hilgers, Carl (1818–1890)	1835–1843
Hilgers, Wilhelm (um 1813–?)	1836–1840
Höninghaus, Adolf (1811–1882)	1832–1836
Hülser, Joseph (1819–1850)	1837–1842
Hünten, Franz (1822–1887)	1847/1848, 1849/1850
Jabin, Georg (1828–1864)	1850–1854
Jacobi, Otto R. (1814–?)	1833–1841
Jansen, Johann W. (um 1824–?)	1842–1845
Jansen, Joseph (1829–1905)	1847–1850
John, Wilhelm (1813–?)	1832–1838
Jungheim, Carl (1830–1886)	1847–1852
Kalckreuth, Stanislaus Graf von (1820–1894)	1846/1847
Kessler, Friedrich A. (1826–1906)	1843–1854
Kießling, Ferdinand (1810–1882)	1833–1838
Klein, Wilhelm (1821–1897)	1835–1843
Knödchen, Jacob (um 1830–?)	1849/1850
Koch, Heinrich (1806–1893)	1829–1838
Koch, Rudolph W. (1834–1885)	1852/1853
Kost, Julius (1807–1888)	1840–1843
Kregenbrink, Ludwig (um 1812–?)	1836/1837
Jreutzer, Gustav (um 1813–?)	1836/1837
Lachenwitz, Siegmund (1820–1868)	1840–1847
Lange, Johann (1823–1908)	1842–1847
Lange, Johann Gustav (1811–1887)	1832/1833
Lange, Julius (1817–1878)	1836–1839
Lasinsky, Johann A. (1808–1871)	1829–1837
Leu, August (1819–1897)	1840–1845
Leuw, Friedrich A. de (1817–1888)	1840–1843
Lindlar, Johann W. (1816–1896)	1846–1848
Ludwig, Heinrich (1829–1897)	1848–1850
Lund, Bernt (1812–1885)	1843–1845
Mann, Emil (um 1836–?)	1854
Melichert, Albert (um 1818–?)	1841/1842
Mevius, Hermann (1820–1864)	1838–1840

Name des Schülers u. Lebensdaten	Schüler in den Jahren
Meyer, Julius (1833–?)	1852/1853
Michelis, Alexander (1823–1868)	1843–1851
Mönig, Anton (um 1814–?)	1835/1836
Müller, B. (um 1821–?)	1836
Müller, Bernhard (um 1817–?)	1836–1838
Müller, Ferdinand (um 1816–?)	1837–1839
Müller, Joseph A. (1811–?)	1837–1839
Müller, Morten (1828–1911)	1850
Nocken, Theodor (1830–?)	1847–1849
Normann, Rudolf von (1806–1882)	1834–1843
Ochs, Gustav (1825–1858)	1850
Overbeck, Arnold (1831–1899)	1854
Overmann, H. (um 1830–?)	1848
Patz, Wilhelm (um 1802–?)	1836–1838
Pelz, Amand (1812–1841)	1836–1839
Pohle, Hermann (1831–1901)	1853/1854
Porttmann, Wilhelm (1819–1894)	1841–1846
Pose, Eduard Wilhelm (1812–1878)	1830–1834, 1835/1836
Preslaw (um 1806–?)	1830–1831
Preyer, Gustav (1801–1839)	1832–1836
Puhlmann, Alexis (?–?)	1852–1854
Pulian, Gottfried (1809–1875)	1838–1843
Rausch, Leonhard (1813–1895)	?
Rodde, Carl Gustav (1830–1906)	1852–1854
Roesen, Michael (1814–1836)	1832–1836
Rötteken, Carl (1831–1900)	1850–1854
Runge, Friedrich (um 1821–?)	1843–1845
Ruths, Valentin (1825–1905)	1850–1854
Saal, Georg (1818–1870)	1842–1847
Saglio, Camill (1804–1889)	1835/1836
Schäffers, Nestor (um 1826–?)	1846–1848
Scheins, Ludwig (1808–1879)	1830–1837
Scheuren, Caspar N. (1810–1887)	1829–1834
Schilking, Heinrich (1815–1895)	1836–1840
Schlesinger, Adolf (1817–1870)	1834
Schlösser, Leopold (?–1836)	1832–1836
Schlungs, Carl (um 1817–?)	1837
Schmidt, Bernhard (1820–1870)	1846–1848
Schmitt, Konstantin (1817–?)	1838–1841
Schulten, Arnold (1809–1874)	1830–1843
Schultze, Robert (1828–1910)	1849/1850
Sohn, Wilhelm (um 1815–?)	1835–1837
Steuerwald, Wilhelm (1815–1871)	1833–1836
Studer, Bernhard (1832–1868)	1853/1854
Sweckhorst, Wilhelm (um 1834–?)	1851/1852
Vosberg, Heinrich (1833–1891)	1852–1854
Weber, August (1817–1873)	1838/1839
Wegelin, Adolf (1810–1881)	1829–1832
Welsch, Charles Feodor (1828–1904)	1846

Name des Schülers u. Lebensdaten	Schüler in den Jahren	Name des Schülers u. Lebensdaten	Schüler in den Jahren
Wichert, Friedrich (1820–vor 1854)	1836–1843)	Rötteken, Carl (1831–1900)	1855
Wigora, Ernst (um 1815–?)	1836–1840	Rydberg, Gustav F. (1835–1933)	1859–1862
Wille, August von (1829–1887)	1847–1851, 1852–1854	Schanche, Herman G. (1828–1884)	?
Winkelirer, Joseph (1800–?)	?	Schliecker, August (1833–1911)	1856/1857, 1858–1862
Wintz, Wilhelm (1823–1899)	1846	Schmitz, Carl Ludwig (um 1817–?)	1858/1859
Wolf, Josef (um 1814–?)	1833/1834	Schönfeld, Eduard (1839–1885)	1856/1857
Wolff, Balduin (1819–1907)	1848–1854	Studer, Bernhard (1832–1868)	1854–1856
Zacheis, Johann G. (1821–1857)	1843/1844	Thurmann, Peter (um 1837–?)	1856–1859
Zielke, Julius (1826–1907)	1844–1851	Trischer, Heinz L. (um 1831–?)	1856–1859
		Wallberg, Alfred (um 1833–?)	1857/1858
		Wetzel, Johann W.(um 1827–?)	1855/1856
		Wexelsen, Christian D. (1830–1883)	1855–1859
		Wolff, Balduin (1819–1907)	1854–1856
		Ytteborg, Christian F. (1833–1865)	?
		Zilke, Alexander (1843–?)	1862

Gude – Schule

Askevold, Anders M. (1838–1900)	1857		
Beck, Johann S. van der (um 1830–?)	1862		
Bergh, Anton Mathias (1828–?)	1850/1851		
Bergh, Johan Edvard (1828–1880)	1854/1855		
Bodom, Erik (1829–1879)	1850		
Campbell, Johann G. B. (1835–1871)	1855–1860		
Chevalier, Ferdinand (um 1833–?)	1860–1862		
Collett, Frederik J. L. C. (1839–1914)	1860		
Coutelle, Wilhelm (um 1834–?)	1854–1857		
Frische, Heinrich L. (1831–1901)	1857–1862		
Heel, Karl (1841–1911)	1859–1862		
Hertervig, Lars (1830–1902)	1852–1854		
Holmberg, Gustav Werner (1830–1860)	1855/1856		
Irmer, Karl (1834–1900)	1854–1857, 1858–1862		

Achenbach – Schule

Jacobsen, Sophus (1833–1912)	1854–1856	Beck, Johann S. van der (um 1830–?)	1863
Kleineh, Oskar C. (1846–1919)	1866/1867	Bernuth, Ernst von (1833–1923)	1867–1870
Knoff, Wilhelm (um 1830–?)	1854–1856	Bochmann, Gregor von (1850–1930)	1869
Kreutzer, Felix (1835–1876)	1854–1858	Brüggemann, Johann (1846–?)	1870/1871
Kützing, Kurt (um 1837–?)	1859–1861	Calame, Arthur (1843–1919)	1864–1866
Lasinski, Johann P. (1842–?)	1862	Cavalié, Cesare (um 1833–?)	1863–1866
Lerche, Vincent S. (1837–1892)	1860–1862	Dittmer, Adolph (1850–?)	1869–1871
Matthes, Alex (um 1837–?)	1858/1859	Eckenbrecher, Themistocles von (1842–1921)	1863
Möller, Niels B. (1827–1887)	1855–1857	Feddersen, Hans Peter (1848–1941)	1868–1871
Mörner, Klaes V. W. (1831–1911)	1855–1860	Flad, Georg (1853–1913)	1868–1871
Munsterhjelm, Hjalmar (1840–1905)	1861/1862	Forstmann, Arnold (1842–?)	1868–1871
Nabert, Wilhelm (1830–1904)	1856–1858	Gogarten, Heinrich (1850–1911)	1867–1869
Nielsen, Amaldus C. (1838–1932)	1858/1859	Hagen, Theodor (1842–1919)	1862–1868
Nordgren, Axel (1828–1888)	1851	Harrer, Hugo (1836–1876)	1867/1868
Pauly, Franz (1837–1913)	1859–1862	Hermes, Johannes (1842–1901)	1865–1870
Poeckh, Theodor (1839–1921)	1860/1861	Hertel, Albert (1843–1912)	1868/1869
Pohle, Hermann (1831–1901)	1854–1856	Hinze, Adolph (um 1846–?)	1866–1868
Prösch, Karl (um 1835–?)	1860–1862	Hoffmann, Paul (1844–?)	1868–1871
Rodde, Carl Gustav (1830–1906)	1855–1857	Jacoby, Paul (1844–1899)	1863–1865
		Jett, Wilhelm (um 1846–?)	1870/1871
		Kolitz, Louis (1845–1914)	1865–1869
		Kreutzer, Eduard (?–?)	1862–1865
		Lasinski, Johann P. (1842–?)	1862/1863
		Leyden (?–?)	1866–1868
		Lutteroth, Ascan (1842–1923)	1865–1868
		Metger, Enno F. (um 1840–?)	1862/1863
		Meyerheim, Robert (um 1847–?)	1868–1870
		Munsterhjelm, Hjalmar (1840–1905)	1862–1865

Name des Schülers u. Lebensdaten	Schüler in den Jahren	Name des Schülers u. Lebensdaten	Schüler in den Jahren
Nabert, Wilhelm (1830–1904)	1862/1863	Hamacher, Alfred (1862–?)	1888/1889
Pauly, Franz (1837–1913)	1862/1863	Hardt, Ernst (1869–1917)	1892–1896
Prösch, Karl (um 1835–?)	1862/1863	Harsing, Johann W. (1861–?)	1882–1890
Raetzer, Hellmuth (1838–1909)	1862–1867	Heimes, Heinrich (1855–1933)	1880–1884
Rasmussen, Georg A. (1842–1914)	1864–1867	Hempel, Hermann C. (1848–1921)	?
Ruinart, Jules (1838–1898)	1866/1867	Hermanns, Heinrich (1862–1942)	1886–1893
Rydberg, Gustav F. (1835–1933)	1862/1863	Herrmann, Hans (1858–1942)	1879–1882
Schennis, Friedrich von (1852–1918)	1869/1870	Herzog, Louis (1870–?)	1891–1893
Schliecker, August (1833–1911)	1862/1863	Hoffmann, Oskar (1851–vor 1913)	1874–1877
Schmitz, Georg (1851–?)	1866–1870	Hoffmann, Paul (1844–?)	1872/1873
Schneider, Bernhard (um 1841–?)	1866–1868	Holzapfel, Karl (1865–1926)	1886–1890
Schröter, Wilhelm (1849–1904)	1867/1868	Hoppe, Ferdinand Th. (1848–1890)	?
Schweitzer, Adolf (1847–1914)	1866–1870	Jäger, Julius (um 1854–?)	1878–1882
Seibels, Carl (1844–1877)	1863–1868	Jernberg, Olof (1855–1935)	1875/1876
Torniamenti, Carlo M. (um 1840–?)	1862/1863	Jett, Wilhelm (um 1846–?)	1872–1878
Türcke, Rudolf von (1839–1915)	1863/1864	Juul, Ole (1852–?)	1877–1883
Wänerberg, Thorsten A. (1846–1917)	1868/1869	Kallmorgen, Friedrich (1856–1924)	1876/1877
Wedding, Friedrich (um 1841–?)	1863–1865	Kampf, Eugen (1861–1933)	1880–1883
Wilberg, Christian (1839–1882)	1870	Kerl, Friedrich (?–?)	1885–1890
Wortmann, Johannes (1844–1920)	1869–1871	Kluth, Robert (1854–1921)	1877/1878
Wrage, Hinrich (1843–1912)	1867–1871	Kohlschein d. J., Josef (1884–1958)	1900
Zilke, Alexander (1843–?)	1862/1863	Kolberg, Wilhelm (1868–?)	1891/1892
		Lemm, Georg (1867–?)	1893–1895
		Liesegang, Hellmuth (1858–1945)	1880–1887
		Macco, Georg (1863–1933)	1882–1887
		Marschner, Paul (um 1863–?)	1890–1895
		Marx, Otto (1887–1962)	?

Dücker – Schule

Allen, Thomas (1849–1924)	1874–1877	Meyer, Edgar (1853–1925)	1874–1878
Appel, Karl (1866–?)	1892–1895	Modersohn, Otto (1865–1943)	1887/1888
Artmann, Hans (1868–1902)	1888–1890	Möller, Björn (um 1857–?)	1885–1887
Barthel, Wilhelm (um 1870–?)	1893–1895	Nikutowski, Erich (1872–1921)	?
Bartsch, Wilhelm (1871–?)	?	Normann, Adelsteen (1848–1918)	1872/1873
Becker, Carl (1862–1926)	1887–1893	Ophey, Walter (1882–1930)	1904
Beilstein, Robert (?–?)	1879/1880	Overbeck, Fritz (1869–1909)	1892/1893
Böhmer, Heinrich (1852–?)	1878–1883	Pattison, Charles (1855–?)	1876–1880
Borsow, Alexander (1854–1895)	1881–1884	Petersen-Angeln, Heinrich (1850–1906)	1879–1884
Brüggemann, Johann (1846–?)	1874–1876	Prell, Walter (1857–?)	1889–1891
Clarenbach, Max (1880–1952)	1897	Riese, Fritz (um 1864–?)	1883/1884
Dicks, H. (?–?)	1883–1885	Risse, Caspar (?–?)	1872/1873
Dirks, Andreas (1866–1922)	?	Ritzau, Hermann (1866–?)	1886–1893
Dittmer, Adolph (1850–?)	1872/1873	Röder, Carl (1852–?)	1872–1878
Dorn, Friedrich (1861–1901)	1888–1895	Rosen, Gerhard von (1856–1927)	1882–1884
Euler, Eduard (1867–1931)	1893/1894	Sanders-Stanfield (?–?)	1885–1887
Flad, Georg (1853–1913)	1872/1873	Schlüter, August (1858–1928)	1880–1887
Franck, Philipp (1860–1944)	1882–1885	Schweitzer, Adolf (1847–1914)	1872–1876
Fritzel, Wilhelm (1870–1943)	1894/1895	Schwinge, Friedrich W. (1852–1913)	1880–1884
Gastauer, Hermann (?–?)	1872/1873	Serner, Otto (1857–?)	1882–1884, 1886
Giese, Max (1867–1916)	1887–1889	Steven, Adolf (1856–?)	1875
Grobe, German (1857–1938)	1880–1883	Strützel, Otto (1855–1930)	1879
Grünert, Eugen (1855–?)	1882–1886	Tannert, Ernst (um 1865–?)	1888–1894

Name des Schülers u. Lebensdaten	Schüler in den Jahren	Name des Schülers u. Lebensdaten	Schüler in den Jahren
Tode, Ernst Friedrich (1858–1932)	1890	Westerholm, Victor (1860–1919)	1879/1880, 1881–1886
Ulfers, Hermann (1854–?)	1875–1879		
Wagner, Cornelius (1870–1956)	1892–1894	Witte, Max von (um 1851–?)	1890/1891
Wansleben, Arthur (1861–1917)	1883–1887	Wuttke, Carl (1849–1927)	1877–1880
Wendling, Gustav (1862–1932)	1881–1886	Zetsche, Eduard (1844–1927)	1878–1880
Westendorp, Fritz (1867–1926)	1891–1894		

Ute Ricke-Immel

Die Düsseldorfer Genremalerei

„Was dagegen das Genre und die Landschaft betrifft, so steht die Düsseldorfer Schule unbedenklich am höchsten in Deutschland ... Das ganze Publikum freut sich am meisten vor den Werken dieser Art", konstatiert Wolfgang Müller von Königswinter in seinen 1854 erschienenen „Kunstgeschichtlichen Briefen"[1]. Tatsächlich hat sich die Genremalerei seit den 1830er Jahren hier erstaunlich rasch und vielseitig entwickelt. So konnte man auf der Düsseldorfer Herbstausstellung von 1850 57 Darstellungen dem Genre zurechnen, der Historienmalerei dagegen nur 15[2]; allerdings muß man bei diesen Zahlen wohl eine gewisse Willkür in der Benutzung der Bezeichnung „Genre" berücksichtigen. „Der Begriff des Genre ist im Allgemeinen so schwankend und unsicher, daß man Alles nach Belieben hineinwerfen oder aussondern kann, was nicht seit Alters unter eigenes Schloß und Riegel gebracht wurde", hatte Hermann Püttmann 1839 nicht zu Unrecht festgestellt[3].

„Tableau de genre" ist eine Wortprägung der französischen Kunsttheorie des 18. Jahrhunderts. Das lateinische „genus" bezeichnet das Geschlecht, die Gattung, die Art. Diese dem „Genre" etymologisch zugrunde liegende Bedeutung des Gattungshaften, also des Allgemeingültigen, charakterisiert sein Wesentliches. Es ist daher ein grundlegendes Kennzeichen der Genremalerei des 19. Jahrhunderts, daß sie Persönliches, Individuelles zum Typischen umgestaltet. Die Menschen erscheinen als namenlose Vertreter ihres Geschlechts, ihres Alters, ihres Berufs, ihr Tun wird vom Gewohnheitsmäßigen bestimmt. Das Genrebild schildert im allgemeinen alltägliche, bekannte Vorgänge, die sich im Laufe des menschlichen Daseins immer wiederholen können. Aus diesem Grund vermag sich gerade der einfache, ungebildete Beschauer mit dem Dargestellten zu identifizieren; er kann, wie auch dem Zitat von Müller von Königswinter zu entnehmen ist, nachempfinden und in Gedanken an eigene Erlebnisse anschließen. So finden wir im Genre häufig die Neigung zum Moralisieren, denn einzelne Begebenheiten vertreten beispielhaft das allgemein Menschliche. Doch stets sind es Szenen ohne historische Bedeutsamkeit.

Um den eigenständigen Charakter dieser Bildgattung zu kennzeichnen, müssen von der Genremalerei abgegrenzt werden: Historienbild, allegorische, symbolische und emblematische Szenen, Landschaftsdarstellung und Marine, Tier-

stück, Stilleben, Jagdstück, Militär- und Schlachtengemälde, Kostümdarstellung, Atelierbild, Porträt, Illustration, Karikatur und Satire. Jede Art der Tendenz widerspricht dem eigentlichen Wesen des Genre. Bilder, die beispielsweise die Bauern glorifizieren oder religiös beseelen und die Arbeiter pathetisch heroisieren, überschreiten die Grenzen des enggefaßten Genrebegriffs ebenso wie Darstellungen, die die Philister verhöhnen und die Sattheit der Bürger oder die sozialen Mißstände der Zeit angreifen. Weltanschauliches Engagement ist bei einer wörtlichen Auslegung durch den Begriff „Genre" nicht gedeckt. Eine derart strikte Definition kann allerdings, wie wir sehen werden, gerade mit Hinblick auf die Entwicklung der Gattung in Düsseldorf nicht immer beibehalten werden. Hier entstanden einige Sonderformen des Genre, die eine exakte Abgrenzung erschweren.

Außer dem Inhalt bestimmt auch der Stil des Künstlers, das heißt seine Sehweise, seine Auffassung, die Wahl seiner malerischen Mittel die Einordnung seines Werks zum Bereich des Genre. So sind beispielsweise im Realismus oder Impressionismus die Bildthemen häufig genrehaft, aber sie entspringen einer gänzlich anderen Geisteshaltung als die Genrebilder des 19. Jahrhunderts. Ihre Darstellungen sind gleichsam „Porträts" des Sichtbaren[4]. Das Genre dagegen gibt kein Abbild der Wirklichkeit, sondern einen Detailnaturalismus, dessen stückweise Naturaufnahme durch „poetisches" Verschönen des Gewohnten und Alltäglichen überhöht wird. Für die Zeitgenossen galten diese Darstellungen jedoch als „wahr". Im Streit zwischen Historie und Genre, der sich im Verlauf des Jahrhunderts ständig erneuerte – einen ersten Höhepunkt erreichte er bereits im Jahre 1799 in Paris –, wurde zur Verteidigung der Genrebilder immer wieder deren großer moralischer Einfluß hervorgehoben und betont, daß in diesen Szenen ein möglichst naturnahes Abbild des Wirklichen erstrebt werde. Schon für Diderot stand es 1779 außer Frage, „daß die Gattungenmahlerey mehr Wahrheit erfordert"[5].

Die von der Französischen Akademie festgesetzte Rangordnung, die die Historienmalerei an die Spitze setzte, blieb jedoch für die Kunstkritik bis in das letzte Drittel des 19. Jahrhunderts bindend. Das Genre wurde zwar allgemein als eine Art Gegenpol zur Historie verstanden, seine offizielle künstlerische Anerkennung aber immer wieder in Frage gestellt. Die strengsten Gegner des Genre waren die Akademieprofessoren, obwohl die meisten Genremaler aus ihrem Unterricht hervorgegangen sind. Auf die Frage eines Schülers, was Genremalerei eigentlich sei, antwortete Peter von Cornelius: „Das sind die Fächler, die Classe von Malern, denen die Kunst nicht in ihrer Allheit und Einheit erscheint; sondern die sich ein Fach auslesen und dafür allein arbeiten. Sie sind immer ein Zeichen des Verfalls der Kunst ..."[6]

Wilhelm von Schadow dagegen, dessen Persönlichkeit die Düsseldorfer Malerschule entscheidend geprägt hat, vermied in seinen Anfängen als Lehrer diese schroffe doktrinäre Haltung, sondern bemühte sich, die individuelle Begabung seiner Schüler zu fördern. So charakterisierte Immermann ihn in seinen „Memorabilien" als den „humansten Patron der Landschaft, des Humors, des Genres, selbst wenn dieses zu Kegelbahnen und Trinkstuben hinabstieg. Er gab da Rath, kritisirte, emendirte treu, fleißig, einsichtsvoll, wie an Engelsflügeln und Madonnengesichtern"[7]. Erst seit etwa 1840 änderte sich diese tolerante Einstellung Schadows gegenüber den „Fächlern", wie dies beispielsweise auch in einem Brief vom 4. Juli 1841 an Julius Hübner anklingt: „. . . Die Genremalerei nimmt immer mehr überhand und hat eigentlich die Vollkommensten zu Representanten . . . Meine Schuld und Intention ist dies nicht, und ich bedaure, nur, daß mir die Natur nicht solches Genie gegeben hat, um das Schädliche seines Einflusses (gemeint ist Lessing) zu paralysieren. Das in sich Vollkommenste, was man hier sieht, sind die Genrebilder, und ich zweifle daran, ob man so geistvolle Maler anderwärts findet"[8]. Auf die vielschichtigen Faktoren, die zur Verhärtung der Haltung Schadows gegenüber der Genremalerei geführt haben, kann an dieser Stelle nicht eingegangen werden. Es hatte zwar tatsächlich nicht seiner inneren Überzeugung entsprochen, das Genre speziell zu fördern, dennoch war seine Toleranz eine entscheidende Wegbereiterin für die bedeutende Entwicklung dieser Gattung in Düsseldorf. In den vierziger Jahren erreichte die Beliebtheit des Genre sowohl bei den Künstlern als auch beim Publikum einen ersten Höhepunkt. Daß auch Schadow selbst noch um diese Zeit gelungene Genreszenen durchaus anerkannte, zeigt die Tatsache, daß sich in seinem Nachlaß eine Kompositionszeichnung von Hasenclevers „Jobs als Schulmeister" befunden hat.

Entscheidenden Rückhalt fanden die Genremaler in den Kunstvereinen. In München, Wien und anderen Zentren wurden sie in bewußter Opposition zu der von den Akademien offiziell geförderten Historienmalerei gegründet. Ja man verstand sie sogar als eine Art Zufluchtsstätte für die bei den akademischen Ausstellungen nicht zugelassenen „Fächler". Hier hatten diese Gelegenheit, ihre Werke zu präsentieren, Käufer und neue Auftraggeber kennenzulernen und sich damit einen materiellen Rückhalt zu sichern. In Düsseldorf dagegen durften die Landschafts- und Genremaler zusammen mit den offiziellen Vertretern der akademischen Richtung Ausstellungen beschicken. Allgemein gilt, daß sich in Düsseldorf stärker als andernorts die Künstler und Professoren aller Gattungen durch persönlichen Kontakt und freundschaftlichen Gedankenaustausch gegenseitig beeinflußt und gefördert haben. So ist der „Kunstverein für die Rheinlande und Westphalen" 1829 nicht gegen die Akademie gegründet worden, sondern wurde bewußt von Schadow initiiert und unterstützt. Er hatte die zunehmenden Tendenzen des allgemeinen Publikumgeschmacks in Richtung Landschaft und Genre rechtzeitig erkannt und sie durch die Gründung des Vereins seinen eigentlichen Intentionen dienstbar zu machen verstanden. Der Kunstverein, der seine jährlichen Ausstellungen sogar in den Räumen des Akademiegebäudes veranstalten durfte, bot zwar in erster Linie den Malern Verkaufsmöglichkeiten, förderte aber gleichzeitig auch die Monumentalmalerei, und zwar mit Hilfe der von Schadow – allerdings indirekt – eingeführten Klausel, wonach ein Fünftel der Jahresbeiträge zur Beschaffung von Kunstwerken für öffentliche Zwecke zur Verfügung gestellt werden müßte[9].

In keiner deutschen Kunstmetropole war um diese Zeit das geistige Klima für die Entwicklung des Genre günstiger als in Düsseldorf. So berichtet beispielsweise Heinrich Bürkel etwa gleichzeitig über die Atmosphäre in München: „Man muß froh sein, wenn sie einen so mitlaufen lassen (gemeint sind die Historienmaler) – wenn es von ihnen abhinge, thäten sie alle Genremaler zur Stadt hinausjagen"[10]. Allerdings ging auch Schadows liberale Gesinnung nicht so weit, das Genre durch einen Lehrstuhl an der Akademie offiziell aufzuwerten. Dem „Modernen Vasari" können wir entnehmen, daß etwa um die Zeit, als Johann Wilhelm Schirmer zum Professor der Landschaftsklasse ernannt wurde (1839, seit 1829 war er bereits als Hilfslehrer angestellt), der Gedanke aufgekommen war, auch einen Lehrstuhl der Genremalerei einzurichten und mit Adolph Schroedter zu besetzen[11]. Schadow lehnte das Ansinnen mit der Begründung ab, dieser Lehrstuhl „sei etwas Überflüssiges, indem die ersten Studien eines Historienmalers auch die zweckmäßigsten für einen Genremaler wären"[12]. 1853 forderte Müller von Königswinter am Schluß seines Buches über „Die Düsseldorfer Künstler": „. . . Ueberdies könnte es nicht schaden, wenn . . . Lehrer für die Genremalerei . . . angestellt würden"[13]. Aber trotz wiederholter Anregungen wurde erst 1874 offiziell eine Professur für dieses Fach an der Düsseldorfer Kunstakademie geschaffen und an Wilhelm Sohn vergeben.

Die klassizistische Kunsttheorie, die Schadows Ansichten letztlich noch bestimmte, verlangte vor allem die erhabene „Bildidee"; dieser Vorstellung fügte er – im Sinne der Romantik – den Wunsch nach dem „poetisch Schönen" und „Wahren" (Naturstudium) hinzu. Hiermit ermöglichte er den Landschafts- und Genremalern der Düsseldorfer Kunstakademie einen Ansatzpunkt für ihre Darstellungen zu finden. Das spiegelt sich auch in den von Schadow selbst im „Modernen Vasari" wiedergegebenen Gedankengängen und Auffassungsweisen des Genremalers Dolph (gemeint ist Adolph Schroedter): „. . . Ich aber freue mich darauf . . . eine lustige Bauernkirmeß mitzumachen; ich will das Leben dieser schlichten Naturmenschen ablauschen . . . und diese Welt, weil sie in ihren Erscheinungen noch am poetischsten ist, wiederzugeben versuchen"[14]. Schon 1819 hatte Arthur Schopenhauer in „Welt als Wille und Vorstellung" in der

Genremalerei „die Tiefe der Einsicht in die Idee der Menschheit" dargestellt gefunden. Dadurch, daß die Künstler des Genre „die flüchtigen Scenen des Lebens fixiren, das Einzelne zur Idee seiner Gattung erheben", das Individuelle zum Typischen umgestalten, nehmen sie – nach Schopenhauer – teil an der Vielseitigkeit des Weltgeschehens[15].

Der charakteristische Bildtyp der Genremalerei des 19. Jahrhunderts entwickelte sich in Deutschland erst seit etwa 1815, also mit dem Beginn des Biedermeier, der Zeitspanne zwischen dem Wiener Kongress und der Märzrevolution. Die rasche Ausbreitung des Genre muß im Zusammenhang mit der Erstarkung des Bürgertums gesehen werden. Der Mittelstand war nun Träger der Kultur. Die Genremalerei kam in besonderem Maße seinen Ideen und seinem neuen Standesbewußtsein entgegen. Man glaubte, in diesen Bildern ein Stück der eigenen Umwelt zu entdecken. Es lag im Wesen der Zeit, daß man sich vor allem den häuslichen, familiären Themenkreisen zuwandte. In der Familie sah man die seelische Basis des Daseins, die Möglichkeit zur Verwirklichung von Harmonie, Friede und Glück. Die Genremaler wandten sich zwar dem alltäglichen Treiben der Menschen zu, doch gingen sie dabei von einer Idee aus. So wurden gerade die idyllischen Motive des Lebens von den Künstlern bevorzugt für ihre Darstellungen gewählt. Häufig herrscht eine sonntäglich-feierliche oder festlich-fröhliche Stimmung. In der verklärenden Wiedergabe der Genrebilder scheint das Leben vorwiegend aus Familienfesten zu bestehen. Die alten Leute in ihrer geruhsamen Beschaulichkeit, die frische Unbekümmertheit der spielenden Kinder, die sorgenden Mütter erschienen als Vertreter einer harmonischen kleinen Welt besonders geeignet. Vornehmlich der Bauernstand wurde idealisiert und zugleich sentimentalisiert. Man glaubte, auf dem Lande noch ein intaktes Verhältnis von Natur und Mensch zu finden. Die Bauern wurden als vorbildliches Beispiel dem Städter gegenübergestellt. Über die Härte der Feldarbeit oder die Mühen der Viehwirtschaft sagen die Genregemälde nichts. So müssen die biedermeierlichen Bauernidyllen als eine Art Sehnsuchtsbilder verstanden werden. Auch erkannte man selbst im dunkelsten Schicksal noch die Fügung Gottes. Daraus entsprang die Neigung, alles versöhnlich zu sehen. Man erwartete von den Genrebildern zwar Wahrheit und Darstellung des Tatsächlichen, aber die Wirklichkeit sollte poetisch überhöht und gestaltet werden, also nicht etwa die Realität selbst wiedergegeben werden.

In Düsseldorf setzt die Entwicklung der Genremalerei – verglichen mit München oder Wien – zunächst verspätet, nämlich erst um 1830, ein. Hier gab es weder Vorläufer noch alte Traditionen, an die angeknüpft werden konnte, nicht einmal eine Galerie, in welcher man sich – wie etwa die Maler in München oder Wien – durch Kopieren der niederländischen Genrebilder des 17. Jahrhunderts hätte schulen können.

1832 entstanden zwei in unserem Zusammenhang wegweisende Bilder der Schadow-Schule, die wir allerdings nicht eigentlich zum Genre zählen dürfen: Lessings „Räuber auf Bergeshöh' mit seinem ruhenden Knaben" (Kat.Nr. 156) und Hildebrandts „Krieger und sein Kind" (Kat.Nr. 102). Weder Lessing noch Hildebrandt beabsichtigten ein Genrebild zu schaffen, sie suchten vielmehr für die Historienmalerei neue Themen zu erschließen, Stoffe, die es erlaubten „ein wahres Lebensbild voll Mark und Blut"[16] darzustellen, das gleichzeitig aber auch „Empfindungen in uns weckt und unser Gemüth bewegt."[17] Durch die Verbindung von Naturbeobachtung im Detail einerseits, Idealität und poetischer Auffassungsweise andererseits erzielten diese Bilder bei den Zeitgenossen als etwas Natürliches, der lebendigen Wirklichkeit Gleichkommendes eine große Wirkung. Beide Gemälde stehen in der Tradition der Spätromantik. Bei der Wahl des Themas wurde Lessing sicher entscheidend von Leopold Roberts damals berühmten Kompositionen „Schlafender Räuber von einem Mädchen bewacht" und „Räuber unter einem Felsenabhange", die auf den Berliner Akademieausstellungen von 1824 beziehungsweise 1826 zu sehen waren, angeregt. Robert selbst hat im Laufe der Zeit seinen „Schlafenden Räuber" etwa vierzehnmal wiederholt, doch auch andere Künstler kopierten und imitierten dieses beliebte Motiv, wie dem Bericht der Berliner Kunstausstellung von 1826 zu entnehmen ist[18]. Schon 1827 und 1828 beschäftigte Lessing die Räuberthematik[19]. Von Uechtritz schreibt, daß dem Künstler bald nach seiner Übersiedlung ins Rheinland ein Bericht über die hiesigen Räuberbanden am Ende des 18. Jahrhunderts und das Leben und Schicksal des „Schinderhannes" in die Hände gefallen sei[20]. Wie Robert stellt Lessing keinen skrupellosen Verbrecher dar, sondern den „edlen Räuber", der aus Not oder um seiner Überzeugung willen in eine Zwangslage geraten ist[21]. Auf Lessings Bild klingen die sozialen Mißstände der Zeit allerdings nicht an. Der Räuber ist hier als eine verwegene Naturgestalt im Sinne der Spätromantik erfaßt, die außerhalb der überfeinerten Zivilisation steht. So wurde die Szene auch von den Zeitgenossen verstanden: „Man fühlt wohl, daß seinem innersten Gefühl nach diese kräftigen, lebensvollen Gestalten keine ganz unberechtigten sind ... Er selbst hat sie mit dieser Naturkraft ausgestattet und ihnen den Stempel seiner energischen Auffassung alles Natürlichen und Menschlichen aufgedrückt"[22].

Auch Theodor Hildebrandts „Krieger und sein Kind" entstand aus Sehnsucht nach Natürlichkeit, doch war der Künstler der Historienmalerei so sehr verhaftet, daß er das Thema in eine längst vergangene Epoche, die Renaissance, – gemeint ist jedoch wohl eher ein im Sinne der Spätromantik mittelalterliches Milieu – verlegte. Eine erste Anregung zu der Komposition mag von Georg Pencz' Gemälde „Ritter und Knappe" aus dem Jahre 1545[23] ausgegangen sein, das

102 A. van Ostade, Der Violinspieler und der kleine Leiermann. Düsseldorf,
Kunstmuseum

sich bis 1890 in Berlin befunden hat. Die auffallenden Hell-Dunkel-Kontraste, die wirkungsvolle Lichtführung, die malerische Behandlung des Stofflichen und der Detailnaturalismus verweisen allerdings auf Einflüsse niederländischer Werke, die Hildebrandt auf seiner Studienreise nach Flandern im Jahre 1829 empfangen haben muß. Das antithetisch komponierte Gemälde, dessen Wirkung hauptsächlich auf dem Kontrast zwischen dem bärtigen Krieger und dem verspielten Knäblein beruht, erregte allgemeine Bewunderung. Im Kind sahen die Zeitgenossen das anmutig Naive im Menschen verkörpert. Für sie hatte es – in der Nachfolge von Schillers idealischer Deutung – noch einen urbildlichen Sinn. Daraus erklärt sich die große Popularität dieses Gemäldes[24]. Raczynskis Urteil über den Künstler mag hier stellvertretend zitiert sein: „Ich kenne keinen, der wahrer und liebenswürdiger der Natur nachbildet ... Er versteht es, die Wahrheit der Nachbildung mit der Frische der Farben, die Lebhaftigkeit mit dem Reiz und der Harmonie zu verbinden"[25]. Die bedeutendsten Vertreter der eigentlichen Düsseldorfer Genremalerei der ersten Jahrhunderthälfte waren Johann Peter Hasenclever (Kat.Nr. 91–97), Adolph Schroedter (Kat.Nr. 246–249), Rudolf Jordan (Kat.Nr. 127–128), Jakob

Becker (Kat.Nr. 21) und Carl Wilhelm Hübner (Kat.Nr. 110–111). Ihre Werke sind es vor allem, in denen die für Düsseldorf typischen Bildmotive und Auffassungsweisen entwickelt wurden und Gestalt annahmen. Die große Zahl der übrigen Genremaler läßt sich diesen beherrschenden Künstlerpersönlichkeiten, die bis weit in die zweite Jahrhunderthälfte hinein Nachahmer fanden, angliedern.

Als frühesten und ersten Genremaler in Düsseldorf müssen wir jedoch den Berliner Eduard Pistorius (1796–1862) bezeichnen, der allerdings nur drei Jahre im Rheinland verbrachte. „Daß sein Name vielleicht in jenen Tagen oft genannt worden ist, verdankt er hauptsächlich dem Umstande, daß er damals der einzige Düsseldorfer Genremaler war", berichtet Müller von Königswinter. „Während seine Genossen durch die Romantik schwärmten, begnügte er sich mit dem einfachen Bauernleben. Und gerade das gefiel dem Publikum, daß er in richtiger Ahnung für das einfache Naturleben unzerstörbare Sympathien zeigte"[26]. Nach dem Besuch der preußischen Kunstakademie in Berlin hatte sich Pistorius durch eifriges Kopieren in den Galerien von Schloß Sanssouci und Dresden weitergebildet. Schon bei diesen Studien muß er sich eine genauere Kenntnis der holländischen Malerei des 17. Jahrhunderts erworben haben, die er dann 1827 auf seiner Reise nach den Niederlanden vertiefen konnte. Anschließend hielt ihn Schadows neue Schule bis 1830 in Düsseldorf fest. „Er sprach viel von den älteren Niederländern seines Faches, von ihrer Technik und schwärmte dafür", überliefert uns Johann Wilhelm Schirmer[27]. Seit 1824 beschickte Pistorius die Berliner Akademieausstellungen mit eigenen Erfindungen, die sich jedoch eng an holländische Genrebilder des 17. Jahrhunderts anlehnen, vor allem an Adriaen van Ostade und Gerrit Dou. In seiner Düsseldorfer Zeit entstanden Themen wie: „Alter Bauer beim Frühstück", „Der alte Spielmann", „Der buchstabierende Knabe", „Der Trinker am Faß", „Die Kegelbahn", „Des Künstlers Atelier in Düsseldorf" etc.

Pistorius scheint für einige der damals jungen Düsseldorfer Maler, die sich für Genreszenen interessierten, ein entscheidender Vermittler und Anreger gerade in Hinblick auf die niederländischen Kleinmeister des 17. Jahrhunderts gewesen zu sein. In erster Linie gilt dies wohl für Johann Peter Hasenclever, den vielseitigsten und wichtigsten der Düsseldorfer Genremaler des Biedermeier. Neben Pistorius' Werken war ihm jedoch sicher auch mancher holländische Meister durch Nachstiche bekannt, hatte er doch schon als Knabe Stiche koloriert. 1832 war Hasenclever zum ersten Mal auf der Berliner Akademieausstellung vertreten, mit einem „Blinden Spielmann". Dem Thema des „Spielmanns" beziehungsweise „Dorfgeigers" begegnen wir bei Pistorius, jedoch schon wesentlich früher bei Adriaen van Ostade (Abb. 102) und auch bei dem Engländer Sir David Wilkie. Mit dem Hinweis auf England wird eine weitere, entscheidende Komponente für die Entwicklung der Düsseldorfer Genremalerei und speziell für Hasenclever deutlich. Möglicherweise gehen alle drei Darstellungen des 19. Jahrhunderts unabhängig voneinander direkt auf die Anregung durch Ostade zurück. Doch bedürften die Einflüsse gerade der englischen Genremalerei auf Düsseldorf einer ausführlicheren, grundlegenden Untersuchung als es im Rahmen dieses kurzen Überblickes möglich ist. Wir müssen davon ausgehen, daß Werke der englischen Malerei des 19. Jahrhunderts durch Stiche und Lithographien auf dem Kontinent weit verbreitet und überaus populär waren[28]. Ein Gemälde Wilkies, „Die Testamentseröffnung" von 1820 hat Hasenclever während seines Münchner Aufenthaltes auch im Original kennengelernt (Abb. 103). Doch schon Anfang der dreißiger Jahre wird in seinen Kompositionen die Kenntnis englischer Genrebilder deutlich, vor allem in den Kopftypen mit den ausgeprägten Physiognomien, dem den Erzählvorgang unterstreichenden, etwas übertriebenen Gebärdenstil, dem Theaterhaften in Szenerie und Lichtführung. Auch thematisch stößt man immer wieder auf Analogien sowohl zu niederländischen Genreszenen des 17. wie zu englischen des frühen 19. Jahrhunderts. So läßt sich beispielsweise eine lockere motivische Entwicklungslinie ziehen von Jan Steens „Zeitungslesern", über Wilkies „Dorfpolitiker", Hasenclevers „Politiker" und „Lesekabinett" zu Ludwig Knaus' „Gemeinderat der Hauensteiner Bauern" bis schließlich hin zu Wilhelm Leibls 1877 entstandenen „Dorfpolitikern", mit welchen er durch seine wahrhaft realistische Darstellung über das Genre hinausging und einen völlig neuen Ansatzpunkt schuf. Die eigene künstlerische Leistung Hasenclevers soll jedoch nicht geschmälert werden. Die hier genannten verschiedenen Quellen bedeuteten für ihn erste Anstöße, die er verwertete, um zu eigenständigen künstlerischen Aussagen zu gelangen. Direkte formale Übernahmen lassen sich nie nachweisen[29]. Es sind vor allem Hasenclevers malerische Qualitäten, seine frische Beobachtungsgabe und sein den Beschauer unmittelbar ansprechender Humor, die ihm einen bedeutenden Rang unter den deutschen Genremalern sichern. Seine Kompositionen wollen genau betrachtet werden; sie stecken voll feinsinniger Andeutungen, haben jedoch nie – wie die niederländischen Genrebilder des 17. Jahrhunderts – einen allegorischen Nebensinn. Seit Anfang der vierziger Jahre ist Hasenclevers Malweise fließend, die Übergänge sind weich. Der Künstler modelliert jetzt mit dem Licht, die Farben werden oft skizzenhaft locker und pastos aufgetragen. Daraus gewinnen diese Darstellungen im wesentlichen ihre Wirkung, ihren Stimmungsgehalt. Seine Kleinbürger und Philister werden nicht in verzerrender Karikatur, sondern nur leicht übertreibend als typische Vertreter ihres Standes, ihrer Zeit wiedergegeben (Kat.Nr. 92–93). – Selbst einer Parodie auf die spätromantisch-melancholische Seelenhaltung vieler Zeitgenossen wie „Die Sentimentale"

103 D. Wilkie, Die Testamentseröffnung, 1820. München, Bayerische Staatsgemäldesammlungen, Neue Pinakothek

(Kat.Nr. 95) – eine beabsichtigte Wiederaufnahme des traditionsreichen Bildmotivs der „Frau am Fenster" – wird die Schärfe mit Hilfe malerischer Mittel genommen. Die raffinierten Beleuchtungseffekte gehen wohl letztlich auf Anre-

104 J. Wright of Derby, Die Schmiede. Privatbesitz

gungen durch englische Stiche nach Gemälden des Joseph Wright of Derby zurück.

In Hasenclevers Gesamtwerk nehmen seine Darstellungen zu dem 1784 von Carl Arnold Kortum in Knittelversen geschriebenen grotesk-komischen Heldengedicht „Jobsiade oder Leben, Meinungen und Thaten von Hieronimus Jobs dem Kandidaten" einen hervorragenden Rang ein. Seit 1837 beschäftigte ihn die Figur des Jobs in zahlreichen Kompositionen und immer neuen Varianten. Durch Anton Fahne[30] wissen wir, daß Hasenclever sogar eine Stichfolge von 18 Bildern zur „Jobsiade" geplant hatte. 13 Entwurfsskizzen hierzu haben sich in den Staatlichen Museen Berlin (Ost), Sammlung der Zeichnungen, erhalten. Jedoch muß betont werden, daß Hasenclevers Szenen zu „Jobs" nicht im traditionellen Sinne Illustrationen der literarischen Vorlage sind, sondern eigene künstlerische Neuschöpfungen und Interpretationen. Wir begegnen hier einem in der Düsseldorfer Malerschule vor allem für Hasenclever und Adolph Schroedter kennzeichnenden, innerhalb der Entwicklung der Genremalerei in Deutschland sonst so gut wie gar nicht vorkommenden Bildtyp, der Anregungen der Literatur aufgreift und eigenständig verarbeitet. Diese besondere Art gemalter Szenen aus Theaterstücken oder Romanen hatte sich etwa seit den frühen dreißiger Jahren in England ausgebildet und schnell Anklang gefunden.

Eine weitere Sonderform innerhalb der Düsseldorfer Malerschule bilden die Genreszenen mit sozialkritischer Tendenz. Mit seinen Gemälden „Das Spielcasino" (1844) und „Arbeiter vor dem Magistrat" (1849, Kat.Nr. 97) gehört auch Hasenclever zu den Vertretern dieser Gattung. Der Darstellung der Arbeiterdeputation liegt zwar ein historisch fixierbares Geschehen zugrunde, doch bemühte sich Hasenclever der Szene Allgemeingültigkeit zu geben und das für den jeweiligen Stand Typische zu zeigen. Vornehmlich aus diesem Grund konnte Karl Marx dieses Bild als Illustration des Klassenkampfes interpretieren[31], was nicht unbedingt von Hasenclever beabsichtigt war. Zwar wird ohne Frage deutlich, welcher Seite Hasenclevers Sympathien gehörten, doch sind es auch hier, wie bei allen seinen figurenreichen, anekdotischen Kompositionen, vorrangig künstlerische Aufgaben, wie etwa die vielseitige Differenzierung der Charaktere, der Mienen und Gesten der Dargestellten oder das malerische Spiel des Lichts, die ihn interessierten. Allerdings muß hervorgehoben werden, daß er als einziger Künstler der Düsseldorfer Malerschule es auch noch nach der gescheiterten Revolution von 1848 gewagt hat, ein solches Thema aufzugreifen und auch seinen in der Verbannung lebenden Freund Ferdinand Freiligrath zu porträtieren (Abb. 40). Da er das Thema der Weinprobe seit Anfang der vierziger Jahre mehrfach wiederholt und variiert hat, wurde Hasenclever lange Zeit zu einseitig als der lebenslustige „Hofmaler des Weines"[32] beurteilt und damit verkannt. Dieses zweifellos

für die Düsseldorfer Genremalerei besonders charakteristische Bildmotiv, das schon von Pistorius eingeführt wurde, findet sich mehrfach, immer wieder abgewandelt auch im Werk eines weiteren bedeutenden Vertreters des rheinischen Genre, bei Adolph Schroedter, der – schon vor Hasenclever – zu einer erstaunlichen malerischen Freiheit gelangte. Mit graphischen Blättern, die noch während seiner Berliner Zeit entstanden, hatte Schroedter bereits in den zwanziger Jahren sein Talent für die Darstellung volkstümlich-derber, humorvoller Themen unter Beweis gestellt. Ein weiteres Mal gingen die ersten Anregungen von den Niederländern des 17. Jahrhunderts aus. Auf den Berliner Akademieausstellungen von 1824, 1826 und 1828 zeigte Schroedter u. a. Kopien nach Teniers. In den ersten Düsseldorfer Jahren versuchte er zunächst, sich der spätromantischen Gesinnung der Schadow-Schule mit seinem „Sterbenden Abt" (1831) anzupassen, aber bereits 1832 wandte er sich bewußt – wie 14 Jahre später Hasenclever mit seiner „Sentimentalen" – gegen die verbreitete gefühlsbetonte Melancholie der Düsseldorfer Schule. „Die trauernden Lohgerber" (Kat.Nr. 246), welchen die Felle weggeschwommen sind, enthielt für die Zeitgenossen eine offene ironische Anspielung auf Lessings berühmtes „Trauerndes Königspaar" (Kat.Nr. 155), Bendemanns „Trauernde Juden" (Kat.Nr. 25) und ähnliche Darstellungen. Noch 1831 entstand „Die 1830er Rheinwein-Probe" – dieser Jahrgang war damals wegen seiner Säure berüchtigt – und damit ein erster Versuch Schroedters, den in der Graphik bereits so erfolgreich eingeführten Themenkreis auch in die Malerei zu übernehmen[33]. Innerhalb dieses für die Düsseldorfer Genremaler charakteristischen Sujets wurde sein „Rheinisches Wirtshaus" (Kat.Nr. 247) von 1833 zurecht am berühmtesten. Die Kompositionsweise läßt die akademische Tradition noch erkennen. Aber trotz des sorgfältigen Bildbaues wirken die Menschen nicht theaterhaft in kulissenartige Versatzstücke gestellt, sondern erscheinen durchaus natürlich, unsentimental und ohne laute Gebärden. Ihre Gesichtszüge sind typisiert. Eine frische Naturbeobachtung, die im einzelnen zu einem nie unangenehmen Detailnaturalismus führt, liegt der Darstellung zugrunde. Es ist bezeichnend, daß Schroedter nicht das Treiben in der Schankstube, sondern die Gesellschaft draußen vor dem Haus geschildert hat; er bemühte sich ernsthaft um die Probleme der Freilichtmalerei. Die helle Farbigkeit und malerische Behandlung des Lichts finden sich hier zum ersten Mal auf einem Düsseldorfer Genrebild. Besonders gelungen ist die Wiedergabe des Halbschattens und des in den Blättern spielenden Sonnenlichts. Mit dem „Rheinischen Wirtshaus" und einzelnen kleineren Bildchen, etwa dem „Burgplatz in Düsseldorf", läßt sich Schroedter ebenbürtig den deutschen Frührealisten an die Seite stellen. Doch verfolgte er den von ihm gefundenen neuen malerischen Weg nicht konsequent weiter. Mit seinen Szenen zu Cervantes' „Don Quichote" erzielte

Schroedter seine größten Publikumserfolge. Schon während seiner Berliner Zeit (1828) hatte er sich mit dem „Ritter von der traurigen Gestalt" beschäftigt. 1834 griff er diesen Stoff der Weltliteratur erneut auf, doch jetzt unter anderen künstlerischen Voraussetzungen. Die Malweise und die Technik der Lichtführung sind bei seinem „Don Quichote studiert den Amadis von Gallien" (Kat.Nr. 248) altertümelnd in bewußtem Rückgriff auf die Holländer des 17. Jahrhunderts gewählt. Schroedter gab keine Illustration zu Cervantes, sondern er schuf eine neue, eigene Interpretation der Gestalt des Don Quichote, die von der damaligen Kunstkritik als ironische Persiflage auf zeitgenössische Übelstände, speziell das Philistertum im Kunstleben, verstanden wurde[34]. Seine weiteren Kompositionen mit Don Quichote oder anderen Figuren der Weltliteratur, wie Falstaff, Faust, Münchhausen, Till Eulenspiegel vermochten diesen künstlerischen Höhepunkt nicht zu erreichen. Doch bei der Auswahl der Themen und Szenen versteht es Schroedter stets, als geschickter Regisseur, das seiner Begabung und feinsinnig-humorvollen Auffassungsweise Adäquate zu finden.

Bildern, die durch Werke der Literatur angeregt worden sind, begegnen wir innerhalb der deutschen Genremalerei nur in Düsseldorf[35]. Es wird immer wieder betont, daß die Leseabende im Hause Schadows und der Einfluß Immermanns die eigentliche Ursache für die Neigung der Düsseldorfer Maler zu literarischen Themen, einer theaterhaften Gebärdensprache und Lichtführung, zu der kastenartigen Raumbühne gewesen seien. Zweifellos werden hiermit entscheidende Faktoren genannt, welche die rheinischen Künstler aufnahmebereit gemacht haben, verschiedenste Anregungen aufzugreifen, zu assimilieren und zu etwas Eigenem weiterzuentwickeln. Doch entdeckt man besonders häufig auch Analogien in der englischen Genremalerei der ersten Hälfte des 19. Jahrhunderts. So finden sich in David Wilkies Genreszenen (Abb. 105) ebenfalls die bühnenähnlichen Räume mit bildparalleler Rückwand, die er seinerseits von Hogarth übernommen hat, welche letztlich aber auch schon vereinzelt bei den Holländern des 17. Jahrhunderts vorkommen. Auch das Theaterhafte in Szenerie und Lichtführung, die Kopftypen mit den ausgeprägten Physiognomien, das den Erzählvorgang unterstreichende Gebärdenspiel, die stillebenhaft arrangierten Gerätschaften im Vordergrund, dies ebenfalls ein Rückgriff auf die alten Niederländer, finden sich bei Wilkie. Bereits vor Schroedter und Hasenclever haben die Engländer Charles Robert Leslie (1794–1859), William Mulready (1786–1863), Thomas Webster(1800–1886) u. a. literarische Vorlagen zu eigenständigen Genreszenen verarbeitet.

Bei einem weiteren, innerhalb Deutschlands für die Düsseldorfer Malerschule ebenfalls typischen Themengebiet, den Szenen aus dem Leben der Fischer und Lotsen, sind wiederum einzelne Motive schon früher auf englischen Genre-

105   A. Raimbach nach D. Wilkie, Die Pfändung. Düsseldorf, Kunstmuseum

bildern vorgeprägt, beispielsweise bei George Morland (1763–1804) und vor allem bei William Collins (1788–1847). Man darf wohl davon ausgehen, daß Rudolf Jordan einige dieser weich gemalten englischen Dorf- und Strandszenen in graphischer Wiedergabe kannte. Allerdings sind auch Anregungen durch niederländische Gemälde des 17. Jahrhunderts, wie zum Beispiel dem Simon de Vlieger zugeschriebenen „Strand mit Fischern" (Rijksmuseum Amsterdam) anzunehmen. In Düsseldorf behandelte Adolph Schroedter 1830 mit seinen „Fischern auf Rügen" erstmals das Thema, und Jordan hatte noch in seiner Berliner Zeit (1832, als Schüler von Eduard Pistorius) den Reiz dieser Motive mit seiner „Lotsenfamilie in der Hütte" entdeckt. Sicher hat er Schroedters Gemälde auf der Berliner Akademieausstellung gesehen. Ihre naturverbundene, gefahrenvolle Lebensweise ließ die Küstenbewohner als unverbildete, heldenhafte Menschen erscheinen. Sie boten einen willkommenen Kontrast zu den sentimentalen Idealgestalten vieler zeitgenössischer Gemälde und kamen damit dem Bedürfnis nach Natürlichkeit entgegen, ohne daß die poetische oder tragische Idee aufgegeben zu werden brauchte. Jordan erzielte mit diesen Bildern ungewöhnliche Erfolge. Am berühmtesten von seinen zahlreichen Gemälden wurde jedoch gleich die erste in Düsseldorf entstandene Komposition „Der Heiratsantrag auf Helgoland" (1834, Kat.Nr. 127). Diese Szene erreichte eine solche Popularität, daß Püttmann 1839 die rhetorische Frage stellen konnte: „Wer kennt dieses launige Bild nicht? Auf Dosen, Tassen, Stickmustern, Litho- und Chalkographien ist es tausendmal wiederholt worden"[36]. Müller von Königswinter berichtet: „Man hat einen Bilderbogen für Frauen und Kinder davon gemacht, ein Lied ist dazu gedichtet worden, das man zum Leierkasten in den Straßen singt, und, was noch mehr ist, den Komiker Louis Schneider in Berlin hat es in einer Weise begeistert, daß er ein Lustspiel schrieb, welches mit der Stellung des Bildes beginnt"[37]. Die Verbindung zum Theater scheint uns aus heutiger Sicht naheliegender als die Begeisterung der Zeitgenossen für die „wahre" – gemeint ist eine „realistische" – und natürliche Darstellungsweise Jordans, die für uns nur mittels historischer Vergleiche verständlich wird. Das hier gefundene Kompositionsschema läßt sich auch auf zahlreichen späteren Gemälden des Künstlers beobachten. Seine Figuren agieren meist in einer schmalen Vordergrundzone, der sie umgebende Landschaftsraum wird wie eine Kulisse mit Ausblick in die Tiefe gehandhabt. Doch verstand Jordan mit malerischen Mitteln und immer neuen anekdotisch erfaßten oder dramatisch gesteigerten Bildinhalten und Motiven, seinen zahlreichen Szenen aus dem Leben der Küstenbewohner neue Reize abzugewinnen. Gerade die tragischen und heldenhaften Themen hat er selbst als darstellenswert entdeckt, doch nur im Hinblick auf einen interessanten, den Betrachter rührenden oder fesselnden Erzählvorgang (Kat.Nr. 128). Hier geht er über die englische Genremalerei hinaus.

Die im Biedermeier so beliebte, idealisierte Welt der Bauern wurde für die Düsseldorfer Genremalerei erst durch die beiden aus Frankfurt am Main kommenden Malerfreunde Jakob Becker und Jakob Fürchtegott Dielmann bildwürdig (seit 1834). Sie öffneten den Düsseldorfern die Augen für den malerischen Reiz der bäuerlichen Trachten. Man entdeckte das Leben auf dem Land als sonntägliche Idylle oder auch als Bereich, in welchem sich der Einzelne vorbildhaft bewähren konnte. Die beiden Künstler der Schirmer-Schule wirkten dabei als Anreger und Vermittler für die Düsseldorfer Genremalerei. „Der Bauer in seiner naiven Natürlichkeit, in seiner Derbheit, in seiner Liebe und Frömmigkeit, mit seinem freien, heitern Herzen, mit seinen Aengsten und Sorgen, ist ihm (gemeint ist Becker) ein Studium, welchem er mit forschendem, beobachtendem Auge, mit empfindender Seele nachgeht", urteilte ein Zeitgenosse[38]. Wie bei Jordans Fischerszenen wurde auch bei Beckers Bauerndarstellungen das Natürliche gefeiert. Beckers berühmtestes Gemälde „Landleute vom Gewitter überrascht" (1840, Kat.Nr. 21) läßt auf den ersten Blick die akademische Tradition im Bildbau erkennen, ebenso wie im heroisierenden Pathos und in der Zuspitzung des Geschehens auf eine dramatische Situation. Becker folgt hier wohl Anregungen von Leopold Robert, der dadurch berühmt wurde, daß er den Davidschen Klassizismus auf volkstümliche Stoffe übertrug, seine italienischen Bauern in starren, streng akademischen Posen verharren ließ (1836 wurden seine „Heimkehrenden Schnitter" posthum auf der Berliner Akademieausstellung gezeigt). Wieder, wie auch bei Jordan, versammeln sich in Beckers Komposition die Menschen auf einer schmalen Vorder-

grundbühne, auf die helles Licht fällt. Als Hauptfigur des Bildes steht hochaufgerichtet ein junger Bauer inmitten der Gruppe. Das Hochaufragende, die ausgreifende Schrittstellung, die Anlage von Gebärde und Gesichtsausdruck geben der Gestalt etwas theatralisch Heldenhaftes. Dieser Eindruck wird noch dadurch verstärkt, daß die betende Bäuerin unter der weit ausgestreckten Hand kniet. Der Einklang von Beinstellung, Gesten und Blicken intensiviert die Bewegung, das ängstliche Hinstreben zur Brandstätte. Der Landschaftshintergrund und vor allem der dunkle Gewitterhimmel mit den sich ballenden Wolkenmassen lassen die Schulung durch Schirmer erkennen. Auch die Wiedergabe der Westerwälder Trachten zeigt das Bemühen um genaue Naturstudien. Doch wollte Becker kein tatsächliches Abbild des bäuerlichen Lebens darstellen, sondern mit Hilfe der dramatischen Bildidee und akademischen Kompositionsschemata eine Aufwertung des Genrebildes bewirken.

Becker hat eine Anzahl neuer, vorwiegend idyllischer Bildthemen für die Düsseldorfer Genremalerei entdeckt und populär gemacht. Zu den „Wildschützen auf der Flucht" vor den Grenzjägern[39] von 1839 findet sich allerdings keine weitere Parallele in seinem Œuvre. Durch seine Freundschaft mit Ferdinand Freiligrath, den er auch porträtiert hat, mag ein gewisser Anstoß erfolgt sein, oder er wurde hierzu von Wilhelm Heine angeregt, der schon 1834 die „Wilddiebe" dargestellt hatte[40]. Es war allerdings vor allen Carl Wilhelm Hübner, der Ideen des frühverstorbenen Heine aufgriff und einen neuen Typ des Genrebildes mit sozialkritischer Tendenz schuf (Kat.Nr. 110–12). Die meisten Genremaler des Biedermeier hatten keinen Blick für die eigentlichen Probleme der Zeit, oder sie wichen ihnen aus. Die Sympathien für die Notleidenden, die man ja auch für Räuber, Schmuggler und Diebe empfand, entsprangen eher einer unklaren und sentimentalen Vorstellung. Der Beschauer suchte zwar Rührung und Belehrung, aber alles Krasse sollte vermieden werden. Die Einstellung des Publikums wird beispielsweise in einer Notiz über das Wirken des Gothaer Kunstvereins deutlich: „In der zweiten Kunstausstellung betrug der Ertrag einer Büchse, die neben dem Bilde: ,die schlesischen Weber' aufgehängt war, 44 Thlr., welche unter dem 8. März 1848 an das Oberpräsidium der Provinz Sachsen für die bedrängten schlesischen Weber übersandt worden sind"[41]. Daß gerade in Düsseldorf und eigentlich nur hier, wenn man von wenigen Ausnahmen, wie z. B. dem in München wirkenden, aus Köln stammenden Gisbert Flüggen absieht, im Laufe etwa eines Jahrzehnts einige Bilder mit sozialkritischer Tendenz entstehen konnten, läßt sich aus der damaligen gärenden geistigpolitischen Situation des Rheinlandes erklären, worauf in diesem Katalog an anderer Stelle ausführlich eingegangen wird[42]. Allerdings darf Hübner, der wie auch andere Düsseldorfer Maler zum Freundeskreis von Freiligrath gehörte, nicht einseitig politisch gesehen werden. Sein Weberbild

(Kat.Nr. 110) barg für die Zeitgenossen zwar hochaktuellen Zündstoff und konnte, entsprechend zu Marx' Äußerungen über Hasenclevers „Arbeiter vor dem Magistrat", in diesem Sinne von Engels interpretiert werden[43], ist jedoch eindeutig kein Werk des Realismus, sondern der – hier aber durchaus engagierten – Genremalerei. Wieder ist es Wilkie, auf den zwar hier nicht thematisch, doch in Bildbau, Kompositionsweise, pathetischer Gebärdensprache, theaterhafter Lichtführung zurückgegriffen wird. Hübners Mut zum sozialen Engagement steht außer Frage – immerhin wagte er sogar die für die Zeitgenossen verständliche Anspielung auf den berüchtigten Peterswaldauer Fabrikanten Zwanziger durch die Zahl 20 an dessen Taschentuch[44], doch ist es historisch nicht gerechtfertigt, in ihm einseitig den revolutionären Sozialisten zu sehen. Hübner blieb während seiner ganzen künstlerischen Laufbahn Genremaler. 1844, im Entstehungsjahr der „Schlesischen Weber", malte er auch heitere Episoden wie „Der versperrte Brunnen" und „Der neue Lehrbursche". Nach der gescheiterten Revolution von 1848 bestimmen wieder diese anekdotischen Bildthemen sein Œuvre. Hübners soziales Engagement beweist allerdings die Tatsache, daß er den „Verein Düsseldorfer Künstler zu gegenseitiger Unterstützung und Hilfe" mitbegründete und viele Jahre leitete.

Unter dem Einfluß Hübners wagten auch andere Düsseldorfer Künstler, aktuelle soziale Mißstände anzuprangern, wie beispielsweise die Mahl- und Schlachtsteuer durch Wilhelm Kleinenbroich[45] (Kat.Nr. 133) und Peter Schwingen („Das nicht versteuerte Brot"), die dieses Thema beide 1847 aufgriffen. Eine „Pfändung" (Kat.Nr. 253) hatte Schwingen schon im Jahr davor dargestellt, eines der wenigen tendenziösen Bildmotive, das von Wilkie ausgehend, sich nicht nur in der Düsseldorfer Malerschule nachweisen läßt: in Wien haben es Peter Fendi und Ferdinand Waldmüller, in München beispielsweise Gisbert Flüggen und Adolf Eberle variiert. Wilkies „Pfändung" wurde der deutschen Genremalerei durch einen Stich von Abraham Raimbach vermittelt, der zusammen mit einer Besprechung des Bildes im „Kunst-Blatt" von 1828 erschien[46]. Sicher hat Schwingen diese Reproduktion gekannt, doch bestehen auch auffallende Parallelen zu Fendis Komposition von 1840 (Österreichische Galerie, Wien), die sich nicht allein durch die gemeinsame Quelle erklären. Hübners „Pfändung" ist erst 1847, also nach Schwingens Gemälde entstanden. Schwingen erinnert mit seiner Darstellung an die große Not, in die das Handwerk durch zunehmende Industrialisierung geraten war, bleibt aber in der Auffassungsweise dem Genre verhaftet. Der novellistische Bildinhalt wird durch pathetische Gebärden unterstrichen, der Appell an das Mitgefühl des Betrachters dadurch zu stärkster Aussage gesteigert.

Im kleinen Format, darin Schroedter und Hasenclever ähnlich, überrascht Schwingen durch seine pastose Pinselfüh-

rung und seine hohen malerischen Qualitäten, beispielsweise im „Martinsabend" (Kat.Nr. 250), ein für das Düsseldorfer Kindergenre beliebtes Motiv, das man bei Adolph Schroedter, Eduard Geselschap und Louis Toussaint bis hin zu Ludwig Knaus wiederfindet.

Bis etwa zur Märzrevolution war das Verhältnis der Genremaler zu ihrem Publikum weitgehend unbefangen. Danach erstrebten die Künstler bewußt eine „Veredelung" ihrer Bilder. Sowohl die Maler als auch die Kritiker stellten nun einen höheren Anspruch an das Genre. Man war bemüht, in der Hierarchie der Gattungen der Historienmalerei gleichgestellt, wenn nicht gar dieser übergeordnet zu werden. Die alten Rangstreitigkeiten hielten unvermindert an. Karl Immermann schildert beispielsweise in seinen „Epigonen" die Meinungsverschiedenheiten über die Frage, welche Art von Bildern in der neuen Nationalgalerie Aufnahme finden sollte: „. . . Nimmt man nun dazu, daß eine bedeutende Parthei, welche die Kunst vom idealen Gesichtspunkte betrachtet, gegen die Aufnahme von Genres und der Landschaft sich erklärte, während Andere, realistisch gesinnt, sich eben so entschieden dafür aussprachen, so wird man einen Begriff von dem Chaos haben, in welches die beste und hochherzigste Gesinnung der Waltenden eine Menge verständiger Männer und Frauen gestürzt hatte . . ."[47]. In Düsseldorf wurden diese Streitigkeiten zwischen der freien Künstlerschaft, die sich 1848 in dem Künstlerverein „Malkasten" zusammengeschlossen hatte, und der Akademie ausgetragen[48].

Auf den Gesamteindruck, die „vollendete Form", den brillanten „malerischen Reiz" legte man nun bei den Genrebildern besonderen Wert. Sie wurden ganz bewußt „gemacht", in möglichst großen Formaten. Mit Hilfe zahlreicher Einzelstudien, vieler Atelierrequisiten und künstlicher Lichtquellen gelangten die Maler zu ästhetisch raffinierten Kompositionen, die der Beschauer dann als eine Welt „voll Frische und Ursprünglichkeit, Herz und Gemüth, voll naiver Anmuth, aber auch männlicher Kraft und derbem Humor"[49] verstehen konnte. Die französische und belgische Malerei beeinflußte die neuen koloristischen Bestrebungen. Besonders zwei Historienbilder, „Die Abdankung Karls V." von Louis Gallait (Abb. 66) und „Der Kompromiß des niederländischen Adels" von Eduard de Biéfve (Abb. 67) erregten wegen ihrer effektvollen malerischen Wirkung großes Aufsehen, als man sie in den vierziger Jahren auf einer Rundreise durch Deutschland auch in Düsseldorf ausstellte. Ihr Einfluß machte sich hier in gesteigertem Maße allerdings erst etwa ein Jahrzehnt später geltend.

Die Verklärung gehört wesentlich zum Genrebild des 19. Jahrhunderts. Aber jetzt – nach 1848 – machte sich der Grundkonflikt des Jahrhunderts, der Zusammenstoß von idealer und realer Auffassungsweise, immer deutlicher bemerkbar. Der Versuch, diese beiden Begriffe miteinander zu vereinigen, führte zu einer Scheinsynthese. Da das Verhältnis der Genremaler zur Wirklichkeit vom Sentiment bestimmt war, konnte sich als Resultat nur die Darstellung einer Scheinwelt ergeben. An die Stelle der Wahrheit trat das glänzende Äußere. Viele Künstler des Genre bedienten sich bei ihren idealistischen Darstellungen auf gelegentlich nahezu penetrant wirkende Weise einer naturalistischen Formensprache. Mit den Genrebildern distanzierte man sich von der Zeit. Sie waren bewußt oder unbewußt ein Protest gegen die materialistische Umwelt. Es ist bezeichnend für die Epoche, daß selbst Schopenhauer, der sich ja auch gegen den Realismus stellte – allerdings aus anderen Beweggründen –, in seinen „Parerga und Paralipomena" 1851 die Idylle pries, weil sie – im Sinne der Jean Paulschen Definition des „Vollglücks in der Beschränkung" – die Last des Lebens nicht spüren lasse[50].

So erscheint im Genre auch weiterhin das Landleben als verklärte Kleinwelt. Das Dorf und die kleine Stadt stellte man der Großstadt positiv gegenüber, weil man hier noch eine enge, natürliche Verbindung zwischen dem Menschen und der Landschaft sah und der Einzelne noch etwas galt. „Die würdigste Aufgabe" der Genremalerei sei – nach Wiegmann – „die Schilderung des Poetischen und Bedeutenden in den noch nicht durch Ueber-Cultur verflachten Menschen-Classen, namentlich in ihrem unmittelbaren Zusammenhange mit der Natur"[51]. Aber nicht der Bauer des Alltagslebens gewinnt in den Genreszenen Gestalt, sondern ein verfeinerter, salonfähiger Naturbursche im Sonntagsstaat. Die Menschen sind meist idealisch schön und heiter, „naiv" oder markant. Häßlich wirken sie nie; alles Gewöhnliche wurde ausgeklammert. „Die neuern deutschen Genremaler halten sich in ihren Erfindungen fern von dem Gemeinen, Widerwärtigen und Aergerlichen", stellte August Hagen um 1857 fest[52]. Wahrheit und Schönheit scheinen in diesen Bildern identisch zu sein. Nur wenige kritische Stimmen warnten, es sei „ein Grundfehler mancher unserer heutigen Genre- und Dorfgeschichten-Maler und Schreiber, die derbe und oft rauhe Natürlichkeit durch eine gewisse Eleganz und Süßlichkeit unserem Geschmack accomodiren zu wollen"[53]. Der anekdotisch-erzählende Bildinhalt, der vom Betrachter nach Belieben weiter „gesponnen" werden kann, gewann zunehmend an Beliebtheit. Wie literarisch viele Szenen gedacht waren, beweisen häufig auch die langen Titel, die das Geschehen erklären sollten, beispielsweise von Ludwig Knaus, „Die Zigeuner, die Wild gestohlen und nun im Walde von bewaffneten Bauern ausgehoben werden sollen". Auch die Vorliebe für „Gegenstücke", wie zum Beispiel Benjamin Vautiers „Jung" und „Alt", muß in diesem Zusammenhang gesehen werden. Man strebte Kontrastwirkungen sowohl im Malerischen als auch im Inhaltlich-Moralischen an.

Gerade in Düsseldorf war im literarischen Bereich der Bauer schon vergleichsweise früh zu einer Art Mythos des natürlichen, echten Lebens stilisiert worden. Immermann hatte bereits 1839 in seinem „Münchhausen" der kranken Scheinwelt des Adels als positives Gegenbild einen zweiten Teil, den „Oberhof", antithetisch gegenübergestellt. Er zeigt beim Bauernstand die gediegene Sitte, das hermonische Verhältnis von Mensch und Natur. Der bäuerliche Kreis erscheint in idyllischer Abgeschlossenheit, als ideale Welt für sich, als Zufluchtsort für die erkrankte Zivilisation. Zwischen dem „Münchhausen" und dem „Oberhof" besteht eine dialektische Einheit, aber bei den Zeitgenossen erfreute sich die Erzählung aus dem westfälischen Bauernleben größerer Beliebtheit. Mit ihr wurde Karl Immermann zum Ahnherrn der realistischen Dorfgeschichte. Benjamin Vautier hat eine Einzelausgabe dieser Novelle und auch Berthold Auerbachs „Barfüßele" illustriert. Doch sind hier in erster Linie die gedanklichen Anregungen allgemeiner Art zu betonen, die von diesen Werken, auch von Jeremias Gotthelf, Gottfried Keller und anderen Dichtern ausgehend, sich in der Auffassung der Genrebilder zeigen[54].

Schon in Immermanns „Oberhof" wird auch genau auf volkskundliche Details eingegangen. Bei Becker und Dielmann finden wir in den vierziger Jahren bereits ähnliche Tendenzen, besonders in der Wiedergabe der Trachten. Doch erst in den Genreszenen der zweiten Jahrhunderthälfte überwiegt diese detailgetreue, auf Naturstudien basierende Sorgfalt in der Darstellung ethnographischer Besonderheiten. Die Bauern werden nun als einer bestimmten Landschaft zugehörend gekennzeichnet. Die Bevölkerung von Oberhessen, der Schwalm, dem Westerwald, dem Schwarzwald, Westfalens, aber auch vom Berner Oberland und Skandinaviens, sowie die Küstenbewohner Frieslands und der Normandie waren bei den Düsseldorfer Genremalern besonders beliebt. Ihre Trachten, Gehöfte, Geräte und Sitten sind oft so genau wiedergegeben, daß diese Bilder sogar als kulturhistorische Dokumente und Anschauungsmaterial für Volkskundler dienen könnten.

Die skandinavischen Genremotive wurden zuerst von dem Norweger Adolf Tidemand eingeführt, der von dem Ruf der Schadow-Schule angezogen, bereits 1837 ins Rheinland kam. Mit seiner „Andacht der Haugianer" (1848, Kat.Nr. 246) erregte er nicht nur in Düsseldorf, sondern auch auf der Berliner Akademieausstellung großes Aufsehen und allgemeine Anerkennung. Als charakteristisch und stellvertretend für die Bewunderung der Zeitgenossen mag Müller von Königswinter zitiert sein: „. . . Wie mächtig ist die Eigenthümlichkeit dieser Menschen, welche abgeschieden von dem Leben der civilisirten Welt, in einem verschollenen Winkel ihre Tage zubringen! Hier ist nicht die Nüchternheit und Abflachung zu finden, welche die Nationen des mittlern Europa an sich tragen, hier ist nicht die Lebendigkeit, welche durch das Wesen des Südländers leuchtet, hier ist der starre gewaltige Norden. Diese Gesichter erinnern an die kantigen Granitgebirge und an die stillen dunkeln Seen, welche sich zwischen jenen dahinziehen; sie sind schroff wie die ersten und tief wie die zweiten . . . Wenn uns Blicke in fremde und eigenthümliche Regionen geöffnet werden, so stehen wir oft in stiller Ueberraschung, hier gesellt sich mit Recht die Bewunderung dazu"[55].

Mit dem Blick aus der historischen Distanz erkennen wir heute trotz des norwegischen Milieus, dem Naturstudien zugrunde liegen, die Tradition der Düsseldorfer Malerschule, die letztlich auf Lessings „Hussitenpredigt" zurückgeht. Ob zur Bildidee nicht auch englische Anregungen beigetragen haben, müßte noch genauer untersucht werden. 1830 hatte George Harvey (1806–76) „The Covenanters' Preaching", allerdings in freier Landschaft, dargestellt, und sogar zum Œuvre des Brouwer-Nachahmers Egbert van Heemskerk, der seit 1763 in England wirkte, gehörte schon ein „Quaker Meeting". Auch bei dem Niederländer Cornelis Troost (1697–1750) finden sich mehrere Szenen mit Zusammenkünften von Sektierern. – Müllers Begeisterung für die markanten nordischen Charakterköpfe auf Tidemands Gemälde oder Wiegmanns Bemerkung, „mit bewunderungswürdiger Treue und Liebe weiß er den Typus des norwegischen Bauern zu schildern"[56], überrascht etwas, denn Tidemand hat – auch darin Lessing vergleichbar – für einzelne Köpfe Porträtstudien seiner Düsseldorfer Malerfreunde verwendet. In der Hauptfigur, dem Prediger, erkennen wir beispielsweise Theodor Mintrop wieder. Er, der Bauernsohn, der bis zu seinem 30. Lebensjahr auf dem elterlichen Hof gearbeitet hatte und erst dann die Akademie besuchte, galt in den Düsseldorfer Kreisen als das bewunderte, unverfälschte Naturkind. Es ist erhellend für die geistige Situation, daß er mehrfach auf Genrebildern für die Figur des edlen Bauern Modell stand, so auch in den berühmten „Falschspielern" (1851, Kat.Nr. 134) von Ludwig Knaus.

Das Gemälde ist geradezu ein Paradebeispiel für die sowohl malerisch wie auch inhaltlich auf Kontrastwirkung aufgebauten Genreszenen. Knaus versucht, die Form aus der Farbe aufzubauen. Seine Malweise ist weich, die Pinselführung locker. Ein warmer, an die Holländer gemahnender Braunton beherrscht den Gesamteindruck. Bei Knaus begegnen wir innerhalb der Düsseldorfer Genremalerei erstmals dem sogenannten „Galerieton", dem bewußt historisierenden Rückgriff auf die Maltradition der Niederländer des 17. Jahrhunderts, der auch von den Zeitgenossen wie eine Art Zitat verstanden wurde. „Malerisch ist das Bild ein Ostade in das Moderne übersetzt, mit treu nach der Natur beobachteten Typen aus dem Leben der Bauern in Nassau und am Niederrhein. Aber im Gegensatz zu dem unbekümmerten, phlegmatischen Frohsinn der holländischen Kneipgenies, deren Treiben Ostade, Brouwer und die Geistesverwandten nur von der burlesken Seite sahen, hat der moderne Maler die sittlichen Schäden dieses Lebens betont . . ."[57]. Tatsächlich erinnert die Hintergrundszene an die „Unterhaltung am Ka-min" von Adriaen van Ostade. Wollte man zeitgenössische Genrebilder lobend von Szenen des 17. Jahrhunderts abheben, so betonte die Kunstkritik – wie auch im obigen Zitat – deren höhere menschliche und ideelle Werte. Der Beifall, den Knaus mit seinen Genredarstellungen erlangte, beruhte zu einem großen Teil auf deren moralisch-belehrender Wirkung. Allerdings kleideten auch die Holländer Allegorie und Moral in Genreszenen, deren Nebensinn aber im 19. Jahrhundert nicht mehr verstanden wurde. Vereinzelt zeigt sich der moralisierende Zug jedoch offen, wie beispielsweise auf Jan Steens „Der Vergnügte", wo ein Knabe seinen Vater aus der betrunkenen Gesellschaft im Wirtshaus zieht, während eine Dirne nach draußen der mit einem weinenden Kind an der Türe stehenden Mutter zuprostet. Die Parallele zu den mahnenden Mädchen auf den „Falschspielern" und dem Thema des späteren Gemäldes „Auf schlechten Wegen" (1876) wird deutlich. Knaus hat möglicherweise auch Anregungen von Hasenclever, sowohl kompositionell (Zweiteilung des Raumes, Nebenszene im Hintergrund), wie auch motivisch („Die unschuldigen Kinder"[58]) verarbeitet. In der Nachfolge von Knaus wird das Motiv des warnenden Kindes dann von Eastman Johnson (1853, Kat.Nr. 125) aufgegriffen. Das Thema begegnet uns abgewandelt und zur sozialen Anklage erhoben beispielsweise bei Christian Ludwig Bokelmann „Bis in den hellen Tag" (1874), Adolf Echtler (1843–1914) „Das Verderbnis einer Familie" oder bei Charles de Groux (1825–1870) „Der Trunkenbold". –

Schon vor seinem Parisaufenthalt (ab 1852) hatte Knaus Studienreisen nach Berlin, Dresden, Wien, Prag und München unternommen. Ihn interessierten hauptsächlich die Museen und Galerien dieser Kunstzentren. Hier erwarb er sich genauere Kenntnisse der niederländischen Malerei des 17. Jahrhunderts, die er schließlich selbst zu sammeln begann[59]. In seinem Nachlaß befanden sich Gemälde und Handzeichnungen von David Teniers d. J., Isaak Ostade, Frans Wouters, Peter Quast u. a. Doch wäre es falsch, Knaus ausschließlich unter dem Aspekt der Rezeption aus historisch Vorgegebenem zu sehen. Er verarbeitete die durch die Holländer gewonnenen Anregungen zu eigenständigen Werken von hoher malerischer Qualität, wobei seinen Naturstudien eine wesentliche Bedeutung zukommt. Als Knaus 1848 die Düsseldorfer Kunstakademie im Zorn verließ, ging er, Anregungen Beckers und Dielmanns folgend, für einige Monate nach Hessen, um die Schwälmer Bauern in ihren farbenfrohen Trachten zu beobachten und zu skizzieren. In seinen Lebenserinnerungen berichtet er, daß er durch ein kleines Gemälde Dielmanns von 1845 „Willingshäuser Dorfschmiede" auf diesen Ort aufmerksam geworden sei[60], den er auch später immer wieder besuchte. Auf den zahlreichen Studienfahrten, die ihn außer nach Hessen in den Schwarzwald, in die Schweiz und nach Tirol führten, sammelte er Material für seine vielfigurigen, meist großformatigen Genreszenen.

Seine Studien überraschen häufig durch eine unsentimentale, realistische Auffassung. Knaus pflegte seine Einzelstudien über Jahre hinaus je nach Bedarf immer wieder in neuem Zusammenhang variiert zu verwenden. Sein Arbeitsstil und seine Kompositionsweise blieben auch nach seinem Pariser Aufenthalt – der allerdings einen bedeutenden Fortschritt für seine Maltechnik brachte – der durch die Schadow-Schule geprägten Eigenart treu. Dem genau erarbeiteten Gesamtentwurf folgten ausführliche figürliche Einzelstudien, zum Teil nach dem in Tracht gekleideten gestellten Modell. Seine Naturstudien wurden häufig ebenfalls in die Gemäldekomposition „eingebaut", wobei jedoch das Natürliche und Charakteristische zugunsten einer idealeren, geschönten Auffassung verloren gingen. Auch Knaus' bühnenähnlicher Bildbau mit eher schematischer Tiefengliederung verweist auf Düsseldorfer Traditionen[61].

Dieser berühmte, wie kein anderer deutscher Genremaler mit zahlreichen internationalen Orden und Medaillen ausgezeichnete Künstler wurde von der Kunstkritik bis in unser Jahrhundert hinein als nationales Ereignis gefeiert[62]. „Er hat einem Realismus (sic!) gehuldigt, der nicht Naturabschrift, sondern Natur, gesehen durch ein künstlerisches Auge, war. Und noch etwas kam bei Knaus' Kunst hinzu, das sie so wertvoll macht – sie ging aus einer selten gesunden, harmonischen und begnadeten Persönlichkeit hervor und das Goldechte dieser Natur, sein Humor breitete über alles, selbst die widerwärtigen Dinge des Lebens einen schönen Schein und Stimmungszauber aus . . . Seine Kunst ist buchstäblich um den Erdball verbreitet . . . Seine Kunst hat beinahe auf drei Generationen eingewirkt . . . Kaum ein zweiter Maler hat mit seiner Kunst eine so ungeheure Popularität errungen und kaum ein zweiter sich so ins Herz der Nation eingeprägt; sein Name wird daher immer bestehen"[63].

Mit historischem Abstand erkennen wir heute – selbst in oben zitierter Lobeshymne – den unübersehbaren Widerspruch in der Kunst Knaus'. Der Künstler suchte nach volkstümlichen, die Wirklichkeit wiedergebenden Themen und glaubte, das Einfache und Natürliche in der Gestalt des Bauern zu finden. Aber er schilderte diese Menschen mit der wohlwollend herablassenden Haltung des erfahrenen Weltmannes. Er gab sie nicht so, wie sie waren, sondern wie er und sein Publikum sie gerne sehen wollten. Mit Hilfe einer anspruchsvollen malerischen Ausführung, einem koloristischen Raffinement, versuchte der Maler, die episodenhaften oder humorvollen, vor allem moralisierenden Erzählvorgänge seiner großformatigen, meist figurenreichen Darstellungen aufzuwerten. Trotz naturalistischer Stilmittel vermochte er nur eine Scheinwelt zu vermitteln. Doch wirkt die klischeehafte, idealisierende Sehweise durch die hohe Qualität seiner Maltechnik gemildert.

Von den zahllosen Nachfolgern muß Benjamin Vautier besonders hervorgehoben werden, denn seine Genreszenen erfreuten sich einer fast ebenso großen Beliebtheit wie die seines Freundes und künstlerischen Anregers Knaus. Viele ihrer Bildthemen sind vergleichbar. So waren die beiden Künstler auf der Wiener Weltausstellung von 1873 zum Beispiel jeweils mit einer bäuerlichen Begräbnisszene vertreten (vgl. die von Knaus Kat.Nr. 139). Krankheit, Tod und Begräbnis finden sich immer wieder im Genre der zweiten Jahrhunderthälfte dargestellt. Aber das „Dennoch" war dabei obligatorisch. So ist auf den meisten dieser rührseligen Unglücksszenen – häufig mit Hilfe der Kinder – irgendwo ein Hoffnungsschimmer oder ein Trost angedeutet, die alles in ein mildes, versöhnliches Licht tauchen. Auf diesen Bildern sah der Betrachter sich selbst und seine eigenen Erfahrungen moralisch gedeutet. Das trifft auch zu auf Vautiers „Leichenschmaus" von 1866 (Kat.Nr. 261), einer figurenreichen Szene, die dem Künstler Gelegenheit bot, den Ausdruck von Trauer und Anteilnahme vielfältig zu variieren und zu differenzieren. Eine gewisse ruhige Vornehmheit und Zurückhaltung bleiben in seinen Darstellungen gewahrt.

Vautier verfügt allerdings nicht über die gleiche Brillanz der koloristischen und technischen Meisterschaft wie Knaus, doch gelingen ihm gerade im kleineren Format überzeugende künstlerische Leistungen. Beiden Malern gemeinsam ist auch die Vorliebe für Szenen aus der Welt der Kinder. Das Unproblematische des kindlichen Treibens, der der drolligen „Naivität" der Kleinen entspringende humorvolle Ausdruck bestimmen die Wirkung solcher Werke.

Die besten Leistungen sind Vautier immer dann gelungen, wenn er das inhaltlich-erzählende Moment in seinen Genreszenen zurückdrängt. In der Schilderung des Milieus, der Trachten ist er ein sorgfältiger Beobachter des Realen und ein genauer Chronist, der eine möglichst große Wirklichkeitsnähe zu erreichen sucht. Mit seinem ersten in Düsseldorf gemalten Bild, das er in Paris begonnen haben soll, „In der Kirche" (Kat.Nr. 258), gelang ihm ein Schlüsselwerk, das einen neuen Weg über das Genre hinaus zum Realismus hin aufzeigte. Doch verfolgte Vautier selbst diesen Weg nicht. Wir dürfen aber davon ausgehen, daß Wilhelm Leibl auf der „Großen historischen Kunstausstellung 1858" in München das Gemälde gesehen hat, man denke an seine „Drei Frauen in der Dorfkirche" von 1878 ff.

Knaus sowohl wie Vautier haben Genreszenen aus vergangenen Jahrhunderten gemalt. Knaus' „Wie die Alten sungen, so zwitschern die Jungen" (1869, Nationalgalerie Berlin) schildert ein Kinderfest des ausgehenden 18. Jahrhunderts, wobei Chodowiecki sozusagen zitiert wird, den wir im Hintergrund der Szene sogar in persona dargestellt finden. Vautiers „Toast auf die Braut" (1870, Kunsthalle Hamburg) zeigt eine Familienfeier in einem vornehmen Haus im Zeitalter des Rokoko. Anhand zeitgenössischer Darstellungen, mit Hilfe von Büchern und durch Studien in den damals neu errichteten kunstgewerblichen Abteilungen der Museen suchten sich die Künstler solcher Genrebilder genaue Kenntnisse der Lebensgewohnheiten, der Kleidung und des Mobiliars der jeweiligen Epoche anzueignen. Alles sollte „stimmen". Trotz dieser Bemühungen um die historische Richtigkeit entstanden jedoch meist nur eklektizistische Kostümbilder. Sie geben nicht Menschen der dargestellten Zeit wieder, sondern Modelle, welche die Gewänder längst vergangener Tage tragen und sich wie in einem Theaterstück oder auf einem Kostümfest bewegen.

Zu dieser Richtung des sogenannten „Historischen Genrebildes" – ein Widerspruch in sich – muß auch Wilhelm Sohn gerechnet werden. Mit Hilfe von Rückgriffen auf die Vergangenheit versuchte er seine Darstellungen aufzuwerten. Seine Figuren erscheinen häufig im historischen Kostüm. Das Milieu, die Möbel und Gerätschaften basieren auf genauen Studien. Die Bildinhalte sind meist anspruchsvoll und „erzählen" im Stil der beliebten zeitgenössischen Familienromane. Sohns koloristische Begabung und virtuos gehandhabte Maltechnik bewahrten ihn vor dem Abgleiten in die Trivialität.

In der zweiten Jahrhunderthälfte galt Düsseldorf als das bedeutendste Zentrum der Genremalerei. Besonders erfolgreiche Künstler wurden mit in- und ausländischen Preisen und Medaillen ausgezeichnet, man wählte sie zu Ehrenmitgliedern auch internationaler Akademien oder sie erhielten einen Lehrauftrag oder eine Professur an auswärtigen Kunstschulen. So kann man durchaus von einer offiziellen Anerkennung des Genre sprechen. Um so erstaunlicher ist die Tatsache, daß es an der Düsseldorfer Akademie, wie eingangs erwähnt, bis zum Jahre 1874 keinen Lehrstuhl für die Genremalerei gab. Besonders nach dem Brand des alten Akademiegebäudes (1872) hatte man sich bei den Planungen für den weit größeren Neubau wieder mehrfach um eine Bewilligung dieses Lehrstuhls bemüht. Schließlich, am 11. März 1874, wurde Wilhelm Sohn zum Professor der Genremalerei ernannt. Dies geschah zu einem Zeitpunkt, als das Genrebild sich historisch bereits überlebt hatte.

Das „Nordfriesische Begräbnis" von 1887 (Kat.Nr. 38) des Sohn-Schülers Christian Ludwig Bokelmann bezeichnet einen Endpunkt der Düsseldorfer Genremalerei. Das Bild schließt an die Tradition der dörflichen Begräbnisszenen von Knaus (Kat.Nr. 139) und Vautier an. Doch Bokelmann bemühte sich um eine sachliche, unsentimentale Schilderung. In der Figur des kleinen trauernden Kindes teilt sich der Szene ein rührendes Moment mit, das aber durch die malerische Kühle der Darstellungsweise nur verhalten zum Tragen kommt. Das Gemälde ist auf den herben Schwarzweiß-Kontrast der Menschengruppe abgestimmt. Aus einer fein abgestuften Farbgebung mit zarten Nuancen gewann der Künstler atmosphärische Stimmungswerte. Trotz Studium der Freilichtmalerei ist ihm allerdings die angestrebte Sonnenwirkung nicht überzeugend gelungen. Bokelmann war

einerseits noch der konventionellen Bildtradition des Genre verhaftet, andererseits verweist er auf eine Möglichkeit zur Überwindung der sentimentalen oder idealisierenden Szenen mit Hilfe einer neuen malerischen Auffassung und wirklichkeitsnahen Sehweise. So hat sein „Aufbruch der Auswanderer" (Studie zu dem Gemälde von 1882, Kat.Nr. 37) mit Hübners Genrebildern dieses Themas (Kat.Nr. 112) nichts mehr gemeinsam. Doch ging Bokelmanns künstlerische Entwicklung nicht über diese äußerste Grenze zwischen Genre und Realismus hinaus.

Es ist auffallend wie sehr die Genremaler sich scheuten, die Alltagswelt des Großstädters, des Arbeiters zu schildern[64]. Die Darstellung des nackten Elends wurde peinlich vermieden; die Kritik an den sozialen Mißständen der Zeit erschöpfte sich – von wenigen Ausnahmen abgesehen – in antibürgerlicher Thematik voll romantisierender Gefühlsschwärmerei. Dem ungebundenen Leben der Wilderer, der Holzdiebe, des fahrenden Volks, der Zigeuner und Zirkusartisten gehörten ihre Sympathie und ihr Mitgefühl. Sie bedauerten diese Menschen wegen ihrer Bedürftigkeit und beneideten sie doch gleichzeitig um ihre vorgebliche Freiheit von bürgerlicher Moral und gesellschaftlicher Konvention. Auch hierin zeigt sich wieder deutlich die Flucht vor der Realität. Die Genremaler sahen ihre Aufgabe nicht im Aufdecken von Mißständen und deren vielschichtiger, hintergründiger Problematik, so daß ihre Arbeit sich eher verschleiernd auswirkte. Die Welt der Städter spiegelte sich vorwiegend in repräsentativen, festlichen Gesellschaftsszenen oder aber in larmoyant-anekdotischen Erzählungen von Witwen und Waisen, Verlassenen, Auswanderern, Trinkern, Spielern, Gefangenen. Themen wie Pfändung, Leihhaus, Schuldverschreibung, Verhaftung entsprangen unklaren Vorstellungen über die damalige soziale Lage. Allerdings entwickelte sich – abweichend vom Genre – etwa im letzten Drittel des Jahrhunderts ein Bildtypus, den die Zeitgenossen mit „Armeleutemalerei" bezeichneten. Auf großen Formaten suchten die Künstler in bewußter Monumentalisierung auf eindringliche Weise Not und Elend der untersten Schichten der industrialisierten Gesellschaft zu zeigen. Arthur Kampfs „Letzte Aussage" (1886, Kat.Nr. 131) sei hier stellvertretend genannt.

Im Vergleich zu den anderen deutschen Kunstzentren zeigten die Düsseldorfer Genremaler allerdings schon erstaunlich früh und wesentlich häufiger Interesse an Bildthemen mit sozialkritischer Tendenz. In München finden wir sie im wesentlichen nur bei dem gebürtigen Kölner Gisbert Flüggen (1811–1859), der kurze Zeit die Düsseldorfer Kunstakademie besucht hat[65]. Allgemein haben die Düsseldorfer Genremaler auch eine größere Vielfalt an Bildmotiven entwickelt. In diesem Zusammenhang sei nur an die Szenen aus dem Leben der Bewohner der friesischen Küsten und Skandinaviens, an die Weinproben und Lesekabinette erinnert, sowie an die durch Werke der Literatur angeregte Genremalerei. Verstärkt zeigen sich in Düsseldorf die Einflüsse der Spätromantik in mittelalterlichen Bildvorwürfen und Schilderungen aus Bereichen, die außerhalb der bürgerlichen Welt liegen, wie etwa die Räuber- und Schmugglerthematik. Auch das im Rheinland so beliebte Kindergenre findet sich in München vergleichsweise selten. Die bayerischen Künstler gestalteten bevorzugt Szenen aus dem Leben der Bergbauern, wobei dem Landschaftsgrund und der Tierstaffage eine größere Bedeutung zukommt als auf den entsprechenden Düsseldorfer Genrebildern. Dabei mildert bei den Münchnern die Betonung des Landschaftlichen häufig den überzogenen oder rührseligen Eindruck mancher Episode. Eine Besonderheit des Münchner Genres, die beliebten Szenen aus dem italienischen Volksleben, wurden im Rheinland nur vereinzelt dargestellt – z. B. von Rudolf Jordan nach dessen Italienreise –, wie hier überhaupt weniger ethnographische Gemälde aus südlichen oder orientalischen Ländern entstanden. Eine Ausnahme bilden die Genrebilder mit orientalisch-fremdländischen Motiven von Johann Hermann Kretschmer, die er im Anschluß an seine abenteuerlichen Reisen (zwischen 1837 und 1842) schuf. Die in München im Verlauf der zweiten Jahrhunderthälfte zunehmend geschätzten Bildvorwürfe mit dem „lustigen Bruder Kellermeister" – vor allem von Eduard Grützner – finden wir in Düsseldorf nicht.

Die Entwicklung der Genremalerei verläuft im wesentlichen in allen deutschen Kunstzentren gleich. Doch war die Düsseldorfer Genremalerei seit etwa den sechziger Jahren besonders gefährdet, in Sentimentalität und Trivialkunst abzugleiten. In München wurde die Welt des Bauern vergleichsweise weniger idealisiert gegeben, weil man ein natürlicheres Verhältnis zur Landbevölkerung hatte. Die Rheinländer sahen dagegen das bäuerliche Dasein mit den Augen des Großstädters und Feriengastes. Doch gilt sowohl für die Münchner wie für die Düsseldorfer Schule, daß die überzeugendsten künstlerischen Leistungen im Biedermeier entstanden sind. Schroedter, Hasenclever und Schwingen gelangten mit einzelnen Werken zu einer hellen Farbskala und einer schwungvollen, pastosen Maltechnik, die sich um diese Zeit bei keinem Münchner Genremaler findet. Diejenigen Künstler, welche sich in bewußtem Bescheiden auf ereignisarme Handlungen und auf kleine Formate beschränkten, erreichten die besten Lösungen. Das einfache Leben ist hier erfüllt von Poesie. Zwar ist nicht die Realität selbst dargestellt, sondern eine verklärte Idee der Wirklichkeit, aber die dem Gehalt gemäße künstlerische Form wurde getroffen. Dennoch ist nicht zu übersehen, daß die Popularität der Genrebilder vorwiegend auf außerkünstlerischen Faktoren beruhte. In den Genreszenen der zweiten Jahrhunderthälfte werden dann immer deutlicher idealistische Inhalte in naturalistischer Formensprache dargestellt. Die Diskrepanz zwischen geistiger Gesinnung und künstlerischen Mitteln mußte sich als Qualitätsverlust auswirken. Denn „idealistischer Naturalismus" ist – nach Georg Schmidts grundlegender Definition[66] – ein Widerspruch in sich und – wiederum nach Schmidts Darlegung – geradezu ein Paradigma des Kitsches. Einerseits sah man in der naturalistisch getreuen Wiedergabe der gegenständlichen, sichtbaren Wirklichkeit den höchsten künstlerischen Wert, auf der anderen Seite ging es nicht um Erkenntnis, sondern um idealistische Überhöhung der Realität. Wegen dieser Zwiespältigkeit konnte den Genremalern nur stückweise Naturwahrheit gelingen, denn die äußere Richtigkeit im einzelnen ist nicht identisch mit der inneren Wahrheit des Ganzen. Das Genre verflachte und mußte sein künstlerisches Ende finden, weil es der geschichtlichen Problematik nicht gewachsen war. Diese Bilder hatten sich gleichsam überlebt, da sie keinen Widerschein des Wirklichen mehr in sich bargen und ohne „innere Notwendigkeit" (Kandinsky) entstanden. Die wirklich schöpferischen Künstler, von welchen die weitertragenden Kräfte ausgingen, mußten die zum Klischee erstarrten Formen und Motive der Genremalerei zerstören, um neue Ansatzpunkte zu zeitgemäßen Aussagen zu finden.

Anmerkungen

1 Müller von Königswinter, S. 381 f.
2 Deutsches Kunstblatt, 1. Jg., 1850, S. 325, Die Düsseldorfer Herbstausstellung.
3 H. Püttmann, S. 146; vgl. auch S. 147 f.
4 Vgl. Ute Immel, Die deutsche Genremalerei im 19. Jahrhundert, Diss., phil., Heidelberg 1967.
5 Diderot, Versuche über die Mahlerey, übersetzt von Carl Friedrich Cramer, deutschem Buchdrucker und Buchhändler zu Paris, Riga 1779 bey Johann Friedrich Hartknoch, S. 126.
6 Ernst Förster, Peter von Cornelius. I. Teil, Berlin 1874, S. 274 (Gespräch in der Glyptothek, München 1823).
7 Karl Immermann, S. 356.
8 Brief im Besitz der Autographensammlung im Heinrich Heine-Institut, Düsseldorf. Zitiert nach: Gerhard Rudolph, Druckgraphik in Düsseldorf 1800–1860, in: Zweihundert Jahre Kunstakademie Düsseldorf, Düsseldorf 1973, Anm. 29 auf S. 114 f.
9 „Es war diese Bestimmung aus der Überzeugung hervorgegangen, daß die einzig tüchtige Basis für die Erziehung der großen Masse des Volks zum Verständnisse der Kunst, wie für eine heilsame Entwicklung jedes einzelnen Zweiges der Kunstthätigkeit, die monumentale Historienmalerei sei, und daß ohne einen solchen ernst-großen Hintergrund die gesammte Kunst Gefahr laufe, in Trivialität oder bloßes Handwerk zu verfallen . . ." In: Rudolf Wiegmann, Die Königliche Kunst-Akademie zu Düsseldorf. Ihre Geschichte, Einrichtung und Wirksamkeit und die Düsseldorfer Künstler, Düsseldorf 1856, S. 23.
10 Heinrich Bürkels Lebensbericht abgedruckt in: Luigi von Buerkel, Heinrich Bürkel 1802–1869. Ein Malerleben der Biedermeierzeit, München 1940, S. 19.
11 Schadow, Der moderne Vasari, S. 168.
12 Schadow, Vasari, S. 168; vgl. auch S. 108 f.: „In der That . . . ich kann es noch nicht begreifen, weßhalb man nicht eine besondere Klasse der

Genremalerei mit einem tüchtigen Manne dieses Faches an der Spitze errichtet. – Ich nahm mir mal die Freiheit ... mich in diesem Sinne zu äußern, da der bei weitem größere Theil der Studirenden dies Fach ergreift; allein man erwiederte mir: wenn Jemand eine nackte antike Figur, eine edle Gewandfigur in Lebensgröße, sowie einen tüchtigen Akt richtig zeichnen gelernt, so wird es ihm leicht werden, jeden Gegenstand unseres wirklichen Lebens nicht allein geschickt wiederzugeben, sondern auch möglichst poetisch und stilvoll aufzufassen. – Anfänglich hat es mich Mühe gekostet, dieser Lehre zu folgen, jedoch habe ich sie völlig durch meine Erfahrung bestätigt gefunden."

13 Müller von Königswinter, S. 382.

14 Schadow, Vasari, S. 163 f.

15 Arthur Schopenhauer, Welt als Wille und Vorstellung (1819). Sämtliche Werke nach der ersten Gesamtausgabe neu bearbeitet und herausgegeben von Arthur Hübscher, Wiesbaden 1949 ff., Band I, 2, S. 271, 272 f., Bd. II, S. 549 Anm.

16 Conversations-Lexicon für bildende Kunst, begründet von J. H. Romberg, fortgeführt von Friedrich Faber, 3. Band, Leipzig 1846, S. 261.

17 Wiegmann, S. 75.

18 Kunst-Blatt, hrsg. von Dr. Ludwig Schorn, Stuttgart/Tübingen bei Cotta, 8. Jg., Nr. 37, 7. Mai 1827, S. 146 f., Kunstausstellung in Berlin 1826.

19 Vgl. M. Lehmann/V. Leuschner, S. 44 ff.

20 Uechtritz, Bd. I, S. 378.

21 Die Gestalt des „edlen Räubers" wurde in der Literatur des Sturm und Drang erstmals behandelt. Am 13. Januar 1782 fand die Uraufführung von Schillers „Räubern" statt. – Im Trivialroman verschmolz man die Figur des wohlmeinenden Selbsthelfers Karl Moor mit dem Räuberwesen der Zeit. Die Räuberromane von Christian Heinrich Spieß (1755–1799), Karl Gottlob Cramer (1758–1817), Christian August Vulpius (1762–1827), Heinrich Zschokke (1771–1848) und anderen erfreuten sich bei den Zeitgenossen großer Beliebtheit, Vulpius hatte mit seinem „Rinaldo Rinaldini, der Räuberhauptmann, eine romantische Geschichte unseres Jahrhunderts" (1798), dessen Handlung durch die Verlegung nach Italien noch einen besonders romantischen Anstrich bekam, den „edlen Räuber" par excellence geschaffen und sicher u. a. auch Leopold Roberts Räuberdarstellungen beeinflußt. Ob Lessing diese populären Trivialromane gekannt hat, ist nicht bekannt. Sicher ist jedoch, daß die Begeisterung des Publikums für seinen „Räuber auf Bergeshöh" durch die allgemeine Kenntnis dieser Literatur gefördert wurde. Bezeichnenderweise stellte Lessing aber seine Räuber in einer deutschen Landschaft dar. – Zeitgenössische Berichte über den Schinderhannes sind aufgeführt bei: Lehmann/Leuschner, S. 45, Anm. 35.

22 Uechtritz, Bd. I, S. 381.

23 Vgl. Hans Georg Gmelin, Georg Pencz als Maler, in: Münchner Jahrbuch der bildenden Künste, 3. Folge, Bd. 17, 1966, S. 93, Abb. 45, S. 87, Kat.Nr. 25.

24 Die Komposition fand durch Stich und Lithographie weite Verbreitung und erschien in der zweiten Jahrhunderthälfte sogar als Motiv auf geschnittenen Ziergläsern.

25 A. Graf Raczynski, Bd. I, S. 202.

26 Müller von Königswinter, S. 287 f.

27 P. Kauhausen, Lebenserinnerungen Schirmer, S. 61.

28 Eine umfassende Arbeit über die englische Druckgraphik des 19. Jahrhunderts, ihre Verbreitung und ihren Einfluß auf andere Länder steht noch aus. – J. W. Theodor Janssen, der Schwager Hasenclevers, hat beispielsweise mehrere Gemälde Wilkies gestochen. Seit 1807 stand Wilkie in Verbindung mit dem Kupferstecher Abraham Raimbach, aber auch mit John Burnet, W. Greatbach, Jean Pierre M. Jazet, Louis Philibert Debucourt u. a., die alle Stiche nach seinen Gemälden anfertigten. Seit 1847 publizierte man in London die sogenannte „Wilkie-Gallery". In einer Folge von jährlich drei Blättern erschienen nacheinander sämtliche Werke des Engländers.

29 So kann man beispielsweise auch nicht mit Bestimmtheit sagen, ob Hasenclevers so hervorragende „Atelierszene" (Kat.Nr. 91), letztlich auf

eine Anregung durch das 1828 datierte „Scholarenzimmer" (Österreichische Galerie, Wien) des Wiener Genremalers Josef Danhauser zurückgeht.

30 Anton Fahne, Hasenclevers Illustrationen zur Jobsiade, 2. Auflage Bonn und Cöln 1852.

31 Artikel in der „New York Daily Tribune" vom 12. August 1853. – Vgl. W. Hütt, 1955/I, S. 834.

32 So z. B. Gottfried Keller in einem Brief an Müller von Königswinter vom 27. Mai 1856. – Abgedruckt in: Paul Luchtenberg, Wolfgang Müller von Königswinter, Köln 1959, II. Bd, S. 98/99.

33 Vgl. vor allem seine programmatische Radierung „Der Pfropfenzieher" von 1831, die Schroedters Ruf als „Meister mit dem Pfropfenzieher" begründete. Eckhard Grunewald verweist auf eine Zeichnung Schroedters von 1818, auf welcher der Künstler bereits einen stilisierten Pfropfenzieher als Signum verwendet. „Das Symbol soll auf die Weinschröter verweisen, von deren Berufsbezeichnung der Künstler seinen Namen abgeleitet wissen will". Eckhard Grunewald, Adolph Schrödter (1805 bis 1875). Zu Leben und Werk des ersten Taugenichts-Illustrators, in: Aurora 37 (1977), S. 92 f. – Die Verbindung von Schroedter und seinem Signum aus den Zeitgenossen so vertraut, daß Christian Eduard Böttcher auf seiner „Sommernacht am Rhein" (1862, Kat.Nr. 36) den Pfropfenzieher – als Zitat verstanden – gleich zweimal anbrachte und voraussetzen konnte, daß das Publikum ihn verstehen würde. Mit dem Wirtshausschild ist der Hinweis auf Schroedters „Rheinisches Wirtshaus" (Kat.Nr. 247) gemeint. Zum anderen dient der große Korkenzieher, den der Junge an den Tisch bringt, wohl dazu, den Künstler in persona unter den Dargestellten zu identifizieren.

34 Vgl. E. Grunewald, Schrödter, a.a.O., S. 87 ff.

35 Anders verhält es sich beispielsweise mit den Gemälden „Der Prasser" (1836), „Die Klostersuppe" (1838) und „Die Testamentseröffnung" (1839) des Wiener Genremalers Josef Danhauser (1805–45), die durch ihren novellistischen Inhalt ihrerseits Anregung zu einem Theaterstück gaben.

36 Püttmann, S. 171.

37 Müller von Königswinter, S. 217 – Vgl. auch Christian L. Küster, Nachwirkungen von Rudolf Jordans Gemälde ‚Ein Heiratsantrag auf Helgoland', in: Altonaer Museum in Hamburg, Jahrbuch 1969, 7. Bd., S. 73–99.

38 Kunst-Blatt, a.a.O., Nr. 75, 18. September 1845, S. 314, Die Düsseldorfer Kunstschule.

39 Müller von Königswinter, S. 241, gibt eine Beschreibung des verschollenen Gemäldes.

40 Ein Bildtitel „Jagdhüter" ist auch von Wilkie überliefert.

41 Deutsches Kunstblatt, 1850, Nr. 21, S. 168, Rechenschaftsbericht über die Wirksamkeit des Kunstvereins zu Gotha.

42 Vgl. den Katalogbeitrag von Hanna Gagel.

43 Marx/Engels, Über Kunst und Literatur, Bd. II, Berlin (DDR) 1967, S. 303 f.

44 Vgl. Müller von Königswinter, S. 295.

45 Von Kleinenbroich, der nach seiner Düsseldorfer Akademieausbildung wieder nach Köln übersiedelte, waren nach Wiegmann, S. 333, nur noch zwei weitere Bildtitel, „Die Vesperstunde" und „Der Proletarier", beide 1846 entstanden, bekannt. Kürzlich ist ein weiteres Gemälde des Künstlers „Verbot der Rheinischen Zeitung" (Abb. 39) wieder entdeckt worden.

46 Kunst-Blatt, a.a.O., Nr. 72, 8. September 1828, S. 285 f., Neue Kupferstiche und Lithographien. – Möglicherweise ist Wilkie seinerseits von einzelnen seiner Menschentypen von Francis Wheatlys Gemälde „Howard relieving Prisoners" (1787) angeregt worden.

47 Karl Immermann, Die Epigonen. Familien-Memoiren in neun Büchern, Berlin 1865, 6. Buch, 4. Kapitel, S. 44.

48 Die Streitakten werden in der Kunstakademie Düsseldorf verwahrt.

49 Friedrich Pecht, Deutsche Künstler des 19. Jahrhunderts. II. Reihe, Nördlingen 1879, S. 27.

50 „Wie sehr ... die äußere Beschränkung dem menschlichen Glücke, so

weit es gehen kann, förderlich, ja nothwendig sei, ist daran ersichtlich, daß die einzige Dichtungsart, welche glückliche Menschen zu schildern unternimmt, das Idyll, sie stets und wesentlich in höchst beschränkter Lage und Umgebung darstellt. Das Gefühl der Sache liegt auch unserm Wohlgefallen an den sogenannten Genre-Bildern zum Grunde. – Demgemäß wird die möglichste Einfachheit unserer Verhältnisse und sogar die Einförmigkeit der Lebensweise, so lange sie nicht Langeweile erzeugt, beglücken; weil sie das Leben selbst, folglich auch die ihm wesentliche Last, am wenigsten spüren läßt: es fließt dahin, wie ein Bach, ohne Wellen und Strudel."
Arthur Schopenhauer, Parerga und Paralipomena (1851). Sämtliche Werke nach der ersten Gesamtausgabe neu bearbeitet und herausgegeben von Arthur Hübscher, Wiesbaden 1949 ff., Bd. I, S. 445.

51 Wiegmann, S. 287.
52 A. Hagen, 1. Theil, S. 289.
53 Wiegmann, S. 291.
54 Die eigentlich selbständige Dorfgeschichte beginnt – wie erwähnt – mit Karl Immermanns in den „Münchhausen" eingeflochtenen „Oberhof" (1839). Seit 1836 gab jedoch auch Jeremias Gotthelf schon ein Lebensbild der bäuerlichen Welt in realistischer Gestaltung, welche die pädagogische Absicht nicht leugnet. 1843–54 erschienen Berthold Auerbachs an Johann Peter Hebel geschulte „Schwarzwälder Dorfgeschichten", die sich in ähnlicher Weise bei Joseph Rank („Erzählungen aus dem Böhmerwald", 1843) und Melchior Meyr („Erzählungen aus dem Ries", 1851) fortsetzen. – Die Dorfgeschichte fand ihre künstlerische Vollendung in Gottfried Kellers Meisternovelle „Romeo und Julia auf dem Dorfe" (1855). Die Bauerndichtung von Hermann Kurz („Der Sonnenwirt", 1854), Otto Ludwig („Die Heiterethei", 1854), Fritz Reuter („Ut mine Stromtid", 1862–64) Franz Michael Felder („Reich und Arm", 1868), Heinrich Hansjakob, Ludwig Anzengruber und anderen konnte diesen Höhepunkt nicht erreichen oder gar übertreffen.
Zu Parallelen in der zeitgenössischen Literatur vgl. auch: Eberhard Seybold, Das Genrebild in der deutschen Literatur. Von Sturm und Drang bis zum Realismus. Studien zur Poetik und Geschichte der Literatur, Bd. 3, Stuttgart, Berlin, Köln, Mainz 1967.
55 Müller von Königswinter, S. 307 f.
56 Wiegmann, S. 320.
57 A. Rosenberg 1889, S. 49 f.
58 Diesen Hinweis verdanke ich Frau Hanna Bestvater, München.
59 Vor allem durch die Freundschaft mit Berthold Suermondt soll Knaus zum Sammeln angeregt worden sein. Vgl. Wilhelm Bode in der Einleitung zum Versteigerungskatalog: Gemälde und Handzeichnungen alter Meister aus dem Nachlaß von Professor Ludwig Knaus, Berlin. Rudolph Lepke's Kunst-Auctions-Haus, Berlin, 30. Oktober 1917.
60 Notizen zur Willingshäuser Chronik. Aufgezeichnet von Ludwig Knaus im Juli 1909. In: Ludwig Knaus. E. A. Seemanns Künstlermappe 12, o. J., o. S. – Jakob F. Dielmann hatte 1842 anläßlich einer Einladung in das Elternhaus des Malers Gerhard von Reutern, der dort schon in den dreißiger Jahren zahlreiche Studien angefertigt hat, Willingshausen für sich entdeckt. Eine Wiederholung von Dielmanns „Dorfschmiede" (1846) befand sich im Nachlaß Knaus'. Er selbst hat das Thema um 1850/51 dargestellt (vgl. die Beschreibung von Knaus' Gemälde bei Müller von Königswinter, S. 254).
61 Doch darf man das nicht zu eng gesehen werden. Selbstverständlich hat dieser vielgereiste, gebildete und weltoffene Künstler vielfältige Anregungen erfahren und verarbeitet. So scheinen ihn m. E. auch Genreszenen von Ferdinand Georg Waldmüller beeindruckt zu haben.
62 Auf der Pariser Weltausstellung von 1867 beispielsweise erhielt Knaus für seinen „Invaliden beim Weißbier" und seine „Karten spielenden Schusterjungen" aus den Händen Kaiser Napoleons III. die Große Goldene Ehrenmedaille und das Offizierskreuz der Ehrenlegion. – Menzel blieb mit der „Krönung Wilhelms I." ohne Auszeichnung und Courbet und Manet konnten ihre Werke nur in Sonderpavillons zeigen, da sie nicht offiziell zugelassen waren.
63 Nachruf auf Ludwig Knaus, in: Die Kunst unserer Zeit. Eine Chronik des modernen Kunstlebens, 1. Lieferung, München Mitte Dezember 1911.
64 Im „Deutschen Kunstblatt", Nr. 13, 27. März 1852, S. 107 f., erschien ein Aufsatz von Friedrich Eggers, „Ueber Stoffe für Genre- und Landschaftsmaler". Der Verfasser ermuntert darin die Künstler, zu neuen, zeitnahen Darstellungen, die Motive und Themen des städtischen Alltags aufzugreifen. Unter anderem schildert Eggers eine Arbeitsszene im Eisenwalzwerk zu Moabit, die in ihrer Grundkonzeption an Menzels mehr als zwanzig Jahre später entstandenes Gemälde denken läßt.
65 Flüggen war schon 1833 nach München übergesiedelt. In Anlehnung an englische Vorbilder (vor allem an David Wilkie), aber wohl auch an Düsseldorfer Genreszenen, schilderte er Themen wie „Die Testamentseröffnung", „Der unterbrochene Ehekontrakt", „Die Mißheirat", „Der unglückliche Spieler", „Die Prozeßentscheidung", „Der Börsenspekulant im Jahre 1848", „Die Erbschleicher", „Die Auspfändung".
66 Georg Schmidt, Naturalismus und Realismus. Ein Beitrag zur kunstgeschichtlichen Begriffsbildung. Wiederabgedruckt in: „Umgang mit Kunst". Ausgewählte Schriften 1940–1963, Freiburg i. Br., 1966, S. 27–36.

Dietrich Bieber/Ekkehard Mai

Gebhardt und Janssen – Religiöse und Monumentalmalerei im späten 19. Jahrhundert

I. Ein Neubeginn: Die siebziger Jahre in Düsseldorf

Als Eduard von Gebhardt 1874, im Jahre seiner Anstellung als Lehrer an der Düsseldorfer Kunstakademie, München einen Besuch abstattete, konnte er nicht umhin, das dortige Kunst- und Künstlerleben recht bemerkenswert und lebendig, das Düsseldorfs dagegen nicht eben reizvoll zu finden. Und wie Roßmann, der 1873 berufene Lehrer für Kunstgeschichte, am 16. September selben Jahres noch an Richard Schöne, den neuen Referenten im preußischen Kultusministerium, schrieb: Düsseldorf sei die langweiligste, reizloseste Stadt, die er kennengelernt habe, imstande, alle Freudigkeit zu unterdrücken[1]. Auch Karl Woermann, der es dann immerhin zu beachtlichem Ruf und Aufenthalt in Düsseldorf brachte, erinnerte sich kritisch: „Die Stadt verändert sich in diesem Menschenalter (seit 1830, E. M.) nicht eben zu ihrem Vorteil. Die Künstlerstadt verwandelte sich immer entschiedener in eine Fabrikstadt. Der weite Halbkreis rauchender Schornsteine, der sie jetzt umgab, ... trug einen Anflug banausischen Erwerbssinnes in das harmlos ideale Künstlertreiben der „guten alten Zeit" hinein"[2]. Woermann war nach dem Weggang von Roßmann dessen Nachfolger geworden.

„Banausischer Erwerbssinn" – „harmlos ideales Künstlertreiben der „guten alten Zeit"": in der Tat, ganz so wohlbestellt waren die Düsseldorfer Verhältnisse keineswegs. Denn wachsende Industrialisierung, Handel und Kapital zum einen, beengter und engherziger Lehrbetrieb und Zwistigkeiten mit der erstarkten freien Künstlerschaft zum anderen, hatten zu einer mehr oder minder offenen Spaltung der Künstlerschaft geführt. Die restaurative Phase unter dem dann doch resignierenden Bendemann, die Übergangszeit unter Wislicenus und schließlich das Experiment eines periodischen Dreierdirektoriums waren nur Versuche, Symptome zu kurieren, deren Ursachen tiefer saßen. Ministerielle Aufforderungen von Berlin an das Kuratorium zur Reform und Reorganisation der Akademie, Versuche,

das Verhältnis von akademischer und freier Künstlerschaft über den Kunstverein für die Rheinlande und Westfalen sowie den Malkasten in der Balance zu halten, sind seit den fünfziger und sechziger Jahren immer wieder anzutreffen. Seit langem schon sorgte sich der Staat um Sinn und Nutzen der Künstlerausbildung, um ihre Funktion im öffentlichen Leben, ihre wirtschaftliche Effizienz und letztlich die politischen Konsequenzen – ein Gedanke, der durch die 48er Ereignisse forciert, dann in ruhigere Bahnen gelenkt war und mit Preußens Führungsrolle in den sechziger Jahren und erst recht seit der Einigung zum Reich zu tun hatte. Er erfuhr jetzt eine gezielt vaterländische, nationale Betonung in der engen Verschränkung von Kunst, Wirtschaft, Repräsentanz und Konkurrenz der Nationen auf dem Weltmarkt. Die Gründerzeit ist denn auch nicht nur Deskriptionsbegriff der politisch-wirtschaftlichen und sozialen Sphäre, sie ist es im eminenten Sinne auch für die Kunst.

Nicht ohne Grund, jedenfalls gewiß nicht nur als Versorgung und zur wirtschaftlichen Stärkung des Künstlerstandes erfuhr in den siebziger Jahren die Monumentalmalerei neuen Zuspruch von oben, sorgte man gerade in den offiziellen Provinzfiliationen kaiserzeitlicher und preußischer Repräsentanz, in Rathäusern, Schlössern, Universitäten, in Ruhmeshallen und auf öffentlichen Plätzen für eine volkstümlich legendenhafte Unterweisung in nationaler Geschichte[3]. Wie in Berlin Schöne mit der Berufung Anton Werners und der Reorganisation der Akademie der Künste für frischen Wind sorgen wollte, so sollte auch der zweite Pfeiler nunmehr reichspreußischer Kunst und Kultur, die Düsseldorfer Akademie, durch neue Kräfte neues Leben und neuen Auftrieb erhalten. Die Tradition und Kontinuität der Düsseldorfer Malerschule seit Schadow mußten hier als besondere Verpflichtung gelten. Kunst und Geschichte, Ideal und Stil im Sinne der von Cornelius begründeten und durch die Nazarener propagierten großen Komposition, einer erwünscht national-patriotischen Kunst vereinten sich so zu einer neuen Ordnung des Bildens und des Bildes, die Anspruch und Würde des Erbes durch die Gegenwart aktualisiert, ja im Namen von Wissenschaft und Fortschritt, von Bildung und Erziehung als historische Wahrheit und Lehre demonstrativ an vordringlich öffentlichem Ort in Szene gesetzt sah.

So stimmt es denn, wenn Rosenberg schreiben konnte, daß gerade die religiöse und historische Malerei eine Wiedergeburt erlebten, „das Fresko als Idee"[4] im späten 19. Jahrhundert noch einmal an die hehren Ziele eingangs des Jahrhunderts anknüpfte und daß die Düsseldorfer Akademie, auch „in der neuesten Periode ihrer Wirksamkeit die Pflanz- und Pflegestätte der Geschichtsmalerei blieb"[5]. Nur knapp drei Jahrzehnte später konnte Schaarschmidt schreiben: „Das Zusammenwirken Gebhardts, Janssens und in der ersten Zeit auch Wilhelm Sohns hatte der Düsseldorfer Figurenmalerei der letzten 20 Jahre die Richtung gegeben . . ."[6].

106 L. Des Coudres, Beweinung Christi, 1861. Karlsruhe, Staatliche Kunsthalle

Der Ruhm dieser Künstler ist heute verblaßt, die Kunst vor allem der Wilhelminischen Ära, wenn schon nicht ideologisch-politisch in Verdacht, so doch als Wechselbalg des Historismus ästhetisch, wie langhin auch kunsthistorisch in Mißkredit gebracht. Und überdies: zwei Kriege und der Wandel zu neuen Systemen und veränderter Gesellschaftsordnung samt ihren Leitbildern und Maßstäben haben weithin mit diesen Zeugnissen und Überlieferungen aufgeräumt. Nicht nur die Werke, auch ein Verständnis scheinen vielfach gründlich verschüttet:

II. Eduard von Gebhardt (1838–1925) Frühzeit:

Eduard von Gebhardt entstammte einem bürgerlichen und konservativen Elternhaus, dem in der fernen Provinz des Pastorats St. Johannis in Jerven/Estland ein bescheidener Wohlstand zugewachsen war. Der Vater war ein allgemein geschätzter lutherischer Konsistorialrat und Propst mit einem größeren landwirtschaftlichen Betrieb, das Familienleben der sieben Geschwister und drei Halbgeschwister war „das denkbar glücklichste"[7]. Nach seiner Gymnasialzeit in Reval kam er mit 16 Jahren nach St. Petersburg, „wo ich die Akademie besuchte und im anregenden Hause des Malers A. Pezold wohnte. Damals lernte man dort die Natur genau und naiv ansehen, und beim Zeichnen tüchtig modellieren und vor allem fleissig arbeiten"[8]. Drei Jahre währte diese Zeit,

aus der eine Fülle von Natur- und Aktzeichnungen noch in Düsseldorf späteres Lehr- und Anschauungsmaterial abgeben sollte. Gebhardt wandte sich danach über Düsseldorf nach Süddeutschland und Wien, um schließlich in Karlsruhe an der Akademie bei des Coudres vorübergehend Fuß zu fassen. Des Coudres, Schüler Carl Sohns in Düsseldorf, konnte als Begabung im Porträtfach, daneben aber als Historienmaler gelten, dem auch Gebhardt Kenntnisse verdankte, wie die Gegenüberstellung von Des Coudres „Beweinung" von 1861 (Kunsthalle Karlsruhe, Abb. 106) und Gebhardts Kreuzigungsfassung für den Dom zu Reval von 1866 beweisen mag. Aber „obgleich Des Coudres ein sehr guter Lehrer war", verließ Gebhardt wie die meisten Schüler schon Weihnachten 1859 Karlsruhe, wandte sich erneut nach Düsseldorf und schloß sich – auf den Ratschlag seines Freundes Geertz – Wilhelm Sohn an, der wie er eine Vorliebe für die Altniederländer besaß.

Sohn kam in der Folgezeit die Rolle eines Lehrers und Mentors zu. In enger Werkstattgemeinschaft und bald auch Freundschaft sollte Gebhardt hier die Grundlagen der Technik, des Kolorits, der Linien- und Silhouettenbildung und eine kunstgeschichtliche Vertrautheit mit alten und modernen Meistern erlangen, die für seinen Weg zu Form und Ausdruck entscheidend wurde[9]. Mehrfach nahm er den Dialog mit Sohn auf. So zum einen im Abendmahlsbild, so zum anderen im Bilde vom „Christus auf dem stürmischen Meer". Wo Sohn in dem relativ kleinen Bilde alles auf den schlafenden Christus konzentriert, die Jünger bei aller Dramatik des Augenblicks dennoch dem Gesetz der Komposition und der Stimmung untergeordnet sind (Abb. 107), da zeigt Gebhardt in seinem Bilde von 1902 – sicher vor dem Hintergrund der Schiffsbruch- und Katastrophenikonographie des 19. Jahrhunderts – eine figurenreiche, dramatische Szene, in der Christus kaum anders als die Jünger erscheint (Abb. 108). Im Charakter der Naturgewalt und in der Charakterisierung der Jünger als derbe, grobe Gesellen nimmt Gebhardt der Szene die Sohnsche Idealität und zeigt jenen für das 19. Jahrhundert so typischen Austausch zwischen sakralem und profanem Gehalt.

Die Staffeleibilder:

Neben frühen Studienköpfen, Porträts und Arbeiten nach alten Meistern errang Gebhardt seinen ersten durchschlagenden Erfolg mit dem heute in Wuppertal befindlichen „Einzug Christi in Jerusalem" von 1863 (Abb. 109). Es setzt den Anfang zu jener Reihe volkstümelnd volkreicher Christusszenen, die im Staffeleibild und mehr noch in den thematisch verwandten Wandmalereien im Kloster Loccum bei Hannover, in der Friedenskirche zu Düsseldorf, der Petrikirche in

Mülheim oder der Kapelle des Nordfriedhofs in Düsseldorf bis weit nach 1900 den Ruf Gebhardts entscheidend bestimmten. Der Einzelne und die Masse sind hier ebenso thematisiert wie allgemeinmenschliche oder konkret soziale Unterschiede und Schichtungen, auch wo sie im Wechselspiel von Held und Publikum, altdeutscher Bürgerstube, Bauernmilieu und Wald- und Wiesenlandschaft auf eine Formel didaktischer Beredsamkeit gebracht erscheinen. Eine nicht nur thematische, sondern auch stark formale Herkunft aus der aktualisierten Bildwelt des 16. Jahrhunderts verrät schließlich eine zweite große Werkgruppe des Meisters, nämlich die halb- und mehrfigurigen Bilder historischen Genres aus der Zeit der Reformation. Von Rethel, Lessing, J. Hübner über W. Kaulbach bis Lindenschmit, Thumann, Spangenberg und Janssen erlangte die Reformation als Thema der Malerei in fast allen deutschen Malerschulen aktuelle Popularität. Hierher gehören etwa die Bilder wie „Pendelschwingungen", 1874 (Privatbesitz), „Religionsgespräch", 1875, „Ein Reformator", 1875 (Museum der bildenden Künste, Leipzig), „Klosterschüler", 1882 (Kunsthalle Hamburg), „In der Studierstube", 1912 u. a. Eine dritte Werkgruppe bilden schließlich die Porträts, die sein Werk kontinuierlich begleiten und mit denen er im bürgerlich wohlhabenden Milieu Düsseldorfs eine seit Schadow besonders erfolgreiche Gattung nicht minder erfolgreich fortsetzte.

Im „Einzug" erscheint Christus auf dem Esel mit segnend ausgebreiteten Händen vor einer Menschenmenge, die sich auf dem kleinen Platz zwischen Stadttor links und Häusern rechts voller Neugier und Freude in biedermeierlich-kleinstädtischer Beschaulichkeit drängt. Über die Stadtmauer gleitet der Blick ins weite Land; Tauben, Schwalben, ein Hund vollenden als genrehafte Details die Idylle. Die Gesichter von jung und alt, Kranken, Armen und besser Gestellten werden mit überaus variablen, individuellen Reaktionen gezeigt. Zwei Bildquellen können Gebhardt möglicherweise bei der Abfassung gedient haben, so sehr die Ikonographie verbreitet allgemeine Züge hat. Rahmenarchitektur und Blickausschnitt, Einzug, Volksmenge und Empfang lassen z. B. an Lucas van Leydens „Triumph des Mordechai"[10] denken, und was den stark flächigen Farbauftrag und das bunte Kolorit angeht, so ließe sich auch auf den nicht erhaltenen „Einzug Christi" Overbecks, ehemals Marienkirche Lübeck, verweisen. Er spielt allerdings in einer gleichermaßen klassizistisch idealen wie orientalischen Landschaft, nicht im deutschen Wiesengrunde.

Daß Christus hier im Kontrastmotiv von Volk und Held, als kompositionell herausgehobene singuläre Person inmitten der Menge von besonderer, auch ideologisch deutbarer Signifikanz erscheint[11], ist ein Merkmal, das auch anderen Kompositionen anhaftet, z. B. der „Bergpredigt" oder „Christus und der reiche Jüngling", 1892 (Kat.Nr. 76). Bei letzterem ist Christus nunmehr in das bäuerliche Milieu einer Scheune

107   W. Sohn, Jesus und die Jünger auf dem stürmischen Meer, 1853. Düsseldorf, Kunstmuseum

versetzt, wird er auch hier, allerdings nun schon weit natürlicher und selbstverständlicher als in dem frühen Bild, von genrehaftem Detailreichtum umfaßt. Die psychologische Spannung, der Handlungs- und Erzählpunkt liegen ganz im Dialog Christi mit dem Jüngling. Dieses Motiv des Gesprächs wie die Dramaturgie von Masse und Individuum, von psychologischer Nuancierung des Handlungsfadens im Miteinander der Beteiligten und deren erzählerischen Stellenwert im Ganzen hat Gebhardt stets einzuhalten gewußt.

108   E. von Gebhardt, Jesus und die Jünger auf dem stürmischen Meer, 1902. Verbleib unbekannt

109 E. von Gebhardt, Der Einzug Christi in Jerusalem, 1863. Wuppertal,
Von-der-Heydt-Museum

Gebhardt hat hier überdies als Schauplatz das Bauern- und
Alltagsmilieu von Scheune und guter Stube gewählt, das im
Zuge sogenannter sozialer Tendenzmalerei, auch Arme-
Leute-Malerei, insbesondere von Uhde in den achtziger Jah-
ren aufgegriffen wurde. Auch die Bethanienbilder oder die
„Heimkehr des verlorenen Sohnes" zählen hierhin. Das Mo-
tiv der Menge entfaltete Gebhardt zumal in der „Bergpre-

110 E. von Gebhardt, Die Auferweckung von Jairi Töchterlin, 1864. Essen,
Kruppsche Gemäldesammlung, Villa Hügel

digt", die er wie die meisten seiner Erfolgsthemen im Wechsel von Wand- und Staffeleibild des mehrfachen wiederholt
hat. Ob in der Fassung von 1893, in Loccum oder in der
Friedenskirche: eine oft topographisch bestimmbare Wald-
und Wiesenlandschaft (in Loccum z. B. das nahegelegene
Steinhuder Meer) wird zum Schauplatz eines volkreichen
Aufmarschs, der die Kombination vergangener und gegen-
wärtiger Kostüme ebenso voller Naivität zur Schilderung
nutzt wie den Naturalismus modellhaft vereinzelter Figuren
und ihre kompositorische Herkunft von Vorbildern der Alten. Das gilt vornehmlich für die Rückenfiguren. Gerade die
„Bergpredigt" scheint dabei auf Bruegels in mehreren Kopien bekannte „Predigt des Johannes" von 1565 zurückzugehen oder jedenfalls von dort inspiriert zu sein.
Neben solche volkreichen Szenen in Landschaft und Bauernmilieu trat als zweites das altdeutsche Interieur als Hand-
lungsträger. Nur ein Jahr später als der „Einzug" war ein
weiteres Hauptwerk Gebhardts entstanden, „Die Auferweckung von Jairi Töchterlein" (Sammlung Krupp, Villa
Hügel, Essen, Abb. 110). Auferweckungsszenen und zumal
diese genossen in der Malerei der Zeit eine erstaunliche
Popularität. Jesus als Wundertäter und Heiland mochte dem
latenten Hang zum Außergewöhnlichen, das durch die auf-
kommende Psychologie, durch die Experimente mit Hyp-
nose und Magnetismus auch naturwissenschaftlich voller
Reiz und Interesse war, ebenso entgegenkommen wie das
Sentimentale, das in der Erweckung eines jungen Mädchens
lag. So haben sowohl Overbeck wie – von Gebhardt ausdrücklich negativ beurteilt – Gustav Richter (Abb. 111),
Albert von Keller (Abb. 112), Ludwig Otto und Gabriel Max
das Thema illustriert, ein jeder mit unterschiedlichen Intentionen, vom Rührstück bis zur Salonsensation. Während –
sicher nicht ohne Kenntnis Gebhardts – Albert von Keller in
den achtziger Jahren das Thema antikisch, mit salonhafter,
gefälliger Glätte und mit einer expressiv überpointierten
Psychologie darstellte, die Zeit- und Stilströmungen vom
Präraffaelismus bis Alma Tedema Rechnung trug, kann Gebhardt zu diesem Zeitpunkt für sein Bild Originalität nicht
abgesprochen werden[12]. Ein altdeutsches Zimmer mit Balda-
chinbett, Balkendecke, Dielenboden und bleiverglastem
Fenster bietet den bühnenhaften Rahmen. Christus ist entgegen der Bildtradition nicht zu Füßen, sondern zu Zwecken
sichtbar lehrhafter Demonstration hinter das bildparallel an-
geordnete Bett getreten und erweckt das Kind soeben durch
Handauflegen. Die Eltern sehen gebannt zu, ein Jünger weist
neugieriges Volk von der Tür. Kind, Hund und Katze, dazu
die Details der Ausstattung verlebendigen auch hier gene-
haft die Historie, die ansonsten vor dem Hintergrund Düsseldorfer Tradition in Form einer Guckkastenbühne auf eine
Psychologie der Verinnerlichung abhebt. Wenn bei „Jairi
Töchterlein" noch die Ikonographie vom Tode Mariens
formal eine Rolle gespielt haben mag, so ist bei der „Wa-

schung des Leichnams Jesu" (Leipzig, Museum f. bildende Künste) nahezu jeder traditionelle Topos bis auf den Vorgang als solchen aufgegeben. Wie bei „Jairi Töchterlein" figuriert nämlich auch dort eine Renaissance-Stube mit Butzenscheibenfenster als Raum, wo sich verschiedene Gruppen aufhalten und in Handelnde und Zuschauer teilen. Auch in anderen Bildern wie etwa der thematisch vergleichbaren „Auferweckung des Lazarus" von 1896 (Kunstmuseum Düsseldorf, Kat.Nr. 77) ist diese Kombination unmittelbarer Geschehensträger und nur zuschauend Beteiligter anzutreffen. Neben einer angewandten Psychologie erweist sich so das Motiv des Publikums als bildend-bildnerisches Mittel, geistiges, seelisches Geschehen in pädagogische Wirkung umzusetzen. Der Weisungs- und Segnungsgestus Christi in der „Auferweckung des Lazarus" (Kat.Nr. 77) mag hier überdies an Raffael (z. B. „Weide meine Lämmer", Karton und Teppich) wie an Cornelius („Die klugen und die törichten Jungfrauen", Kat.Nr. 51, zu Gebhardts Zeiten noch Gemäldesammlung der Kunstakademie) erinnern, wobei letzterer ebenso wie Schadow, der sich in ähnlicher Weise der „Jungfrauen" angenommen hatte (Städel, Frankfurt), das Motiv der Menge betont hat. Gebhardt verlegt hier allerdings das Wunder mitten auf einen gewöhnlichen Friedhof. Er schildert die angespannte Gewecktheit der Physiognomien mit einer naturalistischen Treue, so daß die Unterschiede zu den Nazarenern wie die Verwandtschaft zu von Keller und Thoma in einzelnen Zügen nicht zu übersehen sind. Auch der Zypressenhain und das klassizistische Portalmotiv scheinen Elemente aufzugreifen, wie man sie in den neunziger Jahren eher mit dem neuromantischen Idealismus Böcklins verknüpfen würde. Faktische Dichte und symbolische Wirkung zeigen auch hier Gebhardt „auf der Höhe der Zeit". Unschwer ist der literarische Nenner und das Verhältnis zur zeitgenössischen Dichtung zu erkennen. Dies bedürfte freilich eigener Darstellung. Außer mit diesen Wundern Christi konnte sich Gebhardt auch durch einige Szenen aus der Passion großes Echo schaffen. Zu den frühesten Erkundungen seiner Möglichkeiten gehört z. B. die „Kreuzigung", an der er sich im Landhaus des Vaters in Kullaaru 1861 versucht haben soll[13]. Dieses Thema hat Gebhardt zeitlebens beschäftigt. Er hat es in zahlreichen Staffeleibildern, aber auch in den Wandgemälden von Loccum und der Friedenskirche behandelt. Der im Kunstmuseum Düsseldorf befindliche „Einsame Christus" ist analog den ersten Versuchen mit diesem Thema gleichfalls in die frühen sechziger Jahre datiert worden[14]. 1866 vollendete er dann eine erste Fassung der „Kreuzigung" mit Johannes und Maria Magdalena, ehe er für den Dom zu Reval die Komposition um Maria und Nikodemus erweiterte. Als besonders eindrucksvolle und figurenreiche Darstellung des Themas erweist sich schließlich die „Kreuzigung" in der Hamburger Kunsthalle von 1873 (Abb. 113). Johannes stützt die Mutter Christi, die

111 G. Richter, Die Auferweckung von Jairi Töchterlin. Berlin DDR, National-Galerie, Staatliche Museen zu Berlin

flehend die Arme aufgeworfen hat, Maria Magdalena liegt in ohnmächtigem Schlaf vor dem Kreuz, während links die Menge des Volks Zeuge des Geschehens ist. Sicher waren es die veristische Schärfe in den Physiognomien, die zeichnerische Genauigkeit in den Details und die plastische Modellierung der Körper, welche die oft berufene, im einzelnen aber nur als Anlehnung belegbare Vorbildlichkeit Rogier van der Weydens vermuten ließen. Sie erweisen mehr noch Gebhardts krassen Gebrauch der Natur. Einzelne Motive wie die Trauernde ganz links oder die Johannes-Maria-Gruppe mögen dabei wechselweise an Dürer oder an Grünewalds Kreuzigung in Colmar, vielleicht auch an Geertgen tot Sint Jans („Beweinung" in Wien) erinnern. Dieses Erfolgsbild sollte

112 A. von Keller, Die Auferweckung von Jairi Töchterlin, 1886. München, Bayerische Staatsgemäldesammlungen, Neue Pinakothek

113 E. von Gebhardt, Kreuzigung, 1873. Hamburg, Hamburger Kunsthalle

114 E. von Gebhardt, Das letzte Abendmahl, 1870. Berlin DDR, National-Galerie, Staatliche Museen zu Berlin

Gebhardt mit leichten Änderungen 1884 für die Kirche zu Narva wiederholen, um noch 1911 mit dem nun doch ganz anderen Thema der „Kreuzabnahme" einen späten Nachklang zu formulieren. Daß Gebhardt über die Altniederländer hinaus auch Rembrandt ein besonderes Augenmerk schenkte, und zwar nach Thema und Farbgebung seiner eigenen Bilder in den siebziger Jahren, das verrät schließlich sein „Ecce homo" im Düsseldorfer Kunstmuseum, eine Komposition, die ohne Zweifel auf Rembrandts gleichnamige Radierung, trotz einiger Veränderungen in der Massenregie, zurückgeht (Kat.Nr. 75). Rembrandt genoß in diesen Jahren eine besonders in Deutschland verbreitete Volkstümlichkeit, die nicht zuletzt in so populäre Darstellungen wie Langbehns „Rembrandt als Erzieher" von 1890 mündete.

An das theologisch gravierende Thema der „Kreuzigung" schloß sich das nicht weniger bedeutsame des „Abendmahls" von 1870 an (National-Galerie, Berlin – DDR) (Abb. 114). Noch bevor Uhde dieses und andere Themen wie „Das Tischgebet" (Abb. 115) oder „Lasset die Kindlein zu mir kommen" gleichsam zu volkstümlichen Hausikonen popularisierte und das Bauerninterieur wie das Gespräch zum Mittelpunkt und Inhalt seiner Bilder in den achtziger Jahren machte, hat Gebhardt diese Tradition neu begründet und den Dialog mit der früheren Kunst auf eigene Weise aufgenommen. Ähnlich der Komposition Leonardos im Refektorium von Santa Maria della Grazie in Mailand sind die Jünger um einen bildparallel aufgestellten Tisch gruppiert, an dessen Mitte Christus leicht verklärt, und wie es scheint in Vorahnung, den Jüngern den Verrat enthüllt. Judas wendet sich als einziger, finster-forschend dem Betrachter zugewandt, ab. Das Komponierte und Modellhafte der Situation liegt dabei ebenso offen zutage wie Gebhardts Absicht, möglichst differenzierte und packende Charakteristik und Seelenstimmung auszudrücken. In der späteren Version der Friedenskirche bzw. der gleichlautenden Fassung als Tafelbild (Hannover, Landesmuseum) geht er noch einen Schritt weiter: inmitten einer Bauernstube, vermutlich als Reflex auf Uhdes Bild von 1886, sind nunmehr die Jünger versammelt, alt geworden, in deutlicher Zeichnung der Physiognomien, die von einem Leuchter scharf herausgehoben werden.

In den Zusammenhang der theologisch hochbedeutsamen Bilder gehört schließlich als weiteres „Die Himmelfahrt Christi" von 1881 (National-Galerie Berlin – DDR) (Abb. 116), die zwar im Typus des auffahrenden Christus an Tizians „Assunta" in Venedig und vielleicht noch Raffaels „Transfiguration" im Vatikan erinnert, ansonsten aber in der Kunst der Charakterisierung der Jünger, der Mutter und kleinen Gemeinde eine Seelenmalerei eigener Prägung betreibt. Das Christus in Strahlen umhüllende Licht mag dabei ein Reflex auf Rembrandt sein, der außer in der „Himmelfahrt" der Münchener Pinakothek diese Verdeutlichung eines geistig-dynamischen Vorgangs öfters gewählt hat. Gebhardt wie-

115 F. von Uhde, Das Tischgebet, 1885. Berlin, Nationalgalerie, Staatliche
Museen Preußischer Kulturbesitz

116 E. von Gebhardt, Die Himmelfahrt Christi, 1881. Berlin DDR, National-Galerie, Staatliche Museen zu Berlin

derholte diese Komposition mit veränderter Volksmenge
und nunmehr nach oben gewandtem Blick Christi für die
Nordfriedhofskapelle 1910 in Düsseldorf; eine weitere Fassung derselben, als Staffeleibild ausgeführt, befindet sich
heute im Privatbesitz[15].

Neben die Gestalt des volkstümlichen Christus als Heiland
und den Christus der theologischen Themen tritt schließlich
Christus als Prediger und Lehrer. Wie erwähnt bildet das
Gespräch den psychologischen Mittelpunkt einer Vielzahl
von Darstellungen Christi, aber darüber hinaus und analog
im Sinne historischer Bedeutung und Überlieferung auch
von Bildern aus der Zeit der Reformation. Das Thema der
Predigt und Erzählung leitet über in das historische Genre.
Es sei daran erinnert, daß der Protestant Gebhardt gerade die
Predigt als Medium des Glaubens und der Erziehung betonte
und seine Bilder als deren visuelle Form verstand. Noch vor
dem Gemälde „Christus und der reiche Jüngling", 1892, war
das Dialog-Motiv in Bildern wie „Christus am Teiche Be-
thesda", 1876, natürlich im „Abendmahl", als eigenständige
Form aber erst in Bildern wie „Pendelschwingungen", 1874,
„Religionsgespräch", 1875, oder „Christus in Bethanien",
1891, aufgenommen worden. Bei den Darstellungen mit
Christus als Mittelpunkt ist es gleichbleibend das Motiv der
Erklärung von Wort und Tat, wobei es Gebhardt nicht
vordergründig auf abstrakt didaktische Wirkung von
Gleichnissen wie bei dem Schweizer Eugen Burnand ankam[16]. Nur zweimal, beim „Verlorenen Sohn" und beim
„Armen Lazarus" glaubte Gebhardt unmittelbar Erbauli-
ches in Anwendung gebracht zu haben. Programmatischen
Charakter für das Thema von Wort und Lehre haben insbesondere zwei Bilder: „Der zwölfjährige Christus im Tempel"

von 1895 (Abb. 117) und „Christus und Nikodemus", 1898.
Beide Themen haben zu Gebhardts Zeit vielfache Beachtung
gefunden, von Menzel über Hofmann, Zimmermann, Otto
Ludwig, Steinhausen und Uhde bis zu Thoma und Liebermann. Während bei Menzel (Abb. 118) z. B. der Jesusknabe
inmitten einer Schar typischer Schriftgelehrter und Juden
erscheint, die in unterschiedlichsten Formen der Reaktion
und Gestikulation begriffen sind, ist bei Gebhardt der Knabe
gleichsam in ein Bibliotheks- und Gelehrtenzimmer altdeutschen Stils versetzt. Wie so oft als Untermalung der zeitlichen und psychologischen Pointe erscheinen weitere Personen, in diesem Fall die Eltern des Kindes, in der Tür. Als
echten Dialog thematisierte schließlich Gebhardt das theologische Gespräch in der nächtlichen Begegnung des angesehenen Schriftgelehrten und hohen Rats Nikodemus und des
von den Pharisäern verfolgten Christus. Zwei Fassungen gab
er davon 1898. In der ersten verharrt Nikodemus als altdeut-

117 E. von Gebhardt, Der zwölfjährige Christus im Tempel, 1895. Düsseldorf, Kunstmuseum

scher Schreibstubengelehrter in einer momentanen Bewegung des Nachdenkens, während Christus gelöst und doch voll Aufmerksamkeit ihm gegenüber am Fenster lehnt, dessen Vorhang sich im Winde bauscht. Die genrehafte Erzählweise, die Ausstattung, die erzählerische Komponente der dramaturgischen Mittel und der Beleuchtung illustrieren den geistigen Vorgang, überschreiten aber auch die Schwelle, die den christlichen und historischen Gehalt vom Genrehaften trennt. Das Thema von Dialog und Konzentration fügt sich hier nahtlos an das Thema von Studium und Wissenschaft, wie es die beiden Bilder „Pendelschwingungen", 1874 (Privatbesitz) und „Klosterschüler", 1882 (Kunsthalle Hamburg, Abb. 119) in enger Anlehnung an altniederländische

Vorbilder, insbesondere an Quinten Massys, vor Augen führen. Im ersteren erklärt Johann Müller, Regiomontanus, dem Nürnberger Mathematiker Bernhard Walther die Bedeutung des Pendels, beide in Talaren und in einer Bibliothek gegeben, zu der Gebhardt die Studien in Lüneburg gemacht hatte[17]; im letzteren konzentriert sich alles auf die Halbfiguren der beiden Knaben, die in einem Buch lesen und voller Anspannung und Überlegung ein Bild allenfalls schon zu äußerlich gewordener Nachdenklichkeit abgeben. Daß die naturalistische Genauigkeit und der psychologische Verismus hier letztlich porträthaften Charakter annehmen, sei schließlich mit dem Hinweis auf zwei Bildnisse unterstrichen. So zeigt auch das zu seiner Zeit hochgelobte Bildnis des Bürgermeisters Worthmann (National-Galerie Berlin – DDR) von 1874 den Dargestellten im Stuhle voller Spontaneität des Gestus und der Lebendigkeit der Züge, aus denen die Augen den Betrachter besonders intensiv ansprechen (Abb. 120). Eine verwandte psychologische Nuancierung des Moments charakterisiert schließlich auch das Bildnis seines Malerkollegen und Sammlers Georg Oeder von 1907.

Die Wandgemälde:

Gebhardts Arbeiten auf diesem Feld kann mit Loccum und der Friedenskirche in Düsseldorf hier nur ein summarischer Überblick gewidmet werden[18]. Sie sind von exemplarischer Bedeutung für sein Selbstverständnis und stellen nach eigenem Bekunden in mehrfacher Beziehung Höhepunkte seines Schaffens dar. Mehr als im Leinwandbild verknüpften sich

118 A. Menzel, Der zwölfjährige Christus im Tempel, 1853. Bremen, Kunsthalle

119 E. von Gebhardt, Die Klosterschüler, 1882. Hamburg, Hamburger Kunsthalle

für Gebhardt Architektur, dekoratives System und farbige Gestaltung, Tradition, Programm und lebendig aktuelle Wirkung im Wandbild zu einem einheitlichen Ganzen, das an Grundfragen der Malerei, in seinem Verständnis und mit seiner Thematik aber auch an den Kern religiöser Kunst rührte. Der Wandmalerei mochte jene „typenbildende Kraft" innewohnen, die er sich für eine moderne biblia pauperum wünschte und mit der er seinem erzieherischen Auftrag primär gerecht werden konnte[19]. Bereits in Kullaaru hatte er ein Kreuzigungsfresko geschaffen. In Düsseldorf hatte er mit Schülern zusammen einen Raum im eigenen Hause ausgemalt, eine Unternehmung, die so erfolgreich ausgefallen war, daß ihm der Staat die Mittel für einen zweiten Versuch, nämlich die Ausmalung der altlutherischen Kapelle in Düsseldorf, zur Verfügung stellte.

Entscheidend wurde aber das Jahr 1881, als er nach dem Verkauf der „Himmelfahrt Christi" mit seiner Frau eine erste Reise nach Italien unternehmen konnte. Dort erst studierte er „die Raumwirkung der verschiedenen Kunstperioden und suchte nach dem stetig bleibenden Gesetz"[20]. Der Direktor der Berliner Nationalgalerie, Geheimrat Jordan, veranlaßte ihn danach fast mit Zwang, wie er schreibt, die Ausmalung eines Kollegzimmers, eines Teils des alten Refektoriums, in dem unter dem Abt Uhlhorn aufblühenden Kloster Loccum bei Hannover zu übernehmen. Mit Unterbrechungen währte die Arbeit sieben Jahre von 1884–1891. Gerade in Loccum fanden Protestantismus, Predigt und Gottesdienst eine neue Heimstatt, war sich Uhlhorn der sozialen und missionarischen Aufgaben des Christentums in seiner Zeit überaus bewußt. In dem kleinen romanischen Gewölbe konnte so Gebhardt erstmals eine neue Bildwirkung erproben, der er anfangs nicht gewachsen zu sein glaubte. Der mit einer Mittelstütze versehene Raum bot ihm drei geschlossene Flächen und eine durch schmale Fenster aufgelöste Wand. Er besetzte sie mit insgesamt sieben Themen „aus dem Leben des Herrn", „welche für künftige Prediger und Seelsorger vorbildlich und lehrhaft sein müssen"[21]. Auf der Eingangswand malte er „Johannes den Täufer, der die Seinen zu Jesus weist" und Jesus in der Bergpredigt. Denn „das ist Anfang und Grund allen Wirkens für einen evangelischen Geistlichen: auf Jesum hinweisen und vor allem, das Evangelium Jesu Christi predigen ..." Auf der gegenüberliegenden Wand stellte er die „Tempelreinigung" und „Die Hochzeit zu Kanaa" dar – beide als Gleichnis für das Haus des Seelsorgers sowohl im symbolischen wie im direkten Sinne: dort hat er es vom Unreinen rein zu halten, hier füllt er das Haus mit Segen. An der anschließenden Wand rechts vom Eingang zeigte er „Die Heilung des Gichtbrüchigen" (Abb. 121), also Christus als Heiland bei physischer Not, und daneben „Christus und die Ehebrecherin", eine Szene, in der sich Christus als Seelsorger bei psychischer Pein erweist. An der Fensterwand schließlich, in mehrere Streifen unterteilt „Die Kreu-

120 E. von Gebhardt, Bürgermeister Worthmann, 1874. Berlin DDR, National-Galerie, Staatliche Museen zu Berlin

zigung", auch sie ein Beispiel für den angehenden Prediger: „Größeres kann ein Seelsorger nicht erringen, als wenn unter seiner Hut und Pflege ein Sterbender aus dem Leben scheidet mit der Gewißheit, heute werde ich bei meinem Heiland im Paradiese sein". Die Kasein-Malereien, heute nach Restaurie-

121 E. von Gebhardt, Heilung des Gichtbrüchigen, 1884-91. Kloster Loccum

122 E. von Gebhardt, Bergpredigt, 1897-1907. Düsseldorf, Friedenskirche

rungen auf Leinwand übertragen, zeigen eine sichere Beherrschung von Massenregie und Bildarchitektur, auch wenn sie einen echten räumlichen Zusammenklang vermissen lassen. Nach einer Phase mehr braunrot toniger Farbenbindung geben sie wieder jenes bunte Kolorit der ersten Bilder zu erkennen. Italienische Eindrücke, etwa Veroneses im Bilde mit der „Ehebrecherin", treten hinzu. Denn die Erkenntnis, daß die Wandmalerei „die Architektur, den Raum zu heben, und nicht zu zerstören" hat, „daß der Verwirrung und der Gesetzlosigkeit der heutigen Malerei nur durch Erfahrungen auf dem Felde der Raumdekoration entgegengewirkt werden kann"[22], verdankte er der italienischen Reise. Sie war, wie er selbst äußerte, „von größtem Einfluß auf meine Kunstanschauungen und auf meine ganze spätere Entwicklung gewesen". Hier hatte er die großen Monumentalzyklen studiert, hatte in Florenz Ghirlandaio, Giotto, die Gaddi und Filippino Lippi vergleichen können, zeigte er sich von den Fresken Pinturicchios im Appartamento Borgia, von Raffaels Stanzen und der Monumentalität der Sixtina im Vatikan höchst beeindruckt. Überdies sah er hier auch das Ideal von Schule und Lehre im gemeinsamen Werk – wie das Modell-

studium zugleich altes Erbe Schadows und seines Kreises aus den frühen Jahren – verwirklicht.

Fast zehn Jahre sollten danach vergehen, ehe sich Gebhardt erneut, mit Wunsch und Auftrag der preußischen Regierung, an eine, diesmal auch dem Umfang nach monumentale Aufgabe begab: Die Ausmalung der Friedenskirche in Düsseldorf 1897 bis 1907. Jetzt erst konnte er dem Hauptwerk der Nazarener der eigenen Schule, den Fresken in St. Apollinaris in Remagen, ein eigenes Gesamtkunstwerk an die Seite stellen. Die elf Bilder, zu denen noch der Triumphbogen mit den Aposteln und die Ausmalung der Apsis (Hl. Dreifaltigkeit, Abraham und Melchisedek) sowie Darstellungen in der Vorhalle traten, bilden zweifellos Gebhardts „magnum opus", oder, wie er schrieb, „seine Lebensarbeit, denn alles, was ich weiß, kann und empfinde, hat hier seinen Platz gefunden . . . "[23]. Der im letzten Krieg bis auf Fragmente zerstörte Zyklus faßt noch einmal die großen Themen und die szenische Regie Gebhardts in der typologischen Entsprechung vom Leben Moses' und Leben Christi zusammen. Gebhardt könnte hier außer auf die Sixtinische Kapelle (und Loccum in einer ersten Planstufe) auf einen entsprechenden Vergleich von D. F. Strauß in dessen „Leben Jesu" Bezug genommen haben.

Gebhardt selbst mußte dabei die vorgegebenen Raumverhältnisse der Friedenskirche als sehr ungünstig empfinden. Im Hinblick auf das zu schaffende Gesamtkunstwerk monumentalen Ausmaßes wußte er daher selbst um den fehlenden Mittelpunkt, den er durch Triumphbogen und Triumphkreuz zu ersetzen hoffte, suchte er im panoramaartigen Bilderbogen eine Kontinuität des Erzählerischen mit den Mitteln der Figurenmalerei und der Koloristik herzustellen. Doch wie dem auch hier die Fülle der Einzelheiten entgegensteht, so hat Gebhardt letztlich erneut den Weg einzelner Bilder wählen müssen, die lediglich durch die Korrespondenz typologischer Entsprechung von altem und neuem Testament miteinander verbunden sind und die Wände eher dekorativ überziehen, als daß sie raumdisponierende, architekturbezogene Schwerpunkte setzen. Dies ändert nichts an der Tatsache, daß der Künstler hier die thematische und werkgenetische Summe aus seinem bisherigen Schaffen gezogen hat.

Gleich die Eingangswand bot mit der „Bergpredigt" (Abb. 122) die Möglichkeit einer volkreichen Erzählung, die weit über das Loccumer Vorspiel und dessen Staffeleibildfassung hinausging. Durch die Orgelbühne zweigeteilt, bot die Menge des Volks, die sich um Christus gelagert und zwischen den Bäumen des Waldes aufgestellt hat oder aber mit dem Pferdewagen angefahren kommt, die Möglichkeit, diese architektonische Zäsur zu überspielen. Bauern, Arbeiter, Bürger, Kranke und Sünder, alle fanden Aufnahme im „Breitwandpanorama" des Bildes. Gebhardt hat sich selbst und Peter Janssen im linken Teil des Bildes dargestellt. Im seraphischen Chor darüber erscheinen Luther und seine Familie, Melanchthon, Calvin und Zwingli und auf der gegenüberliegenden Seite Bach, Händel und Beethoven, Paul Gerhardt und Düsseldorfer Pfarrer und Tondichter. Gebhardt erscheint überdies noch einmal auf der linken Stirnseite des Kirchenraums als weißbärtiger, gebückter Greis in der „Taufe des Johannes". Frei von beengenden Verhältnissen konnte er nur die jeweiligen Stirnseiten und die vier Hauptbilder zwischen den Fenstern der Längswände gestalten. Bilder wie das „Abendmahl" oder die „Tempelreinigung" zeigen den Künstler nunmehr in Komposition, Lichtführung und Charakterisierung der Figuren auf souveräner Höhe seines Könnens.

Gebhardts Absichten, Kunstanschauungen und Arbeitsweise:

Gebhardt selbst hat sein Schaffen durchaus als Novität empfunden. Es bezog sich dies gleichermaßen auf Form und Inhalt, auf theologisch-wirkungsgeschichtliche Fragen, auf das Traditions-, Geschichts- und Volksverständnis seiner Zeit, aber auch auf die Pragmatik seines Werks und die Praxis technischer Bewerkstelligung. Die Konstanten seines Werks und sein ständiger Wirklichkeitsbezug zeigen, daß er sehr bewußt, methodisch und mit lebhaftem Engagement die Fragen seiner Epoche aufgegriffen hat. Geschichtsbild und Wissenschaftsverständnis, nationale und soziale Frage, Moraltheologie, Psychologie und künstlerische Pädagogik gehen in seinem Denken und Schaffen eine sehr enge, für die Zeit der Vorjahrhundertwende typische und keineswegs exklusive Verbindung ein.

Da ist zum einen das Generalthema der Wirkung und Lehre Christi auf dem Boden protestantisch-pietistischer Frömmigkeit. Christus als Heiland und Lehrer, als Wundertäter, als Freund der Sünder, Armen und Kranken erfährt sehr diesseitig eine heilspädagogisch-historische Typisierung, die ihn möglichst konkret sieht, ihn seiner zeitlosen Idealität entkleidet und ihn mitten in eine genaue, fast „wissenschaftlich" exakt beschriebene Umgebung versetzt[24].

Da ist zum anderen das „renaissancehafte" Milieu der Bilder von Gebhardt: die altdeutschen Gewänder, ein kunstgewerblich auch allgemein wieder auflebendes „nationales" Interieur, eine neben der Gestalt Christi bevorzugte Thematik der Wissenschaft, des Studiums, der Entdeckungen, wie sie dem Humanismus angestanden hatte und die Verbildlichung von Reformation und Luthertum. Geschichte, personalisiert und am großen Individuum zur Sprache gebracht, sollte eine Authentizität gewinnen, die eine möglichst „echte" und „wahre" Transponierung sakraler Gehalte und allgemeinmenschlicher Werte und Erkenntnisse in den Wandel des säkularen Alltags erlaubte. Der kulturgeschichtliche Aspekt Gebhardts ist zugleich der des Szientismus und Historismus seiner Tage.

Als drittes steht die Modernisierung und Aktualisierung christlicher Geschichte, die Berufung auf Luther und das Geistesleben der Reformation im Dienste einer Vergegenwärtigung nationalen Eigenwerts. Renaissanceismus und Protestantismus, die Leumundschaft der Tradition und die Belebung heimischen Milieus erwiesen sich nach der Gründung des Reichs unter Preußens Führung als Kräfte der Legitimation von Einheit im Inneren als Selbständigkeit nach außen.

Die unmittelbaren Quellen Gebhardts liegen wie selten greifbar in der eigenen Zeit. So fallen Gebhardts frühe und mittlere Jahre noch in eine Phase ausgesprochen ethnographisch-biographischer Verlebendigung des Christusbildes. Schon 1835 war in der Folge Schleiermachers „Das Leben Jesu, kritisch bearbeitet" von David Friedrich Strauß veröffentlicht worden, wo die Gestalt Christi als Mythenfundus ewiger Wahrheiten und allgemeiner Lehren über Mensch und Gott figuriert. Ludwig Feuerbach hatte zur gleichen Zeit die Entthronung des allwaltenden Idealismus durch eine sehr diesseitig materialistische Philosophie in Gang gesetzt und die Milieutheorie hatte gemeinsam mit Positivismus und Rationalismus in Gestalt von Hippolyte Taine und Auguste Comte die Weichen für eine neue Form der Sozialtheologie gestellt. So war bereits 1863, im Jahr von Gebhardts „Einzug Christi in Jerusalem", Ernest Renans vieldiskutiertes „Leben Jesu" erschienen, das romanhaft sentimental Christi Leben und Schicksal in Palästina behandelte. Nur ein Jahr später folgte der „deutsche Renan", das „Charakterbild Jesu" des protestantischen Heidelberger Theologen Daniel Schenkel. Er provozierte damit öffentlichen Protest. 1888 sollte sich u. a. Paul Ador mit dem nicht minder populären „Jeschua von Nazareth" anschließen und als geradezu triviale, spekulativ-pathetische Populärwissenschaft gestaltete sich etwa Notovitschs „La vie inconnue de Jésus-Christ" von 1894. Orientreisen und Orientalismus hatten längst auch die Kunst ergriffen. Holman Hunt und Wereschtschagin, insbesondere der Pole Hendryk Siemiradzki, aber auch Munkacsy und Piglhein unternahmen sogar ausgedehnte Reisen oder verbrachten Jahre im Heiligen Land selbst, um historisch getreuen Boden für ihre religiösen Bilder zu studieren. Gebhardts Ziele waren anders und doch verwandt.

„Ich stehe durchaus auf dem Standpunkt des orthodoxen Luthertums und will in meinen Bildern durchaus nicht eine Auffassung Christi vertreten, wie sie z. B. von Renan oder Schenkel ausgesprochen worden ist", äußerte er 1878[25]. Ihm, dem Anhänger der reformierten Kirche und einer „praxis pietatis" mußte es um eine strenge Auffassung der Schrift und eine lebensbestimmende Bedeutung des Evangeliums gehen, das starke Züge einer sozialethischen und politischen

Wirkung in sich barg. Schon Friedrich Theodor Vischer hatte für die Darstellung historischer Themen neben Antike und Orient(!) auch auf das 16. Jahrhundert verwiesen: „Das sechzehnte Jahrhundert ist besonders günstig, weil es dem Geiste nach ·der Aufgang der modernen Zeit ist, seine Kämpfe den unsrigen so tief verwandt und seine Kulturformen so phantasiereich sind. Der Inhalt jedes Kunstwerks soll die Herzen und Geister im Mittelpunkt dessen ergreifen und erschüttern, was sie allgemeinmenschlich und zugleich mit besonderer Gewalt in der Gegenwart bewegt"[26].

Diese Legitimation von seiten der Ästhetik traf sich mit der auf Bestätigung der Frömmigkeit in den Werken und auf verinnerlichte persönliche Religiösität abgestellten Malerei Eduard von Gebhardts. „Mir ist als könne man dem Menschen nicht recht zu Herzen reden, wenn man nicht ganze, wirklich in sich abgeschlossene Menschen schildert, und ein solches Individuum kann nicht anders gedacht werden, denn in seiner Nation mitten inne stehend. So glaubte ich, mußte man die heilige Geschichte als Tradition des eigenen Volkes behandeln", und „Was mich bewogen hat, eine Form zu wählen, die von den übrigen Malern solcher Gegenstände abweicht, war das Gefühl, daß in der üblichen Form . . . die Kraft des nationalen und individuellen Elements verloren gegangen ist"[27].

Gebhardts religiös-pädagogisches Denken mündet hier in die besondere Art seiner Arbeit, in Fragen von Idealismus und Realismus, die eine Ideologie des Deutschnationalen auch im Medium des Stils, nicht nur des Inhalts begründen halfen. „Sollte ich etwa weitermachen wie die Nazarener? . . . Malen wir denn nicht als Deutsche für Deutsche"[28]? Nicht allein, daß Gebhardts ausgeführte Werke spätmittelalterlich und renaissancehaft mit der Masse des Volkes die individuelle, sehr scharf und schneidig im Ausdruck erfaßte Einzelfigur verbildlichen. Eine Vielzahl heute überallhin verstreuter Skizzen und Studien, insbesondere Köpfe und Gewandfiguren bezeugen ein unermüdliches Studium nach der Natur. Und doch ergänzten einander Anschauung und Vorstellung, das Studium der alten Meister in Italien, Holland und Belgien oder anhand von Reproduktionen und Graphik. Daneben stand das Studium seiner selbst vor dem Spiegel oder nach unermüdlich in die Pflicht genommenen Modellen, sei es aus der estnischen Heimat, aus der Düsseldorfer Altstadt oder aus dem Freundes- und Bekanntenkreis. Eine große Zahl seiner Bilder enthält versteckte Porträts.

Den „Einzug in Jerusalem" z. B. malte er „fast ohne Natur zu nehmen, fast alles halb aus dem Kopf. Ich hatte jede Figur mir in den Kopf gesetzt, sie müssen so und so aussehen". Gleichwohl studierte er physiognomische Züge im Spiegel und „gewöhnlich malt ich dann den Kopf hin so stark im Ausdruck als ich konnte und wußte, bis mir klar vorstand, wie ich's haben wollte. Dann malte ich oft nach der Natur einzelne Teile des Gesichts . . ."[29].

Nur in der Verknüpfung von Werk und Leben sah er eine möglichst intensive Wirkung, die sich sogar auf seine unmittelbare Praxis als Akademielehrer, ja auf Familie und Heim erstreckte. In der Gestalt Marias unter dem Kreuze begegnet z. B. seine Mutter, der Akademiedirektor Peter Janssen fand ebenso Berücksichtigung wie etwa Jordan, Schöne und der Abt Uhlhorn in den Fesken von Loccum oder er selbst in der Friedenskirche.

Seine Schüler hatte er im eigenen Heim mit den Gesetzen der Monumentalmalerei vertraut gemacht, und so wie er im historischen Genre dem Altdeutschen den Vorzug gab, so ist von seinem Neffen berichtet, daß auch die Wohnräume seines mit Butzenscheiben versehenen Hauses in der Düsseldorfer Rosenstr. 44 so ausgestattet waren, „daß man sich in das Reformationszeitalter versetzt sehen konnte"[30]. Selbst die Maltechnik der Alten, Tizians und Veroneses etwa, Pinturicchios, der Altniederländer, der großen Flamen Rubens und Van Dyck, aber auch Rembrandts oder des Zeitgenossen Henry Leys suchte er mit dem eigenen Schaffen zu verknüpfen. Alt und Neu im tätigen Erleben und Weitergeben zu verbinden bestimmte sein Verständnis von Tradition. Und es galt dies nicht weniger von seinem Freund und Malerkollegen Peter Janssen.

III. Peter Janssen (1844–1908)

Über Janssen im Rahmen einer Ausstellung zu schreiben, die nur zwei seiner ohnehin nicht zahlreichen Staffeleibilder zeigen kann, ist problematisch. Der Künstler hat sich, sieht man von den meist anerkannten Porträts[31] einmal ab, fast ausschließlich der Monumentalmalerei gewidmet. Sie vor allem verdeutlicht seinen Werdegang, und nur wer die heute noch existierenden Wandbildzyklen Janssens in Erfurt, Marburg oder Schloß Burg a. d. Wupper kennt, kann auch die wenigen Staffeleibilder in das Gesamtschaffen des Künstlers richtig einordnen[32].

Frühzeit:

Peter Janssen wurde am 12. Dezember 1844 in Düsseldorf als Sohn des bedeutenden Stechers Theodor Janssen (1816–1894) und seiner Frau Laura (1822–1889), geb. Hasenclever, geboren[33]. Theodor Janssen war namentlich durch seine ausgezeichneten Stiche nach Hasenclevers Bildern zur „Jobsiade" bekannt. Er wurde der erste Lehrer seines Sohnes und wußte in dem Jungen die Liebe zur Antike und zur Geschichte überhaupt zu wecken. Nachdem Peter Janssen einige Zeit bei dem Tiermaler Lachenwitz verbracht hatte, trat er 1859 in die Kgl. Kunstakademie Düsseldorf ein, deren Direktor Ed. Bendemann in gleichen Jahr geworden war. Janssens Lehrer an der Akademie waren C. Müller, der Spätnazarener, C. F. Sohn und vor allem Ed. Bendemann, der bestimmend auf den Lebensweg des jungen Künstlers einwirkte. Schon 25jährig stellte Janssen erstmalig ein Gemälde aus, „Die Verleugnung Petri" (heute Philadelphia, Acc. of the Fine Arts). Das Gemälde, noch ganz in der Tradition der Düsseldorfer Spätnazarener, zeigt in der einprägsamen Gegenüberstellung der Hauptfiguren Petrus und eines ihn anklagenden alten Juden eindringlich realistisches Figurenstudium, das von nun an Janssens Entwicklung entscheidend bestimmte.

Mit dem Wettbewerb, den die Stadt Krefeld und der Kunstverein für die Rheinlande und Westfalen – anknüpfend an Rethels Karlszyklus für das Aachener Rathaus – zur Ausmalung des Krefelder Rathaussaales 1867 veranstalteten und den Janssen schließlich im dritten Durchgang gewann (Nov. 1869), wurde der junge Künstler schlagartig zu einem der bedeutendsten Historienmaler seiner Zeit.

Der Krefelder Zyklus hat die Taten von Hermann dem Cherusker zum Thema, ein in der deutschen literarischen Tradition seit der Reformation verwurzelter und mit Beginn des 19. Jahrhunderts u. a. durch Kleist mit entschieden antifranzösischem Geist aktualisierter Stoff. Der vier Hauptbilder und fünf kleinere Supraporten umfassende Zyklus wurde in Leimfarben auf Leinwand gemalt und von Janssen selbst vor dem Hintergrund der deutsch-französischen Auseinandersetzungen von 1870/71 als ein Sinnbild „für die Folgen der Einigkeit und die der Uneinigkeit und Vaterlandslosigkeit"[34] verstanden.

Künstlerisch lehnte sich Janssen in den Krefelder Bildern stark an Rethel und Cornelius an, wie das der herbe zeichnerische Figurenstil, der Verzicht auf koloristische Reize und die vielfältigen Zitate belegen.

Noch während der Ausführung der Krefelder Gemälde erhielt Janssen einen neuen Monumentalauftrag, die Ausmalung der Stirnwand der neugotischen Bremer Börse. Das riesige 1870/72 entstandene, im 2. Weltkrieg zerstörte Wandbild (ca. 8,00 × 7,40 m) stellte unter dem Titel „Kolonisation der Ostseeprovinzen durch die Hanse" die Gründung Rigas als Tochterkolonie Bremens im Jahre 1201 dar. Um das Thema hatte es zuvor in Bremen starke Auseinandersetzungen gegeben, in die u. a. auch der Bonner Kunsthistoriker Springer auf seiten Janssens temperamentvoll eingriff. Koloristisch war das Bremer Wandbild ebenfalls sehr zurückhaltend und eher grafisch bestimmt. Die Komposition mit der Darstellung des Handels zwischen Bremern und Slaven im unteren und mit der Gründung einer Kirche im oberen Bildteil war in der aus nazarenischer Bildtradition übernommenen typischen Zweistöckigkeit angelegt. Mit diesem Wandbild war Janssens Frühwerk abgeschlossen.

Schaffen der Reifezeit – 1. Periode:

1874 malte der Künstler im Auftrag eines Honnefer Ehepaars „Das Gebet der Schweizer vor der Schlacht bei Sempach" (Kat.Nr. 120). Das Thema, durch Rethel bereits 50 Jahre früher in einer Zeichnung in die Düsseldorfer Kunst eingeführt, wurde als Ereignis auch der deutschen Geschichte gefeiert. In der Schlacht bei Sempach (1386) besiegten die Eidgenossen das Ritterheer Herzog Leopolds III. von Österreich und erlangten ihre Unabhängigkeit. Vor der Schlacht sollen sie sich, um ihren Anführer Winkelried geschart, zum Gebet versammelt haben. Winkelried fand im Kampf den „Opfertod", indem er sich den österreichischen Lanzen entgegenwarf und so seinen Waffengenossen die entscheidende Bresche brach.

Auf Janssens Bild scheint der im Blickpunkt kniende Winkelried wie ein christlicher Märtyrer den Todesstoß gleichsam im voraus zu empfangen. Die vor und um ihn befindlichen Schweizer bilden nur die Spitze des Heeres, dessen Größe Janssen nur ahnen läßt: im Dunst der Hochgebirgsebene verlieren sich die letzten Kämpfer. Die Eidgenossen sind als bäuerlich gekleidete und bewaffnete Männer von muskelstrotzender Kraft dargestellt, ein jeder psychologisch in einem vom Nachbarn verschiedenen Gesichtsausdruck oder Gestus erfaßt.

Mit diesem Gemälde griff Janssen innerhalb der Düsseldorfer Historienmalerei den Typus des Staffeleibildes wieder auf, der vor allem von Lessing geprägt worden war. Insbesondere dessen „Hussitenpredigt" mit ihrer musterhaften Darstellung „seelischer Zustände, u. a. von Trotz, Opferbereitschaft, schwärmerischer Hingabe"[35] lebt offensichtlich in Janssens Gemälde fort. Doch hat sich der jüngere Meister gegenüber Lessing neue Formen des Realistischen erschlossen: Den Diagonalzug der Komposition, der von nun an in Janssens Werk eine wichtige Rolle spielen wird, die Verschärfung des Individuellen und Psychologischen durch eine momentane, realistische Beleuchtung sowie die Zuspitzung der Situation.

Janssen selbst sah sich durch den Auftrag zum „Gebet der Schweizer" „in eine realistische Sprache gedrängt", die er offenbar als für die Ölmalerei spezifisch ansah. Denn bei dem wenig später begonnenen Erfurter Zyklus ließen ihn die für die Wand bestimmten Bilder „unwillkürlich wieder in die gebräuchlichere oder conventionellere Form"[36] zurückfallen. Hier wird ein Konflikt sichtbar, der in den verschiedenen künstlerischen Medien begründet schien: das Wandgemälde legte dem Künstler überlieferte Bildgedanken und Kompositionsformen nahe, während das Ölgemälde, technisch geschmeidiger als jenes, auch beim Historienbild verstärkten Realismus ermöglichte.

Die Genese der Erfurter Wandbilder, die sich im Entwurfsmaterial nachvollziehen läßt, zeigt wenig später Janssens

123   Festsaal des Rathauses in Erfurt, Zustand vor 1930

Streben nach einer neuen zwischen Idealismus und Realismus angesiedelten Form des Historienbildes.

Doch zunächst sollte sich der Künstler nochmals, im Prometheus-Zyklus für den Zweiten Cornelius-Saal der Nationalgalerie Berlin (1874–76, im 2. Weltkrieg zerstört), des strengen idealen Stils bedienen. Durch den Arbeitsvertrag mit dem leitenden Architekten Strack zu nur minimaler Verwendung von Farbe gezwungen, stellte Janssen im Blick auf die ursprünglichen Ausstellungsstücke des Saales, die Cornelius-Kartons für die Fresken in der Münchner Glyptothek, in einem zwölf Gemälde umfassenden Zyklus den Mythos von Prometheus dar, womit dem Genius des Cornelius ein Denkmal gesetzt werden sollte. Die hohe Anbringung von Janssens Bildern oberhalb des Gesimses und ihre formale Annäherung an das klassizistische Cornelianische Zeichenideal beließen sie gegenüber den Kartons von Cornelius in bewußt dienender Rolle. Doch wirkte der Zyklus bald nach seiner Vollendung bereits anachronistisch[37].

Noch in Berlin tätig, hatte Janssen den für seine künstlerische Entwicklung zu einem der ersten und bekanntesten Monumentalmaler Deutschlands so wichtigen Auftrag für die Ausmalung des Erfurter Rathauses übernommen. Auch hier bildete wie in Bremen ein neugotischer Bau von 1870–75 den Platz zur Aufnahme der Wandbilder. Das Bildprogramm umfaßt sechs zwischen 1878 und 1881 entstandene Darstellungen zur Geschichte Erfurts, von der legendenhaften Fällung der Donareiche durch Bonifaz bis hin zur Zerstörung der Napoleonssäule auf dem Anger in den Befreiungskriegen (1814) (Abb. 123). Jeweils zwei der historischen Szenen sind in chronologischer Folge auf die drei fensterlosen Wände des Saales verteilt und rahmen jeweils ein mittleres, kompositionell mit einer Tür in Verbindung stehendes Bild von allego-

risch-symbolischem Inhalt, z. B. auf der Ostseite die Allegorie der ehemaligen Universität Erfurt mit Luther als dem Vertreter der Theologie unter den übrigen drei Fakultäten. Während die historischen und allegorischen Wandgemälde die Geschichte Erfurts vom frühen Mittelalter bis in das frühe 19. Jahrhundert in ihren Hauptmomenten darstellen, erscheinen in den Schildbogen der zur flachen Decke des Saales vermittelnden Stichkappen die Porträts der 18 brandenburgisch-preußischen Kurfürsten, Könige und Kaiser von Albrecht I. bis Wilhelm I. In dieser Überhöhung des chronologisch-faktischen Wandbildzyklus verdeutlicht sich auch die übrige Raumausstattung als repräsentatives Bekenntnis zur Geschichte Erfurts im Licht des preußischen Kaisertums. Als der Erfurter Festsaal 1882 feierlich in Gegenwart von vier preußischen Ministern eröffnet wurde, sah man in ihm denn auch – so der Tenor einer der wichtigsten Reden – ein Sinnbild der deutschen Einheit, ein gleichsam monumentales Bilderbuch, in dem Geschichte von der germanischen Frühzeit bis zur Gegenwart sinnfälligen Ausdruck gefunden hatte.

Die Bedeutung des Erfurter Zyklus ist umfassend. Stilistisch fand Janssen hier die von ihm für das Historienbild so hart erkämpfte Verbindung zwischen dem Stil der älteren Düsseldorfer Schule und den neuen zeitgenössischen Realismusbestrebungen, was sich vor allem in dem lebendigen Modellstudium der Einzelfiguren und Figurengruppen, aber auch in dem ausgewogenen, von malerischen und farbkompositionellen Überlegungen bestimmten Kolorit zeigt, das zwischen Fresko und Staffeleibild zu vermitteln sucht. Von hier aus gesehen hätten die Bilder in der Geschichte der deutschen Monumentalmalerei nach Cornelius, Schnorr, Schwind, Rethel und den Düsseldorfer Nazarenern der Apollinariskirche in Remagen einen gewichtigen Platz einzunehmen. So wurde der Künstler auch von der zeitgenössischen Kritik weitgehend enthusiastisch als Vollender der Malerei eines Cornelius oder Rethel gefeiert, deren strengen Stil er zwar beibehalten, aber durch eine lebhaftere Farbigkeit auf die Höhe der zeitgenössischen, d. h. realistischen Malerei gebracht habe.

Für die Wirkung Janssens in seiner engeren rheinischen Heimat ist um die Zeit der Entstehung der Erfurter Bilder festzuhalten: 1877 hatte er als Professor an der Kunstakademie Düsseldorf die Elementarzeichenklasse übernommen; 1878 wurde Janssen vom preußischen Staat die Vollendung eines Wandfrieses in der Aula des Lehrerseminars Moers (im 2. Weltkrieg zerstört) übertragen, den die Maler Commans und Kehren aus religiösen Gründen unvollendet gelassen hatten. Janssen ergänzte die Darstellungen biblischen Inhalts durch Weiterführung der Heilsgeschichte in die Profangeschichte von Luther bis zur Errichtung des Deutschen Reichs von 1870/71.

1880 malte der Künstler das als Hauptwerk seiner Porträtkunst geltende Bildnis des Akademieinspektors Holthausen

(Abb. 124; Berlin, DDR, National-Galerie), das stets als Zeugnis bester Düsseldorfer Bildniskunst im letzten Viertel des 19. Jahrhunderts geachtet wurde. In diese Zeit fallen ebenso die ersten Planungen Janssens für die Ausmalung der Aula des 1879 vollendeten Neubaues der Kunstakademie Düsseldorf.

1883 entstand das heute verschollene großformatige Ölgemälde „Die Erziehung des Bacchus", für das Janssen die große Münchener Goldmedaille erhielt und das in wohl bewußter Rivalität zu Makart und parallel zu anderen Zeitgenossen Janssens Können in der Behandlung weiblicher Aktdarstellung beweisen sollte.

Die Jahre zwischen 1884 und 1893 wurden wiederum durch zwei umfangreiche Wandbildzyklen bestimmt: Janssens Gemälde für die Ausstattung der Ruhmeshalle in Berlin und die Wand- und Deckengemälde für die Aula der Kunstakademie Düsseldorf.

Für das zur Ruhmeshalle Preußen-Deutschlands 1877–80 umgestaltete Berliner Zeughaus malte Janssen neben seinen Kollegen W. Simmler, H. Knackfuß und F. Roeber in der westlichen Feldherrnhalle 1884 die „Schlacht bei Fehrbellin" (den Sieg des Großen Kurfürsten über die Schweden, 1675), 1888 die „Begegnung Friedrichs des Großen und Zietens nach der Schlacht bei Torgau – 1759" und schließlich 1890 die „Schlacht bei Hohenfriedberg – 1745". Die im Krieg zerstörten Bilder müssen wie die der anderen Künstler ca. 5 m hoch bis zum Scheitel des bogenförmigen Abschlusses und ca. 7 m breit gewesen sein und waren wie die Erfurter Gemälde in Wachsfarben- bzw. Öl-Wachsfarbentechnik auf die Wand gemalt. In den Zeughausbildern hatte sich Janssen vor allem mit der friderizianischen Zeit auseinanderzusetzen. Er tat dies besonders im Rückgriff auf Menzel, der für das Fehrbellinbild entscheidende Motive vermittelte und dessen Kugler-Illustration die Komposition der „Schlacht bei Hohenfriedberg" weitgehend bestimmte.

Aber auch Wilhelm Camphausen, der bereits eine Generation früher friderizianische Themen in die Düsseldorfer Historienmalerei eingeführt hatte, war aufgrund einer Illustration (zu Bühlaus „Deutscher Geschichte in Bildern") für das Torgaubild eine wichtige Anregungsquelle. Mit der Verarbeitung Rethelscher Kompositionsmittel und über ihn vielleicht auch solcher aus der französischen Historienmalerei fand Janssen in der Ruhmeshalle zu einer Art neobarockem Stil. Dieser zeigt sich vor allem in der „Schlacht bei Fehrbellin" in der reiterdenkmalhaften Pose des Großen Kurfürsten, aber auch z. B. in der Verwendung requisitenhafter Details der barocken Schlachtenmalerei, wie liegengebliebenen Trommeln, zerbrochenen Waffen, toten Pferden u. a. Janssens Gemälde und die seiner Kollegen sowie die allegorischen Standbilder von C. Begas, wie z. B. die „Kriegswissenschaft", ferner die qualitätvolle kunsthandwerkliche Ausstattung der Räume und schließlich die allegorische Überhö-

124 P. Janssen, Bildnis Holthausen, 1880. Berlin DDR, National-Galerie, Staatliche Museen zu Berlin

hung der Geschichtsdarstellungen in den Feldherrnhallen durch die renaissancehaft-cornelianischen Wandgemälde F. Geselschaps in der zentralen eigentlichen Ruhmeshalle bildeten ein klassisches Gesamtkunstwerk in der Nachfolge der „Galerie des batailles" des Musée Historique in Versailles.

1885 wurde Janssen zum Mitglied der Kgl. Akademie der Künste zu Berlin ernannt und bis 1886 vollendete er, selbst Freimaurer, für die Düsseldorfer St. Johannes-Loge einen kleinen Wandgemäldezyklus (im 2. Weltkrieg zerstört; die Ölstudien – allegorische Gestalten zum Freimaurertum – heute im neuen Düsseldorfer Logenhaus aufgehängt).

Etwa gleichzeitig mit der über sechs Jahre sich erstreckenden Entstehung der Berliner Wandgemälde beschäftigte sich Janssen auch mit den Entwürfen bzw. ab 1887 mit der Ausführung der Wand- und Deckengemälde für die Aula der

125   P. Janssen, Die Phantasie. Ehemals Aula der Kunstakademie Düsseldorf

das Thema des menschlichen Lebens von der Wiege bis zur Bahre (fensterlose Wände) und das Leben nach dem Tode (Fensterseite, in den Zwickeln) gewählt. Die Deckenbilder stellen – von Westen nach Osten – in Gestalt unbekleideter weiblicher Figuren „Phantasie", „Schönheit" und „Natur" dar: die Phantasie von einem Greifen in den Himmel getragen, die Schönheit von den Schwesterkünsten Malerei und Bildhauerei zur Erde geleitet, die Natur als Allmutter von vielen kleinen Kindern, Naturgottheiten wie Quellgöttern und Nymphen umgeben. Ikonografisch den Lebensalterdarstellungen des frühen 19. Jahrhunderts und der Tradition des in Düsseldorf beheimateten gemalten Wandfrieses verpflichtet, heroisierte Janssen das Menschen-, genauer „Mannes"-Leben zu einem vorbildlichen Lebenskampf, der im Himmel seinen Lohn findet. Die Akademieaula wurde so zu einem vaterländischen Feierraum, dessen Bildprogramm im Zusammenhang mit dem des Außenbaues zu sehen ist: Es verband sich gleichsam den kanonischen Künstlernamen, die, an den Hauptfassaden des Gebäudes angebracht, den Akademieschülern als Vorbilder dienen sollten. Für Clemen war die Aula „im ganzen ein geschlossenes Denkmal der künstlerischen Anschauung um 1890 vom Ende der ersten großen wilhelminischen und bismarkischen Jahre . . . und sicher eines der vornehmsten und reifsten Dokumente einer großen Zeit"[38].

1890 malte Janssen das heute im Stadtgesch. Museum Düsseldorf befindliche Porträt seines Malerkollegen A. Achenbach, 1892 übernahm er den Auftrag für die Ausmalung der 1890 vollendeten neugotischen Universität Marburg und 1893 wurde Janssen – zunächst kommissarisch – zum Direktor der Kunstakademie Düsseldorf berufen. Ebenfalls 1893 vollendete der Künstler das großformatige Ölgemälde „Walter Dodde und die bergischen Bauern in der Schlacht bei Worringen", einen Auftrag des Düsseldorfer Lokalpatrioten Carl Weiler zur 600-Jahr-Feier der Stadt von 1888.

Dieses Bild leitet den letzten großen Abschnitt in Janssens Historienmalerei ein, deren mittlere „barocke" Phase mit der Ausgestaltung der Akademieaula ihren Abschluß gefunden hatte.

Schaffen der Reifezeit – 2. Periode:

Janssens Gemälde „Walter Dodde in der Schlacht bei Worringen" (Düsseldorf, Rathaus) hält den Augenblick fest, als der Laienbruder Dodde die bergischen Bauern auf seiten Graf Adolfs von Berg zu dem die Schlacht entscheidenden Kampf gegen die Truppen des Kölner Erzbischofs Siegfried von Westerburg anspornt[39]. Infolge des Siegs der brabantischen, bergischen und Stadt-Kölner Truppen über den Kölner Erzbischof wurde Düsseldorf 1288 zur Stadt erhoben; so

Kunstakademie Düsseldorf (Abb. 125, 126). Sie wurden infolge der sparsamen staatlichen Finanzpolitik erst 1893 vollendet. Der Wandfries zog sich – auf der Ostseite der Aula beginnend – über die West- und Südseite schließlich zur Fensterfront, war also bei den Grundmaßen des Raumes (ca. 30 × 15 m) und einer Höhe von ca. 3 m von beachtlichen Ausmaßen. Die drei noch erhaltenen Deckenbilder in Kreisform (ca. 3,50 m im Durchmesser) werden heute in der Bibliothek der Staatl. Kunstakademie – leider aufgerollt – aufbewahrt, sind also auf Leinwand gemalt, während der im 2. Weltkrieg zerstörte Wandfries direkt auf die Wand gemalt war.

Ursprünglich war die Aula als Sammlungsraum für den Gemäldebesitz der Akademie gedacht gewesen. Doch die Ausstattung des Raumes entwickelte sich in der fruchtbaren Zusammenarbeit zwischen Janssen und seinem Kollegen Adolf Schill – dem Professor für Dekorationsmalerei – zu dem weitgerühmten Gesamtkunstwerk, als das die Aula in den späten 90er Jahren gegen Entgelt auch Fremden als Düsseldorfer Attraktion gezeigt wurde. Im Zuge seiner Akademiereform ließ Akademiedirektor Werner Kaesbach um 1930 die gesamte historistische Ausstattung bis auf den Fries Janssens beseitigen und die Wände völlig in Gold gestalten, eine Maßnahme, die Paul Clemen schon 1944 als nicht gerechtfertigt kritisierte.

Für den Fries hatte Janssen, nach eigenen Worten im Blick auf die an der Akademie auszubildenden jungen Künstler,

126 P. Janssen, Kindheit. Ehemals Aula der Kunstakademie Düsseldorf

erklärt sich der Jubiläumsauftrag Carl Weilers. Bei Janssen erscheint Dodde – vermutlich um der Bildwirksamkeit der weißen Kutte wegen – als redegewandter Dominikaner, der von einem schweren Kaltblütler herab die Masse der bergischen Bauern zum Kampf aufruft. Der Künstler wählte den „fruchtbaren Moment" kurz vor dem Aufbruch zur Schlacht, am oberen Bildrand links im Hintergrund verlieren sich schon die ersten Kämpfer im Schlachtgetümmel. Das ca. 4 × 6 m messende Ölgemälde vom Farbcharakter eines Freskos ist auf Leinwand gemalt und wurde von Kaiser Wilhelm II. 1893 durch die Verleihung der Goldmedaille an den Künstler ausgezeichnet. Für die Ausstellung konnte wenigstens die reduzierte Fassung des bekannten Bildes gewonnen werden, die zwar intimer und delikater in der Malerei ist, aber nicht die beeindruckende, an Wandmalerei erinnernde Wirkung der monumentalen Großfassung erreicht (Kat.Nr. 121).

Mit jenem Gemälde knüpfte Janssen erneut an die Tradition des auf Leinwand gemalten großformatigen Historienbildes, vor allem Lessings, an. Einflüsse aus dessen „Hus vor dem Scheiterhaufen" sind nachzuweisen, aber auch solche aus Camphausens Illustration „Götz von Berlichingen" in Bühlaus „Deutscher Geschichte" bzw. aus den „Feldherrenbildern" der Berliner Ruhmeshalle von Janssens Zeitgenossen. Typisch für Janssens Anknüpfung an Lessing ist das Vorstellen individuell gestalteter Menschen im Vordergrund, die in Verbindung mit den Figuren in Mittel- und Hintergrund den Eindruck einer schwer überschaubaren Menge hervorrufen, und das im Realistischen, auch im Kolorit, verstärkt Anekdotische, das jedem Bauern ein anderes Gesicht verleiht. Schon in Erfurt – z. B. im „Siegeszug Kaiser Rudolfs und

seiner Männer" – hatte Janssen die Darstellung der Masse thematisiert, von nun an ein Hauptmotiv seiner Historienmalerei. Möglicherweise wurde Janssen hier durch das Meininger Hoftheater beeinflußt, das ebenfalls um 1890 durch ein großes Aufgebot von Menschen auf der Bühne realistische Wirkungen im historischen Drama erzielen wollte. Parallel zur Darstellung der Menge entwickelt sich bei Janssen ein Interesse an der Schilderung des einfachen Menschen. Dies hat seine Entsprechung in den religiösen Historienbildern etwa v. Uhdes und v. Gebhardts und zählt generell zu den Erfahrungen der Malerei dieser Zeit.

Zugleich änderte Janssen mit dem Worringenbild seinen Farbstil, indem er die Möglichkeiten des matt wirkenden Freskos um der erstrebten Monumentalität willen bewußt auf das Leinwandgemälde übertrug, ein Prinzip, das für den Gemäldezyklus der Marburger Universitätsaula voll ausgenutzt wurde. Janssen führte ihn zwischen 1895 und 1903, und zwar in Kaseinfarben auf Leinwand, aus. Die Hauptbilder messen im Durchschnitt 5 × 7 m, alle Gemälde wurden nachträglich an Ort und Stelle auf die Wände gebracht. Durch eine leichte Rahmung und die Ornamentierung des gesamten Raumes sind sie der Architektur der Aula verbunden.

Der Marburger Gemäldezyklus, dessen Ausführung langwierige Prozesse der Themen- und Bildfindung zwischen Auftraggeber und Künstler vorangingen, die fast ebenso gut wie in Erfurt durch Aktenmaterial dokumentiert sind, besteht aus drei Zyklen: den sieben großen historischen Hauptbildern an den nichtbefensterten Wänden, dem Zyklus von „Otto dem Schützen" in den Zwickeln der Fensterwand und dem die Hauptbilder begleitenden Zyklus berühmter Professoren der Marburger Universität seit ihrer Gründung. Das künstlerische Gewicht liegt auf den historischen Hauptbildern. Sie umfassen zeitlich die Epochen von der Geschichte der hl. Elisabeth über zwei weitere Szenen des Mittelalters und den anschließenden Höhepunkt des Reformatoreneinzugs zum Marburger Religionsgespräch (1529) und zwei weitere Darstellungen aus der Geschichte des 16. Jahrhunderts – darunter den Auszug der Dominikaner, die ihr Kloster der neugegründeten Universität Marburg überlassen – bis hin zur „Einholung des Philosophen Wolff" durch Marburger Studenten (1723).

Offenkundig dominiert im historischen Zyklus die mittelalterliche Geschichte der Stadt bzw. die der beginnenden Neuzeit im Zusammenhang mit der Gestalt des Universitätsgründers Philipp des Großmütigen. Nur eine Szene, die „Einholung Wolffs", ist der engeren Universitätsgeschichte zur Zeit der Entstehung der exakten Wissenschaften gewidmet.

Universitätsgeschichte war gleichwohl mit den Bildnissen der um die Hochschule verdienten Professoren gegenwärtig und ebenso das Volksnahe in Form der Bilderfolge über „Otto den Schützen", einer historischen, aber sagenhaft umkleideten Figur aus der hessischen Geschichte des Mittelalters. Janssens monumentale, stark sentimentalisierende Illustration der Schützen-Sage dürfte im Zusammenhang mit der von dem Bonner Freiheitskämpfer Gottfried Kinkel episch gefaßten, im 19. Jahrhundert sehr populären Dichtung „Otto der Schütz" zu sehen sein.

Auch die Marburger Universitätsaula ist ein „Gesamtkunstwerk" in dem Sinn, daß Gemälde, Wanddekor, Fensterverglasung, Beleuchtungskörper und ursprünglich auch die Bestuhlung – nur die für die Professoren ist an der Kathederwand erhalten geblieben – eine klar konzipierte Einheit eingingen. Den Hauptakzent bilden jedoch die großen Historien. In ihnen werden die jeweiligen Hauptpersonen, wie etwa Friedrich II. von Hohenstaufen, die Reformatoren bzw. Philipp von Hessen mit Ulrich von Württemberg oder der Philosoph Wolff, einer Menge situationsbezogen handelnder, in Aussehen und Kleidung detailliert individuell dargestellter Menschen, gegenübergestellt. Dieses Kompositionsprinzip läßt den inneren Zusammenhang der Marburger Bilder mit der „Schlacht bei Worringen" erkennen.

Schon ein Jahr vor ihrer Vollendung, 1902, übernahm Janssen den Auftrag für ein Wandbild im 1900 fertiggestellten Rathausneubau Elberfeld. Das im 2. Weltkrieg zerstörte Gemälde hatte die „Brotverteilung nach dem Brand von 1687" in Elberfeld zum Thema. Das eigenartige, äußerst lange Querformat, von der Spitzbogenstellung je eines Türaufbaues seitlich links und rechts unterteilt, gestaltete der Künstler so, daß er im Mittelfeld die Brotspende an die sich um das Fuhrwerk drängenden Hilfsbedürftigen und die aus den Trümmern Hinzueilenden darstellte. Links gab das Bild einen Ausblick ins Land frei, rechts schloß die Komposition

mit Szenen des Löschens und Aufräumens der Trümmer ab. Janssen fand für das Elberfelder Bild mit dem eigenartigen Thema und dem vorgegebenen eigenwilligen, ja ungünstigen Format eine seiner selbständigsten Kompositionen, die in der Darstellung menschlicher Hilfsbedürftigkeit und nachbarlicher Nächstenliebe in Elberfeld als der Hauptstadt des Bergischen Landes offenbar nicht nur die Erinnerung an das dargestellte Ereignis wachhalten sollte, sondern exemplarisch-christlich auch zu sinngemäß anzuwendender Hilfe aufrief.

Jenes Werk Janssens, das – anknüpfend an bereits im Zyklus „Otto der Schütz" anklingende Tendenzen – den Künstler in ein neues Gebiet, das historische Genre, führen sollte, wurde zugleich sein letztes. Seit 1890 wurde in Burg a. d. Wupper im Gefolge der rheinischen Burgenromantik das Stammschloß der Grafen von Berg wieder aufgebaut und im Auftrage des Schloßbauvereins sowie des Kunstvereins für die Rheinlande und Westfalen ausgemalt. Die Düsseldorfer Künstler Meyer, Spatz, Schill und schließlich auch Janssen beteiligten sich an der Ausmalung der Burg, die nach dem Willen ihrer Wiedererbauer gezielt pädagogisch der Bevölkerung des Bergischen Landes als Bildungs- und Erholungsstätte dienen sollte, was sie noch heute ist.

Janssens Beitrag bestand in der Ausmalung der sog. Kemenate, für die er vorwiegend genrehafte Szenen aus dem Leben der Burgbewohner schuf. In einigen Bildern, wie der „Besichtigung der Feldarbeiten", dem „Samariterdienst", der „Spinnstube" oder der „Brotverteilung im Winter", steht die Burgherrin im Mittelpunkt. Andere Gemälde, wie das „Turnier" (Abb. 127), der „Jagdausritt" oder die „Kneipenszene", stellen ganz allgemein mittelalterliches Burgleben dar, wie man es sich um die Zeit der Jahrhundertwende dachte. Janssens Bildvorstellungen wurden hierbei sowohl von mittelalterlichen Vorbildern – etwa beim „Turnier" –, als auch von zeitgenössischen kulturwissenschaftlichen Schriften über das Leben im Mittelalter inspiriert, die ihrerseits teilweise illustriert waren. Über den Szenen der Kemenate, die dem Leben der Frau gewidmet sind, ist meist übersehen worden, daß die Raumausmalung auch mit christlichen Darstellungen wie dem als deutscher Jüngling aufgefaßten hl. Michael und dem Drachenkampf des hl. Georg – ikonologisch weiter gefaßt ist: der religiöse Bezug weist deutlich über das Irdische in den Genreszenen hinaus.

Ein reicher historisierend-romanischer Dekor umgibt die Malereien, so daß auch hier wieder der Raum ein Gesamtkunstwerk aus Architektur, Malerei und Kunsthandwerk (Fensterverglasungen, Kamin, Wandvertäfelung u. a.) bildet. Überdies ist Janssens Ausmalung der Kemenate Teil eines ikonologischen Gesamtprogramms, das der Ausgestaltung der Burg zugrunde liegt und in dem der Künstler merkwürdigerweise das historische Genre vertritt, während z. B. Claus Meyer, sonst als Schöpfer intimer historischer

Genreszenen bekannt, in Schloß Burg den historischen Zyklus zur Geschichte des bergischen Grafenhauses übernommen hatte.

Warum Janssen – und dies in teils koloristisch recht reizvollen Szenen – für Schloß Burg die Grenzform des historischen Genre bevorzugte, ist nicht auszumachen. Ob er sich darin nur erproben wollte, ob er nicht mehr die Kraft zum Größeren in sich fühlte oder ob es geschah, weil die Zeit längst über das strenge Historienbild hinausgegangen war – wir wissen es nicht.

Erst dreiundsechzigjährig, starb Peter Janssen am 19. Februar 1908. Es blieb ihm erspart, die künstlerische Revolution des Expressionismus, den Ersten Weltkrieg und die Abdankung des Kaisers, d. h. das Ende „seiner" Epoche, zu erleben. Anders als sein Freund v. Gebhardt, der wie ein erratischer Block gegen die neuen Zeitströmungen weiterschuf, vollendeten sich Janssens Leben und Werk ganz innerhalb der Grenzen der Gründerzeit.

Janssen war kein Neuerer, sondern ein Vollender, der aufgrund seiner künstlerischen Qualität nicht unter die zu seiner Zeit erreichte Norm fallen konnte. Im Bewußtsein der Öffentlichkeit verlor er in seinen späteren Jahren an Wertschätzung, denn die Bedeutung der Historienmalerei nahm zur Jahrhundertwende hin immer mehr ab. Maler, die u. a. bei Janssen ihre Ausbildung bekommen hatten – unter ihnen A. Kampf, A. Deusser oder auch Worpsweder wie F. Mackensen und H. Vogeler – bestimmten nun das Bild der zeitgenössischen Kunst weit mehr als ihr ehemaliger Lehrer[40].

IV. Monumentalmalerei und ihre Stellung in der Zeit

Man muß sich vergegenwärtigen: Gebhardt zählte zur Generation von Marees, Thoma, Lenbach und Leibl, Janssen fast schon zu der von Uhde, Liebermann und Rohlfs. Böcklin und Feuerbach waren nur um reichlich ein Jahrzehnt älter. Will man den Vergleich mit bekannten und bewährten Namen auf größerer Ebene fortsetzen, dann zählt auch dazu, daß z. B. Manet sechs Jahre älter(!) als Gebhardt und Monet vier Jahre älter(!) als Janssen war – ein Vergleich, der noch heute das Kunsturteil bestimmt. Man muß sich fragen, ob dies rechtens ist.

Gebhardt und Janssen sind die beiden wichtigsten Vertreter Düsseldorfer Historien- und Monumentalmalerei vor der Jahrhundertwende. Ruhm und Tradition der Düsseldorfer Malerschule, ihre offizielle Stellung und Wertung im Bunde und Vergleich mit den anderen großen Kunstzentren Deutschlands, vornehmlich Münchens und Berlins, knüpften sich in Form und Inhalt, Idee und Anspruch an diese

127   P. Janssen, Das Turnier, Schloß Burg an der Wupper

vordem vornehmste Aufgabe, die als Erbe und Verpflichtung eine auch staatlich sanktionierte Klammer zwischen der ersten und zweiten Hälfte des 19. Jahrhunderts bildete. Geschichte und Gegenwart dienten als Substrat und Illustration gleichermaßen idealer wie handfester Grundsätze, die sich Staat und Gesellschaft auf die Fahnen schrieben. Als es um die Errichtung einer Ausstellungshalle anläßlich der deutsch-nationalen Kunstausstellung in Düsseldorf ging, befürworteten Innen- und Kultusministerium dies mit den Worten: „Daß die Düsseldorfer Kunst, welche abweichend von den Erscheinungen in anderen Kunststädten stets die ideale Richtung bewahrt hat, für die westlichen Provinzen und für ganz Deutschland von Bedeutung ist . . .", es handelte sich „um ein Unternehmen, mit welchem die Möglichkeit steht oder fällt, die Düsseldorfer Kunstschule, über deren Bedeutung und Verdienste um die vaterländische Kunst insbesondere auch gegenüber modernen Kunstrichtungen wohl kein Zweifel sein kann, auf ihre frühere Höhe zurückzubringen . . ."[41].

Aber obwohl sich die Schule relativ geschlossen gab, stand sie doch nicht weniger inmitten von Auseinandersetzungen der Zeit, erwies sich der Wechsel vom Idealismus zum Realismus als ein ernstes Problem und gewannen allmählich auch hier neue Formen und Methoden der Darstellung die Oberhand. Wie ließ doch der alte Fontane den Malerprofessor Cujacius, selbst eine Anspielung auf Pfannschmidt in Berlin, im 1899 erschienenen „Stechlin" sich äußern? „Tizian entzückte noch mit hundert Jahren, wer jetzt fünf Jahre gemalt hat, ist altes Eisen"[42]. Allerorten waren Sezessionen entstanden, kam es noch zu Lebzeiten Janssens und erst recht Gebhardts zu einem rasanten Wechsel der Stile, Richtungen und Anschauungen. Sie reichten von einer nunmehr kritischen Spielart des Realismus über den Impressionismus und

Jugendstil zum Expressionismus und zur abstrakten Kunst. Und wo noch die nationale Tonart unumgänglich schien, da hatte sich längst eine internationale Sprache eingestellt, die das vordem Bewährte und Gültige ins Gegenteil verkehrt zu haben schien. Als nicht mehr die Nachahmung von Natur und gesehener Wirklichkeit, vielmehr Erfindung und Deutung eigener, bildnerischer Wirklichkeit die Kunst bestimmten, da hatte auch die Düsseldorfer Malerschule den Zenit ihrer fast hundertjährigen Geschichte endgültig überschritten. Mit Klee, Campendonk, Thorn-Prikker und Mataré hatte in Düsseldorf ein ganz anderes, neues Kunstschaffen ohne Schultradition begonnen.

Anmerkungen

1 L. Pallat, Richard Schöne. Generaldirektor der Staatlichen Museen zu Berlin. Ein Beitrag zur Geschichte der preußischen Kunstverwaltung 1872–1905. Berlin 1959, S. 79. Roßmann begründete damit sein Entlassungsgesuch, um einem Ruf nach Dresden zu folgen.

2 K. Woermann, Lebenserinnerungen eines Achtzigjährigen, Bd. 1, Leipzig 1924, S. 341.

3 Vgl. L. Pallat, a.a.O., S. 92 f.; A. Rosenberg, Neue Monumentalmalereien in Preußen, in: Zeitschr. f. bild. Kunst, NF VII Jg. 1896, S. 17 ff.; W. v. Löhneysen, Der Einfluß der Reichsgründung von 1871 auf Kunst und Kunstgeschmack in Deutschland, in: Zschr. f. Religions- und Geistesgeschichte, Bd. XII 1960 1, S. 17 ff.

4 Vgl. M. Droste, Das Fresko als Idee. Probleme deutscher Wandmalerei im 19. Jahrhundert. Phil. Diss. Marburg 1977 (freundl. Hinweis von St. Waetzoldt, Berlin). Grundlegend für Düsseldorf: I. Markowitz 1973, S. 47 ff.

5 A. Rosenberg, Aus der Düsseldorfer Malerschule. Studien und Skizzen. Leipzig 1889, S. 2.

6 F. Schaarschmidt, S. 318.

7 Unveröffentlichter Lebenslauf Eduard von Gebhardts im Archiv der Kunstakademie Düsseldorf (Lade 14). Für den Zugang zu diesem und anderem unveröffentlichtem Material danke ich Prof. Theissing wie für ständige Hilfe Frau Spielmann.

8 Ebd., vgl. auch F. Schaarschmidt, Eduard von Gebhardt, in: Die Kunst für Alle, XIII Jg. 1898, S. 259, weiterhin E. v. Gebhardts Briefe an die Familie Pezold, Hrsg. von R. Graubner, in: Beiträge zur Kunde Estlands, 21. Band 1938, S. 84–122 und R. Graubner, Eduard von Gebhardt, in: Jahrbuch des baltischen Deutschtums 1975, S. 37–42. Die bislang kunsthistorisch einzige Monographie stammt von Adolf Rosenberg aus dem Jahre 1899 (Knackfuß-Monographien).

9 Ms. der Kunstakademie; und an anderer Stelle: „. . . ihm verdanke ich in meiner Ausbildung das Meiste. Wir wurden bald eng befreundet und strebten zusammen ernstlich weiter zu kommen". Über das Qualitäten als Lehrer verbreitete er sich mehrfach, vgl. auch W. Cohen, Eduard von Gebhardts Düsseldorfer Anfänge, in: Die Kunst für Alle, XXXIV Jg. 1918, S. 44.

10 F. W. Hollstein, Dutch and Flemish Etchings, engravings, and woodcuts, ca. 1450–1700, 1954, S. 84. Der Vergleich mit den Niederländern wird immer wieder angeführt, konkrete Entlehnungen sind jedoch schwer nachweisbar. Gebhardt selbst konstatierte: „Bis zum Jahre 1866 beeinflußten mich fast ausschließlich die cisalpinen Meister des 15. Jahrhunderts . . ." (Im Künstlerland, Berlin 2. 2. 1895).

11 Vgl. R. Hamann–J. Hermand, Epochen deutscher Kultur von 1870 bis zur Gegenwart, Bd. 2, Naturalismus, 1977, S. 153 u. a.

12 Vgl. K. Lankheit, Vision, Wundererscheinung und Wundertat in der christlichen Kunst, in: W. Wiora (Hrsg.), Triviale Zonen in der religiösen Kunst des 19. Jahrhunderts, Frankfurt am Main 1971, S. 85 ff., weiterhin zum ganzen, im folgenden nur peripher behandelten Komplex religiöser Malerei im 19. Jahrhundert, u. a.: Kühner–Waldkirch, Von Overbeck bis Fahrenkrog, eine Christusbild-Studie, in: Christliches Kunstblatt 6 1909, S. 161–172; R. Hartmann, Erneuerungsversuche der christlich-religiösen Malerei im 19. Jahrhundert, Diss. Tübingen 1954; St. Waetzoldt, Bemerkungen zur christlich-religiösen Malerei in der zweiten Hälfte des 19. Jahrhunderts, in: W. Wiora (Hrsg.), a.a.O., S. 36–49 und J. A. Schmoll gen. Eisenwerth, Zur Christus-Darstellung um 1900, in: Fin de Siècle. Zur Literatur und Kunst der Jahrhundertwende, Hrsg. von R. Bauer u. a., Frankfurt am Main 1977, S. 403–420.

13 R. Graubner, Eduard von Gebhardt, a.a.O., S. 37; ders., Wandmalereien in Kullaaru, in: Beiträge zur Kunde Estlands, 21. Band 1938, S. 79 ff.

14 Vgl. I. Markowitz 1969, S. 98 f. Manches spricht dafür, daß es sich um die persönliche Studie des vordem berühmten, ehemals Dürer, heute der Schule Cranachs d. J. zugerechneten „Einsamen Kruzifix" in Dresden handeln könnte.

15 Hinweis der Galerie Paffrath Düsseldorf. Für Auskünfte und Fotos bin ich Herrn Paffrath zu besonderem Dank verpflichtet.

16 Gebhardt hat sich zu den „Gleichnissen Jesu Christi" des weit verbreiteten Werks des Schweizers Eugen Burnand, eine neue Bilderbibel zu schaffen, durchaus kritisch geäußert. Wie er in der „Monatsschrift für Gottesdienst und kirchliche Kunst 1911 schrieb: „Ich halte die Gleichnisse überhaupt nicht für Gegenstände, die darzustellen sind . . .". Zu Burnand vgl. Christliches Kunstblatt, 52. Jg. 1910, S. 290–299 und S. 323–328.

17 Abschrift eines undatierten Briefes an die Tochter in den neunziger Jahren, Ms. Kunstakademie Düsseldorf.

18 Neben Loccum und die Friedenskirche traten 1910 noch einzelne Malereien in der Nordfriedhofskapelle Düsseldorf und 1913 in der Petrikirche in Mülheim. U. a. sei hier auf zwei ältere Darstellungen verwiesen: Fritz Bley, Kloster Loccum, in: Die Kunst für Alle, II. Jg. 1886/87, S. 195 ff. und K. Bone, Prof. Dr. Eduard von Gebhardt und seine Gemälde in der Friedenskirche zu Düsseldorf, in: Die christliche Kunst, IV. Jg. 1907/08, S. 200 ff. Bone gibt auch ein Schema der Wandmalerei in der Friedenskirche, aus dem die Bildthemen und Abfolge ersichtlich sind. R. Burckhardt, in: Christliches Kunstblatt 1907, S. 162–183; H. Board, Eduard von Gebhardt (Zum 70. Geburtstag), in: Kunst für Alle, XXIII Jg. 1908, S. 433 ff.

19 Vgl. die Abschrift eines Briefes an den Abt Gerhard Uhlhorn aus dem Jahre 1886, in dem Gebhardt ausführlich auf seine Arbeit und das Verhältnis von „Theolog und Künstler" eingeht. (Archiv Kloster Loccum; ich danke Herrn Dr. Ernst Berneburg für Hinweis und freundliche Hilfe.)

20 Handschriftlicher Lebenslauf im Archiv der Kunstakademie Düsseldorf, Lade 14.

21 Darlegung Eduard von Gebhardts vom 23. August 1909; Gesprächsaufzeichnung des Abtes Georg von Loccum (Ms. Archiv Kloster Loccum).

22 Vgl. hierzu Ms. der Kunstakademie Düsseldorf, Lade 14, Umschlag 16 a (passim) und insbesondere „Gespräche eines Düsseldorfer Meisters", in: Das christliche Kunstblatt, 51, 1909, S. 206–209; 52, 1910, S. 136–141 und 242–247.

23 E. von Gebhardts Briefe an die Familie Pezold, a.a.O., Nr. 21.

24 Vgl. u. a. einschlägige Artikel im Lexikon für Theologie und Kirche, Stichworte „Religionsgeschichte", „Religionsgeschichtliche Schule" und „Religionswissenschaft" in Band VIII, 1963; E. Roters, Wissenschaftlichkeit. Ein Wesenszug der bildenden Kunst im 19. und 20. Jahrhundert, in: W. Hager und N. Knopp (Hrsg.), Beiträge zum Problem des Stilpluralismus, München 1977, S. 63 ff. sowie G. Wolandt, Objektivismus im Kunstbewußtsein und in der Kunstphilosophie des 19. Jahrhunderts (erscheint in der Gedenkfestschrift für G. Bandmann).

25 Eduard von Gebhardt, in: Christliches Kunstblatt, Nr. 1, 1878, S. 1 f.

26 F. Th. Vischer, Ästhetik oder Wissenschaft des Schönen, hrsg. von R. Vischer, München 1922 (Nachdruck 1975), S. 399.

27 A.a.O., S. 2 (s. Anm. 33).
28 A. Rosenberg 1899, S. 15.
29 Ms. der Kunstakademie, Lade 14, Umschlag 16 a.
30 G. Kittel, Unser Onkel Eduard, Erinnerungen an Eduard von Gebhardt, Heilbronn 1930, S. 34 f.
31 Vgl. dazu als zusammenfassendes Urteil über Janssen: „. . . schuf historische Wandgemälde und gute Bildnisse . . .“ Der Große Brockhaus. 16. völlig neubearb. Aufl., Bd. 6, Wiesbaden 1955, S. 25.
32 Gesamtdarstellung von Janssens Historienmalerei in der Dissertation von D. Bieber: Peter Janssen.
33 Peter Janssen war mütterlicherseits ein Neffe des bedeutenden Düsseldorfer Genremalers Joh. Peter Hasenclever (1810–53), dessen Jobsiade-Gemälde durch die Stiche von Janssens Vater Theodor weite Verbreitung fanden.
34 Janssen, Peter: Erinnerungen (für die Familie aufgezeichnet). 1900. Teil 2, S. 39. Hs. Ms. Fam. Archiv Janssen, Düsseldorf.
35 In: I. Markowitz 1969, S. 203.
36 Janssen, Peter: Erinnerungen, a.a.O., S. 50.
37 Vgl. dazu das Urteil bei L. Justi: „. . . die recht langweiligen Wachsfarben-Wandbilder im zweiten Oberlichtsaal der Galerie . . .“ (Justi, L.: Deutsche Malkunst im 19. Jahrhundert. Ein Führer durch die Nationalgalerie. Berlin 1921, S. 54).
38 Clemen, Paul: Erinnerungen an die Akademie um die Jahrhundertwende.

Zum 100. Geburtstag von Peter Janssen. In: Jahresbericht der Staatl. Kunstakademie Düsseldorf 1941–44. Düsseldorf 1944, S. 30/31.
39 Diese Episode ist uns durch die aus brabantischer Sicht geschriebene Reimchronik des Jan van Heelu „betreffende den Slag van Woeringen van het jaer 1288“ überliefert. Hgb. von J. F. Willems. Brüssel 1836, S. 231 ff.
40 Es wäre eine Untersuchung wert, die Zusammenhänge zwischen dem von Janssen nachhaltig geprägten Wandbild der Düsseldorfer Malerei des 19. Jahrhunderts und dem Monumentalbild der von expressionistischen Tendenzen bestimmten neueren Düsseldorfer Kunst nach der Jahrhundertwende darzustellen. In diesen Zusammenhang dürften z. B. gehören:
– die Außenmosaiken und wandbildartigen Innenraumgemälde der heutigen Tonhalle in Düsseldorf, u. a. von J. Thorn-Prikker und H. Nauen.
– die kriegszerstörten, ebenfalls aus den zwanziger Jahren stammenden Wandgemälde H. Kohlscheins im ehem. Düsseldorfer Kreishaus;
– der im Krefelder Kaiser-Wilhelm-Museum befindliche sog. Droven-Wandbildzyklus von H. Nauen (1913). Der Krefelder Zyklus ist erhalten und wird, teils aufgerollt und in restaurierbedürftigem Zustand, im Magazin des Kaiser-Wilhelm-Museums Krefeld aufbewahrt.
41 Vgl. W. Hütt 1955/II, Dok. XXVII.
42 Th. Fontane, Der Stechlin, in: Werke in drei Bänden, 2. Band, München 1968, S. 646.

Gerhard Rudolph

Buchgraphik in Düsseldorf

Die Leistungen der Düsseldorfer Malerei, schon in der zeitgenössischen Kunstdiskussion als „Düsseldorfer Malerschule" in ihrer Eigenart als etwas Unverwechselbares gesehen, haben die Weltgeltung Düsseldorfs als Kunstmetropole im 19. Jahrhundert geprägt. Auch die kunsthistorische Forschung hat da, wo sie die Bedeutung Düsseldorfs gewürdigt hat, stets ihren Blick auf die Malerei gerichtet. Sicher nicht zu Unrecht, denn die Malerei in ihren verschiedenen Techniken und Richtungen war die dominierende Kunstdisziplin in Düsseldorf.

Daß die Düsseldorfer Maler gleichzeitig auf dem Gebiete der Druckgraphik Hervorragendes geleistet haben, findet zwar in der einschlägigen Literatur mehrfach Erwähnung, jedoch fehlt noch immer eine angemessene und umfassende Darstellung dieser wichtigen Seite ihres Schaffens. Paul Horn, der in seiner verdienstvollen Arbeit zum ersten Mal den Versuch einer Darstellung der Düsseldorfer Druckgraphik macht[1], ist bis jetzt ohne Nachfolge geblieben. Es liegen nur Untersuchungen über das graphische Schaffen einzelner Künstler oder Darstellungen von Teilaspekten vor[2]. Zum Teil mag die schwierige Quellenlage Schuld daran tragen. Schon Paul Horn hatte aus diesem Grunde seine Untersuchung als „verwegen" bezeichnet. Nirgendwo, schreibt er, „war ein Überblick über das Düsseldorfer graphische Material zu erhalten . . . graphische Blätter und Handzeichnungen wurden in alle Winde zerstreut"[3].

Aber nur zum Teil erklärt die Tatsache, daß es heute kaum noch möglich ist, eine lückenlose Dokumentation des Düsseldorfer graphischen Materials herzustellen (die Verluste des zweiten Weltkriegs haben seit Paul Horns resignierender Feststellung die Quellenlage noch verschlechtert) das Fehlen einer zureichenden wissenschaftlichen Darstellung des druckgraphischen Schaffens der Düsseldorfer Künstler. Es scheint vielmehr so zu sein, daß man die druckgraphischen Arbeiten als Nebenprodukte eines auf die Malerei konzentrierten künstlerischen Wirkungswillens gesehen hat. Die Bereitwilligkeit, mit der zahlreiche Düsseldorfer Künstler Gebrauchsgraphik lieferten, könnte diese These stützen.

Sie muß aber zurückgenommen werden, sobald man die druckgraphischen Gemeinschaftsunternehmen der Düsseldorfer Künstler in ihrer zentralen Bedeutung für die künstlerische Ausstrahlungskraft Düsseldorfs erkennt. Sie sind es, die die Besonderheit und Eigenart des druckgraphischen Schaffens der Düsseldorfer Künstler am deutlichsten beleuchten. In der Motivik der gleichzeitigen Malerei verwandt, tritt uns in ihnen eine der Literatur eng verbundene illustrative Graphik entgegen. Ihrer Bedeutung entsprechend, werden die druckgraphischen Gemeinschaftsunternehmen im Mittelpunkt der vorliegenden Darstellung stehen. Die buchillustratorische Leistung einzelner Künstler muß deshalb ebenso wie die Beachtung der graphischen Einzelblätter zurückstehen.

Es soll zunächst versucht werden, die Vorbedingungen für die künstlerisch-druckgraphische Produktion in Düsseldorf aufzuzeigen. Die einzelnen Faktoren, die hier genannt werden müssen, sind teils für Düsseldorf spezifisch, teils in der künstlerischen und literarischen Entwicklung der Zeit begründet.

Es scheint wichtig, hervorzuheben, daß die Düsseldorfer Kunstakademie seit ihrer Gründung im Jahre 1773 sich der Pflege der Kupferstecherkunst angenommen hat. „Außer in Paris möchte wohl kaum ein Ort sein, an dem so viele Kupferstecher zusammenwohnen wie in Düsseldorf"[4], kann 1859 Joseph von Keller, der Begründer der bedeutendsten Kupferstecherschule an der Düsseldorfer Kunstakademie berichten. Alle graphischen Techniken, vom Kupfer- und Stahlstich bis zur Lithographie und Radierung werden an der Kunstakademie gepflegt.

Auch wenn die Reproduktionsgraphik dabei im Vordergrund steht, so fehlen doch nicht die graphischen Arbeiten nach eigener Erfindung. So haben die beiden Akademieprofessoren Carl Ernst Christoph Hess (1755–1829) und Ernst Thelott (1760–1839) zu in Düsseldorf erschienenen Taschenbüchern[5] über 100 Kupfer geliefert, unter denen Illustrationen eigener Erfindung einen beachtlichen Raum einnehmen.

Hess' Illustration zu Jung-Stillings Erzählung „Der Nachtwächter und seine Tochter" im „Bergischen Taschenbuch für 1800" (Abb. 128), zeigt uns die liebenswürdigen Einzelheiten eines dörflichen Stimmungsbildes. In der noch etwas steifen Manier des 18. Jahrhunderts begegnet uns hier schon eine Genredarstellung, wie sie später für die Düsseldorfer Malerei und Graphik so typisch werden sollte.

Daneben widmen sich in Düsseldorf rührige Verleger der Herstellung druckgraphischer Erzeugnisse. Vor allem muß hier die lithographische Anstalt Arnz & Comp. genannt werden, die in den Jahren 1815–1858 schon fast eine Industrialisierung in der Herstellung von Druckgraphik entwickelt. Elsbet Colmi hat ausführlich darüber gehandelt[6]. Sie gibt auch einen Überblick über die bei Arnz erschienenen Illustrationswerke. Von der bei Arnz erschienenen kommerziellen und handwerklichen Druckgraphik führen direkte Wege zur Künstlergraphik und Buchillustration. Vielfach sind es Düsseldorfer Maler, die ihr Können in den Dienst der anonymen Produktion des Verlages Arnz & Comp. stellen. So sind Johann Baptist Sonderland und Theodor Hosemann an der Herstellung der reizvollen Bilderbogenserien des Verlages beteiligt[7]. Aber auch viele der noch zu besprechenden Graphikpublikationen der Düsseldorfer Künstler, wie z. B. die „Düsseldorfer Monathefte" fanden in Arnz & Comp. ihren Verleger[8].

Der 1829 gegründete „Kunstverein für die Rheinlande und Westfalen" wird zu einem wichtigen Förderer der Düsseldorfer Graphik. Bereits im Jahre seiner Gründung verteilt er einen Umrißstich von Adolph Schrödter nach einem Gemälde von Pistorius an seine bei der Verlosung von Gemälden leer ausgegangenen Mitglieder. Eine Gepflogenheit, die er auch in den folgenden Jahren beibehält. Gelegentlich handelt es sich dabei auch um Originalgraphik, das heißt vom Künstler unmittelbar für graphische Techniken geschaffene und meist auch selbst in graphischer Technik ausgeführte Kunstwerke, z. B. im Jahre 1847/48 der reizvolle Arabeskenfries von Adolph Schrödter, ein Heft von sieben lithographischen Blättern[9].

In Düsseldorf gab es auch einen Verein zur Verbreitung religiöser Bilder, der vor allem kleine und kleinste Stiche herausbringt und die Düsseldorfer Kupferstecher mit zahlreichen Aufträgen versieht[10].

Der vielfältigen Förderung, die die Druckgraphik in Düsseldorf erfuhr, und die hier nur angedeutet werden konnte, entspricht eine entscheidende Veränderung in der Kunstrezeption, die sich seit dem letzten Drittel des 18. Jahrhunderts vollzogen hat. Ein neues breites Publikum wendet sein Interesse der Kunst zu. „Einige Kunstkenntnis gereicht . . . jedem kultivierten Menschen zur Zierde, und setzt ihn in den Stand, Andere auf lehrreiche Weise zu unterhalten, wenn ihnen das alltägliche Gespräch zu fade zu werden beginnt", heißt es im „Niederrheinischen Taschenbuch für das Jahr 1799"[11]. Der Kunst öffnet sich der Raum des Privaten. Man will nicht mehr länger Kunst in Kirchen oder Ausstellungen von fern bewundern. Man sucht die Begegnung mit ihr im intimen Umgang, man will sie in der Stille oder im Freundeskreis genießen, sie stets vor Augen habend, ihr immer wieder neu begegnen. Die Kunst öffnet die Grenzen des bescheidenen alltäglichen Lebens zum schöneren Gegenbild, zum Fremden, Unbekannten oder illustriert Probleme und Situationen, die alle betreffen. Forderungen, die nur die Graphik erfüllen kann.

Friedrich von Uechtritz berichtet 1839: „In unserer Zeit ist seit kurzem ein lebhafter Sinn für Malerei und bildliche Darstellung erwacht. Eine wahre Völkerwanderung von Bildern bedeckt die Landstraßen. In allen größeren Städten werden Ausstellungen veranstaltet, haben sich Kunstvereine gebildet. Gemälde werden für einen geringen jährlichen Beitrag in alle Winde gesät, die Kunst- und Buchhändler geben Prachtwerke mit Stahlstichen, Pfennigmagazine mit Holz-

128 C. Hess, Der Nachtwächter und seine Tochter. Aus „Bergisches Taschenbuch für 1800". Kupferstich

schnitten zu den billigsten Preisen heraus, die reißenden Abgang finden"[12].

Dem Prozeß der Demokratisierung und Popularisierung, der sich in der Kunstrezeption vollzieht, geht eine gleiche Entwicklung in der Literatur voran. „Alles will jetzt lesen, selbst Garderobemädchen, Kutscher und Vorreuter nicht ausgenommen . . . Alte und Junge, männliches und weibliches Geschlecht sucht einen Teil seiner Zeit mit Lesen zu verbringen"[13]. Gleichzeitig wird die bildliche Verkörperung des Erzählten und Berichteten oder dramatisch in Szene Gesetzten zu einem von der Lektüre untrennbaren Phänomen[14].

Das illustrierte Buch wird zu einer zeittypischen Erscheinung. Kunst und Literatur treten in eine enge Wechselbeziehung wie man sie bisher noch nicht kannte. „Ein wahrer Bilderhunger schien sich des Volkes bemächtigt zu haben; das Theater und die Ölbilder genügten ihm nicht mehr zur

129 P. von Cornelius, Szene in Frau Marthes Garten. Kupferstich

130 P. von Cornelius, Der Siegeskranz. Aus Taschenbuch der Sagen und Legenden, 1812. Kupferstich

Verkörperung der Gedanken der Dichter, und die Zeichnung mußte hinzugenommen werden. Wie man ein Bild nicht ohne einen poetischen Inhalt sehen und verstehen konnte, so mochte man bald keine Bücher sei es in Prosa, sei es in Versen lesen, ohne Bilder dabei zu haben".[15]

Die Kunst wird illustrativ und räumt damit der Literatur eine dominierende Rolle ein. „Was die Philosophie feststellt, das führen die Zeiten aus, was die Poesie vorträgt, das nimmt die bildende Kunst auf", formuliert Müller von Königswinter im Hinblick auf die „Düsseldorfer Malerschule"[16]. Leider muß es sich die vorliegende Darstellung versagen, auf das Verhältnis von Malerei und Literatur in Düsseldorf einzugehen. Es würde uns zeigen wie die Buchgraphik, deren große Zeit in Düsseldorf erst im vierten Jahrzehnt des 19. Jahrhunderts beginnt, die gleichen künstlerischen Intentionen, nur in einem anderen Medium ausdrückt.

Es ist die Literatur der Spätromantik, ihre Liebe zur Vergangenheit, zum Ursprünglichen und zur naiv empfundenen Volksüberlieferung, die die Düsseldorfer Künstler inspiriert. „Mit welcher Frömmigkeit hörte man die Legenden der Vergangenheit, mit welcher Andacht beschaute man die biblischen Darstellungen, die den naiven Charakter der Vorzeit an sich trugen, gleichviel ob man sie in einer altdeutschen Chronik oder in den Blättern des Faust und der Nibelungen von Cornelius fand, mit welcher überschwänglichen Innigkeit ließ man sich von den einfachen Melodien der Volkslieder, welche damals gang und gäbe waren, dahintragen", berichtet Müller von Königswinter[17].

Interessant ist, daß Cornelius' Faustillustrationen (1812) und die zum Nibelungenlied (1817) von der nachfolgenden Künstlergeneration bereits als Quelle zu neuer Inspiration empfunden werden. Wir wollen deshalb kurz auf sie eingehen, obwohl sie – sieht man von Alfred Rethel ab – nur in der Bildmotivik, nicht im Stil Nachfolge fanden und daher nicht typisch für die Düsseldorfer Buchgraphik sind. In Cornelius' Faust- und Nibelungenillustration herrscht die Kunst der klaren, reinen Linie, kühl, ohne überflüssiges Detail. Monumentale Bildvorstellungen werden in die Intimität des graphischen Blattes übertragen, so daß zuweilen schon Züge einer Genredarstellung anklingen wie in der Szene in Frau Marthes Garten (Abb. 129).

In den 13 Kupferstichen zum „Taschenbuch der Sagen und Legenden"[19] nach Entwürfen des Peter von Cornelius arbeitet der Künstler stärker mit Schraffen und Schattierungen ohne den für ihn so charakteristischen Zug zur klaren monumentalen Gliederung aufzugeben. Die Illustration zur Legende „Der Siegeskranz", an die Kunst der Nazarener erinnernd, ließe sich auch als Wandgemälde denken (Abb. 130).

Nur einer unter den Jüngeren folgt Cornelius auch stilistisch: Alfred Rethel, bei dem jedoch die klare Linienkunst und Monumentalität eine neue Dimension gewinnen, die des Tragischen. Wir spüren das in der Lithographie „Frauenlobs Tod" aus dem 1835 erschienenen „Rheinischen Sagenkreis"[20] (Abb. 131). Züge des Tragischen zeigt auch seine Darstellung von Rolands Tod, die sich in den 1837 erschienenen „Liedern eines Malers mit Randzeichnungen seiner Freunde" findet (Abb. 132). Man hat Rethel wegen seiner Bildthemen und stilistischen Eigenart auch einen Vertreter der „heroischen Romantik" genannt.

Zwischen Cornelius' graphischen Arbeiten und den sogleich zu besprechenden druckgraphischen Gemeinschaftsunternehmen Düsseldorfer Künstler liegt eine Zeit von 20 Jahren, in der relativ wenig druckgraphische Arbeiten in Düsseldorf entstehen.

In diese Zeit fällt für die Düsseldorfer Künstler das Entstehen einer neuen Kommunikationsgemeinschaft. Über die beginnende Zeit der Kunstblüte in Düsseldorf nach Schadows Ankunft berichtet Müller von Königswinter: „Das Jahr 1827 war für Düsseldorf von großer Bedeutung. Die anmuthige Gartenstadt wurde in jener Zeit ein Sammelplatz von Persönlichkeiten, deren tüchtiges und nachhaltiges Wirken ihr in künstlerischer und literarischer Beziehung einen Namen gemacht hat, welcher sich im ganzen Vaterlande des besten Klanges erfreut".[21] Es entwickelt sich in Düsseldorf ein reges gesellig-gesellschaftliches Leben, an dem auch die Bürger der damals 30 000 Einwohner zählenden Residenzstadt und der Hof des Prinzen Friedrich von Preußen Anteil nehmen. Karl Leberecht Immermann erzählt in seinen Düsseldorfer Erinnerungen: „Zu allen diesen lustigen, feierlichen, kuriosen Dingen hatten wir ein Publikum empfänglicher Männer und Frauen, nicht selten nahm die halbe Stadt an unseren Schönbartspielen teil, und daß das Bild des freilich illusorischen, aber doch vergnüglichen Kunst- und Poesierausches aus goldenem Rahmen sah, war gar nicht so übel. Der Rahmen gab dem Bilde noch höheren Relief. Dieser goldene Rahmen war nämlich das Interesse des Hofes und der Vornehmen an unserem Treiben. Die Musen waren damals in diesen hohen und höchsten Kreisen durch uns Mode geworden, wurden zur Gesellschaft gerechnet. Vorlesungen, lebende Bilder, Gespräche lösten einander in gedrängter Folge auf dem glatten Parquett ab".[22] Die sich in beiden Zitaten andeutende Konstellation, nämlich das Entstehen

131 A. Rethel, Frauenlobs Tod. Aus Rheinischer Sagenkreis, 1835. Lithographie

132 A. Rethel, Rolands Tod. Aus Lieder eines Malers mit Randzeichnungen seiner Freunde, 1837. Radierung

133 A. Schroedter, Der neue Simson. Aus Lieder eines Malers mit Randzeichnungen seiner Freunde, 1837. Radierung

einer in sich geschlossenen Kommunikationsgemeinschaft,
ist im 19. Jahrhundert, wo die Anonymität immer mehr Platz
greift, ein seltener Glücksfall. Neben einer gewissen Veren-
gung des geistigen Horizontes, worauf wir hier nicht eingehen können, bildet sie einen ständigen Ansporn für die
Produktivität der Düsseldorfer Künstler.

Aus dem Geiste des einander Verstehens und miteinander
Wetteiferns entsteht das erste bedeutende buchgraphische
Gemeinschaftsunternehmen der Düsseldorfer Künstler.
Nicht zufällig ist es Robert Reinick, eine der liebenswürdig-
sten Erscheinungen im gesellig-gesellschaftlichen Leben der
Düsseldorfer Künstler, der im April 1836 die Idee hat, seine
Lieder und Gedichte mit Illustrationen seiner Malerfreunde
herauszugeben. Sein Plan findet spontane Unterstützung. 29
Künstler, darunter auch auswärtige Freunde, finden sich zur
Mitarbeit bereit. Am 15. Februar kann er seinem Freund
Franz Kugler berichten: „Die größte Freude und Aufmunte-
rung bei einem großen Unternehmen ist wohl die, wenn man
schon während der Vorarbeiten daran eine allgemeine Teil-
nahme für das Unternehmen, ja sogar einen wahrhaften En-

thusiasmus dafür entdeckt, und so geht's mir bei der Heraus-
gabe meiner Lieder; wollte Gott, daß nach dem Erscheinen
dieselbe Freude dafür sich erhielte, so habe ich das Bewußtsein, doch etwas Gutes und Tüchtiges veranstaltet zu haben".[23]

Die „Lieder eines Malers mit Randzeichnungen seiner
Freunde" erschienen auf Subskriptionsbasis. Reinick berichtet in seinen Briefen genau über die intensive Werbung um
Interessenten. Alle Kunstvereine Deutschlands und die ihm
bekannten Komiteemitglieder erhielten Probeblätter und
Subskriptionsprospekte. Schadow selbst machte seinen Einfluß geltend[24]. So wird das erste Gemeinschaftsunternehmen
Düsseldorfer Künstler zu einem außerordentlichen buch-
händlerischen Erfolg. Die ersten 1000 Exemplare waren bereits im November 1837 vergriffen, so daß schleunigst eine
zweite Auflage gedruckt werden mußte, die dann mit dem
offiziellen Druckjahr 1838 erschien[25]. Diese Auflage enthält
bereits das zusätzliche Titelblatt „Lieder und Bilder", die
folgenden Auflagen noch die Zählung „erster Band". Die
Idee einer Fortsetzung des Unternehmens war also rasch
gefaßt. Reinick gab allerdings in den beiden folgenden Bänden seine Herausgeberschaft auf, da er Dresden als neuen
Wohnsitz gewählt hatte. Der zweite Band erschien 1842
unter dem Titel: „Deutsche Dichtungen mit Randzeichnungen deutscher Künstler", der dritte 1845 unter dem gleichen
Titel. Die beiden letzten Bände waren ein Unternehmen des
rührigen Verlegers Buddäus. Neue auswärtige Künstler u. a.
Ludwig Richter und Moritz von Schwind waren als Illustratoren hinzugekommen. Wir behandeln im folgenden alle drei
Bände zusammenfassend unter ihrem Serientitel „Lieder und
Bilder" und zitieren im Verlauf der vorliegenden Darstellung entsprechend.

Reinick, Mitarbeiter an Adalbert von Chamissos „Deutschem Musenalmanach" konzipiert sein Unternehmen noch
ganz nach dem Vorbild eines Musenalmanachs. „Die Veröffentlichung verdanken sie vor allem seiner (Chamissos) Er-
munterung und seiner Einführung in die Welt durch den
Musenalmanach. Sage ihm meinen innigsten Dank dafür",
schreibt er an Franz Kugler[26].

Der Einklang von Text und Illustration, wie er für Musenalmanach und literarisches Taschenbuch charakteristisch ist,
war sicher ausschlaggebend für den publizistischen Erfolg
der ersten graphischen Gemeinschaftspublikationen der
Düsseldorfer Künstler. Mit ihnen werden die Gemeinschaftsunternehmen zum Signum der Düsseldorfer Graphik.

Das für Musenalmanach und literarisches Taschenbuch geltende Stilprinzip der lockeren Reihung, gilt auch für die drei
Bände der „Lieder und Bilder". Die Technik aller Illustrationen ist die Radierung. Der Phantasie und dem Einfallsreich-
tum der mitwirkenden Künstler waren keine Schranken auferlegt und so zeigt sich denn auch die Düsseldorfer Illustra-

tionskunst in bunter Vielfalt. Wir begegnen romantischer Arabeskenkunst, die virtuos gehandhabt, auch Umrahmung einer übermütig-satirischen Kritik am biedermeierlichen Philistertum werden kann, wie in der Illustration Adolph Schrödters zu Reinicks Gedicht „Der neue Simson" (Abb. 133). In vielfachen Variationen treffen wir die Genredarstellung an, idyllisch-romantisch, wie in Rudolf von Normanns Radierung zu Reinicks Gedicht „Sonntag am Rhein", die uns zugleich ein Beispiel romantischer Landschaftsdarstellung liefert. Anekdotenhafte Züge zeigt die Genredarstellung in Rudolf von Normanns Illustration zu „Malers Wanderlied", behaglich-humorvoll gibt sie sich in Henry Ritters arabeskenumrankter Darstellung zu Immermanns Gedicht „Die Schleichhändler". Auch die Persiflage der Genredarstellung finden wir schon, so in Rudolf Jordans Radierung „Familiengemälde" (angeblich nach einem Volkslied).

Es ließe sich noch manches aufzählen. Genredarstellung, wie sie hier gemeint ist, bedeutet Detailfreude, Freude an typischen Situationen, wobei die Schilderung jedoch nie die Grenze zum Realismus, zur Darstellung des Einmaligen und Besonderen überschreitet, sondern stets im Raum phantasievoller Fabulierfreude bleibt. Es herrscht ein Schwebezustand zwischen der hintergründig-symbolhaften Darstellung der Romantik und der Nüchternheit eines jeden Realismus, den wir, wenn wir es überhaupt wagen, ein Etikett zu suchen, als typisch biedermeierlich kennzeichnen dürfen.

Romantisch-elegische Landschaftsschilderung wie Johann Wilhelm Schirmers Radierung zu Reinicks Gedicht „Unter dunklen Linden", steht neben der Schilderung ländlicher Idyllik, die zuweilen schon in die Nähe echter Folkloredarstellung rückt, wie z. B. in Jakob Beckers Radierung zu Ludwig Uhlands „Bauernregel" oder in Rudolf von Normanns Illustration eines Gedichtes von G. J. Kühn „Kühreihen zum Aufzug auf die Alp im Frühling". Mit Wilhelm Camphausens Radierungen zu Wilhelm Hauffs „Reiters Morgenlied" und zum „Prinz Eugenius" findet die Schlachtendarstellung Eingang in die Buchillustration.

Stilistisch weist uns die Arabeske auf die Nähe zur romantischen Zeichen- und Illustrationskunst hin. Sie symbolisiert in der romantischen Kunst- und Literaturtheorie die Kontinuität des Lebens, sinnerfüllte Unendlichkeit. Je mehr sie sich zur reinen Virtuosität entwickelt, wie z. B. in Adolph Schrödters Radierung „Nachtmusikanten" nach Abraham a Santa Claras „Narrenmeß", desto stärker entfernt sich die Düsseldorfer Illustrationskunst vom romantischen Vorbild.

Die Welt der Sage und Legende, des Volksliedes und die Lyrik der Spätromantik, die häufig Gegenstand der Illustrationen sind, zeigen uns vom Inhaltlichen her die Düsseldorfer Illustratoren als Erben der Romantik. Nur zaghaft findet die Lösung von der romantischen Motivik statt. In den „Liedern und Bildern" ist sie noch nicht erreicht.

Das nur als Andeutung. Wir müssen es uns hier versagen, auf die Fülle der individuellen Leistungen einzugehen. So verdiente besonders Adolph Schrödter, den Paul Horn den „Hauptmeister der Düsseldorfer Graphik"[27] nennt, eine angemessene Würdigung. Er ist der Meister der Arabeske, Vorbild vieler Düsseldorfer Künstler, vor allem Johann Baptist Sonderlands. Er beherrscht die Arabeskenkunst in virtuoser Meisterschaft und löst sie gleichzeitig vom romantischen Unendlichkeitsdenken. Zum Schönsten, was die Illustrationskunst überhaupt hervorgebracht hat, gehören seine Illustrationen zum Don Quixote, die als Einzelblätter verbreitet wurden. Nur sechs Blätter, alle 1843 entstanden, erschienen in einer Mappe[28].

Ganz im Stile der „Lieder und Bilder" erscheint in 10 Lieferungen 1838–1844 (zusammen 40 Blätter) Johann Baptist Sonderlands illustratives Hauptwerk, die „Bilder und Randzeichnungen zu deutschen Dichtern". Es stellt in der vollendet gehandhabten Arabeskenkunst und der souverän in allen Variationen beherrschten Genredarstellung einen Gipfel und Endpunkt dieser beiden künstlerischen Möglichkeiten dar. Hier kann nichts mehr weitergeführt und überboten werden. Es ist historisch ungerecht, wenn man, wie dies Paul Horn tut[29], Sonderland der Unoriginalität zeiht, in ihm den Epigonen und formalen Beherrscher seiner Kunst sieht. Es ist vielmehr so, daß sich nach Sonderland die Düsseldorfer Illustrationskunst von der romantisch-biedermeierlichen Welt lösen muß, will sie weiter lebendig und schöpferisch sein.

Der neue Weg wird in den 1847 zum ersten Mal erscheinenden „Düsseldorfer Monatheften" gefunden. Wie die „Lieder und Bilder" waren auch sie nur möglich durch das besondere Verhältnis der Düsseldorfer Künstler zueinander, das Gemeinschaftsunternehmen immer wieder möglich machte. Auch hier wirken auswärtige Künstler mit. „So sollen der Humor und dessen Spießgesellen: Scherz, Witz und Satyre das ihre tun und redlich am großen Werke der Bildung und des Fortschritts mitarbeiten", schreibt der Herausgeber Lorenz Clasen am Ende seines Vorwortes zum ersten Heft. Zeitkritik heißt die neue Devise, unter die sich hier die Kunst stellt. Nicht nur die bildlichen Darstellungen, auch die Texte stammen von den mitwirkenden Künstlern. Neben ganzseitigen Lithographien finden wir, in den Text eingestreut, Holzschnitte.

Sehr bald wird es notwendig, politisch Stellung zu beziehen, denn schon der erste Jahrgang der Zeitschrift fällt in das Revolutionsjahr 1848. Das politische Engagement ist es vor allem, was der neuen Zeitschrift rasch ein neues Publikum schafft. Weit über Deutschlands Grenzen verbreitet, liegt die Abonnentenzahl in den Jahren 1847–1849 bei 5000. Sie sinkt mit der politischen Bescheidung, die die Zensurbehörde bereits 1850 erleichtert registriert[30]. 1854 gibt es nur noch 600 Abonnenten. Bis 1860 kann sich die Zeitschrift halten, dann

134 N. N., Märzbier. Aus Düsseldorfer Monathefte, 1847/48. Lithographie.
Bildunterschrift: „Reisender: Ik was nit, lieber Fröhd, dat Bier bekommt
mir ganz schlecht. Wirth: Dann wett ik droff, dat Sie ne Aristokrat send.
Reisender: Wie so? Wirth: Ja, sehen Sie, dat diesjährige Marzbier hat dat
an sich, dat alle Aristokraten et nit vertragen können."

stellt sie aus ökonomischen Gründen ihr Erscheinen ein.
Ihren künstlerischen Höhepunkt hat sie zweifellos in den
Jahren 1847–1849. Nur auf diese Jahrgänge wollen wir hier
eingehen. Noch einige Jahre nach 1848 hält sich eine bürger-
lich-liberale Tendenz. Wir finden bis 1850 noch die echte
politische Satire, bitterer Ausdruck der Enttäuschung über
die gescheiterten Freiheitsbestrebungen und das gescheiterte
Bemühen einer Einigung Deutschlands. Antimilitaristische
Karikaturen bringen die Zeitschrift noch mehrmals mit der
Zensur in Konflikt[32], dann wird sie allmählich zu einem
Witzblatt bieder-bürgerlichen Humors.
Unter der straffen Führung Lorenz Clasens, der 1850 die
Herausgeberschaft aufgab und Düsseldorf verließ, da er wegen seiner politischen Haltung persönlichen Verfolgungen
ausgesetzt war, gab es eine Generallinie, an der sich die
einzelnen Beiträge orientierten. Bei der Individualität der
verschiednen mitwirkenden Künstler ist es dennoch schwer,

die politische Wirkungsabsicht der Zeitschrift knapp zu charakterisieren. Das Eintreten für den Fortschritt, das im ersten
Heft als Devise genannt war, gilt auch für die politische
Haltung der Zeitschrift. Man bemüht sich, politische Aufklä-
rungsarbeit zu leisten, wobei man sich in erster Linie an das
intellektuelle Bürgertum wendet. So kommt es, daß bei aller
Schärfe der Darstellung und der Sympathie für die revolutionären Ideen, das Moment kämpferischer Agitation fehlt.
Man nimmt die Rolle des beobachtenden Chronisten ein. In
der, oft auch ironisch zu deutenden, Haltung zwischen Engagement und Distanz liegt wohl das Geheimnis der besonderen Wirkung der „Düsseldorfer Monathefte".
Die Ironie wurde vor allem vom bürgerlichen Publikum
wohl verstanden. Als Beispiel für dies „ironische Engagement" kann Andreas Achenbachs Darstellung gelten, die die
Ankunft der Düsseldorfer „Demokraten" im Abteil zweiter
Klasse in Elberfeld schildert. „Dat sind jo ganz ordentliche
Leut", kommentieren die beobachtenden Proletarier das Geschehen, dadurch eine Trennung zwischen sich und den
intellektuellen „Revolutionären" ziehend (Abb. 45).
In der Karikatur erfaßte Situationskomik gehört zu den oft
angewandten künstlerischen Mitteln. So z. B. in Henry Ritters Darstellung, in der sich der Biedermann plötzlich zwei
finsteren Gestalten gegenüber sieht und das Schlimmste be-
fürchtet. Statt dessen vernimmt er: „Können Ew. Gnaden
uns nicht gefälligst sagen, wieviel die Uhr ist?" Selbst Andreas Achenbachs berühmte Karikatur Metternichs, der
beim Lesen der Nachricht von der Vertreibung des französischen Königs Louis Philippe vom Diener ein Paar neue
Hosen verlangt, lebt von der Situationskomik, die hier jedoch ohne Humor und Ironie in den Dienst bissiger Bloß-
stellung eines verhaßten politischen Gegners gestellt ist. Man
hat sie als eine der bedeutendsten Leistungen der politischen
Karikatur im 19. Jahrhundert gewertet[33].
Auch die Genredarstellung wird in den Dienst der politischen Tendenz gestellt, wie etwa in der Lithographie „Märzbier" (Abb. 134). Hier ist die Szene selbst nicht ohne behag-
lichen Humor. Die Idylle wird aber durch die Bildunterschrift ironisch in Frage gestellt. Daneben begegnen wir der
persiflierten Genredarstellung. Im Grundmuster der Genredarstellung spüren wir immer wieder die ironische Distanz
zum politischen Geschehen.
Mit unmittelbarer Schärfe werden Kapitalismus, Wucher
und Ausbeutung menschlicher Arbeitskraft angegriffen. So
in Adolph Schrödters Tierfabeln „Die Waarenzahler" (Abb.
43) und „Der Fuchs als Wucherer" (Abb. 42) oder in Andreas Achenbachs „Apotheose und Anbetung des Götzen
unserer Zeit". Achenbachs Arbeiten gehören in ihrer kom-
promißlosen Treffsicherheit zum Gelungensten, was die
„Düsseldorfer Monathefte" in den hier besprochenen Jahr-
gängen zu bieten haben. Auch Henry Ritters Karikaturen,
politisch zurückhaltender als die Achenbachs, treffen immer

wieder ins Schwarze. Ritter gehört durch die Fülle seiner Beiträge zu den führenden Köpfen der Zeitschrift.

Neu als Beiträger im Kreise der Düsseldorfer Künstler ist Ferdinand Schröder, Augenarzt in Zeulenroda. Er entwickelt einen neuen grotesk karikierenden Stil. Zusammen mit Henry Ritter verleiht er in seinen Karikaturen einer der wichtigsten Grundpositionen der Düsseldorfer Künstler und sicher auch des Publikums, das man ansprechen will, Gestalt: der Einigung Deutschlands in einem föderativen Nationalstaat unter Führung einer überragenden Herrscherpersönlichkeit. In der Gestalt eines von falschen Ratgebern umgebenen müden Märchenkönigs, vor dem das geknechtete Volk um Freiheit bittet, stellt Ritter den erbarmenswürdigen politischen Zustand der Gegenwart in seiner Lithographie „Deutschland im Jahre 1847" dar (Abb. 135). In „Deutschland im Jahre 1848" ist das Ziel des nach Freiheit strebenden Volkes erreicht. Ein freies Volk in einem einigen Deutschland steht vor einem gerechten Herrscher. „Gebt dem König, was des Königs, dem Volke, was des Volkes ist", steht auf einer Schrifttafel (Abb. 136).

Wie stark das Echo war, das die Deutsche-Einheits-Ideologie unter den Düsseldorfer Künstlern fand und wie sie auf das Gemeinschaftsgefühl der Düsseldorfer Künstler wirkte, beschreibt Heinrich Theissing: „Neuen Antrieb gewinnt die Gemeinschaftskultur nach dem Vormärz aus nationalen Ideen. Das Revolutionsjahr 1848 erweckt ein gesteigertes Brudergefühl und das Deutsche-Einheits-Fest wird in Düsseldorf feierlich begangen (6. August 1848). Nach Entwürfen des Akademieprofessors Karl Sohn wurde aus Holz und Tüchern eine Kolossalstatue der Germania improvisiert, zu der die Künstler in altdeutscher Tracht mit Fackeln und Bannern der Bundesstaaten zogen, um die deutsche Einheit zu versinnbildlichen".[34] Auch die Gründung des Künstlervereins Malkasten, die nach dem beschriebenen Fest stattfand, erhält in diesem historischen Zusammenhang eine eigene Bedeutung. „Die Künstlergenossenschaft versteht sich als Vorwegnahme der nationalen Einheit, als Muster für den Zusammenschluß Deutschlands."[35] Auch zur Zeit der „Düsseldorfer Monathefte" spielt trotz vieler treffender und realistischer Karikaturen die romantische Utopie einer Rückkehr altdeutscher Herrlichkeit unter den Düsseldorfer Künstlern eine nicht unbeträchtliche Rolle. Die erste deutsche Reichsgründung 1871 scheint dann ein Stück dieses Traumes zu verwirklichen und wird entsprechend enthusiastisch gefeiert.

Adolph Schrödter hatte 1848, vielleicht aus Opposition gegen den in Düsseldorf noch immer herrschenden Geist der Romantik, die Stadt verlassen. Er schreibt 1848 an den in Dresden lebenden Robert Reinick: „Von Düsseldorf aber wollte ich um jeden Preis fort, wenn auch bedeutende Werke noch in neuerer Zeit dort geschaffen wurden, so läßt sich doch nicht in Abrede stellen, daß noch immer aus demselben

135 H. Ritter, Deutschland im Jahre 1847. Aus Düsseldorfer Monathefte, 1847/49. Lithographie

ehrwürdigen Topf Farben geholt werden. Hier in Frankfurt fühle ich mich in der That freier . . ."[36]. Schrödters Beitrag zur Revolutionsgraphik ist sein 1848–1849 in Frankfurt erschienenes Karikaturenwerk „Thaten und Meinungen des Herrn Piepmeyer, Abgeordneten zur Constituierenden Nationalversammlung zu Frankfurt a. M.". Es erschien in sechs Heften mit zusammen 49 Blättern und einem Text von Johann Hermann Detmold. Stilistisch vorbildlich waren die

136 H. Ritter, Deutschland im Jahre 1848. Aus Düsseldorfer Monathefte, 1847/49. Lithographie

Bildhefte des Schweizers Rudolph Töpffer (1799–1846), die auch sonst mannigfach auf die deutsche Karikatur der Jahre 1848/49 gewirkt haben. Piepmeyer, Gegenstand der satirischen Zeichnungen Schrödters (103 mal tritt er auf 49 Blättern in Person auf) ist Symbol für den charakterlosen politischen Philister, für den sich alles darum dreht, die eigene Person ins rechte Licht zu setzen, wodurch er der Sache, der er dienen sollte, nur Schaden zufügt. Mit wenigen Federstrichen, treffsicher mit leichter Hand gezeichnet, gelingt es Schrödter in seinen Zeichnungen, bissig und resigniert zugleich, eine geistige Haltung anzuprangern, die Wegbereiter der Restauration wurde. Piepmeyer, pathetisch vor sich leerenden Bänken redend (Abb. 44), soll etwas von dem Schwung und der Treffsicherheit zeigen, die Schrödters Zeichnungen eigen sind.

Während nach der gescheiterten Revolution und der sich ausbreitenden Restauration die „Düsseldorfer Monathefte" langsam zum unpolitischen Witzblatt absinken, erscheinen in Abständen mehrere Gemeinschaftsunternehmen Düsseldorfer Künstler. Den Reigen eröffnet, 1851 von Wolfgang Müller von Königswinter begründet, das „Düsseldorfer Künstleralbum", das unter reger Beteiligung der Düsseldorfer Künstlerschaft zustande kam. Ab 1867 erscheint es als „Deutsches Künstleralbum". Das Format wird größer, zusätzliche Lithographien, farbig lithographierte Zwischentitelblätter von Caspar Scheuren, die manchmal allzu pompös und überladen erscheinen, sowie die Mitarbeit namhafter auswärtiger Künstler und Autoren verleihen ihm bisher unbekannte Prächtigkeit. 1877 stellt auch das „Deutsche Künstleralbum" sein Erscheinen ein. Buchhändlerisch waren „Düsseldorfer Künstleralbum" und „Deutsches Künstleralbum" ein Erfolg. Der Jahrgang 1854 des „Düsseldorfer Künstleralbums" erschien sogar gleichzeitig in englischer Übersetzung. Stilistisch versucht man wieder an die so erfolgreichen „Lieder und Bilder" anzuknüpfen. Wir begegnen wieder der Welt des Mittelalters, der Sagen und Legenden, vor allem aber der jetzt schärfer konturierten, detailgenaueren, dem Realismus näher rückenden Genredarstellung. Andreas Achenbachs Februarbild im Jahrgang 1851, närrisches Maskentreiben schildernd, erfaßt treffsicher eine Augenblicksimpression und sprengt damit die Grenzen des Genre zur realistischen Darstellung hin.

Die Genredarstellung nimmt jedoch eine andere Entwicklung als sich im ersten Band des „Düsseldorfer Künstleralbums" andeutet. Die Entwicklung führt nicht zum Verlassen des Genre, hin zum Realismus. Es entwickelt sich eine besondere Form der Genredarstellung, die über Düsseldorf hinaus für das ganze 19. Jahrhundert charakteristisch ist. Die Detailschilderung wird immer sorgfältiger, photographisch genau. Dafür wirken die Menschen immer weniger lebendig, sie erscheinen wie zu Wachs erstarrte lebende Bilder, strahlen zugleich eine gewisse Weichheit und Sentimentalität aus.

Typisch ist dafür die Szene in Abb. 137 aus dem Jahrgang 1867 des „Deutschen Künstleralbums". Es sei hier an Dolf Sternbergers faszinierende, wenn auch etwas einseitig pointierte, Definition des Genre als einer „Form der Anschauung der menschlichen Verhältnisse und des Lebens selber", erinnert[37], die in Kunst und Literatur für das gesamte 19. Jahrhundert kennzeichnend sei. Wir können uns hier nicht mit Sternbergers Thesen auseinandersetzen. Er hat sicher etwas Wesentliches gesehen. Die bildliche Darstellung ruht nicht mehr in sich, sie bleibt gewissermaßen unfertig, bedarf der Phantasie und des Gefühls des Betrachters, die den „erstarrten Moment" wieder zum Leben erwecken. Der Betrachter denkt das dargestellte Geschehen zu Ende. Artistisch wird die nun allbeherrschende Genredarstellung raffinierter und vollkommener, die große in sich geschlossene künstlerische Leistung macht sie aber dadurch unmöglich. Vielleicht liegt es daran, daß mit dem „Deutschen Künstleralbum" 1877 die Zeit der graphischen Gemeinschaftsunternehmen der Düsseldorfer Künstler ein Ende findet.

Erwähnt seien hier noch das „Neue Düsseldorfer Künstleralbum" (1858–1859) und das „Düsseldorfer Jugendalbum" (1856–1859), die sich stilistisch und inhaltlich kaum von den besprochenen langjährigen Unternehmen unterscheiden.

Dagegen müssen zwei reizvolle Besonderheiten noch hervorgehoben werden. Einmal die „Deutschen Sprichwörter und Spruchreden in Bildern und Gedichten"[38], die auch ins Englische übersetzt wurden[39]. Grundmuster der humorvoll-satirischen Illustrationen ist die parodierte Genredarstellung. Man wird an englische Vorbilder erinnert. So wirkt Henry Ritters Illustration zu „Glücklich ist, wer vergißt . . ." wie ein ins Gemütvoll-Humorige übertragener Hogarth.

Die zweite erwähnenswerte Publikation, zu der mehrere Düsseldorfer Künstler beigetragen haben, ist das „Düsseldorfer Liederalbum"[40], das – in aufwendigem Format und in prächtiger Ausstattung – wohl zu Geschenkzwecken für die bürgerliche Welt gedacht war[41]. Es enthält sechs ganzseitige Lithographien, gefällige, aber etwas blasse Darstellungen. Über Bild und Text laufen einige Notenzeilen.

Hinweisen wollen wir hier auch noch auf die berühmte, reich illustrierte Nibelungenedition in der hochdeutschen Übersetzung von Oswald Marbach, an der Julius Hübner, Eduard Bendemann, Hermann Stilke und Alfred Rethel mitgewirkt haben[42]. Die Holzschnittillustrationen sind mit großer Sorgfalt und Liebe zum Detail gearbeitet. Arabeskenumrahmungen weisen uns stilistisch auf die „Lieder und Bilder" hin. Im Gegensatz zu Cornelius' Nibelungendarstellungen rücken hier die Illustrationen das Geschehen ein wenig ins märchenhaft Ferne.

Um das Bild der Düsseldorfer Illustrationskunst abzurunden, müßte jetzt die ganze Fülle der von einzelnen Künstlern illustrierten Werke genannt werden. Vor allem in der zweiten Hälfte des 19. Jahrhunderts entfalten die Düsseldorfer

Künstler eine reiche buchillustratorische Aktivität. Wir müssen uns hier aus Raumgründen auf einige Andeutungen beschränken.

Hervorgehoben seien zunächst Publikationen, bei denen die Abbildung ganz im Vordergrund steht. Gustav Süs versetzt die Genredarstellung in farbigen Lithographien spöttisch in die Welt der Tiere in seinem reizvollen, als Kinderbuch gedachten, „Het Wettlopen tüschen den Hasen und den Swinegel up de Buxtehuder Heid"[43]. Zwei weitere künstlerisch gelungene Illustrationen von Tierfabeln von Gustav Süs erschienen 1857: „Swinegels Reiseabenteuer" und „Die Mähr von einer Nachtigall". Gustav Süs' Arbeiten werden in der Geschichte des Kinderbuchs und der lithographischen Illustration einen unverrückbaren Platz einnehmen[44]. Adolph Tidemand widmet sich in seinem großformatigen „Norwegischen Bauernleben" (mit Illustrationen nach den Originalcartons zu den in der kgl. Villa „Oskarshill" b. Christiana ausgeführten Gemälden) einem der realistischen Folkloredarstellung nahekommenden Bauerngenre. Das Werk erschien mit deutschem und norwegischem Text. Sonderland liefert einen Band mit Holzschnittillustrationen zu Immermanns „Münchhausen"[46], der, routiniert in der Zeichnung, dennoch nicht zum Besten gehört, was Sonderland geschaffen hat.

Eine überaus reiche Illustrationstätigkeit entfaltete Benjamin Vautier. Zu Immermanns „Oberhof" liefert er 57 Holzschnittillustrationen und Initialen[47], zu einer Ausgabe von Auerbachs „Barfüßele" steuert er 75 Holzschnittillustrationen bei[48]. Zart und einfühlsam gehören sie sicher zum Besten, was die Buchillustration im 19. Jahrhundert hervorgebracht hat.

Erfolgreich als Buchillustrator war auch Caspar Scheuren. Am berühmtesten sind seine Landschaftsradierungen und -lithographien, die vor allem der rheinischen Landschaft galten. Bei Scheuren spüren wir schon etwas vom pompösen Stil der Jahrhundertmitte. Es sei hier noch einmal an seine lithographierten Titelblätter und Zwischentitel zum „Deutschen Künstleralbum" erinnert.

Etwa um 1870 war die große Zeit der Düsseldorfer Buchillustration vorüber. Wir brechen unsere Darstellung deshalb hier ab. Es kam nicht auf Vollständigkeit an, sondern darauf, Entwicklungslinien und Tendenzen aufzuzeigen.

137 B. Vautier, Verbotene Frucht, Aus Deutsches Künstleralbum, 1867. Lithographie

Anmerkungen

1 Horn, Paul: Düsseldorfer Graphik in alter und neuer Zeit. (Schriften des Düsseldorfer Kunstmuseums 2), Düsseldorf 1928.
2 Vgl. die Bibliographie im Anhang zur Festschrift: Zweihundert Jahre Kunstakademie Düsseldorf. Düsseldorf 1973. Vgl. auch Rudolph Gerhard: Druckgraphik in Düsseldorf. 1800–1860. In: Zweihundert Jahre Kunstakademie Düsseldorf, a.a.O., S. 109–120. Ebenf. Rudolph, Gerhard: Buchgraphik in Düsseldorf 1800–1850. In: 200 Jahre Landes- und Stadt-Bibliothek Düsseldorf 1770–1970. Düsseldorf 1970, S. 137–150. Sowie demnächst: Rudolph, Gerhard: Illustrative Graphik. In: Kunst des 19. Jahrhunderts im Rheinland. Bd. 3. Das Werk wird ab 1979 im Schwann-Verlag Düsseldorf erscheinen. Vgl. auch Hütt 1964. Hütt konstruiert, bei großer Kennerschaft und der Darstellung vieler wichtiger Einzelaspekte, eine zu einseitig realistisch-sozialkritische Linie in der Geschichte der Düsseldorfer Graphik.
3 Horn, S. 7.
4 Brief vom 7. März 1859 an Julius Hübner. Im Besitz der Autographensammlung des Heinrich-Heine-Instituts Düsseldorf.
5 Taschenkalender für das Jahr . . . 1797, 1798, 1800. Düsseldorf: Dänzer, Bergisches Taschenbuch zur Belehrung und Unterhaltung. 1798–1806. Die Jahrgänge 1799 und 1805 sind nicht erschienen. Bis 1802 erschien das Taschenbuch in Düsseldorf bei Dänzer, die folgenden Jahrgänge erschienen in Dortmund bei Mallinckrodt (wechselnde Titelfassungen). Niederrheinisches Taschenbuch für Liebhaber des Schönen und Guten. 1799 bis 1805 Düsseldorf: Schreiner. Der Jahrgang 1804 ist nicht erschienen.
6 Colmi, Elsbet: Glanz und Elend einer lithographischen Anstalt. Arnz & Comp. Düsseldorf 1815–1858. In: Bibliothekarische Nebenstunden. (Veröffentlichungen der Landes- und Stadt-Bibliothek 5) Düsseldorf 1964, S. 44–67.
8 Colmi, Elsbet, a.a.O., S. 61–66.
9 Vgl. Eberlein, Kurt Karl: Geschichte des Kunstvereins für die Rheinlande und Westfalen 1829–1929. Düsseldorf 1929. Eberlein verzeichnet die an die Mitglieder ausgegebenen Umrisse, Lithographien, Kupfer-Stahlsiche, Kunstblätter und Verlagswerke.
10 Horn, S. 146.
11 Niederrheinisches Taschenbuch für Liebhaber des Schönen und Guten. Düsseldorf 1799, S. 23.
12 Uechtritz, Bd. 1, Düsseldorf 1839, S. 1.
13 Artikel „Lesegesellschaft". In: Krünitz, Johann Georg: Ökonomisch-technologische Enzyklopädie. 77. Teil 1799, S. 280.

14 Vgl. Weinreich, Renate: Leselust und Augenweide. Illustrierte Bücher in Frankreich und Deutschland. Berlin 1978.

15 Schaarschmidt, S. 239.

16 Müller von Königswinter 1854, S. 2.

17 Müller von Königswinter, S. 3.

18 Cornelius, Peter von: Bilder zu Goethes Faust. Gestochen von Ruscheweyh. Frankfurt a. M. 1816; Cornelius, Peter von: Aventiure von den Niebelungen. Berlin 1817.

19 Taschenbuch der Sagen und Legenden. Hrsg. von Amalie von Helwig und Friedrich Baron de la Motte Fouqué. Berlin 1812.

20 Rheinischer Sagenkreis. Ein Ciclus von Romanzen, Balladen und Legenden des Rheins nach historischen Quellen bearbeitet von Adelheid von Stolterfoth. Mit Ein und Zwanzig Umrissen nach Zeichnungen von A. Rethel in Düsseldorf. Lithographiert von Dielmann. Frankfurt/a. M. 1835; engl. Ausg. u. d. T. The rhenish minstrel. A series of ballads, traditional and legendary of the Rhine by Adelheid von Stolterfoth. Embellished with twenty-one lithographie sketches by Dielmann from the designs of A. Rethel of Düsseldorf. Frankfort o/M 1835.

21 Müller von Königswinter, S. 1.

22 Immermann, S. 36.

23 Hoeffner, J.: Aus Biedermeiertagen. Briefe Robert Reinicks und seiner Freunde. Bielefeld und Leipzig 1910, S. 102 zit.: „Aus Biedermeiertagen".

24 Vgl. Briefe Reinicks an Kugler vom 15. Feb. 1837 und vom 9. März 1837. In: Aus Biedermeiertagen, a.a.O., S. 102–108.

25 Vgl. Brief Reinicks an Kugler vom 16. Nov. 1837. In: Aus Biedermeiertagen, a.a.O., S. 110.

26 Brief Reinicks an Kugler vom 13. Dez. 1837. In: Aus Biedermeiertagen, a.a.O., S. 112.

27 Horn, Paul, a.a.O., S. 74.

28 Schrödter, Adolph: Sechs Bilder zum Don Quixote. Ausgabe II, Altona 1863.

29 Horn, Paul, a.a.O., S. 109.

30 So in einem Polizeibericht des Jahres 1850 s. Hütt, Wolfgang, a.a.O., S. 116.

31 Vgl. Hütt 1964, S. 116.

32 Vgl. Koszyk, Kurt: Die Düsseldorfer Monathefte zwischen Revolution und Restauration. In: Düsseldorfer Jahrbuch, Bd. 51. Düsseldorf 1963, S. 202–209.

33 Vgl. Hütt 1964, S. 111.

34 Theissing, Heinrich: Romantika und Realistika. Zum Phänomen des Künstlerfestes im 19. Jahrhundert. In: Zweihundert Jahre Kunstakademie Düsseldorf, a.a.O., S. 192.

35 Theissing, Heinrich, a.a.O., S. 192.

36 Brief im Besitz der Autographensammlung des Heinrich-Heine-Instituts Düsseldorf.

37 Sternberger, Dolf: Panorama oder Ansichten vom 19. Jahrhundert. 2. Aufl., Hamburg 1946, S. 63 f.

38 Deutsche Sprichwörter und Spruchreden in Bildern und Gedichten. Zwanzig Originallithographien. Düsseldorf o. J. (1852).

39 Proverbs and sayings illustrated by Dusseldorf artist's. London 1854.

40 Düsseldorfer Liederalbum. Sechs Lieder mit Pianoforte-Begleitung. Illustriert von O. u. A. Achenbach, H. Ritter, W. Camphausen, R. Jordan u. C. F. Lessing. Düsseldorf 1851.

41 Vgl. Colmi, Elsbet, a.a.O., S. 63 u. Abb. 11.

42 Nibelungenlied, Deutsch von Oswald Marbach. Ill. v. J. Hübner, E. Bendemann (H. Stilke und A. Rethel). Leipzig 1840–1841.

43 Düsseldorf o. J. (1855).

44 Weitere Werke von Gustav Süs nennt Horn, S. 117 f.

45 Tidemand, Adolph: Norwegisches Bauernleben. Ein Cyclus in 10 Bildern mit allegor. Titel in Farbendruck entworfen von C. Scheuren. Düsseldorf 1851.

46 Sonderland, Johann Baptist: Scenen aus Immermanns Münchhausen. Leipzig 1848.

47 Immermann, Karl Leberecht: Der Oberhof. Berlin 1863.

Wend von Kalnein

Der Einfluß Düsseldorfs auf die Malerei außerhalb Deutschlands

„Die Professoren der Düsseldorfer Akademie", schreibt Worthington Whittredge in seinen Lebenserinnerungen, „gehören zu den liberalsten, die ich je getroffen habe. Sie loben die englische, französische, belgische, norwegische und russische Kunst außerordentlich. Die Düsseldorfer Schule bestand, als ich hinkam, aus Studenten aus aller Herren Länder. Es waren wenige französische Kunstschüler da und nur wenig Engländer, aber Norwegen, Schweden, Rußland, Belgien und Holland waren stark vertreten. Die Schule bestand infolgedessen nicht nur aus dem Unterricht einiger weniger Professoren in der Akademie, sondern aus der ganzen Menge, die an dem einstmals so berühmten Treffpunkt versammelt war, und Amerika hatte dort Leutze, den Künstler, von dem man 1850 am meisten sprach".[1] Das war der Eindruck eines Amerikaners, der 1849 nach Düsseldorf kam. Schon 1846 hatte der alte Dahl in Dresden die Düsseldorfer Schule etwas bitter als die „alleinseligmachende Kirche" in Norwegen bezeichnet[2]. Es war kein Zweifel, die Düsseldorfer Schule hatte in den 40er Jahren eine Ausstrahlungskraft erlangt, die weit über regionale und nationale Grenzen hinausging und Künstler aus allen Teilen der Welt anzog. Eine liberale, freundschaftliche Atmosphäre verband Deutsche und Ausländer und vermittelte das Gefühl einer großen, für alles Neue aufgeschlossenen Gemeinschaft. Die Bedeutung dieses Ausländerzustroms darf nicht unterschätzt werden. Die Düsseldorfer Malweise fand damit ihren Weg über die Grenzen des eigenen Landes hinaus und entfaltete eine tiefgehende Wirkung in fremden Ländern, die zu der sonstigen Bedeutung Düsseldorfs – etwa im Vergleich zu München oder Paris – in gar keinem Verhältnis steht. Die Erinnerung an diesen weitgespannten Einfluß, der von Rußland bis nach Amerika reicht und ganz Skandinavien umfaßt, ist an Ort und Stelle noch durchaus vorhanden, in Deutschland selbst jedoch nahezu in Vergessenheit geraten[3].

Nicht alle Ausländer waren an der Akademie selbst eingeschrieben. Viele, besonders die Amerikaner, bevorzugten ein freieres Leben ohne akademischen Zwang. Sie schlossen sich den frei schaffenden Künstlern wie Lessing und Achenbach an und hatten ihre eigenen Ateliers in der Stadt – eine Tatsache, die der auf den Schülerlisten der Akademie angewiesenen Forschung bisher erhebliche Schwierigkeiten bereitet hat.

Die stärkste Gruppe war zweifellos die der Skandinavier. Sie setzte sich aus Norwegern, Schweden, Finnen und Dänen zusammen, wobei letztere zahlenmäßig die geringste Rolle spielten – es waren insgesamt ca. 12 – und dem Düsseldorfer Einfluß am wenigsten unterlagen. Bei ihnen wirkten sich nicht nur das Niveau ihrer eigenen Akademie in Kopenhagen, sondern auch der deutsch-dänische Krieg von 1864 aus, der die Beziehungen auf lange hinaus vergiftete. Dagegen waren es ca. 50 Norweger, ca. 70 Schweden und ca. 20 Finnen, die im Lauf des Jahrhunderts am Rhein studierten – eine Zahl, die die dominierende Stellung der Düsseldorfer Malerei im Norden begreiflich macht[4].

Den Anfang machten die Norweger. Sie hatten sich als erste am Rhein etabliert. 1837 war Adolph Tidemand eingetroffen, 1841 Hans Gude. Beide zogen magnetisch ihre Landsleute nach. Was sie bewogen hatte, nach Düsseldorf zu gehen, war zunächst die Historienmalerei. Tidemand wurde Schüler von Hildebrandt und errang seinen ersten Erfolg mit einem Bild aus der schwedischen Geschichte „Gustav Adolf spricht in der Kirche von Mora zu den Männern von Dalarne" (Kat.Nr. 255). Gude schwenkte dagegen sehr schnell zur Landschaftsmalerei um und wurde Schüler von Schirmer. Beide entwickelten sich zu führenden Gestalten in der Kunst ihres Landes. Für Tidemand brachte seine erste Reise in die Heimat im Sommer 1843 eine entscheidende Wende. Er hatte die Absicht gehabt, Studien für eine große Komposition aus der norwegischen Geschichte zu machen, die für den Festsaal der Universität in Christiania (heute Oslo) bestimmt war und den Sturz des Heidentums in Norwegen darstellen sollte. Jedoch die Bekanntschaft mit dem Bauerntum in den entlegenen Tälern des Landes – im Gudbrandsdal, in Sogn und Hardanger – öffnete ihm die Augen für das Volkstum seiner norwegischen Heimat und ließ ihn hier seine eigentliche Aufgabe erkennen. Seitdem wurde das norwegische Volkslebengenre der eigentliche Inhalt seiner Kunst (Abb. 138). Der Übergang von der Historie zur Volkslebenmalerei hatte in Düsseldorf schon in den 30er Jahren stattgefunden. Jordan, Ritter und Becker von Worms hatten das Leben der Fischer und Bauern entdeckt. Hier konnte Tidemand anknüpfen. Wenn er in seiner nordischen Thematik auch etwas völlig Neues schuf, so stand er damit doch ganz in den Gedanken seiner Zeit. Die romantische Welle, die in der ersten Hälfte des 19. Jahrhunderts über Norwegen hinwegging und die in der Lostrennung von Dänemark und der Gründung eines eigenen Staates 1814 mächtigen Auftrieb gefunden hatte, hatte überall die Begeisterung für die nationale Vergangenheit geweckt. In den freien „Odelsbauern", die sich Tidemand zum Vorbild nahm, sahen die Nationalromantiker die direkten Nachkommen der alten Wikinger. In ihren abgelegenen Höfen hatten

138 A. Tidemand, Rauchstube auf Sogneskar bei Valle, 1848. Oslo, Nationalgalerie

sich Hausratsgegenstände und Traditionen aus dem sagenumwobenen Mittelalter, der Heldenzeit des Landes erhalten. Im Jahr von Tidemands Norwegenreise erschien das erste Heft der norwegischen Volksmärchen, ein Jahr vorher war die erste Sammlung norwegischer Volkslieder erschienen.[5] Vor dem Hintergrund dieses nationalen Erwachens muß man auch Tidemands Tätigkeit sehen. In seiner Selbstbiographie hat er seine Aufgabe folgendermaßen umrissen: „... den Charakter, die Sitten und Bräuche dieses kräftigen Naturvolkes zu schildern, der Vergessenheit zu entreißen, was bereits fast verschwunden war ... das wurde die Aufgabe, die ich mir für meine Kunst stellte“.[6] Sein ganzes Leben lang ist Tidemand dieser Aufgabe treugeblieben. Er wurde nicht nur der große Künder des norwegischen Volkstums, sondern auch der Vorläufer der nationalromantischen Literatur. Björnsons „Hochzeitslied“ und „Synnöve Solbakken“, Ibsens vaterländische Dramen verdanken Tidemand entscheidende Anregungen. Im Formalen, auch in der psychologischen Durchdringung der Kompositionen, die stärker als alles anekdotische Beiwerk den Inhalt seiner Kunst ausmacht, ist die Düsseldorfer Schulung bei ihm immer präsent. Die Genauigkeit des Details und die Ausdrucksstudien der Figuren sind bei Hildebrandt und Lessing vorgeprägt. Man vergleiche hierfür etwa die „Haugianer“ Tidemands (Kat.Nr. 256) mit Lessings „Hussitenpredigt“ (Kat.Nr. 159).

Eine ähnliche bahnbrechende Aufgabe fiel Gude zu. Bereits in den 20er Jahren hatte die norwegische Landschaft, die stets eine der Hauptinspirationsquellen norwegischer Kunst war, ihren großartigen Interpreten in Johan Clausen Dahl gefunden. Er hatte im eigentlichen Sinne die Naturschönheit der norwegischen Gebirge entdeckt. Aber der Stern dieses im fernen Dresden lebenden Romantikers und Friedrichschülers war in den 40er Jahren verblaßt. Eine Schule hatte er nicht zu begründen vermocht. Es war bezeichnend, daß der junge, 16jährige Gude nicht zu ihm nach Dresden, sondern, auf Anregung im eigenen Lande hin, nach Düsseldorf ging. Hier begründete er auf einem Boden, der durch die Norwegenreisen Andreas Achenbachs vorbereitet war, eine neue norwegische Landschaftsmalerei, die nun nicht mehr auf romantischen Voraussetzungen, sondern auf dem Realismus Schirmers aufbaute. Was er von Schirmer lernte, war die objektive Beobachtung der Natur, die unbestechliche Wahrheitsliebe – er benutzte gelegentlich sogar die Fotografie als Hilfsmittel – und die Klarheit und Harmonie des Bildaufbaues, die auf dramatische Effekte verzichtete. Einige seiner größten und bekanntesten Kompositionen wie „Die Kirchfahrt der Braut in Hardanger“ (Kat.Nr. 85) und „Leichenfahrt auf dem Sognefjord“ (Kat.Nr. 87) führte er mit Tidemand gemeinsam aus, wobei letzterem die Figurenstaffage zufiel. In ihrer klassischen Ausgewogenheit und lichterfüllten Klarheit sind diese Kompositionen Meisterwerke der Landschaftsmalerei. Sie verkörpern einen idealisierten, zuweilen sonntäglich verklärten Realismus, wie er in der Schirmerschule gepflegt und gerade von den Norwegern – vgl. auch Eckersberg – aufgegriffen wurde.

Unter ihren Landsleuten galten Tidemand und Gude als die Führer der nationalhistorischen Kunst. Als sie wegen der Märzunruhen 1848 nach Norwegen zurückkehrten, wurden sie von den Studenten in Christiania mit einem großen Fest gefeiert. Im März 1849 erreichte die Begeisterung ihren Höhepunkt, als anläßlich eines dreitägigen, aus Dichtkunst, Musik und bildender Kunst bestehenden nationalen Festivals Tidemand u. a. lebende Bilder arrangiert hatte – darunter auch „Die Kirchfahrt der Braut in Hardanger“ –, die mit Musik- und Textbegleitung vorgeführt wurden und für die Gude und seine Kollegen Wandteppiche als Hintergrund gemalt hatten. Die lebenden Bilder aus dem Immermannkreis in Düsseldorf dürften hier Pate gestanden haben. Tidemand und Gude bekamen bei dieser Gelegenheit ehrenvolle Aufträge. Tidemand sollte das neue königliche Sommerschloß Oskarshall bei Christiania mit 10 Bildern aus dem norwegischen Bauernleben, Gude mit 4 Ansichten von historischen Landschaften am Sognefjord ausschmücken.

Im folgenden Jahr, 1850, erschienen die Norweger auf der nordischen Ausstellung der Kunstakademie in Stockholm. Hier trafen sie zusammen mit den schwedischen Künstlern, die gerade Rom wegen der dort ausgebrochenen Unruhen verlassen hatten. Der Auftritt der Norweger erregte allgemeines Aufsehen wegen des „ausgesprochen nordischen Charakters" ihrer Bilder. Bei den schwedischen Künstlern war es bis dahin üblich gewesen, nach Absolvierung der Akademie nach Rom zu gehen, um dort ihre Studien abzuschließen. Von dort pflegten sie Bilder mit italienischen Veduten, Fischer- und Strandszenen mitzubringen, an denen sich das Publikum inzwischen übergesehen hatte. Die romantische Welle, die über Norwegen hinwegging, hatte auch Schweden ergriffen und das Interesse an der eigenen Vergangenheit erweckt. Man war der südlichen Landschaften müde und wollte eine eigene Malerei mit eigenen Inhalten sehen. Die Bilder der Norweger, vor allem die Landschaften Gudes und Cappelens, wirkten in diesem Zusammenhang bahnbrechend. Hier sah man endlich eine nordische Malerei, wie man sie sich erträumt hatte. So wie sich diese Kunst durch und durch norwegisch darstellte, so wollte man auch die schwedische Kunst sehen. Der König selbst, Oskar I. (1799–1859), war tief beeindruckt. Er beabsichtigte, die schwedischen Künstler nach Düsseldorf zu schicken, damit sie dort in ihrer Kunst so „schwedisch" würden wie die Norweger „norwegisch" geworden waren. Das Reisestipendium, das er aussetzte, erhielt Carl Lützow d'Unker. Der König selbst erklärte ihm, daß Düsseldorf der Ort sei, der ihm „für Anfänger als der beste schien". So kam d'Unker 1851 als erster Schwede nach Düsseldorf und wurde Schüler von Sohn. Seine Landsleute, von den Düsseldorfern zunächst ebenfalls als Norweger angesehen, folgten ihm auf dem Fuße.

D'Unkers Lebensweg verlief jedoch nicht so, wie es sich der König vorgestellt hatte.[6a] „Anstatt seine deutschen Modelle in schwedische Volkstrachten zu stecken" wurde er einer der originellsten und bedeutendsten schwedischen Genremaler seines Jahrhunderts. Seinen ersten durchschlagenden Erfolg hatte er mit dem Bild „Beim Pfandleiher" (Kat.Nr. 68), in dem er sich sowohl an die soziale Milieuschilderung Hasenclevers als auch an die vielfigurigen Interieurszenen Vautiers anschloß. Seine späteren Wartesaaldarstellungen, auch das Bild „Spielsaal in Wiesbaden" von 1864, alle in Düsseldorf entstanden, setzen das Thema der Begegnung verschiedener sozialer Schichten fort. In dieser Neuartigkeit der Themenstellung, im Reichtum der leicht karikierenden Physiognomien und ihrer frischen Farbigkeit sind diese Bilder ein Höhepunkt der Düsseldorfer Genremalerei. Sie bringen aber auch in die schwedische Malerei einen neuen, zuweilen an englische Genremalerei erinnernden Zug. Nur sein früher Tod, 1866, verhinderte es, daß d'Unker die ihm von dem Sammler und Großkaufmann Dahlgren angebotene Leitung einer Kunstschule in Göteborg übernahm.

Die 50er und 60er Jahre waren für die nordischen Künstler in Düsseldorf sehr fruchtbar. Aus dieser Zeit haben wir eine reichhaltige Korrespondenz, insbesondere der Schweden mit ihren Landsleuten, aus der das Düsseldorfer Künstlermilieu

sehr anschaulich hervorgeht[7]. Man ersieht daraus, wie einer den anderen durch die verlockendsten Schilderungen nachzog. Aufschlußreich ist auch eine anonyme offensichtlich auf einem Künstlerbrief zurückgehende Veröffentlichung in der „Posttidningen" vom 24. Juli 1853, in der es u. a. heißt: „Hier gibt es keine Medaillen, keine Prüfungen zur Aufnahme in höhere Klassen, keine Zusammenkünfte der Leiter der Schule, keine Preise, die Neid erwecken könnten; der eine korrigiert den anderen. Wir haben eine durch das ganze Jahr hindurch geöffnete Ausstellung, in der der Zugang frei ist und wo man die Arbeiten von Achenbach, Gude, Lessing, Tidemand usw. studieren kann. Dort kommen immer noch neue Bilder hinzu. Zur Zeit haben wir eine große Ausstellung an der Akademie, zu der man freien Zutritt hat. Da hat Larson drei Bilder und Nordenberg eines, die alle gut gemalt sind. Durch das Betrachten aller dieser Sachen kann man lernen, wie ein gutes Bild gemalt werden soll". Hier wird einmal die kollektive Arbeitsweise der Düsseldorfer Malerschule in aller Deutlichkeit ersichtlich. In dieser Transparenz der Lehrmethode lag ihre große Anziehungskraft. Es war nicht nur ein Lehrer, von dem man lernte, sondern die ganze Schule, die praktischen Anschauungsunterricht erteilte. Was hier für die Schweden gesagt wird, galt natürlich in gleichem Maße für die übrigen Nationen.

Als Schirmer 1854 Düsseldorf verließ und an die Akademie nach Karlsruhe ging, rückte Gude an seine Stelle. Zu dessen Schülern gehörte eine ganze Generation von nordischen Landschaftern, von denen die bekanntesten die Norweger Cappelen, Eckersberg, der geniale, aber schon mit 24 Jahren geistig umnachtete Hertervig, Askevold und der Schwede Axel Nordgren sind. Ihre Thematik und Malweise waren weit gespannt. Sie reichten von der romantischen Stimmungsmalerei Cappelens und Hertervigs mit ihren dunklen Waldseen und knorrigen Föhren über die beim Publikum ungemein beliebten Kuhherden Askevolds bis zu den weiten Gebirgshorizonten Eckersbergs und der Entdeckung der schwedischen Landschaft durch Nordgren. Eckersberg hatte als Leiter einer Malschule in Christiania von 1859 bis zu seinem Tode 1870 eine bedeutende Breitenwirkung in Norwegen. Nordgren dagegen, der 1851 ebenfalls ein Stipendium für Düsseldorf erhalten hatte, blieb dieser Stadt sein ganzes Leben lang treu. Sein Hauptthema in den 50er und 60er Jahren war die norwegische Gebirgswelt, die er auf gemeinsamen Reisen mit Gude besuchte. Die Studien dieser Jahre, die unmittelbar vor dem Motiv entstanden, sind durch sein sicheres Gefühl für Licht und Farbe ausgezeichnet. Das lyrische Element seiner Kunst kommt vornehmlich in den Küstenbildern der späteren Jahre zum Ausdruck, wo die differenzierte Wiedergabe von Licht und Schatten und eine gewisse elegische Stimmung in den Vordergrund treten.

Der Einfluß Andreas Achenbachs, der bei den nordischen Landschaftsmalern stets vorhanden war, auch wenn Achenbach selbst kein Lehramt an der Akademie hatte und Schüler nicht sonderlich schätzte, kommt am stärksten bei Marcus Larsson zum Ausdruck. Dieser nordische Romantiker, den Müller von Königswinter „ein ganz ungewöhnliches Talent" nennt, war ein unruhiger Geist, der nach ständigen Reisen durch ganz Europa schon mit 39 Jahren, 1864, starb. In seinen Meeresstürmen und Schiffbrüchen zeigten sich deutlicher als bei jedem anderen die Lehren, die er Achenbach verdankte.

Für die Genremaler war Tidemand eine Zentralfigur. Alle diejenigen, die sich für die patriotischen Ideen der nordischen Nationalromantik begeisterten – darunter Olaf Isaachsen, Carl Sundt-Hansen, Bengt Nordenberg, Kilian Zoll –, schlossen sich um ihn zu einer Gruppe zusammen und machten mit ihm Reisen nach Schweden und Norwegen. Seine von romantischer Verklärung nicht freie Auffassung wandelte sich bei den jungen Norwegern, insbesondere bei Isaachsen und Sundt-Hansen, allmählich zu einem sachlicheren Realismus, zu einer psychologischen Vertiefung und Differenzierung der Darstellung, die diesen Bildern einen hohen Rang einräumen.

Unter den jungen Schweden stand Nordenberg Tidemand am nächsten. An dessen Replik der „Haugianer" von 1852, heute im Nationalmuseum in Oslo, war er weitgehend beteiligt. Seine Darstellungen aus dem schwedischen Volksleben folgen Tidemand in ihrer Thematik und Komposition, sind jedoch weicher und atmosphärischer, so daß der Unterschied der Charaktere sofort deutlich wird. Allerdings hatte Nordenberg zu Lebzeiten stets mit dem bedrückenden Übergewicht Tidemands zu kämpfen, dem sich kaum einer aus dessen Schülerkreis zu entziehen vermochte.

Der andere bedeutende Maler des schwedischen Volkslebens Josef Wallander wurde 1853 Schüler von Rudolf Jordan. Von ihm übernahm er den ethnographischen Zug und den anekdotisch-humoristischen Einschlag seiner Genrebilder. Von besonderer farblichen Frische ist eine Reihe von Landschafts- und Genrebildern, die Wallander 1858 im Auftrag eines schwedischen Verlegers malte und die 1864/65 als lithographische Tafelbilder unter dem Titel „Das schwedische Volk, wie es noch immer lebt an den Flüssen, in den Bergen und Tälern" herauskamen. Ähnlich wie bei Tidemand war der Gedanke auch hier, die tradierten Lebensformen einer bäuerlichen Gesellschaft festzuhalten, ehe sie mit der aufkommenden Industrialisierung zu verschwinden drohten. Wallander war bis zu seinem Tode 1888 Professor für Malerei an der Stockholmer Akademie, so daß er seinen in Düsseldorf gebildeten Stil an Generationen von jungen Malern weitergeben konnte.

Der bei Sohn eingeschriebene Ferdinand Fagerlin trat dagegen in die Fußstapfen Henry Ritters. Von ihm übernahm er das Interesse an dem Leben der holländischen Fischer. „Daß ich meinen Sinn Holland und seinem Fischerleben zuwandte, dürfte ebenso viel Ritters Schuld sein wie die des malerischen Landes und Volkes", schrieb er selbst 1892 in einem Brief an Georg Nordensvan. Von hier aus kam er zur holländischen Malerei des 17. Jahrhunderts und zum holländischen Genrebild, dem er bis zum Ende seines Lebens treu blieb.

Über allen standen jedoch als Bahnbrecher der neuen unsentimentalen Genremalerei Knaus und Vautier. Beide übten keine offizielle Lehrtätigkeit aus, da Schadow immer noch der Ansicht war, daß ein Lehrer für das Genre nicht nötig sei und die Jungen deshalb zu Sohn und Hildebrandt schickte. Aber kaum ein Genremaler hat sich in Düsseldorf nach 1850 ihrem Einfluß entziehen können. Das kommt am stärksten bei d'Unker zum Ausdruck, der eine Zeitlang mit Vautier das Atelier geteilt hatte. Seine frische, unbekümmerte Farbigkeit, die Lockerheit seiner Gruppierungen findet bei Vautier unmittelbare Parallelen. Koloristisch nahmen die Schweden überhaupt eine Sonderstellung ein. Bei ihnen dominierte stets die Farbe über die Linie, die atmosphärische Helligkeit über die Lokalfarbe. Hier spielten, abgesehen von ihrer eigenen, bis ins 18. Jahrhundert zurückreichenden Tradition, französische Einflüsse mit, die sie in Paris kennengelernt hatten. Der größte Kolorist von allen war August Jernberg. Er hatte vor Düsseldorf, wo er 1854 eintraf, 7 Jahre in Paris bei Couture studiert und von ihm die leuchtende, tonige Farbigkeit übernommen, die in Düsseldorf ganz unüblich war. Unter den Nordländern war er der einzige Stillebenmaler. Seine Genrebilder und Stilleben, die auf allen Ausstellungen zu sehen waren, waren „weniger raffinierte, als prachtvolle Symphonien von starken, saftigen, üppigen Farben, ganz und gar nicht nach Düsseldorfer Rezept zusammengestellt".[8]

Als Gude 1863 Düsseldorf verließ, war das ein schwerer Verlust für die Akademie. Die Mehrzahl der norwegischen Landschaftsmaler folgte ihm nach Karlsruhe und ging später mit ihm nach Berlin. Die Schweden hingegen begannen sich mehr und mehr nach Paris zu orientieren, das mit Courbet und der Schule von Barbizon eine große Anziehungskraft entwickelte. Auf der Pariser Weltausstellung 1867 zeigte sich zum ersten Mal die Überlegenheit der französischen Malerei gegenüber Düsseldorf. Der schwedische König Carl XIV. selbst gab das Zeichen für den Umschwung. Seinen künstlerischen Berater Alfred Wahlberg, der bei Gude in Düsseldorf studiert hatte und 1866 dorthin zurückkehren wollte, schickte er statt dessen nach Paris. Seitdem wurde der schwedische Zuzug in Düsseldorf immer geringer, bis er in den 8oer Jahren ganz versiegte. Nur Fagerlin, Jernberg, Nordgren und Nordenberg, hatten sich ganz in Düsseldorf niedergelassen. Als letzter starb Fagerlin 1907.

In Norwegen fand der Umschwung erst in den 8oer Jahren statt. Hier wirkte vor allem der nüchterne, präzis registrierende Naturalismus Eugen Dückers nach, der den Stil Schirmers und Gudes in den 6oer Jahren abgelöst hatte. Vertreter dieses Düsseldorfer Spätstils, der auch für Finnland wichtig werden sollte, sind vor allem Ludwig und Gerhard Munthe. Ersterer, seit 1861 in Düsseldorf, schloß sich völlig der Malweise Dückers an, er wurde einer der führenden Vertreter der „Paysage intime", des unmittelbaren Naturstudiums und der sich daraus ergebenden Stimmungen. Unter seinem Einfluß bildete sich sein erst 1874 nach Düsseldorf gekommener Verwandter Gerhard Munthe, für den die Düsseldorfer Komponente, trotz seiner späteren Aufenthalte in München und Paris, bis in das 20. Jahrhundert hinein stets ein Grundzug seines Schaffens blieb. Ludwig Munthe hatte sich, neben Askevold und dem ehemaligen Schirmerschüler Morten Müller, ganz in Düsseldorf niedergelassen. Seine ungemein stimmungsvollen, der französischen Freilichtmalerei nahestehenden, Bilder „Alleestraße in Düsseldorf" von 1891 (Kat.Nr. 176) und „Kartoffelernte" von 1896 (Kat.Nr. 177) stehen ganz am Ende des Jahrhunderts. Die beiden Munthes sind ein Beweis dafür, daß das Wort Werenskjolds von dem „heftigen Bruch mit der bestehenden Schule", das dieser ganz nach Frankreich orientierte Künstler 1888 äußerte, nur sehr bedingt gelten kann. Der Übergang der „norwegischen" Düsseldorfer zur Generation Kroghs und Munchs vollzog sich gleitend. Von einem „Bruch" kann man sicher nicht sprechen.

Zwei Jahre nach dem Eintreffen d'Unkers, 1853, kam auch der erste finnische Künstler, Werner Holmberg, an den Rhein. Die Verhältnisse in Finnland lagen etwas anders als in Norwegen und Schweden. Das nationale Erwachen, das in den 40er Jahren durch ganz Skandinavien ging, verlangte auch in Finnland nach einer eigenständigen Kunst und Kultur. Aber das Land, das seit 1809 Teil des russischen Reiches war, hatte keine eigene Institution, die die bildende Kunst förderte, zumal Rußland nur an der Schaffung einer Monumentalarchitektur in seiner neuen Provinz interessiert war. Die wenigen Finnen, die es riskierten, sich zum Künstler ausbilden zu lassen, mußten dies an der Akademie in Stockholm tun. Eine eigene Malerei gab es bis zur Mitte des Jahrhunderts praktisch nicht. Holmbergs Aufenthalt in Düsseldorf kommt deshalb exemplarische Bedeutung zu. Als Schüler Gudes, aber auch von Andreas Achenbach beeinflußt, wurde er zum Begründer der finnischen Landschaftsmalerei. Die Aquarellstudien, die er von seinen Reisen heimbrachte, waren die ersten vollwertigen, durch ihre frische Unmittelbarkeit bestechenden Darstellungen seines Landes. 1859 galt der bereits als einer der begabtesten jungen Landschaftsmaler in Düsseldorf. 1860 wurde er zum Mitglied der Kaiserlichen Kunstakademie in Petersburg ernannt und an die Akademie nach Weimar berufen. Ein früher Tod im gleichen Jahr hinderte ihn daran, diesem zu folgen. Holmberg wurde zum Vorbild aller folgenden finnischen Landschaftsmaler, auch wenn sie, wie Munsterhjelm und Lindholm, im Anschluß an Düsseldorf nach München oder Paris gingen.

139 A. Liljelund, Aufkaufen von Volkstrachten in Säkylä, 1878. Helsinki, Ateneum

Ähnlich wie Norwegen blieb auch Finnland bis ans Ende des Jahrhunderts mit Düsseldorf eng verbunden. Die finnischen Künstler fühlten sich in der provinziellen, aber überschaubaren Atmosphäre Düsseldorfs wohler als in der Weltstadt Paris. Zudem konnten sie sich hier das handwerkliche Rüstzeug schaffen, das sie für Paris brauchten und das ihnen die Heimat nicht geben konnte. So finden wir hier noch eine Anzahl bedeutender finnischer Künstler, als die anderen Nordländer der Stadt bereits den Rücken gekehrt hatten. Die Genremaler Karl Emanuel Jansson und Arvid Liljelund, die in den 60er Jahren bereits in Düsseldorf gewesen und dann nach Paris gegangen waren, kehrten in den 70er bzw. 80er Jahren noch einmal zurück, um hier ihre besten Bilder zu malen. Liljelund verdient insofern Interesse, als er sich dem ethnographischen Volksgenre zuwandte, wobei er sich von Vautiers Interieurbildern inspirieren ließ. Sein Hauptbild „Aufkaufen von Volkstrachten in Säkylä" (Abb. 139) von 1878 ist ein Dokument für den patriotischen Enthusiasmus der finnischen Intellektuellen seiner Zeit, der sich im Interesse für überkommenes Volksgut äußert, und damit auch den Bauerninterieurs Tidemands vergleichbar. In die gleiche späte Zeit fällt der Aufenthalt der Landschaftsmaler Fanny Churberg und Victor Westerholm. Beide schlossen sich dem Stil Dückers an. Westerholm kam erst 1878 nach Düsseldorf und blieb bis 1886. Mit seinen großen Herbstlandschaften und Strandszenen, die er nach Studien aus der Heimat in Düsseldorf malte, führte er diesen nüchternen, aber stimmungsvollen Stil in die finnische Malerei ein. Auf seinen Reisen nach Paris in den 80er Jahren wandelte er sich zwar, wie viele seiner schwedischen und norwegischen Kollegen, zum Freilichtmaler und Impressionisten, aber sein großes

140 V. Westerholm, Das Postboot, 1885, Viipuri, Tavastehus

Gemälde „Das Postboot" von 1885 (Abb. 140) steht fest in der Dücker'schen Tradition. Gerade am Beispiel Finnlands wird deutlich, daß Düsseldorf in seiner Entwicklung nicht stehen geblieben war und daß die abschätzige Beurteilung der „Düsseldorferei" als rückständige Kunst ein zeitgebundenes Vorurteil war, das an die Vorstellung von der Pariser Freilichtmalerei als absolutem Gipfel der Kunst gebunden war.

Im Gegensatz zu Skandinavien hatte die Düsseldorfer Ausstrahlung nach Amerika ein ganz anderes Gesicht. Hier ging es nicht um die Schaffung einer nationalen Kunst – eine solche war in der Hudson River School und in der Genremalerei eines Peale, Mount oder Bingham bereits vorhanden – sondern um die Frage der Ausbildung. Kunstakademien gab es nur in New York und Philadelphia, ihr pädagogisches Niveau war mit dem europäischen nicht zu vergleichen. Die meisten Künstler waren Autodidakten, die sich über die Schildermalerei hochgearbeitet hatten und es nicht weiter als bis zu etwas steifen Porträts brachten. Das Unbehagen über diesen Mangel und das erst allmählich abklingende Gefühl der Überlegenheit Europas hatte die amerikanischen Künstler deshalb stets ins Ausland getrieben. Zunächst war das Ziel London gewesen, dann wurde es Rom, wo im 19. Jahrhundert eine ganze Kolonie lebte, ohne daß das freilich nennenswerte Rückwirkungen auf die Kunst in Amerika gehabt hätte. In den 40er Jahren wandte sich das Interesse schließlich Düsseldorf zu.

Die Erfolge der Düsseldorfer Malerschule waren auch in Amerika nicht unbemerkt geblieben, zumal ein Amerikaner, Emanuel Leutze, darin eine führende Rolle zu spielen begann. 1847 hatte der Kunstkritiker Tuckerman bereits geschrieben: „Für Anfänger in der Kunst ist Düsseldorf wahr-scheinlich eine der besten Schulen, die es gibt, und eine solche, die eine ungewöhnliche Zahl von ausgezeichneten Künstlern hervorgebracht hat".[9] Zwei Jahre darauf wurde die „Düsseldorf Gallery" in New York eröffnet, sie bestätigte dieses Urteil in vollem Maße. Es handelte sich dabei um die ausschließlich aus Düsseldorfer Bildern bestehende Sammlung des preußischen Konsuls Johann Böker, die dieser vor den 48er Unruhen aus Düsseldorf nach Amerika in Sicherheit gebracht hatte. Die Sammlung war von 1849 bis 1862 am Broadway ausgestellt und entfachte einen Sturm der Begeisterung. Das Home Journal schrieb dazu: „Die Düsseldorfer Kollektion ist von ungewöhnlicher Großartigkeit auf dem Gebiet der Kunst. Denn sie ist die plötzliche und unvorbereitete Entdeckung einer ganzen Malerschule, von deren Existenz wir bisher nur wenig oder gar nichts wußten." Und das Bulletin der American Art-Union, des größten und wichtigsten Kunstvereins der Vereinigten Staaten, nannte die Ausstellung: „. . . eine der erfreulichsten und instruktivsten Sammlungen, die je in den Vereinigten Staaten zu sehen waren." Der Beifall galt außer der technischen Perfektion auch dem Themenkreis. Nicht nur die Historienmalerei, auch die Genreszenen Hasenclevers mit ihrem literarischen Hintergrund waren etwas völlig Neues für amerikanische Augen. Dagegen mußten die ländlichen Szenen Mounts, Binghams oder Quidors naiv erscheinen. Die Düsseldorf Gallery wurde damit das auslösende Moment für die jungen Künstler, statt an den Tiber an den Rhein zu gehen. In Düsseldorf hofften sie das zu finden, was sie in ihrem Lande vergeblich suchten – die Sicherheit der Zeichnung, die große Komposition, den unbegrenzten Themenkreis.

Als Vorläufer war schon 1841 Emanuel Leutze gekommen. Für ihn, den Sohn deutscher, 1825 in Amerika eingewanderter Eltern, war die Orientierung nach Düsseldorf unproblematisch. Er fand überall sofort Eingang und fand sich im Düsseldorfer Milieu am Ziel seiner Wünsche. Als Schüler von Lessing widmete er sich von Anfang an der Historienmalerei. In Lessings Atelier malte er bereits wenige Wochen nach seiner Ankunft, 1841, das Bild „Columbus vor dem Konzil von Salamanca", für das Lessings „Hus vor dem Konzil von Konstanz" das Vorbild abgab. Leutze nahm seine Themen aus der englischen und amerikanischen Geschichte. Er wurde damit zum Chronisten der amerikanischen Vergangenheit. Von Lessing unterschied ihn seine lockerere und flüchtigere Malweise und seine kräftigere Farbgebung, nicht aber die Komposition. In seinen Porträts schloß er sich an Sohn an, aber auch da ist alles frischer, aktueller und unakademischer. Leutzes Ruhm verbreitete sich schnell. Durch seine lebhafte, umgängliche Art, seine künstlerischen Erfolge und sein soziales Engagement – er wurde u. a. Präsident des Vereins Düsseldorfer Künstler und Mitbegründer des Malkastens – erwarb er sich außerordentliche Beliebtheit. Aber im Herzen blieb er stets Amerikaner.

Alles was er in den ersten Jahren in Düsseldorf schuf, war für amerikanische Auftraggeber bestimmt und alle seine Anstrengungen gingen dahin, in Amerika berühmt zu werden. Seinen größten Erfolg errang er mit dem Riesengemälde „Washingtons Übergang über den Delaware" (Abb. 65). Das Bild, das eine entscheidende Episode im amerikanischen Unabhängigkeitskrieg – die Wendung zugunsten der amerikanischen Truppen – darstellt, entstand in seiner ersten, heute vernichteten Fassung 1849/50, in seiner zweiten 1851 in Leutzes Düsseldorfer Atelier.[10] Es ist ganz nach dem Prinzip Lessings aufgebaut, mit seiner dramatischen Komposition, seiner historischen Detailtreue, der schmalen Vordergrundbühne, auf der sich die eigentliche Handlung abspielt, aber auch mit der Starrheit des lebenden Bildes. Den letzten Pinselstrich daran tat Achenbach mit der Einfügung des Morgensterns am Himmel. Für Amerika war es eine Sensation, als das Bild in New York ankam. Es wurde das bekannteste und beliebteste Historienbild der Vereinigten Staaten, an historischer Bedeutung nur vergleichbar den Washingtonporträts Gilbert Stuarts. Leutze hatte sich damit den ersten Platz im Herzen seiner Landsleute erobert. Er wurde zum Symbol der Düsseldorfer Schule, aber auch zum Magneten für seine Landsleute, die nun nach Düsseldorf strömten und sich um ihn scharten.

Im allgemeinen aber entsprach die Historienmalerei nicht dem amerikanischen Geschmack. Leutzes einziger wirklicher Schüler war der Indianermaler Charles Wimar aus St. Louis, der später durch seine Indianerbilder bekannt wurde und den Düsseldorfer Stil an den Mississippi trug. Er malte einen Freskenzyklus im Gerichtsgebäude seiner Heimatstadt. Die Mehrzahl der Neuankömmlinge wandte sich jedoch der Landschaft- und der Genremalerei zu. Auf diesen Gebieten gewann Düsseldorf für nahezu 20 Jahre Einfluß auf die amerikanische Kunst.

Von den Landschaftsmalern studierten Worthington Whittredge bei Lessing, Haseltine und Richards bei Achenbach, James Hart und Bierstadt, um nur die wichtigsten zu nennen, bei Schirmer. Der aus Cincinnati stammende Whittredge, der uns in seiner Selbstbiographie eine genaue Darstellung des Düsseldorfer Milieus, darunter auch der Entstehung von Leutzes Gemälde „Washingtons Übergang über den Delaware" hinterlassen hat, hatte sich zunächst Achenbach zum Lehrer gewählt, wurde von diesem aber nicht angenommen.[11] So befreundete er sich mit Lessing, mit dem er 1852 eine Reise durch den Harz unternahm. Whittredge gehörte im Grunde der Hudson River School an, die Bühneneffekte der Düsseldorfer Schule sagten ihm nicht zu. Trotzdem weichen die Landschaften, die er in den 50er Jahren malte, völlig von dem Typ der Hudson River School ab. Mit ihrer melancholischen Stimmung, der kulissenartigen Aufgliederung der Tiefe und der Betonung der kantigen Felspartien stehen sie Lessing sehr nahe.

Haseltine und Richards kamen aus Philadelphia. Sie waren durch ihren dortigen Lehrer Paul Weber, einem gebürtigen Deutschen, auf Düsseldorf aufmerksam gemacht worden. Haseltine blieb zwei Jahre, 1854–56, in Düsseldorf. Richards war zweimal, wenn auch nur kurz zwischen anderen Studienaufenthalten, am Rhein. Bei beiden war jedoch der Einfluß Achenbachs tiefgehend. Sowohl in den Küstenszenerien Haseltines mit ihrem vibrierenden Licht – sei es an der amerikanischen Ostküste, sei es an den italienischen Küsten – als auch in den Lichtreflexen der Richards'schen Seestücke ist er unübersehbar. Haseltine ließ sich 1866 in Rom nieder, während Richards in Amerika gerade für seine Seestücke und Aquarelle berühmt wurde. James Hart, der 1850–1853 in Düsseldorf und anschließend in München studierte, übernahm dagegen von Schirmer den gestaffelten Landschaftsaufbau und die Vorliebe für die niederländischen Maler des 17. Jahrhunderts mit ihren großen Bäumen. Nach seiner Rückkehr nach Amerika, wo er als Vizepräsident der National Academy eine einflußreiche Stellung innehatte, galt sein Interesse zwar vornehmlich den atmosphärischen Problemen des Luminismus, aber der Schirmer'sche Bildaufbau blieb das Grundmuster seiner Kompositionen.

Am nachhaltigsten wirkte sich der Düsseldorfer Einfluß jedoch bei Albert Bierstadt aus. Hier ging er weit über das Episodische hinaus. Auch Bierstadt war wie Leutze der Sohn ausgewanderter deutscher Eltern. Zu Düsseldorf hatte er verwandtschaftliche Beziehungen, Hasenclever war ein Vetter seiner Mutter. Bei seiner Ankunft 1853 war dieser jedoch gerade gestorben, so ging er zur Landschaftsmalerei. Obwohl er sich zunächst Whittredge anschloß und mit diesem das Atelier teilte, wurden für ihn letzten Endes Schirmer und Achenbach ausschlaggebend. Mehr als alle seine anderen Landsleute bemühte er sich, die Eigenheiten des Düsseldorfer Stils zu erfassen. Von ausgedehnten Exkursionen nach Westfalen brachte er zahllose Studien mit, die er im Atelier nach Schirmer'scher Manier zusammensetzte. Das wirkte sich aus, als er nach seiner Rückkehr in die Heimat an mehreren Expeditionen in den damals noch unerschlossenen Westen der Vereinigten Staaten teilnahm. Hinter seinen großen Gemälden der Rocky Mountains und der Sierra Nevada, mit denen er den Amerikanern den Fernen Westen erstmalig vorstellte, steht überall das Vorbild Schirmers. Bierstadt hatte wie jener ein starkes Gefühl für Kontraste und wirkungsvolle Verteilung der Massen. Damit wich er völlig von den Gewohnheiten des Luminismus, der aus der Hudson River School entwickelten Lichtmalerei, ab. Dessen stimmungsvoller Sehweise setzte er das Streben nach klarem geologischen Aufbau der Landschaft, nach Darstellung ihrer inneren Struktur entgegen. Die theatralischen Effekte seiner Gemälde steigerten sich, durch die Größe der Natur angeregt, zu dem Format von Wagneropern (Kat.Nr. 31). Noch nie war den Amerikanern ihre Natur so dramatisch vor

141   R. C. Woodville, Politics in an Oyster-House, 1848. Baltimore, Walters
Art Gallery

zu den Kostbarkeiten amerikanischer Genremalerei. Sie unterscheiden sich von ihren Vorbildern nur durch eine größere Lebendigkeit und schärfere Aktualisierung. Das Anekdotisch-Biedermeierhafte ist aus ihnen weitgehend verschwunden. Auch die nach seiner Rückkehr 1852 entstandene „Hochzeit des Seemanns" (Kat.Nr. 269) steht fest in der Düsseldorfer Tradition.

Woodvilles Œuvre ist nur klein, da er frühzeitig in London an einer Überdosis Morphium starb. Um so nachhaltiger war die Wirkung von Eastman Johnson, der bis ins hohe Alter als gefeierter Porträtmaler in New York tätig war. Johnson kam 1849 nach Düsseldorf mit dem Ziel, sich im anatomischen Zeichnen zu vervollkommnen. Zunächst trat er in die Akademie ein, wechselte jedoch 1851 in Leutzes Atelier über, „. . . einen riesigen Raum, wo sechs von uns bequem arbeiten, drei an großen Bildern. Das Hauptbild ist Leutzes „Washington", 20 mal 16 Fuß, lebensgroße Figuren . . . Ich mache eine Kopie in verkleinertem Maßstab, von der ein Kupferstich hergestellt werden soll", wie er in seiner Selbstbiographie schreibt. Es war der Stich, der durch die Pariser Kunsthandlung Goupil, Vibert u. Co. verkauft und über ganz Amerika verbreitet werden sollte. Johnson blieb nur wenige Monate bei Leutze, ging dann auf vier Jahre nach Holland und anschließend noch kurz zu Thomas Couture nach Paris. Trotz dieser späteren Einflüsse stehen seine Genrebilder in der Nachfolge von Knaus und Vautier. Für die „Kartenspieler" (Kat.Nr. 125) von 1853 schuf Knaus in seinen „Falschspielern" (Kat.Nr. 134) das Vorbild. Das gilt auch noch für die späteren großbürgerlichen Familien- und Genreszenen, für die er in New York berühmt wurde. Seine „Brown Family" von 1869 und die „Hatch Family" (Abb. 142) von 1871 sind unmittelbar aus Vautiers Interieurszenen herausgewachsen.

Als letzter Amerikaner kam Bingham aus St. Louis nach Düsseldorf, weniger um hier zu lernen als um der berühmten Kunstmetropole, von der ganz Amerika sprach, seine Reverenz zu erweisen. Zwei Jahre 1856–58 verbrachte er am Rhein, nicht ohne dabei in Konkurrenz mit Leutze zu geraten, da er sich ebenfalls das Thema von Washingtons Übergang über den Delaware vorgenommen hatte. Bingham stand dem Düsseldorfer Stil jedoch zu fremd gegenüber, um sich davon nachhaltig beeindrucken zu lassen. Trotzdem war auch er des Lobes voll über die Düsseldorfer Schule als solche, die er „charakterisiert durch Frische, Kraft und Wahrhaftigkeit" fand.[12]

Einen letzten Höhepunkt bildete Leutzes gewaltiges Fresko „Westward Ho"[13] (Abb. 143), das er im Treppenhaus des Kapitols in Washington 1862 malte. Es war der Staatsauftrag, von dem der Künstler sein ganzes Leben lang geträumt hatte. Das riesige Bild, das den Übergang der amerikanischen Siedler über die Rocky Mountains schildert, ist ganz nach Düsseldorfer Manier nach genauen, auch topographischen,

Augen geführt worden. Bierstadt ist sein ganzes Leben nicht müde geworden, die Wunder des amerikanischen Westens darzustellen, er kam dabei bis nach Alaska. Er war der eigentliche Gegenpol zu Frederic Church, dem Vollender des Luminismus. Während dieser in seinen überirdisch leuchtenden Bildern die Geheimnisse des Universums sichtbar machen wollte, entdeckte Bierstadt in seinen topographisch genauen Gebirgspanoramen mit Düsseldorfer Stilmitteln ein Stück der Neuen Welt.

In der Genremalerei waren es vor allem Richard Caton Woodville und Eastman Johnson, die den Düsseldorfer Stil übernahmen. Der aus Baltimore stammende Woodville studierte bei Sohn 1845–51. Aber mehr als die Historienmalerei lag ihm die Genremalerei und hier war es der ihm geistesverwandte Hasenclever, der ihn besonders beeinflußte. Von ihm übernahm er nicht nur die äußeren Stilmittel, sondern auch die Ironie und die kauzigen Gestalten seiner Bilder. Seine in Düsseldorf entstandenen Arbeiten – „Politics in an Oyster House" (Abb. 141), „War News from Mexico", beide von 1848, u. a. – gehören mit ihrer Verspottung des Kleinbürgers

Vorbereitungen und unter Zuhilfenahme zahlloser Einzelstudien aufgebaut. Aber die Vielzahl von Details ist der
Einheitlichkeit der Komposition abträglich, ein deutliches
Nachlassen der Spannung ist unübersehbar. Die Kritik war
deshalb zurückhaltend, zumal der Bürgerkrieg alle Aufmerksamkeit in Anspruch nahm. 1858 hatte Leutze bereits Düsseldorf verlassen, da er sich in seinen politischen und künstlerischen Erwartungen enttäuscht sah[14]; 1863 holte er seine
Familie nach, wobei ihm der Malkasten ein großes Ab-
schiedsfest gab. Seine folgenden Arbeiten in Amerika bestanden hauptsächlich aus Porträts. Aber auch ein erstrangiges
historisches Ereignis, den Kauf Alaskas von Rußland 1867,
hielt er in einem berühmten Bild „Die Unterzeichnung des
Kaufvertrages von Alaska" fest. Einige Jahre später gab ein
anderer „Düsseldorfer", Albert Bierstadt, die erste malerische Darstellung dieses unbekannten Landes. Leutze starb
1868, von dem Ruhm seines „Washington" bis zum Ende
begleitet. Er hatte noch die Genugtuung, daß man ihm die
Nachfolge Schadows an der Düsseldorfer Akademie anbot,
eine Ehre, die er nicht mehr annehmen konnte.

In den 60er Jahren wurde an der Düsseldorfer Schule bereits
heftige Kritik laut. Man warf ihr Trockenheit, Seelenlosig-
keit und Materialismus vor und vergaß, wie hoch man noch
1849 die gleiche Schule gepriesen hatte. Die Künstler begannen, sich nach München und Paris zu orientieren. Düsseldorf
blieb zwar weiterhin Studienziel, vornehmlich für die
deutschstämmigen Amerikaner. Die letzte Eintragung in die
Schülerlisten der Akademie stammt von 1895. Aber der
eigentliche Düsseldorfer Einfluß auf die amerikanische Malerei war um 1870 vorbei. Düsseldorfs Aufgabe, die amerikanischen Künstler aus der Provinzialität herauszuführen
und ihnen mit den Stilmitteln der Alten Welt eine neue
Dimension in der Kunst zu erschließen, war erfüllt.

Die Düsseldorfer Ausstrahlung nach Osten ist mit der nach
Norden und Westen nicht zu vergleichen. Sie blieb hier eine
Randerscheinung, muß jedoch in diesem Zusammenhang
erwähnt werden.[15] In den Akademielisten sind für die Zeit
von 1846 bis 1894 nur 15 russische Kunstschüler verzeichnet.
Aber ihre Zahl lag bedeutend höher. Viele von ihnen kamen
bereits als ausgebildete Künstler aus München, Genf oder
Paris und wollten sich keinem akademischen Zwang mehr
unterwerfen, sondern arbeiteten in eigenen Ateliers und bei
Lehrern ihrer Wahl. Die indirekte Kenntnis der Düsseldorfer
Malerei war in Rußland weit verbreitet. Zahlreiche Düsseldorfer Bilder befanden sich in russischen Sammlungen wie
z. B. Kusselew, Charitonow oder Tretjakow. Manche waren
öffentlich zugänglich, so etwa Lessings „Trauerndes
Königspaar" in der Ermitage und Andreas Achenbachs
Landschaften in der Petersburger Kunstakademie. Gerade
Achenbach gehörte in der Mitte des 19. Jahrhunderts neben
dem Holländer Koekkoek zu den meist kopierten Vorbildern. Der Begriff „Düsseldorfer" für Künstler, die in Düs-

142 E. Johnson, The Hatch Family, 1871. New York, Metropolitan Museum of Art

seldorf gewesen waren oder auch nur nach Düsseldorfer
Manier – so wie man sie sich vorstellte – malten, war der
älteren Kunstgeschichtsschreibung durchaus geläufig.[16] Der
Besuch der Stadt am Rhein gehörte deshalb bei vielen Akademieschülern, soweit sie ein Auslandsstipendium erhielten,
zum Reiseprogramm.
Am folgenreichsten war zweifellos der Besuch Iwan Iwano-
witsch Schischkins, eines der bedeutendsten russischen
Landschaftsmaler des 19. Jahrhunderts. Schischkin hielt sich
knapp zwei Jahre, 1864–65, in Düsseldorf auf, nachdem er
zuvor bei Koller in Zürich und in dem Atelier der von den

143 E. Leutze, Westward Ho!, 1862. Washington, Kapitol

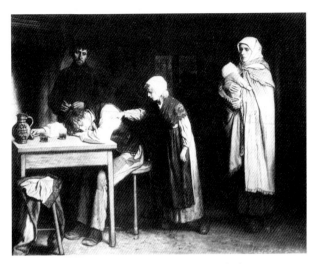

144 Ch. de Groux, Der Trunkenbold, um 1851. Privatbesitz

Russen besonders verehrten Maler Calame und Diday in Genf gearbeitet hatte. Während dieser Jahre entstand eine Reihe von Gemälden, die eng in der Schirmernachfolge stehen. Weite, von Gewitterwolken überschattete Landschaftsausblicke mit detailreichem Vordergrund und knorrige Eichen am Wegesrand sind vertraute Düsseldorfer Motive. Sie verbinden sich bei Schischkin mit der kontrastreichen Darstellung, den scharf herausgehobenen Bäumen des Waldesinneren, einem Erbteil der russischen Schule, das später durch Dücker auch Eingang in die Düsseldorfer Malerei fand.[17] Die Titel weisen in die Umgebung von Düsseldorf oder nach Westfalen — „Blick in die Umgebung von Düsseldorf" (Kat.Nr. 241), „Teutoburger Wald" u. a. Schirmer, der Düsseldorf bereits 1854 verlassen hatte, war 1863 verstorben, so daß er nicht mehr persönlich auf Schischkin einwirken konnte. Aber die Tradition war immer noch stark. Sie wurde durch Achenbach und Gude fortgeführt. Gerade an Achenbach erinnert die lockere Behandlung der Farbe sowie das atmosphärisch wechselnde, differenzierte Spiel des Lichtes. Nach seiner Rückkehr nach Rußland wurde Schischkin Mitbegründer der Peredwishniki — einer Gesellschaft zur Veranstaltung von Wanderausstellungen außerhalb der Akademie — und der berühmteste Maler des russischen Waldes, dessen Schönheit und Mächtigkeit er mit objektiver Realität, nicht immer frei von Pathos, darstellte. Die Düsseldorfer Schulung blieb bei ihm bis zum Ende seines Lebens erhalten — vgl. das Gemälde „Eichen" von 1886 (Kat.Nr. 244). Sie ging auf diesem Wege in die russische Landschaftsmalerei des 19. Jahrhunderts ein.

Gemeinsam mit Schischkin durchstreiften den Teutoburger Wald im Sommer 1865 auch zwei seiner ehemaligen Mitschüler an der Petersburger Akademie, Lew Lwowitsch Kamenew und Eugen Dücker. Kamenew suchte zwar stets nach Motiven seiner russischen Heimat in Deutschland, unterlag jedoch ebenfalls dem Schirmer'schen Einfluß. Der Deutschbalte Dücker hingegen brachte sein russisches Schulgut in die Düsseldorfer Akademie ein, wo er 1872 die Landschaftsklasse übernehmen sollte. Dücker blieb gleichzeitig Mitglied der Petersburger Akademie, wo er 1872 zum Professor ernannt wurde. Die russische Kunstgeschichtsschreibung hat ihn stets als einen der ihren beansprucht.

Eine andere wichtige Figur in der Nachfolge Düsseldorfs war der Marinemaler Alexej Petrowitsch Bogoljubow. Auch dieser war nach Beendigung seines Akademiestudiums über Genf und Paris nach Düsseldorf gekommen, wo er 1854–56 bei Andreas Achenbach — „Vater Andrej", wie er ihn liebevoll bezeichnete — studierte. Er wurde ein anerkannter Marinemaler, der an zahlreichen offiziellen Seereisen teilnahm. Durch ihn fand auch die Düsseldorfer Historienmalerei Eintritt in die russische Kunst. Als er zum zweiten Mal 1865 in Düsseldorf weilte, arbeitete er an einer Reihe von Historienbildern, die die Schlachten Peters des Großen gegen die Schweden schilderten.

Schließlich sei noch ein Wort über Belgien gesagt, das Whittredge in seiner Aufzählung ausdrücklich erwähnt. Für Belgien war Düsseldorf das nächste Studienzentrum, sozusagen vor den Toren gelegen und viel bequemer zu erreichen als etwa München. Zudem hatte die Düsseldorfer Akademie dort einen hohen Ruf. In Schadow sah man nicht nur den großen Maler, sondern mehr noch den großen Lehrer, der der Schule das Gepräge gegeben hatte. An der Düsseldorfer Schule selbst rühmte man den außerordentlichen Bildungsstand und die allgemeinverständliche Darstellung ihrer Themen, wobei die besondere Bewunderung Lessing galt. Er wurde den eigenen Künstlern als Beispiel vorgehalten.[18] Der Zustrom der Belgier nach Düsseldorf begann deshalb schon früh. Die Eintragungen der Akademielisten reichen von 1831 bis 1886 — eine ungewöhnlich lange Zeit. Das erste Einfallstor für die Düsseldorfer Kunst war Lüttich, wo seit 1842 der in Düsseldorf geschulte Auguste Chauvin als Akademiedirektor wirkte. Chauvin hatte seit 1832 bei Schadow studiert. Seine religiösen Bilder, wie z. B. „Die Bergpredigt" von 1842 (Kat.Nr. 45), sind völlig von dem Geist der spätnazarenischen Gruppe um Schadow — Ittenbach, Deger etc. — durchtränkt. Seine frühen Historienbilder wie etwa „Die letzte Begegnung der Bürgermeister Beeckmans und Laruelle im Rathaus von Lüttich" von 1847 (Kat.Nr. 46) setzen dagegen den etwas theatralischen Stil von Lessing fort. Seit den 60er Jahren schwenkte er in die pathetische Historienmalerei der Antwerpener Schule ein. Es ist sicher Chauvin zuzuschreiben, daß die Zahl der Lütticher

Kunststudenten in Düsseldorf in den 40er Jahren sichtbar anstieg.

Im übrigen Belgien wirkte Düsseldorf vornehmlich durch seine Ausstellungen. Das gilt vor allem für die regelmäßigen Kunstausstellungen in Brüssel. Hier erschienen die Düsseldorfer schon in den 40er Jahren. Aber seitdem der „Salon de Bruxelles" 1851 im Zusammenhang mit der gleichzeitigen Londoner Weltausstellung durch Dekret des Königs aus einer national belgischen in eine internationale Kunstausstellung umgewandelt worden war, wurde Brüssel ein Zentrum für die zeitgenössische Kunst, wohin Frankreich und Deutschland bedeutende Beiträge schickten. 1851 waren hier Andreas und Oswald Achenbach, Bendemann, Camphausen, Hasenclever, Hübner, Köhler, Lange, Schirmer, Tidemand und Gude mit ca. 15 Bildern vertreten. Hübner und Hasenclever erhielten vom König die goldene Medaille, Bendemann das Abzeichen der Ritter des Leopoldordens. Auch auf den Ausstellungen in Antwerpen und Gent waren die Düsseldorfer zahlreich vertreten.

Von nachhaltiger Wirkung war der Düsseldorfer Einfluß jedoch nur bei Charles de Groux.[19] Dieser Begründer des Realismus in Belgien, „der hervorragendste aller in Brüssel schaffenden Maler"[20], war Düsseldorf in seiner Thematik und Malweise tief verpflichtet. De Groux war im Grunde, als Schüler von Navez, Historienmaler. Während seines Aufenthaltes in Düsseldorf 1851–52 wandelte er sich jedoch zum engagierten Realisten, zu einem Maler der Armen und Ausgestoßenen.[21] Seine Gemälde „Der Trunkenbold" leiten eine neue Epoche in der belgischen Malerei ein. In der ersten, vermutlich in Düsseldorf entstandenen Fassung schließt es unmittelbar an die Knaus'schen „Falschspieler" an (Abb. 144). Gerade das Motiv des Kindes, das seinen Vater aus dem Wirtshaus heimholen will – das sich in ganz ähnlicher Form auch auf den „Falschspielern" von Eastman Johnson findet – ist hier vorgeprägt. Aber auch alles andere – Raumform, Lichtführung und Detailtreue – stimmt damit überein. Die zweite Fassung von 1853 (Brüssel, Musée des Beaux Arts) weicht sowohl thematisch als auch stilistisch stark von der ersten ab, verstärkt aber den Zug der Elendsmalerei (Kat.Nr. 82). Schon de Groux' „Armenbank" von 1849, die noch vor seiner Reise an den Rhein entstand, dürfte nicht ohne Kenntnis von Heines „Gottesdienst in der Zuchthauskirche" entstanden sein. Mit dem „Trunkenbold" ist jedoch de Groux' weitere Linie festgelegt. Nicht nur dieses Bild, sondern auch die folgenden – „Die Austreibung", „Die letzte Ölung" u. a. – fallen thematisch wie stilistisch aus der belgischen Malerei völlig heraus.[22] In die Düsseldorfer Tradition ordnen sie sich jedoch mühelos ein. Es möge genügen, auf die soziale Genremalerei von Hübner, Böttcher, Elisabeth Jerichau-Baumann u. a. hinzuweisen. Gerade für de Groux' „Austreibung" dürften Hübners „Auswanderer" eine wichtige Rolle gespielt haben.

Die Darstellung des Häßlichen, das Mitgefühl für menschliches Leiden, für Kummer und Elend, das de Groux in seinen Bildern zum Ausdruck brachte, erregte damals großes Aufsehen. Fern von dem distanzierten, oft ironischen Realismus Courbets, der fast gleichzeitig, 1851, seine „Steinklopfer" in Brüssel ausstellte, wirkte er mit seinen Bildern aus dem Armeleutemilieu entscheidend auf die Entstehung eines neuen belgischen Realismus ein. Constantin Meunier, Alfred Stevens, Félicien Rops wurden von ihm beeinflußt. Wenn auch de Groux später unter den Einfluß Millets geriet und seine sozialen ebenso wie seine historischen Themen einen Zug ins Statuarisch-Unpersönliche bekamen, so schmälert das seinen Verdienst nicht. Sein ungeschminkter Realismus und sein Eintreten für die sozial Unterprivilegierten war ein entscheidender Schritt zur Entstehung der Gruppe L'Art libre im Jahre 1860 und zur Gründung der Société libre des Beaux Arts 1868.

Anmerkungen

1   The Autobiography of Worthington Whittredge 1820–1910, hrsg. v. John I. H. Baur o. J.
2   Andreas Aubert, Die norwegische Malerei im 19. Jahrhundert, Leipzig 1910, S. 14.
3   Das Kunstmuseum machte hierauf mit zwei Ausstellungen aufmerksam: The Hudson and the Rhine – Die amerikanische Malerkolonie in Düsseldorf im 19. Jahrhundert, 4. 4.–16. 5. 1976, und: Düsseldorf und der Norden, 20. 6.–15. 8. 1976. Das Thema wurde zum erstenmal aufgegriffen von Gudmund Vigtel in der Ausst. The Düsseldorf Academy and the Americans, Utica, Munson-Williams-Proctor Inst. – Washington, Nat. Coll. of Fine Arts – Atlanta, The High Museum of Art. 1973.
4   Die Zahlen entnommen aus „Nordische Maler der Düsseldorfer Schule", Ausst.Kat. Galerie Paffrath, Düsseldorf 14, 1963 (bearb. v. Karl Vogler).
5   Vgl. hierzu L. Dietrichson, Adolph Tidemand, hans Liv og hans Vaerker, Christiania 1878, S. 133 ff.
6   Andreas Aubert, a.a.O., S. 12.
6a Vgl. für das Folgende U. Abel 1978.
7   Hierfür und für das Folgende vgl. Bo Lindwall, Die schwedischen Düsseldorfer, in: Ausst.Kat. Düsseldorf und der Norden, Düsseldorf 1976.
8   Georg Nordensvan, Svensk konst och svenska konstnärer i nittonde århundrade, Ny omarb.uppl., Stockholm 1925–28.
9   H. Tuckerman, Artist-Life, Sketches of American Painters, New York 1847.
10 Die erste Fassung wurde 1850 durch einen Atelierbrand beschädigt, dann jedoch restauriert und kam in die Kunsthalle Bremen, wo sie 1942 den Bomben des Krieges zum Opfer fiel. Die zweite Fassung wurde 1851 nach New York verschifft und dort sowie in Washington zur Schau gestellt (heute im Metrop. Mus. in New York. Daneben gibt es mehrere verkleinerte Fassungen; vgl. hierzu Raymond Stehle, Washington crossing the Delaware, Pennsylvania History 31 (July 1964), S. 269 ff.; Barbara S. Groseclose 1975; Ann Hawkes Hutton, Portraits of Patriotism, Radnor Pa. 1975.
11 Worthington Whittredge, a.a.O., S. 24.
12 Donelson Hoopes, in: The Düsseldorf Academy and the Americans, Ausst.Kat. Utica–Washington–Atlanta 1973, S. 28.

13 Der genaue Titel ist „Westward the Course of Empire takes its way", vgl. hierzu Barbara S. Groseclose 1975, S. 60 ff.

14 Barbara S. Groseclose 1975, S. 56 ff.

15 Vgl. hierzu Gudrun Calov, Iwan Schischkin und die Düsseldorfer Malerschule, Düsseldorfer Jahrbücher, 56. Bd., 1978, S. 14, die einzige bisher vorhandene Studie zu dem Thema. Sie bildet weitgehend die Grundlage für das Folgende.

16 Alexander Benois, Geschichte der russischen Malerei im 19. Jahrhundert (russisch), Petersburg 1902.

17 Diese besondere Art der Darstellung des Waldesinneren beherrscht auch Schischkins Federzeichnungen und Radierungen der 6oer Jahre. Sie unterscheidet sich von Achenbach durch ihre Mächtigkeit und die Figurenstaffage und stammt wahrscheinlich von Schischkins Lehrer Sawrassow an der Kunstschule in Moskau.

18 L'Ecole de Düsseldorf, La Renaissance, Vol. 12, 1850, p. 143.

19 Über de Groux vgl. die ungedr. Diss. von David Stark, die zum erstenmal eine zusammenfassende Würdigung des Künstlers vorlegt.

20 Zitat des Kritikers Edmond About, vgl. Henri Hymans, Belgische Kunst des 19. Jahrhunderts, Leipzig 1906, S. 98.

21 Als bisher einzig Bekanntes zeigt das in Düsseldorf entstandene Gemälde „Ruth und Naemi" nazarenischen Einfluß.

22 Hier nur den Einfluß Courbets zu sehen, wie es Edouard Michel tut, ist sicher irrig. „Die Steinklopfer" haben mit dem „Trunkenbold" nichts gemein. Die soziale Komponente ist zudem bei de Groux viel stärker als bei Courbet. E. de Blocks Gemälde „Was eine Mutter erleiden kann" von 1842, erwähnt bei Henri Hymans, a.a.O., S. 60, könnte eine Vorstufe darstellen. Statt des sozialen Milieus und der damit verbundenen Assoziationen wird hier jedoch nur eine Gemütsstimmung dargestellt; vgl. Edouard Michel „L'Exposition des Maitres Belges de 1830 à 1914 à Anvers", GBA, Nov. 1920, S. 338.

Zweck, Einrichtung und Lehrplan der Akademie.

Die Kunst-Akademie zu Düsseldorf ist eine Central-Anstalt für die Kunstbildung in den Rheinprovinzen, die das Interesse für die Kunst, sowohl durch die Künstler, welche sie bildet, als auch durch die Nutzbarmachung ihrer Sammlungen und auf jede andere geeignete Weise anregen und beleben soll.

Als Schule für die bildende Kunst hat sie die Aufgabe, die ihr anvertrauten Zöglinge in den Elementen der Kunst zu unterrichten, zur richtigen und fertigen Auffassung des künstlerisch Darstellbaren anzuleiten, die Erfindungsgabe der Zöglinge zu wecken und so weit zu entwickeln und auszubilden, daß sie bei ihrem Austritte aus der obersten Classe der Schule im Stande sind, das erwählte Kunstfach selbstständig auszuüben und in demselben ohne fernere unmittelbare Leitung eines Lehrers sich weiter zu vervollkommnen.

Die Kunst-Akademie als Schule zerfällt in drei Classen, jede der beiden oberen in verschiedene Abtheilungen nach Maßgabe der Befähigung der Schüler und des Kunstfaches, welchem sie sich widmen.

I. Die Elementar-Classe.

Diese ist die allgemeine Vorschule zu allen Abtheilungen und nimmt noch keine Rücksicht auf besondere Kunstfächer. In ihr wird die Handhabung der gewöhnlichen Zeichen-Utensilien geübt, freies Handzeichnen nach einfachen Naturgegenständen, Copiren von Zeichnungen der Haupttheile des menschlichen Körpers, des Kopfes, der Hände und Füße und endlich Nachbildung solcher Theile nach dem Runden vermittelst schwarzer und weißer Kreide auf Ton-Papier.

Die Bedingungen zur Aufnahme in die Elementar-Classe sind: Fertigkeit im Lesen, Schreiben und in den Elementen des Rechnens, und ein Alter von 12 Jahren. Ein jeder aufgenommene Schüler ist verpflichtet, außer dem in der Akademie ihm zu Theil werdenden Unterrichte, auch noch den Lectionen einer öffentlichen Schule beizuwohnen oder sich Privat-Unterricht ertheilen zu lassen. — Die Unterrichtsstunden in der Elementar-Classe finden an jedem Wochentage von 8 — 9, von 11—12 und von 2—3 Uhr statt. In den vormittäglichen Zwischenstunden werden die Uebungen fortgesetzt.

Der Ordinarius der Elementar-Classe ist der Akademie-Inspector Wintergerst; der Lehrer der Kunstgeschichte, Prof. Mosler, unterstützt ihn bei der Ertheilung des Unterrichts. —

Die Aufnahme in die Elementar-Classe berechtigt nicht zum Aufsteigen in die höhere Classe. Dieses wird nur denjenigen gestattet, welche entschiedene Beweise ihres Berufs zur bildenden Kunst abgelegt haben.

Ueber die Fähigkeit des Aufsteigens in die Vorbereitungs-Classe entscheidet die Lehrer-Conferenz auf Antrag des Classenlehrers und auf Grund der von diesem vorgelegten Arbeiten des betreffenden Schülers.

Ein Schüler kann nicht länger als zwei Jahre in der Elementar-Classe bleiben. Wird er nach dieser Frist nicht für reif zum Eintritt in die höhere Classe erkannt, so hört er auf, überhaupt Schüler der Akademie zu sein.

Das jährliche Schüler-Honorar beträgt 8 Thlr. und wird in vierteljährigen Raten pränumerando entrichtet.

II. Die Vorbereitungs-Classe.

In diese Classe werden diejenigen Schüler als eigentliche Kunstschüler aufgenommen, welche sich der bildenden Kunst widmen wollen und bereits in der Elementar-Classe oder in anderer Weise die erforderlichen Vorübungen gemacht haben.

Zu der Vorbereitungs-Classe gehören die unteren Stufen des Unterrichts in den verschiedenen

Kunstfächern. Die unterste und allgemeine Stufe derselben ist

Der Antiken=Saal.

Auf dieser Stufe finden die Unterweisungen und Uebungen statt, welche, mit Ausschluß der Architekten, den Schülern jedes Faches der bildenden Kunst unentbehrlich sind und zur Vorbereitung für das Kunstfach dienen, dem der Schüler sich besonders zu widmen Anlage und Neigung hat.

Unterrichts=Gegenstände.

a. Das Zeichnen nach dem Runden, sowohl nach der Antike (welches von einzelnen Theilen des menschlichen Körpers bis zu ausgeführten Zeichnungen ganzer Figuren in der Größe des Vorbildes hinaufsteigt), als auch nach dem lebenden Modelle.

Zu dem Zeichnen nach dem lebenden Modelle (Akt) sind die Abendstunden von 5—7, und bei länger werdenden Tagen von 6—8 Uhr der Wochentage während des Wintersemesters bestimmt. In die Leitung dieser Uebungen theilen sich sämmtliche Lehrer der Anstalt (mit Ausschluß des Professors der Baukunst) in der Art, daß jeder nach der Reihenfolge einen Akt stellt und eine Woche lang die Arbeiten nach demselben beaufsichtigt und corrigirt, und diese Reihenfolge so oft sich wiederholt, bis das Wintersemester abgelaufen ist.

Bei den Uebungen im Aktzeichnen wird besonders darauf hingewirkt, daß der an der Antike aufgefaßte Typus auch an dem lebenden Modelle studirt und somit die Abstraction von dem Zufälligen und Mangelhaften in der Erscheinung der Natur zur Fertigkeit erhoben und der Sinn für die ideale Form zugleich mit der unmittelbaren Anschauung der Natur geübt werde.

b. Die Grundsätze der Gewandung, Einübung derselben nach Gewändern von verschiedenen Stoffen, Anfangs über dem Gliedermann und später nach der Drapirung des lebenden Modells.

c. Die Lehre von den Proportionen des menschlichen Körpers.

d. Anatomie, bei deren Vortrag darauf gesehen wird, daß das dem Künstler vorzugsweise Wichtige hervorgehoben und durch Nachzeichnen eingeübt werde.

e. Die Lehre von der Perspective.

f. Architektonisches Zeichnen.

g. Geschichte der bildenden Kunst in Verbindung mit Demonstrationen an Gypsen, Handzeichnungen, Kupferstichen, insonderheit mit Benutzung der Rambour'schen Sammlung.

Der ordentliche Lehrer dieser ersten Stufe der Vorbereitungs=Classe ist der Professor Sohn. Demselben liegt jedoch nur der sub. a. und b. angeführte Unterricht ob, wobei er in der angeführten Weise von seinen Collegen unterstützt wird. Der sub. c. und d. verzeichnete Unterricht wird von dem Professor Mücke in dem zu diesem Zwecke vorhandenen Lehrsaale in 6 Stunden wöchentlich in einem Jahres=Cursus ertheilt. Zur Erledigung der sub. e. und f. enthaltenen Anforderungen betheiligen sich die Schüler an den betreffenden Vorträgen und Uebungen in der Bauschule, wozu in einem Jahres=Cursus wöchentlich 4 Stunden vorgeschrieben sind. Der sub. g. gedachte Unterricht wird in einem Jahres=Cursus, mit wöchentlich 2 Stunden, von dem Professor Mosler in den Sälen des Kupferstich=Cabinets ertheilt. Der Cursus pflegt jedoch nicht in jedem Jahre wiederholt zu werden, sondern je nachdem das Bedürfniß sich fühlbar macht.

1. Abtheilung.
Die Maler=Schule.

Auf dieser Stufe beginnt der Unterricht im Malen (mit Oelfarben.) Der Schüler fängt mit dem Copiren von Köpfen, die — wo möglich — der Classen=Lehrer zu diesem Zweck selbst nach dem Leben gemalt hat, an und geht dann über zum Malen nach der Natur von Köpfen in Lebensgröße, von einzelnen Körpertheilen und von ganzen Figuren in kleinerem Maßstabe.

Die wichtigste Aufgabe für den Lehrer ist es hier, das angeborene Talent für die Farbe zu entwickeln und dem Schüler eine richtige Methode in der Mischung und Behandlung der Farbe beizubringen.

Für die Schüler, welche sich der Landschaftsmalerei widmen, wird derselbe Lehrgang verfolgt. Auch diese werden, nachdem sie einige instructive Landschaften (gezeichnete und gemalte) copirt haben, zum Studiren nach der Natur angeleitet. Einzelne solcher Studien müssen mit möglichster Treue ausgeführt werden.

Die Maler-Schule zählt drei ordentliche Lehrer. Die Schüler der Historien-, Bildniß- und Genre-Malerei werden nach Maßgabe der Arbeits-Räume in zwei möglichst gleiche Sectionen vertheilt, deren einer der Professor Hildebrandt, und deren anderer der Professor Sohn vorsteht.

Die Landschaftsmaler bilden eine eigene Section der Maler-Schule, welcher der Professor Schirmer vorgesetzt ist.

Diese Lehrer machen etwa einen um den andern Tag die Runde durch die Ateliers ihrer Schüler, machen dieselben auf die in ihren Arbeiten begangenen Fehler aufmerksam, belehren sie über dasjenige, worauf es bei dem augenblicklichen Stande der Arbeit hauptsächlich ankommt und legen auch wohl selbst Hand an, um die mündliche Lehre praktisch zu erläutern. Wenn es das Bedürfniß erfordert, geschehen diese Revisionen auch öfter; doch vermeiden die Lehrer es, durch zu vieles Einwirken auf die Schüler die Selbstthätigkeit ihres Geistes zu lähmen und der Entwickelung ihrer Eigenthümlichkeit Zwang anzuthun. Die Erfahrung hat hier das Richtige gelehrt.

2. Abtheilung.
Die Bau-Schule.

In dieser Abtheilung wird Unterricht in folgenden Gegenständen ertheilt:

A. Für Maler, Architekten und Kupferstecher.

a. Projectionslehre, verbunden mit Uebungen im Linearzeichnen als Vorbereitung zu

b. der Lehre von der Perspective mit besonderer Berücksichtigung der Bedürfnisse der Maler, beides zusammen je nach der Fähigkeit der Schüler wöchentlich 4 Stunden.

c. Anfangsgründe der Baukunst, Lehre von den Säulen-Ordnungen und Uebungen im Bauzeichnen, nach Bedürfniß wöchentlich 12 Stunden.

B. Für Architekten.

a. Die Lehre von den Constructionen in Holz, Stein und Metall; wöchentlich 2 Stunden.

b. Anleitung zur architektonischen Composition und zur Anfertigung von Bauanschlägen, wöchentlich 2 Stunden.

c. Allgemeine Geschichte der Baukunst; wöchentlich 1 Stunde.

d. Die Lehre von den beim Bauen gebräuchlichsten Maschinen.

e. Anleitung zur Dekoration innerer Räume (namentlich auch für Dekorationsmaler).

Zur Aufnahme in diese Abtheilung wird außer den allgemeinen Schulkenntnissen einige Fertigkeit im freien Handzeichnen und Bekanntschaft mit der Arithmetik, Geometrie und Trigonometrie erfordert.

Der Lehrsaal ist mit Ausnahme des Sonnabends und der Festtage täglich von 8 bis 12 Uhr Morgens geöffnet, und können die Schüler auch in den Stunden welche nicht besonderen Vorträgen gewidmet sind, ihren Arbeiten unter der Leitung des Lehrers obliegen.

Der Lehrer dieser Abtheilung ist der Professor Wiegmann.

3. Abtheilung.
Die Kupferstecher-Schule.

In dieser wird die Unterweisung im Gebrauche der Instrumente und Utensilien in Verbindung mit der Lei-

tung von Uebungen im Copiren von Kupferstichen gegeben und dann zur Anleitung zum Stechen nach Zeichnungen fortgeschritten.

Die Schüler dieser Abtheilung müssen aus dem
Antiken-Saale mit guten Zeugnissen entlassen sein und
an den auf jener allgemeinen Vorbereitungs-Stufe vorgeschriebenen Uebungen und Vorträgen mit Nutzen Theil
genommen haben.

Der Lehrsaal ist von Morgens 8 bis Sonnenuntergang geöffnet. Der Lehrer dieser Abtheilung, Professor Keller, macht wöchentlich drei mal, oder nach Bedürfniß auch täglich, die Runde bei seinen Schülern und
sieht ihre Arbeiten nach. Wenn die Gelegenheit sich
bietet, so bedient er sich der geschickteren Schüler auch als
Gehülfen bei seinen eigenen Arbeiten.

Da die jungen Kupferstecher durch Aufträge von
Kunst- und Buchhändlern, namentlich aber von dem seit
10 Jahren hier bestehenden Heiligen-Bilder-Vereine, sehr
bald Gelegenheit zu lohnenden Arbeiten erhalten und an
diese, die meistens von geringerem Umfange sind und nicht
eine tiefe und effektvolle Vollendung bedingen, gewöhnt,
später nicht leicht zu den schwierigen Studien im Ausführen sich zu bequemen pflegen, so ist in neuerer Zeit
wenigstens denjenigen Zöglingen, die ein Stipendium von
der Akademie beziehen und die deßhalb nicht so dringend
auf baldigen Verdienst hingewiesen sind, die Verpflichtung
auferlegt, entweder für sich oder als Gehülfen des Professors Keller solche ausgeführtere Studien im großen
Style zu machen. Als Folge dieser Maßregel ist zu
hoffen, daß aus der hiesigen Kupferstecherschule neben
denjenigen Künstlern, die Ausgezeichnetes in der leichten
Zeichnungs-Manier leisten, auch solche hervorgehen werden, die ausgeführte und wirkungsvolle Stiche zu arbeiten fähig und geneigt sind.

Zum Gebrauche der Kupferstecher-Schule hat die
Akademie eine eigene Liniir-Maschine vorzüglichster Con-
struction angeschafft, welche unter der Obhut des Prof.
Keller steht.

4. Abtheilung.
Die Bildhauer-Schule.

Diese ist im Reglement vom 24. November 1831
zwar vorgesehen, hat aber bis jetzt nicht bestanden.

Sämmtliche Schüler der Vorbereitungs-Classe sind
zur unausgesetzten Benutzung der in ihren resp. Abtheilungen vorgeschriebenen Arbeitszeit zu den vom Lehrer
angeordneten Studien verbunden. Ueber die Aussetzung
einzelner Stunden zum Zweck der Theilnahme an Vorträgen, die in anderen Abtheilungen gehalten werden oder
über anderweites Ausbleiben hat der Schüler dem
Classenlehrer Rechenschaft zu geben.

In der Vorbereitungs-Classe dürfen die Schüler,
welcher Abtheilung sie auch angehören, nur vier Jahre
bleiben. Diejenigen, welche innerhalb dieser Zeit nicht
die Befähigung zum Aufsteigen in die dritte Classe
(der ausübenden Eleven) erlangt haben, hören auf,
überhaupt Schüler der Akademie zu sein.

An Honorar werden von den Schülern der Vorbereitungs-Classe jährlich 4 Thlr. in vierteljährigen
Raten pränumerando bezahlt. Dafür steht ihnen bei
ihren Studien auch der Gebrauch der akademischen
Gliedermänner, Gewänder und anderen Utensilien zu.
Der Lohn für die in dieser Classe benutzten lebenden
Modelle wird zur Hälfte aus dem betreffenden Fonds
der Akademie bezahlt; die andere Hälfte desselben fällt
den dabei betheiligten Schülern zur Last.

III. Die Classe der ausübenden Eleven.

In diese Classe treten nur diejenigen Schüler ein,
welche die für ihr Fach in der Vorbereitungs-Classe zu
gewinnenden Kenntnisse und Fertigkeiten wirklich erlangt
und Anlage zur Erfindung eigener Compositionen und
die Fähigkeit zu selbstständiger Ausübung ihres Kunstfaches bis zu einem gewissen Grade bewiesen haben.

Die Aufgabe des Lehrers ist hier in jeder Abtheilung dieser Classe, mit Achtung der jedem Zöglinge verliehenen Eigenthümlichkeit, rathend, warnend und leitend diesen zum klaren Bewußtsein seiner Anlagen und Kräfte zu bringen, ihn anzuhalten, was er Würdiges unternimmt, mit Beharrlichkeit und gründlichem Studium so vollendet, wie möglich, durchzuführen. Er wird ihn nach Umständen an seinen eigenen Arbeiten Theil nehmen lassen, ihm die Ausführung von Aufträgen, die an die Akademie gelangen, zuweisen und ihm auf jede Weise Gelegenheit geben, sich so weit zu fördern, daß er bei seinem Austritte aus dieser Classe selbstständig arbeiten und seinen weiteren Weg ohne Wegweiser finden könne.

In Bezug auf die Abtheilung der Maler-Schule findet im Allgemeinen jedes besondere Fach gleiche Berücksichtigung, jedoch müssen bei Mangel an Platz diejenigen, welche ausschließlich die Bildnißmalerei ausüben, gegen die Historien- und Genremaler zurückstehen, eine Unterscheidung, die offenbar in der Natur der Sache begründet ist.

Dieser Abtheilung steht der Akademie-Director unmittelbar selbst vor und übt die Leitung derselben, indem er wöchentlich einige Male die Runde durch die Ateliers seiner Schüler macht und in geeigneter Weise auf dieselben einwirkt, jedoch mehr freundschaftlich rathend, als durch Strenge.

Diejenigen Zöglinge der Malerschule dieser dritten Classe, welche sich ausschließlich der Landschaftsmalerei oder verwandten Fächern widmen, z. B. der Thier- und Viehmalerei, der Architekturmalerei u. s. w. verbleiben auch ferner in den dem Professor Schirmer überwiesenen Unterrichts-Localien und unter der Leitung dieses Lehrers. Unter Umständen gestattet ihnen derselbe, daß sie ihn auf Studien-Reisen begleiten, wozu in den längeren Herbstferien öfter die Gelegenheit sich bietet.

Diese dritte Classe, wie sie für die Malerschule charakterisirt worden, findet sich auch in den übrigen Abtheilungen wieder. Es werden immer diejenigen Schüler dazu gezählt, welche eigene Erfindungen oder überhaupt Original-Kunstwerke selbstständig ausführen und die nur noch der Leitung des Lehrers in Bezug auf die höheren ästhetischen Anforderungen bedürfen.

In der Abtheilung der Bauschule beschäftigen sich die Zöglinge der dritten Classe mit der Erfindung von Bauplänen, Veranschlagung der Kosten derselben u. s. w.

In der Abtheilung der Kupferstecherschule erfolgt in der dritten Classe die Ausführung von chalkographischen Original-Arbeiten, entweder in Folge von dazu ertheilten Aufträgen oder als Privat-Unternehmungen des betreffenden Künstlers.

Das ähnliche Verhältniß wird auch für die Abtheilung der Bildhauer gelten, wenn diese einmal ins Leben gerufen sein wird.

Regelmäßiger Fleiß wird von den Zöglingen der dritten Classe mit derselben Strenge gefordert, wie von denen der andern Classen; jedoch versteht es sich von selbst, daß die Künstler auf dieser Stufe der Ausbildung mancherlei Arbeiten zu Hause oder anderwärts werden auszuführen haben, welche sie an einem regelmäßigen Besuche der Akademie hindern. In solchen Fällen lassen die Lehrer die beigebrachten Nachweise des Fleißes als Entschuldigung gelten.

In dieser Classe ist dem Schüler, ohne Unterschied des Kunstfaches, nur ein Aufenthalt von fünf Jahren vergönnt. Ist dieser Zeitraum verstrichen, so tritt er jedenfalls aus dem Schüler-Verhältniß heraus, kann aber unter Umständen ein eigenes Atelier im Akademie-Gebäude — in der Meister-Classe — gegen Zahlung eines mäßigen Miethzinses erhalten. Die Zöglinge der dritten Classe zahlen kein Honorar.

Für alle Classen und deren Abtheilungen gilt die Regel, daß unsittliches Betragen, anhaltende Trägheit und ungerechtfertigte Unregelmäßigkeit des Besuchs der Akademie die Entlassung nach sich ziehen.

Aber auch in den Fällen, wo längere Erfahrung die Ueberzeugung gewährt, daß ein Schüler nicht die erforderlichen Anlagen besitzt, um sich wenigstens bis zur Mittelmäßigkeit zu erheben, kann die Conferenz ihm den Rath ertheilen, sich einen anderen Lebensberuf zu wählen und, im Falle er den Rath verschmäht, durch förmlichen und zu Protocoll zu nehmenden Spruch seine Entlassung verfügen.

Jeder von der Akademie ausscheidende Schüler kann ein amtliches Zeugniß über seine Anlagen, Fähigkeit, seinen Fleiß und sein Betragen verlangen.

Unterstützungen.

Die Unterstützungen, welche die Akademie ihren Zöglingen gewährt, bestehen

a. in unentgeltlichem Unterricht für diejenigen Schüler, die mit vorzüglichem Talente begabt erscheinen und durch genügende Zeugnisse sich als dürftig und der Unterstützung würdig ausweisen.

b. in freiem Modell, welches jedoch nur Schülern der dritten Classe mit Rücksicht auf ihre Dürftigkeit und auf die Tüchtigkeit ihrer Leistungen bewilligt wird.

c. in Geld-Stipendien, die in der Regel ebenfalls nur Schülern der dritten Classe, die wenigstens ein halbes Jahr auf der Akademie studirt und durch Talent und Fleiß sich der Berücksichtigung würdig gezeigt haben, gewährt werden. Deßfallsige Anträge der Conferenz werden durch das Curatorium an das Königliche Ministerium der geistlichen, Unterrichts- und Medicinal-Angelegenheiten zur event. Genehmigung befördert. Solche Stipendien bestehen meistens in Beträgen von 50 Thlrn. jährlich, welche in vierteljährigen Raten postnumerando gegen eine Quittung, die vom Sekretair der Akademie auf Grund eines günstig lautenden Zeugnisses des Classen-Lehrers des Stipendiaten beglaubigt worden, von der Königl. Regierungs-Haupt-Kasse ausgezahlt werden. Die Bewilligung eines Stipendiums geschieht immer nur auf ein Jahr. Nur ausnahmsweise wird ein Schüler, der schon drei Jahre lang diese Unterstützung genossen hat, noch für ein viertes Jahr in Vorschlag gebracht. Die Summe der jährlichen Geld-Unterstützungen hat wohl niemals den Betrag von 600 Thlrn. überstiegen.

Es versteht sich von selbst, daß Unfleiß und ungeordnetes Betragen der in einer der gedachten Arten Begünstigten sofort die Entziehung der Unterstützung zur Folge hat.

Aus: Rudolf Wiegmann, Die königliche Kunst-Akademie zu Düsseldorf. Ihre Geschichte, Einrichtung und Wirksamkeit. Düsseldorf 1856

Katalog

Bearbeitet
von Rolf Andree

Die Literaturhinweise berücksichtigen in der Regel nur die neueren Ausstellungs- und Bestandskataloge, sowie Werk-verzeichnisse.

I   A. Achenbach, Die alte Akademie in Düsseldorf, 1831. Düsseldorf, Kunstmuseum

II   A. Achenbach, Erftmühle, 1866. Düsseldorf, Kunstmuseum

III   O. Achenbach, Villa Borghese, 1886. Düsseldorf, Kunstmuseum

IV   J. Becker von Worms, Landleute vom Gewitter erschreckt, 1840. München, Bayerische Staatsgemäldesammlungen

V   E. Bendemann, Zwei Mädchen, 1833. Düsseldorf, Kunstmuseum (Leihgabe)

VI   E. Deger, Verkündigung Mariae, 1835. Düsseldorf, Kunstmuseum

VII   E. von Gebhardt, Auferweckung des Lazarus, 1896. Düsseldorf, Kunstmuseum

VIII   J. P. Hasenclever, Atelierszene, 1836. Düsseldorf, Kunstmuseum

IX C. W. Hübner, Die schlesischen Weber, 1844. Düsseldorf, Kunstmuseum

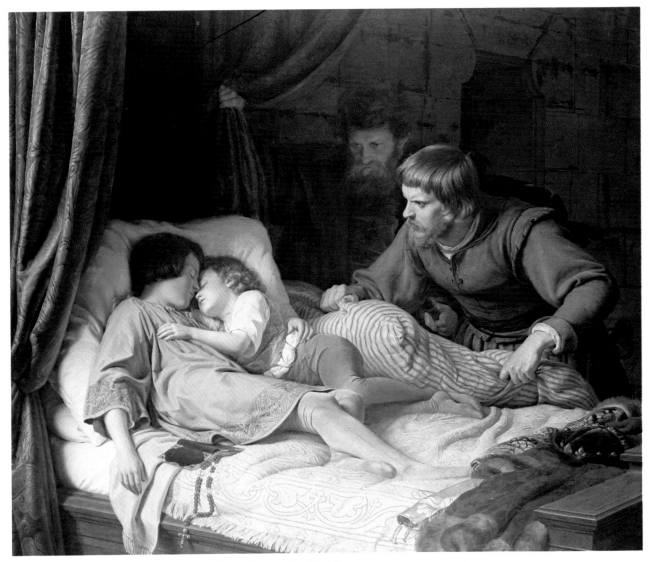

X   Th. F. Hildebrandt, Die Ermordung der Söhne Eduards IV., 1835. Düsseldorf, Kunstmuseum

XI   R. Jordan, Heiratsantrag auf Helgoland, 1834. Berlin, Nationalgalerie

XII   Ch. Kröner, Walkenried, 1889. Düsseldorf, Kunstmuseum

XIII   L. Knaus, Die Katzenmutter, 1856. Wiesbaden, Museum Wiesbaden

XIV C. F. Lessing, Gefangennahme des Papstes Paschalis II., 1840. Wuppertal, Von der Heydt-Museum

XV   C. F. Lessing, Zwei Jäger, 1841. Düsseldorf, Kunstmuseum

XVI J. Preyer, Stilleben mit Glas, Früchten und Biskuit, 1836. Düsseldorf, Kunstmuseum

XVII   E. Leutze, Juliane Leutze, geb. Lottner, 1846. Stuttgart, Staatsgalerie

XVIII A. Rethel, Sturz der Irminsul, 1846–47. Düsseldorf, Kunstmuseum

XIX   C. F. Sohn, Rinaldo und Armida, 1828. Düsseldorf, Kunstmuseum

XX   A. Schroedter, Rheinisches Wirtshaus, 1833. Bonn, Rheinisches Landesmuseum

XXI   W. von Schadow, Die Kinder des Künstlers, 1830. Düsseldorf, Kunstmuseum

XXII   J. W. Schirmer, Italienische Landschaft, 1839. Düsseldorf, Kunstmuseum

XXIII   J. W. Schirmer, Landschaft, 1854. Essen, Museum Folkwang

XXIV   B. Vautier, Der Hauslehrer, 1865. Nürnberg, Germanisches Nationalmuseum

Alten Schlosses, das durch Bombardement der Revolutionstruppen 1794 beschädigt wurde. Links schließt sich die Hauptwache (Stadtwache) an. In der Mitte im Innenhof des Galeriegebäudes die Marmorstatue Johann Wilhelms des Grupello. Im Vordergrund ein Trödelmarkt. In der Bildmitte wohl der Künstler mit einer Zeichenrolle in der Hand.

Wie überliefert, ist das Gemälde in zwei Monaten entstanden. Die Eigenständigkeit des jungen Künstlers wird dadurch betont, daß Achenbach eine nüchterne, vom Sujet her unbedeutende, „uninteressante" Darstellung wählt. Die Schilderung der „Wirklichkeit" galt in der Akademie als unkünstlerisch. Nur eine in sich schon gefestigte Künstlerpersönlichkeit konnte es wagen, ein bildunwürdiges Thema zum Vorwurf eines Gemäldes zu machen.

Lit.: I. Markowitz 1969, S. 19/20; Markowitz/Andree, 1977, Nr. 1

Farbtafel I

Andreas Achenbach
Kassel 1815 – 1910 Düsseldorf

Andreas Achenbach erhielt schon als Kind Zeichenunterricht. Der 12jährige wurde Schüler der Düsseldorfer Akademie. Studien bei Kolbe, Schäffer, wichtige Anregungen durch Schirmer; nachhaltig beeindruckt durch die Niederländische Landschaftsmalerei und Reisen an die Nord- und Ostsee. 1835 verließ Andreas Achenbach mit anderen die Akademie. Zunächst in Schweden, später in München und Frankfurt. 1839 Reisen nach Norwegen und Paris, 1840 in die Niederlande, 1843–45 längerer Aufenthalt in Italien. Seit 1846 in Düsseldorf ansässig.

Achenbachs fruchtbare Produktion bewegter Seestücke, von Küstenbildern und niederrheinischen Landschaften macht den Maler, obwohl kein Mitglied des Professorenkollegiums der Akademie, zum Mittelpunkt der Düsseldorfer Schule, die ihre Blüte nicht zuletzt dem

Reichtum der prosperierenden Ruhrindustrie verdankt.

1
Die alte Akademie in Düsseldorf, 1831

Bezeichnet unten links: A. Achenbach
Leinwand, 64 × 81 cm
Kunstmuseum Düsseldorf, seit 1913
Inv.Nr. 4146

Die Eltern des Künstlers wohnten in Düsseldorf, Burgplatz 152. (I. Markowitz 1969) Achenbach wählte den Ausblick von einem Fenster dieser Wohnung auf das 1710 für die Kunstsammlung des Kurfürsten Johann Wilhelm von der Pfalz errichtete Galeriegebäude. Seit 1821 war dort die 1819 neu gegründete Königlich-Preußische Kunstakademie untergebracht. Rechts ein Teil des

2
Strandendes Schiff, 1837

Bez. unten rechts: A. Achenbach 1837
Leinwand auf Holz
67 × 94,5 cm
Museum Wiesbaden
Inv.Nr. M 96

Andreas Achenbach hat früh sein für ihn typisches Vokabular sich erarbeitet. Zu den bevorzugten Bildthemen gehört die Meeresküste und das strandende Schiff. Letztlich von Darstellungen des Weltuntergangs abzuleiten, setzt Andreas Achenbach bei diesem frühen Gemälde bewußt die Geborgenheit, als Idylle, der Häuser mit der Windmühle auf dem Felseneiland im Mittelgrund gegen die brandenden Wasserwogen. Die Landschaftsdarstellung setzt sich aus ver-

2

schiedenen Naturbeobachtungen zusammen. Das Gemälde ist keine realistisch gesehene, bestimmte Landschaftsszenerie, sondern gibt ein Bild des Lebens, wie es der junge Künstler in seinen gegensätzlichen Bildmotiven zum Ausdruck bringt. In der Farbgebung ist die Nähe Theodore Gudins (1802–1880) auffallend.

Lit.: Kat. Wiesbaden 1967

Eine schon 1835 geplante Reise nach Norwegen wurde in Göteborg abgebrochen. Erst 1839 kam diese Reise zustande, die Andreas Achenbach für sein

Schaffen entscheidende Eindrücke vermitteln sollte. Andreas Achenbach erweist sich als der Sachwalter der niederländischen Landschaftsmalerei des 17. Jahrhunderts. Er übersetzt die nordischen Landschaften eines Allaert van Everdingen in die Sprache seiner Zeit. Mit diesem Bildthema steht Andreas Achenbach aber auch gleichzeitig in der Tradition von Caspar David Friedrichs Landschaftsphantasien mit Hünengräbern und ähnlichen Zeichen aus grauer Vorzeit. Der strenge Bildbau Caspar David Friedrichs ist hier in eine dynamische Seh- und Gestaltungsweise abgewandelt. Bilder wie diese gehen sehr wohl auf Natureindrücke zurück, überhöhen diese jedoch durch artifizielle Lichtregie; die in den Himmel ragenden Baumsilhouetten erwecken beim Betrachter die Illusion, den unwirtlichen Tiefenraum zu erfahren. Gewitterwolken und die daraus resultierende fluktuierende Beleuchtung in der Landschaft zusammen mit den kreisenden, dunkel gegen den Himmel sich abzeichnenden Vögeln unterstreichen die bedrohliche Stimmung in der unwirtlichen Landschaft. Die Zei-

3
Norwegische Landschaft mit Runensteinen, 1839

Bezeichnet unten links: A. Achenbach 1839
Leinwand, 37 × 52 cm
Sammlung Georg Schäfer, Schloß Obbach
Inv.Nr. 69110537

4

ten überdauert haben die Runensteine in der Bildmitte. Der Ausstellungskatalog „William Turner und die Landschaft seiner Zeit", Hamburg 1976, verweist nachdrücklich auf die Ähnlichkeit im Bildmotiv mit den Stonehenge-Bildern von Constable und Turner.

Kreisförmige Anlagen von Runensteinen sind der achäologischen Forschung in Norwegen nicht bekannt. Inschriften in germanischer Runenschrift auf aufgerichteten Steinen sind in Norwegen seit dem 10. Jahrhundert überliefert.

Lit.: Paris 1976/77, Nr. 2

4
Norwegische
Gebirgslandschaft, 1840

Bezeichnet unten links auf einem Stein:
A. Achenbach 1840
Leinwand, 92 × 131,5 cm
Kunstmuseum Düsseldorf
Inv.Nr. M 1977/2

Entstanden nach norwegischen Landschaftsmotiven, die Andreas Achenbach auf seiner Reise in Norwegen 1839 gesammelt hatte, vergleiche die vorhergehende Katalognummer. Von den Zeit-

genossen mit Zustimmung gefeierte Werke, die auf Reiseeindrücke aus diesem Jahr zurückgehen, führen eine Landschaft vor, deren Reiz die ferne Fremde, aber auch die urtümliche Unberührtheit einer in Mitteleuropa schon lange zurückliegenden Zeit vergegenwärtigt. Andreas Achenbach gibt in diesem Gemälde ein artifiziell überhöhtes und der Wirklichkeit entrücktes Bild von einer Landschaft, die sich herb und spröde, aber nicht weniger großartig darbietet als die altvertrauten Veduten der Alpen. Es hat sich noch nicht feststellen lassen, ob eine bestimmte Landschaftssituation hier festgehalten wurde, oder, was bei der Kunstweise Andreas Achenbachs näher liegt, eine reich komponierte Landschaft hier vorgeführt wird, die bei realistischer Sehweise des Details sozusagen die Quintessenz der norwegischen Landschaft gibt. Andreas Achenbach zeigt in diesem Gemälde ein reiches Spiel des Lichts und eine weitgespannte Abstufung von Hell und Dunkel. Ihm entspricht der sorgfältig studierte Aufbau des Landschaftsraumes mit seiner Weite; um einen Fjord schließen sich bewaldete Höhen, felsige Steilhänge mit einem Wasserfall zusammen. Winzige Schiffe auf dem Fjord wirken wie verloren und verdeutlichen für den Betrachter den Tiefenraum. Im Vordergrund Blockhäuser und ein Reiter mit zwei Pferden; die wilde urtümliche Vegetation zusammen mit der Häusergruppe geben von den harten Lebensbedingungen beredt Kunde, in deren Unwirtlichkeit sich der Mensch behaupten muß.

Die zahlreichen Wiederholungen der norwegischen Landschaften im Werk des Künstlers vermögen eine Vorstellung davon zu vermitteln, wie beliebt damals bei den Kunstfreunden und Kunstsammlern solche Motive waren.

Lit.: Markowitz/Andree 1977, Nr. 2

5

5
Industriebild, 1860

Bezeichnet unten links: A. Achenbach 1860
unten rechts: A 1867
Holz, 25,5 × 37,4 cm
Galerie G. Paffrath, Düsseldorf

Mit fast 30jähriger Verspätung wird auch im offiziellen Düsseldorf, vertreten durch Andreas Achenbach, das Industriebild als Bildgattung erprobt, vergleiche A. Rethel „Die Harkortsche Fabrik auf Burg Wetter", Kat.Nr. 190.

Kennzeichnend ist, daß es im Schaffen von Andreas Achenbach keine Nachfolge gefunden hat.

Dargestellt ist das Heerdter Hochofenwerk „Neußer Hütte". Dies ist der erste, im März 1860 angeblasene Hochofen und seine Umgebung. Im Herbst 1861 erhielt das Werk durch eine Zweigpferdebahn Anschluß an die Aachen-Düsseldorfer Eisenbahn. Der zweite, 1867 fertiggestellte und in Betrieb genommene Hochofen „war in europäischen Fachkreisen weit bekannt und berühmt". Sein Modell wurde 1867 auf der Pariser Weltausstellung gezeigt. Das Werk lag an der Mündung des Erftkanals in den Rhein gegenüber der Lausward. Zwischen Werk und Rhein wurde aus den anfallenden Schlacken ein Damm angelegt. Achenbach hat den Hochofen mit dem hohen Kamin dahinter ziemlich genau dargestellt, wie aus dem „Concessions-Gesuch per Anlage eines II. Hochofens der Neußer Hütte vom 27. 4. 1865" (Stadtarchiv Nr. 706) zu ersehen ist. (Neußer Hütte 1857–1927, Neußer Jahrbuch 1960, S. 27–41).

An das Hochofenwerk, das 1884 aufgegeben wurde, erinnert noch heute die Straße „Am Hochofen" im Bereich des Heerdter Hafens. (Else Rümmler, schriftliche Auskunft vom 6. 1. 79). Hingegen vermutet Hans Seeling in einem Schreiben vom 10. 1. 79: „. . . daß es sich um eine alte Hochofenanlage handelt, womöglich am Rhein bei Duisburg-Hochfeld. Die hohen Schornsteine rechts deuten einen größeren Industriebezirk an, der Konus könnte einer der alten, aus Bruchsteinen und Ziegeln bollwerkartig ummauerten Hochöfen sein. Davor in der Bildmitte scheint sich eine der damals bei den Hochöfen gelegene Koksofenbatterie zu befinden, weiter Mitte links (mit dem breiten, hellen Rauchschwaden) glaube ich einen der kastenförmigen Feldbrand-Ziegelmeiler zu erkennen. Ziegel auch für Betriebserweiterungen wurden damals oft gleich neben dem Objekt im Meilerverfahren gebrannt, so daß das Ganze einen Sinn ergäbe. Da die lagunenartige Wasserzunge sicher zu einem Flußlauf gehören soll, käme als mutmaßlicher Standort wohl Duisburg-Hochfeld in Frage, wo um diese Zeit mehrere Eisenhütten-

6

werke am hochwasserfreien Rheinufer standen."

An dem Sujet hat den Künstler weniger das Technische der Industriebauten, als die atmosphärische Wirkung von Rauch und Wasserdampf fasziniert. Ein neues Bildthema wird auf seine Verwertbarkeit erprobt.

6

Erftmühle, 1866
(Wassermühle an der Erft, Erftlandschaft nach dem Gewitter)

Bezeichnet unten links: A. Achenbach 66
Leinwand, 165 × 230 cm
Kunstmuseum Düsseldorf
Inv.Nr. 4001

Mit diesem Gemälde steht Andreas Achenbach deutlich in der Tradition der niederländischen Landschaftsmaler des

17. Jahrhunderts. Jacob Isaak van Ruisdael und Meindert Hobbema müssen vor allen genannt werden. Die Landschaft der Erftmühle erweist sich als eine Kompilation aus zahlreichen Natureindrücken.

Das Motiv der Wassermühle blieb für Achenbach ein zentrales Bildthema, darin nur noch vergleichbar seinen Gemälden der Nordseeküste im Gewittersturm. Er konnte bei der Ausführung auf Vorbilder der Düsseldorfer Malerschule und auf die niederländische Malerei des 17. Jahrhunderts zurückgreifen. Die dramatische Steigerung des düster

7

bedrohlichen Charakters einer Landschaft durch Gewitterwoken am Himmel hatte Lessing in seiner „Belagerung" (siehe Kat.Nr. 163) vorbereitet. Andreas Achenbach ging bei seiner Komposition von realistisch studierten Details aus. Durch Rhythmisierung und durch im Ausdruckswert sich steigernde Gegensätze verlieh er diesen Details eindrucksvolle Kraft. So entstand ein artifiziell überhöhtes Erscheinungsbild der

Landschaft, das die Zeitgenossen mit der Natur gleichsetzten. Ihre Seh- und Empfindungsweise und ihr Verhältnis zur Natur und Kunst orientierte sich an solchen exemplarischen Werken.

Lit.: I. Markowitz 1969, S. 24, 25; Markowitz/Andree 1977, Nr. 3; Kunstmuseum Düsseldorf 1977, Nr. I, 26

Farbtafel II

7
Fischmarkt in Ostende, 1876

Bezeichnet unten rechts: A. Achenbach
76
Leinwand, 222 × 300 cm
Kunstmuseum Düsseldorf
Inv.Nr. 4002

Zur topographischen Situation des heute zerstörten Ostende vergleiche I.

Markowitz 1969. Bei den aufgeführten Varianten und den zugehörigen Studien muß ergänzt werden, daß die Vorstudie ehemals Duisburg-Ruhrort, Hugo Haniel, sich heute im Besitz der Bayerischen Staatsgemäldesammlungen, München, befindet.

10 Jahre nach der Landschaftskomposition „Erftmühle", siehe Kat.Nr. 6, entstanden, zeigt dieses Bild bei nahezu verdoppelten Abmessungen nicht die Idylle einer abgeschiedenen Mühle, sondern das Alltagsleben an einem Hafenbecken in Ostende. Virtuos setzt Andreas Achenbach in der linken Bildhälfte die großflächigen Segel ganz entschieden ab gegen die kleinteilige, im Dunst sich auflösende Architektur und die Figurenstaffage davor. Der Hauptakzent liegt in der Darstellung von bewegt agierenden Figuren. Was auffällt ist, daß im ganzen Bild die narrativen Züge dem großen Bildbau untergeordnet sind. Im Verhältnis zu der mächtigen Takelage der Fischerboote wirken die Figuren winzig.

Die oben erwähnte zugehörige Farbenskizze in München zeigt eine entschieden lockerere Pinselschrift und eine intensivere Farbgebung.

Mit diesem anspruchsvollen Format hat Andreas Achenbach von vornherein ein öffentliches Museum für das Bild interessieren wollen. Er mußte bis zum Jahre 1902 warten, bis zur Erinnerung an die Ausstellung in Düsseldorf 1902 dieses Gemälde dem Museum geschenkt wurde.

Lit.: I. Markowitz 1969, S. 25, 26

8

Oswald Achenbach
Düsseldorf 1827 – 1905 Düsseldorf

Erste künstlerische Anregungen durch den älteren Bruder Andreas. 1835 bis 1841 Schüler der Düsseldorfer Akademie, vor allem von Schirmer. Entschei-

dend für seine künstlerische Entwicklung war seine erste Italienreise 1850, der zahlreiche Aufenthalte in Rom, Neapel, Verona, Venedig und Padua folgten. Dort entstanden vor der Natur die Studien für seine italienischen Landschafts- und Städtebilder, denen er den Vorzug vor heimatlichen Motiven gab. Mit seiner lebendigen Mal- und Zeichentechnik, aus Natureindrücken entwickelt und mit reichen Farbeffekten überhöht, galt er als Überwinder des Detailrealismus der Düsseldorfer Schule. Von 1863 bis 1872 als Lehrer an der Düsseldorfer Akademie tätig.

8
Sabinerberge bei Tivoli, 1850

Bezeichnet unten links: Osw. Achenbach
Papier auf Holz aufgezogen, 22 × 42 cm
Kunstmuseum Düsseldorf
Inv.Nr. 4157

Landschaftsvedute in der Nachfolge der Studien aus den Jahren 1830/40 von Johann Wilhelm Schirmer. In der Seh- und Malweise jedoch weich und flockig.

Möglicherweise wird hier aber auch der Einfluß von Karl Blechen wirksam, dessen Kunstweise Carl Friedrich Lessing von Berlin nach Düsseldorf gebracht haben kann.

Lit.: I. Markowitz 1969, S. 31; Düsseldorf und der Norden, 1976, Nr. 5

9
Zypressen, 1850

Pappe, 39,5 × 27,5 cm
Kunstmuseum Düsseldorf
Inv.Nr. 4189

Naturstudie; sie läßt sich mit einer Handzeichnung, ebenfalls im Kunstmuseum Düsseldorf, in Verbindung bringen, die „25. Sept. 1850" datiert ist.
Das Bildmotiv „Die Zypressen im Park der Villa d'Este in Tivoli" hat viele Künstler zu Studien inspiriert; vergleiche auch die Studie von Johann Wilhelm Schirmer aus dem Jahre 1840, Kat.Nr. 233. Im Vergleich mit dem Gemälde Schirmers, das 10 Jahre früher vor dem gleichen Motiv entstanden war, wird hier eine jüngere Generation und ein an-

9

deres Künstlertemperament sichtbar, das vor allem die malerischen Werte betont.

Lit.: I. Markowitz 1969, S. 29/30; Düsseldorf und der Norden 1976, Nr. 6

10
Italienische Landschaft, 1853

Bezeichnet: Osw. Achenbach 1853
Leinwand, 72 × 90 cm
Nationalgalerie Oslo
Inv.Nr. 244

Wie ein erster tastender Versuch, sich mit der südlichen Landschaftsstimmung auseinanderzusetzen, sie fixierend zu verdeutlichen.
Bei diesem Bild steht Oswald Achenbach ganz im Banne der Düsseldorfer Schultradition. Neben dem Detailrealismus, der im Felsgestein vorn und in der Architektur im Mittelgrund faßbar ist, beruht die Wirkung auf atmosphärischen Beobachtungen: die von rechts heraufziehenden Gewitterwolken, sie intensivieren die Tonwerte der Landschaft, die Architektur im Mittelgrund und das Felsgestein vorn. Im Farb- und Tonklang ähnlich den groß und weit gesehenen italienischen Landschaften von Carl Blechen, vergleiche den Hinweis bei Oswald Achenbach „Sabiner Berge bei Tivoli", Kat.Nr. 8. Die Staffagefigur im Vordergrund dient zur Verdeutlichung der Tiefenraumdimension.
Ein frühes Beispiel für die ein Leben lang vorhaltende Faszination, die für Oswald Achenbach von der italienischen Landschaft ausgeht.

Lit.: Oslo 1973, Nr. 817; Düsseldorf und der Norden 1976, Nr. 7

gesammelten Eindrücken Kompositionen geschaffen, bei denen die verschiedenen Beleuchtungssituationen die Stimmung der Landschaft intensivieren. In der Lichtregie wird seine Affinität zum Theater deutlich. Möglicherweise wirken hier auch Blechens theatralisch gesehene Landschaften nach. In den groß angelegten Kompositionen läßt er schon früh seinen Lehrer und sein Vorbild: Johann Wilhelm Schirmer weit hinter sich. Schirmer wirkt im Verhältnis zu Oswald Achenbach in seinem klassischen Formenkanon befangen.

Zugehörige Vorstudien und Varianten sind bei I. Markowitz 1969 aufgeführt. Dort findet sich auch die Datierung „zwischen 1850 und 1855". Oswald Achenbach gibt hier eine Campagnalandschaft mit Staffagefiguren aus dem Alltagsleben; eine schwarze Gewitterwolke verleiht der Landschaft eine unwirkliche, düster drohende Stimmung.

Lit.: I. Markowitz 1969, S. 32

10

11
Campagnalandschaft, um 1855

Bezeichnet unten rechts: Osw. Achenbach
Leinwand, 70 × 97 cm
Kunstmuseum Düsseldorf
Inv.Nr. 4200

Oswald Achenbach hat mit seinen italienischen Landschaften ganz entscheidend die Vorstellung des europäischen Bildungsreisenden im 19. und frühen 20. Jahrhundert geprägt. Er steht in der Tradition der klassischen heroischen Landschaftsmalerei des 17. Jahrhunderts. Gleich alt wie Arnold Böcklin hat er das wechselnde Bild der südlichen Landschaft bei verschiedenen Jahres- und Tageszeiten nicht mit mythologischen Figuren in seiner Bedeutung überhöht, sondern aus seinen vor der Natur

11

12
Klostergarten, um 1860

Bezeichnet unten rechts: Osw. Achenbach
Leinwand, 55 × 73 cm
Staatliche Ermitage, Leningrad
Inv.Nr. 3798

Die Beleuchtungseffekte der italienischen Landschaft sind mit den Augen eines Bühnenliebhabers gesehen. Aus dem dunklen Vordergrund im Schatten leuchtet, den Tiefenraum abschließend, hell die Fassade des Klostergebäudes hervor. Artifiziell der Aufbau: in der Bildmitte die Zypressen, links und rechts von Laubbäumen gerahmt, die in ihrer anderen Struktur und dem anderen Kontur sich deutlich von den aufragenden Zypressen absetzen.

Oswald Achenbach unterscheidet eindeutig und hebt entschieden voneinander ab: das verputzte Mauerwerk, das die Sonne reflektiert, und das dunkle, schattige Baum- und Strauchwerk mit seinen Lichtmodulationen. Die Behandlung der Figuren in dem abgeschiedenen Klosterbezirk ganz summarisch. Anekdotisches klingt nur leise mit durch die elegische Landschaft bei tiefstehender Sonne, vergleiche die ähnlichen Lichteffekte und den ähnlichen Aufbau bei reicherem Detail in dem Gemälde „Villa Borghese", Kat.Nr. 16.

Lit.: Kat.Ausst. Bonn 1978, S. 62, 63

13
Italienische Küstenlandschaft
bei Neapel, um 1880

Bezeichnet unten rechts: Osw. Achenbach
Leinwand, 99 × 150 cm
Gräfin Metta von Rosen, Stockholm

Wohl aus der Erinnerung der Italienreise 1871 um 1880 in Düsseldorf entstanden.
Eine der zahlreichen Varianten, inspiriert durch die landschaftlich besonders reizvolle geographische Situation an der Meeresküste bei Neapel. Steil abfallende Küstenhänge werden abgefangen durch Terrassen. Was auffällt ist, daß Oswald Achenbach auf ein charakteristisches Landschafts- oder Architekturmerkmal verzichtet. Dem Betrachter wird eine Alltagsidylle der Italiener vorgeführt. Das große Netz im Vordergrund rechts verdeutlicht, daß sich hier Fischer zusammengefunden haben oberhalb eines Ortes, dessen Dächer rechts angedeutet sind. Alltagsleben der Gegenwart als Idylle, vorgeführt in einer Landschaft, deren Schönheit sich der Beschreibung entzieht: sogar Richard Wagner glaubte, in Ravello, im Golf von Salerno, südlich von Neapel, seine eigenste Erfindung „Klingsors Zaubergarten" zu erkennen.

14

15

14
Der Konstantinsbogen, 1882

Bezeichnet unten links: Rom 19. Juli 82
Pappe, 26,8 × 34,2 cm
Kunstmuseum Düsseldorf
Inv.Nr. 4537

Text zum Bild siehe Kat.Nr. 15.

Lit.: I. Markowitz 1969, S. 36

15
Der Konstantinsbogen, 1886

Bezeichnet unten rechts: Osw. Achen-
bach 1886
Leinwand, 120 × 149 cm
Nationalgalerie Berlin, Staatliche
Museen Preußischer Kulturbesitz,
Berlin
Inv.Nr. NG 541

Der Konstantinsbogen ist 312–315 zur
Erinnerung an den Sieg Kaiser Konstan-
tins über Maxentius (Römischer Kaiser
306–312) errichtet worden. Blick von
Norden, im Vordergrund der Schatten
des Kolosseums; rechts die Reste des
1930 abgetragenen Brunnens Meta su-
dans. Im Hintergrund rechts der Pala-
tin.
In der Düsseldorfer Farbenskizze, die
während seiner Italienreise 1882 entstand, hat Oswald Achenbach die Situation in Rom am 19. Juli festgehalten. Er
gestaltete sie zu dem großen Gemälde
aus, das vier Jahre später in Düsseldorf
entstanden ist.
Neben den zahlreichen italienischen
Landschaften Oswald Achenbachs
nimmt das Architekturporträt einen
wichtigen Platz im Schaffen des Künstlers ein. Hier der Konstantinsbogen als
sichtbares Zeugnis des antiken Rom in
der Gegenwart. Er gibt Kunde von der
Macht, Bedeutung und Größe Roms in

16

der Vergangenheit, vor der die Gegenwart zur beiläufigen Staffage wird. Diese harte Einsicht ist für den Kunstfreund und Bewunderer Oswald Achenbachs gemildert. Das Ganze erscheint unter dem verklärenden Licht des Südens wie in eine unwirkliche Welt entrückt.

Das ausgeführte Bild in Berlin zeigt deutlich, bei einem Vergleich mit der Skizze in Düsseldorf, daß der Künstler bei der Durchführung des Gemäldes die Architektur im Detail, möglicherweise an Hand von Photographien, überprüft hat. Die Skizze hält nur summarisch den Gesamteindruck der Architektur in der Stadtlandschaft fest. In Details ist sie sogar manchmal falsch. Über den Seitendurchgängen des Triumphbogens sind z. B. nicht jeweils 4 Tondi, wie in der Skizze, sondern nur zwei.

Lit.: Berlin 1976, S. 28, 29

16
Villa Borghese, 1886

Bezeichnet unten rechts: Osw. Achenbach/1886
Leinwand, 122 × 151 cm
Kunstmuseum Düsseldorf
Inv.Nr. 4004

1882 war Oswald Achenbach zum letzten Mal in seinem Leben in Rom. Vier

17

Jahre später entstand dieses Gemälde in Düsseldorf. Noch im Entstehungsjahr für das Kunstmuseum erworben. Von den Zeitgenossen als Meisterwerk herausgestellt. Die bekannten Vorstudien und Varianten hat Irene Markowitz 1969 zusammengestellt. Was auffällt, ist, daß der Maler auch bei diesem Gemälde auf eine naheliegende Darstellung der Architektur verzichtet. Das Casino links, nur angedeutet, wird vom Bildrand überschnitten. Die großen Baumsilhouetten rechts bestimmen den Bildbau. Die Balustrade, ein graphisches Element in diesem malerisch nuancenreichen Gemälde, festigt die Komposition. Daß die Figurenstaffage die Betrachter nicht von dem wahren Bildthema der Villa Borghese ablenkt, erzielt der Künstler so: er zeigt sie mit Ausnahme der Kinder im Mittelgrund rechts, im Schatten. Festgehalten ist hier die Zeit des Sonnenuntergangs, bei tief stehender Sonne führen lange Schattenpartien in den Bildraum hinein. Die Touristen unter den Staffagefiguren vergegenwärtigen dem Betrachter, daß Oswald Achenbach auch ihn meinte, als er diese Partie der Villa Borghese malte. Seinem flüchtigen Italienerlebnis hat Oswald Achenbach Dauer verliehen.

„Die bildparallel verlaufende Straße ist die Viale dell'Uccelliera; die Viale dell'Uccelliera führt zum Piazzale del Museo Borghese, der teilweise von einer schönen, barocken mit antiken Statuen geschmückten Balustrade umsäumt ist". (Elisabeth Wolken, Rom, briefliche Mitteilung vom 2. 11. 78)

Lit.: I. Markowitz 1969, S. 36, 37

Farbtafel III

18

17
Blick auf Bonn, 1888

Bezeichnet unten links: Osw. Achenbach 1888
Leinwand, 100 × 74 cm
Kunstmuseum Düsseldorf
Inv.Nr. 4364

Im Schaffen Oswald Achenbachs dominiert die Darstellung der deutschen Italiensehnsucht. Dennoch hat sich der Künstler den Blick für die Schönheiten seiner rheinischen Heimat nicht verstellt. Bilder wie dieses gehören zu den Kostbarkeiten im Schaffen Oswald Achenbachs, die als Motiv selten zu finden sind.
Der Blick auf Bonn geht vom Venusberg nach Nordosten in das Rheintal. Im Hintergrund ist der Münsterturm in der Stadtsilhouette zu erkennen. Im Laubschatten am Waldrand hat eine vielköpfige Gruppe trinkend zum Picknick Platz genommen. Trotz des anekdotenhaften Details ist das Ganze malerisch in

das Erscheinungsbild der Landschaft eingebunden. Achenbach greift tradiertes Bildgut auf, verwandelt es aber in seine Formensprache, bewahrt Altes und weist gleichzeitig auf Zukünftiges. Diese vermittelnde Stellung in der Malerei des 19. Jahrhunderts erklärt Rang und Bedeutung dieses von den Zeitgenossen mit vielen Ehrungen ausgezeichneten Düsseldorfer Malers.

Lit.: I. Markowitz 1969, S. 38; Markowitz/Andree 1977, Nr. 4; Kunstmuseum Düsseldorf 1977, I, 30

18
Landschaft mit Blick auf den Vesuv, 1896

Bezeichnet unten links: Osw. Achenbach
Leinwand, 77 × 100 cm
Kunstmuseum Düsseldorf
Inv.Nr. 4407

19

Bezeichnet unten links: Osw. Achen-
bach
Leinwand, 77 × 99,5 cm
Galerie G. Paffrath, Düsseldorf
Auf der Rückseite eine Beschriftung:
Wengen

Oswald Achenbach war im Jahre 1897
zum letzten Mal in der Schweiz. Das
Gemälde ist durch diese Studienreise inspiriert worden. Dargestellt ist das Al-
penpanorama vom Wickibort, aus Richtung Wengen. Vom linken Bildrand
überschnitten ist der Bergrücken, der
zum Lauberhorn führt. Dahinter taucht
das Schneehorn auf, das wiederum von
der Jungfrau überragt wird. Die Schnee-
spitze rechts von der Jungfrau ist das
Silberhorn. Der kleine Hügel rechts im
Vordergrund ist Girmschbiel. (Auskunft von Herrn Knöpfli, Eidgenössi-
sche Landestopographie in Wabern,
vom 26. 10. 78).
Die Palette ist ganz licht und hell geworden, im Farbauftrag sicher und souverän; Details werden nur angedeutet. Die
malerische Diktion suggeriert beim Betrachter noch größeren Tiefenraum. In
der lockeren Malweise ohne die französischen Impressionisten kaum denkbar.
In Oswald Achenbach ist diese Tendenz
früh zu erkennen, vergleiche Kat.Nr. 9
(Zypressen). Sie hat das künstlerische
Schaffen des Malers bestimmend geprägt. Der Künstler hat die atmosphärischen Phänomene genau beobachtet und
ins Bildnerische umgesetzt.

Die Via di Marinella überquert mit der
Ponte della Maddalena den Sabato süd-
östlich von Neapel auf dem Wege nach
Portici. Im Hintergrund der Vesuv; auf
der Brücke rechts die Aedikula des Hl.
Januarius, errichtet nach dem Vesuvaus-
bruch von 1761. Diese ist heute nicht
mehr erhalten. Das Gemälde hält die Situation des späten 19. Jahrhunderts fest,
heute ganz verbaut.
Der Künstler hat das Motiv mehrfach
wiederholt. Drei Fassungen lassen sich
nachweisen: das Düsseldorfer Bild,
„Abendliche Straße bei Neapel", Nationalgalerie, Stiftung Preußischer Kulturbesitz, Berlin und „Der Heilige Januarius auf der Magdalenen-Brücke in Neapel", 1911, im Besitz von Benno Achenbach, Berlin. Dies letztere Gemälde ist
1896 datiert. Das Düsseldorfer Bild ist in
unmittelbarer Nachbarschaft des Ge-

mäldes aus dem Jahre 1896 entstanden.
Es zeichnet sich von den oben genannten Bildern dadurch aus, daß es bei aller
Detailtreue, die das Bild topographisch
fixierbar macht, die Staffagefiguren
summarisch wie beiläufig andeutet, keinen narrativen Details nachgeht. Oswald Achenbach erreicht dadurch, daß
der Betrachter mit Nachdruck auf die
verschiedenen Lichtquellen hingewiesen wird – Mondschein, Laternen auf
der Straße und an den Wagen, sowie das
Maronenfeuer im Vordergrund, und der
Widerschein des Mondlichts im Golf
von Neapel. Die Betonung der malerischen Tendenzen ist ein im Künstler Oswald Achenbach früh sich regendes Element, vergl. Kat.Nr. 9 (Zypressen) und
Kat.Nr. 19 (Wengen).

Lit.: I. Markowitz 1969, S. 39

Albert Baur
Aachen 1835 – 1906 Düsseldorf

Zuerst Medizinstudium in Bonn. Die Karlsfresken von Rethel in Aachen beeindruckten ihn so nachhaltig, daß er zur Kunstakademie nach Düsseldorf überwechselte. Im Sommer 1855 Eintritt in die zweite Klasse der Malerschule bei Sohn und Köhler als Historienmaler. Im Schuljahr 1855 hat er nur das Fach Kunstgeschichte belegt. Private Studien bei Josef Kehren. 1861 Militärdienst. Danach Weiterbildung bei M. von Schwind in München. Seit 1863 in Düsseldorf ansässig.
Einer Berufung an die Kunstschule in Weimar im Jahre 1867 folgt er fünf Jahre später. Studienreisen in Holland, Frankreich und Italien.
Zu seinen Schülern in Weimar zählen Paul Gehrts und Ferdinand Brütt.
Schon 1874 kam er wieder nach Düsseldorf zurück. Private und öffentliche Aufträge bestätigen ihn in seiner Begabung für dekorative Gemälde mit kulturhistorischen Themen.

20

20
Christliche Märtyrer, 1870

Bezeichnet unten rechts: Alb. Baur
Leinwand, 136 × 170 cm
Kunstmuseum Düsseldorf
Inv.Nr. 4005

Figurenreiche Komposition, die die Gegensätze effektvoll gegeneinander ausspielt. Bei zurückhaltender Farbigkeit kommt der Bildbau um so wirksamer zum Ausdruck. Im Farbauftrag malerisch weich, französisch inspiriert?
Im Charakterisieren und im Psychologisieren der gegensätzlichen Figurengruppen steht Baur ganz in der Tradition der Düsseldorfer Malerei von Hasenclever und Hildebrandt. Die ernste Vortrags-

weise wirkt wie durch Feuerbach inspiriert: kühl, distanziert. Die ausgewogene Bildordnung steht in auffallendem Gegensatz zum Bildthema, das die Bestürzung und das Mitleid des Betrachters im voraus einbezieht, vergleiche Kat.Nr. 103 (Hildebrandt, Ermordung der Söhne Eduards IV.). Die Historienmalerei hat in der zweiten Hälfte des 19. Jahrhunderts mit Vorliebe Bildthemen aus der Antike aufgegriffen, wobei das Bildthema oft nur zum Vorwand diente, um archäologische Kenntnisse vorweisen zu können (vergleiche hier die lateinische Inschrift). Pilotys „Triumphzug des Germanicus“ und „Cäsars Ermordung“ sowie Coutures „Römer der Verfallszeit“ haben in Europa stilbildend gewirkt. Der Hinweis auf Alma-Tademas Werke möge verdeutlichen, daß Baur in einem europäischen Zusammenhang zu sehen ist.

Lit.: I. Markowitz 1969, S. 41, 42

Jakob Becker von Worms
Dittelsheim bei Worms 1810 – 1872 Frankfurt am Main

Nach erstem Unterricht in der Zeichenschule des Malers Jung in Worms nach 1827 mit J. F. Dielmann in der Werkstatt von F. C. Vogel in Frankfurt am Main, wo er Veduten zeichnet, koloriert und die lithographische Technik erlernt. 1833 bis 1840 Schüler der Düsseldorfer Kunstakademie, wo ihm eine sehr gute Anlage bestätigt wird, und er als vortrefflicher Genremaler gelobt wird. 1840 entstand sein Gemälde „Landleute in der Ernte, während der Blitz in ihrem Dorf eine Feuersbrunst verursacht“ (in der Meisterklasse, die er seit 1837 besuchte).
1841 erreichte ihn die Berufung zum Lehrer an das Städelsche Kunstinstitut, wo er 1842 zum Professor für Genremalerei ernannt wird. Studienreisen an den Rhein und in Hessen.

21

Ludwig Hugo Becker
Wesel 1833 – 1868 Düsseldorf

Besuchte von 1852 bis 1860 die Düsseldorfer Kunstakademie. Hier studierte er
zunächst bei Johann Wilhelm Schirmer
und später bei Hans Frederik Gude in
der Landschafterklasse; seit 1854 Frei-
schüler mit einem Stipendium.
Zahlreiche Studienreisen auf dem Kontinent nördlich der Alpen.
Seine Begabung als Landschaftsmaler
fiel schon während seiner Akademiezeit
auf.
Wichtiger Wegbereiter für die Paysage
intime in Düsseldorf, die hier früh neben
der offiziellen Malerei in ihm einen besonders begabten Verfechter gefunden
hat.

Mit dem bäuerlichen Genre, das sich
durch das Interesse an den Trachten auszeichnet, steht er in enger Verbindung
zu Rudolf Jordan. Wie dieser bevorzugt
er dramatische und das Gemüt anspre-
chende Bildthemen.

21
Landleute vom Gewitter
erschreckt, 1840

Bezeichnet unten Mitte: J. Becker 1840
...dorf...
Leinwand, 38 × 42 cm
Bayerische Staatsgemäldesammlungen,
München
Inv.Nr. WAF 57

Als wichtiger Wegbereiter für die Bau-
ernmalerei von Knaus und Vautier muß
Jakob Becker von Worms angesehen
werden. Seine Malerei geht zusammen

mit den Darstellungen ähnlicher Themen in der deutschen Literatur. Darauf
haben schon Schaarschmidt 1902 und
Koetschau 1926 mit Nachdruck hingewiesen; vergleiche Immermanns „Oberhof", 1838 und „Münchhausen",
1838/39.
Die Katastrophe, der Brand des Dorfes,
wird dem Betrachter an den verschiedenen Reaktionsweisen der Schnitter auf
dem Felde, die in der Ferne ihr brennen-
des Dorf sehen, vor Augen geführt. Das
Mitleid des Betrachters mit den hilflos
Heimgesuchten zu erwecken, ist das eigentliche Bildthema; aus diesen Überlegungen resultiert der Erfolg des Bildes.
Der Kunstfreund konnte hier die
Schrecken der Natur nacherleben, de-
monstriert an den Dorfbewohnern, den
Bauern, die er nur von den Sonntagsspa-
zierfahrten und -gängen kannte.

Lit.: Bötticher, Nr. 13

Farbtafel IV

22
Küstenlandschaft
bei St. Valéry, 1862

Bezeichnet unten links: St. Valéry 6 Aug
62
Pappe, 36 × 53,5 cm
Kunstmuseum Düsseldorf (Dauerleih-
gabe der Staatlichen Kunstakademie
Düsseldorf, 1932)
Inv.Nr. 2337

Saint Valéry en Caux an der Kanalküste
zwischen Dieppe und Le Havre.
Ludwig Hugo Becker steht mit dieser
Landschaftsstudie in der Tradition seines Lehrers Johann Wilhelm Schirmer,
der 1836 eine Studienreise in die Normandie unternommen hatte, vergleiche
„Steiniger Strand", Kat.Nr. 227.
Eine Generation jünger als Schirmer ist
seine Handschrift entsprechend freizügi-
ger. Malerische Kostbarkeiten wie diese
erweckten große Hoffnungen. Der

22

frühe Tod des Künstlers hat hier eine schöpferische Kraft ausgelöscht, bevor sie schulbildend wirken konnte. Die Studien, die sich erhalten haben, vermitteln nur eine blasse Ahnung von dem, was die Malerei in Düsseldorf mit Ludwig Hugo Becker verloren hatte. Mit ihm schien in Düsseldorf ein Weg in die Zukunft gewiesen zu werden, der anderen Orts in Frankreich und in dem von Frankreich inspirierten München konse-

quent beschritten wurde. Die vor der Natur entstandene Malerei, die den Lichtphänomenen an der Küste der Normandie nachgeht ist von überraschender Frische; sie gehört mit weiteren sechs Bildern, die aus dem Besitz der Staatlichen Kunstakademie stammen, zu den Werken, die den Studierenden als Vorbild und Vorlage dienen sollten.

Lit.: I. Markowitz 1969, S. 46

23
Berghang, 1865

Bezeichnet unten links: 20. Sept. 65
Papier auf Pappe, 48 × 33 cm
Kunstmuseum Düsseldorf (Dauerleihgabe der Staatlichen Kunstakademie Düsseldorf, 1932)
Inv.Nr. 2223

Mit dieser wohl vor der Natur entstandenen Studie steht Becker auch im

23

Banne seines Lehrers Johann Wilhelm Schirmer: Die Wahl des Naturausschnittes findet sich ähnlich vorformuliert in dem Gemälde „Aus dem Neckartal" von J. W. Schirmer (Kunsthalle Mannheim), Kat.Nr. 240.

Die Vogelperspektive, wie er sie bei der topographischen Situation im Bergischen Land finden konnte (vergleiche I. Markowitz 1969) gibt ihm die Möglichkeit, die Landschaft in Aufsicht und Untersicht gleichzeitig zu bringen. Becker bleibt bei aller Neuartigkeit der Weltsicht konventionell, ein Streifen des Himmels ist am oberen Bildrand sichtbar. Die fast ganz auf Grüntöne abgestimmte Studie lebt von dem freien Spiel von Licht und Schatten und den reichen Nuancierungen des Grün.

Lit.: I. Markowitz 1969, S. 46, 47; Markowitz/Andree 1977, Nr. 5

Karl Joseph Begas
Heinsberg 1794 – 1854 Berlin

Historienmaler und Porträtist. Seine Porträts stehen in der Nachfolge Ingres' und des französischen Klassizismus. In seiner Historienmalerei bleibt er befangen in der Düsseldorfer Schule. Studium in Bonn und 1813–1821 in Paris bei Gros. Dort malte er einige religiöse Kompositionen, die ihm das Interesse und die Förderung des preußischen Königs Friedrich Wilhelm III. einbrachten. 1822–24 in Italien. Sein Interesse an mittelalterlicher Malerei wurde angeregt durch die Kenntnis der Sammlung Boisserée. Verbindung zu den Nazarenern in Rom. 1824 Übersiedlung nach Berlin. Dort wird er 1826 zum Akademieprofessor berufen.

Seine Zeitgenossen schätzten ihn vor allem als Porträtisten und Historienmaler.

24

Als einflußreicher Lehrer förderte er die französisch orientierte Malkultur der Berliner Schule.

Von den vier Söhnen, die als Künstler tätig waren, wurde von den Zeitgenossen der Bildhauer Reinhold Begas (1831–1911) besonders hoch geschätzt.

24
Auguste von Prillwitz, 1821

Leinwand, 80,2 × 60,3 cm
Staatliche Schlösser und Gärten, Schloß Charlottenburg, Berlin
Inv.Nr. GK I 30 245

25

Auguste von Prillwitz mit ihrer Tochter Luise Auguste Malwine.
Auguste von Prillwitz hieß früher Auguste Arndt (auch Arend), geboren in Berlin am 10. Juli 1801, gestorben am 26. Mai 1834 in Prillwitz.
Sie wurde als Geliebte des Prinzen August von Preußen zur Frau von Prillwitz am 12. Juli 1825 nobilitiert.
Die Tochter Luise Auguste Malwine (1820–1888), später ebenfalls nobilitiert, heiratete Cäsar von Dacheröden.
Spröde, kantig und gläsern fragil sind die Porträts des reifen Karl Begas. Dieses verhaltene Porträt von Mutter und Kind scheint nazarenische Formen-

strenge vorwegzunehmen, und doch entstand es in Berlin vor der Begegnung von Begas mit den Nazarenern in Rom. Der junge Wilhelm von Schadow läßt ähnliche Stilmerkmale in seinen Werken erkennen, die vor seiner Italienreise entstanden sind.
Dieses Doppelbildnis zeigt im Hintergrund eine südliche Landschaft. Der Blick geht durch einen Rundbogen, der mit einem Vorhang rechts verhängt ist, in die Ferne. Das Vorhangmotiv mit dem Rundbogen zusammen geben dem Porträt der jungen Mutter Geborgenheit und vermitteln die Assoziation eines Marienbildes.

Eduard Julius Friedrich Bendemann
Berlin 1811 – 1889 Düsseldorf

Sohn eines kunstsinnigen Bankiers in Berlin, Schwager von Wilhelm von Schadow und Julius Benno Hübner.
In Berlin zunächst Schüler von Wilhelm von Schadow, dem er 1827 nach Düsseldorf folgt, wo er im Schuljahr 1829/30 in der oberen Klasse der ausübenden Künstler eingeschrieben war. Seine Anlagen wurden als groß eingeschätzt. Von 1833 bis zu seinem Weggang nach Dresden im Jahre 1837 besucht er die Mei-

sterklasse. 1834/35 wird sein Gemälde „Jeremias auf den Tempeltrümmern" als besonderes Werk des Künstlers herausgestellt.

Mit Schadow und anderen Freunden ist er 1830/31 in Rom.

1838 wird er Professor an der Dresdener Akademie; dort erhält er den Auftrag, die Festräume im Dresdener Schloß auszumalen. Zu seinen Freunden zählt Robert Schumann. 1859 bis 1867 ist er als Direktor an der Düsseldorfer Kunstakademie Nachfolger von Wilhelm von Schadow.

Bendemann setzt den heroischen Stil des Peter von Cornelius fort, verbindet ihn aber mit dem sentimentalen Gestus und der naturalistischen Auffassung Wilhelm von Schadows.

25
Die trauernden Juden im Exil, 1832

Leinwand, 183 × 280 cm
Wallraf-Richartz-Museum, Köln
Inv.Nr. 1939
Bezeichnet auf dem Rahmen in den Bildzwickeln: „An den Wassern zu Babylon sassen wir und weineten, wenn wir an Zion gedachten"

Das Bildthema ist dem 137. Pslam entnommen.

Mit der Ausstellung dieses Gemäldes im Entstehungsjahr auf der Kunstausstellung der Kgl. Kunstakademie in Berlin hat Bendemann seine Zeitgenossen auf seine neuartige, von den Nazarenern beeinflußte Kompositions- und Malweise aufmerksam gemacht. Die passiv trauernde Figurengruppe traf mit ihrem Grundton eine Zeitstimmung, die von den Zeitgenossen, darunter z. B. Carl Immermann, als ihre Weltsicht gefeiert wurde.

Bendemann steht in der Tradition der Nazarener, bringt aber mit seinen ausge-

26

wogenen Figurenkompositionen und seiner Malkultur neues Leben in den sich schon damals verhärtenden Formenkanon der Nazarener. Was auffiel, war die naturalistische Frische in der Erfassung der Pflanzenwelt. Die groß gesehenen Figuren werden zu einer Gruppe unter einem halbrunden Abschluß des Bildes zusammengefaßt, gleichzeitig aber durch entschiedene Gegensätze voneinander abgehoben. Dieses Bild, vom Wallraf-Richartz-Museum noch im Entstehungsjahr erworben, gehörte von Anfang an zu den berühmten Gemälden aus Düsseldorf, die durch ihren elegischen Grundton stilbildend lange nachwirkten.

H. Püttmann schreibt in seinem Beitrag „Die Düsseldorfer Malerschule", 1839: . . . „Gleich dem Sänger Ossian wendet der Künstler seine Blicke von dem Standpunkte der Gegenwart aus in die Tage der Vorzeit, und die riesigen Ge-

bilde der Vergangenheit steigen aus dem Nebel empor, um ihre Ähnlichkeit oder Unähnlichkeit mit der Gegenwart zu zeigen. Aus der Geschichte des fatalistischen Judenvolkes wird dem Zuschauer eine Periode des Unglücks vorgeführt, und obgleich die Schilderung dieses Unglücks im Gewande der Vergangenheit erscheint, so treten die Beziehungen zur Gegenwart doch klar und deutlich hervor, weil eben die Unglücksperiode des armen Volkes noch nicht vorübergegangen ist. . . . Bendemanns Judenbilder sprechen ein tiefernstes Wort hinein in die Tagesdebatten über Emancipation des unglücklichen Volkes, und wenn es wahr ist, daß die Kunst Einfluß auf Culturfortschritte haben kann, wie es denn zu hoffen und auch zu glauben ist, so könnten diese Bilder statt des besten Plaidoyers dienen."

Lit.: Köln 1964, S. 21, 22

27

26
Die Heiligen Drei Könige,
1833

Leinwand, 22,5 × 26 cm
Kunstmuseum Düsseldorf
Inv.Nr. 4261

Hochzeitsgeschenk des Künstlers an seinen Kollegen und Freund Carl Ferdinand Sohn (Januar 1833).
Zur ikonographischen Tradition und
gleichzeitigen Sonderstellung Bendemanns bei diesem Bildthema siehe ausführlich I. Markowitz 1969. Bendemann
verzichtet kennzeichnenderweise auf das
erzählerische Moment, das in der Vergangenheit im Zusammenhang mit diesem Bildthema immer dominierte. Die
groß gesehenen Einzelfiguren bestimmen den Bildbau. Interessant die gotisie-
renden Zwickel mit den Dornenkronen
als Hinweis auf die Passion.

Lit.: I. Markowitz 1969, S. 47, 48

27
Zwei Mädchen, 1833

Bezeichnet unten rechts auf dem Brun-
nentrog: E. Bendemann Berlin. 1833.
Leinwand, 131 × 185 cm (dubliert)
Kunstmuseum Düsseldorf (Leihgabe
aus Privatbesitz)
Inv.Nr. D 67/1974

Dieses Gemälde entstand 1833, ein Jahr
später als Kat.Nr. 25. Auch hier steht
Bendemann ganz deutlich in der Nachfolge der Nazarener; Overbecks „Germania und Italia", siehe Kat.Nr. 179,
aber auch Freundschaftsallegorien der
Nazarener stehen im Hintergrund. Die
melancholisch-elegische Grundstimmung des Kölner Bildes dominiert auch
hier. Romantische Resignation fand in
diesem Gemälde in weicher, melancholisch gestimmter Form einen vollkommenen und von den Zeitgenossen mit
Zustimmung gefeierten Ausdruck.
Die Gruppe der ganzfigurigen Mädchen
vor lichtem, südlichen Himmel be-

stimmt die Komposition. In Auffassung
und Vortragsweise sind sie leise, aber
bestimmt voneinander abgesetzt. Jede
der Figuren ist für sich gesehen. Der
Dunkelhaarigen, links, mit bewegtem
offenem Kontur hat Bendemann die
freie, weite südliche Landschaft an einer
Meeresküste zugeordnet. Die Blonde
rechts, deren Rechte auf der linken
Schulter der Gefährtin ruht, hat den
Kopf versonnen vornüber geneigt, ihr
Kontur ist einfach und geschlossen; ihr
ist der Brunnen im Vordergrund rechts
mit dem Strauchwerk darüber in Nahsicht zugeordnet. Der schöne Fluß des
Lineaments geht zusammen mit der harmonischen Farbgebung. Von den Zeitgenossen als Aufsehen erregendes neues
Werk begrüßt und sofort mit den beiden
Leonoren C. F. Sohns (1834) verglichen.
In unserer Ausstellung befindet sich eine
kleinere Wiederholung, die im Jahre
1836 für die Sammlung des Grafen Raczynski gemalt worden ist. Kat.Nr. 208.
In Bendemann wurde der Künstler gefeiert, der „berufen ist, in der Historie
eine Tür aufzumachen" (N. N., Kunstblatt, 30. 4. 1835).
Eine zugehörige Ölstudie befindet sich
im Besitz der Staatlichen Kunstsammlungen, Dresden (Gemäldegalerie Neue
Meister).

Lit.: Düsseldorf und der Norden, Nr. 9;
Markowitz/Andree 1977, Nr. 6; Kunstmuseum Düsseldorf 1977, I, 22

Farbtafel V

28
Lida Bendemann, 1847

Bezeichnet auf dem Medaillon rechts: E.
Bendemann, Dresden 21. Febr. 1847
Leinwand, 112 × 92 cm
Kunstmuseum Düsseldorf
Inv.Nr. 4352

Lida Bendemann, geb. Schadow, Berlin
1821–1895 Düsseldorf. Tochter des Jo-
hann Gottfried Schadow (1764–1850),
Bildhauer und Akademiedirektor in Berlin, und seiner zweiten Frau Caroline
Henriette Marie Rosenstiel (1784–1832).
Halbschwester von Wilhelm von Schadow, siehe dort.
Heiratet am 28. 10. 1838 Eduard Julius
Friedrich Bendemann, den Maler dieses
Porträts.
In der Charakterisierung der Persönlichkeit nicht ohne resignierende Züge. Im
Gestus ohne van Dycks Porträt „Die
Gemahlin des Bildhauers Colyn de Nole
mit Tochter" in der Münchner Pinakothek nicht denkbar. Die von Wille publi-
zierten zugehörigen Zeichnungen deuten auf ein Schönheitsideal hin, das individuelle Züge zu Gunsten eines Typus
aufgibt. (Hans Wille, Eduard Bendemanns Bildnis seiner Frau, in: Wallraf-
Richartz-Jahrbuch 1966).
Die Ornamentstreifen im Hintergrund
zeigen im Medaillon links den Vater Johann Gottfried Schadow und rechts den
Ehemann Eduard Bendemann. Zur Herleitung dieses Bildmotivs von Gemälden, wie dem des Jacopo Pontormo
„Dame mit Schoßhund" (Städelsches
Kunstinstitut, Frankfurt am Main),
siehe ausführlich I. Markowitz 1969.
Dort findet sich auch der Rückverweis
auf Paul Ortwin Rave 1925 (Aus den
Jugendjahren Julius Hübners, in: Der
Cicerone 1925, Bd. 2, S. 1001), der auf
die Ähnlichkeit der Gestaltung des Hintergrunds mit einer modischen Dekoration der Wohnräume Berlins um 1830
hinweist (vergleiche Julius Benno Hübner „Pauline Hübner", Kat.Nr. 113).

Lit.: I. Markowitz 1969, S. 48, 49; Düsseldorf und der Norden 1976, Nr. 10;
Markowitz/Andree 1977, Nr. 7

28

Albert Bierstadt
Solingen 1830 – 1902 New York City

Verwandt mit Johann Peter Hasenclever.
Kam mit seinen Eltern 1831/32 nach
New Bedford/Massachusetts. 1853
kehrte er nach Deutschland zurück und
studierte in Düsseldorf. Hier schloß er
sich vor allem Lessing, Leutze und Andreas Achenbach an. Blieb bis 1857 in
Europa. Reisen in Deutschland, der
Schweiz und Italien. Nach seiner Rückkehr in die Vereinigten Staaten nahm er
1859 unter Colonel F. W. Lander an
einer Landvermessungsexpedition in
den Westen teil. Es war die erste von
vier Reisen in den Westen.
Bierstadt hat für seine Malerei die Ausdruckskraft der großartigen Weite der
amerikanischen Landschaft entdeckt
und blieb von ihr fasziniert bis zum

29

Ende seines Schaffens. Seit 1860 Wohnsitz in New York. Im gleichen Jahr wurde er zum Mitglied der National Academy gewählt. Von 1866–1882 lebte er in Irvington am Hudson in einem Haus, das er „Malkasten" nannte. Später wohnte er wieder in New York und unternahm von dort aus mehrere Reisen nach Europa.

29
Sonnenuntergang in den
Wind River Mountains, 1861

Bezeichnet unten rechts: A. Bierstadt
Leinwand, 99,1 × 152,4 cm
Free Public Library, New Bedford, Mass., USA

Wind River Range ist ein Gebiet südlich der Rocky Mountains, heute Indianer-Reservat der Shoshone- und Arapahoe-Indianer. Die Rocky Mountains sind ein bis zu 4400 m aufsteigendes, scharfkantig aufgefaltetes Hochgebirge im Hohen Westen (High West), das von Nordwesten nach Südosten verläuft und im nördlichen Teil im Erscheinungsbild den Alpen in Europa nahekommt.

1859 hatte sich Bierstadt unter der Leitung von Colonel F. W. Lander an einer Expedition in den Westen beteiligt. Die Eindrücke der Rocky Mountains, des Yosemite Valley und der Wind River Mountains mit ihrer großartigen Wildheit waren für ihn ein überwältigendes Erlebnis, das ihn zu immer neuen phantastischen Landschaften inspirierte. Die Farben der Wind River Mountains und der Ebene, und nicht zuletzt die Farben der ganzen Landschaft erinnern an die italienische Farbigkeit. In der Tat haben wir hier das „Italien" von Amerika in einem ursprünglicheren Zustand (aus einem Brief Bierstadts vom 10. 7. 1859 an die Zeitschrift THE CRAYON). Bei diesen amerikanischen Landschaften, unter jeweils extrem anderen atmosphärischen Bedingungen, fügte er die Natureindrücke aus verschiedenen Bereichen zu einer bezwingenden, die Wirklichkeit übersteigenden Komposition zusammen. Einen besonderen Reiz gibt diesen Bildern die idealisierte Staffage der Shoshone-Indianer, deren Leben er auf der gleichen Expedition studiert hatte.

Für die Jahresausstellung der National Academy in New York hat Bierstadt statt des großen Gemäldes „Rocky Mountains" dieses ältere Gemälde in kleinerem Format zur Verfügung gestellt (G. Hendricks 1974). Es ist eine der frühesten aus einer Reihe von Darstellungen der amerikanischen Landschaft, die schon bei den Zeitgenossen mit ihrer Tendenz, den Detailrealismus durch dramatische Akzentuierung zu überhöhen, Aufsehen erregte und Bierstadts Ruhm in Amerika begründet.

Im Aufbau und Erscheinungsbild stehen die Bilder Bierstadts auch in der Nachfolge Johann Wilhelm Schirmers, vergleiche Biblische Landschaft, 1855/56 (Kunstmuseum Düsseldorf, Inv. Nr. 4125).

Lit.: The Hudson and the Rhine, Düsseldorf 1976, Nr. 11

30
Licht und Schatten, 1862

Leinwand, 99,1 × 85 cm
Privatbesitz

In der Studie hatte Bierstadt einen Natureindruck festgehalten: den Eingang zur Kapelle der Löwenburg (1793–1800) im Park von Schloß Wilhelmshöhe bei Kassel. Der Bildgedanke steht jedoch in der Nachfolge von Lessings „Klosterhof im Schnee", Kat.Nr. 154. Dies Gemälde war seinerzeit, wenigstens in Reproduktionen, allgemein bekannt. Die von Goethe kritisierte Strenge und Einseitigkeit des Lessingschen Bildgedankens der abgestorbenen Welt modifiziert Bierstadt: zu der durch Licht- und Schattenspiel atmosphärisch belebten Kirchenarchitektur fügt er belaubte Vegetation hinzu. Neu ist das Interesse an atmosphärischen Erscheinun-

gen, die bei Künstlern wie Oswald Achenbach und Munthe in den späteren Jahren zum eigentlichen Bildthema werden, vergleiche Oswald Achenbach „Wengen", Kat.Nr. 19 sowie Ludwig Munthe „Alleestraße", Kat.Nr. 176.
Der ausgeprägte Detailrealismus, wie er in der Wiedergabe des Mauerwerks mit seinen Rissen, Sprüngen und dem Moosgeflecht auf der Balustrade sowie in der aufgebrochenen Pflasterung zum Ausdruck kommt, steht ganz im Dienst des Bildgedankens; die lebendige Natur setzt sich auf lange Sicht gegen die von Menschenhand geformte Umwelt durch.

Lit.: G. Hendricks, 1974, Nr. 81

31
Merced River, 1866
(Yosemite Valley)

Bezeichnet unten rechts: A. Bierstadt 1866
Leinwand, 91,4 × 127 cm
Metropolitan Museum of Arts, New York (Geschenk der Söhne von William Paton)

Merced River, spanisch El Rio de la Nuestra Señora de la Merced.
Das Yosemite Valley liegt im Yosemite National Park. Es wird von 900 bis 1500 m hohen, fast senkrecht aufsteigenden Granitwänden überragt. In das Merced-Flußtal stürzen Wasserfälle herab und unterstreichen den malerischen Reiz dieser Landschaft. Nach G. Hendricks (1974) ist der Titel ungenau.
Wohl freie Komposition nach der Natur in Anlehnung an Schirmersche Alpenbilder, vergleiche „Das Wetterhorn", Kat.Nr. 230. Der Künstler hat das Thema mehrfach unter verschiedenen atmosphärischen Bedingungen behandelt. In diese artifiziell überhöhte Darstellung einer idealisierten Landschaft sind verschiedene Natureindrücke ein-

30

gegangen. Sie ergeben ein lebendig überzeugendes, wenngleich stilisiertes Bild des Yosemite Valley.

Lit.: G. Hendricks, 1974, Nr. CL 171

Louis Ammy Blanc
Berlin 1810 – 1885 Düsseldorf

Erste Ausbildung an der Berliner Akademie. Von 1833 bis 1840 Schüler der Düsseldorfer Kunstakademie bei Julius Benno Hübner. Hier wird ihm eine sehr gute Anlage bestätigt. Seit 1837 in der Meisterklasse. Von 1840 bis 1842 arbeitet er für den Königshof in Hannover. Später wird er für den Darmstädter Hof tätig.
1837 Reisen nach England und Frankreich.
Wie Eduard Bendemann sucht er in seinem Werk eine Verbindung der naturalistischen Auffassung mit der idealistischen Lehre Schadows.

31

32
Verstoßung der Hagar, 1833

Bezeichnet unten rechts: L. Blanc Mai
1833
Leinwand, 63 × 84 cm
Privatbesitz

Verstoßung der Hagar: I. Buch Moses
21, 14.
Als Ismael, der Sohn der ägyptischen
Magd Hagar und Abrahams, 14 Jahre alt
war, gebar die 90jährige Sarah dem
100jährigen Abraham den verheißenen
Sohn Isaak, den Stammvater der Juden.
Sarah forderte von Abraham die Versto-
ßung des „Spötters" Ismael und der Ha-
gar. Gott befahl Abraham im Traum:
Alles, was Sarah Dir gesagt hat, dem
gehorche. Blanc folgt der Bildtradition,
Ismael als ungefähr 10jährigen Knaben
darzustellen. Trotz der dominierenden
Gestalt Abrahams eher eine Genreszene:
Abraham, gläubig dem harten Gottesbe-
fehl gehorchend, verabschiedet wehlei-
dig bedrückt die ins Verderben ziehende
Hagar und den ahnungslosen Ismael.
In der Bildmitte hinten ein Feigen-
baum.
Das Bild entstand im gleichen Jahr wie
Bendemanns „Zwei Mädchen", Kat.Nr.
27. In der Zuordnung der Figuren zueinander, in der Komposition mit einem
halbrunden Abschluß, ist der Künstler
sicherlich von seinem Generationsgenossen Eduard Bendemann inspiriert.
Auch die Verteilung von Fern- und
Nahsicht links und rechts im Bild ist
vergleichbar. Bei entschieden anderem
Bildthema ist aber der Gestus Bendemanns und die verhaltene Resignation
hier vorbildlich. Beide Gemälde sind
wichtige Werke der Schadow-Schule, sie
verdeutlichen gleichzeitig aber auch die
Spannweite, in der sich Kunst, die ganz
im Banne Wilhelm von Schadows blieb,
entfalten konnte.

Lit.: 100 Jahre Galerie Paffrath 1967, S.
18, 19

32

33
Die Kirchgängerin, 1834

Bezeichnet unten links: Louis Blanc,
1834. Düsseldorf
Leinwand, 112 × 78 cm
Niedersächsisches Landesmuseum, Nie-
dersächsische Landesgalerie, Hannover
Inv.Nr. PNM 482

Der Hannoveraner Katalog informiert
ausführlich über Entstehungsgeschichte
und Varianten und ihre Schicksale.
Louis Blanc gibt ein überhöhtes Porträt
der Gertraud Küntzel, geb. Breidenbach, 24. 7. 1809 – 18. 6. 1834; Tochter
des Johann Wilhelm Breidenbach
(1764–1837), Gründer des heutigen
„Breidenbacher Hofs", und der Fran-
ziska Breidenbach, geb. Brewer (1782–

1820); heiratet am 3. 9. 1833 Eduard
Küntzel, Rittmeister im Düsseldorfer
Husarenregiment.
Mit dem Hinweis auf die noch unvollendete Westfassade des Kölner Doms
greift Louis Blanc eine van Eycksche
Bilderfindung wieder auf (vgl. Die Heilige Barbara, 1437, Antwerpen). Eigen
ist die Verhaltenheit des Ausdrucks, das
In-sich-Gekehrte steht in einem auffallenden Gegensatz zu der prächtigen Gewandung. Die porträtierte Frau Küntzel
wird zu einem engelhaften Wesen aus
dem deutschen Mittelalter, zu einer Heiligen stilisiert.
Die Arbeiten am Kölner Dom waren im
Jahre 1560 eingestellt worden; durch
den Fund des alten Aufrisses der Westfassade in Darmstadt und Paris 1814 und
1816 kamen zum Ausbau des Domtorsos
führende Überlegungen und Pläne zum

34

Tragen. Erst 1842 konnte mit dem Auf-
und Ausbau des Kölner Doms begonnen werden, Arbeiten, die 1880 abgeschlossen wurden. Von der Architektur
im Hintergrund links läßt sich das Over-
stolzenhaus in Köln, Rheingasse, identifizieren.

Lit.: Kat. Hannover 1973, Nr. 67

Karl Blechen
Kottbus 1798 – 1840 Berlin

Einer der Begründer der naturalistischen Landschaftsmalerei in Deutschland. Er arbeitet vorwiegend in Berlin
und hatte einen bedeutenden Einfluß auf
den jungen Menzel. Seine Ölskizzen sind
bewundert worden wegen ihrer freien
Farbgebung. Von Blechen gehen Verbindungen zu Menzel und zu der Entwicklung des Impressionsismus. Nicht
weniger bedeutsam ist die Verbindung
zu C. D. Friedrich, Claussen Dahl und
sogar bis hin zu Böcklin.
Er begann eine kaufmännische Lehre in
einer Bank und malte und zeichnete in
seiner Freizeit. Erst mit 25 Jahren entschied er sich für den Künstler-Beruf.
1822 besuchte er die Berliner Akademie
unter Lütke; 1823 traf er in Dresden
Claussen Dahl und C. D. Friedrich. In
Berlin weckte er das Interesse von
Schinkel, der ihm eine Anstellung als
Bühnenbildner am Königstädtischen
Theater in Berlin verschaffte. Seine
Landschaften aus dieser Zeit sind romantisch und theatralisch, und stark von
Schinkel beeinflußt. 1828/29 eine Italienreise, die seiner Neigung zur naturalistisch gesehenen Landschaft zum
Durchbruch verhalf. Die in Italien entstandenen Gemälde brachten ihm Erfolg
in Berlin. Er wurde 1831 Professor für
Landschaftsmalerei an der Berliner Aka-
demie und Mitglied der Akademie 1835.
Sein Gemälde „Walzwerk bei Eberswalde", 1834, ist eines der ersten Indu-
striebilder der deutschen Landschaftsmalerei. 1835 einige Wochen in Paris.
Seit 1836 krank.

34
Klosterhof mit Kreuzgang,
um 1825

Leinwand, 29 × 24 cm
Sammlung Georg Schäfer, Obbach
Inv.Nr. 56102845

Die Beziehungen Blechens zur Kunst
Menzels und Friedrichs sind in der Literatur immer wieder hervorgehoben
worden. Seine Einflußnahme auf die

35

Schaffen Gregor von Bochmanns ein Höhepunkt. Es dominiert die auf wenige Grautöne abgestimmte Malerei. In diese sind alle genrehaften, narrativen Züge eingebunden. Gregor von Bochmann erweist sich hier als ein Zeitgenosse der Düsseldorfer Künstler Georg Oeder, siehe Kat.Nr. 178 und Eugène Dücker, siehe Kat.Nr. 65.

Das Interesse am fernen, fremdländischen, hier estnischen, Landleben war in seiner Zeit vergleichbar den neuartigen Genrebildern von Rudolf Jordan etwa 50 Jahre früher; dieser hatte die ethnographischen Sonderheiten der Küsten- und Inselbevölkerung der Nordsee für die Genremalerei entdeckt, vergleiche Kat.Nr. 127, 128.

Lit.: I. Markowitz 1969, S. 52

Düsseldorfer Künstler, wie z. B. Lessing oder auch Oswald Achenbach ist bisher noch nicht genug untersucht worden. Darstellungen wie diese hier mögen den jungen C. F. Lessing zu seiner im Gedanklichen weit über Blechen hinausgehenden Bilderfindung „Klosterhof im Schnee", Kat.Nr. 154, inspiriert haben. Beleuchtungseffekte, die dem Theatermaler Blechen aufgefallen sein mögen, finden ebenfalls Nachfolge im Werk Oswald Achenbachs.

Unser Bild gehört in den Umkreis der Bilderfindung „Kloster im Walde", die im Werkverzeichnis des Künstlers von Paul Ortwin Rave unter den Nummern 1862 bis 1873 aufgeführt ist.

Lit.: Kat. Ausst. Nürnberg 1967, Nr. 35, V 20

Gregor von Bochmann
Gut Nehat (Estland) 1850 – 1930 Hösel bei Düsseldorf

Erster Unterricht bei Th. Sprengel in Reval. 1868 bis 1871 besuchte er die Kunstakademie in Düsseldorf. Seit 1870

in der Landschafterklasse bei Oswald Achenbach. 1871 ein eigenes Atelier. Carl Seibels' Kunstweise nahe.

Studienreisen führten ihn nach Belgien, Holland und an die Ostseeküste. 1893 wird er ordentliches Mitglied der Berliner Akademie, 1895 mit dem Professorentitel ausgezeichnet. Seine zum Monochromen tendierende, nuancenreiche Malerei bevorzugt als Themen Landschaften und Szenen aus dem Volksleben. Dabei bevorzugt er Bilder aus dem estnischen Landleben, seiner Heimat.

35
Alter Fischmarkt in Reval, 1886

Bezeichnet unten rechts: G. v. Bochmann 1886
Leinwand, 99 × 169 cm
Kunstmuseum Düsseldorf
Inv.Nr. 4538

In der virtuosen Beherrschung der handwerklich-malerischen Mittel im frühen

Christian Eduard Boettcher
Imgenbroich bei Monschau 1818 – 1889 Düsseldorf

Anfangs als Lithograph in Stuttgart tätig.
1844 bis 1849 in Düsseldorf Schüler der Akademie bei Theodor Hildebrandt und Wilhelm von Schadow. Wurde in Düsseldorf ansässig. Sein berühmtes Bild wurde „Die Sommernacht am Rhein", die in zahllosen Reproduktionsstichen Verbreitung fand. Bevorzugt in seinen Darstellungen rheinische Landschaften mit gemütvollen Genreszenen.
Die spätromantisch-sentimentale Stimmung fand in seinen Gemälden eine beeindruckende Formulierung, die ihn populär machte.

36
Sommernacht am Rhein, 1862

Bezeichnet unten links: C. E. Boettcher
pxt. / Düsseldorf 1862
Leinwand, 117 × 183 cm
Kölnisches Stadtmuseum, Köln
Inv.Nr. HM 1940/114

Im Mittelpunkt unter einer mächtigen
Linde eine Gesellschaft bei der Bowle,
vom Kerzenlicht beleuchtet. Im dunklen, etwas tiefer liegenden Vorder-
grunde links am Tisch, auf welchem die
Kölnische Zeitung liegt, drei ältere Herren, zwei in lebhafter Unterhaltung; andere – unter ihnen der Geistliche rechts

– brechen eben zur Heimkehr auf; dem
einen der Zecher wird von einem Knaben ein Schlüssel gebracht, ein anderer
ist im Rausch eingeschlafen. Im Hintergrund links romanische Architektur,
rechts das Städtchen mit dem Rheinufer
im Mondenschein. Die Gestalten sind
zum Teil Porträts von Düsseldorfer Malern. Im Mittelgrund an den Baum-
stamm angelehnt Theodor Mintrop, unten am Tisch Geselschap und Boettcher,
ferner Ad. Schmitz und Fritz Werner.
Eine zugehörige Vorzeichnung befindet
sich in der Graphischen Sammlung des
Kunstmuseums Düsseldorf. Irene Markowitz, 1965, schreibt: „. . . vermutlich
Burg Stahleck bei Bacharach". (Kat.
Ausstellung Handzeichnungen und

Aquarelle des 19. Jahrhunderts Kunstmuseum Düsseldorf 1965/66).
Als Reproduktionsstich weit verbreitet,
und so als Bilderfindung „allgegenwär-
tig".
Für die späte Phase der Rhein- und
Weinromantik ein Hauptwerk, das eine
Lebens- und Welteinstellung formuliert,
die weit ins 20. Jahrhundert hinein wirksam blieb. Im Vergleich zu Schroedters
ähnlichem Bildthema, siehe Kat.Nr. 247,
ist bemerkenswert: die frühere Fassung
von Schroedter ist reicher an Einzel-
gruppen und Details, die durch die
Lichtführung und die Architektur zusammengehalten werden.
Boettcher verzichtet bei seinem Nacht-
bild auf die Farbe. Die Lichtregie ordnet

37

die figurenreiche Komposition. Die artifizielle Behandlung der verschiedenen Lichtquellen: Lichtkrone über dem großen Tisch, Einzelkerze auf dem kleinen Tisch unten links im Vordergrund sowie der Mond am Himmel und der Reflex des Mondlichtes auf dem Wasser, wird in den Dienst der Komposition genommen. Die Popularität dieses Bildes resultiert aus der hier eingefangenen, etwas verschwommenen Bowlen-Trunkenheit in einer lauen Sommernacht bei gelockerter Stimmung.

Lit.: Köln 1914, Nr. 829; Hans F. Secker, Die Galerie der Neuzeit im Museum Wallraf-Richartz, Leipzig 1927, S. 101, 103, 104; U. Immel 1967, S. 288–290; Hubertus Günther, Der Malkasten, in: Weltkunst 1978, S. 313

Christian Ludwig Bokelmann
St. Jürgen bei Bremen 1844 – 1894 Berlin-Charlottenburg

Besucht von 1868 bis 1871 die Düsseldorfer Kunstakademie. Bei Wilhelm Sohn Privatschüler.
Beteiligt sich seit 1874 an den Berliner Akademieausstellungen. 1892–1893 Professor für Genre- und Porträtmalerei an der Kunstschule in Karlsruhe. 1893 folgt er einem Ruf an die Akademie der bildenden Künste in Berlin.
In seinem späten Schaffen dominieren die ernsten Bildthemen mit sozialkritischen Anklängen; er überwindet den Atelierton und findet zu einer reich nuancierten Raummalerei.

37
Aufbruch der Auswanderer, 1882

Leinwand, 18 × 27 cm
Kunstmuseum Düsseldorf
Inv.Nr. 4217

Ölskizze zu dem großen Gemälde aus dem Jahre 1882 in den Staatlichen Kunstsammlungen, Gemäldegalerie Neue Meister, Dresden. Bei Irene Markowitz 1969 sind alle bekannten Vorarbeiten und Detailstudien aufgeführt; dort findet sich auch die Lokalisierung: Der Düpkeshof in Düsseldorf-Flingern. Was im Verhältnis zum ausgeführten Gemälde auffällt, ist die Tendenz zum grautonigen Monochromen. Das ausgeführte Gemälde in Dresden ist reicher an Farbe. Die allgemeine Situation ist in der Skizze schon festgelegt. Bei der Ausführung verzichtet Bokelmann auf die den Raum verstellende Kindergruppe auf dem Wagen vorn rechts und auf den Dunghaufen mit Enten im Vordergrund.
Das sozialkritische Thema klingt hier nur mit an, wird wie beiläufig behandelt, vergleiche Carl Wilhelm Hübner, „Die schlesischen Weber", Kat.Nr. 110 und „Auswanderer", Kat.Nr. 112.

Lit.: I. Markowitz 1969, S. 54

38
Nordfriesisches Begräbnis, 1887

Bezeichnet unten links: Chr. L. Bokelmann / Ddf. 87
Leinwand, 121 × 181 cm
Kunstmuseum Düsseldorf
Inv.Nr. 4008

Mit seinen Freilicht- und Interieur-Studien, die er seit 1885 betrieb, überwindet Bokelmann den Atelierton seines Lehrers August Wilhelm Sohn. In der Bevorzugung von grauen und schwarzen Tönen bringt Bokelmann eine neue realistische Note in die seit Rudolf Jordan gepflegte, ethnographisch orientierte Genremalerei. Sie schien bei dem gewählten Thema den Dargestellten besonders adäquat.

In der Wahl des Bildthemas dem „Leichenschmaus" von Vautier, 1866, nahe, vergleiche Kat.Nr. 261. Das eigentliche Thema ist die Darstellung der verschiedenen Reaktionsweisen auf psychisch bewegendes Geschehen. Bokelmann steht in der Tradition der Düsseldorfer Malerschule mit ihrer Vorliebe für das Gemütvolle, und in ihrer breiten Auffächerung der Seelenstimmung. Jordan hatte als erster auf das Ethnographische aufmerksam gemacht, das hier mit Sorgfalt und Detailtreue vorgetragen wird. Bokelmann gehört in seiner Zeit zu den rückwärts gewandten Künstlern, die die narrativen Möglichkeiten eines solchen Bildthemas wie „Das Nordfriesische Begräbnis" voll ausschöpfen.

Lit.: I. Markowitz 1969, S. 55, 56

38

Ferdinand Brütt
Hamburg 1849 – 1936 Bergen bei Celle

Erste Studien auf der Gewerbeschule in Hamburg. Seit 1870 Besuch der Kunstschule in Weimar, Schüler von Ferdinand Wilhelm Pauwels und Albert Baur. Von 1876 bis 1898 war Brütt in Düsseldorf ansässig. Hier fand er seine Bildthemen, die ihn berühmt machten: das Leben in der Großstadt in Börsen, Banken und Gerichtssälen. In der Gestaltungsweise verbindet er die realistische Sehweise mit einer offenen, am Impressionismus geschulten Pinselschrift bei einer zurückhaltenden, zum Monochromen tendierenden Farbgebung. Seine gemäßigt fortschrittliche Darstellungsweise zusammen mit einer das psychologische Interesse der Kunstfreunde ansprechenden Themenstellung brachte ihm Erfolg und Zustimmung im späten 19. Jahrhundert. In der Vorliebe für extreme Situationen tradiert er das Kunst- und Ge-

dankengut Theodor Hildebrandts, verwandelt es aus der literarisch-theatralischen Vergangenheit in die Gegenwart der modernen Großstadt.
1898 Übersiedlung nach Kronberg im Taunus. Von nun an malte er vorwiegend Landschaften, daneben entstanden aber auch Historienbilder. (Historische Fresken im Frankfurter „Römer")

39
Atelierbesuch, 1879

Bezeichnet unten links: Ferd. Brütt
Ddf. 79
Leinwand, 81 × 101 cm
Kunstmuseum Düsseldorf
Inv.Nr. 4010

Nach I. Markowitz 1969 ist das Atelier des Künstlers in Düsseldorf, Leopold-

straße 26 dargestellt. Die modisch-malerische Ausstattung verrät den bestimmenden Einfluß von Makart, hier ins Großbürgerliche zurückgenommen, fern von fürstlichem Prunk und Aufwand. Das Geschehen, der Besuch eines Kunstfreundes im Atelier des Malers, der ein Gemälde auf der Staffelei dem Interessenten vorführt. Die reiche, großbürgerliche Dekoration mit Draperie, mit den das Licht dämpfenden Vorhängen, Orientteppichen und darüber noch ein Tierfell, ist so arrangiert, daß das Gemälde auf der Staffelei im hellsten Licht erscheint, ohne daß man dies Gemälde näher bestimmen könnte. Es handelt sich um ein Landschaftsbild in Hochformat.
Das Bild mit seiner gepflegten, kultivierten Atmosphäre gibt indirekt Auskunft über den gesellschaftlichen Rang eines arrivierten Malers in Düsseldorf im späten 19. Jahrhundert.

Lit.: I. Markowitz 1969, S. 61, 62

39

40

Die Stunde der Entscheidung
im Gerichtssaal, 1892

Bezeichnet unten links: Ferd. Brütt.
Inschrift auf dem Bild über der Türe in
der Bildmitte: Justitia fundamentum
regnorum
Leinwand, 100 × 140 cm
Bayerische Staatsgemäldesammlungen,
Neue Pinakothek, München
Inv.Nr. 7897

Ferdinand Brütt hat mit einer ganzen
Reihe von Gerichtsbildern in den 8oer
und 9oer Jahren einen Themenbereich
für die Malerei in Düsseldorf erschlossen, auf den Munkacsy wohl als erster
hingewiesen hat, vergleiche „Der letzte
Tag eines zum Tode Verurteilten",
Kat.Nr. 175. Die dramatisch zugespitzte
Bilderfindung spricht sich in Titeln aus
wie „Freigesprochen" oder „Verurteilt"
(ehemals Kunstmuseum Düsseldorf).
Der Künstler war in diesen Jahren als
Geschworener tätig.

Bei diesem Gemälde bestimmen die
Lichteffekte den Gesamteindruck, vergleiche auch „Atelierbesuch", Kat.Nr.
39, mit seinen Sfumato-Tönen. Im Vordergrund rechts bespricht sich der Verteidiger mit der Angeklagten. Zu dieser
Gruppe, die das Mitgefühl des Betrachters anspricht, steht in bewußtem Kontrast der Gerichtshof, der durch eine
Türe in der Bildmitte den Sitzungssaal
gerade betritt. Der Gerichtsdiener, der
die Lampe anzündet, verdeutlicht, daß
in diesem Augenblick mit dem Eintritt

41

des Gerichtshofes Licht in die zu verhandelnde Sache gebracht wird.

Lit.: Horst Ludwig, Malerei der Gründerzeit, Bayerische Staatsgemäldesammlungen, Neue Pinakothek München, Gemäldekataloge Bd. 6, S. 14, 15

Wilhelm Camphausen
Düsseldorf 1818 – 1885 Düsseldorf

Seit 1834 Schüler der Düsseldorfer Kunstakademie. Als Historienmaler wird ihm eine bedeutende Anlage bestätigt; 1837 in die erste Klasse versetzt. Nebenher Studien bei Alfred Rethel und Carl Friedrich Lessing. Für das Schuljahr 1841/42 findet sich in der ersten Klasse die Notiz: „Hat Prinz Eugen in einer Türkenschlacht gemalt".
Von 1843 bis 1849 hatte er ein Meister-

atelier. Seine Anlage wird „sehr ausgezeichnet" eingeschätzt.
Studienreisen durch Deutschland, aber auch nach Frankreich und in die Niederlande.
Schon 1849 fand er für sein Gemälde „Flucht Karls II." in Amerika einen Käufer. Seine Schlachten- und Reiterbilder machten ihn berühmt. In den Kriegen 1864, 1866 und 1870/71 als Bildreporter tätig. Die realistische Sehweise fesselte die Zeitgenossen. Sie fand Nachfolge im Schaffen Theodor Rocholls.

41
Prinz Eugen bei Belgrad, 1842

Bezeichnet: W. Camphausen. 1842
Leinwand, 124 × 173 cm
Wallraf-Richartz-Museum, Köln
Inv.Nr. 1617

Prinz Eugen von Savoyen (1663–1736) trat 1683 in das Kaiserliche Heer ein. 1693 zum Feldmarschall ernannt, erhielt er 1696 den Oberbefehl in den Türkenkriegen. Nach der entscheidenden Schlacht am 16. 8. 1717 eroberte er die Festung Belgrad.
Dargestellt ist hier die Flucht der Türken vor dem siegreichen Heer von Prinz Eugen, im Hintergrund die Festung Belgrad. Der Kölner Katalog aus dem Jahre 1914/15 beschreibt u. a.: „Der Offizier rechts vom Helden ist das Porträt Immermanns (vgl. Kat.Nr. 216), der links dasjenige des Malers Theodor Hildebrandt" (vgl. Kat.Nr. 114). Der Künstler steht in der Tradition der Schlachtenbilder, die für Camphausen in Rubens kulminierten (vgl. z. B. „Heinrich IV. in der Schlacht bei Ivry", Uffizien Florenz). Camphausen hebt Prinz Eugen aus dem Schlachtengetümmel hervor: er rückt ihn in die Bildmitte, hinter ihm ragt die Standarte auf; durch Blick und Gestus bindet Prinz Eugen die Komposition der linken und rechten Bildhälfte zu einer Einheit zusammen. Über der dramatisch bewegten Szene ein Wolkenhimmel, der das Geschehen unterstreicht.
Vergleiche das Schlachtenbild von Th. Rocholl „Kampf um die Standarte", Kat.Nr. 197.

Lit.: Köln 1914, Nr. 827

42
Friedrich der Große zu Pferde, 1871

Bezeichnet unten rechts: W. Camphausen 1871 (W und C ligiert)
Leinwand, 196,5 × 172,5 cm
Kunstmuseum Düsseldorf
Inv.Nr. 5601

Friedrich der Große
1712–1786, seit 1740 König von Preußen.

43

Abschilderung des Gesehenen nicht mehr. Er entwickelt seine Kunst zu suggestiven Interpretationen eines Bildmotivs. Die heimische Waldlandschaft bleibt für ihn Ausgangspunkt für Visionen stark subjektiver Prägung.

43
Nach dem Unwetter, 1851

Bezeichnet: A. Cappelen 1851
Leinwand, 86 × 95 cm
Gutsbesitzer H. S. D. Cappelen, Ulefos Jernverk

Die großen bedeutenden Bilder von August Cappelen stammen fast alle aus seinem letzten Lebensjahr. Sein eigentliches Motiv ist der wilde Föhrenwald, dessen Urtümlichkeit prägnant herausgearbeitet wird. Diese Werke aus der Spätzeit gehen wohl alle auf Naturstudien aus der Heimat des Künstlers zurück. Sie werden jedoch von Cappelen expressiv umgedeutet und in ihrer Wirkung überhöht. Die effektvolle Komposition und Lichtregie kam den Tendenzen der Zeit entgegen, vergleiche Andreas und Oswald Achenbach. Das reife Werk von Cappelen hat möglicherweise auch für Hertervig, „Die alte Brücke", Kat.Nr. 100, entscheidende Bedeutung gewonnen.

Lit.: Düsseldorf und der Norden, 1976, Nr. 51

Wiederholung des im Auftrag des preußischen Königs gemalten Porträts für das Berliner Schloß „Friedrich II. zu Pferde" (seit 1945 verschollen).
Hinter ihm folgen von links nach rechts: Friedrich Wilhelm von Seydlitz (1721–1773), Preußischer General der Kavallerie; Prinz Heinrich von Preußen (1726–1802), Bruder Friedrichs des Großen; Hans Joachim von Zieten (1699–1786), Preußischer Reitergeneral.
Im Hintergrund weitere Generäle.
Camphausens Bild von Friedrich dem Großen hat eine Breitenwirkung gehabt, die nur von Menzels Bildern aus dem Leben Friedrich II. übertroffen wird.
Camphausen motiviert das Aufscheuen des Pferdes durch die Kanonenkugel, die soeben eingeschlagen ist. Nur der König bleibt gelassen, reagiert mit einem leisen Abwehrgestus. Aus diesem Gegensatz der Reaktionsweisen resultiert die Dramatik des Bildes.

Lit.: I. Markowitz 1969, S. 64, 65

Herman August Cappelen
Skien 1827 – 1852 Düsseldorf

Herman August Cappelen besuchte 1849/50 die Kunstakademie in Düsseldorf als Schüler von Johann Wilhelm Schirmer.
Cappelen gehört zu den jungen norwegischen Künstlern, die um 1850 in Düsseldorf arbeiten und schon einen eigenen Malstil entwickelt haben. Eindrücke aus seiner Heimat in Telemark bestimmten seine Bildersprache. Dennoch scheint er weniger um eine national norwegische Kunst bemüht zu sein als seine Zeitgenossen, denen es vorwiegend darum ging, ihre visuelle Entdeckung und Erkenntnis des jungen Norwegens bildnerisch zu gestalten. Dann geht er 1846 zusammen mit Gude und Eckersberg auf eine Studienreise ins Gudbrandsdal. Ein Jahr später bereist er das Fjordgebiet in Westnorwegen. Mit Vorliebe verarbeitet er jedoch Bildthemen aus seiner Heimat. Schon früh genügt ihm eine

44
Wasserfall im unteren Teil
von Telemark, 1852

Bezeichnet unten rechts: A. Cappelen
1852
Leinwand, 77 × 102,5 cm
Nationalgalerie Oslo
Inv.Nr. 427

Diese Komposition aus dem Todesjahr bildet einen Höhepunkt im Schaffen des Künstlers. In der malerischen Gestaltung den übrigen Werken seiner Spätzeit verwandt, in der Seh- und Gestaltungsweise dominiert jedoch eine sachliche Haltung dem Motiv gegenüber. Trotz des überlieferten Titels handelt es sich wohl kaum um eine topographisch zu fixierende Landschaft.

Lit.: Oslo 1968, Nr. 230; Düsseldorf und der Norden 1976, Nr. 54

45

zeigte Gemälde „Die letzte Zusammen-
kunft von Bürgermeister Beeckman und
Laruelle" (Kat.Nr. 46) erregte bei der
Ausstellung in Brüssel 1848 großes Aufsehen.

45
Die Bergpredigt, 1842

Bezeichnet: A. Chauvin 1842
Leinwand, 58 × 80 cm
M. Hilaire Metsers, Brüssel

Die Bildform, von christlichen Altar-
retabeln herzuleiten, überhöht die Darstellung und hebt gleichzeitig die Gestalt
Christi in der Bildmitte heraus. Bestes
Beispiel der Malerei, wie sie im Geist
von Wilhelm von Schadow in Düsseldorf gelehrt und vermittelt wurde. In
der Farbgebung ganz in der nazarenischen Tradition, vergleiche auch Chr.
Köhler, „Mirjams Lobgesang", Kat.Nr.
140.
Die Komposition hat Chauvin aus zahlreichen einzeln gesehenen Figurenstu-
dien zusammengefügt. Die psychologisierende Charakteristik der Gestalten ist
Schultradition in Düsseldorf. Eduard
von Gebhardt kommt Ende des 19.
Jahrhunderts zu ähnlichen Formulierungen, vergleiche „Der reiche Jüngling", Kat.Nr. 76.

47

Auguste Chauvin
Lüttich 1810 – 1884 Lüttich

Studierte seit 1832 an der Düsseldorfer
Kunstakademie unter Wilhelm von
Schadow und Theodor Hildebrandt, der
ihm eine sehr gute Anlage bestätigte.
Schon im Schuljahr 1833/34 ist er in der
ersten Klasse der Maler, wo er bis zu
seinem Abgang im Jahre 1839 bleibt.
Als Zeichenlehrer der Prinzen zu Wied
tätig, läßt er sich 1841 wieder in Düsseldorf nieder.
Chauvin, der ganz in der Tradition der
Schadow-Schule steht, erweckte mit seinen Historienbildern auch in Belgien
Aufsehen und wurde 1842 als Direktor
der Akademie nach Lüttich berufen.
Er beschickte die Ausstellungen in Berlin, London und Brüssel. Das hier ge-

46
Die letzte Zusammenkunft von Bürgermeister Beeckman und Laruelle im Rathaus zu Lüttich, 1847

Bezeichnet unten rechts: A. Chauvin
1847
Leinwand, 276 × 208 cm
Musées des Beaux-Arts, Musée de l'Art
Wallon, Lüttich
Inv.Nr. AW 632

Das Bildthema hat in dem jungen Königreich Belgien national-patriotischen Charakter. Die beiden Bürgermeister Beeckman und Laruelle sind Verteidiger der Freiheit von Lüttich. Sie berufen sich auf den Frieden von Fexhe vom 18. Juni 1316. Der Fürstbischof von Lüttich hatte der Stadt Lüttich und anderen zugesichert: „Für uns, für unsere Nachfolger und unsere besagte Kirche und all denen, die hier erwähnt wurden, für alle von uns und unseren Nachkommen sowie für die erwähnten Gemeinden, haben wir in einem gemeinsamen Abkommen angeordnet und ordnen an, daß die Vorrechte und alten Bräuche der edlen Städte und des „gemeinen Landes" des Bischofsitzes von Lüttich von nun an ganz gewiß gehalten und bewahrt werden und daß jedermann dem Gesetz und dem Urteil der Schöffen unterstehe . . ." (Aus Informationsberichte des Ministeriums für Auswärtige Angelegenheiten, Dokumente und Geschichte Belgiens, Bd 1, Nr. 107, Brüssel 1978).
Die beiden Bürgermeister Beeckman und Laruelle gehörten zur Opposition, zur Partei Les Grignoux, und wurden wahrscheinlich infolge einer Anklage der konservativen Partei Les Chroux ermordet, Beeckman 1631 und Laruelle 1637. (Mitteilung von Adelin De Buck, Köln).
Ein Historienbild im Stil und in der Nachfolge von C. F. Lessing.

Lit.: Catalogue des Peintures, Musée de l'Art Wallon, Liège, 1954, Nr. 59

46

47
Selbstbildnis, 1850

Bezeichnet: A Chauvin 1850
Holz, 23 × 17,5 cm
Musées des Beaux Arts, Musée de l'Art
Wallon, Lüttich
Inv.Nr. AW 635

Mit offener Pinselschrift stellt sich der 40jährige Künstler mit leicht zur Seite geneigtem Kopf en face dem Betrachter vor. Bei scharfer Beleuchtung von oben gewinnt der bärtige, modisch gekleidete Künstler mit großen, wachen Augen das Interesse des Betrachters. In Haltung und Habitus offen und frei, dabei von souveräner Formgebung.

48

Fanny Churberg
Vasa 1845 – 1892 Helsinki

Erhielt anfangs privaten Unterricht bei einheimischen Künstlern, u. a. Berndt Lindholm. Studierte in Düsseldorf 1867–68 und 1871–74 unter Anleitung von Carl Ludwig. Besuchte Paris 1876 und 1878.
Fanny Churbergs kräftiges Temperament und die Möglichkeit, unabhängig von ökonomischen Rücksichten eine persönliche Auffassung ausdrücken zu können, machte sie zur Ausnahme innerhalb der zeitgenössischen finnischen

Kunst. Die romantische und dramatische Tradition der Düsseldorfer Landschaftsmalerei erhielt bei ihr einen emotionalen Ausdruck. Doch hat ihre Malerei auch einen starken und konkret realistischen Einschlag. Ihre Zeit verstand sie nicht. Erst im 20. Jahrhundert wurde ihren Bildern und Skizzen unter dem Einfluß des Expressionismus große Bewunderung zuteil.
Fanny Churberg hörte im Jahre 1880 auf zu malen und gab sich der Aufgabe hin, das finnische Kunsthandwerk zu fördern, in dem man eine besondere nationale Kunstform sah.

48
Rodung, Landschaft von Nyland, 1872

Bezeichnet unten rechts: F. C. 1872/ D.dorf
Leinwand, 54 × 85,5 cm
Kunstmuseet i Ateneum, Helsinki, Finnland
Inv.Nr. A II 1435

Dies Gemälde entstand im gleichen Jahr, als Eugène Dücker, in der Nachfolge Oswald Achenbachs, als Professor an die Kunstakademie in Düsseldorf berufen wurde.

Das Bild wirkt wie eine Synthese aus der Malerei von Lessing und Dücker, wobei die Lichtregie Oswald Achenbachs für die Bildordnung wichtig ist. Ein Landschaftsmotiv aus Finnland zum Bildthema zu nehmen, war für die Zeit um 1872 sicherlich ebenso neuartig und progressiv, wie in den 30er und 40er Jahren Lessing und Schirmer mit ihren deutschen Landschaften.

Fanny Churbergs Kunstweise ist zu ihren Lebzeiten in ihrer Selbständigkeit nicht anerkannt worden; fast 20 Jahre nach ihrem Tode wurde sie geradezu neu entdeckt. Ihr Einfluß auf die jungen Künstler tradiert die Lehre der Düsseldorfer Schule auch in Finnland weit in das 20. Jahrhundert hinein.

Lit.: Düsseldorf und der Norden 1976, Nr. 132

Peter von Cornelius
Düsseldorf 1783 – 1867 Berlin

1809 verläßt der Düsseldorfer Akademieschüler seine Heimatstadt und geht nach Frankfurt. 1811 schließt er sich in Rom den Nazarenern an. Bei der Ausmalung der Casa Bartholdy ist er an der Gesamtkonzeption entscheidend beteiligt. 1819 vom Kronprinzen Ludwig nach München berufen. Gleichzeitig übernimmt er die Leitung der Kgl.-Preußischen Kunstakademie in Düsseldorf. Amtsantritt jedoch erst 1821. 1825 wird er zum Direktor der Münchner Akademie berufen und gibt die Düsseldorfer Tätigkeit, der er bis dahin nur in den Winterhalbjahren nachgegangen war, ganz auf.

Hauptwerke in München: die Fresken in der Glyptothek, für die Kronprinz Ludwig Cornelius 1825 in den Adelsstand erhob, und in der Ludwigskirche (die Fresken in der Glyptothek wurden im letzten Krieg zerstört).

1840 folgte er dem Ruf Friedrich Wil-

49

helm IV. nach Berlin; hier beschäftigten ihn die Entwürfe für Fresken im Dom und für einen geplanten Campo Santo, die jedoch nie zur Ausführung gelangten.

Auch während seiner Tätigkeit in Deutschland blieb er seinen Jugendfreunden in Italien verbunden. Mehrere Reisen führten ihn immer wieder zurück nach Rom.

Obwohl Cornelius während seiner Amtszeit nur in den Wintermonaten in Düsseldorf die Akademie leitete, kommt ihm das Verdienst zu, die Reorganisation der wiedergegründeten Akademie eingeleitet und das Interesse für monumentale Wandbilder im Rheinland geweckt zu haben. Die Fresken in Schloß Heltorf wurden unter seiner Aufsicht begonnen. Auch die Wandgemälde in der Aula der Universität zu Bonn verdanken Cornelius ihre Entstehung.

49 a

sich bei diesem Neusser Gemälde um ein frühes Porträt des Peter von Cornelius handelt, das der Künstler nach Abschluß der Arbeiten im Neusser Münster gemalt hat.

Lit.: Wend von Kalnein, Ein Frühwerk von Peter Cornelius, in: Neusser Jahrbuch 1978, S. 38–42

49 a
Athene lehrt die Weberei, 1807/8?

Bezeichnet unten links: P. Cornelius pinxt. 1809 (?)
Leinwand, 107 × 88 cm
Kunstmuseum Düsseldorf
Inv.Nr. 4271

Der Auftraggeber, ein Textilfabrikant in Eupen, hatte das Bildthema bestimmt: Die Einführung der Weberei durch Athene.

Das Gemälde zeigt den jungen Cornelius ganz im Banne der Tradition der klassizistischen akademischen Werke. Die klassische Architektur des Mittel- und Hintergrunds bestimmt und festigt den Bildbau, indem sie die Figuren gegeneinander absetzt. Dabei unterscheidet Cornelius zwischen der einzeln stehenden Athene, die alles überragt, und den übrigen Figuren, für die I. Markowitz 1969 die Vorbilder von Raffael und anderen nachgewiesen hat.

In der Farbgebung zart, zurückhaltend, die gebrochenen Töne bevorzugend. Ein frühes Beispiel für die Kunstweise Peter von Cornelius', der vom Gedanklichen ausgehend nach einer exemplarischen Darstellung strebt.

Die Datierung dieses Gemäldes: 1809 ist umstritten. Die neuere Forschung tendiert zu einer Entstehungszeit 1807/08.

Lit.: I. Markowitz 1969, S. 68, 69; Die Nazarener, Frankfurt 1977, Kat.Nr. B 1

49
Theodor Glasmacher, 1808/09

Leinwand, 82,5 × 68,3 cm
Quirinus-Gymnasium, Neuss

Theodor Glasmacher, Köln 21. 4. 1777 – 12. 5. 1844 Köln. Trat in die Benediktiner-Abtei St. Pantaleon ein, und wurde zum Priester geweiht. Mit der Säkularisation übernahm er eine Stelle am Lyzeum zu Bonn. Danach wurde er Leiter einer Privatschule in Godesberg. 1806 wurde er vom Verwaltungsrat des Neusser Gymnasiums zum Direktor gewählt. Dies Amt legte er 1825 nieder. Er wohnte bis zu seinem Lebensende in Köln bei seiner Familie.

W. von Kalnein hat das Gemälde im Neusser Jahrbuch 1978 zum ersten Mal als ein Werk des Peter von Cornelius publiziert und mit vergleichbaren gesicherten Werken in Verbindung gebracht. Er kommt zu dem Schluß, daß es

50
Doppelporträt Peter von Cornelius und Friedrich Overbeck, 1812

Bleistift auf Papier, 42,4 × 37 cm
Bezeichnet unten rechts: Zur Erinnerung an unsern Freunde C. F. Schloßer, von F. Overbeck und J. P. Cornelius in Rom. D. 16 März 1815
Privatbesitz

„Christian Heinrich Schlosser (1782–1829) war der Neffe Johann Georg Schlossers, der mit Goethes Schwester Cornelia verheiratet war. Er studierte Medizin und Erziehungswesen, und zwar zwischen 1808 und 1812 in Rom, wo er im Kreise der Nazarener verkehrte und sich besonders mit Overbeck und Cornelius anfreundete. In einem Brief von Overbeck an Joseph Sutter vom 20. März 1812 (Howitt I, S. 228) ist die Zeichnung erwähnt. Die Inschrift der Zeichnung muß später teils nachgezogen und dabei irrtümlich aus der 2 eine 5 gemacht worden sein. Nach Overbecks eigenem Zeugnis haben die Künstler sich gegenseitig gezeichnet, wobei jeweils etwas von dem Temperament des einen in das Antlitz des anderen eingegangen ist: das Kühne und Bezwingende des Cornelius in das Antlitz Overbecks (des Hinteren der Dargestellten) und das Behutsamere und Verhaltene in das Konterfei von Cornelius." (H. Robels, Sehnsucht nach Italien, München 1974).
Dieses Blatt gibt in seinem privaten Charakter als Zeichnung Einblick in die Sphäre der Künstlerfreundschaften, die besonders bei den Nazarenern gepflegt wurden und einen neuen Bildtypus hervorbrachten, vergleiche Overbeck „Sulamith und Maria", Kat.Nr. 179, Lessing „Zwei Jäger", Kat.Nr. 161 und „Drei schlesische Maler", Kat.Nr. 109.

Lit.: Die Nazarener, Frankfurt 1977, D 2

50

51
Die fünf klugen und die fünf törichten Jungfrauen, 1813–16

Leinwand, 114 × 153 cm
Kunstmuseum Düsseldorf
Inv.Nr. 4011

Das Gleichnis von den klugen und törichten Jungfrauen wird im Matthäus-Evangelium 25, Vers 1–13 überliefert. Cornelius gelang es, für den Betrachter die Vorbildlichkeit der Lebensführung der klugen Jungfrauen sinnfällig zu machen. Cornelius schreibt am 10. Oktober 1814 u. a.: . . . Das Gemälde „stellt die Parabel von den fünf klugen und fünf thörichten Jungfrauen vor. Der Moment ist, wie der Bräutigam (es ist hier Christus selbst, von Heiligen aus dem alten und neuen Bunde und einer Glorie von Engeln umgeben) erscheint, die klugen aufnimmt in seiner Herrlichkeit die thörichten ausschließt." In Anlehnung an Raffaels vorbildliche Erfindungen „Borgobrand" und „Parnass" (Fresken im Vatikan); für die Reliefs der Paradie-

51

52

sestür und der Türlaibung gibt es Vorbilder im Ornamentwerk der Tapisse-
rien Raffaels und Ghibertis Baptiste-
riumstüre in Florenz.

Die Verteilung der Hell- und Dunkel-
werte zielt auf Kontrastierung ab, die
zusammen mit den kräftigen Farbakzen-
ten den Bildeindruck prägt. Die effektvoll gewandeten Figuren entfalten sich
nicht frei im Raum, sondern sind nach
Art „manieristischer" Flächenmuster
gestaltet. Das unvollendete Gemälde gelangte nach der Abreise Cornelius' aus
Rom im Jahre 1819 in die Werkstatt
Joseph Anton Kochs und später in die
Sammlung des Bildhauers Bertel Thorwaldsen. 1848 war das Bild wieder in
Rom und 1861 in Köln auf der Zweiten
Allgemeinen Deutschen Historischen
Kunstausstellung. Bertel Thorwaldsens
Bilderfindung „Segnender Christus"
läßt sich auf diese Inspirationsquelle zu-
rückführen.

Schadow stand ganz im Banne dieser
Komposition, als er an dem gleichen
Bildthema arbeitete, vergleiche Kat.Nr.
218.

Lit.: I. Markowitz 1969, S. 71–74. Ausstellungs-Katalog: The Age of Neoclas-
sicism, The Royal Academy and Victoria
& Albert Museum, London 1972, Nr.
56; Die Nazarener, Frankfurt 1977, C 2

52
Josephs Traumdeutung, 1816

Feder über Bleistift, quadriert
28,4 × 39,2 cm
Bezeichnet unten rechts: P. v. Cornelius
Hessisches Landesmuseum, Darmstadt
Inv.Nr. Hz 4263

Entgegen den Vermutungen des Frankfurter Katalogs der Nazarener Ausstellung 1977 handelt es sich nicht um den
Endpunkt der Bilderfindung für das

53

Fresko, sondern um eine Ausführungs-
zeichnung für die Kopie des Freskos auf
dem Tableau in der Nationalgalerie, Berlin. (Frank Büttner, 11. 11. 78). Auch für
dieses Bildthema greift Cornelius auf die
Formulierung Raffaels in den Loggien
des Vatikans zurück: Pharaos Traum.
Für die Figurengruppe links vom König
griff Cornelius ebenfalls auf Raffael zurück. Vergleichbar vorgebildet findet sie
sich in der Schule von Athen: Vorn links
die Figuren um den schreibenden Pytha-
goras. Die Figur des sinnenden Königs
findet sich auch sehr ähnlich auf dem
Titelblatt von Cornelius' „Nibelungen-
Zyklus", dort seitenverkehrt, erweist es
sich letztlich als Übernahme eines
michelangelesken Sitzmotivs (Lorenzo
di Medici).

Lit.: Die Nazarener, Frankfurt 1977, Nr.
E 60

53
Merkur-, Venus- und
Sonnen-Himmel, um 1817

Karton für ein nicht ausgeführtes
Deckengemälde im Dantezimmer der
Villa Massimo in Rom.
Bezeichnet: St. Bonaventura/Albertus
Magnus/St. Thomas de Aquin
Kreide auf braun grundiertem Karton
auf Leinwand, 182 × 355 cm unten,
obere Breite 219 cm.
Kunstmuseum Düsseldorf (Geschenk
von Herrn Oberstleutnant a. D. Dr.
Wolter, Düsseldorf und seiner Schwe-
ster, Frau Pauline Fischer geb. Wolter,
Düsseldorf 1886)
Inv.Nr. 1937/84

Der Plan, drei Zimmer der Gartenseite
des Casinos der Villa des Marchese Carlo

Massimi mit Fresken nach Dante, Tasso
und Ariost auszustatten, muß schon im
Januar 1817 entstanden sein (vergleiche
Schreiben aus Rom in der „Allgemeinen
Zeitung" am 31. Januar 1817).
Zunächst wurden nur Cornelius und
Overbeck mit dem Ausmalen beauftragt. Cornelius hatte bereits im Sommer
in Frascati mit den Entwürfen für das
Dante-Zimmer begonnen, wobei ihn der
Preußische Gesandte in Rom, B. G. Niebuhr, beraten zu haben scheint.
Bereits am 26. August 1817 meldet Cornelius an Johann Friedrich Wenner in
Frankfurt: „Die Zeichnung zum Paradies ist im Kontur fertig. Ich habe es
gleichsam in die Malerei zu übersetzen
gesucht und gestrebt, allem Metaphysi-
schen eine Gestalt zu geben, ohne ihm
die symbolische Bedeutung zu nehmen
oder zu schwächen. Ich rücke den Beschauer auf jene Stelle des Himmels, wo

54

er denselben mit allen Seligen, Heiligen und Engeln in Gestalt einer Rose übersieht. ... Im zweiten Feld nehme ich zwei Planeten an, den Mercur und die Venus; hier sieht man Justinian, den Minnesänger Folko von Marseille und die Cunizza. Im dritten Feld als in (dem) der Sonne sind die Doktoren, als St. Buonaventura, Albertus Magnus, Thomas von Aquin."

Am 24. Dezember 1817 berichtet Caroline von Humboldt an ihre Freundin Friederike Brun von Cornelius' und Overbecks Entwürfen: „Mehrere Cartons sind dazu fertig", und Henriette Hertz schreibt Luise Seidler im Februar

1818, Cornelius habe bereits zwei seiner Kartons vollendet.

Kronprinz Ludwig von Bayern bewirkte während seines Besuchs in Rom im April 1818, daß der Vertrag zwischen dem Marchese Massimi und Peter von Cornelius gelöst wurde. Zu der Zeit waren drei der Kartons für die Decke vollendet. Cornelius stellte die Arbeiten für die Villa Massimo sofort ein. Ende Mai 1818 übernahm Philipp Veit den Auftrag, das Deckenfresko für das Dante-Zimmer zu malen.

Die linke Dreiergruppe des Düsseldorfer Kartons zeigt Figuren des VI. und IX. Gesanges des „Paradiso". Kaiser Ju-

stinian (11. 5. 483 – 11. 4. 565, byzantinischer Kaiser seit 527) ist als römischer Imperator dargestellt, da Dante ihn als Wiederhersteller der kaiserlichen Macht in Italien und Reformator der römischen Gesetzgebung feiert. Folko von Marseille war einer der berühmtesten Minnesänger seiner Zeit. Er trat später dem Zisterzienser-Orden bei und wurde Bischof von Toulouse. Cunizza da Romano, die Schwester von Ezzelino da Romano.

Die rechte Gruppe des Kartons zeigt drei große Theologen in Dantes Sonnenhimmel, dem Aufenthalt der Weisen (Gesang X, XII): den hl. Bonaventura

(1221–1274), Thomas von Aquin (um 1225–1274) und seinen Lehrer Albertus Magnus. (1193–1280).

Kaiser Justinian und Albertus Magnus wirken wie Paraphrasen michelangeleser Figuren „Lorenzo di Medici" und „Moses".

Dieser Karton ist ein gutes Beispiel für die neue Kunstweise der Nazarener, die auch im Zeichenstil der Linie einen neuen Ausdruckswert gaben.

Lit.: U. Ricke-Immel III, 1978, Kat.Nr. 203 (Text im Manuskript).

54
Grablegung Christi, 1819

Holz, 34 × 41,1 cm
Thorwaldsen Museum, Kopenhagen
Inv.Nr. B 113

Raffaels Grablegung (1507) in der Galleria Borghese hat Cornelius zu diesem Bild inspiriert. Das Gemälde war im Sommer 1819 vollendet (schriftliche Auskunft von Frank Büttner, Würzburg, 11. 11. 78). Der Katalog der Frankfurter Nazarener-Ausstellung 1977 weist auf die Metamorphose hin, die Raffaels Komposition bei Cornelius erfährt. Cornelius reduziert den Figurenbestand und schafft „eine bildparallele Hauptgruppe von fast statischem Charakter".

Die Armhaltung der Maria erinnert an Michelangelos unvollendete „Pietà", 1553 (Florenz, Dom). Für die Zeitgenossen waren Themen wie die Grablegung in ihrem gefühlvollen Ausdruckswert den klassischen antiken Bildwerken vergleichbar und ebenbürtig.

Lit.: Die Nazarener, Frankfurt 1977, Nr. C 3

55

Heinrich Anton Dähling
Hannover 1773 – 1850 Potsdam

Seit 1793 Schüler der Berliner Akademie.

Besuchte 1802 Paris und die Galerien in Kassel, Düsseldorf, Den Haag und Amsterdam und 1811 Dresden. Seine Selbständigkeit als Maler gewann er erst nach seiner Anstellung als Professor an

56

Carl Dahl
Berlin 1813 – nach 1862 Düsseldorf

Carl Dahl besuchte von 1833 bis 1838 die Düsseldorfer Kunstakademie und studierte in der Landschafterklasse bei Johann Wilhelm Schirmer. Das Kunstmuseum bewahrt zwei Handzeichnungen von Carl Dahl: „Stier und Esel auf der Weide", 1830er Jahre und „Landschaft mit Kirchgängern", 1834.
1836 war Carl Dahl auf der Berliner Akademischen Kunstausstellung mit einem Gemälde „Ein Jagdschloß" vertreten.

56
Schloß im Gebirge, 1835

Bezeichnet unten links: 18 CD (ligiert) 35
Leinwand, 72 × 102,5 cm
Hamburger Kunsthalle, Hamburg
Inv.Nr. 1064

der Berliner Akademie 1814. Neben Kompositionen religiöser Bildthemen gelangen ihm vor allem stille biedermeierliche Genrebilder.
Mit seinem knappen Figurenstil wurde er als Lehrer für Lessing in Berlin von Bedeutung.

55
Am Gartenzaun, 1820

Bezeichnet oben rechts: H Dähling (in Versalien) / 1820
Leinwand, dubliert, 45,2 × 31,2 cm
Kunstmuseum Düsseldorf
Inv.Nr. 128

Auf unserem Bild vorn die Szene, die ganz im Goetheschen Sinne von einer Begegnung spricht, oder noch besser, wie eine Illustration zu Stifters „Nachsommer" erscheint. Kniend der Alte, in dem man einen leicht profanisierten Risach zu erkennen glaubt, sinnbildlich eine zarte Pflanze in das Beet setzend. Im Hintergrund rechts der vorbeifahrende Leiterwagen mit Bauern und Mägden, überragt von den traditionellen Symbolen der heilen Welt: Kirche und Mühle.
Typisch ist die biedermeierliche Bildanordnung, die den Betrachter mit in den umhegten Bezirk einbezieht und hier in großer Detailtreue gestaltete Gartennatur gibt, während jenseits der Umzäunung „gemäßigte" Landschaft sich bis zum hochgezogenen Horizont erstreckt, der wiederum auf diese Weise eine ähnliche Umgrenzung bewirkt.

Lit.: Rolf Andree 1968, S. 24, 25

1913 als Johann Christian Claussen Dahl erworben. Im Bestandskatalog der Hamburger Kunsthalle aus dem Jahre 1969 zum ersten Mal als Carl Dahl publiziert. Dort auch Verweise auf ähnliche Motive. Der sorgfältige Aufbau des Gemäldes in den verschiedenen Bildgründen: Vorder-, Mittel- und Hintergrund, sowie in der Wolkenbildung läßt die Schirmer-Schulung erkennen. Die Lichtregie fügt die vielen Detailstudien zu einer landschaftlichen Einheit zusammen.
Sein Talent bestätigte ihm Johann Wilhelm Schirmer in jedem neuen Studienjahr.
Das Hamburger Bild gibt Zeugnis von der Förderung, die ein Talent in Düsseldorf durch die gediegene und solide Ausbildung erfahren konnte.

Lit.: Kat. Hamburg 1969, S. 41, 42

Reiner Dahlen
Köln 1837 – 1874 Düsseldorf

Als Handwerker, Sattler, ausgebildet. Als Maler zunächst Autodidakt. Besucht von 1858 bis 1859 die Düsseldorfer Kunstakademie.
Reisen nach Nordamerika und England, kurzer Aufenthalt in Paris. Seine ungewöhnlichen Bildmotive fand er in der Natur, die er intensiv studierte. Seine Vorliebe für Szenen aus dem Alltag standen im Widerspruch zu der Lehrtradition Schadows, unter dessen Direktion Dahlen die Akademie noch besuchte.
Reiner Dahlen starb 37jährig, noch bevor sein Talent, das die Kollegen beachteten, schulbildend wirken konnte.

57

57
Straße in London, um 1870

Leinwand, 30 × 46 cm
Kunstmuseum Düsseldorf
Inv.Nr. 4358

Eine Szene aus dem Alltag einer Großstadt in Dunst und Schmutz. Trotz der Fülle der Einzelbeobachtungen: vorn rechts der bellende Hund, im Hintergrund der Kutschwagen mit besetztem Oberdeck und der winkenden Frauengestalt, ist das Ganze – nicht wie bei dem gleichzeitig entstandenen „Pariser Wochentag" (1869) von Menzel (1815–1905) – auf eine Überfülle von narrativen Details abgestimmt. Es dominiert das Interesse am atmosphärischen, grauen Nebeldunst und Straßenschmutz. Dies Bild prägt sich durch das merkwürdige Hauptmotiv ein: ein Wagen, von einem Esel gezogen, mit zwei Gestalten besetzt, scheint dem Betrach-

ter direkt entgegenzufahren. So wird er in das Bildgeschehen mit einbezogen.
Die Bezeichnung „Straße in London" ist überliefert, sollte aber vielleicht durch „Straße in einer englischen Stadt" präzisiert werden.

Lit.: I. Markowitz 1969, S. 76

58
Der Angler, um 1870

Bezeichnet unten rechts: Reiner Dahlen
Leinwand, 42 × 73 cm
Kunstmuseum Düsseldorf
Inv.Nr. 4350

58

59

Der Maler Christian Kröner (1838–1911) am Niederrhein angelnd (I. Markowitz 1969). Der karikierende Charakter wird in der Gestalt des Porträtierten deutlich und kontrastiert zu der ruhigen, stimmungsvollen, grautonigen Landschaft am Niederrhein.

Tendenzen der Malerei von Dücker, der sich die große, weite, leere Landschaft zum Thema (vgl. Kat.Nr. 66) erwählt hat, werden hier vorbereitet.

Lit.: I. Markowitz 1969, S. 76

Ernst Deger
Bockenem bei Hildesheim 1809 – 1885 Düsseldorf

Erste Ausbildung an der Berliner Akademie unter Wilhelm Wach 1828. 1829 siedelt Ernst Deger nach Düsseldorf über und besucht die Akademie unter Wilhelm von Schadow, in der oberen Klasse der ausübenden Künstler. Schon im Jahr 1830/31 findet sich die Bemerkung: „Ein entschiedenes, großes Talent für kirchliche Heiligendarstellun-

gen." Seit 1834 besucht er die Meisterklasse bis 1850. In der Zeit von 1837 bis 1841 in Italien; hier sucht er Vorbilder für das Auftragswerk, die Apollinariskirche in Remagen auszumalen, an deren Ausführung Deger zusammen mit Ittenbach, A. und C. Müller von 1843 bis 1853 arbeitete. Sein Erfolg in Remagen brachte ihm den Auftrag, die Schloßkapelle in Stolzenfels 1851–59 ebenfalls auszumalen.

In Italien fand er Anschluß an den Freundeskreis um Overbeck, der seine

Kunstweise bestimmend beeinflußte und ihn in seiner nazarenischen Gesinnung bekräftigte.

Ernst Deger ist in seinem Schaffen seit seinem Eintritt in die Kunstakademie Düsseldorf eng verbunden geblieben. Seit dem Schuljahr 1860/61 gehört er zum Lehrerkollegium und leitet seit dem Schuljahr 1867/68 eine Meisterklasse. 1869 wird er zum Professor ernannt. Sein reiches Œuvre hat sogar in den Schülerlisten der Kunstakademie seinen Niederschlag gefunden. Zweifellos gehört er zu den bedeutendsten Vertretern der Düsseldorfer Nazarener.

59
Verkündigung Mariae, 1835

Bezeichnet unten rechts: Deger 1835
Leinwand, 26 × 34 cm
Kunstmuseum Düsseldorf
Inv.Nr. 4342

Noch vor der Italienreise entstanden. Ein Beispiel der von Wilhelm von Schadow geforderten Kunstrichtung. Im Gegensatz zu den Nazarenern der ersten Generation, die sich in Rom um Overbeck und Cornelius zusammengefunden hatten, in der Farbgebung ganz zurückhaltend, verhalten, zum Grauen tendierend. Noch bevor der Künstler sich in seinen größeren Aufgaben in Remagen und Stolzenfels bewähren konnte, zeigt dieses Bild etwas von der Formstrenge und der Prägnanz, die ihn mit seinen Bildschöpfungen von den anderen Künstlern in der Apollinariskirche deutlich abhebt.

Lit.: I. Markowitz 1969, S. 78, 79; Die Nazarener, Frankfurt 1977, Nr. C 4; Markowitz/Andree 1977, Nr. 8

Farbtafel VI

60
Die Geburt Christi, um 1845

Bezeichnet unten rechts: E. Deger
Aquarell auf Papier; 65,3 × 37,4 cm

Erzbischöfliches Diözesan-Museum, Köln (Nachlaßverwaltung Egon Graf von Fürstenberg)

Zur Entstehung der Wandfresken in der Apollinariskirche zu Remagen:

Die Wallfahrtskirche St. Apollinaris bei Remagen steht an der Stelle der ehemaligen Propstei der Benediktiner-Abtei Siegburg, die auf eine Martinskirche um 1110 zurückzuführen ist. 1162 gelangten durch den Kölner Erzbischof Reinald von Dassel Reliquien des Hl. Apollinaris dorthin. 1802 wurde die Propstei aufgehoben. 1836 erwirbt Franz Egon Graf von Fürstenberg-Stammheim die Kirche. Düsseldorfer Künstler sollten sie neu ausmalen. Die Kirche erwies sich als baufällig. Sie wurde abgebrochen und durch einen Neubau nach Plänen des Schinkel-Schülers und Kölner Dombaumeisters Ernst Friedrich Zwirner ersetzt (1839–1843).

Wilhelm von Schadow vermittelte den Auftrag zwischen dem Freiherrn und späteren Grafen von Fürstenberg-Stammheim und den Künstlern Ernst Deger, Andreas Müller, Carl Müller und Franz Ittenbach, die zum Studium der allein würdigen Vorbilder bis 1842 gemeinsam in Italien waren.

Die Künstler arbeiten von 1843 an in den Sommermonaten an den Fresken in Remagen. 1853 ist die ganze Ausmalung mit den Dekorationen beendet. Am 1. Oktober 1854 kommt König Friedrich Wilhelm IV. zur Besichtigung nach Remagen. Die Weihe der neuen Kirche findet 1857 in Gegenwart des Königs Friedrich Wilhelm IV. statt.

Dieses Blatt gehört mit anderen zu den Aquarellskizzen, die von den in Remagen beteiligten Künstlern während der Planung bzw. Durchführung ihrer Fresken angefertigt wurden. Sie entstanden auf ausdrücklichen Wunsch des Bestellers, der sich die „ersten Handzeichnungen in Aquarell" vertraglich ausbedungen hatte. Diese Skizzen stimmen nur in wenigen Details nicht mit den ausgeführten Fresken überein. Diese Skizzen übertreffen heute die schwer sichtbaren Originale in ihrer Frische des Farbauftrags und der Lichtheit. Die Künstler mußten sich bei ihren Kompositionen nach den vorgegebenen Wandfeldern

62

richten. Nicht immer überzeugt die Lösung, die zu einer Gliederung in zwei Zonen tendiert. Das Weihnachtsbild befindet sich im Langhaus auf der Nordwand. Ganz im Banne der italienischen Wandmalereien des Quattrocento, doch umgesetzt in eine Bildsprache, die dem Geist Wilhelm von Schadows verpflichtet bleibt. Verhaltenheit im Ausdruck und Gestus verbindet sich bei Deger mit einem ausgeprägten Sinn für formale Ordnung.

Lit.: H. Finke 1898, S. 45

61
Kreuzigung, um 1845

Bezeichnet unten rechts: E. Deger
Aquarell auf Papier, 84,5 × 55,5 cm
Erzbischöfliches Diözesan-Museum,
Köln (Nachlaßverwaltung Egon Graf
von Fürstenberg)

„Die Kreuzigung" befindet sich im
Querhaus auf der Nordwand. Unten in
den Predellen: Christus am Ölberg, die
Geißelung, die Dornenkrönung und die
Kreuztragung. Die großen ausladenden
Gesten der betroffenen Figuren unterhalb der Kreuzigungsgruppe bleiben
merkwürdig leer, ausdrucksarm und
schwach. Ihre Wiederholung bewirkt einen Ermüdungseffekt, vergleiche eine
ähnliche Gestaltungsweise bei Wilhelm
von Schadow „Die klugen und törichten
Jungfrauen", Kat.Nr. 218. Die gleiche
Beobachtung kann man bei den Predel-
lenbildern unten machen; in der Formstrenge sind Handschrift und Persönlichkeit des Künstlers zu fassen. Sie vermögen die Komposition des Wandfeldes
zu festigen, binden aber die einzeln gesehenen und charakterisierten Figuren
nicht zu einer übergeordneten Einheit
zusammen. Was bei den Predellen auffällt, ist die Bereicherung des Figurenbe-
standes von links nach rechts.

Lit.: H. Finke 1898, S. 45

62
Auferstehung und Himmel-
fahrt, um 1845

Bezeichnet unten rechts: E. Deger
Aquarell auf Papier, 65,4 × 37,4 cm
Erzbischöfliches Diözesan-Museum,
Köln (Nachlaßverwaltung Egon Graf
von Fürstenberg)

Die für Deger kennzeichnende klare
Bildordnung besticht auch bei dieser

63

Komposition, die im Altarraum die
Nordwand einnimmt. Der Engel erscheint den Marien vor dem leeren
Grabe Christi (Maria Magdalena, Maria
Kleophas und Maria Salome). Die chao-
tische Anordnung der Wächter im Gegensatz zur strengen Gruppierung der
drei Marien unterstreicht das unbegreif-
liche Geschehen, von dem der Engel mit
weit ausladender Geste den Frauen berichtet; über den Wolken der auferstan-
dene und zum Himmel fahrende Christus, links und rechts knien zwei Engel
in Ganzfigur. Den Spitzbogen rahmend
Engelköpfe mit Flügeln auf Wolken.

Lit.: H. Finke 1898, S. 45

Carl Friedrich Deiker
Wetzlar 1836 – 1892 Düsseldorf

Nach ersten Studien in Hanau an der
Zeichenakademie wurde er Schüler sei-

nes älteren Bruders Johannes Christian
Deiker in Braunfels (Lahn). Der Themenkreis seines Bruders: Jagd- und
Tierdarstellungen wurde ihm zum Vorbild. Seit 1858 dann Schüler der Karlsruher Kunstschule unter Johann Wilhelm
Schirmer. 1859 im Reinhardtswald, wo
er Studien für seine großen Jagdbilder
sammelte. In Karlsruhe hatte er seit 1861
ein eigenes Atelier. Seit 1864 in Düsseldorf.
Deiker steht in der barocken Tradition
der Jagd- und Tiermaler.

63
Die Sauhatz, 1876

Bezeichnet unten rechts:
18 C. F. Deiker. 76
Leinwand, 133 × 188 cm
Kunstmuseum Düsseldorf
Inv.Nr. 4144

Das Bildthema geht auf ältere Vorbilder
von J. E. Ridinger zurück. Unser Bild

„zeigt Saurüden, die besonders im 18. und während der ersten Hälfte des 19. Jahrhunderts in großer Zahl als Hetzer und Packer für die Saujagd verwendet wurden. Sie sind seit dem Ende des vergangenen Jahrhunderts aus dem Jagdbetrieb verschwunden." (Wolf Eberhard Barth, Saurüden, in: Wild und Hund, 71 (1969) S. 975).

Das Bildthema hat Deiker des öfteren wiederholt. Jagdfreunde faszinierte die realistische, dem Bildthema entsprechende Drastik der Seh- und Gestaltungsweise. Im Gegensatz zu den stimmungs- und gemütvollen Wilddarstellungen Christian Kröners zeigt Deiker eine andere dramatische Seite des Jagdlebens mit einer kaum mehr zu überbietenden Brutalität.

Lit.: I. Markowitz 1969, S. 80, 81

Jakob Fürchtegott Dielmann
Frankfurt 1809 – 1885 Frankfurt

1825–27 Unterricht bei K. F. Wendelstadt im Städelschen Institut. Anschließend zusammen mit Jakob Becker von Worms in der lithographischen Werkstatt von J. C. Vogel tätig; Wanderungen in die Umgebung Frankfurts und am Rhein. 1835 folgte er Jakob Becker nach Düsseldorf, wo er in das Atelier von Schirmer eintrat. Schroedter bestärkte ihn in der Genremalerei. Vom Schuljahr 1837/38 bis 1841/42 besuchte er die Meisterklasse der Düsseldorfer Akademie, wo er als sehr guter Genremaler, der die ländlichen Darstellungen meist idyllischen Inhalts bevorzugt, geführt wird. 1841/42 Aufenthalt in Willingshausen. Hier entstehen die dörflichen Genrebilder, die in der Folgezeit durch Ludwig Knaus weltweiten Ruf und Ruhm bekamen. In den 1860er Jahren Übersiedlung nach Kronberg. Dort gehört er zu den Mitbegründern der Kronberger Malerschule. Der Landschafts- und Genremaler bevorzugt das Kleinformat und va-

riiert gern einmal gefundene Situationen in der Landschaft oder in der dörflichen Szenerie, indem er die Staffagefiguren austauscht und die Beleuchtungsverhältnisse verändert.

64
Tor in Münzenberg, 1841

Bezeichnet: J. F. Diehlmann 1841
Leinwand, 41 × 35,5 cm
Historisches Museum der Stadt Frankfurt am Main
Inv.Nr. B 1784

Dargestellt „ist die im 19. Jahrhundert abgebrochene Untereichenpforte, durch die die Straße aus der Eichervorstadt von Münzenberg hinaus nach Rockenberg führte" (Hans Joachim Ziemke, 1972). Dort auch Hinweise auf die bekanntgewordenen Varianten.

Dieses 1841 entstandene Gemälde zeigt deutlich die Düsseldorfer Schulung im klaren Erfassen und Darstellen der Situation. Mit solchen Bildern ist Dielmann Wegbereiter für die bäuerliche Genremalerei, die in Werken von Knaus und Vautier kulminierten. Es war Dielmanns Verdienst, die jüngeren Genremaler auf die von der Malerei noch nicht erschlossene pittoreske Welt der Trachten in den verschiedenen Landschaften unweit der Kunstzentren hinzuweisen und für sie zu erschließen. Dielmanns berühmtes, heute verschollenes Gemälde „Schmiede in Willingshausen" scheint die Kunstweise Ludwig Knaus' vorwegzunehmen.

Lit.: Kat. Frankfurt 1972, Textband Seite 86, 87

Eugène Gustav Dücker
Arensburg (Ösel) 1841 – 1916 Düsseldorf

64

Erste Studien bei Friedrich Siegmund Stern in Arensburg. 1858 bis 1862 besuchte Dücker die Akademie in St. Petersburg. Mit einem Stipendium reiste er nach Deutschland, läßt sich 1864 in Düsseldorf nieder. 1872 Auszeichnung der St. Petersburger Akademie mit dem Professorentitel. Am 16. Dezember 1872 Eintritt in das Lehrerkollegium der Düsseldorfer Kunstakademie (als Nachfolger von Oswald Achenbach).

Im Schuljahr 1877/78 wird eine Landschaft für die National-Galerie in Berlin erwähnt; im Schuljahr 1880/81 ein großes Marinebild „Am Watt" für St. Petersburg.

Studienreisen führten ihn nach Holland, Belgien, Frankreich und Italien. Dücker bevorzugte für seine Studien die norddeutsche Landschaft, an der Ost- und Nordsee; später auch den Harz und die Heide.

Als Nachfolger von Oswald Achenbach hat er das Lehramt für Landschaftsmalerei 44 Jahre lang ausgeübt und so einen bis in die Mitte des 20. Jahrhundert nachwirkenden Einfluß auf die in Düsseldorf geschulten Landschaftsmaler genommen. Seine künstlerische Bedeutung liegt in der Überwindung der spätromantischen Landschaftsmalerei in Düsseldorf. Die Einflüsse der russischen Realisten, vor allem von Alexej K. Sawrassow, wirken in seinem Schaffen nach.

65
Große Waldstudie

Bezeichnet unten rechts: E. Dücker.
Leinwand, 50 × 77 cm
Kunstmuseum Düsseldorf
(Dauerleihgabe der Staatlichen Kunst-
akademie Düsseldorf, 1932)
Inv.Nr. 2338

Diese Naturstudie zeigt Dücker auch
ganz im Banne des Düsseldorfer Vorbildes Johann Wilhelm Schirmer, vergleiche dessen „Baumstudie", 1849, Kunstmuseum Düsseldorf, Inv.Nr. 2348.
Über Schirmer hinaus geht Dücker in
der Individualität der einzelnen Bäume,
deren Kronen sich gegen den Himmel
abzeichnen. Im hellen Licht scheint die
Landschaft wie ausgedörrt.
Bilder wie dieses muß Fanny Churberg,
vergleiche Kat.Nr. 48, gekannt und sie
zu ihren finnischen Landschaften ermu-
tigt haben.

Lit.: I. Markowitz 1969, S. 87

66
Strandbild, 1885

Bezeichnet unten links: E. Dücker. 1885.
Leinwand, 83 × 132 cm
Kunstmuseum Düsseldorf
Inv.Nr. 4013

Abendstimmung an der Küste bei Arcona auf Rügen. Links im Hintergrund die seit Caspar David Friedrichs Gemälde „Kreidefelsen auf Rügen" berühmte Steilküste.

Dücker steht in der Weiträumigkeit der Landschaft und im Detailrealismus ganz in der Schultradition. Neu ist die entschiedene Abkehr von malerisch dramatischen Bildmotiven und die Reduktion auf ganz wenige Farbtöne, die in großem Nuancenreichtum vorgetragen werden. Das Pathos der Stille wird von Clarenbach 1902 im „Stillen Tag", Kunstmuseum Düsseldorf, in eine neue strenge Bildordnung überführt, für die Dücker wegweisend war.

Lit.: I. Markowitz 1969, S. 88, 89

Carl Lützow d'Unker
Stockholm 1828 – 1866 Düsseldorf

Zunächst Soldat. An dem dänischen Krieg von 1848/49 nahm er als Offizier teil. 1851–53 Schüler von C. F. Sohn. Oskar I. hatte ihm ein Reisestipendium verliehen mit der Aufforderung, in Düsseldorf zu studieren, wo für Anfänger die besten Grundlagen gelegt werden. Nach einjährigem Aufenthalt in der Heimat kehrte er 1854 wieder nach Düsseldorf zurück. In Düsseldorf pflegte d'Unker enge Beziehungen zu den ihm wahlverwandten Genremalern Benjamin Vautier und Ludwig Knaus.
D'Unkers Mäzen in Göteborg, Bengt Erland Dahlgren, verfolgte Pläne, in Göteborg eine Kunstschule unter der Direktion von d'Unker zu errichten. Sie scheiterten, da der Künstler noch vor der Realisierung so jung starb.

67

67
Zirkusartisten, 1857

Bezeichnet unten rechts: C. d'Unker 1857
Leinwand, 93 × 139 cm
Göteborgs Konstmuseum, Göteborg
Inv.Nr. 146

Der engagierte Sammler der skandinavischen Künstler Düsseldorfer Prägung B. E. Dahlgren hat für seine Galerie nach Bekanntwerden einer Reproduktion dieses Gemäldes telegraphisch das Bild erwerben lassen. Seine Sammlung gelangte in das Kunstmuseum zu Göteborg bzw. ins Nationalmuseum Stockholms.
Das Artistenmilieu mit seinen bunten Kostümen und den Möglichkeiten der Verkleidung bot dem Künstler eine große Variationsbreite von psychologisierenden Interpretationen. Die Figu-

rengirlande, über die ganze Bildbreite reichend, bietet abwechslungsreiche Kombinationsmöglichkeiten. Von dem Maskenbildner links, der das Gesicht des Mohren einschwärzt, über den Königsnarren mit dem Spiegel, scheint sich alles um den Harlekin in der Bildmitte zu bemühen, den ein Unwohlsein befallen hat. Am rechten Bildrand das Mädchen scheint, isoliert, am eitlen Tun der Artisten nicht teilzunehmen. Sie fordert den Betrachter zur kritischen Beobachtung der Szene auf. „Hinter dem Vorhang" nannte Knaus 1880 ein Gemälde mit ähnlichem Bildthema, das sich heute in der Gemäldegalerie Neue Meister, Dresden, befindet. Die psychologisierende und scharf charakterisierende, das Drastische nicht scheuende Wiedergabe der Personen steht in unmittelbarer Nachfolge von Hasenclevers pointenreichen Bilderfindungen.

Lit.: Düsseldorf und der Norden 1976, Nr. 94

68
Beim Pfandleiher, 1859

Bezeichnet unten links im Vordergrund auf der Rückseite eines Gemäldes:
C. d'Unker / Df. 1859
Leinwand, 85 × 113 cm
Nationalmuseum Stockholm
Inv.Nr. NM 1320

Das malerische, dunkle Interieur mit dem scharfen Seitenlicht verweist auf die in Düsseldorf geläufige Inspirationsquelle des Theaters, vergleiche Kat.Nr. 67 (Zirkusartisten 1857). Auch hier die Figurengruppe in einer sorgfältigen Reihung. Psychologisierende Beobachtungen sind wirkungsvoll in den Figurengruppen gegeneinander abgehoben. Sie intensivieren einander in ihrer Wirkung. Dies Gemälde stellt eine leicht veränderte Variante der 1858 entstandenen ersten Fassung dar. Unser Bild wurde von B. E. Dahlgren in Auftrag gegeben, der

68

es 1876 dem Nationalmuseum in Stockholm testamentarisch vermachte.

Diese Bilderfindung hat den Künstler in Schweden und auf dem Kontinent berühmt gemacht.

Als das Gemälde 1866 in Stockholm ausgestellt wurde, schrieb L. Dietrichson u. a.: „In diesem Bild herrscht ein Gefühl vor, das sowohl in einer humoristischen Anschauung als auch in einem wehmütigen Ernst zum Ausdruck zu kommen vermag: Das junge Mädchen – welcher Gegensatz zum Dieb, der das Diebesgut berechnet, welches in denselben Abgrund wandern wird wie das letzte teure Erbstück des Mädchens! Der alte verkommene Galan – welche Harmonie liegt über seinen alten Hosen, seinem blauen Rock und seinem verrunzelten Gesicht. Dieselbe Macht hat alle drei „gebleicht", das sieht man deutlich: es ist die Macht der Armut und der zehrenden Zeit." (Ny Illustr. Tidning 1866).

Lit.: Kat. Stockholm 1952, S. 154; Düsseldorf und der Norden, 1976, Nr. 95; U. Abel 1978, S. 13

den, großäugigen Betrachter der Auslagen. Die zum Teil abgerissenen, auf die Wand geklebten Ankündigungen weisen auf das Zirkusmilieu des Bildes von 1857, vergl. Kat.Nr. 67 (Zirkusartisten) hin und geben Anhalt zur Interpretation der Weltsicht Lützow d'Unkers.

Was bei diesem Bild besticht, ist die Sicherheit, mit der in wenigen Pinselstrichen die Situation vor dem Schaufenster malerisch fixiert wird.

Emil Ebers
Breslau 1807 – 1884 Beuthen a. d. Oder

Besuchte 1829/30 die Kunstakademie in Düsseldorf in der oberen Klasse der ausübenden Künstler. Vom Wintersemester 1830/31 an bis zum Jahre 1834 war er in der ersten Klasse. In den ersten beiden Jahren hatte er ein Stipendium für ein freies Modell. Das hier gezeigte Bild wird in den Schülerlisten 1830/31 eigens erwähnt.

Von 1834 bis 1837 in Schlesien. 1837/38 wieder in Düsseldorf in der Meisterklasse der Akademie als Historien- und Genremaler.

Die Beziehungen zu Henry Ritter und Rudolf Jordan bestärkten ihn in seiner Vorliebe für den Themenkreis aus dem Schmuggler- und Fischerleben. Mit Rudolf Jordan eine gemeinsame Reise nach Holland und in die Normandie.

1844 wieder in Breslau ansässig, heiratet er 1845 die Schwester Fanny von C. F. Lessing. 1860 Übersiedlung nach Görlitz, zuletzt in Beuthen tätig.

69
Mann vor dem Schaufenster, 1864

Bezeichnet unten rechts: C. d'Unker. / 64.

Karton, 37,3 × 26,9 cm
Galerie G. Paffrath, Düsseldorf

Auch mit diesem Bild steht Lützow d'Unker in der Nachfolge von Hasenclever. Der faszinierte Beschauer wird hier karikiert in dem sich selbst vergessen-

70
Aufziehendes Gewitter, 1831

Bezeichnet unten rechts: 18 E. Ebers 31
Leinwand, 85,5 × 80,5 cm
Kunstmuseum Düsseldorf (Dauerleih-
gabe der Staatlichen Kunstakademie
Düsseldorf, 1932)
Inv.Nr. 2008

In der Gruppierung der Figuren: Mutter
mit Tochter (?) – und die klassische
Dreieckskomposition abschließend ein
Hund –, der Schadowschen Schultradition verpflichtet und daher Lessings
„Trauerndem Königspaar" (Kat.Nr.
155) nahe verwandt. Frühes Beispiel für
die am Kostüm interessierte ethnographische Genremalerei, deren eigentlicher Bahnbrecher Rudolf Jordan mit seinem Bild „Fischer auf Rügen", 1829,
war. In seinem den Naturgewalten hilf-
und wehrlos ausgelieferten Menschenbild ein Vorläufer für Bendemanns Aufsehen erregende Bildschöpfung „Die
trauernden Juden im Exil", 1832, vergleiche Kat.Nr. 25.

Lit.: I. Markowitz 1969, S. 92, 93; Kat.
Ausst. Naturbetrachtung – Naturver-
fremdung, Trilogie I, Württembergi-
scher Kunstverein Stuttgart 1977, S. 299

Johan Fredrik Eckersberg
Drammen 1822 – 1870 Baerum

Landschaftsmaler. Kam 1839 nach Holland, wo er in den Galerien ältere Kunst
kopierte. Nach autodidaktischen Anfängen wurde er Schüler von Johannes
Flintoe an der Königlichen Zeichenschule in Oslo. Im Sommer 1846 unternahm er zusammen mit Gude und Cappelen eine Studienreise ins Gudbrandsdal. Noch im Herbst des gleichen Jahres
zog er nach Düsseldorf, wo er Schüler
von Johann Wilhelm Schirmer wurde.
Daneben ist Gudes Einfluß unverkennbar. Seit 1848 wohnte er hauptsächlich in
Oslo; hier leitete er von 1859 an eine
Malerschule. 1854–56 war er vorübergehend wieder in Düsseldorf tätig.

71
Aussicht von Valle im Setesdal, 1852

Bezeichnet unten rechts: J. F. Eckersberg 1852
Leinwand, 120 × 141 cm
Nationalgalerie Oslo
Inv.Nr. 195

Dieses Bild gehört zu den anspruchsvollsten Arbeiten des Künstlers. In der groß konzipierten Landschaftskomposition Johann Wilhelm Schirmer und Hans Fredrik Gude entschieden verpflichtet. Was Eckersberg von den übrigen in Düsseldorf geschulten Landschaftsmalern unterscheidet, ist seine auffallend nüchterne, manchmal sogar ein wenig trockene, spröde Vortragsweise, die das Naturmotiv nicht artifiziell überhöht.

Lit.: Henning Alsvik/Leif Østby, Norges Billedkunst, Bd I, Oslo 1951, S. 142, 143; Düsseldorf und der Norden 1976, Nr. 56

Ferdinand Fagerlin
Stockholm 1825 – 1907 Düsseldorf

Zunächst beim Militär. Studierte in den
40er Jahren an der Kunstakademie in
Stockholm. 1854 gab er seine Offiziers-
karriere auf und ging nach Düsseldorf.
Hier wurde er Schüler von C. F. Sohn in
der zweiten Klasse (Antikensaal). 1855
ist er in der zweiten Klasse (Malerschule). Im vierten Quartal wird er zur
ersten Klasse (Schadow) versetzt.
1856 bis 1858 studierte er in Paris, zeitweise bei Couture; anschließend kehrte
er wieder nach Düsseldorf zurück. Hier
wurde er ansässig.
Heiratet die Tochter von Henry Ritter.
Seit 1862 reiste er fast jeden Sommer an
die Holländische Küste; seine Bildmotive stammen aus dem täglichen Leben
der Fischer.
Neben seinen Genre- und Porträt-Bil-
dern entstanden auch einige Landschaften.

72
Die Eifersüchtige, 1895

Bezeichnet unten rechts: Ferd. Fagerlin
Düsseldorf
Leinwand, 88 × 107 cm
Galerie G. Paffrath, Düsseldorf

Auf der Pariser Weltausstellung 1867
waren von Fagerlin zwei Gemälde ausgestellt „Heiratsgesuch" und „Eifer-
sucht". Das hier gezeigte Gemälde ist
nach dem Katalog der Ausstellung 1948
in Düsseldorf eine Wiederholung aus
dem Jahre 1895.
Im Bildbau und in der die Pointe heraus-
stellenden psychologisierenden Darstellungsweise Knaus und Vautier besonders verpflichtet.
Mit Henry Ritter entdeckte Fagerlin die
malerischen Qualitäten der benachbarten Niederlande. Der späten Stilstufe
entsprechend ist nicht das karge, natur-

verbundene Leben auf dem Lande oder
an der Küste Bildthema; das Interieur
zeigt bürgerliche Ausstattung. Der Kastenraum und die Dreieckskonstellation
der Figuren sind der Bühne verwandt;
die stillebenhaften Bereiche im Bild ver-
leiten den Betrachter zum müßigen Verweilen.

Lit.: 100 Jahre Düsseldorfer Malerei,
Nr. 74

Eduard Karl Franz von Geb-
hardt
St. Johannis in Jerven (Estland) 1838 –
1925 Düsseldorf

1855–57 Studium an der Akademie in St.
Petersburg. Eine Studienreise über Düsseldorf nach Belgien und Holland
1857/58, wo er zum ersten Mal die frü-

hen Niederländer kennenlernte, die ihn
neben Henrik Leys nachhaltig beeinflußten. Anschließend eine Reise nach
München und Wien. 1859 Wiederaufnahme des Akademiestudiums an der
Kunstschule zu Karlsruhe, bei Ludwig
Des Coudres. 1860 in Düsseldorf zunächst Privatschüler von August Wilhelm Sohn, mit dem er zeitweilig ein
gemeinsames Atelier hatte. Von ihm
empfing er den Hinweis auf die Vorbildlichkeit der Niederländer des 17. Jahrhunderts.
Im April 1874 tritt er als Nachfolger von
Theodor Hildebrandt in das Lehrerkollegium der Düsseldorfer Kunstakademie ein. Bis zum Jahre 1912 dort als
Lehrer tätig, ist sein Einfluß auf die
Schüler der Kunstakademie nur noch
dem des Eugène Dücker zu vergleichen.
In seinen Hauptwerken, zu denen auch
die Fresken im Kloster Loccum (1886–
92), in der Friedenskirche in Düsseldorf

(1910/11), in der Petrikirche in Mülheim a. d. Ruhr (1912/13) gehörten – erhalten haben sich nur die Fesken in Kloster Loccum –, ist er der protestantischen religiösen Historienmalerei verpflichtet. Er überwindet die Kunst der Düsseldorfer Nazarener und prägte einen neuen Stil. In seinen biblischen Darstellungen dominiert die Wirklichkeitsnähe trotz des nicht zu übersehenden Legendengestus.

73

73
Gebirgstal, 1858

Bezeichnet auf der Rückseite:
Gemalt von (von fremder Hand)
Eduard von Gebhardt Zillertal bei Mayerhofen (Handschrift des Künstlers)
Nachlaß Wilhelm Sohn (von fremder Hand)
Leinwand auf Karton, 19 × 24 cm
Kunstmuseum Düsseldorf
Inv.Nr. 4119

Zillertal, Blick in Richtung Süden. Mayrhofen ist im Bild nicht zu sehen. Der Ort befindet sich hinter dem bewaldeten Berg, der sich von links im Vordergrund ins Bild hereinschiebt. Die Häuser rechts müssen zum Ort Hippach gehören. (Freundliche Mitteilung von Meinrad Pizzinini, Innsbruck vom 9. 1. 79).
Von Irene Markowitz 1969 mit ähnlichen Studien 1858 und 1869 in Verbindung gebracht. In der vorliegenden kleinen, beiläufigen Arbeit glaubt man einen Reflex der Kunst Johann Wilhelm Schirmers erkennen zu können. Für Gebhardt ungewöhnlich und auch singulär ist die lichte Farbigkeit.

Lit.: I. Markowitz 1969, S. 97

74
Studienkopf, Knabe, 1867 (?)

Bezeichnet oben rechts: Gebhardt 1867 oder 61 (?), schwer zu lesen.
Leinwand, 47 × 38 cm
Kruppsche Gemäldesammlung, Essen
Inv.Nr. KH 148

Vergleiche die Studie eines blinden Mädchens, 1861, Kunstmuseum Düsseldorf (Inv.Nr. 2259) und die zahlreichen Studienköpfe, die er für seine großen vielfigurigen Kompositionen benötigte. Was dieses Gemälde auszeichnet, ist die frische, offene Pinselführung und die weiche Modellierung des Knabenkopfes. Sie läßt einen Künstler von hohen Graden erkennen, der zu Recht von den Zeitgenossen bewundert und verehrt wurde.

Lit.: Kat.Ausst.: Aus der Gemäldesammlung der Familie Krupp, Villa Hügel, Essen, 1965, Nr. 32

75
Pilatus zeigt Christus dem Volk, 1870–75

(Ecce homo)
Bezeichnet unten rechts: Gebhardt
Leinwand, 97 × 123 cm
Kunstmuseum Düsseldorf
Inv.Nr. 4016

Die Szene findet sich im Johannes-Evangelium 19, 4–15: „Da ging Pilatus wieder heraus zu ihnen: Sehet, ich führe ihn heraus zu euch, daß ihr erkennet, daß ich keine Schuld an ihm finde. Also ging Jesus heraus, und trug eine Dornenkrone und Purpurkleid. Und er spricht zu ihnen: Sehet, welch ein Mensch!‟
Die Komposition durch Rembrandts Radierung aus dem Jahre 1655 inspiriert. In der älteren Literatur wird das Gemälde wegen der offenen Pinselschrift und der summarischen Behandlung des Volkes im Vordergrund als Skizze zu einem größeren Bild bezeichnet. Die Nähe zu Daumiers „Ecce homo‟, 1849/52 (Museum Folkwang, Essen) drängt sich auf, doch wird man hier über die zufällig vergleichbare Farbgebung und die summarische Behandlung des Volkes im Vordergrund nicht hinausgehen können. Bei Gebhardt wird Christus mit der Dornenkrone von der Rundbogenarchitektur hinterfangen und überhöht, so, auch formal, im Bild ausgezeichnet und von Pilatus deutlich abgesetzt.

Lit.: I. Markowitz 1969, S. 101–103

76
Der reiche Jüngling, 1892

Bezeichnet unten links: E. v. Gebhardt
1892 Dusdf
Holz, 105 × 135 cm
Kunstmuseum Düsseldorf
Inv.Nr. 4017

Eduard von Gebhardt greift auf das
Matthäus-Evangelium zurück. Im 19.
Kapitel, Vers 21–23 finden sich die fol-
genden Worte: „Jesus spricht zu ihm:

Willst Du vollkommen sein, so gehe hin,
verkaufe, was Du hast und gib's den
Armen, so wirst Du einen Schatz im
Himmel haben; und komm und folge
mir nach!
Da der Jüngling das Wort hörte, ging er
betrübt von ihm; denn er hatte viele Güter. Jesus aber sprach zu seinen Jüngern:
Wahrlich, ich sage euch: Ein Reicher
wird schwer ins Himmelreich kommen."
In dieser figurenreichen Szene, die sich
um eine zentrale Figur gruppiert, steht

Eduard von Gebhardt eindeutig in der
Nachfolge des großen Düsseldorfer
Vorbildes: C. F. Lessing „Die Hussitenpredigt", vergleiche Kat.Nr. 159. Auch
die Fülle der Detailstudien, die in das
Gemälde Eingang gefunden haben, ist in
der Schaffensweise Lessings vorbereitet.
Ebenso findet sich dort das Phänomen,
daß die seelische Bewegung, die im Zentrum des Bildes kulminiert, zu den Bildrändern hin abnimmt.
Eduard von Gebhardt erreicht durch
seine Bildordnung, daß Christus und der

77

reiche Jüngling auch formal als Hauptfiguren und Antipoden gekennzeichnet werden, denen gegenüber das übrige Volk, das sich in der Scheune um Christus geschart hat, trotz der reich abgestuften Charakterisierung eine anonyme, andächtige Gemeinde bleibt.

Eduard von Gebhardt erreicht durch den narrativen Zeitstil, verbunden mit einer märchenhaften, volkstümlichen Vortragsweise, ein Einverständnis mit den Kunstfreunden, die in ihm den Erneuerer des christlich-religiösen Bildes feierten. Er fand Zustimmung in weiteren Kreisen als es den Nazarenern je vergönnt war; Eduard von Gebhardt war nahezu volkstümlich.

Lit.: I. Markowitz 1969, S. 103, 104

77
Auferweckung des Lazarus, 1896

Bezeichnet unten rechts: E. v. Gebhardt Ddf 1896
Holz, 117 × 160 cm
Kunstmuseum Düsseldorf
Inv.Nr. 5515

Die Szene findet sich im Johannes-Evangelium 11.32–36 und 43–45:
„Als nun Maria kam, da Jesus war, und sah ihn, fiel sie zu seinen Füßen und sprach zu ihm: Herr wärest Du hier gewesen, mein Bruder wäre nicht gestorben. Als Jesus sie sah weinen und die Juden auch weinen, die mit ihr kamen,

ergrimmt er im Geist und betrübte sich selbst und sprach: Wo habt ihr ihn hingelegt? Sie sprachen zu ihm: Herr, komm und sieh es. Und Jesu gingen die Augen über. Da sprachen die Juden: Siehe, wie hat er ihn so lieb gehabt.“ . . . Da er das gesagt hatte, rief er mit lauter Stimme: Lazarus, komm heraus! Und der Verstorbene kam heraus, gebunden mit Grabtüchern an Füßen und Händen, und sein Angesicht verhüllet mit einem Schweißtuch. Jesus spricht zu ihnen: Löset ihn auf und lasset ihn gehen.“

Die Auferweckung des Lazarus, 1450/60, des Aelbert van Ouwater (um 1415–1475) (Gemäldegalerie Staatliche Museen Preußischer Kulturbesitz, Berlin), es ist 1889 für das Kaiser Friedrich-Museum erworben worden, mag Eduard von Gebhardt gekannt haben. Die drastisch zupackende Charakterisierung hat mit zur Popularität seiner Bildthemen beigetragen. Von einem zeitgenössischen Kostüm um 1500 ist er bei der Darstellung des modernen Friedhofs abgewichen. Irene Markowitz 1969 stellt nicht zu Unrecht „eine bis zur Komik reichende Skala von Empfindungen“ fest. Mit dieser Variationsbreite brachte er die Fülle des Lebens zum Ausdruck, vergegenwärtigt er das Wunder der Wiedererweckung eines Toten. Das Ganze wird eingebunden von einer brauntonigen Malerei. Wie hoch die Zeitgenossen den Stellenwert dieses Bildes ansetzten, kann man daran erkennen, daß es zu den wichtigen Gemälden aus der Malerei des 19. Jahrhunderts gehörte, mit denen Deutschland auf der Brüsseler Weltausstellung 1910 vertreten war, zusammen mit Arnold Böcklins „Hochzeitsreise“ (National-Galerie, Staatliche Museen zu Berlin, DDR) und Lovis Corinths „Florian Geyer“ (Von der Heydt-Museum, Wuppertal-Elberfeld) sowie Max Liebermanns Porträt „Emil Rathenau“ (National-Galerie, Staatliche Museen zu Berlin, DDR).

Lit.: I. Markowitz 1969, S. 105, 106

Farbtafel VII

78

Karl Gehrts
Hamburg 1853 – 1898 Düsseldorf

Zunächst Besuch der Kunstgewerbe-
schule in Hamburg, 1871 an der Weimarer Kunstschule Schüler von Karl Gus-
sow und Albert Baur. Diesem folgte er
1876 nach Düsseldorf. 1889 ist eine Studienreise nach Italien und Griechenland
belegt.

Vielseitig begabt und in seiner dekorativen Manier den Zeitstil treffend, war er
ein begehrter Künstler, der mit Aufträgen für Wand- wie Staffelei-Bilder, Illustrationen, Glückwunschadressen und
Diplomen überhäuft wurde.

Neben den Historienbildern sind es vor
allen Dingen die Märchenthemen, die in
seiner Zeit sich großer Beliebtheit erfreuten.

Schwiegersohn Gustav Adolf Koettgens.

79

78
Die Kunst des Altertums, 1887

Bezeichnet unten rechts: Carl Gehrts 87
Leinwand, 46,5 × 114 cm
Kunstmuseum Düsseldorf
Inv.Nr. 4547

79
Die Kunst der Renaissance, 1887

Bezeichnet unten links: Carl Gehrts 1887
Leinwand, 46,5 × 114 cm
Kunstmuseum Düsseldorf
Inv.Nr. 4548

Skizzen für die Treppenhausfresken in der Kunsthalle Düsseldorf, die durch Kriegseinwirkungen zerstört wurden. Die Ruine der Kunsthalle wurde 1967 abgetragen.
Das Zeitalter der Griechen:
Von den Figuren lassen sich bestimmen: Rechts: Perikles mit dem Helm, Aspasia mit dem Sonnenschirm, und Sokrates in dem hellen Gewand am rechten Bildrand. Die weiß gekleidete und mit einem Lorbeerkranz ausgezeichnete Gestalt ein Dichter der hellenischen Antike. Oberhalb dieser Gruppe Iktinos, der Architekt des Parthenon.
Links: Philosophen und Platon, der auf die Statue des Zeus weist. Hinter ihm ganz links Praxiteles. Der olympische Zeus des Phidias mit der Nike, als Modell.
Die Szene ist auf der Akropolis angesiedelt. Parthenon und Erechtheion sind im Bau.
Ohne die archäologische Treue und Prägnanz Alma Tademas anzustreben, dennoch diesem Vorbild verpflichtet, kommt Gehrts mit seinen lichten Fresken dem Deckenbild „Apotheose der Renaissance", 1890, von Mihaly Mun-

kácsy im Kunsthistorischen Museum, Wien nahe. Munkácsys Vorarbeiten gehen auf das Jahr 1884 zurück. Das Bildthema „Die Kunst des Altertums" ist bei Schinkel 1825 in „Blick auf Griechenlands Blüte" (seit 1945 verschollen) vorbereitet.
Das Zeitalter der Renaissance:
Um die zentrale Figur der Ecclesia gruppieren sich links und rechts Künstler der Hochrenaissance. Im Bild bestimmen lassen sich von links nach rechts: Tizian, Michelangelo, Leonardo da Vinci und Papst Julius II.
Rechts die Begegnung der italienischen mit der deutschen Kunst in Raffael und Dürer, vergleiche auch Overbeck „Sulamith und Maria" (Italia und Germania), Kat.Nr. 179. Rechts neben Dürer Lucas Cranach, zwischen beiden der Kopf Peter Vischers.
Im Gegensatz zur „Antike" farbkräftiger, Makart nahe, jedoch in der Bildordnung strenger.

Lit.: I. Markowitz 1969, S. 107, 108, 109

Jacob Goetzenberger
Heidelberg 1800 – 1866 Darmstadt

Schüler von Peter von Cornelius in Düsseldorf und München 1820 bis 1824 und Mitarbeiter bei den Fresken in der Glyptothek. An der Ausmalung der Aula der Universität in Bonn neben Ernst Förster und K. Hermann beteiligt. 1828 in Rom mit Vorarbeiten hierfür beschäftigt. Von den Fresken malte er „Jurisprudenz", „Medizin" und die „Philosophie".
Seit 1833 in Mannheim; 1845 bis 1847 Direktor der Mannheimer Galerie.
Gemeinsam mit Peter von Cornelius Reisen nach Paris und London. Seit 1845 längerer Aufenthalt in England und in der Schweiz. 1863–65 noch einmal in der Schweiz, in Luzern.
Seine Kunst steht ganz im Banne seines großen Vorbildes Peter von Cornelius.

80
Madonna mit dem Papagei, 1823

Bezeichnet rechts am Schloß im Hintergrund: 1823
Holz, 83 × 65 cm
Städtische Galerie im Lenbachhaus, München
Inv.Nr. G 13264

Das Gemälde ist wahrscheinlich identisch mit der bei Bötticher unter der Nummer 1 aufgeführten Madonna, die Goetzenberger im Auftrag seines Lehrers und Freundes Peter von Cornelius für Baron Simolin auf Gr.Dselden in Kurland malte. Das Bild galt lange als ein Werk des Peter von Cornelius, da dieser es mit einem Schreiben „München, den 6. Sept. 1823 P. Cornelius" an den Besteller geschickt hatte.
Paraphrase eines in der Umgebung von Raffael noch zu findenden Madonnen-Vorbildes. Ganz privat und intim Beispiel eines Bildtypus, bei dem deutsches und italienisches Gedanken- und Formengut eine Symbiose gefunden hat.
Der Papagei vielleicht ein Hinweis auf den freiwilligen Dienst für das allgemeine Wohl.
Das Katalogmanuskript „Gemälde in der Städtischen Galerie im Lenbachhaus" wurde liebenswürdigerweise von Brigitte Reinhardt zur Verfügung gestellt.

Lit.: Brigitte Reinhardt, Gemälde der Städtischen Galerie im Lenbachhaus, (München) 1800–1940, Manuskript 1978

Charles de Groux
Comines 1825 – 1870 Brüssel

Schüler der Brüsseler Akademie, wo Navez sein Lehrer war; Charles de Groux errang 1850 den zweiten Rompreis. Seine Historienbilder „Der Tod Karls V." und „Die Bürger von Calais" erregten Aufsehen.
1851 war er in Düsseldorf an der Akademie, sein Aufenthalt muß jedoch so kurz gewesen sein, daß er nicht in die Schülerlisten aufgenommen wurde. Doch ist die Vorbildlichkeit von Künstlern und Kunstwerken Düsseldorfer Prägung in seinem Werk nicht zu übersehen. Die beiden hier ausgestellten Gemälde lassen sich auf zwei Düsseldorfer Bilderfindungen zurückführen. Sein ausgeprägter Wirklichkeitssinn führte de Groux bald zu Themenkreisen aus dem Leben der Gegenwart, oft unter Hervorhebung rivalisierender Tendenzen. Seine scharf charakterisierten Typen aus dem Armeleute-Milieu haben manche Zeitgenossen abgestoßen. Die Verbindung zu Courbet ist wohl doch viel vordergründiger als früher des öfteren angenommen wurde. Millet und Leys sind viel eher stilprägende Vorbilder geworden. De Groux war ein Maler des Volkes, ein leidenschaftlicher Anwalt der Armen, Elenden, vom Glück Enterbten.

81
Die Armenbank, 1854

Leinwand, 137 × 102 cm
Musées Royaux des Beaux-Arts de Belgique, Brüssel
Inv.Nr. 4843

Ein Bild mit dem gleichen Titel hatte de Groux 1849 in Antwerpen und 1850 in Brügge schon einmal ausgestellt. Dies Gemälde ist eine spätere Wiederholung des gleichen Bildgedankens, der von Heines „Gottesdienst in der Zuchthaus-

82

kirche", Kat.Nr. 98 inspiriert worden zu sein scheint.
Das Kircheninterieur in der Art des Emanuel de Witte hat de Groux gekannt; für ihn ist es nur der Hintergrund mit der andächtigen gläubigen Menge, die als wohlhabend charakterisiert ist. Im krassen Gegensatz dazu die hier im Vordergrund gezeigten andächtigen Armen. Das psychologisierende Element, für das Hasenclever das Vorbild gewesen sein kann, bestimmt die Darstellung. Kennzeichnenderweise befindet sich die Armenbank unter einem Gemälde des Kreuztragenden Christus, vergleiche Schwingen „Die Pfändung", Kat.Nr. 253. Der gläubigen Menge im Hintergrund ist entsprechend eine „Anbetung der Maria mit dem Christuskind" (in dem Glasfenster darüber) zugeordnet. Anklagende Verzweiflung und bittere Resignation kennzeichnen die andächtigen Armen.
Auch in dieser entschiedenen Härte geht de Groux weit über sein Vorbild in Düs-

seldorf „Gottesdienst in der Zuchthauskirche" von Heine hinaus. Wieweit die Identifikation des Künstlers mit diesen Entrechteten, Ausgestoßenen geht, beweist die Beschriftung auf der Armenbank, wo sein Name wiederzufinden ist.

Lit.: Kat.Ausst.: Antwerpen 1969, Nr. 97

82
Der Trunkenbold, 1853

Bezeichnet unten rechts: Ch. Degroux
Leinwand, 67 × 79 cm
Musées Royaux des Beaux-Arts de Belgique, Brüssel
Inv.Nr. 2556

De Groux als Maler steht mit seinen Bilderfindungen und seiner Kompositionsweise in der Düsseldorfer Tradi-

83

durchgeführt. In seiner Grundhaltung eher realistisch orientiert als sein Lehrer Schirmer. Seine zahlreichen Studien von seinen Reisen in Norwegen und auf dem Kontinent zeigen diese naturalistischen Tendenzen. 1854 beim Weggang Schirmers nach Karlsruhe wird Gude Nachfolger seines Lehrers als Professor für Landschaftsmalerei an der Düsseldorfer Akademie. 1862 läßt er sich für zwei Jahre beurlauben. Während seines Studienaufenthaltes in Wales 1862–64 intensives Studium der Freilichtmalerei. Von 1864–1880 war Gude als Professor an der Akademie in Karlsruhe und von 1880 bis 1901 an der Akademie in Berlin tätig.

tion. Der Kastenraum ist von der Bühne übernommen, ebenfalls die Beleuchtung von der Seite.

In diesem Bild zeigt er sich als leidenschaftlicher Ankläger gegen Armut, Elend und Verfechter der vom Leben Entrechteten. Darin geht er weit hinaus über die Formulierungen von L. Knaus, vergleiche „Falschspieler", Kat.Nr. 134. Armut ist hier nicht mehr pittoresker Vorwurf, sondern verzweifelte engagierte Anklage und weist voraus auf sozialkritische Schilderungen von Käthe Kollwitz.

Malerische Bravour, Interesse an der Stofflichkeit und dem Detail treten ganz zurück hinter der sozialkritischen Anklage.

Lit.: Kat.Ausst.: Antwerpen 1969, Nr. 96

Hans Fredrik Gude
Oslo 1825 – 1903 Berlin

Landschaftsmaler. Neben Tidemand gehört Gude zu den führenden Gestalten der norwegischen Maler in Düsseldorf. Durch seine lange Lehrtätigkeit gewann er besonders große Bedeutung für seine Landsleute. 1841 kam er nach Düsseldorf und wollte ursprünglich sich als Historienmaler ausbilden. Doch beschloß er dann bei Andreas Achenbach (privat) und bei Johann Wilhelm Schirmer auf der Akademie Landschaftsmalerei zu studieren. Eintritt im vierten Quartal des Schuljahres 1842/43. Johann Wilhelm Schirmer bestätigt ihm viel Talent. Mit Albert Flamm und Oswald Achenbach befreundet. Sorgfältig ausgearbeitete Kompositionen werden mit einer Vorliebe für romantische Effekte

83
Bei Kvamsøy, 1845

Bezeichnet unten rechts: 19de Juli 45
Karton, 31 × 41 cm
Nationalgalerie, Oslo
Inv.Nr. 636²

Der junge Künstler steht hier ganz im Banne und in der Nachfolge von Johann Wilhelm Schirmer. Studie vor der Natur (?) in seiner norwegischen Heimat. Eine weiße Kirche ragt über den Hügelkamm hervor, zur Hälfte versteckt hinter einer Birke; schroffer Bergrücken im Hintergrund.

Lit.: Oslo 1968, Nr. 704

84
Gebirgsbach, 1848

Bezeichnet unten in der Mitte: Hallingdal 16. Aug 1848.
Karton, 35,5 × 50 cm
Nationalgalerie Oslo
Inv.Nr. 6355

Wie sehr Gude der Kunst Johann Wilhelm Schirmers verpflichtet ist, kann an dieser nahsichtigen Studie durch einen Hinweis auf drei Bilder von Johann Wilhelm Schirmer im Kunstmuseum Düsseldorf belegt werden: Aus der unmittelbaren Umgebung, aus dem Neandertal, stammen „Felsen und Gesträuch am Wasser", 1827 (?), Inv.Nr. 2222 und „Landschaftsstudie", 1827 (?), Inv.Nr. 4188, und aus der Eifel „Waldbach", 1847, Inv.Nr. 4360.

Lit.: Oslo 1968, Nr. 713

84

85
Brautfahrt auf dem Hardanger Fjord, 1848

Bezeichnet unten links: A. Tidemand. H. F. (ligiert) Gude. 1848.
Leinwand, 93 × 130 cm
Nationalgalerie Oslo
Inv.Nr. 467

Wohl farbig licht und helles Gegenstück zu „Die Leichenfahrt auf dem Sognefjord", Kat.Nr. 87.
Frühes gemeinsames Werk von Gude und Tidemand. Früheste Fassung von vier Wiederholungen, die alle in der Zeit zwischen 1848 und 1853 entstanden sind. Im Vordergrund das Boot mit der Braut; auf dem Wege von der Kirche zwei weitere Boote, im Hintergrund eine Stabkirche. Die lichtdurchflutete Landschaft mit den schneebedeckten Gipfeln verdeutlicht die heitere Stimmung, vergleiche dazu das gegensätzlich aufgebaute Bild „Leichenfahrt auf dem Sognefjord", das aus dieser Komposition entwickelt wurde und eine gegensätzliche Landschafts- und Seelenstimmung repräsentiert.
Gude macht hier mit einem norwegischen Brauch bekannt, der auf die geographische Sondersituation zurückzuführen ist; gleichzeitig aber bietet ihm das Bildthema eine Möglichkeit, in dem Schiff ein Bild des Lebens zu geben. Die Assoziation „Das Schiff des Lebens" stellt sich beim Betrachter ein; das Bild erhält dadurch einen leise melancholischen Charakter. Es steht in der Tradition von Richters „Überfahrt über die Elbe am Schreckenstein", 1837 (Staatliche Kunstsammlungen Dresden, Gemäldegalerie Neue Meister).
Dies Gemälde wurde auf dem Fest, das die Kunstvereinigung im März 1849 in Christiania veranstaltete, vorgestellt, zu einem Gedicht von Andreas Munch mit Musik von Halfdan Kjerulf.

Lit.: Oslo 1968, Nr. 715; U. Abel 1978, S. 8, 9

85

86
Felslandschaft in Wales, 1862/64

Karton, 33,5 × 46 cm
Nationalgalerie Oslo
Inv.Nr. 635[2]

Während seines Aufenthalts in Wales
entstand die dunkeltonige, karge, stei-
nige Landschaft, die zusammen mit den
düster drohenden Wolken am Himmel
die späteren Landschaften, vergleiche
Kat.Nr. 87 und Kat.Nr. 88 vorbereitet.
Die beklemmende Atmosphäre ist hier
fixiert, die Gude in seinen späteren
Landschaften aus seiner norwegischen
Heimat oder den Alpen wieder aufgreift.

Lit.: Oslo 1968, Nr. 736

86

87
Leichenfahrt auf dem Sogne-fjord, um 1866

Bezeichnet: H F Gude Carlsruhe
Leinwand, 98,5 × 142 cm
Göteborgs Konstmuseum, Göteborg
Inv.Nr. 47

Veränderte Wiederholung eines Bildthemas, an dem Gude und Tidemand gemeinsam gearbeitet haben, das 1853
vollendet war. Dieses Bild befindet sich
heute in Privatbesitz. Bei der ersten Ausstellung 1853 erweckte das Gemälde
große Begeisterung bei den Kunstfreunden, wie bei den Künstlern. Die hier
ausgestellte spätere Version ist im Detail
zurückhaltender, stiller und in der Landschaft großräumiger. Die sich aufdrän-
genden und die Gesamterscheinung der
früheren Fassung möglicherweise störenden Details sind zu Gunsten einer
düsteren Gesamtstimmung aufgegeben
worden. Die Figuren in den Booten auf
dem Fjord sind nur summarisch, ohne

87

88

anekdotisches Detail gegeben. Dadurch ist es Gude gelungen, die Stimmung des Ganzen zu intensivieren. Gude hat hier das Thema „Tod und Begräbnis" um eine Variante bereichert, das seit Lessings „Klosterhof im Schnee", vergleiche Kat.Nr. 154, in Düsseldorf zum geläufigen Vokabular der Schule gehörte; hier eine Variante, die vom ethnographischen Interesse Rudolf Jordans inspiriert, mit einem norwegischen Brauch

89

bekanntmacht. Gude und Tidemands Bilderfindung wirkt in Vautiers Gemälde aus dem Jahre 1872 „Fahrt über den Brienzer See zum Begräbnis" fort. Böcklin transponierte das Bildthema in seiner „Toteninsel" auf eine andere Ebene und wurde dafür vom Großbürgertum gefeiert.

Lit.: Düsseldorf und der Norden, 1976, Nr. 62

88
Chiemsee, Fraueninsel, 1867

Bezeichnet unten rechts: Chiemsee 26 Aug 67. HFG ligiert.
Karton, 19,5 × 31,5 cm
Nationalgalerie Oslo
Inv.Nr. 635[4]

Unwetter über dem Chiemsee. Fraueninsel mit dem Kloster im Mittelgrund. Gude nähert sich mit dieser weiträumig gesehenen Naturstudie, die ganz auf das Atmosphärische abgestimmt ist, Formulierungen, wie sie Wilhelm Trübner (1851–1917) vor dem gleichen Landschaftshintergrund in seinem Gemälde „Chiemsee", 1874 (Hamburger Kunsthalle), gelangen; vergleiche auch Pose „Chiemseelandschaft", Kat.Nr. 184.

Lit.: Oslo 1968, Nr. 739

William Stanley Haseltine
Philadelphia 1835 – 1900 Rom

Studierte zwei Jahre bei Paul Weber in Philadelphia, bei dem auch William Trost Richards 1853 lernte. Dann an der Universität von Harvard, wo er bis 1854 blieb. Anschließend eine Reise nach Düsseldorf zum Studium bei Andreas Achenbach und bei Emanuel Leutze. 1856 machte er zusammen mit Emanuel Leutze, Worthington Whittredge und Albert Bierstadt eine Studienreise rheinaufwärts und weiter nach Italien. Ließ sich 1858 in New York nieder. 1859 wurde er zum Mitglied der National Academy gewählt. 1866 ein Aufenthalt in Paris, anschließend in Rom. Hier lebte er bis zu seinem Tode. In den Jahren 1895 bis 1899 noch einmal ein längerer Aufenthalt in den Vereinigten Staaten.

90

89
Lago Maggiore, 1867

Leinwand, 53,2 × 57,1 cm .
National Collection of Fine Arts, Smith-
sonian Institution, Washington

Den italienischen Landschaftsstudien
von Johann Wilhelm Schirmer 1839/40
in der Seh- und Gestaltungsweise verpflichtet. Was Haseltine von seinem
Vorbild unterscheidet, ist die summarische Behandlung der Details. Im Vordergrund dominiert die Weite des Sees,
im Hintergrund ragt ein Gebirgsmassiv
empor, auf dem Wolkenschatten ruhen.
Reich abgestufte Blautöne bestimmen
den Bildeindruck.

Lit.: The Hudson and the Rhine, Düsseldorf 1976, Nr. 36

90
Taormina, 1889

Bezeichnet unten links: W S Haseltine
1889
Leinwand, 82,5 × 140 cm
The Lano Collection, Washington

Die Aussicht vom Theater in Taormina,
im Hintergrund der schneebedeckte
Aetna, gehört zu den großartigsten und
herrlichsten Landschaftseindrücken in
Italien. Daher hat das Bildthema Tradition.
Für Haseltine, den Schüler von Andreas
Achenbach, war es faszinierend, wie in
dieser Landschaft die Ruinen des antiken
Theaters an der Ostküste Siziliens mit
der Landschaft zu einer Einheit zusammengewachsen sind (vgl. Schirmer,
„Abendlandschaft mit Heidelberger

Schloß", Kat.Nr. 231). Bei allem Reichtum des Atmosphärischen, der Hintergrund ist ganz in Dunst gehüllt, lebt die
Düsseldorfer Schultradition im Detailrealismus fort. Im Vordergrund rechts
die Vegetation mit den Lichtreflexen ist
ebenso sorgfältig behandelt wie das antike Ziegelmauerwerk mit den zahllosen
Ausbrüchen und die nach 1860 wieder
aufgerichteten Granitsäulen mit ihren
Sprüngen. Bis ins Detail liebevoll festgehalten zeugen sie von dem archäologi-
schen Interesse des Künstlers. Die Lichtführung ist so gewählt, daß nur die
Rückwand des Theater beleuchtet wird.
Der Vordergrund, die eigentliche
Bühne, von der sich nur die Fundamente
erhalten haben, bleibt im Schatten.
Das Theater in Taormina läßt sich zwar
auf einen griechischen Ursprung zurückführen (3. Jahrhundert v. Chr.),

91

doch bestimmt der römische Umbau im 2. Jahrhundert n. Chr., der die Aussicht auf die Landschaft verstellte, das heutige Erscheinungsbild.

Johann Peter Hasenclever
Remscheid 1810 – 1853 Düsseldorf

Hasenclever studierte seit 1827 an der Kunstakademie in Düsseldorf zunächst

Architektur, wandte sich dann aber entschieden der Malerei zu. Wilhelm von Schadow lehnte seine ersten Werke ab. Daher zog er sich nach Remscheid zurück und bildete sich dort autodidaktisch weiter. 1832 nimmt er sein Studium an der Düsseldorfer Akademie wieder auf in der zweiten Klasse bei Theodor Hildebrandt. Recht bald wird ihm eine sehr gute Anlage bestätigt. Seit 1836 ist er in der ersten Klasse.
Seine Genrebilder im niederländischen

Charakter werden immer wieder erwähnt. 1838 in München, wo ihn vor allem David Wilkies „Testamentseröffnung" mit seiner psychologisierenden Gestaltung beeindruckt und in seiner eigenen Kunstweise bestätigt. 1840 eine Reise nach Oberitalien, seit 1842 endgültig in Düsseldorf ansässig, wo seine Genrebilder geschätzt wurden.
Der Distanz schaffende, ironische Gestus seiner Werke bestimmt seine Sonderstellung innerhalb der Genremaler in Düsseldorf.

91
Atelierszene, 1836

Bezeichnet
oben rechts: 4 Hasenclever
6 Heine
3 Greven   } pinx.
1 Grashof   1836
2 Wilms
5 Engel
Leinwand, 72 × 88 cm
Kunstmuseum Düsseldorf
Inv.Nr. 4376

Dargestellt sind von links nach rechts
die Genremaler: Otto Grashof (1812–
1876), Carl Engel von Rabenau (1817–
1870), Anton Greven (1810–1838), Hasenclever, Joseph Wilms (1814–1892)
und Wilhelm Heine (1813–1839), vergleiche Kat.Nr. 98; dabei hat sich nicht
klären lassen, ob die zu den Namen gehörenden Zahlen bei den Nummern 2
und 5 vertauscht wurden oder einen anderen Sinn haben.
Dieses Frühwerk Hasenclevers stellt
eine „launige Absage an die offizielle
Kunst und Lehre der Akademie" dar (I.
Markowitz 1969). Hasenclevers Erfolg
bei den Zeitgenossen mit seinen persiflierenden Genreszenen ist vor dem Hintergrund der literarisch-romantischen
Historienmalerei in Düsseldorf zu verstehen. So wendet sich auch dieses Bild
ironisierend gegen die Schulmeinung
Schadows. Das von Hasenclever und
seinen Freunden abgelehnte großformatige Bild wird als Trennwand miß-
braucht. Das hochgeschätzte, nicht zu
übertreffende antike Vorbild des abseits
stehenden „Borghesischen Fechters"
wird von zwei Malern parodiert. Räu-
ber- und Ritterromantik werden ebenso
wie der Detailrealismus und das Studium an der Gliederpuppe, die Hasenclever in der Bildmitte wegschleppt, per-
sifliert. Das Ganze spielt in einem Ate-
lierraum des alten Akademiegebäudes,
vergleiche Kat.Nr. 1. In der Malerei
licht, hell, blühend, von einer in dieser
Zeit in Düsseldorf ungewöhnlichen Lebendigkeit und Frische.

92

Lit.: I. Markowitz 1969, S. 116, 117; The
Hudson and the Rhine, Düsseldorf 1976,
Nr. 48; Kunstmuseum Düsseldorf 1977,
Nr. I, 23; Markowitz/Andree 1977, Nr.
9

Farbtafel VIII

92
Das Lesekabinett, 1843

Leinwand, 34,5 × 43 cm
Städtisches Museum, Remscheid
Inv.Nr. 77/1543

Hasenclevers Gemälde mit dem gleichen
Bildtitel in der National-Galerie Berlin
(DDR) ist 1843 datiert. Das Remscheider Gemälde wirkt wie ein unmittelbarer
Vorläufer, der die Figurengruppe noch
nicht so streng geordnet gibt. Mit der
Festigung des Bildbaues im Berliner Gemälde geht der malerische Reichtum,
den die Remscheider Fassung auszeichnet, verloren. Eine frühe Fassung des
Bildthemas „Zeitungsleser", 1835, im
Besitz des Stadtgeschichtlichen Museums, Düsseldorf.
Hasenclevers kritische Beobachtungsgabe ermöglicht ihm eine überzeugende
Darstellung der in einem Klub versammelten lesenden und schachspielenden
Menschen. Dabei karikiert er die verschiedenen Typen: In der Bildmitte unter der Lampe haben sich Männer in die
Zeitungslektüre vertieft, rechts im Hintergrund spielt eine Gruppe Schach, ihr
haben sich zwei Zuschauer zugesellt.
Diese interpretieren für den Betrachter
das Stadium des Spielens. Was den einen
zum Verzweiflungsgestus treibt, bringt
den anderen zum schadenfrohen La-
chen. Ganz links im Hintergrund noch
die Andeutung einer Liebesszene.
Die Landkarte im Hintergrund mit den
Balkanländern (die Freiheitskämpfe auf
dem Balkan hatten 1830 zur Unabhän-

93

gigkeit Griechenlands geführt) soll für den Betrachter verdeutlichen, warum die Zeitungsleser von der Lektüre so hypnotisiert sind. Einer von ihnen hat sogar vergessen, daß er sich eigentlich zum Essen niedergesetzt hatte; die Serviette umgebunden, hält er noch Gabel und Messer mit beiden Händen. Ein Hund, der auf den Tisch reicht, hat sein Glas umgeworfen und schnappt nach den Würstchen auf dem Teller.

Die verschiedenen Lichtquellen im Bild sind weniger eine Demonstration artistischen Könnens (vergleiche J. E. Hummel „Schachpartie", 1818/19, Nationalgalerie, Staatliche Museen Preußischer Kulturbesitz, Berlin); sie haben vielmehr bildordnende Funktion und sind wohl inspiriert durch Vorbilder von Joseph Wright of Derby (1734–1797), dessen Kompositionen durch Stiche auch in Düsseldorf bekannt gewesen sein müssen.

Auch Johnson und Woodville kennen die überzeichneten, scharf charakterisierten Typen aus dem Alltagsleben, vergleiche Johnson „Die Kartenspieler", Kat.Nr. 125, und Woodville „Seemannshochzeit", Kat.Nr. 269.

Lit.: The Hudson and the Rhine, Düsseldorf 1976, Nr. 49

93
Jobs als Student, um 1844

Bezeichnet unten rechts: J. P. Hasenclever
Leinwand, 25,5 × 31,5 cm
Kunstmuseum Düsseldorf
Inv.Nr. 4423

Die Zuordnung zur Jobsiade bleibt unsicher.
Nach Müller von Königswinters Be-

schreibung fand sich auf Hasenclevers Gemälde „Die Spielbank", 1844, eine ähnlich bewegte Figurengruppe im Hintergrund. In der leichten Pinselführung und der Kostümierung des 18. Jahrhunderts, dem „Jobs als Schulmeister" nahe, in der offenen, freien, aber sicheren Pinselschrift der Skizze „Abendgesellschaft", 1850 (Wallraf-Richartz-Museum, Köln), nahe. Das ausgeführte Gemälde „Abendgesellschaft" befindet sich in Potsdam (Staatliche Schlösser und Gärten, Potsdam-Sanssouci) (vgl. Abbildung 46).

Lit.: I. Markowitz 1969, S. 120

94
Jobs als Schulmeister, 1845

Bezeichnet unten links: J. P. Hasenclever
Leinwand, 80 × 106 cm
Kunstmuseum Düsseldorf
Inv.Nr. 5507

„Jobs als Schulmeister" gehört zu einer Folge von Bildern, die Szenen aus dem Leben des Titelhelden der Jobsiade von Karl Arnold Kortum, Münster und Hamm 1784, darstellen, die den Künstler seit 1837 beschäftigten. In der Schule des Dorfes Ohnewitz lehrt Jobs eine Kinderschar das Alphabet, er läßt das H lesen. Dem sorgfältigen Derangement im Vordergrund entspricht die Vielfalt der Reaktionsweisen der Schüler. Die Lernwilligkeit bzw. die Aufsässigkeit der Kinder ironisieren die Verhaltensweise der erwachsenen Bildungsbürger.

Mit diesen humorvoll persiflierenden Gemälden hatte Hasenclever nachhaltigen Erfolg. Die gewählten Szenen entsprechen seiner Begabung für eine prägnante Charakterisierung von humorvollen Situationen. Der Einfluß David Wilkies ist wahrscheinlich.

94

Das Interieur steht ganz in der Nachfolge der niederländischen Genre-
Künstler des 17. Jahrhunderts, hier verbunden mit dem in Düsseldorf gepflegten, von der Bühne inspirierten Kastenraum.

Bekannt sind neben „Jobs als Schulmeister" „Die Heimkehr des Studenten",
1837; „Jobs als Student", 1840; „Jobs
im Examen", 1840 und „Jobs als Nachtwächter", 1850.

Lit.: I. Markowitz 1969, S. 119, 120;
Düsseldorf und der Norden, 1976, Nr.
11; Markowitz/Andree 1977, Nr. 10; U.
Abel 1978, S. 24

95
Die Sentimentale, 1846

Bezeichnet unten links: J. P. Hasencle-
ver 1846
Leinwand, 36,5 × 30,5 cm
Kunstmuseum Düsseldorf
Inv.Nr. 4299

Ähnlich den „Lohgerbern" von
Schroedter, vergleiche Kat.Nr. 246, per-
sifliert Hasenclever hier die offizielle
Malerei als tränen- und rührselig. Goe-
thes „Werther" und Heinrich Claurens
„Mimili" verdeutlichen die Seelenstim-

mung der Dargestellten. Das Medaillon
auf dem Tisch und das Porträt an der
Wand rechts neben dem Fenster zeigen
einen Husaren, von dem auch wohl der
Brief auf dem Tisch stammt, dessen An-
rede „Innigst geliebte Fanny" zu entziffern ist. Die artifizielle Beleuchtung vom
Mondschein draußen und die verschiedenen Lichtreflexe in den Wolken, auf
dem Wasser und in den Fensterscheiben
sowie der Schein der Lampe auf dem
Tisch und ihr Widerschein im Innen-
raum finden sich sehr ähnlich auf Hum-
mels Gemälde „Schachpartie", 1818/19
(Berlin, Nationalgalerie).
Die Bildidee der einsamen Frauengestalt

95

96
Porträt Johann Wilhelm Preyer, 1846

Bezeichnet unten links: J. P. Hasenclever pinx. 1846.
Leinwand, 153 × 100 cm.
Nationalgalerie, Staatliche Museen Preußischer Kulturbesitz, Berlin
Inv.Nr. NG 1420

Der Maler Johann Wilhelm Preyer, vergleiche S. 422, war zwergenwüchsig. Über die Varianten und Wiederholungen des Bildes informiert der Katalog der Nationalgalerie Berlin 1976. Das Arrangement um den Künstler stellt Preyer mit Nachdruck als Stillebenmaler vor. Er ist in eine Umgebung eingebunden, wie sie auf seinen Bildern anzutreffen ist. Ein Beispiel seiner Malkunst auf der Staffelei: ein Früchtestilleben. Die Farben auf der Palette haben einen illusionistischen Effekt. Der dargestellte Gegenstand ist mit der pastos aufgetragenen Farbe identisch.
Zu den Gläsern im Hintergrund: „Offenbar Material verschiedener Herkunft für seine Stilleben, bestehend aus Gläsern à la façon de Venise des 17. Jahrhunderts, (Flöten, Vasenpokal aus Eisglas), Stücken des 18. Jahrhunderts und solchen der ersten Hälfte des 19. Jahrhunderts. Durchweg von guter Qualität." (Helmut Ricke).

Lit.: Berlin 1976, S. 161, 162

in Betrachtung des Mondes kann Hasenclever von Daumiers Lithographie aus dem Jahre 1844 „O lune, inspire moi" aus der Folge „Les bas bleus" gekannt haben (vergleiche J. A. Schmoll gen. Eisenwerth, Fensterbilder, in: Beiträge zur Motivkunde des 19. Jahrhunderts, München 1970).

Lit.: I. Markowitz 1969, S. 118, 119; Markowitz/Andree 1977, Nr. 11

96

Arbeiter vor dem Magistrat, 1848

Bezeichnet unten links: J. P. Hasenclever.
Auf der Petition läßt sich entziffern:
„An den .... Stadtrat dahier. Gesuch um Arbeit."
Das geschlossene Journal auf dem Tisch trägt die Jahreszahl 1848.
Leinwand, 154,5 × 224,5 cm
Kunstmuseum Düsseldorf
Inv.Nr. M 1978-2

Das Bildthema geht auf ein historisch belegtes Ereignis zurück. Am 9. Oktober 1848 war der Volksclub, an dessen Spitze u. a. Lassalle und Freiligrath standen, vor das Rathaus gezogen und in den Sitzungssaal eingedrungen. Man forderte dort in ungestümer Weise, beschäftigt zu werden. Der Gemeinderat konnte weiter nichts sagen, als daß die Mittel erschöpft seien.
Als Zugführer in der Bürgerwehr war Hasenclever an den Revolutionswirren aktiv beteiligt. Den historischen Hintergrund, die revolutionären Ereignisse, die den unmittelbaren Anlaß für die Entstehung dieses Bildes boten, haben Kurt Soiné und Wilhelm Albertz in ihrer Arbeit „Die Malerei von Johann Peter Hasenclever", Zulassungsarbeit für die Prüfung für das künstlerische Lehramt an Gymnasien im Lande Niedersachsen im SS 1977 (Staatliche Hochschule für Bildende Künste, Braunschweig), ausführlich und detailliert aufgeschlüsselt. Hasenclever greift ein Thema aus dem Zeitgeschehen auf und behandelt es in ironisch-distanzierter und dennoch engagierter Weise. Das Gemälde geht über die Reportage des Zeitgeschehens hinaus. Wolfgang Müller von Königswinter hat das schon 1850 präzisiert: „Er hat Geschichte gemalt und Zustände dargestellt, wie sie waren und wie sie uns allen noch erinnerlich sind. Der Ort der Handlung ist Deutschland."
Wie die Architektur im Hintergrund

97

durch Düsseldorf inspiriert, aber ins
Überlokale, ins Allgemeine verfremdet
ist, so geht Hasenclever mit dieser Komposition über ein Tendenzbild weit hinaus. Der Gegensatz zwischen der stehenden, um Arbeit bittenden Gruppe links
und dem Magistrat rechts wird in Gestik
und Mimik drastisch gegeneinander ausgespielt. Sie gaben der durch Überzeichnung karikierenden Darstellungsweise
Hasenclevers die Möglichkeit, eine Situation in ihrer lebendigen Vielfalt zu
schildern, wobei offenbleiben muß, ob
Hasenclever einigen der Dargestellten
porträthafte Züge verliehen hat.
Hasenclever hat die Bilderfindung in ei-

ner Farbenskizze (Westfälischer Kunstverein, Münster, Abb. 41) und einer
Zeichnung (Städtisches Museum, Remscheid) vorbereitet und wenigstens ein
Mal noch nach dem Düsseldorfer Bild
wiederholt (Schloß-Museum Burg a. d.
Wupper). Nach Wolfgang Hütt (1964)
ist eine Version dieses Themas, die 1850
auf der Berliner Akademischen Kunstausstellung gezeigt worden ist, verschollen (Bötticher Nr. 26). Ob die Arbeiten
an dem Gemälde im Jahre 1848 schon
abgeschlossen worden sind, läßt sich
heute nicht mit Sicherheit klären. Die
Wiederholung in Schloß Burg ist ostentativ 1848/49 datiert, während unser Ge-

mälde vom Künstler offensichtlich allein
mit der Jahreszahl 1848 in Verbindung
gebracht worden ist.
Für eine richtige Interpretation dieses
Gemäldes ist wichtig zu wissen, daß Hasenclever (nach Bötticher) im Jahre 1848
ein Gemälde „Verschiedene Temperamente" gemalt hat. So, wie sich die ein-
deutige Lokalisierung auf Düsseldorf
durch eine Bestimmung der Architektur
(St. Lambertus) durch Verfremdung
entzieht, so läßt sich auch nicht mit letzter Sicherheit klären, ob Hasenclever
eindeutig für die Arbeiter Partei ergriffen hat. Überzeugender ist die Interpretation, daß Hasenclever ein neues, durch

das Zeitgeschehen inspiriertes Bildthema aufgriff, das ihm die Möglichkeit bot, seine Überfülle von Charakterköpfen in einen sinnvollen Zusammenhang zu bringen und das selbstbewußte Auftreten der Arbeiter mit dem lähmenden Entsetzen des Stadtrats zu konfrontieren. Die Gegenüberstellung eines einzelnen mit einer Gruppe hatte Hasenclever in seinem Gemälde „Jobs im Examen" schon erprobt.

Über der Szene rechts an der Wand die Büste König Friedrich Wilhelms IV., darunter ein Porträt des Reichsverwesers Erzherzog Johann von Österreich; die Verglasung ist mehrfach gesprungen. In der Wandvertäfelung mit Rokoko-Ornamentik, vergleiche „Jobs im Examen" (Bayerische Staatsgemäldesammlungen, München) sind ovale Flächen ausgespart, in denen skizzenhaft angedeutet Herrscherporträts mit Allongeperücken zu sehen sind. Durch das geöffnete Fenster zum Marktplatz hin wird der Blick freigegeben auf eine wild gestikulierende Menschenmenge, die sich vor dem Rathaus versammelt hat. Ein Detail, auf das Hasenclever bei der späteren Ausführung 1848/49 verzichtet, ist die Stufe, um die der Stadtrat erhöht sitzt und vor der die Arbeiter mit der Petition stehengeblieben sind. Für die Grundeinstellung zum Bildthema ist diese Veränderung an der Komposition wichtig, weil sie das distanzierende Element zwischen Arbeiter und Magistrat eliminiert und in den Augen Hasenclevers beide, die miteinander Konfrontierten, einander ebenbürtig sind. Beide Parteien sind für Hasenclever ein interessanter Bildvorwurf in der Nachfolge der psychologisierenden Examens-Darstellungen. Hier sind zwei Parteien, die einander examinieren, als der Situation nicht gewachsen hingestellt.

Bei unserem Gemälde handelt es sich aller Wahrscheinlichkeit nach um das Bild, das der mit Hasenclever befreundete Ferdinand Freiligrath 1851 bei seiner Flucht nach England mitnahm. Dieses Gemälde wurde 1851 in London, 1852 auf Anregung von Friedrich Engels in Manchester und 1853 im Crystal Palace in New York ausgestellt. Im Zusammenhang mit dieser Ausstellung schrieb Karl Marx in der New Yorker Daily Tribune vom 12. 8. 1853: „Diejenigen Leser, die meinen Artikel über die Revolution und Konterrevolution in Deutschland gelesen haben, welchen ich vor etwa zwei Jahren für die ‚Tribune‘ schrieb und die von ihr ein anschauliches Bild gewinnen möchten, werden gut daran tun, sich das Gemälde von Herrn Hasenclever anzusehen, das jetzt im New Yorker Kristallpalast ausgestellt ist. Es stellt die Überreichung einer Arbeiterpetition an den Magistrat der Stadt Düsseldorf im Jahre 1848 dar. Der hervorragende Maler hat das in seiner ganzen dramatischen Vitalität wiedergegeben, was der Schriftsteller nur analysieren konnte."

Lit.: R. Andree 1979, S. 409, 410

Wilhelm Joseph Heine
Düsseldorf 1813 – 1839 Düsseldorf

Besuchte von 1829–1838 die Düsseldorfer Akademie; unter anderem studierte er bei Theodor Hildebrandt, der ihm als Genre- und Bildnismaler eine sehr gute Anlage bestätigte. 1837 in der ersten Klasse arbeitet er an der „Gefangenenkirche", die als vortreffliches Bild gerühmt wird; war 1838 in München und Tirol. Sein Porträt ist uns durch Hasenclevers „Atelierszene" überliefert (s. Kat.Nr. 91). Neben den sozialkritischen Themen – die Zeitgenossen nannten das „Charakter-Genre" – wie „Die Wilddiebe", „Der Schmuggler" und „Gottesdienst in der Zuchthauskirche", das er zweimal wiederholte, entstanden auch Gemälde des „komischen Genres" wie „Der des Lesens unkundige Bauer, eine Lesebrille suchend" (Püttmann 1839). Noch bevor Heine seine künstlerischen Begabungen voll entfalten konnte, zerstörte der frühe Tod des Künstlers alle Hoffnungen für die Zukunft.

98
Gottesdienst in der Zuchthauskirche, 1837

Leinwand, 51,5 × 67,5 cm
Kunstmuseum Düsseldorf
Inv.Nr. M 1977-3

Heine hat mit dem Bildthema Erfolg gehabt. Die erste Fassung des Bildes wurde im Entstehungsjahr 1837 im Leipziger Kunstverein ausgestellt und für das Leipziger Museum angekauft (Abb. 37). Eine Wiederholung aus dem Jahre 1838 gelangte über die Wagenersche Sammlung in die National-Galerie, Berlin (DDR).

Unser Gemälde stellt eine bisher unbekannte Reduktion des Bildthemas vor, vergleiche auch C. W. Hübners „Schlesische Weber", Kat.Nr. 110.

Als Bildthema neu und wohl durch die politischen Verhältnisse der 30er Jahre inspiriert. Gerhard Winkler vermutet in dem im Vordergrund an die Säule Gelehnten das Porträt des Pfarrers Weidig, der zum Georg Büchner-Kreis gehörend, hier der Bußpredigt mit gefalteten Händen skeptisch lauscht. Was Heine fasziniert hat, ist die unterschiedliche Reaktionsweise auf ein Ereignis, das außerhalb des Bildes liegt: die Predigt. Daß es sich um Gefangene handelt, wird durch die wachhabenden Soldaten in Uniform für den Betrachter deutlich gemacht. Die Variationsbreite der Reaktionen reicht vom Verzweiflungsgestus der Frau vorn rechts – eine Gebärde, die sich ähnlich bei dem Betenden vorn rechts in der letzten Kirchenbank wiederholt – bis zu dem opponierenden Bärtigen vorn links, der mißtrauisch die Bewachung mustert. Gelangweilt, wie die Wache, sind auch andere. Dazwischen gibt es Charakterisierungen in vielen Zwischenstufen von dem links mit übereinandergeschlagenen Beinen auf der Kirchenbank sitzenden Jungen, der während der Predigt ein Buch liest, und den beiden jungen Männern daneben, die einander anblicken, bis zu der Figur

98

im Hintergrund ganz rechts, die zu schlafen scheint. Auf sie blickt die links kniende Frau. Durch Blicke kontrolliert und beobachtet werden die Gefangenen in der Kirche von der Wache und beide Gruppen werden wieder durch den Künstler beobachtet. Sie bieten dem psychologisch Interessierten eine Fülle von Ausdrucksmöglichkeiten.

Der Belgier Charles de Groux, vergleiche Kat.Nr. 81, hat ein ähnliches Bildthema 1854 behandelt: Vor einer andächtigen Menge im Kirchenschiff eine Figurengruppe herausgesondert, bei der auch die Variationsbreite der Charakterisierung auffällt.

Lit.: R. Andree 1979, S. 410

Adolf Henning
Berlin 1809 – 1900 Berlin

Schüler der Berliner Akademie, 1824 bis 1833 im Atelier von Wach; vorwiegend als Porträtist und religiöser Historienmaler tätig; an der Ausmalung der Schloßkapelle und des weißen Saales des

Berliner Stadtschlosses mit beteiligt. Ebenfalls mit anderen bei der Ausgestaltung des Niobidensaales des Neuen Museums Berlin, tätig.

1833 ist er an der Düsseldorfer Kunstakademie in der ersten Klasse bei Wilhelm von Schadow als Historien- und Bildnismaler nachgewiesen. Wilhelm von Schadow bestätigt ihm eine sehr gute Anlage. Über seine Beziehungen zu Johann Wilhelm Schirmer, die in seinem Werk – wie dem ausgestellten – faßbar sind, geben die Schülerlisten der Kunstakademie in Düsseldorf keine Auskunft.

99
Altenberger Dom, 1833

Bezeichnet unten rechts: Altenberg, Juli 1833
Papier auf Leinwand, 35,5 × 25,7 cm
Verwaltung der Staatlichen Schlösser und Gärten, Schloß Charlottenburg, Berlin
Inv.Nr. GK I 310181

Blick auf die Strebepfeiler des Kapellenkranzes an der Südseite des Chores. Der Altenberger Dom als ehemalige Zisterzienser Abteikirche St. Mariae Himmelfahrt, der gotische Bau ist in den Jahren 1255–1379 errichtet; 1805 wurde das Kloster aufgelöst; 1815 ein Brand. Wiederherstellung von 1835–1857.

Vom Standort des Malers tritt das zerstörte südliche Querschiff nicht in Erscheinung. Der Blickwinkel ist so gewählt, daß die Strebepfeiler dicht hintereinander gestaffelt, fast allein sichtbar werden. Die große Sorgfalt und das Interesse am Detail des verschiedenen Gesteins läßt den Einfluß Johann Wilhelm Schirmers vermuten. Mit gleicher Intensität hat später ein anderer Schüler Schirmers: Arnold Böcklin Gestein zur Verblüffung des Publikums gemalt (Das Heiligtum des Herakles, Washington).

99

Die Ruine des Altenberger Doms war für viele Düsseldorfer Maler ein beliebtes Motiv, vergleiche Kat.Nr. 219, und Andreas Achenbachs Studien im Kunstmuseum und Stadtgeschichtlichen Museum Düsseldorf. Ausführlich siehe H. Börsch-Supan und A. Paffrath, Altenberg im 19. Jahrhundert, Bergisch-Gladbach 1977. In der Intensität des gemalten Mauerwerks vergleichbar dem „Erker am alten Rathaus zu Koblenz" von Lasinksy, Kat.Nr. 151.

Lit.: H. Börsch-Supan 1975, Nr. 84

100

Lars Hertervig
Tysvaer 1830 – 1902 Stavanger

Landschaftsmaler.
Nach dem Besuch der Königlichen Zeichenschule in Oslo kam Hertervig 1852
nach Düsseldorf, wo er nicht die Akademie besuchte, sondern 1852–54 Schüler
von Gude wurde. Noch ehe seine künstlerische Persönlichkeit sich vollenden
konnte, verhinderte der Ausbruch einer
Geisteskrankheit seine weitere Entwicklung. Sie isolierte ihn von den Zeitgenossen und machte eine kontinuierliche

künstlerische Arbeit und Entwicklung
unmöglich.
Es dominieren die durch Gude überlieferten Düsseldorfer Einflüsse um 1850:
die sorgfältige Beobachtung atmosphärischer Phänomene, die Lichteffekte des
Wolkenhimmels zusammen mit einem
Vorherrschen der Brauntöne im vorde-
rer Mittelgrund, dem ein kräftiges Blau
des Himmels entgegengesetzt wird.
Die Bilder, die während seiner Krankheit entstanden sind, zeigen eigenwil-
lige, auf Bilderfindungen des frühen 20.
Jahrhunderts bis zu Max Ernst voraus-
weisende Merkmale.

100
Die alte Brücke, 1856

(From Sunnhordaland)
Bezeichnet unten rechts: L. H. (ligiert)
1856
Leinwand, 75 × 102 cm
Stavanger Faste Galeri, Stavanger
Inv.Nr. 650

Norwegische Gewitterlandschaft mit einer Brücke, die über einen Wasserfall
führt. Urtümliche, unwirtliche, karge
Landschaft, die von Ungewittern heim-

gesucht wird. Im Mittelgrund Holzhüt-
ten, über die sich wie schützend der
Baum neigt, dessen zerzauste Krone sich
gegen den Himmel abzeichnet. Der zerzauste Baum verdeutlicht stellvertretend
die Atmosphäre und die harten Lebensbedingungen in einer solchen Landschaft. In der Seh- und Malweise den
späten Schirmer-Landschaften verpflichtet, vergleiche Kat.Nr. 235,
„Landschaft". Hertervigs Landschaften
werden gekennzeichnet durch einen sur-
realistischen, stets zum Phantastischen
neigenden Zug. Die Gewitterlandschaf-
ten hatten in der Düsseldorfer Schule
Tradition. Die Gemälde von Lessing,
Schirmer und A. Achenbach waren
schulbildend und wegweisend. Sie hatten an die Vorbilder der Niederländer
des 17. Jahrhunderts angeknüpft. Bei
manchen Gemälden von Hertervig hat
man den Eindruck, daß er Landschaftsbilder von Hercules Seghers (1589 bis
nach 1633) gekannt hat.

101

Friedrich Heunert
Soest 1808 – 1876 Düsseldorf

Besuchte 1829 bis 1839 die Düsseldorfer
Kunstakademie, seit 1832 in der Landschafterklasse bei Johann Wilhelm
Schirmer, der ihm bestätigt, daß er bei
seinem kleinen Talent „etwas aus sich
macht". Seit 1832 beschickt er zahlreiche
Ausstellungen mit seinen sorgfältig ausgeführten freundlichen Landschaftsmotiven vom Rhein, aus Westfalen und
dem Bergischen Land.
Im künstlerischen Temperament Dielmann
verwandt, bevorzugt er das kleine,
bescheidene Format.

101
Deutsche Landschaft,
1836–40

Holz, 29,5 × 45,5 cm
Kunstmuseum Düsseldorf
Inv.Nr. 4382

Blick in eine weite Tallandschaft. Die
topographische Bestimmung: Lennetal
mit Blick auf die Hohensyburg, im Vordergrund rechts die Kirche von Elsey,
hat I. Markowitz 1969 von Professor Dr.
Thümmler, Münster, in Erfahrung gebracht.
Die Weite der Landschaft wird durch
Wolkenschatten verdeutlicht, die über
das Land ziehen. Durch diese Lichtregie
gewinnt die leere Landschaft an Leben.
Überfangen wird sie von einem bewölkten Himmel, der in der Nähe düster dro-
hend ist und in der Ferne licht wird.

Lit.: I. Markowitz 1969, S. 130

Ferdinand Theodor Hilde-
brandt
Stettin 1804 – 1874 Düsseldorf

1820 Schüler der Berliner Akademie, seit
1823 im Meisteratelier Wilhelm von
Schadows, dem er 1826 nach Düsseldorf
folgt. Seit 1829/30 besucht er in der Düsseldorfer Kunstakademie die obere
Klasse der ausübenden Künstler. Bei
ausgezeichneter, großer Anlage erhält er
als Stipendium freies Modell. Im Oktober 1830 fährt er mit Schadow und
Freunden nach Rom. Wird 1836 Professor und Nachfolger von Heinrich Christoph Kolbe, nachdem er schon seit
Herbst 1831 als Hilfslehrer unterrichtet
hatte.
1844 in St. Petersburg, 1849 in Antwerpen. Aus Gesundheitsgründen zog sich
Theodor Hildebrandt 1854 vom Lehramt zurück. Seine offizielle Beurlaubung
datiert von 1858. Nach den Schülerlisten
hat er noch 1866–69 eine Meisterklasse.
Schon in Berlin hatte ihn Ludwig Dev-
rient auf die dramatische Literatur und

das Theater hingewiesen. Diese Interessen wurden durch die Reformbestrebungen Carl Immermanns in Düsseldorf gefördert. Zusammen mit C. F. Sohn Vertreter der romantisch-poetischen Historien- und Genremalerei der Düsseldorfer Schule. Auch als Porträtist geschätzt. Seit 1861 werden neben den Bildnissen immer wieder Repetitionen älterer Bilder in den Akten der Kunstakademie erwähnt.

102
Der Krieger und sein Kind, 1832

Bezeichnet auf dem Buchzeichen: 1832 Theodor Hildebrandt; auf dem Krug: Hildalgo Susanne
Leinwand, 105 × 93 cm
Kunstmuseum Düsseldorf (Dauerleihgabe der Nationalgalerie Staatliche Museen Preußischer Kulturbesitz, Berlin)
Inv.Nr. 229

In einer Zeit, die große Malerei nur in Verbindung mit ernsten, heroischen, literarischen und historischen Vorbildern gelten ließ, fiel dies Bild schon von der Themenstellung her auf, aber auch die realistische Behandlung des Details war neu und in die Zukunft weisend. Der Gegensatz von lieblichem Kind und bärtigem, geharnischtem Krieger wurde von den Zeitgenossen als „sinnliche Fülle des Lebens" gepriesen.
Ute Immel (1967) hat auf ein mögliches Vorbild in der alten Malerei hingewiesen: Georg Pencz, Ritter und Knappe, 1545; vergleiche Hans Georg Gmelin, Georg Pencz als Maler, in: Münchner Jahrbuch der bildenden Kunst, dritte Folge, Band XVII, 1966, Kat.Nr. 25 mit Abbildung. Dort auch die Vorbilder und Varianten. Georg Pencz hat seine Vorbilder wohl nur im Stich kennengelernt und daher die italienische Komposition seitenverkehrt aufgegriffen. Es läßt sich nicht mit Sicherheit nachweisen, daß Hildebrandt dieses Gemälde gekannt hat, aber die Nähe zur Bilderfin-

102

dung überzeugt. Bei Hildebrandt wird aus dem Knappen, der dem Ritter die Armschienen anlegt, ein Kleinkind, das auf dem Knie des Ritters sitzt und mit dessen Bart spielt und sich an seinen Harnisch lehnt. Der Bildgedanke von Pencz wird hier ins Gemütvolle umgewandelt, vergleiche auch Kat.Nr. 156 (Lessing, Der Räuber und sein Kind).

Lit.: U. Immel 1967, S. 244, 245; I. Markowitz 1969, S. 131–133; The Hudson and The Rhine, Düsseldorf 1976, Nr. 55; Berlin 1976, S. 170, 171

103
Die Ermordung der Söhne Eduards IV., 1835

Bezeichnet unten rechts: Theodor Hildebrandt, 1835
Leinwand, 150 × 175 cm
Kunstmuseum Düsseldorf
Inv.Nr. 5493

Nach dem Tode Eduards IV. (1442–1483) wurde sein 13 Jahre alter Sohn Eduard V. König von England. Richard

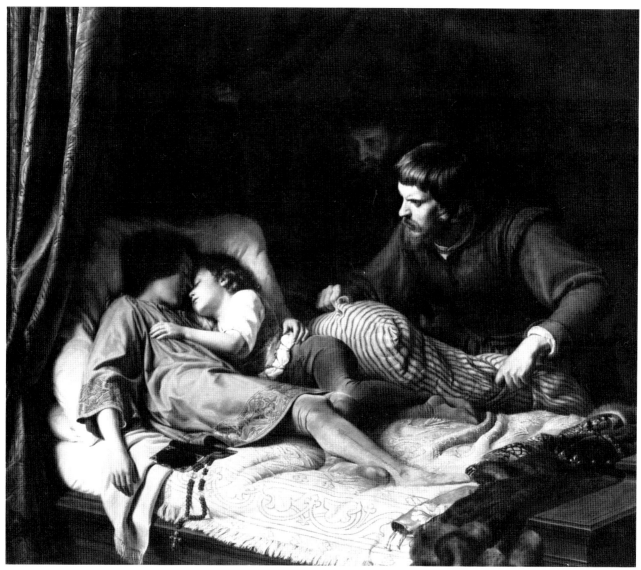

103

III., der Bruder Eduards IV., ließ
Eduard V. für unehelich erklären und
brachte die Kinder in seine Gewalt.
Noch im gleichen Jahr wurde Richard
III. zum König von England gekrönt.
Das literarische Vorbild für Hilde-
brandts Gemälde findet sich bei Shake-
speare in seinem Drama „König Richard
III.", 4. Akt, 3. Szene.
Eine weitere Anregung gab Delaroches
Gemälde „Die Söhne Eduards IV. von
England", 1830 (Abb. 6, heute im
Louvre, Paris). Weitere Vorbilder und
Varianten siehe I. Markowitz 1969.

Dargestellt sind die schlafenden Söhne
Eduards IV. von England, Eduard V.
und Richard. Die gedungenen Mörder
Forrest und Dighton sind in den Tower
eingedrungen. Die beim Detail verwei-
lende Malerei steht im Gegensatz zum
dramatischen Geschehen. Die Darstel-

104

104
Wassily Andrejewitsch von Joukowsky, 1843

Bezeichnet unten rechts: Hildebrandt
pinxit 1843
Leinwand, 76 × 66 cm
Nationalgalerie, Staatliche Museen
Preußischer Kulturbesitz, Berlin
Inv.Nr. GK 3526

Wassily Andrejewitsch von Joukowsky
1783–1852
Lehrer der Zarenfamilie und Begleiter
des Thronfolgers Alexander in Deutschland bis 1840. Von Joukowsky, der mit
Boisserée, C. D. Friedrich, Goethe, Immermann und König Friedrich Wilhelm IV. von Preußen bekannt war und
auch Beziehungen zu Puschkin unter-
hielt, galt als Verfechter der Aufhebung
der Leibeigenschaft. 1840 bis 1844 lebte
er in Düsseldorf.
Seit 1848 verheiratet mit Elisabeth von
Joukowsky, geb. von Reutern, siehe
Kat.Nr. 210.
Das unauffällige, letztlich konventio-
nelle Porträt steht im Gegensatz zu dem
hymnischen Text auf der Rückseite:
„Ich beneide mein Porträt.
Aber es begreift sein Schicksal nicht.
Als kalter, gefühlloser Schatten
Wird es dort sein, wo ich leben möchte
Mit aufnehmender, liebevoller Seele.
Es wird dort sein, wo sich zu jeder
Stunde
Wie ein Geheimnis das Erhabenste auf
Erden vollzieht.
Da, wo in Begeisterung, durch die Er-
fahrung der
Jahrhunderte belebt, der Zukunft Seher,
Führer der Gegenwart, mächtiger
Freund
Der Freiheit, Feind der Gewalt, himmli-
scher Wahrheit
Vollzieher auf der Erde, der Herrschaft
Genius
Ohn' Unterlass wacht für das Heil.
Du Heiligtum – wo der gute Zar so treu
seinem
Gott dient, im Herzen

lung „der Seelenstimmung" sprach die
Zeitgenossen unmittelbar an. Schon
früh als ein Schlüsselwerk der Düsseldorfer Malerschule angesehen und mit
Begeisterung aufgenommen.
Die Wiederholung aus dem Jahre 1835
für die Sammlung des Grafen Raczynski,
Berlin (heute im Museum Narodowe,
Posen) ist durch die Reproduktionen in
den Hand- und Fachbüchern allgemein
bekannt geworden.
Birgit Rehfus hat in ihrem Aufsatz „Shakespeare und ein Feuerzeug" auf eine
Inspirationsquelle von Hildebrandt hingewiesen; ein Gemälde, das vor 1786

entstanden ist: James Northcote, The
Princes smothered in the Tower (Pet-
worth House). Hier finden sich Hildebrandts Bildgedanken schon vorformuliert.

Lit.: I. Markowitz 1969, S. 133–135;
Düsseldorf und der Norden 1976, Nr.
14; Markowitz/Andree 1977, Nr. 12;
Birgit Rehfus, Shakespeare und ein Feuerzeug, in: Kultur und Technik, Heft 4,
1978, S. 8–11

Farbtafel X

105

Begreifend das Geheimnis des Kaiserlichen Amtes –
Möge der Engel mit dem Flammenschwert
An Deinem Eingang stehen, wie vor der Tür
Von Eden, damit Dich nicht erzürnen
Der Mißgunst irdische Unruhen.
Und möge leuchten mit dem Licht der Zuversicht
Wie ein Leuchtturm für die Schwimmer, die im
Sturm der Zeit
Kühn schwimmen mit dem Glauben an das Gute,
Über Deinem Dach der Stern,

Der an dem Himmel leuchtete
Zu der Stund', als in ihm die Engel sangen
Für die erlöste Erde: Ehre sei Gott in der Höhe,
Friede auf Erden! Und den Menschen ein
Wohlgefallen!
Düsseldorf, 13/25 Mai 1843" Ж
(Widmung an den Thronfolger Alexander II.?)
(Übersetzung W. von Kalnein)

Lit.: Margarete Kühn, Die Bauwerke und Kunstdenkmäler von Berlin, Schloß Charlottenburg, Berlin 1970, Bd 1, S. 73

Carl Hilgers
Düsseldorf 1818 – 1890 Düsseldorf

Erste Studien als Elfjähriger an der Düsseldorfer Akademie. 1834 Studien in der Bauklasse und Elementarklasse. Seit 1835 in der Landschafterklasse, geführt mit der Bemerkung: „Eintritt 1. Quartal 1833". Von 1840 bis 1843 in der Meisterklasse. Malte verschiedene Landschaften als Winterstücke. Gelobt wird seine recht feine Farbe.
Studienreisen führten ihn nach Holland, Belgien und Frankreich. Von 1836 bis 1840 ein Aufenthalt in Berlin. Niederrheinisch-niederländische Landschafts-

106

motive sind seine bevorzugten Bildthemen. Seine Affinität zur winterlichen, verschneiten Landschaft fällt auf und weist voraus auf Formulierungen von Ludwig Munthe; doch ist seine Gesamthaltung der romantischen Phantasie verpflichtet.

105
Funchal auf Madeira, 1847/55

Bezeichnet unten links: C Hilgers
Holz, 12 × 40 cm
Kunstmuseum Düsseldorf (Vermächtnis Kommerzienrat Dr. Franz Schoenfeld, Düsseldorf 1911)
Inv.Nr. 4091

Das Bildmotiv ist in Varianten bekannt. Die topographische Bestimmung dieser Gemälde ist auch für unser Bild übernommen worden. Die Weite der Küstenlandschaft bestimmt das extreme Querformat. Die Ruinen des Castells im Meer in der Bildmitte kontrastieren mit der Stadtsilhouette im Hintergrund, die wie eine Vision in der hellen Sonne aufleuchtet.
Obwohl für Hilgers kein Aufenthalt auf Madeira belegt ist, glaubt I. Markowitz, daß das Bild auf einen Natureindruck zurückgeht. Für das ruhige Meer und seine endlose Weite hat Hilgers mit wenigen Mitteln eine überzeugende Darstellung gefunden. Die Schulung an Schirmers italienischen Naturstudien ist in dieser Landschaft nachweisbar.

Lit.: I. Markowitz 1969, S. 136, 137

106
Schlittschuhläufer, um 1885

Bezeichnet unten rechts: C. Hilgers
Holz, 13 × 42 cm
Kunstmuseum Düsseldorf (Vermächt-

107

nis Kommerzienrat Dr. Franz Schoenfeld, Düsseldorf 1911)
Inv.Nr. 5108

Das Bildthema ist in seiner Zeit beliebt und von Hilgers des öfteren wiederholt. Der Künstler steht in der Nachfolge der niederländischen Landschaftsmaler des 17. Jahrhunderts, die auch das Schlittschuhlaufen als Bildthema in der holländischen Winterlandschaft genrehaft aus-

gestaltet haben. Vergleiche aber auch Andreas Schelfhouts (1847–1870) und Frühwerke von Andreas Achenbach, z. B. „Holländische Winterlandschaft", 1839 (Galerie Alexander Gebhardt, München 1976) oder Johann Wilhelm Preyer „Holländische Winterlandschaft", 1835 (Privatbesitz Düsseldorf). Obwohl das extreme Querformat in der Perspektive leicht zu Komplikationen führt, hat Carl Hilgers dies bei ihm häufig anzutreffende offensichtlich sehr bevorzugt. Das Format bietet für Kompositionen mit Figurengirlanden eine ideale Voraussetzung.

Lit.: I. Markowitz 1969, S. 138

Adolf Hoeninghaus
Krefeld 1811 – 1882 Krefeld

Der Vater des Künstlers war in Krefeld Fabrikant und stand als Mineraloge mit Goethe und Wilhelm von Humboldt in Verbindung.
Adolf Hoeninghaus besuchte in der Zeit von 1829 bis 1836 die Kunstakademie in Düsseldorf; im Schuljahr 1832/33 in der Landschafterklasse bei Johann Wilhelm Schirmer, der ihm wachsendes Interesse entgegenbrachte. Seine naturwissenschaftliche Weltsicht brachte ihn in die Nähe zu Carl Friedrich Lessing.
Studienaufenthalte in Italien 1843 bis 1848; später in Düsseldorf und Dresden ansässig.
Seine meist kleinformatigen Bilder zeigen waldige Flußlandschaften.

107
Landschaft, 1836

Bezeichnet unten rechts: A. Hoeninghaus f. 36
Leinwand, 23 × 19 cm
Kunstmuseum Düsseldorf, Leihgabe der Bundesrepublik Deutschland
Inv.Nr. 5592

Die Bestimmung der Landschaft auf das Ahrtal hat I. Markowitz gesprächsweise im Jahre 1976 mit dem Autor korrigiert. Sie ist in der Zwischenzeit zu der Überzeugung gekommen, daß es sich bei dieser Landschaft um ein Motiv aus dem Harz handelt. Hoeninghaus wäre dann einer der frühesten gewesen, der den Harz für die Landschaftsmalerei in Düsseldorf in der Nachfolge Blechens entdeckt hat. Das Interesse an der geologischen Struktur des Felsgesteins rechts und der Baumschlag weisen zurück auf Lessing und Schirmer. Möglicherweise hat der Künstler sich selbst als Jäger mit einem Freund dargestellt, vergleiche Kat.Nr. 161 (Lessing, Zwei Jäger).

Lit.: I. Markowitz 1969, S. 139

Werner Holmberg
Helsinki 1830 – 1860 Düsseldorf

Erhielt in seiner Heimat Privatunterricht im Malen. Widmete sich auch Zeichen- und Architekturstudien. Reiste 1853 nach Düsseldorf, wo er sich der von Ruisdael inspirierten, realistischen Richtung Andreas Achenbachs anschloß. 1855–56 privates Studium bei Hans Gude.
Holmbergs Entwicklung zur Selbständigkeit begann im Sommer 1857 mit den in Finnland ausgeführten, ausgezeichneten Aquarellstudien. Im folgenden Sommer reiste er in Norwegen. Dort wurde seine Art der Motivbehandlung immer malerischer und konzentrierte sich auf atmosphärische Studien.
Im Jahre 1859 wird Holmberg als einer der begabtesten jungen Landschaftsmaler von Düsseldorf genannt. Zu seiner Meisterschaft gelangte er in seinen letzten Bildern nach dem Besuch der Heimat im Sommer 1859. Viele seiner Werke

repräsentieren schon einen kühnen Realismus, obgleich die spätromantische Tradition in anderen wiederum noch deutlich zu erkennen ist. Die positiven Eigenschaften in seinen besten Werken, die jugendliche Frische, der feste Aufbau und die feinfühlende Leichtigkeit in der Motivbehandlung haben zusammen mit seiner Bedeutung als Vorbild seine Position als der bedeutendste finnische Landschaftsmaler sichergestellt. Im Jahre 1860 wurde Holmberg zum Künstler der Kaiserlichen Kunstakademie in St. Petersburg ernannt und er erhielt eine vorläufige Einladung für eine Professur in Weimar.
Eine Lungentuberkulose machte seinem Leben früh ein Ende.

108
Kyrö Wasserfall, 1854

Bezeichnet unten in der Mitte: W Holmberg Df 1854
Leinwand, 110 × 102 cm
Konstmuseet i Ateneum, Helsinki
Inv.Nr. A I 90

Dies Gemälde schickte Holmberg aus Düsseldorf nach Finnland, um zu dokumentieren, was er in Düsseldorf gelernt habe. Es zeigt deutlich den Einfluß der romantischen Landschaften des Andreas Achenbach, vergleiche „Trollhätta-Fälle", 1835 (Stiftung Pommern, Kiel). Für die Malerei in Finnland war das Bildthema der unwirtlichen, romantischen finnischen Landschaft neu. Das Sägewerk im Vordergrund macht deutlich, daß die Menschen in dieser Landschaft die Wasserkraft für die Holzbearbeitung nutzten. Diese realistische Beobachtung kontrastiert mit der wild romantisch-überhöhten, durch Lichtregie dramatisierten Natur.

Lit.: Düsseldorf und der Norden 1976, Nr. 135

108

Philipp Hoyoll

Breslau 1816 – 1871 unbekannt (London?)

Besuchte von 1833 bis 1839 die Düsseldorfer Kunstakademie. Seit 1837 in der ersten Klasse, als Bildnismaler. 1839 läßt er sich in Breslau nieder. Zwischen 1836 und 1846 wiederholt auf den Berliner Akademie-Ausstellungen vertreten mit genrehaften Gemälden, wie „Die Braut vor der Trauung". Seit 1864 in London, beschickt er dort die Ausstellungen der Royal Academy zwischen 1864 und 1872 mit Genrebildern und einigen Porträts.

Amandus (Amand) Pelz (auch Peltz)

Alt-Weistritz (Glatz) 1812–1841?

Studium in Breslau 1831/32, Berlin 1833 und 1834 bis 1839 an der Düsseldorfer Kunstakademie; seit 1836 in der Landschafterklasse. Landschafts- und Porträtmaler.

Raffael Joseph Albert Schall

Breslau 1814 – 1859 Breslau

Zunächst Schüler seines Vaters Joseph Schall (1785–1867), dann in Berlin zusammen mit Adolf Menzel bei Wilhelm von Schadow. 1834 bis 1841 an der Düsseldorfer Kunstakademie, eingetragen als Historien- und Genremaler; besucht seit 1837 die erste Klasse. Unterricht bei W. von Schadow und C. F. Sohn. 1844/45 in Rom. Zahlreiche Aufträge für Kirchen in der Diözese Breslau.

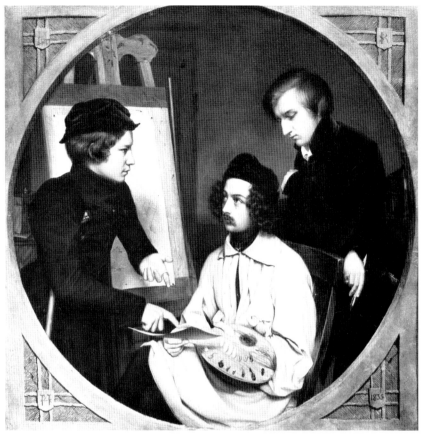

109

109
Drei schlesische Maler, 1835

(Philipp Hoyoll, Amandus Pelz, Raffael Schall)
Bezeichnet oben links: AP (ineinander gestellt);
oben rechts: RS (ligiert);
unten links: PH (ligiert);
unten rechts: 1835
Leinwand, 45 × 45 cm
Nationalgalerie, Staatliche Museen Preußischer Kulturbesitz, Berlin
Inv.Nr. NG 2/56

1835 in Düsseldorf entstanden, als die Freunde gemeinsam die Kunstakademie besuchten.

Spätes Zeugnis der in der Nazarener-Tradition stehenden Freundschaftsbildnisse. Ein Klebezettel auf der Rückseite informiert: „3 Maler an der Akademie in Berlin, Jugendfreunde meines Vaters und meines Paten in Breslau 1832. Der zur linken Seite ist Hoyoll, wurde 1848 Volksredner und ging unter, zur rechten Seite ist Raphael Schall, ein frommer, sanfter Mann und Heiligenbildmaler. Der mittelste, ein braver Schweizer, starb jung. Templin 1898. Einer junior."

Die Gestaltung der Monogramme in den Bildecken verweist auf die Lebens-

110

schicksale der jungen Künstler. „Die Monogramme zeigen eine gewisse romantische Symbolik: die Wappentafel links oben, auf der das des Amandus Pelz zu lesen ist, hat einen Sprung: wohl ein versteckter Hinweis auf eine schleichende Krankheit, die dem jungen Künstler damals schon bekannt war (Lungenschwindsucht), der Pelz 1841 erlag.
Das links unten angebrachte Wappen – Monogramm zeigt ein aus kleinen Krücken gestelltes H, welche durch ein Band zusammengehalten werden, das in einem rechten Bogen in ein P ausschwingt. es weist also ganz deutlich auf den Krücken tragenden jungen Hoyoll hin." (Berlin 1976)
Nicht mit letzter Sicherheit läßt sich bestimmen, welcher Maler welchen Freund porträtiert hat. H. Geller, 1960, vermutet, daß Pelz seinen Freund Schall, der Miniaturmaler Hoyoll Pelz und Schall seinen Freund Hoyoll gemalt hat. Auf die anekdotische Ausschmückung –

für Außenstehende unzugänglich – verzichtet Julius Benno Hübner in seinem Gemälde „Jung Düsseldorf", 1839, siehe Kat.Nr. 114.

Lit.: Berlin 1976, S. 177, 178

Carl Wilhelm Hübner
Königsberg 1814 – 1879 Düsseldorf

Erste Unterweisung bei Eduard Wolff in Königsberg. Vom Schuljahr 1838 an auf der Düsseldorfer Akademie bei Wilhelm von Schadow und Carl Ferdinand Sohn. Für das Schuljahr 1838/39 ist er in der Meisterklasse. Seit 1841 hat er in Düsseldorf ein eigenes Atelier.
Seine Szenen aus dem Volksleben führten ihn bald zur Darstellung sozialer Mißstände; nicht immer frei von parodistischen Zügen.
Carl Wilhelm Hübner war Mitbegründer und langjähriger Vorstand des Ver-

eins Düsseldorfer Künstler sowie Gründungsmitglied des „Malkastens". Nach 1848 dominierten die Bilder ernsten Charakters, die im gemütvollen Ton, jedoch frei von sozialkritischen Tendenzen vorgetragen wurden. Mitglied der Akademien von Amsterdam und Philadelphia.

110
Die schlesischen Weber, 1844

Bezeichnet unten rechts: Carl Hübner aus Königsberg Prs. Düsseldorf 1844.
Leinwand, 77,5 × 104,5 cm
Kunstmuseum Düsseldorf
Inv.Nr. M 1976-1

Die Darstellung – die Zurückweisung von Webern durch die Fabrikanten wegen angeblich schlechter Qualität des Tuches – nimmt auf die trostlose Lage der schlesischen Weber in den vierziger Jahren Bezug, denen auch Heinrich Heine sein Gedicht „Die schlesischen Weber" widmete.
Eigenhändige Wiederholung eines seit 1945 verschollenen Gemäldes. Hübner stellt sich mit diesem Bild – er wählt ein Thema der Zeit und nicht der Historie – bewußt in Gegensatz zu der offiziellen Kunstauffassung. Ohne Kenntnis englischer Vorbilder, wie zum Beispiel Wilkies „Distraining for rent" („Die Pfändung"), 1815 (National Gallery of Scotland, Edinburgh, Abb. 105) nicht denkbar. Hier ist auch der parodistische Zug vorgebildet. Der Künstler distanziert sich durch sein Pathos der Ironie in der Vortragsweise von seinem Bildthema.
Die Anhäufung von Genreszenen unterstreicht den karikierenden Charakter des Bildes. Die ihr Leinen abliefernden Weber dienen Hübner dazu, der Düsseldorfer Malerschule geläufige Ausdrucksformulierungen durch Überzeichnung zu persiflieren. Die Variationsbreite reicht vom betroffenen Erschrockensein bis zum ohnmächtigen Dahinsinken. Der

Fabrikbesitzer links wirkt wie die Parodie auf ein Herrscherporträt: Herrschergestus, Draperie, ergebener Diener, ein Tier zu Füßen finden sich auch hier.

Die ohnmächtig hingesunkene Frau in der Mitte findet sich ähnlich auf Christian Köhlers Gemälde „Hagar und Ismael" (Kunstmuseum Düsseldorf) aus dem gleichen Jahr. Zu einer Zeit, da die Aufstände der schlesischen Weber das Thema des Tages waren, ist es nicht erstaunlich, daß dieses vordergründig sich sozialkritisch gebende Bild, voller kryptischer Anspielungen, sofort eine große Breitenwirkung hatte. Auch Friedrich Engels ließ sich zu begeisterten Worten inspirieren: „Dieses Gemälde ... hat verständlicherweise so manches Gemüt für soziale Ideen empfänglich gemacht." (Marx-Engels-Werke, Bd 2, S. 150).

Lit.: Düsseldorf und der Norden, 1976, Nr. 15; Markowitz/Andree 1977, Nr. 13; Ausstellungs-Katalog: Ruhrfestspiele 1978, Partei ergreifen, Kunsthalle Recklinghausen, 1978, Nr. 136; U. Abel 1978, S. 13, 19

Farbtafel IX

111

111

Das Jagdrecht, 1846

Bezeichnet: Carl Hübner Düsseldorf 1846
Leinwand, 95 × 135,5 cm
Privatbesitz

Auch mit dieser Komposition gibt Hübner eine Wiederholung eines im Jahr zuvor entstandenen Bildgedankens. Hier behält er die Figurenordnung und die Szenerie mit Ausnahme von unbedeutenden Veränderungen bei. Zwei Bauern sind von einem Reiter im Mittelgrund überrascht worden und suchen Zuflucht in einer Felsenhütte. Panischer Schrecken und Entsetzen hat die beiden gepackt. Der ältere scheint im Nacken

durch einen Schuß getroffen zu sein, den ein Förster auf Weisung seines Herrn zu Pferde im Hintergrund abgefeuert hatte. Links neben dem Felsen ist das getötete Wildschwein zu erkennen, das die Felder der Bauern verwüstet hatte.

Wie in dem Gedicht „Deutsche Auswanderer" (vgl. Kat. Nr. 112) von Wolfgang Müller von Königswinter überliefert ist, stand nur den „Junkern" das Jagdrecht zu. Die Bauern mußten die Verwüstung ihrer Felder durch das Wild dulden, sie hatten kein Recht auf Selbsthilfe.

Lit.: Boetticher Nr. 12.

112

Deutsche Auswanderer, 1847

Bezeichnet unten links: Carl Hübner Düszeldorf 1847
Leinwand, 131 × 105 cm
Privatbesitz

Carl Wilhelm Hübner hatte mit seinem Gemälde „Deutsche Auswanderer", 1846, so großen Erfolg, daß diese Version noch im Entstehungsjahr von der Nationalgalerie in Oslo erworben wurde. Unsere Neufassung des Themas ist 1847 datiert.

Das Gemälde geht auf ein zukunftsgläubiges Gedicht von Müller von Königswinter zurück, das in Nr. 205 der „Rheinischen Zeitung" 1842 publiziert wurde:

Auswanderer

Frischauf, steht länger nicht erstarrt!
Der Abschied schmerzt, doch thut er noth,
Der Heimatboden ist zu hart,
Trotz Schweiß und Fleiß gibt er kein Brod.
Leid trägt sich wohl, doch Hunger schwer,
Drum lösen muthig wir das Band:
Wir suchen über'm großen Meer
Ein neues freies Vaterland!

Grüßt Land und Dorf zum letzten Mal,
Das Haus, das euch das Leben gab,

Den Berg, das Feld, den Fluß im Thal,
Im Kirchhof jedes liebe Grab.
Noch eine Handvoll Erde her,
Im Herzen der Erinn'rung Pfand!
Wir suchen über'm großen Meer
Ein neues freies Vaterland!

Wer unserm Willen nicht vertraut,
Der seh' den steilen Weinberg an,
Der sehe jeden Fleck bebaut,

Den Fleiß der Erde abgewann.
Ja, unser Fleiß ist unsre Wehr,
Er macht zum Freund den fremden
Strand:
Wir suchen über'm großen Meer
Ein neues freies Vaterland!

Der Urwald und die Steppenflur,
Das ist für unsere Müh' ein Feld,
O hundertfach lohn doch Natur

Ihm, der betriebsam sie bestellt.
Dort fehlt uns Bauholz nimmermehr,
Des Speichers Segen hat Bestand:
Wir suchen über'm großen Meer
Ein neues freies Vaterland!

Schleicht auch der Tiger durch's Gefild,
Es wuchs das Blei für seinen Kopf,
Und, was die Saat uns frißt, das Wild
Geht nicht in Junkers Küch' und Topf.

Hier heißen unsre Klagen leer,
Und unsre Hoffnung heißet Tand:
Wir suchen über'm großen Meer
Ein neues freies Vaterland!

Und treulich wahren wir den Muth,
Die Kraft gesund, die Sitte schlicht,
Die Ehrlichkeit bleibt unser Gut,
Deutsch bleibt der Laut, den jeder
spricht.
Doch wir ergreifen mit Begehr
Die Freiheit, die dort lang bestand;
Wir suchen über'm großen Meer
Ein neues freies Vaterland!"

Es wurde mit einer Fußnote versehen:
„Der Leser möge sich an die Nachrichten erinnern, welche vor nicht langer Zeit in Betreff der Auswanderungen aus der Eifel und dem Ahrtal von mehreren Blättern mitgetheilt wurden."
Die durch Bendemanns „Trauernde Juden im Exil", siehe Kat.Nr. 25, exemplarisch in die Düsseldorfer Malerei eingeführte Darstellung von Wehklage und Trauer erfährt hier eine Akzentverschiebung und Verschärfung durch die Interpretation eines Zeitgeschehens.
Für die hier gezeigte Fassung hat Hübner die Komposition neu durchdacht und dabei die lose Reihung der Figuren aufgegeben; um eine raumordnende Friedhofsmauer haben sich mehrere Auswanderer zusammengefunden und nehmen von ihren verstorbenen Vorfahren Abschied. Auch für Hübner ist diese Szene eine Möglichkeit, verschiedene Reaktionen auf eine Situation darzustellen, die außerhalb des Bildfeldes liegt; vergleiche Heine, Gottesdienst in der Zuchthauskirche, Kat.Nr. 98. Im Mittelgrund nur angedeutet eine Gruppe von fröhlichen Tänzern und Zuschauern. Von rechts kommt eine alte Frau heran. In der Ferne die Silhouette eines Dorfes mit Kirchturm. Auf die weite Landschaft und das reiche Geschehen im Hintergrund, die das Osloer Bild kennzeichnen, hat der Künstler bei dieser Fassung verzichtet. Sein Hauptinteresse gilt der Trauergruppe im Vordergrund.

Lit.: Bötticher Nr. 16

Julius Benno Hübner
Oels (Schlesien) 1806 – 1882 Loschwitz bei Dresden

Erste Unterweisung bei Augustin Siegert in Breslau. Hübner trat 1821 in die Berliner Akademie, 1823 in das Atelier Wilhelm Schadows ein. 1826 als Schadow der Berufung nach Düsseldorf folgte, ging auch Julius Benno Hübner mit seinen Freunden Th. Hildebrandt, C. F. Lessing und C. F. Sohn an den Rhein. 1829 vorübergehend in Berlin, wo er die Schwester seines Privatschülers Eduard Bendemann, Pauline Bendemann, heiratet.
Vom Herbst 1829 bis zum Sommer 1831 mit Freunden in Rom, vergleiche das „Familienbild", Kat.Nr. 207. 1831 bis 1833 wieder in Berlin; seit dem Sommer 1833 in Düsseldorf bis 1837/38 in der Meisterklasse. Seine Begabung war so außerordentlich, daß im Schuljahr 1834/35 unter der Bemerkung: „Anlage" ganz lapidar die Notiz „Der Meister" zu finden ist. 1839 folgt er einem Ruf an die Kunstakademie in Dresden. Seit 1842 ist er dort Professor. 1871 wird er Direktor der Dresdner Akademie als Nachfolger von Julius Schnorr von Carolsfeld.
Die Tendenz zum Akademischen, die seinen frühen Erfolg begründete, tritt im Laufe der Jahre immer deutlicher hervor und macht ihn zu einem der prägnantesten Vertreter der Düsseldorfer Malerschule. In seinen religiösen und profanen Historienbildern verbindet sich ein „starkes Gefühl für die Wirklichkeit" mit einer „poetisch schweifenden Phantasie" (I. Markowitz 1969). Unabhängig von allen Modeströmungen waren seine Porträts nie vergessen.

113
Pauline Hübner, geb. Bendemann, 1829

Bezeichnet im Wappen der Vertikalleiste oben links: Carissimam conjugem aet: 19 ann depinxit Jul.Hübner amoris sui monumentum 1829 J. H. (ineinandergestellt).
Leinwand, 189,5 × 130 cm
Nationalgalerie, Staatliche Museen Preußischer Kulturbesitz, Berlin
Inv.Nr. NG 442

Pauline Charlotte Hübner, geb Bendemann
Berlin 1810 – (Dresden?)
Am 21. 5. 1829 heiratet sie den Maler Julius Benno Hübner.
Dieses vom Format her anspruchsvolle, den Vergleich mit einem Adelsporträt herausfordernde Bildnis der jungen schönen Bankierstochter und Schwester des Malerfreundes Eduard Bendemann, die Hübner im gleichen Jahr geheiratet hatte, malte der junge Künstler als Zeichen seiner Liebe zu seiner jungen Frau. Die Attribute eines Herrscherporträts sind hier wieder verwandt, die Draperie, der Teppich zu Füßen, darauf ein Fußkissen als Schemel; ein Hund sitzt zu ihr aufblickend neben ihr. Zu dem ornamentierten Streifen vergleiche den Hinweis bei Eduard Bendemann, „Des Künstlers Gattin", Kat.Nr. 28. Ihren Reichtum führt die junge Frau mit großzügiger Lässigkeit kokett dem Betrachter vor Augen: das kostbare Gewand und die sorgfältig stilisierte Umgebung bieten einen Fond für die auffallende Schönheit. Das betont Unkonventionelle, Lebendige, der Karikatur sich nähernde ihrer Haltung steht in einem irritierenden Gegensatz zu dem formalen, Strenge heischenden Anspruch.
In der Muschelvase auf dem Tisch neben ihr rote Feuerlilien oder Türkenbund (?).

Lit.: Berlin 1976, S. 178

347

113

Carl Friedr. Lessing aus Wartenberg 22 | Carl Sohn aus Berlin 33 | Theodor Hildebrandt aus Stettin

114
Jung-Düsseldorf, 1839

Gruppenbildnis der Maler Lessing, Sohn und Hildebrandt
Beschriftet auf der gemalten Leiste unter den Porträts:
Carl Friedr. Lessing aus Wartenberg
Carl Sohn aus Berlin
Theodor Hildebrandt aus Stettin
Leinwand, 38,6 × 58,4 cm
Nationalgalerie Staatliche Museen Preußischer Kulturbesitz, Berlin
Inv.Nr. NG 932

Viten der Maler siehe dort.

Die führenden Köpfe der Düsseldorfer Malerschule waren der Tradition des mit ihnen schon in Berlin befreundeten Akademiedirektors Wilhelm von Schadow verpflichtet, führten aber die an den Nazarenern orientierte Kunst Schadows weiter durch die realistische Komponente ihrer Werke. Hübner greift bei der Gruppierung der Freunde auf die Situation in Düsseldorf zurück, die er in der Konfrontation von Lessing, der dem Lehrerkollegium der Akademie nicht angehörte, mit Sohn und Hildebrandt, die beide Mitglieder der Akademie waren, verdeutlicht. Lessing ist unüberschnitten gegeben, Sohn und Hilde-

brandt sind als eine Form auffaßbar, sie schauen beide in die gleiche Richtung. „Dieses Gruppenporträt ist gedanklich und malerisch die reifeste Leistung, nicht nur dieses Künstlers, sondern der gesamten akademischen Porträtmalerei und weist jenen Moment aus, in dem die positiven Seiten der von Schadow geforderten Bildniskunst in einen gänzlich unakademischen Realismus umschlagen." (Wolfgang Hütt, 1964).

Lit.: Berlin 1976, S. 179-181; Düsseldorf und der Norden 1976, Nr. 20

115

Johann Emil Hünten
Paris 1827 – 1902 Düsseldorf

Sohn des Komponisten Franz Hünten aus Koblenz. Ausbildung bis zum Jahre 1848 an der Ecole des Beaux Arts in Paris bei H. Flandrin, H. Vernet und S. Petit; seit 1849 in Antwerpen Schüler von G. Wappers und J. Dyckman. N. de Keyser und H. Leys gehörten zu seinen Vorbildern. Seit 1851 in Düsseldorf; mit Wilhelm Camphausen befreundet; der ihn in der Themenwahl aus der Geschichte Friedrich des Großen beeinflußte. Die Kriegsereignisse in den 60er Jahren weisen ihn auf neue Themenkreise aus der Gegenwart hin. Am Krieg 1870/71 nimmt er vorübergehend im Hauptquartier des preußischen Kronprinzen teil.
Seine historischen und militärischen Detailkenntnisse machten ihn zu einem begehrten Schlachtenmaler. Das Wandbild im Berliner Zeughaus „Die Schlacht bei

Königgrätz" bedeutet einen Höhepunkt in seinem Schaffen.

115
Aus der Schlacht von Gravelotte, 1876

Bezeichnet unten links: E. Hünten 76.
Leinwand, 60 × 75 cm
Kunstmuseum Düsseldorf (Vermächtnis Kommerzienrat Dr. Franz Schoenfeld, Düsseldorf 1911)
Inv.Nr. 4093

Die Schlacht bei Gravelotte am 18. August 1870; vergleiche auch das Gemälde im Stadtgeschichtlichen Museum, Düsseldorf, von Emil Hünten „Das Niederrheinische Füsilierregiment Nr. 39 in der Krisis bei Gravelotte", 1888.
Husaren von rechts treffen mit der Artil-

lerie zusammen, die ihre Geschütze in Stellung bringt.
Wegen der offenen Pinselschrift des malerischen Gesamteindrucks vermutet I. Markowitz 1969, daß die Darstellung auf ein persönliches Erlebnis zurückgeht; möglicherweise Entwurf für ein großes Auftragsbild, das bisher unbekannt geblieben ist.
Im Vergleich zu Theodor Rocholls Schlachtenbildern, siehe Kat.Nr. 197, und Christian Sells „Episode aus dem Krieg 1870/71", siehe Kat.Nr. 205, fällt die Farbgebung zusammen mit den malerischen Qualitäten auf.

Lit.: I. Markowitz 1969, S. 146

Franz Ittenbach
Königswinter 1813 – 1879 Düsseldorf

Sollte ursprünglich Kaufmann werden; besuchte als 16jähriger die Zeichenschule von F. Katz in Köln; kopiert alte Meister. Vom Schuljahr 1832/33 an besuchte er die Düsseldorfer Akademie. Theodor Hildebrandt, Carl Ferdinand Sohn und Wilhelm von Schadow waren seine Lehrer. 1834 wechselte er in die erste Klasse über.
Als Historienmaler bevorzugte er die religiösen Bildthemen und gehört zu den Düsseldorfer Nazarenern, die an der Ausmalung der Apollinariskirche zu Remagen beteiligt sind. Um diese Arbeiten vorzubereiten, reist er mit Carl Müller und Wilhelm von Schadow 1839 nach Italien. In Rom schloß er sich mit Ernst Deger und Andreas Müller dem Overbeck-Kreis an. 1841 in Florenz, Siena und Venedig; Rückkehr nach Deutschland; um die Freskotechnik zu lernen, arbeitet er mit J. Schraudolph 1842 an den Fresken in der Bonifatiuskirche in München. Nach Abschluß der Arbeiten in der Apollinariskirche, arbeitet er seit 1849 in der Meisterklasse der Düsseldorfer Kunstakademie, wo er bis zum Jahre 1864/65 bleibt. Gilt als sehr ausgezeichneter Meister, dessen Altarbilder (Trip-

tychen) gesucht waren; vornehmlich die Kirche und der Adel waren seine Auftraggeber.

116
Der Erzbischof von Köln, 1839

Bezeichnet am linken Bildrand unterhalb der Mitte: F. Ittenbach 1839
Leinwand, 75 × 74,5 cm (Rundbild)
Privatbesitz

Clemens August Freiherr Droste zu Vischering
Münster 21. 1. 1773 – 19. 10. 1845 Münster.
1827 Weihbischof von Münster,
1835 Erzbischof von Köln.
In seinem Amt in Münster und später in Köln vertrat von Droste zu Vischering mit Nachdruck die Rechte der katholischen Kirche gegenüber dem preußischen Staat: Schulaufsicht, Mischehen und das Verbot an die Theologen, außerhalb der Diözese zu studieren, waren die Hauptstreitpunkte, die zu einer temporären Inhaftierung als Staatsgefangener in Minden (1837-1839) führte. „Seiner Unbeugsamkeit ist wesentlich der nachfolgende Aufschwung des religiösen Lebens in der Erzdiözese zu verdanken" (Lexikon für Theologie und Kirche).
Veränderte Wiederholung des Porträts des streitbaren Erzbischofs aus dem Jahre 1839, die für die Gräfin Spee entstand.
Für den Zeitgenossen und kritischen Chronisten der Düsseldorfer Malerschule H. Püttmann (1839) zählt Ittenbach neben Wilhelm von Schadow, C. F. Sohn und Th. Hildebrandt zu den bedeutendsten Porträtisten der Düsseldorfer Schule.

Lit.: Walter Schulten, Clemens August Droste zu Vischering, Erzbischof von Köln (1773–1845) in: Kölner Domblatt 1977, S. 277–300

116

117
Sechs Heilige um 1845

Im Mittelfeld eine Inschrift:
Ecce tabernaculum Dei cum hominibus et habitabit cum eis et ipsi populus ejus erunt et ipse Deus cum eis erit eorum Deus. Ap. C XXI, vers 3.
(Offenbarung 21,3: [Und ich hörte eine große Stimme von dem Thron, die sprach:] Siehe da, die Hütte Gottes bei den Menschen! Und er wird bei ihnen wohnen und sie werden sein Volk sein, und er selbst, Gott, wird mit ihnen sein.)
Aquarell, 42,5 × 64,8 cm

Erzbischöfliches Diözesan-Museum, Köln
(Nachlaßverwaltung Egon Graf von Fürstenberg)
Inv.Nr. R 4 f

Die vier Evangelisten rahmen die Gruppen von Petrus und dem Hl. Apollinaris in der Mitte ein (im Ostchor unterhalb der Fenster der Apollinariskirche zu Remagen). Links Matthäus, darunter sein Attribut: der Engel, rechts daneben Markus, darunter der Löwe, in der Mitte Petrus mit dem Schlüssel und der Hl. Apollinaris, Bischof von Ravenna, mit dem Bischofsstab, rechts daneben Jo-

117

hannes mit dem Adler und Lukas mit
dem Stier. Der Zuordnung von Attributen zu den Evangelisten liegen die Visionen des Hezekiel 1,5 ff. und Apokalypse
4,6 ff. zu Grunde.
Im Gegensatz zu Dürer zeigt Ittenbach
die Evangelisten und Apostel als Einzelfiguren und bringt so eine Reihung zustande, bei der die symmetrische Zuordnung zu einander und Entsprechung für
die gesamte Komposition von Bedeutung ist. Die miteinander korrespondie-
renden Figuren sind jeweils Variationen
über ein Stand- und Gewand-Motiv. Ei-
genwillig ist Ittenbach in der Darstel-

lung des Evangelisten Johannes, der als
alter weißbärtiger Mann gegeben ist. Petrus und der Hl. Apollinaris, der Schutzpatron der Kirche, unter einer Doppel-
spitzbogenarkade lassen als Figurenpaar
ähnliche Gestaltungsprinzipien erkennen; dabei dominiert leise die Gestalt des
Petrus.
Im formalen Aufbau steht Ittenbach in
der Tradition mittelalterlicher Altartafa-
feln, die sehr ähnlich Heilige vor einem
Vorhang, der nur den Blick in den Himmel freigibt, aufreihen.

Lit.: H. Finke 1898, S. 45

118
Die Jungfrau mit der Lilie, 1855

Bezeichnet unten rechts auf der Steinbrüstung: F. Ittenbach 1855
Leinwand, 112 × 85,5 cm
Minneapolis Institute of Arts, Minneapolis

Mater amabilis, Andachtsbild für den
privaten Bereich, in der Tradition und
Nachfolge von Raffaels Madonnen. Der
Wohlklang des Lineaments findet seine

MATER AMABILIS.

119

Gerhard Janssen
Kalkar 1863 – 1931 Düsseldorf

Besucht vom 1. Oktober 1878 an die Kunstakademie in Düsseldorf, zunächst bis Oktober 1882. Vom Schuljahr 1882/83 an ist er u. a. Schüler von Eduard von Gebhardt und Peter Janssen. 1888/89 ist er zu Naturstudien in Holland. Juli 1890 wieder in der Akademie gemeldet bis zum Ende des Schuljahres 1892/93. Zuletzt als Geschichts- und Monumentalmaler eingetragen.
Zahlreiche Studienreisen führten ihn vorwiegend in die nordwest-europäischen Länder. Die niederländische Malerei des 17. Jahrhunderts faszinierte ihn vor allem. In Anlehnung an Künstler wie Adriaen Brouwer und Frans Hals erarbeitete er sich eine eigene Bildwelt, die er mit einer auffallend offenen, aber gleichzeitig festen und sicheren Malweise vortrug. Volksszenen vom Niederrhein machten ihn berühmt und Szenen in ausgelassener Fröhlichkeit fanden Liebhaber im Großbürgertum.
Seit 1909 war er Professor und außerordentliches Mitglied der Düsseldorfer Akademie.

119
Die alte Bockhalle in Düsseldorf, um 1890

Bezeichnet oben links: Gerhard Janssen
Leinwand, 44 × 38 cm
Kunstmuseum Düsseldorf
Inv. Nr. 4139

Die 1833 in der Neustraße gegründete Gaststätte wurde zur Entstehungszeit des Gemäldes 1890 von dem Restaurateur Friedrich Knein als Konzertlokal „Zur Bockhalle" geleitet; sie befand sich Poststr. 10–12.
Das Bildthema ist eine pointierte atmosphärische Milieuschilderung, die den flüchtigen Augenblick fixierend in dem

Entsprechung im Gleichklang des Bewegungszugs der Maria mit dem Christuskind. Beide blicken auf die Lilienblüten im Vordergrund rechts, das Symbol der Jungfräulichkeit. Die Lilien wachsen aus einem Rosenstrauch, die ein Hinweis auf die Passion Christi sind. Die Granatäpfel sind altes Symbol für die Auferstehung. Die Landschaft im Hintergrund zeigt eine Verbindung von deutschen und italienischen Elementen.

Rechts die Ruine eines antiken Bauwerks. Für die späte Entstehungszeit charakteristisch ist die Tendenz, die strenge Formgebung der Nazarener ins Liebliche zu verwandeln. Der süße Wohllaut war der Generation noch nicht verdächtig, sondern hatte einen unbestrittenen Rang und war Wert an sich.

Lit.: P. J. Kreuzberg, Franz Ittenbach, S. 12, Tafel 16

120

Paar im Vordergrund sich verdichtet. Die Düsseldorfer Tradition verbindet sich hier mit dem an der französischen Malerei geschulten Sinn für das Atmosphärische. Das „pikante" Thema des „ungleichen Paares", in seiner Zeit sehr gewagt und provozierend, ist hier ganz eingebunden in die dunkeltonige, virtuose Malerei in der Nachfolge von Frans Hals. Gerhard Janssen hat sich auf

das Milieu des vom Alkohol Berauschten spezialisiert und viele Nuancen der Trunkenheit in humoristischer Weise dargestellt.
Seine Bilderfindungen sind weit entfernt von dem anklagenden Pathos eines de Groux, vergleiche „Der Trunkenbold", Kat.Nr. 82.

Lit.: I. Markowitz 1969, S. 150, 151

Peter Johann Theodor Janssen
Düsseldorf 1844 – 1908 Düsseldorf

Sohn des Malers und Kupferstechers Theodor Janssen. Neffe von Johann Peter Hasenclever.
Mit dem 4. Quartal 1859 Eintritt in die Düsseldorfer Kunstakademie. Schüler u. a. von C. F. Sohn und Eduard Bende-

mann (seit 1862/63). Mit dem Schuljahr 1867/68 verläßt er die Akademie.
Studienreisen führten ihn nach Dresden, Holland, Belgien, England, Frankreich und Spanien.
Die Wandbilder im Krefelder Rathaus „Szenen aus dem Leben Hermann des Cheruskers" seit 1869, führten ihn zu seinem eigentlichen Bereich, der monumentalen Wandmalerei in der Nachfolge von Cornelius und Rethel.
Seit April 1877 gehört Janssen dem Lehrerkollegium der Düsseldorfer Kunstakademie an, wo er 1895 Direktor wurde.
Die Wandbilder mit historisch-patriotischen Themen im Rathaussaal in Erfurt, in der Aula der Universität in Marburg und in der Kunstakademie in Düsseldorf, aber auch große Staffeleibilder (vergleiche die in dieser Ausstellung gezeigte Reduktion) haben dazu beigetragen, daß sein Name und Werk weite Verbreitung gefunden haben. Bisher noch nicht im einzelnen untersucht ist, wie weit er mit seinen Kompositionen Einfluß auf das Geschichtsverständnis genommen hat.

120
Gebet der Schweizer vor der Schlacht bei Sempach, 1874

Bezeichnet unten links: P. Janssen D'f 1874
Leinwand, 184 × 232 cm
Kunstmuseum Düsseldorf (Geschenk der Erben des Ehepaares M. H. Goering, Bad Honnef, 1917)
Inv.Nr. 4224

Großformatiges Historienbild, das Janssen nach Abschluß der Arbeiten an den Krefelder Wandbildern im Rathaussaal (Szenen aus dem Leben Hermann des Cheruskers) in Angriff genommen hat.

Das Bildthema hat Rethel in einer Zeichnung aus dem Jahre 1834 (Dresden, Staatliche Graphische Sammlung) in Düsseldorf zuerst vorgestellt.
Schlacht bei Sempach, 1386. Mit dem Sieg der Schweizer in der Schlacht bei Sempach hatten die Kantone Bern, Zürich, Zug und Luzern ihre Unabhängigkeit von den Habsburgern errungen. Die entscheidende Wende im Kampf brachte nach einer Sage das Eingreifen von Arnold Winkelried aus Unterwalden. Er versammelte die Speere der Angreifenden auf sich. Janssen wählt den Augenblick, da die Schweizer sich vor der Schlacht zum Gebet versammelt haben. In ihrer Mitte Arnold von Winkelried. In der Entstehungszeit, da die Grautöne in der offiziellen Malerei dominierten, von auffallend progressiver Farbigkeit.
Janssen verwertet in seinem Gemälde Detailstudien von Charakterköpfen, wie es für Lessing auch überliefert ist. Das Gemälde zeigt den Historienmaler ganz im Banne der figürlichen Darstellung. Landschaftliches ist weit zurückgedrängt und beschränkt sich nur auf den dunklen Gewitterwolkenhimmel und rechts im Hintergrund eine Feuersbrunst.
Vor dem Original gewinnt man den Eindruck, daß die Studien – die er, wie überliefert, vor der Natur auf dem Schlachtfeld eigens angefertigt hatte, – keinen Eingang in das ausgeführte Gemälde gefunden haben. Der Einfluß des Theaters ist in diesem Bild im Aufbau der Figuren und in der Lichtregie eindeutig und klar zu fassen. Auf die Abhängigkeit Janssens von Rethels Kompositionszeichnung „Kreuzfahrer vor Jerusalem" (Dresden, Staatliche Graphische Sammlung) hat schon Koetschau 1929 mit Nachdruck hingewiesen (Karl Koetschau, Alfred Rethels Kunst, Düsseldorf 1929). Janssen steht mit diesem Gemälde aber auch in der Nachfolge von Lessings epochemachendem Bild „Hussitenpredigt". In beiden Fällen ist die Hauptperson gesondert herausgehoben, umgeben von anderen Figuren, in deren Verhal-

tensweise und Gesichtern das Geschehen sich widerspiegelt, vergleiche auch Heine „Zuchthauskirche", Kat.Nr. 98.

Lit.: I. Markowitz 1969, S. 155, 156

121
Der Mönch Walther Dodde und die bergischen Bauern vor ihrem entscheidenden Eingreifen in die Schlacht bei Worringen, 1893

Bezeichnet unten links: P. Janssen (schwer zu lesen) 1893
Leinwand, 115 × 150 cm
Brauerei Schumacher, Düsseldorf

Das ausgestellt Bild ist die verkleinerte, für Carl Weiler, Düsseldorf gemalte Fassung nach dem großen Gemälde (heute im Rathaus Düsseldorf). Im Gegensatz zu dem großen Gemälde, bei dessen Ausführung Schüler mitgearbeitet haben sollen, gilt dieses Bild als ganz eigenhändig.
Am 5. Juni 1288 fand bei Worringen eine der bedeutendsten und blutigsten Schlachten des Mittelalters statt, in der fast der ganze Adel des Niederrheins, Belgiens und Nordfrankreichs mitkämpfte. Der Limburger Erbfolgestreit wurde hier durch zwei gewaltige Heere unter der Führung Siegfrieds von Westerburg (gestorben 1295), des Erzbischofs von Köln, auf der einen und des Herzogs Johann von Brabant (gestorben 1294) auf der anderen Seite zum Austrage gebracht. Schon schien sich die Schlacht gegen den Herzog Johann von Brabant zu entscheiden, da griffen die Untertanen seines Verbündeten, des Grafen Adolf von Berg (1259–1296), begeistert von den Worten Walther Doddes, eines bergischen Mönches, welcher die Reihen der seitab aufgestellten und bis dahin vom Kampfe zurückgehaltenen Bauern entlang ritt, in die Schlacht

121

ein. Unter dem Rufe „Hya Berge romerike!" warfen sie sich den Erzbischöfli-
chen entgegen und führten die Entscheidung herbei. Siegfried von Westerburg
selbst wurde gefangen und nach Schloß
Burg gebracht.
In dankbarer Erinnerung an diesen Sieg
erhob Graf Adolf von Berg Düsseldorf
zur Stadt.

(Nach dem „Verzeichnis der in der
Städt. Gemäldesammlung zu Düsseldorf
befindlichen Kunstwerke", Düsseldorf
1913).
„Der Traum eines niederrheinischen
Großstaates unter dem Kölner Krumm-
stab war ausgeträumt. Über ein halbes
Jahrtausend, bis zur Französischen Revolution, blieb das Rheinland aufgesplit-

tert in eine Reihe etwa gleich großer
Kleinstaaten. Zu einer dauerhaften
Großstaatbildung am Niederrhein ist es
nicht mehr gekommen." (H. Weidenhaupt, Kleine Geschichte der Stadt Düsseldorf, 4. Aufl., Düsseldorf 1968).

Lit.: D. Bieber, Peter Janssen (im
Druck).

August Jernberg
Gävle 1826 – 1896 Düsseldorf

Schüler des schwedischen Malers Alexis Wetterburg. Studien an der Kunstakademie in Stockholm. 1847–54 in Paris, wo er anderthalb Jahre Schüler bei Couture war. 1854 siedelte er nach Düsseldorf über. Reisen nach Frankreich, Holland und Schweden.

Er war vorwiegend Porträt-, Genre- und Stillebenmaler, hat aber auch einige Landschaften ausgeführt. Von ihm wurde berichtet: „Jernberg schließt sich ebenso der Düsseldorfer Richtung an, mit einer Eigenheit, die innerhalb dieser Schule ungewöhnlich ist: er ist dezidierter Kolorist." (L. Dietrichson in Ny Illustr. Tidning 1866).

Von 1862–1892 beschickte er die größeren Ausstellungen in Berlin, München, Wien und Düsseldorf mit Genrebildern und Stilleben.

122

124

122
Aussicht auf Düsseldorf, 1865

Bezeichnet: A. Jernberg
Karton auf Holztafel, 31 × 40 cm
Nationalmuseum Stockholm
Inv.Nr. NM 2639

Jernberg malte 1865 zwei Aussichten auf Düsseldorf, wahrscheinlich von seinem Atelierfenster aus, die beide durch ihre Technik, z. B. fehlende Untermalung, und ihrer ganzen Anlage nach, der Freilichtmalerei nahestehen.

1865 wohnte August Jernberg in Düsseldorf Jägerhofstraße 26, bis zu seinem Umzug 1869 in die Rosenstraße 7. Else Rümmler vertritt die Auffassung (mündlich 1976, schriftlich 1979), daß der Blick aus einem Fenster der Wohnung Jägerhofstraße 26 nach Nordosten geht.

Lit.: Kat. Stockholm 1952, S. 68; Düsseldorf und der Norden 1976, Nr. 104; U. Abel, 1978, S. 16, 20, 21

123
Marktplatz in Düsseldorf
1873

Bezeichnet unten rechts: Düsseldorf 1873 A. Jernberg.
Leinwand, 114 × 127,5 cm
Fragment. Ursprüngliche Maße: 115 × 196 cm
Stockholm University Collection, Stockholm

Marktplatz in Düsseldorf mit Blick auf das alte Rathaus; 1570–73 von Heinrich Tußmann aus Duisburg erbaut, 1749 verändert.
Im Hintergrund rechts der Kirchturm von St. Lambertus, 1394 Weihe. Der im Bild sichtbare Westturm wird von einer 1815 von Adolf von Vagedes entworfenen Schieferpyramide mit vorgekragten achtseitigen Ecktürmchen bekrönt (Dehio, Die Rheinlande, 1967).
Der seit 1854 in Düsseldorf ansässige August Jernberg hält hier das belebte Straßenbild an einem Markttag in Düsseldorf fest. Die Fülle der Einzelbeobachtungen bei stillebenhaften Details und die Neigung zum grotesken Überzeichnen ist in Düsseldorf Schulgut. Neu ist die lichte Farbigkeit, die hier Leben und Treiben auf dem Marktplatz vergegenwärtigt.
Das Bild hat bei einem Brand Schaden erlitten. Heute fehlen 68,5 cm in der Breite und 1 cm in der Höhe. Die Komposition hat dadurch eine Betonung der Vertikalen erhalten, zu der die Figurengirlande seltsam fremd kontrastiert, die der Künstler nicht beabsichtigt hatte. Es fehlt das Reiterstandbild des Jan Wellem, von dem nur noch der Sockel angeschnitten links zu sehen ist.

Lit.: Kat. Stockholm 1978, S. 310 f.; U. Abel, 1978, S. 20,23

123

Olof August Andreas Jernberg
Düsseldorf 1855 – 1935 Berlin

Sohn von August Jernberg. Besucht von 1870 an die Düsseldorfer Kunstakademie, die er mit Beginn des 3. Quartals 1872 wieder verläßt. Im Januar 1875 besucht er erneut die Kunstakademie, diesmal in der Landschafterklasse bei Eugène Dücker. Bis 1876 ist er in den Schülerlisten nachweisbar. Möglicherweise hat er bis 1879 privaten Unterricht bei Dücker erhalten. 1880 geht er zur weiteren Ausbildung nach Paris, hier berät ihn Hugo Salmson. Die Schule von Barbizon beeindruckt ihn tief. Seit 1882 wieder in Düsseldorf, zieht er 1890 nach Angermund. 1901 erhält er eine Berufung als Professor an die Königsberger Akademie. 1918 wird er in Berlin Nach-folger Kallmorgens an der Hochschule für Bildende Künste.

124
Angermund im Schnee,
1895–1902

Bezeichnet unten rechts: O. Jernberg.
Leinwand, 85 × 120 cm
Kunstmuseum Düsseldorf (Vermächtnis Kommerzienrat Dr. Franz Schoenfeld, Düsseldorf 1911)
Inv.Nr. 4094

Das Dorf Angermund, Kreis Düsseldorf-Mettmann, heute zu Düsseldorf gehörig.

125

In den letzten Jahrzehnten des 19. Jahrhunderts war die verschneite Landschaft
ein beliebtes Thema in Düsseldorf, vergleiche L. Munthe, „Alleestraße",
Kat.Nr. 176. Im Gegensatz zu den traditionellen Winterbildern bei tiefstehender Sonne oder im Dunst zeigt Jernberg
hier die Landschaft im hellen, lichten
Sonnenlicht. Clarenbach wird mit seinen
festgefügten Bildern diesen Typus wei-
terentwickeln und findet für das 20.
Jahrhundert eine neue Formulierung.

Lit.: I. Markowitz 1969, S. 162

Eastman Johnson
Lovell, Maine 1824 – 1906 New York

1840 arbeitete er ein Jahr lang in einer
Lithographieranstalt in Boston. Er spe-
zialisierte sich auf das Pastellporträt und
war bis 1844 in Boston tätig, 1844–45 in
Washington und von 1846–1849 in
Cambridge, Massachusetts. 1849 ging er
nach Düsseldorf, wo er bei H. A. Mücke
im Schuljahr 1849/50 Anatomie und
Proportionen studierte. In den Schülerlisten findet sich der Vermerk: „Nicht

Eleve der Königlichen Kunstakademie". 1851 trat er in Leutzes Düsseldorfer Atelier ein. Von dort aus ging er im
Sommer 1851 nach London und Den
Haag. Dort blieb er bis 1855. Anschließend ein kurzer Studienaufenthalt bei
Thomas Couture in Paris. Dann kehrte
er in die Vereinigten Staaten zurück, arbeitete bis 1857 in Washington und Su-
perior, Wisconsin; von 1857–58 in Cincinnati tätig, ließ er sich noch 1858 in
New York nieder. 1860 in die National
Academy gewählt. Während der ersten

Jahre des Bürgerkrieges war er an mehreren Feldzügen beteiligt. Nach 1870 malte er im Sommer, viele Jahre lang, Landschaften und Genreszenen in Nantucket. In diesen Gemälden ist der Düsseldorfer Einfluß, vor allem der von Ludwig Knaus, in der Komposition und Sehweise spürbar.

In seinen späteren Jahren wieder vorwiegend als Porträtist tätig.

125
Die Kartenspieler, 1853

Bezeichnet unten links: E. Johnson. The Hague 18.53.
Leinwand, 55 × 72 cm
R. H. Love Galleries Incorporation, Chicago
Inv.Nr. I−17, 1485

Johnson steht hier eindeutig in der Nachfolge von Knaus, dessen Gemälde „Falschspieler", Kat.Nr. 134, noch im Entstehungsjahr 1851 Aufsehen erregte. Johnson reduziert die vielfigurige Komposition auf die Spieler im Vordergrund rechts, geht in der Übernahme so weit, daß das mahnende Mädchen rechts sich hier ebenfalls wiederfindet.

Johnson hat den Bildgedanken neu durchdacht. Bei den Spielern hat er die Typen ausgetauscht. Bei Knaus betrügt der alte Zahnlose den jungen Vater; hier deckt der alte Mann den Betrug der beiden jungen, verschlagen dreinschauenden Menschen auf. Der sentimentale Zug, der bei Knaus mit anklingt, wird bei Johnson durch die Gestalt des Mädchens unterstrichen.

Die Freude am Detailrealismus Düsseldorfer Prägung, der sich hier bis zum Trompe-l'œil-Effekt steigert, verleiht dem Gemälde stillebenhafte Züge, die den anekdotischen Charakter der Bilderfindung intensivieren; so findet sich auf der gesprungenen Schiefertafel oben rechts eine „Strichliste" unter dem Namenszug E. Johnson.

126

Lit.: Kat.Ausst. Eastman Johnson, 1972, Nr. 11; The Hudson and the Rhine, Düsseldorf 1976, Nr. 58

126
Die Falschmünzer, um 1853

Leinwand, 73 × 94 cm
IBM Corporation, Armonk, New York

Möglicherweise im gleichen Jahr entstanden wie die „Kartenspieler", siehe Kat.Nr. 125. In ähnlicher Weise psychologisierend wie diese. Der Figurenbestand ist erweitert, ihre Bewegungen sind heftiger. Von links bricht Licht in die Szenerie, vergleiche Brütt, „Die Stunde der Entscheidung", Kat.Nr. 40.

Der Künstler steht mit solchen Effekten in der Tradition der Niederländer Honthorst, Terbrugghen, und anderer.

Mit ihren zwielichtigen Gestalten und dem melodramatischen Geschehen erregten seine Bilder Aufsehen. Die Figuren reagieren auf den Einbruch des Lichts, der ihre betrügerischen Geschäfte im Dunkeln aufdeckt, mit Flucht- und Abwehrbewegungen. Die schmale Vordergrundbühne erfährt eine Erweiterung zur Tiefe hin, die im Dunkeln bleibt, so daß sie sich einer Deutung entzieht. Hinten rechts neben der Bildmitte eine Figur? Genauso unklar bleibt, was die Gestalt in der Nische tut, die entsetzt ins Licht schaut.

Lit.: Kat.Ausst: Eastman Johnson, 1972, Nr. 10

Rudolf Jordan
Berlin 1810 – 1887 Düsseldorf

Erste Versuche in der Malerei unter Anleitung von W. Wach in Berlin; bildete
sich autodidaktisch weiter. 1829 ein Aufenthalt auf Rügen; sein Gemälde „Fischer auf Rügen" wurde noch im gleichen Jahre vom preußischen Königs-
hause erworben.
In Düsseldorf studierte er seit dem 2.
Quartal 1833 in der ersten Klasse bei
Wilhelm von Schadow als Genremaler.
Seine Anlagen werden als „ausgezeichnet" und „außerordentlich" bezeichnet.
Vom Schuljahr 1837/38 an bis zum Jahre
1849 ist Jordan in der Meisterklasse tätig. Über ihn ist in den Schülerlisten
vermerkt: „Dieser Künster excelliert in
Darstellungen des Seelebens und macht
classische Arbeiten". Im Schuljahr
1841/42 war er lange „abwesend".
Auf Studienreisen an der Nordseeküste
empfing er Anregungen für seine Gemälde, die das Leben des einfachen, na-
turverbundenen Volkes teils humori-
stisch, teils dramatisch schildern.
1877–78 ein Italienaufenthalt.

127

127
Heiratsantrag auf Helgoland, 1834

Bezeichnet unten rechts auf dem Fass:
R J (spiegelverkehrt und monogram-
miert), darunter: R. Jordan Düsseldorf
1834
Leinwand, 62,7 × 70 cm
Nationalgalerie Staatliche Museen Preußischer Kulturbesitz Berlin (Vermächtnis Konsul Wagener, Berlin)
Inv.Nr. NG 151

Rudolf Jordan gilt als der Entdecker des
ethnographischen Genres. Ein Erstling

„Fischer auf Rügen", 1829, bestätigt ihn
in der Wahl seiner Themen.
Unser Gemälde entstand während seines
Aufenthalts in Düsseldorf. Ihm folgte
eine ganze Gruppe von ähnlichen Bilderfindungen, die das Leben der Inselbe-
wohner an der Nordseeküste vorstellen.
Der Hauptakzent liegt auf der Betonung
des Humoristisch-Anekdotischen vor
dem Hintergrund einer damals fernen,
fremden Umgebung. Die unmittelbaren Nachfolger Jordans: „Middys Predigt" von Henry Ritter (siehe Kat.Nr.
196) und Jordans „Sturmläuten auf Helgoland", Kat.Nr. 128, sowie Knaus'
„Leichenbegängnis", Kat.Nr. 139. Daß
die Szene unter freiem Himmel und vor
der Weite des Meeres dargestellt ist, hat
tiefere Bedeutung. Das Leben der Insel-

bewohner, weit entfernt von städtischer
Zivilisation, galt als urtümlich und un-
verfälscht, naturverbunden.
Der Ausstellungskatalog „Volksleben-
Bilder aus Norddeutschland", Hamburg
1973 weist nachdrücklich darauf hin,
daß der Titel auf Jordan zurückgeht,
„der längere Zeit auf Helgoland war.
Außer dem Rock des Mädchens, der
Mütze und den Stiefeln des jungen Mannes und vielleicht noch der Kleidung des
alten Fischers sind jedoch alle Bildele-
mente frei erfunden oder aus Studien an
verschiedenen Orten an der See kompiliert."

Lit.: Berlin 1976, S. 189

Farbtafel XI

128

Wie frei und unabhängig vom Naturvorbild Jordan bei diesem Gemälde ist, weist der Ausstellungskatalog „Volksleben-Bilder aus Norddeutschland", Hamburg 1973 nach: „Sowohl das Gebäude mit dem Glockenturm ist für Helgoland in dieser Form untypisch als auch die Strandsituation selbst. Die Häuser stehen zu dicht am Wasser, Dünen gab es nur auf der „Düne" genannten, dem Felsen vorgelagerten, unbewohnten Insel."

Lit.: Kat.Ausst. Von Hamburg nach Helgoland, Altonaer Museum in Hamburg 1967, Nr. 146; Bestandskatalog: Die Gemäldesammlung des Hamburger Senators Martin Johann Jenisch d. J. (1793–1857), Altonaer Museum in Hamburg 1973, Nr. 25; Kat.Ausst. Volkslebenbilder aus Norddeutschland, Altonaer Museum in Hamburg 1973, Nr. 18

128
Sturmläuten auf Helgoland, 1839

Bezeichnet unten links: 1839 Jordan.
Auf dem Schiff darüber das Monogramm: RJ
Leinwand, 79 × 116 cm
Altonaer Museum in Hamburg (Leihgabe Johann Christian Freiherr von Jenisch, Blumendorf bei Bad Oldesloe)
Inv.Nr. 1966/672

Bildthema ist ein am fernen Horizont sich abzeichnendes sinkendes Schiff, die Landschaft von einer Sturmwolke ins Dunkel getaucht; der Ozean in Aufruhr. Die Sturmglocke jagt die gegen den Sturm ankämpfenden Retter hinaus in die feindliche Natur. Nur die Figuren im Vordergrund erscheinen im hellen Sonnenlicht, das die Farben ihrer Helgoländer Tracht zur vollen Wirkung kommen läßt. Reich abgestuft sind auch hier wieder die Reaktionsweisen der Figuren im Vordergrund. Sie reichen von dem großäugigen Nichtbegreifen des Babys auf dem Arm der Frau in der Tür links bis zu dem grimmig entschlossenen, energisch ausschreitenden, auf die Rettung bedachten bärtigen Manne, der den Knaben, der von seiner Mutter Abschied nimmt, fest an seine Hand genommen hat. Der junge Bursche, der im Laufen seine Jacke anzieht, blickt zurück auf das blonde Mädchen, das sich im Lauf von ihm verabschiedet. Daß für Jordan diese Szene nicht frei von grotesken Zügen ist, beweist das Kleinkind im Türrahmen rechts, das nach draußen zu stolpern scheint, und die artifizielle Torsionsfigur des Mannes im Vordergrund, der im Laufen sich bückend, seinen Schuh befestigt. Ein Teil des Erfolges von Jordans Bilderfindung resultiert aus der Freude am dramatischen Geschehen, an dem der Betrachter in Ruhe und Sicherheit teilnehmen kann, weit entfernt von den Gefährdungen, die im Leben auf den Inseln an der Küste täglich drohen.

Carl Jutz d. Ä.
Windschläg (Baden) 1838 – 1916 Pfaffendorf b. Koblenz

Studium an den Akademien in München und Düsseldorf. – In den Schülerlisten der Düsseldorfer Kunstakademie nicht nachweisbar. – Autodidaktische Weiterbildung vor der Natur. Der Tiermaler Gustav Süs bestimmte ihn in seiner Spezialisierung auf Geflügelstücke. Seine Werke kennzeichnet eine genaue Naturbeobachtung, die er mit dem spitzen Pinsel minutiös festhält. Der Einfluß der niederländischen Maler verbindet sich mit Vorbildern aus China und Japan (?) (Schaarschmidt).

129

129
Geflügelhof, 1887

Bezeichnet unten rechts: Carl Jutz 87.
Leinwand, 40 × 60 cm
Galerie G. Paffrath, Düsseldorf

Carl Jutz hat sein Talent früh ganz entschieden auf die Darstellung von Geflü-
gel spezialisiert. Hierin ist er noch heute
ein gesuchter Meister. Für seine Gemälde fand er Vorbilder in der niederländischen Malerei des Umkreises um
Hondecoeter (1636–95) und J. B. Wee-
nix d. J. (1640–1719). Seine Gemälde
sind sorgfältig komponiert und mit dem
spitzen Pinsel das Gefieder malend
durchgeführt. Auf unserem Bild führt
der Maler ostentativ seine Fähigkeiten
vor, das unterschiedliche Gefieder überzeugend malerisch zu gestalten. Gezeigt
werden Hühner verschiedener Rassen,
Küken, ein Hahn, Enten (weiße und
bunte), ein Truthahn und ein Pfau. Der
Hintergrund ist so gewählt, daß Licht
und Schatten einander abwechseln, das

verfallene Gemäuer und das morsche
Holz in ihrer Andersartigkeit sich von
dem Gesträuch links abheben.

Lit.: Bötticher Nr. 36; Düsseldorf 1913,
Nr. 116

Eduard Stanislaus Graf von Kalckreuth
Kozmin (Posen) 1821 – 1894 München

In Berlin Schüler von Gustav Wegener
und Wilhelm Krause. 1846/47 Studium
an der Düsseldorfer Akademie in der
Landschafterklasse bei Johann Wilhelm
Schirmer, dessen Privatschüler er bis
zum Jahre 1853 blieb. Unter der för-
dernden Aufsicht von Schirmer vollzog

sich seine Entwicklung als Künstler
rasch und harmonisch. Als Landschafter
steht Kalckreuth ganz in der Tradition
der Düsseldorfer romantischen Schule.
Seine bevorzugten Themen sind die Gebirgslandschaften der Alpen. In der Beherrschung der Linear- und Luftperspektive meisterhaft. Besonders bevorzugt wurden von ihm die Darstellungen
der Landschaftsstimmung des Alpen-
glühens.
1854 folgte er einem Ruf des Großherzogs von Sachsen und Weimar, der ihn
1860 mit der Organisation und Leitung
der neu begründeten Kunstschule betraute. 1876 legte er sein Amt nieder und
zog sich nach Bad Kreuznach zurück.
Später, 1883, siedelte er nach München
über.
In kulturpolitischer Hinsicht war die Berufung von Künstlern wie Böcklin, Lenbach und Begas an die Weimarer Kunstschule eine in die Zukunft weisende Tat,
die den Ruf der Weimarer Malerschule
im 19. Jahrundert begründete.
1852 Mitglied der Akademie in Amsterdam, seit 1869 ordentliches Mitglied der
Akademie Berlin.

130
Gebirgslandschaft, 1852

Bezeichnet unten links: Kalckreuth 1852
Leinwand, 67 × 102 cm
Wallraf-Richartz-Museum, Köln
(Geschenk Johannes Niessen)
Inv.Nr. 1359

Noch unter dem unmittelbaren Einfluß
seines Lehrers Johann Wilhelm Schirmer entstanden, vergleiche die sehr ähnlichen Landschaftsbilder von Julius
Rollmann, Kat.Nr. 198, 199.

130

Gebirgssee, im Schatten liegend, unweit der Baumgrenze, wohl in den Alpen. Die winzigen Figuren im Bild sind als Stimmungsträger kaum von Bedeutung, viel eher geben sie einen Hinweis auf die Vereinsamung des Menschen in der gewaltigen Hochgebirgslandschaft. Auch der aus der Hütte aufsteigende Rauch verleiht dieser Landschaft nichts von Geborgenheit. Die karge Vegetation auf dem steinigen Gelände, dessen Felsen zum Teil senkrecht aus dem Alpensee aufsteigen, verraten etwas von den schwierigen Bedingungen, unter denen

hier Menschen leben. Bei aller Strenge der Komposition, der Ausgewogenheit von links und rechts im Bild und dunkler Nähe, lichter Ferne, zeugt das Bild von Schirmers prägender, den jungen Künstler bestimmender Vorbildlichkeit. Im Ausdruck still verhalten, ist Kalckreuth fern von dem heroischen Pathos der Alpendarstellungen älterer Schule, vergleiche die Formulierung einer ähnlichen Situation von Julius Rollmann, 1855 „Der Obersee", Kat.Nr. 199.

Lit.: Köln 1964, S. 53

Arthur Kampf
Aachen 1864 – 1950 Castrop-Rauxel

Studierte an der Düsseldorfer Kunstakademie seit dem 6. Oktober 1879; war Schüler von Eduard von Gebhardt und Peter Janssen. 1887 wird er Hilfslehrer an der Akademie, Mai 1893 wird er Assistent von Peter Janssen. Sein erstes, großes, Aufsehen erregendes Werk entstand 1886: „Die letzte Aussage" (vergleiche Kat.Nr. 131).
1885 Studienreise nach Paris, 1893 nach

131

Italien, 1897 nach Spanien; 1898 folgte er
einer Berufung an die Berliner Akademie. Dort wird ihm die Leitung des Meisterateliers für Figurenmalerei übertragen. 1907–1912 Präsident der Berliner
Akademie. 1915–1925 Direktor der
Hochschule für Bildende Künste in Berlin. Nach dem Krieg in Angermund und
Castrop-Rauxel tätig.

Seine Bildthemen entnahm er vorwiegend der neueren deutschen Geschichte.
1891 hatte er Erfolg mit seinem Gemälde
„Einsegnung von Lützows Schwarzen
Freiwilligen". Sein erfolgreichster Themenkreis blieb für viele Jahrzehnte Darstellungen aus den Freiheitskriegen.
Große offizielle Aufträge für Wandbilder und Mosaiken. Nach 1945 wandte er
sich christlich-religiösen Bildthemen zu.

131
Die letzte Aussage, 1886

Bezeichnet unten rechts: Arthur Kampf
Düsseldorf 86
Leinwand, 285 × 362 cm
Kunstmuseum Düsseldorf
Inv.Nr. 4025

Frühwerk und Aufsehen erregender
Erstling, mit dem Arthur Kampf der

künstlerische Durchbruch gelang. Es läßt sich heute nicht mehr mit Sicherheit klären, ob die Komposition auf ein persönliches Erlebnis des Künstlers zurückzuführen ist oder ob dieses Werk aus verschiedenen Naturstudien aus dem Armeleute-Milieu sich herauskristallisiert hat.

Ein Verwundeter wird von seiner Frau auf dem Boden einer Dachkammer gestützt. Hinter ihm zwei Männer. I. Markowitz vermutet in einem der beiden den Täter. In der Bildmitte ein Gendarm in Rückenansicht; er notiert die Worte des Sterbenden. In die Dachkammer dringen von rechts neugierige Frauen ein. Kampf weiß souverän die architektonischen Gegebenheiten in den Dienst seiner Komposition zu stellen. Die Lichtregie: das Licht dringt von oben durch ein nicht sichtbares Dachfenster in die Kammer ein und läßt, wie unter einem Scheinwerfer, das Hauptgeschehen grell hervorleuchten, vergleiche die ähnliche Lichtführung bei Tidemands „Andacht der Haugianer", Kat.Nr. 256.

Lähmendes Entsetzen spiegelt sich in den Gesichtern wieder. In der Drastik der Darstellung und der gnadenlosen Sicht des Lebens und Sterbens der Armen, die anklagen will, setzt sich Arthur Kampf von der offiziell geförderten und gepflegten Historienmalerei seiner Zeit ab. Sein Werk fand in der Düsseldorfer Malerschule zahlreiche Nachfolger, vergleiche August Wilhelm Sohn „Abendmahl", 1891 (National-Galerie, Berlin, DDR) und Otto Heichert „Trauernde an einem Sterbebett", 1898 (Kunstmuseum Düsseldorf).

Wegweisend für Arthur Kampf wirkten die Gemälde des de Groux' in ihrer engagierten Anklage der Entrechteten, vergleiche „Der Trunkenbold", Kat.Nr. 82.

Lit.: I. Markowitz 1969, S. 168, 169

132

132
Aufbahrung der Leiche
Kaiser Wilhelms I., 1888

Bezeichnet unten rechts: A. Kampf 88
Leinwand, 71 × 83 cm
Museum für Kunst und Kulturgeschichte der Stadt Dortmund, Schloß Cappenberg bei Lünen
Inv.Nr. C 6604

Vorbereitende Studie für das große Gemälde im Besitz der Bayerischen Staatsgemäldesammlungen, München, Neue Pinakothek.
Kaiser Wilhelm I. (22. 3. 1797 – 9. 3. 1888)
wurde im Berliner Dom am 13. und 14. März 1888 feierlich aufgebahrt. Gardisten – auf unserer Skizze sind es Reiter des Garde du Corps-Regiments, auf dem ausgeführten Gemälde sind es Gardisten des I. Garderegiments zu Fuß – halten die Totenwache, Kerzen auf Kandelabern beleuchten die Szenerie. Von rechts drängt die Menge ehrfürchtig und ergriffen am Katafalk vorbei. Die realistische, porträthafte Sehweise steht in der Düsseldorfer Tradition, vergleiche Hasenclever „Atelierszene", Kat.Nr. 91 und noch näher Bokelmann „Nordfriesisches Begräbnis", 1887, Kat.Nr. 38.

Kampf gibt mit seinen Trauernden aus allen Bevölkerungsschichten einen Hinweis auf die Popularität des greisen Kaisers – in den Revolutionswirren 1848 hatte er als „Kartätschenprinz" nach England fliehen müssen –. Eine Mischung von Neugier und Ergriffenheit spiegelt sich in den Gesichtern wider. Der Künstler hat in seinen Lebenserinnerungen „Aus meinem Leben", Aachen 1950, festgehalten, daß er da-

133

Kölnisches Stadtmuseum, Köln
Inv.Nr. WRM 2258

mals nach Berlin gefahren ist, um dort nach dem Tode Kaiser Wilhelms I. die Atmosphäre in der noch jungen Reichshauptstadt zu studieren. Einen Jungen, der ihm behilflich war, sich durch die Menschenmengen zu drängen, hat Kampf aus Dankbarkeit für seine Dienste im Bild vorn festgehalten.
Arthur Kampf ist hier als Chronist tätig. Das Zeitgeschehen ist sein Bildthema. Er nähert sich den Werken Anton von Werners, dessen Nachfolger als Direktor er an der Berliner Akademie 1915 werden sollte.

Lit.: Horst Appuhn, Dortmund, Museum für Kunst und Kulturgeschichte (Neuerwerbungen der Kunstmuseen in Nordrhein-Westfalen 1971/72), in: Wallraf-Richartz-Jahrbuch 1973, S. 398, 399; Horst Ludwig, Malerei der Gründerzeit, Bayerische Staatsgemäldesammlungen, Neue Pinakothek München, Gemäldekataloge Bd 6, München (1977), S. 91, 92

Wilhelm Kleinenbroich
Köln 1814 – 1895 Köln

Schüler von Simon Meister in Köln. Ging dann nach 1835 an die Düsseldorfer Akademie, wo er die sozialkritische Tendenzmalerei von Carl Wilhelm Hübner kennenlernte und ihm in seinen Bildern nacheiferte. Nach dem Scheitern der Revolution von 1848 zieht sich Wilhelm Kleinenbroich auf neutrale Bildthemen, auf Porträts und auf Dekorationsmalerei zurück.

133
Mahl- und Schlachtsteuer, 1847

Bezeichnet am rechten Bildrand unterhalb der Mitte: Wilhelm Kleinenbroich 1847
Leinwand, 150 × 173,5 cm

Kleinenbroich steht mit seinem Gemälde in der Nachfolge seines Lehrers Carl Wilhelm Hübner. Das Interesse am Kostüm und an der Tracht ist ein Erbe von Rudolf Jordan.
„Die Mahl- und Schlachtsteuer war eine Konsumsteuer, die vor allem von der ärmeren Landbevölkerung für gemahlenes Getreide und Schlachtvieh aufgebracht werden mußte." (Kunst der Bürgerlichen Revolution von 1830–1848/ 49, Neue Gesellschaft für bildende Kunst, Berlin 1972, S. 177).
„Steuerbeamte untersuchen armer Leute Habe, während eine vornehme Jagdgesellschaft zu Roß und Wagen mit dem erlegten Wild unbehelligt vorbeifährt" (Bötticher 1895). Die Hintereinanderstaffelung der Armen im Vordergrund und der reichen Vorüberreitenden im Mittelgrund hat dem Maler künstlerische Probleme gestellt, die er nicht bewältigt hat, daher im Bestandskatalog des Wallraf-Richartz-Museums 1914 nicht aufgeführt. Das neu erwachte Interesse am Sozialkritischen hat auch Künstler wie Kleinenbroich wegen der Themenstellung wieder der Vergessenheit entrissen.

Lit.: Kat. Ausst. Berlin 1972/73, S. 177

Ludwig Knaus
Wiesbaden 1829 – 1910 Berlin

Nach ersten Versuchen unter Anleitung des Landschaftsmalers O. R. Jacobi in Wiesbaden 1845–48 Studium bei C. F. Sohn an der Düsseldorfer Akademie. Der ausgeprägte Wirklichkeitssinn bei Knaus führte zu Konflikten mit der von Schadow vertretenen idealistischen Lehre. In den Schülerlisten findet sich im Schuljahr 1848 der Vermerk: „Hat

134

134
Die Falschspieler, 1851

Bezeichnet unten links: L. Knaus 1851
Leinwand, 81 × 104 cm
Kunstmuseum Düsseldorf
Inv.Nr. 4027

seit ein paar Monaten Düsseldorf verlassen und war, wie so viele, von dem politischen Treiben angesteckt."
Knaus bildete sich autodidaktisch weiter vor der Natur auf dem Lande in Hessen und im Schwarzwald. 1852 bis 1861 in Paris, unterbrochen durch Studienreisen in Europa, zum Teil gemeinsam mit Benjamin Vautier.
Erste, auch internationale Erfolge seit 1853. 1861 in Berlin, 1866 in Wiesbaden, 1867 wiederum in Düsseldorf ansässig.

Leitete seit 1874 ein Meisteratelier der Berliner Akademie. 1882 legte er sein Lehramt nieder, blieb aber bis zum Ende seines Lebens in Berlin tätig.
Knaus verband das erzählerische Element der Düsseldorfer Schule mit malerischen Qualitäten, die er sich in Paris erarbeitet hatte. Er entwickelte einen neuen Kolorismus, der sein Werk zusammen mit der differenzierten psychologischen Charakterisierung von der älteren Düsseldorfer Lehre abhebt.

Knaus greift hier auf Studien zurück, die er bei seinem Aufenthalt im Schwarzwald in Herrischried gemacht hatte. Knaus verarbeitet nicht nur Anregun-

135

Vordergrund setzt, in der Nachfolge der Düsseldorfer Schultradition. Das Stillleben im Vordergrund links ist ein Tribut an den Detailrealismus, wie er in Düsseldorf gepflegt wurde, vergleiche das ähnliche Bildthema bei Johnson „Die Kartenspieler", Kat.Nr. 125.

Von der zeitgenössischen Kritik als ein Hauptwerk des jungen Künstlers beachtet und vom Galerie-Verein Düsseldorf noch im Entstehungsjahr angekauft.

Lit.: I. Markowitz 1969, S. 177–179; Düsseldorf und der Norden 1976, Nr. 22; Markowitz/Andree 1977, Nr. 14

135
Gustav Friedrich Waagen, 1855

Bezeichnet oben rechts: L. Knaus. 1855.
Leinwand, 56,5 × 42 cm
Nationalgalerie, Staatliche Museen Preußischer Kulturbesitz, Berlin. (Vermächtnis der beiden Töchter des Dargestellten, Berlin 1910)
Inv.Nr. NG 1188

Gustav Friedrich Waagen
Hamburg 11. 2. 1794 – 15. 7. 1868 Kopenhagen.
Kunsthistoriker. Schüler von Karl Friedrich von Ruhmor. 1823 zur Gründung eines Museums nach Berlin berufen,
1830 Direktor der Gemäldegalerie in Berlin.
Den frühen Ruhm des jungen Ludwig Knaus haben neben seinen Genredarstellungen, die sich durch realistische Nüchternheit in der Charakterisierung auszeichnen, vor allem dann die Porträts begründet. Das Bildnis des Galeriedirektors Waagen zeugt von der schar-

gen aus dem Umkreis von Brouwer und Teniers, sondern zitiert auch den mahnenden Amorknaben aus Rubens' „Venus und Adonis", ein Bild, das er in der Düsseldorfer Galerie kennengelernt hat. Die psychologisierende Darstellung hat Hasenclever in Düsseldorf für die Gen-

remalerei vorbereitet. Knaus steht auch mit der Formulierung des Bildraums der schmalen Vordergrundbühne, die sich nach rückwärts noch einmal öffnet und eine Gruppe mit fröhlich Zechenden zeigt und damit einen Kontrapunkt zu dem problematischen Geschehen im

fen Beobachtungsgabe des jungen Künstlers, der den 61jährigen Gelehrten als einen kritisch prüfenden vorstellt, der seine Lektüre – auf dem Tisch links Schriften – unterbrochen hat und sich dem Betrachter mit fest verschlossenem Mund und durchdringendem und abweisendem Blick zuwendet.

Lit.: Berlin 1976, S. 199, 200

136
Die Katzenmutter, 1856

Bezeichnet oben rechts: L. Knaus. 1856
Leinwand, 63 × 49 cm
Museum Wiesbaden
Inv.Nr. M 859

Französische Malkultur und deutsche, gemütvolle, wenngleich nicht unkritische Bilderfindung bilden hier eine glückliche Einheit.
Wichtiges Beispiel für Knaus' Entwicklung zum novellistischen Genrebild mit einer Einzelfigur, vergleiche „Schusterjunge", Kat.Nr. 137, Dahlen „Der Angler", Kat.Nr. 58 und Lützow d'Unker, „Der Mann vor dem Schaufenster", Kat.Nr. 69.
Die müßig mit den Katzen spielende junge Frau, eine säkularisierte Lasterdarstellung, die in sich selbst ihr Genüge findet. Kennzeichnenderweise verzichtet Knaus auf jedes charakterisierende Ambiente. Zu der Lasterdarstellung paßt auch, daß sie die Wärme für ihre Füße auf einer Wärmebank sucht. Ein zerlesenes Buch neben ihr auf dem Fußboden.

Lit.: Kat. Wiesbaden 1967; The Hudson and the Rhine, Düsseldorf 1976, Nr. 76.

Farbtafel XIII

136

137
Der Schusterjunge als Kindermädchen, 1861

Bezeichnet unten links: L. Knaus 1861
Leinwand, 57 × 40 cm
Museum Schwäbisch Gmünd
Inv.Nr. 4692

Seit seinen Naturstudien auf dem Lande in Hessen und im Schwarzwald hat Knaus das bäuerliche Genre für seine Malerei entdeckt. Kennzeichnend für die Werke von Knaus ist die Neigung zum Freundlichen, Liebenswürdigen, Humorvollen. Johnson und Woodville gelangen zu vergleichbaren Genreszenen (vergleiche Kat.Nr. 125, 126 und

Kat.Nr. 269); siehe auch vorhergehende Kat.Nr. 136.

Mit solchen harmlosen Bildthemen, vergleichbar auch seinem berühmten „Dorfprinz", 1874 (verschollen), hatte der Maler deshalb so große Erfolge, weil er damit direkt das Gemüt des Kunstfreundes ansprechen konnte, der glaubte, in der Malkultur von Knaus die wiedererstandene Hochblüte der niederländischen Malerei des 17. Jahrhunderts zu erleben und zudem verständiger Zeitgenosse dieser Künstler zu sein.

Lit.: The Hudson and the Rhine, Düsseldorf 1976, Nr. 77

138
Frau Sußmann-Hellborn, 1863

Bezeichnet unten links: L. Knaus. 1863
Leinwand, 103 × 78 cm
Kunstmuseum Düsseldorf
Inv.Nr. 4298

Frau Berta Sußmann-Hellborn,
Gattin des Louis Sußmann-Hellborn
(1828–1908),
Bildhauer und künstlerischer Leiter der Kgl. Preußischen Manufaktur, Berlin.
Das Bild zeigt die junge Gattin des Künstlers in einer Umgebung, die zu ihrer weißen Ballrobe paßt. Draperie und Sessel im Stil des zweiten Rokoko spielen auf den gesellschaftlichen Rang der schönen, im Gesichtsausdruck etwas leeren, blassen jungen Frau an, die eine ungekrönte Herrscherin ihrer Welt ist, die sie, den Fächer in ihrer Rechten spielerisch haltend, aus kritischer Distanz betrachtet.
Den künstlerischen Rang dieses Bildes bestimmt die malerisch reiche und sorgfältig abgestufte Durcharbeitung des gesamten Bildes.

Lit.: I. Markowitz 1969, S. 180, 181

138

Leichenbegängnis in der
Schwalm, 1871

Bezeichnet unten links: L. Knaus. 1871
Leinwand, 131 × 100 cm
Marburger Universitäts-Museum für
Kunst und Kulturgeschichte, Marburg
Inv.Nr. 160

Aus einem Bauernhaus in der Schwalm –
die Trachten charakterisieren die Landschaft – wird ein Sarg herausgetragen;
voran schreitet der Witwer, verstört;
draußen im Schnee hat sich eine Gruppe
von vorwiegend jungen Menschen zusammengefunden, die in der Kälte frie-
ren, aber dennoch unter der Anleitung
des Mannes in der Bildmitte singen. In
diese Gruppe von Trauernden und Singenden hat Knaus zahlreiche liebevoll
beobachtete Detailstudien eingearbeitet,
die durch die Gruppe rechts an der
Wand noch ergänzt werden. Das Bildthema des Begräbnisses im Winter hat
Lessing mit seinem „Klosterhof im
Schnee", siehe Kat.Nr. 154, in die Düsseldorfer Malerei eingeführt. Von der
Gedankenstrenge Lessings hat sich
Knaus weit entfernt. Bei ihm domini-
ren die liebenswürdigen, freundlichen,
den Betrachter vom wahren Bildthema
ablenkenden, versöhnlichen Einzelbe-
trachtungen. Die schräggestellte Trag-
bahre im Vordergrund täuscht nicht darüber hinweg, daß Knaus auch hier noch
mit der schmalen Vordergrundbühne im
nach hinten abgeschlossenen Raum arbeitet. Von dem Geschehen unberührt
bleibt allein die Natur: die im Schnee
pickenden Hühner im Vordergrund bilden einen wirkungsvollen Kontrast gegen die reich nuancierte Charakterisierung der Trauernden, vergleiche auch
Kat.Nr. 261 (Vautier, Leichenschmaus).
Benjamin Vautier hat im gleichen Jahr
ein ähnliches Bildthema gemalt, das sich
ehemals in der Sammlung Eduard L. Be-
rens, Hamburg, befand.

Lit.: Carl Graepler, Auswahl aus den

Sammlungen des Marburger Universi-
tätsmuseums für Kunst und Kulturgeschichte, 2. Aufl., Marburg 1975, S. 73

Christian Köhler
Werben 1809 – 1861 Montpellier

Gehört schon in Berlin zu dem Schülerkreis von Wilhelm von Schadow. Ihm
folgte er 1826 nach Düsseldorf. Eintritt
in die Kunstakademie im 4. Quartal
1827; 1829/30 in der oberen Klasse der
ausübenden Künstler. 1837/38 in der
Meisterklasse; galt in jeder Beziehung als
ausgezeichnet und als bedeutender Kolorist. Seit dem Schuljahr 1851/52 ist er
Professor und vertritt Theodor Hildebrandt, dessen Nachfolger er in den Jahren 1855–59 wird. Im Schuljahr 1859/60
erkrankt, sucht er Heilung in Südfrank-
reich.
An der italienischen Renaissance ge-
schulter Künstler, dessen Figuralstil und
Kolorit ganz den Vorstellungen Wilhelm von Schadows entsprachen.

140

140
Mirjams Lobgesang, 1836

Bezeichnet unten rechts: Ch. Köhler.
1836.
Leinwand, 23,5 × 30 cm
Kunstmuseum Düsseldorf (Geschenk
Julius Stern, Düsseldorf 1927)
Inv.Nr. 4357

Farbenskizze zu einem großen Gemälde,
ehemals   Wallraf-Richartz-Museum,
Köln. Die Darstellung folgt der Bibel
2. Buch Mose 15/20. Im Hintergrund
läßt Moses die Wasser des Roten Meeres
über dem Pharao und seinem Heere zu-
sammenstürzen. In der Farbgebung dem
Nazarener-Ideal verpflichtet, vergleiche
Bendemann „Zwei Mädchen", Kat.Nr.
27, und „Die trauernden Juden im
Exil", Kat.Nr. 25.
Die Hauptfigur, die Prophetin Mirjam,

wird durch ihr ornamentiertes Gewand
und den Rundbogen in der Mitte hervorgehoben. Die Lichtführung ist so gewählt, daß sie vom Himmel inspiriert zu
sein scheint. Die psychische Bewegung
kommt in den musizierenden und singenden Figuren zum Ausdruck. Das biblische Thema war für Köhler ein geeigneter Vorwurf, um die in Düsseldorf
gepflegte Seelenmalerei, vergleiche Bendemann und Sohn „Die beiden Leonoren", Kat.Nr. 208, zu gestalten.

Lit.: I. Markowitz 1969, S. 183, 184

141
Die Musik, 1837

Bezeichnet unten links: Ch. Köhler
1837.
Leinwand, 71,2 × 54,5 cm
Ludwig Schreiner, Langenhagen

Als Muse der Musik durch das Saitenin-
strument gekennzeichnet. Musendar-
stellungen sind in Düsseldorf durch die
literarisch orientierte Lehre ein beliebtes
Bildthema, vergleiche W. von Schadow
„Die Poesie", Kat.Nr. 215.

141

Gustav Adolf Koettgen
Langenberg 1805 – 1882 Düsseldorf

Als junger Maler Schüler des Peter von Cornelius an der Düsseldorfer Akademie, dem er nach München folgte. Später in Elberfeld und im Bergischen Land vorwiegend als Bildnismaler tätig. Bekannt mit Freiligrath, Mendelssohn-Bartholdy und mit Moses Heß. In den Revolutionswirren von 1848 verläßt er das preußische Rheinland und siedelt nach Bremen, und später nach Hamburg über. Hier eröffnet er ein Photoatelier. Seit 1853 wieder im Rheinland ansässig.
Seine 1927 noch in Privatbesitz nachgewiesenen Werke sind heute verschollen.

142
Selbstbildnis, um 1844

Bezeichnet unten rechts: G. A. Koettgen.
Pappe, 43 × 37,5 cm
Kunstmuseum Düsseldorf
Inv.Nr. 4167

Dieses Selbstbildnis gehört zu den wenigen überlieferten künstlerischen Zeugnissen Gustav Adolf Koettgens. Modisch gekleidet zeigt er sich hier als junger, selbstbewußter, energischer Mensch. Führender Kopf der revolutionären Ereignisse 1848. Das Selbstbildnis besticht durch die hohe Malkultur, die mit wenigen Mitteln vorgetragen wird, und die im Betrachter das Verlangen erweckt, mehr von diesem auffallend begabten und technisch versierten Künstler kennenzulernen, dessen Œuvre heute verschollen zu sein scheint.

Lit.: I. Markowitz 1969, S. 186; Markowitz/Andree 1977, Nr. 15

Im Aufbau streng, im Ausdruck verhalten, bestimmt die Vorbildlichkeit Leonardos und Raffaels die Bilderscheinung; auch mit den abbreviaturhaften Formulierungen der Landschaft wird Hochrenaissance zitiert. Dieser Rückgriff auf tradiertes Formen- und Gedankengut wurde als besonderer Wert der Malerei geschätzt, gesucht und bewundert.

144

143

Heinrich Christoph Kolbe
Düsseldorf 1771 – 1836 Düsseldorf

Erste Studien an der kurfürstlichen Aka-
demie in Düsseldorf. Beteiligt sich an
Goethes Preisaufgaben für bildende
Künstler, wo er 1799 zu den Preisträgern
gehört. Mitarbeiter an dem von Robert
Böninger finanzierten Mechanographi-
schen Institut in Düsseldorf, später in
Paris unter der künstlerischen Leitung
von Johann Peter von Langer (s. dort).
Briefwechsel mit Johann Wolfgang von
Goethe, den er mehrfach porträtierte;
seine Goethebildnisse sind vor Stielers
Goethe-Porträt berühmt geworden.
Sein Porträtstil vereinigt französische
Malkultur und Strenge mit Präzision
und Naturtreue.
Kolbe wird 1822 Professor an der neu
gegründeten Kunstakademie in Düssel-

dorf unter Cornelius. Doch kommt es
mit Wilhelm von Schadow zu Differenzen, weil man sich über künstlerische
Fragen nicht einigen kann. Kolbe legt
1831 sein Amt nieder.
Gesuchter, beliebter Porträtist, dessen
Ruf über das Rheinland weit hinausging.

143
Herr Troost, 1825

Bezeichnet unten links: Kolbe f 1825
Leinwand, 61 × 51,5 cm
Kunstmuseum Düsseldorf
Inv.Nr. 4390

Johann Abraham Troost
Elberfeld 1762 – 1840 Godesberg

Erfolgreicher Kaufmann; Begründer
des Handelshauses Abraham Troost &
Sohn, Elberfeld und Manchester. (I.
Markowitz 1969 vermutet, daß der Dargestellte nicht, wie überliefert, W.
Troost, sondern Johann Abraham
Troost ist.)
In zweiter Ehe verheiratet mit Marianne
Petronella Diederichs, vergleiche
Kat.Nr. 144.
Dieses Bildnispaar bezeugt den hohen
malerischen Rang dieses Künstlers, der
durch seine Goethe-Porträts in zahlrei-
chen Fassungen weiten Kreisen bekannt
geblieben ist. Unsere Porträts entstan-
den noch vor der Ankunft Wilhelm von
Schadows in Düsseldorf und beweisen,
daß Cornelius in seiner Toleranz in
künstlerischen Fragen Wilhelm von
Schadow mindestens ebenbürtig war.
Französische Malkultur und Sensibilität

für die Nuance charakterisieren dieses
Porträt eines erfolgreichen Handelsher-
ren aus dem Wuppertale. Im Vergleich
mit den Werken vom Freundeskreis um
Wilhelm von Schadow fällt die noble
Zurückhaltung der Farbgebung auf. Die
klassizistische Kühle wurde später durch
die Schadow-Schule in Düsseldorf zurückgedrängt.

Lit.: I. Markowitz 1969, S. 189, 190

144
Frau Troost, 1825

Bezeichnet auf der Rückseite: Kolbe f.
1825
Leinwand, 60,5 × 51,5 cm
Kunstmuseum Düsseldorf
Inv.Nr. 4391

Nach I. Markowitz 1969 Porträt Marianne Petronella Diederichs, Remscheid 1775 – ?.
Seit 1824 in erster Ehe verheiratet mit
Johann Abraham Troost, siehe Kat.Nr.
143; in zweiter Ehe mit Johann Böker
(identisch mit Johann Gottfried Böker
= John Godfrey Boker?), Weinhändler
aus Remscheid in New York, der mit
seiner Düsseldorf Gallery die Düsseldorfer Malerschule in Amerika vorgestellt hat, vergleiche R. L. Steele „The
Düsseldorf Gallery in New York", in:
Ausstellungskatalog The Hudson and
the Rhine, Düsseldorf 1976, S. 26–28.
Der bestickte Cashmere-Schal bringt einen farblichen Akzent in das auf noble
Grautöne abgestimmte Gemälde.

Lit.: I. Markowitz 1969, S. 190

145

Karl (Carl) Wilhelm Kolbe d. J.
Berlin 1781 – 1853 Berlin

Schüler von Chodowiecki. Seit 1815 ordentliches Mitglied der Berliner Akademie der Künste; 1830 ordentlicher Professor. Seit 1846 Mitglied des Akademischen Senats in Berlin.

Enge Beziehungen zu dem romantischen Dichterkreis um E. T. A. Hoffmann und Ludwig Tieck. Seine im romantischen Stil gemalten Geschichtsbil-
der sind für die Düsseldorfer Malerschule wegweisend geworden. In der
Farbgebung lichtet sich seine Palette
entschieden auf. Das Phänomen steht

wohl im Zusammenhang mit der Vorliebe für die altdeutsche Malerei, wie sie durch die Sammlung Boisserée breiten Kreisen bekanntgemacht worden ist. In den Jahren 1822 bis 1827 ist Karl Wilhelm Kolbe mit Entwürfen für die Fenster des Sommer-Remters der Marienburg beschäftigt. Weitere architekturbezogene Werke entstanden für die Vorhalle des Marmorpalais bei Potsdam, für das Berliner Schauspielhaus und für das Berliner Schloß.

145
Sturm der Polen auf die Marienburg, 1822

Leinwand auf Pappe, 52,5 × 39 cm
Staatliche Schlösser und Gärten, Schloß Charlottenburg, Berlin (Stiftung der Deutschen Klassenlotterie, 1968)
Inv.Nr. GK I 30 140

Vergleiche Karl Wilhelm Wach „Hermann von Salza und Kaiser Friedrich II.", Kat.Nr. 263.
Beide Gemälde gehören zu einem Zyklus von ursprünglich 10 Darstellungen der Geschichte des Deutschen Ordens. Im Zuge der Restaurierungsarbeiten an der Marienburg, die 1818/19 in Gang gesetzt wurden, haben Karl Wilhelm Kolbe und Karl Wilhelm Wach den Auftrag erhalten, Entwürfe für die obere Fensterreihe des Sommer-Remters zu liefern. Die heute wieder zerstörten Glasfenster wurden 1821–1827 nach Kohlekartons in Originalgröße durch den Berliner Glasmaler Heinrich Müller unter der Aufsicht von Karl Friedrich Schinkel angefertigt. Die hier gezeigten Bilder gehören zu den Wiederholungen, die für den Prinzen Friedrich von Preußen geschaffen worden sind. Zwei Bilder aus einem auch hierzu gehörigen Zyklus befinden sich heute in der Nationalgalerie Berlin, Staatliche Museen Preußischer Kulturbesitz.

1410 hatte der Deutsche Orden in der Schlacht bei Tannenberg eine Niederlage erlitten. Polen und Litauer stürmten die Marienburg, die von dem Hochmeister Heinrich von Plauen (oben links) erfolgreich abgeschlagen wurden. Historienbilder wie diese wirken in Düsseldorf in den Heltorfer Fresken nach: Heinrich Mücke „Unterwerfung der Mailänder", Kat.Nr. 169 sowie C. F. Lessing und Plüddemann „Die Erstürmung von Ikonium".
Zu dem ganzen Zyklus, der nach den Glasfenstern für die Marienburg entstanden ist, vergleiche H. Börsch-Supan 1975.

Lit.: H. Börsch-Supan 1975, Nr. 69

Johann Christian Kröner
Rinteln (Weser) 1838 – 1911 Düsseldorf

Zunächst Dekorationsmaler im väterlichen Geschäft. Als Künstler Autodidakt. 1861 in München und Brannenburg am Inn. Hier lernt er die dort ansässigen Maler kennen, unter anderem C. Irmer, W. Busch, J. Rollmann und L. H. Becker.
1862 wieder in Rinteln. Ludolf von Münchhausen unterstützt ihn in seiner Entwicklung zum Tier- und Jagdmaler. Seit 1863 in Düsseldorf.
Hier ist er befreundet mit A. Baur, Eugène Dücker und Carl Irmer. 1885 Mitglied der Berliner Akademie; 1893 mit dem Professorentitel ausgezeichnet. Wiederholte Studienreisen in den Harz (seit 1870), an die Nordsee (1872, 1877), nach München und dem Salzkammergut. Jährlicher Aufenthalt im Teutoburger Wald und seit 1901 im Hunsrück.
Der bekannteste Tier- und Jagdmaler der Düsseldorfer Malerschule.

146
Landschaft, um 1885–90

Bezeichnet unten rechts: Ch. Kröner Dü
Leinwand auf Pappe, 37 × 64 cm
Kunstmuseum Düsseldorf
Inv.Nr. 4168

Harzlandschaft, im Hintergrund der Regenstein.
Die weiträumige Landschaft hat in Düsseldorf Tradition, vergleiche C. F. Lessing „Belagerung", Kat.Nr. 163 und „Die beiden Jäger", Kat.Nr. 161 sowie Heunert, „Deutsche Landschaft", Kat.Nr. 101. Entsprechend der späten Stilstufe in der künstlerischen Entwicklung in Düsseldorf, vergleiche Dücker „Strandlandschaft", Kat.Nr. 66, wird hier Landschaft mit sparsamsten Mitteln formal und farblich dargestellt. Christian Kröner ist durch seine Landschaftsbilder mit „Röhrenden Hirschen" berühmt geworden, ein Ruf, der heute noch mit seinem Namen in Verbindung gebracht wird. Die hohe Malkultur und die französischen Einflüsse, vor allem der Schule von Barbizon, die in diesem Werk nachweisbar sind, gerieten darüber in Vergessenheit. Seine reinen Landschaften lassen ein großes Talent erkennen, das in seinen großen, offiziell gefeierten Bildern nur selten bestimmend durchdringt.

Lit.: I. Markowitz 1969, S. 194

147
Walkenried, 1889

Bezeichnet unten rechts: Ch. Kröner. 89
Holz, 18 × 27 cm
Kunstmuseum Düsseldorf
Inv.Nr. 4405

Blick auf Walkenried. Rechts im Vordergrund ein Maler hinter einem Sonnenschirm. Links eine nicht gedeutete

Frauenfigur. Am Horizont, halb von einer Wolkenbank verdeckt, der Mond. Eine weiträumige Landschaft, in der Wald und Wiesenbestände abwechseln. In der Bildmitte der Ort Walkenried, rechts daneben die Ruinen der ehemaligen Zisterzienser Abtei-Kirche Walkenried.
Vergleiche die vorhergehende Katalognummer.

Lit.: I. Markowitz 1969, S. 193; Christian Kröner, Sein Leben und Schaffen, 1972, Werkverzeichnis Nr. 355

Farbtafel XII

146

147

148
Aus dem Teutoburger Wald, 1890

Bezeichnet unten rechts: Ch. Kröner D 90
Leinwand, 35 × 46 cm
Kunstmuseum Düsseldorf
Inv.Nr. 4409

Die topographische Bestimmung gelang I. Markowitz 1969: Höhenweg im Teutoburger Wald in der Gemarkung Horn. Blick nach Westen vom Holzhauser Berg, links die sogenannte Vogeltaufe. Rechts die Grotenburg mit dem Hermannsdenkmal. Spaziergänger im hellen Sonnenlicht, die als Farb- und Formwert kaum in Erscheinung treten, die ganz in die weite, leere Landschaft eingebunden sind, vergleiche die vorhergehenden Katalognummern.

Lit.: I. Markowitz 1969, S. 93, 94; Christian Kröner, Sein Leben und Schaffen, 1972, Werkverzeichnis Nr. 356

148

Johann Peter von Langer
Kalkum 1756 – 1824 München

Studium an der kurfürstlichen Kunstakademie in Düsseldorf bei Lambert Krahe. 1784 wird er in München vom Kurfürsten Karl Theodor zum Professor der Düsseldorfer Akademie ernannt. In den 1780er Jahren Studienreisen nach Holland. Wurde 1790 nach Krahes Tod Direktor der Düsseldorfer Akademie. 1794 nach der Beschießung Düsseldorfs durch die Franzosen floh von Langer nach Duisburg, wo er zusammen mit dem Kaufmann Johann Böninger ein mechanographisches Institut gründete, das 1798 nach Düsseldorf und 1801 nach Paris verlegt wurde. 1801 trennt sich von Langer von Böninger. 1801 wird Langer zum Galeriedirektor der Düsseldorfer Gemäldegalerie ernannt. Bei der dritten Auslagerung der Gemäldesammlung 1805 erhielt von Langer den Bescheid, den nach München ausgelagerten Gemälden zu folgen. In München wurde er 1806 zum Direktor einer neu zu errichtenden Akademie ernannt. 1822 kommt von Langer zum ersten Mal nach Italien.

In der Tradition des Barock erzogen, findet er in seinem Werk den Weg zu einer klassizistischen Kunstweise.

149
Katharina Elisabeth Böninger, 1795

Bezeichnet unten links: J. P. Langer / D. 1795
Leinwand, 125 × 93 cm
Familie Böninger, Duisburg

Dargestellt ist Katharina (auch Catharina) Elisabeth Böninger, geb. Carstanjen (Duisburg 9. 4. 1769 – 29. 12. 1858 Duisburg);
heiratet am 16. 8. 1791 in Duisburg C. Arnold Böninger (1764–1825).
Das Porträt entstand 1795, als Johann Peter von Langer vor den Kriegswirren der französischen Revolution von Düsseldorf nach Duisburg geflohen war. Dort fand Langer Unterstützung bei der vermögenden Familie Böninger. Von diesem Damenbildnis und dem Porträt der Schwiegermutter der Dargestellten ist nicht mit Sicherheit überliefert, ob es sich um Auftragswerke der Familie Böninger handelte, oder ob es Dankesbezeugungen des Künstlers an die Familie waren.
Auf jeden Fall hat Langer Johann Böninger, den Schwager der hier Porträtierten (1756–1810) dafür gewinnen können, eine fabrikmäßige Herstellung von Gemälden zu planen. Beispiele dieser Kunstprodukte wurden auch 1797 an

Goethe nach Weimar gesandt. Diese mechanographischen Gemälde haben in dem Briefwechsel zwischen Goethe und Schiller ihren Niederschlag gefunden. Noch ehe die Herstellung der Gemälde finanziell Gewinn bringen konnte, wurde das Unternehmen 1798 nach Düsseldorf verlegt. Heinrich Christoph Kolbe unterzeichnet 1798 einen 10-Jahres-Vertrag mit der Firma. Im Jahre 1801 hat Böninger seine mechanographische Fabrik nach Paris verlegt. In Paris kam es im Sommer 1803 zum Zusammenbruch des Geschäftes.

Langer steht mit diesem Gemälde in der Tradition der Porträtkunst, wie sie van Dyck europäisch gültig geprägt hatte und wie sie im 18. Jahrhundert von der Künstlerfamilie Tischbein ins Zeitgemäße, am Klassizismus orientiert, verwandelt wurde (Tischbein, die Lautenspielerin, 1786; Gottlieb Schick, Frau Danecker, 1802). Der strenge Aufbau, der steife Kontur entspricht dem neuen Gestaltungswillen, wie er im frühen 19. Jahrhundert für die Nazarener vorbildlich wird.

150

Lit.: (Max Stern) Johann Peter Langer, sein Leben und sein Werk, Forschungen zur Kunstgeschichte Westeuropas, Bd 9, Bonn 1930, Nr. 312

Simon Marcus Larson
Örsätter 1825 – 1864 London

Geboren in Östergötland. Nach einer Sattlerlehre studierte er an der Kunstakademie in Stockholm, anschließend bei dem Marinemaler Wilhelm Melbye in Kopenhagen. 1851 Studien in Norwegen, 1852–55 besuchte er in Düsseldorf das Atelier von Andreas Achenbach als dessen Schüler. Die Sommermonate verbrachte er jedoch in seiner Heimat. 1855–56 in Paris, wo besonders die Begegnung mit den Gemälden Ruisdaels für seine weitere Entwicklung als Künstler von Bedeutung war. Nach zwei Jahren in Schweden begab er sich erneut auf Reisen, zuerst nach Finnland – u. a. besuchte er Borga als Runnebergs Gast – dann nach St. Petersburg. Von Rußland reiste er weiter über Düsseldorf nach England, um dort an der Weltausstellung in London 1862 teilzunehmen. Im Januar 1864 starb er dort. Er war überwiegend Marinemaler, führte aber auch Porträts aus und, in Zusammenarbeit mit z. B. Zoll, auch Genrebilder.

150
Sturm an der Küste von Bohuslän, 1857

Bezeichnet unten rechts: M. Larson. 1857
Leinwand, 40 × 52 cm
Nationalmuseum Stockholm (Vermächtnis von König Karl XV., 1872)
Inv.Nr. NM 1215

Das Gemälde steht in der Tradition der Seesturm- und Weltuntergangs-Darstellungen, vergleiche Andreas Achenbach, Kat.Nr. 2. Wiederholung eines Bildgedankens von 1853 „Schiffbruch an der schwedischen Küste". Damals hatte Kilian Zoll die Staffagefiguren gemalt. Das Bildthema hat Larson mehrfach wiederholt und dabei das Format vergrößert und den Aufruhr in der Natur gesteigert. Die große Fassung (ca. 300 × 540 cm) aus dem Jahre 1857, die in Europa in verschiedenen Städten gezeigt wurde, hat den Künstler berühmt gemacht.

Was dieses Bild besonders kennzeichnet, ist die Gewalt der entfesselten Naturkräfte, in der die Menschen und ihr Werk winzig, hilflos und gefährdet sind. Im Vordergrund ein gestrandeter Segler, rechts an der Felsküste wild agierend die um Bergung bemühten Menschen im Gischt des Meeres. Das winzige Rettungsboot neben dem gestrandeten Segler macht für den Betrachter die Aus-

152

sichtslosigkeit des Rettungs-Unternehmens deutlich.

„Hauptcharakter in Larsons Künstlerschaft ist eine wilde, ab und zu unbändige, doch immer großartige Kraft, die den Beschauer unwiderstehlich mitreißt, gleichzeitig Bewunderung und Verwunderung erweckend. Er gehört keiner Schule an, keiner Manier; er kennt keinen anderen Lehrmeister als die Natur, deren Spuren er auch folgt, fast ebenso unermüdlich wie sie selbst." (August Blanche, 1857 in Illustr. Tidning, zitiert auch im Ausstellungskatalog „Düsseldorf und der Norden" Kat.Nr. 112.)

Lit.: Kat. Stockholm 1952, S. 89; Düsseldorf und der Norden 1976, Nr. 112

Johann Adolf Lasinsky
Simmern 1808 – 1871 Düsseldorf

Besucht die Düsseldorfer Kunstakademie von 1827 bis 1836. Seit 1832 in der ersten Klasse bei Wilhelm von Schadow.

Als Landschafter wird ihm von Schirmer ein „ausgezeichnetes Talent" bestätigt. 1834 weilt er in Berlin. Gemeinsame Wanderungen mit Lessing und Schirmer durch die Eifel. Verläßt 1837 Düsseldorf und wird zunächst in Koblenz, und später, seit 1843, in Köln tätig. Seit 1854 wieder in Düsseldorf.
Die realistische Auffassung seiner Landschaften ist das Ergebnis eines intensiven Naturstudiums, auf das Lessing und Schirmer ihn mit Nachdruck hingewiesen haben.

151
Erker am alten Rathaus zu Koblenz, 1830

Bezeichnet unten links: A. Lasinsky 1830
Leinwand, 63 × 46 cm
Kunstmuseum Düsseldorf (Geschenk Andreas Achenbach, Düsseldorf 1883)
Inv.Nr. 4068

Ehemaliges Schöffenhaus in Koblenz, von der Moselseite aus gesehen, 1528–30 unter Kurfürst Richard von Greiffenklau für die Koblenzer Schöffen errichtet. Lasinsky hält den Bauzustand von 1830 fest. In der Brüstung des Erkers zwei Wappenschilde: links das Wappen des Kurfürsten Richard von Greiffenklau, rechts die Schöffenrose. Rechts anschließend das ehemalige städtische Kauf- und Tanz-Haus und spätere Rathaus. Nach der Zerstörung 1944 von 1962–65 für die Anlage des Mittelrhein-Museums wieder aufgebaut.
Lasinsky erweist sich mit diesem nahsichtig und realistisch gesehenen Gemälde als ein getreuer Schüler Johann Wilhelm Schirmers, der seine Studenten entschieden auf die Bedeutung hinwies, das Gesehene realistisch zur Darstellung zu bringen, vergleiche die Architekturstudie vom Altenberger Dom des Schirmer-Schülers Henning, Kat.Nr. 99, aber auch die getreue Abschilderung der „Alten Akademie in Düsseldorf" von Andreas Achenbach aus dem Jahre 1831, siehe Kat.Nr. 1.
In der Farbgebung dem Vorbild Lessings verpflichtet, vergleiche „Felsenschloß", Kat.Nr. 153.

Lit.: I. Markowitz 1969, S. 198, 199

152
Dorf am Gebirgssee, 1843

Bezeichnet unten rechts: Joh. A. Lasinsky 43
Pappe auf Holz, 46 × 65,5 cm
Kunstmuseum Düsseldorf
Inv.Nr. 4351

I. Markowitz 1969 gelang die topographische Bestimmung: St. Wolfgang am Abersee, Salzkammergut (von Nordwesten), von dem heutigen Calvarienberg aus mit Blick auf Rettenkogel, Rinnkogel und Sparber. Im Gegensatz zum „Erker am alten Rathaus zu Koblenz",

Kat.Nr. 151, malerisch frei und offen. Der Blick in die weite Landschaft hat in Düsseldorf Tradition, vergleiche C. F. Lessing „Zwei Jäger", Kat.Nr. 161 und später „Die Belagerung", Kat.Nr. 163, aber auch Heunert „Deutsche Landschaft", Kat.Nr. 101.

Die weite lichtdurchflutete Landschaft, in der waldige Schattenpartien mit hellen Fernen abwechseln, ist frei von den in Düsseldorf so lange festgehaltenen graphischen Elementen, für deren Überwindung Schirmer das wegweisende Vorbild war, vergleiche Schirmer „Alpenlandschaft", Kat.Nr. 231.

Lit.: I. Markowitz 1969, S. 199

Carl Friedrich Lessing
Breslau 1808 – 1880 Karlsruhe

Großneffe von Gotthold Ephraim Lessing (1729–81). Kurzes Architekturstudium in Berlin; dort schon wechselte er zur Landschaftsmalerei über und lernte durch C. F. Sohn Wilhelm von Schadow kennen, dem er 1826 nach Düsseldorf folgte. 1829/30 malt Lessing sein Fresko „Die Schlacht bei Ikonium" in Schloß Heltorf. Seit dem Jahre 1833 ist er in der Meisterklasse der Düsseldorf Akademie bis 1843; vom Beginn seiner Studien in Düsseldorf an wird seine Anlage als „sehr groß" beschrieben; schon 1830/31 findet sich in den Schülerlisten die Bemerkung: „Ein schon in größerem Kreise anerkannter Künstler, vielleicht das bedeutendste Talent unserer Zeit". Aus seinen Naturstudien, die er auf Wanderungen in der näheren und weiteren Umgebung Düsseldorfs schuf, entstanden zunächst reine Landschaftsbilder. Unter dem bestimmenden Einfluß von Wilhelm von Schadow malte er seine ersten Historien. Lessing gilt als Erfinder der historischen Landschaften. Seine historischen Ereignisbilder aus dem Leben des Hus und Luther fanden sowohl begeisterte Zustimmung als

153

auch entschiedene Ablehnung. Ohne dem Kollegium der Akademie anzugehören, hatte Lessing nachhaltigen Einfluß auf die Schüler der Akademie.

1858 folgte er einem Ruf nach Karlsruhe, wo er Galeriedirektor wird. In Karlsruhe wird ihm auch die Nachfolge Johann Wilhelm Schirmers, des Direktors der Kunstakademie übertragen, ein Amt, das er nur bis zum Jahre 1866 ausübt.

153
Felsenschloß, 1828

Bezeichnet unten in der Mitte: C. F. L.
Leinwand, 138 × 194 cm
Kunstmuseum Düsseldorf (Leihgabe Nationalgalerie, Staatliche Museen Preußischer Kulturbesitz, Berlin)
Inv.Nr. 231

Lessing steht mit dieser Landschaftskomposition im Banne der großen Vorbilder von Karl Friedrich Schinkel, vergleiche z. B. Kat.Nr. 224.

Auftragswerk für Konsul Wagener, Berlin, mit dessen Sammlung es in die Nationalgalerie gelangte. Naturvorbilder lassen sich im Ahrtal ähnlich finden; hier dramatisch überhöht und ins Phantastische entrückt. I. Markowitz weist auf die literarische Anregung durch Walter Scotts Romane „Abt", „Kloster" und „Schloß Lochleven" hin.

Eine zugehörige Farbenskizze im Besitz des Kurpfälzischen Museums, Heidelberg, die früher Wallis zugeschrieben wurde, hat I. Markowitz (mündliche Mitteilung noch vor der Publikation) als eigenhändige Arbeit Lessings bestimmt.

Romantische Stimmungsträger: die den Bergsee umgebende Waldlandschaft, Felsenschloß als Wasserburg mit Zugbrücke, steil in den Himmel ragend, ein

154

Ruderboot mit roter Fahne, die auf dem Zinnenkranz des Rundturms wiederholt wird, die Szenerie von der tiefstehenden Sonne beleuchtet, fügt Lessing zu einer großartigen „Landschaft des Rittertums" zusammen, vergleiche die Bilderfindungen von Schinkel, z. B. „Blick in Griechenlands Blüte", 1825 (Schinkel-Museum, Berlin, seit 1945 verschollen).
Lit.: I. Markowitz 1969, S. 200–202; Berlin 1976, S. 230

154
Klosterhof im Schnee, 1830

Leinwand, 61 × 75 cm
Wallraf-Richartz-Museum, Köln (Vermächtnis des Erzbischofs Ferdinand August Graf Spiegel zum Desenberg, 1835)
Inv.Nr. 1944

Goethe hat die Komposition in dieser oder einer anderen Fassung gekannt.

Friedrich Förster (1791–1868) hat ein 1825 datiertes Gespräch mit Goethe überliefert, das seit 1873 publiziert ist: „Da hat mir", sagte Goethe, „ein junger Maler aus Berlin, dessen Name ihn schon zu Anstrengungen für eine bedeutende Zukunft auffordert – er unterzeichnet sich Lessing – eine Landschaft mit einer Staffage zugesandt, welche ein entschiedenes Talent verrät, für poetische Erfindung wie für Composition und Ausführung, und dennoch befinde ich mich mit dem Künstler ebensowenig, wie mit seinem Gemälde in Übereinstimmung. Weshalb verlassen wir unsere enge Studierzelle oder den lärmenden Gesellschaftssaal und eilen aus dem dumpfen Gewühle der Stadt vor das Tor hinaus ins Freie? Wir suchen Erholung, Erheiterung, wollen einen frischen Atemzug tun. Wohin führt uns nun aber Ihr Berliner Maler? In eine Winterlandschaft und nicht etwa in eine jener heitern holländischen, wo wir Damen und Herren

sich lustig auf spiegelglatter Eisfläche schlittschuhlaufend umhertummeln sehen – o ich selbst war zu meiner Zeit ein tüchtiger Schlittschuhläufer! – nein, hier führt uns der Maler in eine Winterlandschaft, in welcher ihm Eis und Schnee noch nicht genug zu sein scheint; er überbietet, oder wir können sagen, er überwintert den Winter noch durch die widerwärtigsten Zugaben. Da sehen Sie: einen in warmen Tagen uns mit einem kühlen Labetrunk versorgenden Brunnen, aus dessen Löwen- oder Drachenrachen das festgefrorene Wasser wie eine Zunge von Eis heraushängt, fest an den Boden angefroren. Dann weiter: dunkle Tannen, deren Zweige unter der Last des Schnees brechen; ich sehe sie lieber auf dem Weihnachtstische mit hellen Lichtern besteckt, von frohen Kindergesichtern umgeben. Und nun die Staffage: ein Zug von Mönchen, noch dazu Barfüßer, im Schnee, giebt einem abgeschiedenen Bruder, der im Sarge liegend auf schwarzbehangener Bahre nach der Gruft in einem verfallenen Kloster getragen wird, das Geleit. – Das sind ja lauter Negationen des Lebens, und der freundlichen Gewohnheit des Daseins, um mich meiner eigenen Worte zu bedienen. Zuerst also die erstorbene Natur, Winterlandschaft; den Winter statuiere ich nicht; dann ein Kloster, zwar ein verfallenes, allein Klöster statuiere ich nicht; und nun zuletzt, nun vollends noch ein Toter, eine Leiche; den Tod aber statuiere ich nicht."
Lessings eindringliche Hinweise auf den Tod in allen Erscheinungsformen sind von den Zeitgenossen als bekenntnishaftes Werk in der Nachfolge C. D. Friedrichs und C. Blechens, vergleiche „Klosterhof", Kat.Nr. 34, erkannt und gewürdigt worden. Schon bei der ersten Ausstellung in Berlin 1830 erregte die Komposition Aufsehen und machte auf den jungen Künstler aufmerksam. Vergleiche die Variante des Bildgedankens bei Albert Bierstadt „Licht und Schatten", Kat.Nr. 30.
Lit.: Köln 1964, S. 78; The Hudson and the Rhine, Düsseldorf 1976, Nr. 83

155
Das trauernde Königspaar, 1830

Bezeichnet unten rechts: C. F. L. 30
Leinwand, 206 × 189 cm
Staatliche Ermitage, Leningrad
Inv.Nr. 4778.

Die Inspirationsquelle für Lessing war wohl Uhlands Romanze „Schloß am Meer", 1805; in der letzten Strophe finden sich die Verse:
„Wohl sah ich die Eltern beide,
Ohne der Kronen Licht,
Im schwarzen Trauerkleide;
Die Jungfrau sah ich nicht,"
obwohl diese Beziehung von Lessing selbst abgelehnt worden ist (vgl. Üchtritz 1839, S. 326, 327).
Das Gemälde war ein Auftragswerk des Preußischen Kunstvereins, Berlin 1828. Erstling einer ganzen Reihe von Kompositionen mit trauernden Figuren. Der Erfolg und die Resonanz dieses Bildes waren für E. Bendemann Anlaß zu seinen „Trauernden Juden im Exil", Kat.Nr. 25. Die Konzentration auf zwei Figuren, die in Haltung und Gestus miteinander korrespondieren, auf einer flachen Vordergrundbühne, die nur rechts den Blick aufs Meer durch ein Fenster freigibt, intensiviert die gedrückte melancholische Stimmung. Das Motiv der gebeugt Sitzenden wird im Gemälde wiederholt in den das Gewölbe tragenden Kapitellfiguren. Zur Interpretation des Bildes darf die Marienfigur (?) mit den betenden Händen nicht übersehen werden. Nur sie blickt gläubig nach oben, während das Königspaar, Haupt und Blick gesenkt, sich von dieser Welt abgewandt hat. Tod, Trauer, Resignation und Erstarrung werden hier vorgestellt. Aus dem Gegensatz von lebenden Figuren und steinernem Mauerwerk resultiert die Intensität der Aussage.
Karl Immermann notierte 1830 unter dem Eindruck dieses Gemäldes:
„Lessing scheint von der Natur für die Darstellung des tief Bedeutsamen und Erhabenen vorzüglich berufen zu sein. Seine Entwürfe, Zeichnungen und Bilder offenbaren einen hohen Ernst. . . . In der Historie greift er nach kräftigen, herrischen Szenen, nach Momenten eines titanenhaften Zustandes. . . . Gestalten, Stellung und Faltenwurf deuten auf eine Heldenzeit. Es ist eine untergegangene, größere Welt, die in diesem Bilde sich spiegelt."

Lit.: Ausstellungs-Katalog: Deutsche Romantik, Staatliche Museen zu Berlin, National-Galerie Berlin (DDR) 1965, Nr. 127

156
Der Räuber und sein Kind, 1832

Bezeichnet in der unteren Mitte: C. F. L. 1832
Leinwand, 42 × 50 cm
Philadelphia Museum of Art, Philadelphia, W. P. Wilstach Collection
Inv.Nr. W' 93-1-65

Für den Künstlerfreund Carl Ferdinand Sohn als Geschenk gemalt.
Das Bildthema des einsamen Menschen – hier ein Räuber – in der Düsseldorfer Schule um 1830 ein vielfach variierter Bildgedanke. Lessings „Trauerndes Königspaar", 1830 (Ermitage Leningrad) war ein viel beachteter Erstling in dieser Reihe; vergleiche die Paraphrase von Hildebrandt „Der Räuber", 1829 (National-Galerie, Berlin, DDR) und „Der Krieger und sein Kind", 1832, Kat.Nr. 102. Im Gegensatz zu Hildebrandt hier Vater und Sohn vor und in der Natur gezeigt. An einem Steilabhang sitzt der Räuber und hat das Haupt in seine rechte Hand gestützt. Seine linke ruht schützend auf der Schulter des eingeschlafenen Knaben. Nachsinnend blickt er in den Abgrund zu seinen Füßen.

Die Bilderfindung hat Bötticher für das Jahr 1832 zweimal nachgewiesen. Möglicherweise existierten ursprünglich drei Fassungen. In dem Bildthema hat Lessing die pittoresken Züge herausgearbeitet.

Lit.: Sammlungskatalog: Wilstach Collection, catalogue Philadelphia 1913

157
Kreuzritters Heimkehr, 1835

Bezeichnet unten in der Mitte: C. F. L. July 1835
Leinwand, 64 × 66 cm
Rheinisches Landesmuseum, Bonn
Inv.Nr. 67.283

Der 1198 im dritten Kreuzzug gegründete Deutsche Orden war der jüngste der im Heiligen Land entstandenen drei großen geistlichen Ritterorden. Der weiße Mantel mit dem schwarzen Kreuz war die Kleidung und führte zum Namen „Kreuzritter".
Das Thema „Kreuzritters Heimkehr" ist auch in der Literatur geläufig, vergleiche Karl Immermanns Gedicht aus dem Jahre 1826 (nach Walter Scott).
Für die Landschaft griff Lessing auf Studien und Notizen zurück, die er auf gemeinsamen Wanderungen mit Schirmer in der Eifel gemacht hatte. Eine seelische Stimmung findet im historischen Gewand eine bildliche Gestalt. Kein bestimmbares historisches Ereignis wird geschildert, sondern die Trauer, Resignation und Niedergeschlagenheit, wie sie in der Gestalt des Kreuzritters bis in die Details zum Ausdruck kommt, vergleiche Bendemann „Trauernde Juden im Exil", Kat.Nr. 25. Das Thema des Kreuzfahrers hat Lessing mehrfach beschäftigt, vergleiche Hans-Joachim Ziemke, Die Gemälde des 19. Jahrhunderts, Frankfurt 1972, S. 190, 191.
Das Bild stellt im Schaffen Lessings eine

156

wichtige Entwicklungsstufe dar. Die Staffagefigur wird nicht der Landschaft untergeordnet, sondern die Landschaftsstimmung kulminiert in der Gestalt des erschöpft und müde heimkehrenden Ritters und führt weiter zu dem Gemälde „Belagerung", Kat.Nr. 163.

Lit.: Paris 1976/77, Nr. 132; Kat. Bonn 1977, Nr. 89

158
Waldlandschaft, 1836

Bezeichnet unten rechts: C F L 1836
Leinwand, 42 × 57 cm
Muzeum Narodowe w Poznaniu, Poznań
Inv.Nr. MNP Mo 1101

158

Deutsche Waldlandschaft, möglicherweise inspiriert durch Studienreisen Lessings im Solling und im Harz, 1836.
Bei einer tausendjährigen Eiche kniet ein Ritter und eine Edeldame, am Waldbach im Vordergrund rasten die Pferde. Nach V. Leuschner sind hier Walter und Hildegunde dargestellt. Das Thema des Ritterpaares auf der Flucht auch in der Literatur geläufig, vergleiche Ludwig Tieck „Die schöne Magelone" (1797), oder auch das mittelhochdeutsche Walthari-Lied „Walter und Hildegunde".
Eine Wiederholung des Bildgedankens im größeren Format aus dem Jahre 1837 befindet sich im Städelschen Kunstinstitut, Frankfurt.
Im Bildaufbau und in der Natursicht wirken die Einflüsse von Blechen nach, vergleiche Paul Ortwin Rave, Karl Blechen, Berlin 1940, Nr. 1901–1934.
Die Waldlandschaft mit den Augen eines Bühnenbildners gesehen, Andacht im Walde. Ein frühes Beispiel der Begeisterung für den deutschen Wald, die in der Malerei wie in der Literatur die spätromantischen Künstler zu zahlreichen Werken inspiriert hat. Der Pariser Katalog „La peinture allemande à l'époque

du Romantisme", Paris 1976, verweist nachdrücklich auf die Vorbildlichkeit von Schinkel, Blechen und Ruisdael für Lessings Bilderfindung, die in den Werken von Adrian Ludwig Richter „Abendandacht", 1842 (Museum der bildenden Künste, Leipzig) und Moritz von Schwind „Einsiedler führt Rosse zur Tränke", um 1850 (Bayerische Staatsgemäldesammlungen, Schack-Galerie, München) Nachfolge gefunden hat.

Lit.: Paris 1976/77, Nr. 133

159
Hussitenpredigt, 1836

Bezeichnet unten Mitte: C. F. L. 1836
Leinwand, 230 × 290 cm
Kunstmuseum Düsseldorf (Leihgabe der Nationalgalerie, Staatliche Museen Preußischer Kulturbesitz, Berlin)
Inv.Nr. 228

Nach dem Tode des Reformators Jan (Johann) Hus, der auf dem Konzil zu Konstanz 1415 verbrannt und dessen Lehren verworfen wurden, erhoben sich unter der Herrschaft Kaiser Sigismunds (1419–1437) in Böhmen die Ritter, Bauern und Kleinbürger. Sie wollten der Lehre des Hus mit Gewalt zum Sieg verhelfen. Zunächst erwarteten sie völlig fanatisiert das nahe Weltende (daher Ablehnung der Monarchie überhaupt und jeder bürgerlichen Ordnung). In den Hussitenkriegen ist auch ein national-tschechisches Element zu erkennen, das von hier an bis zur Gründung des tschechischen Staates im Jahre 1918 unter der Oberfläche immer latent virulent geblieben war. Für Lessing als Nachfahre von Hussiten hatte das Thema einen besonderen, geradezu konfessionellen Charakter.
Im Zentrum der Komposition steht der Prediger. Mit fanatischem Gesichtsausdruck und weit ausfahrendem Gestus hebt er den Kelch als Hinweis auf die Forderung nach dem Abendmahl in bei-

393

159

derlei Gestalt hoch über die andächtig lauschende Menge wie ein Fanal empor. Im Gesichtsausdruck und Gestus der gläubigen Zuhörer spiegeln sich die Reaktionen auf die Hussitenpredigt wider. Lessing hat hier für verschiedene Seelenstimmungen charakteristische und überzeugende Formulierungen gefunden; gerade im Unterschied der Temperamente werden die gegensätzlich aufgefaßten Figuren zu einer Einheit zusammengebunden. Dabei reicht die Charakterisierung vom gläubigen Zuhören des Kindes im Vordergrund bis zum heftig Gestikulierenden in dem hellen Gewand links oder auch bis zu dem fanatisch die ganze Szene überblickenden Mann, der sich rechts an den Baum lehnt. In diesem Gemälde sind verschiedene Elemente der Hochrenaissance (Raffael und Andrea del Sarto) und der frühen Niederländer (Hugo van der Goes) zu einer Einheit verschmolzen.

Bei I. Markowitz 1969 findet sich die Aufschlüsselung der von Lessing in diesem Werk porträtierten Malerfreunde: „Schirmer für den Reiter links, August Becker für den reichgekleideten Betenden rechts, Hildebrandt für den Knienden mit dem Schwerte links und den Krieger mit Helm und Lanze, Emil Ebers vermutlich für den Knienden mit verbundenem Auge links."

Die Einflüsse der Bühne sind im Aufbau und in der Lichtregie spürbar: schmale Vordergrundbühne mit Figuren, der

160

Hintergrund wird kulissenartig durch die Baumstämme verstellt. Im Hintergrund als Hinweis auf den anarchischen Charakter der Hussitenkriege das brennende Kloster. Der von Schadow geforderte Modellrealismus kommt im sorgfältig studierten und ausgeführten Detail der Kostüme zum Ausdruck.

Bei der zu den Bildrändern abebbenden psychischen Bewegung führt Lessing durch Parallelismen den Betrachter immer wieder auf das Zentrum des Bildes, den Prediger, zurück. Die Bewegung im Bild wird unterstrichen durch die Fülle an psychologisierenden Beobachtungen, die dem Bild einen ernsten Charakter verleihen. Mit dem formalen Rückgriff auf Raffaels „Transfiguration" verbindet sich auch eine inhaltliche Allusion, die den besonderen historischen und kunsthistorischen Rang des Bildes verdeutlicht. Im Werk Lessings ist dies Gemälde ein Erstling einer ganzen Reihe von Darstellungen aus der Kirchengeschichte, vornehmlich dem Zeitalter der Reformation. Die in Düsseldorf bis in das 20. Jahrhundert hinein gepflegte Historienmalerei orientiert sich an diesem Epoche machenden Bild Lessings, vergleiche A. Rethel „Sturz der Irminsul", Kat.Nr. 193, „Einzug Karls des Großen in Pavia", Kat.Nr. 194 sowie P. Janssen „Gebet der Schweizer vor der Schlacht bei Sempach", Kat.Nr. 120 und E. v. Gebhardt „Auferweckung des Lazarus", Kat.Nr. 77.

Lit.: I. Markowitz 1969, S. 203–206; Berlin 1976, S. 230, 231; Markowitz/Andree 1977, Nr. 17

160
Gefangennahme des Papstes Paschalis II., 1840

Bezeichnet unten links: C. F. L. 1840.
Leinwand, 59 × 97,5 cm
Von der Heydt-Museum, Wuppertal
(Geschenk der Erben Wilhelm Boeddinghaus, 1907)
Inv.Nr. G 103

Papst Paschalis II., gestorben 1118.
Kaiser Heinrich V. (1081–1125, seit 1106 Römisch-Deutscher Kaiser).
Papst Paschalis II. und Kaiser Heinrich V. hatten im Jahre 1111 einen Vertrag geschlossen, nach dem der Kaiser auf das Recht der Investitur der Bischöfe verzichten sollte. Die Kirche sollte alle von

161

den Königen verliehenen Rechte und Güter zurückgeben; dieser Vertrag scheiterte am Widerspruch der Fürsten, der Kaiser nahm den Papst gefangen und zwang ihn zum Frieden von Ponte Mammolo (April 1111). In diesem Vertrag gesteht Paschalis II. dem Kaiser die Investitur als besonderes Privileg zu und gelobt, ihn nicht zu bannen. Der Papst widerruft 1112 die Privilegien; nachgeordnete Instanzen bannen den Kaiser.

Der Kampf zwischen Kaiser und Papst endet in umgrenzten kirchenpolitischen Regelungen, dabei verliert das Kaisertum sein Charisma, das Papsttum ge-

winnt universale Autorität. Der Klerus schließt sich in seiner Sonderstellung ein und kapselt sich ab durch das vollständige Zölibat. In den Städten wächst der Laien-Einfluß: Anteil der Bürgergemeinden an Pfarrerwahl und Kirchenverwaltung, zunehmende Bedeutung der Predigt, Anfang von Ketzergruppen. Diese historische Konstellation war Ausgangspunkt für den von Lessing bevorzugten Themenkreis der Reformation, die Hus- und Luther-Bilder, vergleiche „Hussitenpredigt", Kat.Nr. 159.

Die Hinwendung zum rein figuralen Hi-

storienbild ist auf den Einfluß Wilhelm von Schadows zurückzuführen.

Für Friedrich Wilhelm IV., König von Preußen, entstand 1854/58 eine veränderte Wiederholung mit lebensgroßen Figuren (heute Staatliche Schlösser und Gärten, Potsdam).

Lit.: Kat. Wuppertal 1974, Nr. 103; The Hudson and the Rhine, Düsseldorf 1976, Nr. 84

Farbtafel XIV

161
Zwei Jäger, 1841

Bezeichnet unten rechts: C F L 1841
April
Holz, 30 × 38 cm
Kunstmuseum Düsseldorf
Inv.Nr. 4333

Im Vordergrund links hat sich der
Künstler zusammen mit seinem nur wenig älteren Malerkollegen Johann Wilhelm Schirmer dargestellt. Schirmer und
Lessing haben für die Düsseldorfer Malerei die Eifellandschaft „entdeckt", vergleiche Lessing „Felsenschloß",
Kat.Nr. 153, „Belagerung", Kat.Nr.
163, „Kreuzritters Heimkehr", Kat.Nr.
157, sowie Friedrich Wilhelm Schirmer
„Romantische Landschaft", Kat.Nr.
225.
Als Freundschaftsbild frei von repräsen-
tativem Gestus; die gleiche Gestimmtheit vor der Natur wird durch die gleiche Blickrichtung in die Landschaft
sinnfällig gemacht. Das Gemälde erhält
auf diese Weise einen bekenntnishaften
Charakter.
Das intime Format des Gemäldes unterstreicht die private Sphäre, für die es
bestimmt war.

Lit.: I. Markowitz 1969, S. 206, 207;
Düsseldorf und der Norden, 1976, Nr.
23; Markowitz/Andree 1977, Nr. 18

Farbtafel XV

162
Gebirgssee, 1846

Bezeichnet unten links von der Mitte: C.
F. L. 1846
Papier auf Leinwand, 53,5 × 65,5 cm
Landesmuseum für Kunst und Kultur-
geschichte, Münster (Leihgabe des
Westfälischen Kunstvereins)
Inv.Nr. 293 WKV

162

Düstere Gewitterlandschaft mit reicher
Wolkenbildung. Wohl auf Natureindrücke aus der Eifel zurückgehend. Sehr
frei in „nordischer Manier" vorgetragen, vergleiche Andreas Achenbach
„Norwegische Gebirgslandschaft",
1840, Kat.Nr. 4.
Hier werden von Andreas Achenbach
gefundene Formulierungen durch Lessing von ihrem dramatisch pathetischen
Charakter befreit und in nüchtern realistischer Weise umgewandelt, die dann
für Gudes Landschaften vorbildlich
wurden, vergleiche „Leichenfahrt auf
dem Sognefjord", Kat.Nr. 87.

Lit.: Kat. Münster 1975, S. 67; Düsseldorf und der Norden 1976, Nr. 25

163
Belagerung, 1848

Bezeichnet unten links: C. F. L. 1848
Leinwand, 113 × 174 cm
Kunstmuseum Düsseldorf
Inv.Nr. 4037

Szene aus dem 30jährigen Krieg. Eine
Gewitterlandschaft, im Charakter der
Eifel, plakativ und zeichenhaft die Ruine
der durch Brand verwüsteten Kirche mit
Turm. Der dramatischen Stimmung in
der Landschaft entspricht die Behand-
lung der Figurengruppe im Vorder- und
Mittelgrund. Atmosphärisches und
Anekdotisches ergänzen einander in der
Aussage.

163

Überliefert ist, daß Lessing hier eine „historische Landschaft", die „deutsche Landschaft im dreißigjährigen Krieg", geschildert hat. Der erzählerische Reichtum des Details wird von der einfach und groß gesehenen Komposition getragen.

Nach Müller von Königswinter eine eindrucksvolle künstlerische Gestaltung der „Katastrophenstimmung des Jahres 1848".

In diesem Gemälde kulminiert das Œuvre Lessings als Landschafts-, Figuren- und Historienmaler. Die Land-

schaftsmalerei in Düsseldorf, die Schirmer so bestimmend prägte, hat in diesem Gemälde bei der Weite der Landschaft eine Form gefunden, die vor allem in der zweiten Hälfte des 19. Jahrhunderts bis in den Sonderbund hinein vorbildlich blieb, vergleiche Dücker „Strandbild", Kat.Nr. 66 und Kröner, Kat.Nrn. 146– 148.

Lit.: I. Markowitz 1969, S. 208, 209; Düsseldorf und der Norden 1976, Nr. 26, Markowitz/Andree 1977, Nr. 19

164
Harzlandschaft, 1870

Bezeichnet unten rechts: C F L 1870 K
Leinwand, 53,5 × 79,5 cm
Kunsthalle Bremen (Vermächtnis Johann Heinrich Gräving, 1891)
Inv.Nr. 73

Bodetal im Harz. Bildmäßig abgeschlossene Naturstudie, auf die Lessing für sein Gemälde „Bodetal im Harz mit Staffage im Kostüm des 3ojährigen

Krieges" 1871 zurückgriff (Staatliche Kunsthalle, Karlsruhe).

Seit den 30er Jahren gehört neben der Eifel, vor allem der Harz zu den von Lessing bevorzugten Landschaftsmotiven, die er in zahlreichen Studien festgehalten hat und in großen Gemälden wieder aufgriff. Lessing steht mit diesen Bildern in der Berliner Tradition, vergleiche Blechens Werke, die auf der Harzreise 1833 entstanden sind (Paul Ortwin Rave, Karl Blechen, Berlin 1940, Nr. 1814–1861).

Auf einer Studienreise in den Harz 1852/53 zusammen mit W. Whittredge (vergleiche Kat.Nr. 265 „Harzlandschaft") hat Lessing den amerikanischen Maler entschieden auch auf diese vielgestaltige malerische Landschaft hingewiesen.

Lit.: Kat. Bremen 1973, S. 182; The Hudson and the Rhine, Düsseldorf 1976, Nr. 86

Emanuel Leutze

Schwäbisch Gmünd 1816 – 1868 Washington D.C.

Kam als Kind mit seinen Eltern 1825 nach Amerika und wuchs in Philadelphia auf, wo er sich durch Porträtzeichnungen einen Namen machte. 1841–59 Aufenthalt in Düsseldorf. Nach kurzem Studium an der Akademie – im Schuljahr 1841/42 hat er sich zum 4. Quartal 1841 einschreiben lassen, – Ausbildung im eigenen Atelier durch Carl Friedrich Lessing, dessen Historienbilder für seine Kompositionen beispielhaft waren. 1842 Reise nach München, Venedig und Rom. Anschließend wieder in Düsseldorf tätig (1845–59), auch als Lehrer sehr geschätzt. 1848 Gründungsmitglied des Malkastens.

Leutzes berühmtes Bild „Washington crossing the Delaware" entstand 1850 in Düsseldorf.

1859 Rückkehr in die Vereinigten Staaten und Auftrag zu einem großen Fresko im Capitol zu Washington „Westward the Course of Empire Takes its Way".

Die letzten 10 Lebensjahre Aufenthalt in Washington und New York.

165
König Ferdinand nimmt Columbus die Ketten ab, 1843
(Columbus vor der Königin)

Bezeichnet unten rechts neben der Mitte:
E. Leutze 1843
Leinwand, 99,6 × 129,45 cm
Brooklyn Museum, New York
Inv.Nr. 77.220

Christoph Columbus (1446–1506) hatte drei Expeditionen (1492, 1493 und 1498) nach Westen auf dem Seewege unternommen. Ohne sich dessen bewußt zu sein, betrat er dabei amerikanischen Boden und zwang die Ureinwohner zur Anerkennung der spanischen Oberhoheit. Vom spanischen Königshaus mit Ehren überhäuft, wurde er wegen seiner Härte und Gewinnsucht verklagt und in Ketten gelegt.

Leutze wählte in seinem Bild den Augenblick, da Columbus fordernd vor das Herrscherpaar tritt und von den Fesseln befreit wird. Die unsichere Haltung des Königs und das beschämte Sich-Abwenden der Königin verdeutlichen, daß das Königspaar sich gezwungen sah, die Aufsehen erregende Anklage zurückzunehmen. Columbus starb nach einer vierten, glücklosen Expedition (1502–1504). Zu seinen Lebzeiten hatten weder er noch die Umwelt begriffen, daß er einen neuen Erdteil entdeckt hatte.

1843 in München entstanden, ist das Gemälde ein Werk aus einer Folge, in der Leutze in enger Anlehnung an biographische Schriften wichtige Stationen aus dem Leben des Columbus vergegenwärtigt. Vergleichbar hiermit ist die Serie der Hus-Bilder von C. F. Lessing. Be-

164

165

sonders eng ist Lessings „Johann Hus zu Konstanz" aus dem Jahre 1842 (Städelsches Kunstinstitut, Frankfurt am Main) mit dem Gemälde Leutzes verwandt. Auffallend sind die Übereinstimmungen in der Hauptfigur des Columbus bzw. des Hus und dem Geistlichen am linken Bildrand. B. Groseclose sieht in der akademischen Malweise den Einfluß des Peter von Cornelius.

Lit.: Barbara S. Groseclose 1975, Nr. 30; The Hudson and the Rhine, Düsseldorf 1976, Nr. 102

166
Juliane Leutze, geb. Lottner, 1846

Bezeichnet unten rechts: E. Leutze. 46
Leinwand, 78 × 62 cm
Staatsgalerie Stuttgart
Inv.Nr. 1383

Juliane Leutze, geb. Lottner
(?) 1826 – 1898 Stuttgart
Emanuel Leutze hat im Oktober 1845 Juliane Lottner geheiratet.

In der Bildniskunst Emanuel Leutzes nimmt dieses Porträt seiner Frau einen sehr hohen Rang ein; möglicherweise ist es sogar das schönste Porträt, das er je geschaffen hat. Sympathie, Anteilnahme und Bewunderung für das Erscheinungsbild seiner Frau kommen nicht nur in den ebenmäßigen Gesichtszügen zum Ausdruck, sondern auch in dem koloristischen Feingefühl, wie das Bild sich in reichen Modulationen entwickelt. Dabei spielt der gestreifte rote Schal eine wichtige Rolle. Nuancen in der Stofflichkeit werden virtuos ins

Spiel gebracht und dem Betrachter vor Augen geführt. Die durchscheinende Bluse mit der Stickerei, das Ohrgehänge und die Brosche, das seidig glänzende Haar und der Seidenschal charakterisieren die junge Frau als noble Schönheit.

Lit.: Peter Beye und Kurt Löcher, Katalog der Gemälde, Katalog der Staatsgalerie Stuttgart, Neue Meister, Stuttgart 1968, S. 110; Barbara S. Groseclose 1975, Nr. 177

Farbtafel XVII

167

167
Die Bernsteinkette, 1847

Bezeichnet unten links: E Leutze 1847
Leinwand, 91 × 77 cm
Museum Schwäbisch-Gmünd
Inv.Nr. N I m 2

Juliane Leutze, geb. Lottner
(?) 1826 – 1898 Stuttgart.
Dargestellt ist des Künstlers Gattin Juliane, vergleiche vorhergehende Katalognummer, mit ihrer Tochter Ida (geb. 1846). Trotz der konventionellen Malweise ist das Bild von einer Frische der Empfindung und einer Farbigkeit, wie sie in der Düsseldorfer Malerei, auch bei C. F. Sohn, im allgemeinen nicht zu finden ist.
Der Künstler hat sorgfältig die en face-Ansicht der Tochter Ida im vollen Licht gegen das Profil der Mutter im Schatten abgesetzt und so das Töchterchen Ida als das wahre Zentrum des Bildes herausgehoben.

Lit.: Barbara S. Groseclose 1975, Nr. 179; The Hudson and the Rhine, Düsseldorf 1976, Nr. 104

Egidius Mengelberg
Köln 1770 – 1849 Köln

Studierte in Düsseldorf 1783–1786. Kopierte Gemälde der kurfürstlichen Galerie in Düsseldorf. 1800–1806 in Elberfeld auch für das Theater tätig. Anschließend wieder in Köln.
Begründer der 1822 eröffneten Sonntagsschule für Handwerker in Köln.

167 a
Ferdinand Franz Wallraf, 1824

Bezeichnet unten links: Mengelberg pinx. 1824
Leinwand, 90,5 × 76,5 cm
Wallraf-Richartz-Museum, Köln
Inv.Nr. WRM 1116

Ferdinand Franz Wallraf, Kanonikus,
Köln 1748 – 1824 Köln
Philosophische und theologische Studien; 1772 Priesterweihe; 1769 schon
Professor am Montaner Gymnasium.
1783 eine Reise nach Süddeutschland.
1748 Professor für Botanik an der Kölnischen Universität. Letzter gewählter
Direktor der alten Universität zu Köln
von 1793 bis 1797.

Als Sammler und Bewahrer altkölnischer Kunstschätze, die durch die Säkularisierung der Klöster bedroht waren,
hat er für die Geschichte der Stadt Köln
und ihrer Kunst große Verdienste erworben. 1818 setzte er die Stadt Köln
zur Erbin seines gesamten Nachlasses
ein. Damit wird er Begründer der Kölner Museen.

Das Gemälde von Mengelberg zeigt den
greisen Gelehrten am Tisch sitzend, in
würdiger strenger Haltung. Die Gegenstände im Hintergrund weisen ihn als
gelehrten Forscher aus. Klassizistische
Formstrenge verbindet sich mit spröder
Pinselführung, die ein lebendiges Bild
des mit dem roten Adler-Orden III.
Klasse ausgezeichneten Sammlers vermitteln. Ein gutes Beispiel für die Bildniskunst im Rheinland, wie sie vor der
Ankunft Wilhelm von Schadows gepflegt wurde.

Lit.: Köln 1964, S. 89

167a

Theodor Mintrop

Gut Barkhoven-Heidhausen/Werden
a. d. Ruhr 1814 – 1870 Düsseldorf

Bis zum 30. Lebensjahre Knecht auf dem
Gut seines Bruders. Einige Düsseldorfer
Künstler wurden auf ihn aufmerksam
und erreichten, daß Mintrop 1844 in die
Düsseldorfer Akademie aufgenommen
wurde, wo er bei Th. Hildebrandt, C. F.

Sohn und W. von Schadow studierte.
1854 wird er in die Meisterklasse aufgenommen und „als sehr bedeutendes Talent" bezeichnet. Für die Kirchen von
Werden malte er mehrere Altarbilder.
Sein eigenwilliger Mal- und Zeichenstil
fiel allgemein auf; man glaubte in Mintrop den neuen Giotto entdeckt zu haben. Auf jeden Fall feierte man ihn als
„Wunderkind der Romantik".

168
Verherrlichung des Maiweins, 1869

Bezeichnet unten rechts: Th. Mintrop
1869
Leinwand, 221 × 138 cm
Kölnisches Stadtmuseum, Köln
Inv.Nr. HM 1940/113, WRM 1525

In der Nachfolge der Grotesken Raffaels und inspiriert von den vielfigurigen Kompositionen Genellis.

Über dem sitzenden Genius des Frühlings, der Rosen streut, entwickelt sich symmetrisch ein ornamentales Figuren-Rankenwerk um einen großen Rebstock, von Allegorien der Malerei und der Musik, zu denen Putten emporschweben, in eine höhere Sphäre, in deren Zentrum Bacchus mit Psyche (?), links und rechts trunkene Putten, sitzen. Bekrönt wird die Komposition über einem Bowlenfaß von einem Putto, der einen Pfropfen einer Sektflasche in die Luft schießen läßt. Amouretten drängen sich trinkend, kredenzend und trunken taumelnd, einander umarmend, um den Maiwein.

Eine Huldigung und Verherrlichung des Maiweins in allegorischer Form.

In der Gestalt des Frühlings ist der Düsseldorfer Schul-Einfluß besonders nachweisbar, vergleiche Wislicenus, „Phantasie von Träumen getragen", 1863, Kat.Nr. 268. Im Gegensatz zu Mintrops Gemälde steht Boettchers realistisch gesehene „Sommernacht am Rhein", Kat.Nr. 36.

Lit.: Köln 1914, Nr. 838; Hans F. Secker, Die Galerie der Neuzeit im Wallraf-Richartz-Museum, Leipzig 1927, S. 100, 101

Heinrich Anton Mücke
Breslau 1806 – 1891 Düsseldorf

Zunächst Schüler von Heinrich König in Breslau.
Seit 1824 in Berlin als Schüler Wilhelm von Schadows, dem er 1826 nach Düsseldorf folgte.
1833/34 in Rom mit staatlich-preußischer Unterstützung.
Schon 1834/35 ist er in der Meisterklasse

der Düsseldorfer Akademie und malt in der Andreaskirche zu Düsseldorf die Fresken.
An dem Freskenzyklus in Schloß Heltorf mit drei Kompositionen beteiligt: „Die Unterwerfung der Mailänder", „Krönung Barbarossas in Rom" und „Heinrich des Löwen Kniefall in Erfurt". Er malte auch die Darstellungen in den Supraporten und beide Einzelfiguren „Otto von Freising" und „Der Hl. Bernhard".
Ab März 1844 lehrt er an der Akademie Anatomie und Proportionslehre.
1849 zum Professor ernannt. Neben Hildebrandt und Lessing einer der bedeutenden Vertreter der Düsseldorfer Historienmalerei. Christlich-religiöse sowie profane Bildthemen werden von ihm gleichermaßen gepflegt.

169

169
Die Unterwerfung der Mailänder, 1833

Leinwand, 53 × 43 cm
Privatbesitz

Für das Fresko in Schloß Heltorf (vergleiche Sonderaufsatz von Dieter Graf) „Die Unterwerfung der Mailänder" (1162) lieferte Mücke eine Farbenskizze. Sie blieb unvollendet, fixiert aber in den wichtigen Partien die Komposition, die ganz in der Nachfolge nazarenischer Bilderfindungen steht, vergleiche P. von Cornelius „Traumdeutung", Kat.Nr. 52. Auch Berliner Form- und Gedankengut lebt hier fort, vergleiche Kolbe „Sturm der Polen auf die Marienburg",

170

Kat.Nr. 145 und Wach „Kaiser Friedrich II. verleiht dem Hochmeister Hermann von Salza die Ordensfahne", Kat.Nr. 263.

Vor dem thronenden Barbarossa in der Bildmitte bewegen sich die bußfertigen Mailänder „in einem rhythmisch wohl geordneten und durch mannigfache Empfindungen belebten Zuge" (Karl Koetschau, Alfred Rethels Kunst, Düsseldorf 1929). Im Hintergrund rechts findet sich bei dem Fresko der gotische Mailänder Dom, auf der Farbenskizze eine Abbreviatur einer mittelalterlichen Stadt mit Befestigungstürmen.

Die unfertige Skizze läßt erkennen, daß Mücke bei der Ausführung die Komposition schon genau fixiert hatte. In der linken Bildhäfte ist das schreitende Kind im Vordergrund links ganz ausgespart; bei der knienden Frau zu Füßen Barbarossas sind die Hände nicht ausgeführt; das gleiche noch einmal bei dem Knienden rechts. In die amorphe weiße Fläche hat Mücke die Figuren hineinskizziert, deren Stellung er schon so weit fixiert hatte, daß er das Gewand einer unvollendeten Figur schon festlegen konnte, aber die Durchführung des Kopfes aussparte.

Auf der Akademischen Kunstausstellung in Berlin 1832 war ein Karton von Mücke „Die Demütigung der Mailänder durch Kaiser Friedrich Barbarossa" ausgestellt. Die Arbeiten an dem Fresko in Schloß Heltorf waren 1833 abgeschlossen.

In der Farbgebung nicht nur Kolbe, sondern auch Schnorr von Carolsfelds „Der Sechskampf auf der Insel Lipadusa" (Kat.Nr. 245) nahe.

Das Bildthema hatte für das Rheinland ganz besondere Bedeutung. 1162 brachte der Kanzler Reinald von Dassel die Reliquien der Heiligen drei Könige von Mailand nach Köln. Reinald von Dassel (1120–1167, seit 1156 Kanzler Friedrich Barbarossas) war von 1159–1167 Erzbischof von Köln.

170
Übertragung des Leichnams der Hl. Katharina zum Berge Sinai, 1836

Bezeichnet unten rechts: H. Mücke Düsseldorf
Leinwand, 27 × 38 cm
Kunstmuseum Düsseldorf
Inv.Nr. 4895

„Der Legende zufolge wurde die Hl. Katharina von Alexandrien, nachdem sie den Märtyrertod durchs Schwert erlitten, auf wunderbare Weise hinweggetragen und am Sinai bestattet: vier Engel, von denen einer das Schwert hält, erheben sie in die Lüfte. Tief unten die ägyptische Küste und das Meer." (Verzeichnis der National-Galerie, Berlin, 1878). Zur kunstgeschichtlichen Herleitung der Bilderfindung und -Formulierung sowie über die Wiederholungen und Varianten siehe ausführlich I. Markowitz 1969.
Mit Nachdruck sei hier noch einmal auf die Illustration John Flaxmans zu Homers „Ilias" als Inspirationsquelle hingewiesen: „Schlaf und Tod, den toten Sarpedon nach Lykien tragend", 1793 gestochen, 1805 erschienen.
Die Legende von der Übertragung des Leichnams der Hl. Katharina hat erst das 10. Jahrhundert der Vita der Heiligen hinzugefügt. Die Hl. Katharina hat den Märtyrertod unter Kaiser Maxentius (306–312) in Alexandria erlitten.
Sorgfältig durchgeführte Farbenskizze aus dem Jahr 1836 zu dem großen Gemälde in der National-Galerie, Staatliche Museen zu Berlin, DDR, aus dem gleichen Jahr. Das Gemälde in dieser kleinen Fassung gehört in seiner stillen, ver-

171

haltenen und in sich ausgewogenen Komposition zu den ganz wenigen Gemälden der Düsseldorfer Nazarener, die künstlerisch überzeugen.

Lit.: I. Markowitz 1969, S. 221, 222; Markowitz/Andree 1977, Nr. 21

Andreas Johannes Jacobus Heinrich Müller
Kassel 1811 – 1890 Düsseldorf

Erste Studien bei seinem Vater Franz Hubertus Müller. Zunächst besucht er 1833 die Münchner Akademie als Schüler von Schnorr von Carolsfeld und Peter von Cornelius.
Mit dem zweiten Quartal 1834 wird er in die Kunstakademie in Düsseldorf aufgenommen. Schüler von C. F. Sohn und Wilhelm von Schadow.
1837 bis 1843 ein Studienaufenthalt in Italien.
1843–1852 ist er an der Ausmalung der Apollinariskirche zu Remagen beteiligt.
Seit 1849 in der Meisterklasse, gehört er seit 1857 zum Lehrerkollegium der Akademie in Düsseldorf, deren Sammlungen er als Konservator betreut.
Mit Ernst Deger, Franz Ittenbach und seinem Bruder Carl einer der bedeutendsten und einflußreichsten Vertreter der von Schadow geförderten Düsseldorfer Nazarener.

171
Abendfrieden, 1837

Bezeichnet unten links: A M (ligiert)
Rom 39
Leinwand, 57 × 65 cm
Kunstmuseum Düsseldorf
Inv.Nr. 4461

Ein Schäfer, der sich an einen Kreuz-
stamm lehnt, ihm zu Füßen eine junge
Frau, schauen von einer Anhöhe in ein
weites Tal mit einer breit gelagerten,
vieltürmigen mittelalterlichen Stadt an
einem Binnengewässer; in der Ferne
Bergrücken, darauf eine Ruine (dem
Drachenfels nachempfunden), bei tief
stehender Sonne, die sich hinter einer
Wolkenbank verbirgt. Hier kommen
Beleuchtungseffekte zustande, die dem
Bild einen unwirklichen Charakter verleihen und die entrückte Stimmung der
Figuren im Vordergrund betonen. Eine
Assoziationskette bestimmt das Bild:
Der Schäfer mit seiner Herde evoziert
das einfache Leben, die Stadt das Mittelalter und das Kreuz und das Klosterge-
bäude auf der Anhöhe links die Frömmigkeit.
Eine ähnliche Landschaftsauffassung,
aber topographisch treu, „Zons" dar-
stellend, findet sich bei Andreas Achenbach (National-Galerie, Staatliche Museen zu Berlin, DDR).
I. Markowitz 1969 vertritt die Meinung,
daß das Gemälde wohl noch vor der
Italienreise Andreas Müllers 1837 entstanden und schon einmal ausgestellt
worden ist, aber in Rom erst 39 signiert
wurde und trotzdem identisch ist mit
dem 1837 in Düsseldorf im Kunstverein
für die Rheinlande und Westfalen ausgestellten Gemälde.

Lit.: I. Markowitz 1969, S. 223; Marko-
witz/Andree 1977, Nr. 22

172

172
Die Weihe des Hl. Apollinaris
durch Petrus in Rom, um 1845

Bezeichnet auf der Rückseite ein Zettel:
A. Müller
Öl auf Papier, 44,8 × 41 cm
Erzbischöfliches Diözesan-Museum,
Köln (Nachlaßverwaltung Egon Graf
von Fürstenberg)

Der Hl. Apollinaris, Bischof von Ravenna, Märtyrer.
Er kommt mit dem Hl. Petrus nach Rom
und wurde von ihm nach Ravenna gesandt. Er hat auch in Dalmatien das
Evangelium gepredigt.

Gestorben ungefähr 75 n. Chr.
Hier eine Szene aus dem Leben des Hl.
Apollinaris, dem Schutzpatron der Kir-
che. Ölskizze zu dem Wandbild auf der
Ostwand des südlichen Querschiffes in
der Apollinariskirche zu Remagen, ver-
gleiche Kat.Nrn. 60–62, 117, 173, 174.
Im Gegensatz zu Deger sind die Kom-
positionen von Andreas Müller klein-
teilig. Der Bildbau wird durch eine
Renaissance-Architektur gefestigt. Die
Architektur hebt die Hauptszene mit Pe-
trus und dem Hl. Apollinaris heraus.
Florentinische Architektur-Vorbilder
(Pazzi-Kapelle) wirken hier nach. Außer
Petrus und dem Hl. Apollinaris sind alle
übrigen Figuren nur wie beiläufig gegeben und haben dienende Funktion oder

173

sind anonyme vielköpfige Menge, Zuschauer.

Neben italienischen Reminiszenzen ist
vor allem das Vorbild von Cornelius mit
seinem Fresko in der Casa Bartholdy
„Die Wiedererkennung Josephs durch
die Brüder" spürbar.

Lit.: H. Finke, 1898, S. 45

173
Die Auferweckung der
Tochter des Stadthauptmanns
von Ravenna, um 1845

Aquarell auf Papier, 54 × 65,8 cm
Erzbischöfliches Diözesan-Museum,
Köln (Nachlaßverwaltung Egon Graf
von Fürstenberg)

Aquarellskizze zu dem Fresko im südlichen Querhaus auf der Westwand der
Apollinariskirche zu Remagen.

Das Mittelfeld, das Hauptbild, wird gerahmt von Heiligen-Darstellungen unter Tabernakeln. Links oben der Hl. Ca-
rolus Borromäus, darunter der Hl. Ghis-
bertus, rechts oben die Hl. Anna, darunter die Hl. Theresia. In den Ecken die
Darstellung der Caritas und Constantia;

unter dem Mittelfeld in vier kleinen Feldern von links nach rechts: Gefangennahme, Teufel-Austreibung, Verehrung des Hl. Apollinaris und der Hl. Apollinaris predigend.

Bei dem Hauptbild hat die Architektur wieder bildordnende Funktion. Sie teilt die große Fläche in Einzelfelder auf, in denen verschiedene Szenen aus dem Leben des Heiligen dargestellt werden.

Als Hauptszene, durch den Figurenmaßstab und durch einen Baldachin besonders hervorgehoben: die „Auferweckung der Tochter des Stadthauptmanns von Ravenna".

Im Gegensatz zu der „Weihe des Hl. Apollinaris", Kat.Nr. 172, ist die Architektur hier bewußt reich, vielteilig und phantastisch und ohne benennbares Vorbild.

Lit.: H. Finke 1898, S. 45

Carl Müller
Darmstadt 1818 – 1893 Neuenahr

Seit 1835 Schüler der Düsseldorfer Akademie, wo C. F. Sohn und Wilhelm von Schadow seine Lehrer waren. Im dritten Quartal des Schuljahres 1838/39 abgegangen. Anschließend ein Studienaufenthalt in Rom bis zum Jahre 1843. 1844–50 an der Ausmalung der Apollinariskirche beteiligt. Seine Hauptbilder sind die „Krönung Mariae", die „Geburt Mariae mit den vorbildlichen Frauen" sowie „Die Verkündigung". 1849/50 ist er in den Schülerlisten in der Meisterklasse geführt. War seit 1857 Professor der Düsseldorfer Akademie.

Gehört zu den fruchtbaren Vertretern der Düsseldorfer Nazarener.

174

174
Verkündigung, Sposalizio und Heimsuchung, um 1845

Aquarell auf Papier, 44,9 × 9,9 cm
Aquarell auf Papier, 44,9 × 9,9 cm
Erzbischöfliches Diözesan-Museum, Köln (Nachlaßverwaltung Egon Graf von Fürstenberg)

Aquarellskizzen zu den Fresken neben dem Südfenster im südlichen Querhaus der Apollinaris-Kirche zu Remagen. Durch das Gegenlicht sind gerade diese Wandfelder im Original nur sehr schlecht zu sehen.
Das Verkündigungsfresko stammt von Carl Müller, die Sposalizio und die Heimsuchung sind in der Apollinariskirche von der Hand Ittenbachs; bei den Aquarellskizzen befindet sich kein Hinweis auf diese Trennung. Der Karton, auf dem die Blätter montiert sind, trägt nur zweimal den Namen Carl Müller.
Alle Bilderfindungen stehen in der Tradition und bringen kaum eigene Formulierungen. Es ist möglich, daß die beteiligten Künstler weniger Sorgfalt verwandt haben bei der Konzeption dieser Wandfelder.
Rückgriff auf altes Formengut ist für diesen Künstlerkreis ein Wert, der über Schwächen in der Durchführung hinweghilft.

Lit.: H. Finke 1898, S. 45

Mihály von Munkácsy
(eigentlich Michael Lieb)
Munkács (Ungarn) 1846 – 1900 Endenich bei Bonn

Zuerst Schreiner, studierte dann auf der Wiener Akademie, später bei Franz Adam in München. Er ging 1868 nach

175

Düsseldorf, wo ihn vor allem L. Knaus und Vautier beeinflußten. Sein hier entstandenes Gemälde „Der letzte Tag eines zum Tode Verurteilten", das 1870 im Pariser Salon ausgestellt wurde, machte den Maler mit einem Schlag berühmt. Er ließ sich 1872 in Paris nieder. Reisen nach Amerika und in seine Heimat führten ihn immer wieder nach Paris zurück, wo er als Maler des kapitalkräftigen Großbürgertums Triumphe feierte. Sein Ansehen und sein Ruhm war dem von Hans Makart vergleichbar. Nach der Erkrankung Makarts fiel an ihn der Auftrag, das Deckenbild im Treppenhaus des Kunsthistorischen Museums in Wien zu malen: „Die Apotheose der Renaissance".
1896 mit Aufträgen für das Parlamentsgebäude in Budapest bedacht, macht 1897 ein progredientes Leiden die Einlieferung in die Heilanstalt zu Endenich notwendig.

175
Der letzte Tag eines zum Tode Verurteilten, 1869

Bezeichnet unten links: Munkacsy
Holz, 50 × 68 cm
Von der Heydt-Museum, Wuppertal-Elberfeld
Inv.Nr. 125

Ein die Komposition fixierender Entwurf für das große Gemälde in Philadelphia, 1869.
U. Laxner-Gerlach hat im Bestandskatalog Wuppertal 1974 alle von Végvári 1959 zusammengestellten Varianten und Vorarbeiten aufgeführt.
Mit diesem in Düsseldorf entstandenen Gemälde, das, wie die erhaltenen Detailstudien bezeugen können, von Munkacsy sorgfältig vorbereitet wurde, hat der Künstler einen durchschlagenden

Erfolg errungen. Werke von L. Knaus, B. Vautier und Lützow d'Unker haben Munkacsy in Düsseldorf beeinflußt. Die psychologisierende Darstellung steht in der Nachfolge Hasenclevers.

Außer seinen Salon-Interieurs hat Munkacsy mit ähnlichen Bildthemen wie „Der Dorfheld" (1875), „Das Leihhaus" (1882), „Christus vor Pilatus" (1881) sowie „Mozarts letzte Augenblicke" (1886), weltweiten Ruhm und Erfolg gefunden.

Munkacsy hat Düsseldorfer Gedankengut in seiner virtuosen Malweise in der Welt vorgestellt.

Lit.: Kat. Wuppertal 1974, Nr. 125

177

Ludwig Munthe
Sogndal 1841 – 1896 Düsseldorf

Landschaftsmaler.

Erste Ausbildung in Bergen bei Franz Wilhelm Schiertz.

Kam 1861 nach Düsseldorf, wo er Schüler von Sophus Jacobsen und Albert Flamm, dem Schwager von Oswald Achenbach, wurde. Besuchte die Akademie, ohne sich dort bei einem Lehrer einschreiben zu lassen. Zahlreiche Reisen in die Niederlande, 1878 und 1880 auch nach Paris. Um 1870 hat er seinen unverwechselbaren eigenen, virtuosen Malstil gefunden. Er bevorzugte Herbst- und Winterlandschaften in einer schwermütigen Stimmung. Dabei ist seine Sehweise nüchtern und realistisch orientiert. Aus seiner Malweise, die an den besten französischen zeitgenössischen Landschaftsmalern (Schule von Barbizon) geschult ist, resultiert die Zustimmung und Resonanz bei seinem kaufenden Publikum, das ihn dazu verleitete, das einmal von ihm gefundene und immer wieder gefragte Wintermotiv „Bei Tauwetter" in seinen letzten Lebensjahren öfter zu wiederholen.

176
Alleestraße in Düsseldorf, 1891

Bezeichnet unten rechts: L. Munthe. 91.
Leinwand, 103,5 × 80,5 cm
Kunstmuseum Düsseldorf
Inv.Nr.4808

Die Düsseldorfer Landschaftsmalerei hat spät den Sinn für das Atmosphärische entwickelt. Munthe gehört zu den großen Begabungen in Düsseldorf. Er hat sich in seiner Malerei auf ein spezielles Phänomen, auf das Tauwetter spezialisiert. Im Schaffen von Ludwig Munthe ist dieses Bild ein Höhepunkt. Das Erscheinungsbild einer Großstadtstraße bei Tauwetter im Dunkeln mit Straßenbeleuchtung ist in reine Malerei verwandelt; Anekdotisches ist weitgehend zurückgedrängt. Daher geht auch eine topographische Bestimmung: die Alleestraße in der Höhe des alten Opernhauses (1873–75 von Ernst Giese erbaut) mit dem Theater-Café an der Ecke Alleestraße und Theaterstraße in die Irre. Gemalt hat Munthe eine Großstadt in Europa im Winter bei Tauwetter am Abend. Inspiriert wurde er dabei aber

sicher von der Alleestraße in Düsseldorf. Deshalb trägt das Bild zu Recht diesen Titel. Es gehört zu den Glanzleistungen der Düsseldorfer Malerschule des ausgehenden 19. Jahrhunderts, die beweisen, welche Malkultur in Düsseldorf gepflegt wurde und wie das französische Vorbild des Impressionismus in Düsseldorf rezipiert wurde. Die artifizielle Leistung besteht darin, daß der Künstler seine Palette entschieden eingrenzt, den Betrachter aber mit einem Reichtum an Tonwerten darüber hinwegtäuscht.

Lit.: I. Markowitz 1969, S. 224, 225

177
Kartoffelernte, 1896

Bezeichnet unten rechts: L. Munthe 96
Leinwand, 83 × 144,5 cm
Kunstmuseum Düsseldorf (Geschenk der Erben Georg Oeder, Düsseldorf 1934)
Inv.Nr. 4419

Auf der Ausstellung „Düsseldorf und der Norden" war Ludwig Munthe mit

178

nach Düsseldorf. Studienreisen: Bayerisches Gebirge, Westfalen, Holland, Frankreich, England und Italien.
Seit 1893 Professor und außerordentliches Mitglied der Akademie.
Der Einfluß auf Olaf Jernberg wird immer wieder betont. Seine Unabhängigkeit von jeder Schule hat nach Schaarschmidt zweifellos die Originalität seiner Naturanschauung gefördert. Seine Abhängigkeit von der Schule von Barbizon ist aber unverkennbar.
Als Sammler alter Kunst in Düsseldorf berühmt.

178
Waldlandschaft, um 1885–95

Bezeichnet unten rechts: G. Oeder
Leinwand, 65 × 101 cm
Kunstmuseum Düsseldorf
Inv.Nr. 4809

einem Bild gleichen Themas vertreten, das der Künstler im Jahre 1873 (Nationalgalerie Oslo) gemalt hatte. Im Gegensatz zu unserem Bild zeigt Munthe dort einen fast zufälligen Landschaftsausschnitt mit einem Blick in eine weite Ebene links, und einem nach rechts sanft ansteigenden Abhang. Dort findet die Kartoffellese statt. Dies Bildthema bleibt nicht isoliert, sondern fand bei Munthe und anderen Düsseldorfer Künstlern in der zweiten Hälfte des 19. Jahrhunderts Nachfolge.
Ein Vergleich mit demselben Bildthema, an dem Max Liebermann seit 1873 10 Jahre lang gearbeitet hat, ohne zu einem befriedigenden Ergebnis zu kommen, zeigt, daß Munthe von vornherein den Figurenmaßstab kleiner wählt. Er gelangt so zu einer besseren Einbindung der Kartoffelleser in die Landschaft. Sie werden nur als Farbfleck wirksam in der kargen nordischen Natur. Als er 1896 das Thema wieder aufgreift, wählt er eine Ebene, möglicherweise aus der Umgebung von Düsseldorf; wieder sind die Figuren nur klein und ganz in die Landschaft eingebunden. Den Bildbau bestimmt, neben dem Kartoffelacker, der

sich zur Tiefe hin stark verkürzt, ein Waldrand, aus der Tiefe kommend, der am rechten Rand den ganzen Bildraum füllt. Dem Maler Munthe gelingt es, mit wenigen Grau- und Brauntönen die Landschaftsstimmung eines Herbsttages während der Kartoffellese zu suggerieren. Im Gegensatz zu dem Landschaftsaufbau Liebermanns, der die Bildparallelen betont, greift Munthe zu einer dynamischen, auf einen Fluchtpunkt orientierten, die Zentralperspektive betonenden Kompositionsweise, die in einem seltsamen Gegensatz zu der weichen Pinselführung und zu der monochromen Farbgebung steht.

Lit.: I. Markowitz 1969, S. 225, 226; Kat. Ausst. Von Liebermann zu Kolbe, Von-der-Heydt-Museum, Wuppertal 1977, Nr. 56

Georg (George) Oeder
Aachen 1846 – 1931 Düsseldorf

Aus der Landwirtschaft kommend als Maler Autodidakt. 1869 Übersiedlung

Georg Oeder gehört zu den Künstlerpersönlichkeiten des späten 19. Jahrhunderts, die einen unverwechselbaren eigenen Stil gefunden und für ihre Malerei auch sofort Interessenten und Freunde gewonnen haben. Dabei fällt auf, daß Oeder seine Naturmotive in der näheren Umgebung von Düsseldorf findet, die, als malerisch unergiebig, bis dahin kaum beachtet worden war.
Er bevorzugt die Jahreszeiten Herbst oder Frühjahr bei trübem, zum Grauen tendierendem Licht. – Die abgestorbene Natur, die entlaubten Bäume, deren Geäst sich graphisch gegen den Himmel abzeichnet, sind Stimmungsträger einer leeren Wald-, Bruch- und Heidelandschaft. Das Pathos der leeren Landschaft, wie es bei Lessing, „Belagerung", Kat.Nr. 163 und Dücker, „Meeresstrand", Kat.Nr. 66 zum Ausdruck kommt, ist Oeder fremd. Die Paysage intime der Schule von Barbizon hat hier eine Umgestaltung erfahren. Oeder bleibt der Düsseldorfer Tradition insofern verhaftet, als für seine Bilder eine sensible, liebevolle Detailbehandlung

179

kennzeichnend ist; die Malerei, die beim Detail verweilt, bedarf nicht einer das Ganze zusammenfassenden Komposition. Die additive Gestaltungsweise verleiht Oeders Gemälden eine spezifische Stimmung, deren Reiz in dem scheinbar ungeordneten Naturausschnitt liegt.

Beachtenswert ist, daß Oeders Werke im Wilhelminischen Zeitalter entstehen, dessen Vertreter dem Großdekorativen einen hohen Rang einräumten; Werte, die Oeder negiert.

Lit.: I. Markowitz 1969, S. 230

Friedrich Johann Overbeck
Lübeck 1789 – 1869 Rom

Bezog 1806 die Akademie in Wien, deren Lehrbetrieb er mit seinem Freunde Pforr 1810 den Rücken kehrte, um fortan in Rom zu leben. Mit Joseph Anton

180

179
Sulamith und Maria, 1811/12

Schwarze Kreide und Kohle auf Karton,
91,7 × 102,2 cm
Museum für Kunst und Kulturgeschichte der Hansestadt Lübeck
Inv.Nr. AB 126

Das Thema Sulamith und Maria geht auf Franz Pforrs Freundschaftsbild „Sulamith und Maria", 1811 zurück (Sammlung Georg Schäfer). Overbeck plante als Gegenstück zwei Frauen, die einan-

Koch, Peter von Cornelius und Julius Schnorr von Carolsfeld eng befreundet. Haupt der Nazarener, die im Anschluß an die Malerei des italienischen Quattrocento und des deutschen Mittelalters eine neue deutsche Kunst zu schaffen suchten. 1813 Übertritt zur katholischen Kirche; 1831 noch einmal in Deutschland. In den letzten Lebensjahren künstlerisch vereinsamt und zudem dement.

der freundschaftlich zugetan sind. Der Lübecker Karton ist die Pause eines verschollenen Entwurfs. Der Tod Pforrs hat den Künstler bewogen, das Gemälde zunächst nicht auszuführen. 1815 erhielt Overbeck durch den Frankfurter Buchhändler Wenner den Auftrag, das Gemälde nach diesem Karton zu malen. Overbeck schließt diese Arbeiten erst 1828 ab. Das Gemälde befindet sich im Besitz der Bayerischen Staatsgemäldesammlungen. Eine Wiederholung des Gemäldes gelangte in die Staatlichen Kunstsammlungen Dresden, Gemäldegalerie Neue Meister.

Die Frauengestalten verkörpern einerseits die verschiedenen Kunstideale der beiden Freunde und stellen andererseits die „erträumten Bräute" dar. Zu Overbeck gehört die linke, Sulamith (Italia = italienische Kunst), zu Pforr die rechte, Maria (Germania = altdeutsche Kunst). Ihre Freundschaft kommt in dem Gestus der ineinandergehaltenen Hände zum Ausdruck.

Bei dem ausgeführten Gemälde ergänzt Overbeck die Charakterisierung der Frauen noch um jeweils die italienische und deutsche Landschaft im Hintergrund, der in dem Karton ganz offengelassen ist. Vergleiche auch dasselbe Bildthema bei Bendemann „Zwei Mädchen", Kat.Nr. 27. Er gab dem Gemälde mit der Bezeichnung „Italia und Germania" einen allgemein gültigen Sinn und schrieb dazu am 31. 11. 1829 an F. Wenner:

. . . „Es ist endlich, wenn es allgemeiner ausgesprochen werden soll, die Sehnsucht gemeint, die den Norden beständig zum Süden hinzieht, nach seiner Kunst, seiner Natur, seiner Poesie; und dieß in bräutlichem Schmuck, Beides, die Sehnsucht sowohl als Gegenstand ihrer Liebe, weil Beides als Idee sich fortwährend verjüngt."

Lit.: Jens Christian Jensen, Friedrich Overbeck, Die Werke im Behnhaus, Lübeck 1963, Lübecker Museumshefte, Heft 4, Nr. 13; Wissenschaftlicher Katalog Museum Behnhaus, (Lübecker Museumskataloge Bd 3, Lübeck 1976), Nr. 166; Die Nazarener, Frankfurt 1977, Nr. B 9

Ernst Carl Friedrich te Peerdt

Tecklenburg 1852 – 1932 Düsseldorf

Schüler der Düsseldorfer Akademie von 1868 bis 1870 bei Andreas und Carl Müller sowie bei Bendemann (?). Studierte anschließend an der Münchner Akademie und bei Ludwig Knaus in Berlin.

181

Bildete sich selbständig weiter. 1878 eine Reise nach Italien mit Aufenthalt in Venedig, Ravenna, Rom, Capri und Sizilien. Seit 1884 wieder in Deutschland. Zunächst in München, wo er Landschaftsstudien sammelte. Seit 1893 wieder in Düsseldorf. Auch als Kunst-Schriftsteller tätig, publiziert auch philosophische Erörterungen und Übersetzungen aus dem Indischen.

Ein vielseitig begabter Künstler, dessen Ausdrucksweise im Laufe seines langen Lebens mehrfachen Wandlungen unterworfen war.

Ehrenmitglied des Sonderbunds.

180
Gesellschaft im Park, 1873

Bezeichnet unten links: E. te Peerdt. Ddf 73
Leinwand, 85 × 115 cm
Wallraf-Richartz-Museum, Köln
Inv.Nr. WRM 1941

Im Schaffen des Künstlers ein Frühwerk, das durch die Nähe zur französischen Malerei des Impressionismus überrascht. Ungeklärt ist bisher die Frage, ob te Peerdt, als er dieses Bild

182

181
Der Kupferdrucker, 1876
(Banknotenfälscher)

Bezeichnet unten rechts: E. te Peerdt
Berlin 1876.
Leinwand, 188 × 170 cm
Kunstmuseum Düsseldorf
Inv.Nr. 4197

Als Bildthema, ernst genommen, von bestürzender Aussage: der Künstler als Fälscher. In dieser Direktheit vergleichbar dem bekenntnishaften, auch gegen die Lehre der Akademie opponierenden Atelierbild von Hasenclever, Kat.Nr. 91. In beiden Bildern findet sich der kastenartige Raum, der das Geschehen auf eine schmale Vordergrundbühne bringt.
Mit der sorgfältigen Durcharbeitung des Details steht te Peerdt ganz in der Düsseldorfer Tradition. I. Markowitz 1969 interpretiert: „In der sorgfältigen Ausmalung der Dinge offenbart sich eine Wertschätzung des Wertlosen und entsteht eine Welt von Negationen. Die Dinge, nur mehr Vorwand für malerische Valeurs, werden transparent für ein Gerüst aus Kreisen, Geraden, Parallelen und Schrägen, in denen bildnerische Ordnung und Belebung vorrangig werden."
Die offenbar kriminelle Tätigkeit des Banknotenfälschers steht im provozierenden Gegensatz zu seiner offiziellen Kleidung mit Zylinder und Handschuhen.

Lit.: I. Markowitz 1969, S. 231, 232

Lawr Stepanowitsch Plachow
? 1810/11 – 1881 St. Petersburg

Schüler von Wenezianow und der St. Petersburger Akademie 1830 bis 1836. Weitergebildet 1836 bis 1842 in Berlin und Düsseldorf. Tätig in Charkow, Minsk und anderen Orten.

malte, französische Vorbilder gekannt hat. Auffällig ist auch die Ähnlichkeit zu Renoirs „Ehepaar Sisley", um 1868. Die Darstellung trägt porträthafte Züge und geht möglicherweise auf eine Beobachtung te Peerdts in seiner Umgebung zurück.
Symptomatisch für den Künstler ist, daß die Genreszene sich im Schatten abspielt und dadurch den Betrachter nachdrücklich auf die Vegetation im Sonnenlicht hinweist. Fern der Schultradition ist die summarische Behandlung der Vegetation, die das Detail nicht berücksichtigt, sondern das farbliche Erscheinungsbild betont.

Lit.: Köln 1964, S. 97; H. Appel 1973, S. 98

418

183

182

Zimmermannswerkstatt, 1845

Leinwand 55,5 × 46 cm
Staatliche Tretjakov-Galerie, Moskau

In diesem Gemälde lebt die Düsseldorfer Schultradition fort: Der Bildbau, der durch die Bühne und ihren Kastenraum inspiriert ist, die glatte Oberfläche der Malerei und die Freude am Detail, das zum Verweilen einlädt.
Die dargestellten Zimmerleute sind vom Typus her Russen. Den Blick für eine solche Situation hatte Plachow während seiner Studien in Deutschland bei Pistorius in Berlin, bei Adolf Schroedter in Düsseldorf geschärft bekommen.

Lit.: Vladimír Fiala, Die Russische Realistische Malerei des 19. Jahrhunderts, Prag 1953, S. 94, 97

Hermann Freihold Plüddemann

Kolberg 1809 – 1868 Dresden

Zunächst Schüler in Berlin, unter anderen von Karl Begas. Seit dem vierten Quartal 1833 an der Düsseldorfer Kunstakademie, seit 1837/38 in der Meisterklasse. Historienmaler; führt in Schloß Heltorf nach dem Entwurf von C. F. Lessing das Fresko „Die Erstürmung von Ikonium" aus sowie das an-

schließende Fresko „Die Auffindung der Leiche Kaiser Barbarossas". Beteiligt sich 1839 mit Mücke, Stilke, Haach und Rethel an dem Wettbewerb für die Aachener Rathausfresken. 1843 mit H. A. Mücke, Josef Fay und Lorenz Clasen im Elberfelder Rathaus tätig. 1843/44 werden in der Schülerliste der Düsseldorfer Akademie drei kleine Ölbilder aus dem Elberfelder Fries erwähnt, vergleiche Kat.Nr. 183. 1846 verläßt Freihold Plüddemann die Akademie in Düsseldorf.
Von 1836 bis zum Jahre 1856 arbeitete er an einer Columbus-Serie. Als Historienmaler ganz im Banne Lessings und Rethels, tendiert er zu einer dunklen Farbgebung bei einer lockeren, Einzelbeobachtungen nebeneinanderstellenden Kompositionsweise. Auch als Illustrator tätig zusammen mit Becker von Worms, Mücke, Sonderland und Schroedter.

183

Mittelalter, 1844

(Karl der Große als erster Gesetzesgeber und Stifter der Kultur. Rittertum und Höfisches Leben)

Leinwand, 23 × 118 cm
Galerie G. Paffrath, Düsseldorf

Karl der Große 742–814, 800 Kaiserkrönung.
Mit der Kaiserkrönung im Jahre 800 betitelt sich Karl „der von Gott gekrönte

Kaiser", der das römische Imperium verwaltet, zugleich König der Franken und Langobarden.
Karl der Große als Gesetzgeber und Stifter der Kultur, und Rittertum und höfisches Leben sind zwei Teilaspekte des großen Wandfrieses für das Elberfelder Rathaus, das 1843 vollendet war. Plüddemann hat in der Berliner Kunstausstellung 1844 drei Skizzen zum Fries im Elberfelder Rathaus gezeigt; möglicherweise ist eine davon identisch mit dieser Reduktion.
Die Wandbilder in Elberfeld (1869 zerstört) sind fast gleichzeitig mit den Karlsfresken von Alfred Rethel in Aachen, für die 1839 ein beschränkter Wettbewerb ausgeschrieben worden war. Auch für das Elberfelder Rathaus wurde 1841 eine Konkurrenz ausgeschrieben. Die Themen waren vorgegeben. Zur Entstehungsgeschichte siehe ausführlich U. Ricke-Immel, Die Handzeichnungen des 19. Jahrhunderts, Düsseldorfer Malerschule, Teil 1, Text. Im Gegensatz zu Rethel, der von der groß gesehenen Komposition der einzelnen Wandfelder, die einander auch entsprechen, ausgeht, wählt Plüddemann hier einen Figurenfries, die sich von links nach rechts entwickelt, von Karl dem Großen den Ausgang nimmt. Die „Blüte der Kultur" leitet über zu den Turnierspielen, die Zuschauer rechts schließen das Bild und die Komposition ab.
Die Vergegenwärtigung der Vergangenheit ist im 19. Jahrhundert an der

184

Düsseldorfer Schule besonders gepflegt worden. Die zahlreichen Fresken in Deutschland, die von Düsseldorfer Künstlern ausgeführt worden sind, fanden als Reproduktionen Eingang in die Lehrbücher und die Prachtbände, z. B. „Aus dem Bildersaal deutscher Geschichte" und waren damit in das allgemeine Bewußtsein der Deutschen eingedrungen und wirkten so auf das Geschichtsverständnis der breiten Bevölkerung.

Lit.: Verzeichnis der Werke der lebenden Künstler, welche in den Sälen des Akademiegebäudes vom 15. September bis 17. November öffentlich ausgestellt sind, 34. Kunst-Ausstellung der Königlichen Akademie der Künste, Berlin 1844, Nr. 769; Kat. der Ausstellung zur Feier des 600jährigen Bestehens Düsseldorfs als Stadt 1888, Nr. 1451(?)

Eduard Wilhelm Pose
Düsseldorf 1812 – 1878 Frankfurt (Main)

Besucht vom Schuljahr 1829/30 an die Düsseldorfer Kunstakademie und entscheidet sich 1832/33 für die Landschafterklasse bei Johann Wilhelm Schirmer, der ihm eine bedeutende Anlage bestätigt.
Wanderungen und Studienfahrten in die Umgebung Düsseldorfs. Beziehungen auch zu C. F. Lessing, A. Rethel, Becker von Worms. Verläßt zusammen mit Andreas Achenbach im Jahre 1836 Düsseldorf und geht nach München, von dort noch im gleichen Jahr Übersiedlung nach Frankfurt. 1837 in Tirol, 1837/38 in München; von 1838 bis 1842 wieder in Düsseldorf. 1839 eine Reise nach Brüssel und Paris. 1842 bis 1845 ein Aufenthalt in Rom. Während dieser Zeit wahrscheinlich auch eine Reise nach Unteritalien und Sizilien. 1845 läßt er sich in

Frankfurt nieder, 1849 noch einmal in Italien, in Florenz.
Neben Schirmer gehört Pose zu den bedeutenden Landschaftsmalern Düsseldorfs. Seine großen Kompositionen bereitet er sorgfältig durch Naturstudien vor.

184
Chiemseelandschaft, 1838

Bezeichnet unten rechts: E W P 1838
Leinwand, 49 × 70 cm
Sammlung Georg Schäfer, Schweinfurt
Inv.Nr. 85 110913

Pose steht mit dieser Chiemseelandschaft in der Nachfolge seiner Vorbilder Schirmer und Lessing. Er wählt den Landschaftsausschnitt absichtlich nicht vedutenhaft. Das Hauptinteresse liegt bei der Darstellung des durch die Wolken brechenden Sonnenlichts, das, den Vordergrund im Schatten, die Ferne im hellen Licht aufleuchten läßt. Ein Vergleich mit dem „Abendfrieden" von Andreas Müller, Kat.Nr. 171, zeigt, wie fortschrittlich, realistisch, naturnahe und ohne gedankliche Assoziationen Pose sich mit dieser Landschaft präsentiert. Die Tiefenraumillusion wird durch den Gegensatz von dunkler Nähe zu lichter Ferne gesteigert.

Lit.: Kat.Ausst. Nürnberg 1967, Nr. 206, W 26

185
Kronberg im Taunus, um 1842

Bezeichnet unten rechts: E W P.
Pappe, 27 × 38 cm
Kunstmuseum Düsseldorf
Inv.Nr. 4269

185

Blick in die Mainebene bei Kronberg im Taunus. Burg Kronberg, 13. Jahrhundert, Ausbauten 1501–05, die gesamte Anlage wurde 1892 restauriert.

Auch hier arbeitet Pose wieder mit Licht- und Schattenfeldern in der Landschaft; die Burg Kronberg hebt sich von der dunklen Folie des Hintergrundes im hellen Licht ab. Mit diesem Gemälde ist Pose seinem Vorbild C. F. Lessing ebenbürtig, die summarische Behandlung des Vorder- und Mittelgrundes von erstaunlicher Fortschrittlichkeit; vielleicht gestattet der Künstler sich eine solche, der Schultradition ferne Formulierung nur bei diesem kleinen, privaten Format,

vergleiche seine ,,Campagnalandschaft'', Kat.Nr. 186.

Lit.: I. Markowitz 1969, S. 240

186
Campagnalandschaft, 1855

Bezeichnet unten rechts: E. W. Pose 1855
Leinwand, 99 × 141 cm
Kunstmuseum Düsseldorf (Geschenk des Künstlers 1878)
Inv.Nr. 4074

Die Campagna bei Tor di Quinto, nördlich von Rom.

Was sich in den beiden vorhergehenden Katalognummern abzeichnet, bestimmt auch dieses Bild Poses: das Interesse an atmosphärischen Phänomenen, am Sonnenlicht, das durch die Wolken dringt und Schatten- und Lichtinseln in der Landschaft entstehen läßt. So erreicht Pose eine Gliederung des weiten Raumes ohne die klassischen Versatzstücke der rahmenden Bäume.

Landschaften wie diese zeigen Pose frei von Konventionen. Pose erreicht durch Lichtregie, daß markante Details aus der Landschaft: Ruinen und Flußlauf,

186

Straße und Felsennester, hervorgehoben
werden und so die Weite der römischen
Campagna überzeugend vor Augen geführt wird.

Lit.: I. Markowitz 1969, S. 240; Marko-
witz/Andree 1977, Nr. 23

Johann Wilhelm Preyer
Rheydt 1803 – 1889 Düsseldorf

Besucht von 1822 bis 1831 die Düsseldorfer Kunstakademie. 1829/30 in der
oberen Klasse der ausübenden Künstler,
wird er als Genre- und Blumen-Maler
und ein Meister in seinem Fach genannt.
1835 Studium holländischer Galerien.
Mit seinem Bruder Gustav Preyer und
Johann Peter Hasenclever geht er 1837
nach München; 1840 in Italien, 1841/42
in Düsseldorf, ist er 1843 nach seinem
Aufenthalt in München wieder in Italien; 1848 mit J. P. Hasenclever in Berlin.
Mit seiner feinen, minutiösen, altmei-
sterlichen Malerei erregte er Aufsehen
und galt als der beste Maltechniker der
Düsseldorfer Schule.
Von Gestalt zwergenwüchsig, vergleiche Hasenclevers Porträt Preyer,
Kat.Nr. 96.

187

1820/30er Jahren hergestellt wurden. In die Zeit um 1830 paßt auch das Ornament des tablettartigen Fußuntersatzes ... Ein Original dieser Schale ist mir bisher nicht bekannt „geworden." (Schriftliche Auskunft Hamburg 1979).

Für Preyer sind Stilleben kaum mehr Vanitas- oder Memento Mori-Bilder. Dieser Gedanke ist im 19. Jahrhundert fast ganz in den Hintergrund gerückt worden. Es dominiert die Freude hier am minutiösen, fein ausgemalten, dekorativen Arrangement von verschiedenen Früchten und Gegenständen.

Lit.: Berlin 1976, S. 308.

188
Früchtestilleben mit Landschaft, 1835

Bezeichnet unten rechts: J W P. 1835
Leinwand, 15,8 × 19 cm
Galerie G. Paffrath, Düsseldorf

Unter freiem Himmel auf einer Steinbank sind Trauben, eine Zitrusfrucht, Kirschen und andere Früchte dargestellt. Das Arrangement der Früchte ist konventionell bis hin zu dem Tautropfen auf dem Weinblatt. Neu – und den Charakter dieses Bildes kennzeichnend – ist die Verbindung von Stilleben mit Landschaftshintergrund. Möglicherweise sind hier Landschaftsmotive aus Holland, links eine Windmühle, rechts von Baumwerk umgebene Häuser, festgehalten worden. Im Gegensatz zu der virtuosen Darstellung der Früchte ist die Landschaft wie in „der Manier um 1600" vorgetragen. Links über der Landschaft ein Regenschauer, rechts Vögel, die sich gegen den hellen Himmel abzeichnen.

Lit.: 100 Jahre Galerie G. Paffrath, S. 102, 103

187
Früchte auf einer Porzellanschale, 1832

Bezeichnet unten rechts: J W Preyer (P + W ligiert) 1832
Leinwand, 42,4 × 36,3 cm
Nationalgalerie, Staatliche Museen Preußischer Kulturbesitz, Berlin (Sammlung Wagener 1861)
Inv.Nr. NG 252

Hermann Jedding vermutet, daß Preyer hier eine Fayence aus Niederweiler (Niderwiller/Lothringen) nach den Modellen von Paul Louis Cyfflé (1724–1806) dargestellt hat. „Die Manufaktur arbeitete bis 1827, hat danach (bis heute) diese sehr beliebten Figuren aber auch in Steingut hergestellt. In der Bemalung und im Kopfschmuck des Mädchens sind die Figuren der Preyer-Schale gegenüber den Ausformungen des späten 18. Jahrhunderts vereinfacht. Daraus kann man schließen, daß sie erst in den

188

189
Stilleben mit Glas, Früchten und Biskuit, 1836

Bezeichnet unten rechts: J. W. Preyer
1836. (J, W + P ligiert)
Leinwand, 45 × 42,5 cm
Kunstmuseum Düsseldorf
Inv.Nr. 4534

Das Stilleben als Bildgattung ist in Düsseldorf durch Preyer zu einer solchen Höhe entwickelt worden, daß andere Künstler, die sich darin versuchten, wie schwache Nachahmer wirken. Die Vorbildlichkeit der niederländischen Malerei des 17. Jahrhunderts wird in einem Bild wie diesem voll bezeugt. Die präzise, glasklare Malerei kulminiert in dem Weinglas mit den Lichtreflexen, die das Atelier des Künstlers erkennen lassen. Das spröde Backwerk ist ebenso überzeugend dargestellt wie die seidig schimmernde Stoffbahn, die den kostbaren Hintergrund für die sorgfältige Malerei bietet. Bemerkenswert ist, daß die Darstellung der Früchte von der Brillanz des Glases überstrahlt wird. („Zeitgenössischer Deckelpokal, deutsch, etwas derb, aber formal und qualitativ gut." H. Ricke)

Farbtafel XVI

Lit.: I. Markowitz 1969, S. 242; Markowitz/Andree 1977, Nr. 24

189

Alfred Rethel

Diepenbend bei Aachen 1816 – 1859 Düsseldorf
Mit 13 Jahren vom Schuljahr 1829/30 an besucht er die Düsseldorfer Kunstakademie. Seine Anlage als Historienmaler wird sofort als „ausgezeichnet" erkannt und seine Kompositionen werden als „sehr gut" bezeichnet. Seit 1834 in der Meisterklasse; voran gingen Studien bei Kolbe und Hildebrandt. Von den Werken Lessings beeindruckt, setzt er 1836 seine Studien in Frankfurt bei Philipp Veit fort. Dort fand er seine klare Bildsprache, befreite sich auch von den nazarenischen Bindungen und wurde zu einem Historienmaler von Ruf. Sein Ansehen hatte auch außerhalb von Deutschland große Geltung gewonnen. Sein Schaffen kulminiert in den Karlsfresken für das Aachener Rathaus.
Ab 1847 in Aachen tätig; dazwischen Aufenthalte in Düsseldorf, Dresden und Blankenberghe. Zwei Italienreisen 1844/45 und 1852/53. Seit 1853 krank und untätig.
Auch als Graphiker erfolgreich tätig und nie in Vergessenheit geraten.

190

Die Harkortsche Fabrik auf Burg Wetter, um 1834

Leinwand, 43,5 × 57,5 cm
DEMAG AG, Duisburg

Das Gemälde wurde von Rolf Fritz 1958 als ein Frühwerk von Alfred Rethel bestimmt. Dargestellt ist die Burg Wetter, auf der 1827 das erste Puddel- und Walzwerk in Westfalen errichtet wurde. Burg

Wetter 1274 im Besitz der Grafen von der Mark erwähnt.
Seit 1870 Sitz des Cleve-Mörs und Märkischen Bergamtes. 1819 ging die Burg in den Besitz von Friedrich Harkort und Heinrich Kamp über, die hier eine mechanische Werkstätte gründeten. 1826 wurde ein erster Hochofen errichtet.
In der zweiten Hälfte des 19. Jahrhunderts entstand durch Vereinigung mit anderen Werken aus dieser Fabrikanlage eines der bekanntesten Unternehmen, aus dem die DEMAG hervorgegangen

ist. (DEMAG AG Duisburg, seit 1926, durch Zusammenschluß der Deutschen Maschinenfabrik AG und der Maschinenfabrik Thyssen & Co.).
Der Vater von Alfred Rethel hatte als Buchhalter 1829, im gleichen Jahr, als Alfred Rethel die Düsseldorfer Akademie besuchte, eine Stelle bei der Harkortschen Fabrik angenommen, die er bis 1837 innehatte.
Sucht man nach Vorbildern für das ungewöhnliche Sujet, wird man auf Carl Blechens „Walzwerk bei Eberswalde",

um 1834, verweisen müssen. Auch Andreas Achenbachs Ansicht der „Alten Akademie", Kat.Nr. 1 ist für den jungen Rethel richtungsweisend in der sorgfältigen Schilderung des Vorgegebenen.

„Alfred Rethel, der 18jährig und 18 Jahre jünger als Blechen fast zur selben Zeit mit ihm an die gleiche Aufgabe herantritt, besitzt gewiß nicht die künstlerische Reife des älteren, hat aber die ganze Frische und Unbefangenheit der Jugend vor dem in jeder Weise ungewöhnlichen Motiv. Ähnlich wie Blechen empfindet er den Gegensatz zwischen dem Alten und Neuen, der verfallenden Burgruine und den aufstrebenden Industrieanlagen, das Schicksal des von allen Seiten von Schornsteinen bedrängten Bergfrieds. Vor dem hellen Sommerhimmel, der über dem Ruhrtal steht, wirbeln dunkle Rauchwolken empor." (Aus: Ein unbekanntes Jugendwerk von Alfred Rethel von Rolf Fritz, in: Wallraf-Richartz-Jahrbuch, Band XX, Köln 1958). Das effektvolle Gegeneinanderausspielen von Gegensätzen wird für Rethels Kunstweise bestimmend bleiben, vergleiche die folgenden Katalognummern. Das Bildthema der „Industrielandschaft" greift ungefähr 30 Jahre später Andreas Achenbach wieder auf, siehe Kat.Nr. 5.
Neben Blechens berühmtem „Walzwerk bei Eberswalde" stellt sich ebenbürtig Rethels Frühwerk in die Reihe der ersten Industrielandschaften in der europäischen Malerei.

Lit.: Paris 1976/77, Nr. 185

192

191
Des Künstlers Mutter,
1833–35

Leinwand, 61 × 47 cm
Nationalgalerie, Staatliche Museen Preußischer Kulturbesitz, Berlin
Inv.Nr. NG 1789

Die Mutter des Künstlers Johanna Rethel, geb. Schneider
Aachen 24. 1. 1772 – 18. 11. 1857 Düsseldorf;
wohnhaft in Düsseldorf, Jägerhofstr. 67.
Die strenge Tradition von Rethels er-

stem Lehrer J. B. Bastiné (1783–1844) in Aachen verbindet sich in dem Bildnis der Mutter mit der Malkultur seiner Düsseldorfer Professoren H. Chr. Kolbe, Th. Hildebrandt und W. von Schadow, vergleiche W. von Schadow „Fanny Ebers", 1827 (Bayerische Staatsgemäldesammlungen, München) und „Die Kinder des Künstlers", Kat.Nr. 217; H. Chr. Kolbes „Ehepaar Troost", Kat.Nr. 143, 144, und Th. Hildebrandts „Der Krieger und sein Kind", Kat.Nr. 102.

Die überlegene Bildordnung verleiht diesem Porträt der Mutter Würde und Distanz und weist Rethel als einen ganz großen Künstler der Düsseldorfer Malerschule aus, in den die Zeitgenossen schon früh große Hoffnungen gesetzt haben.

Lit.: Berlin 1976, S. 323

192
Die Versöhnung Otto des Großen mit seinem Bruder Heinrich, 1840

Bezeichnet unten links neben der Mitte: A. Rethel (A und R ligiert) 1840
Leinwand, 192 × 145 cm
Historisches Museum der Stadt Frankfurt am Main (Geschenk des Kunstvereins 1844 an die Stadt Frankfurt)
Inv.Nr. B 6

Auftragswerk des Frankfurter Kunstvereins, eine historische Begebenheit in Frankfurt zu malen: Die Versöhnung Otto des Großen (912–973) mit seinem Bruder Heinrich, Weihnachten 941 vor der Bartholomäuskirche in Frankfurt; im Hintergrund die Leonhardskirche.
Rethel greift den dramatischen Augenblick auf, als der jüngere Bruder Heinrich (gestorben 955) in Frankfurt vor dem Kaiser um Gnade bittet. Vorangegangen war der Aufstand Heinrichs, der sich 939 als Kronanwärter mit Herzog Eberhard von Franken, Giselbert von Lothringen, mit Ludwig IV. von Frankreich sowie mit Erzbischof Friedrich von Mainz gegen Otto den Großen verbündet hatte. Bei der Neuverteilung der Herzogtümer fällt 947 Bayern Ottos Bruder Heinrich zu.

193

Für die vermittelnde Gestalt im Hintergrund konnte Rethel auf seinen „Bonifatius", 1832 (National-Galerie Staatliche Museen zu Berlin, DDR) und für die Gestalt Otto des Großen auf den „Hl. Bonifatius, den Heiden predigend", 1835 (Suermondt-Museum, Aachen) zurückgreifen.
Mit Bildern wie diesem bestätigte er sich und seinen Auftraggebern für die Karlsfresken in Aachen seine besonderen Fähigkeiten für diese Aufgabe, vergleiche die folgenden Katalognummern.

Lit.: Wolfram Prinz, Gemälde des Historischen Museums Frankfurt, 1957, S. 124; Ausstellungs-Katalog: Alfred Rethel, Aachen 1959, Nr. 394

193
Sturz der Irminsul, 1846–47

Papier auf Leinwand, 66,3 × 75,6 cm
Kunstmuseum Düsseldorf
Inv.Nr. 4454

Farbenskizze zu dem Fresko im Aachener Rathaus.
Der Kunstverein für die Rheinlande und Westfalen in Düsseldorf hatte im Jahre 1839 auf Anregung des Aachener Bürgers Gustav Schwenger unter Beteiligung der Stadt Aachen einen beschränkten Wettbewerb zur Ausmalung des Aachener Rathaussaales ausgeschrieben. Die Aufgabe bestand darin, „bedeutende Momente aus dem Leben Karls

429

194

Sieg Karls über die Sachsen bei Paderborn 772, aus. Durch diese Schlacht beginnt der junge Held seine Siegesbahn, die Irminsäule wird gestürzt, dem Sachsenvolke eine Warnung, daß dem Wachsen des christlichen Helden selbst der Pfeiler des Weltalls nicht zu widerstehen vermag . . .".

Lit.: I. Markowitz 1969, S. 255, 256; Düsseldorf und der Norden 1976, Nr. 28; Markowitz/Andree 1977, Nr. 25

Farbtafel XVIII

194
Einzug Karls des Großen in Pavia, 1850

Papier auf Leinwand, 63,3 × 71 cm
Kunstmuseum Düsseldorf
Inv.Nr. 4458

In der Auseinandersetzung zwischen Papst Hadrian I. und dem König Desiderius der Langobarden, dem Schwiegervater Karls des Großen, unterstützt Karl der Große den Papst, zwingt Pavia nach langer Belagerung zu einer Übergabe und verbannt Desiderius nach Frankreich in ein Kloster. Das langobardische und das fränkische Reich werden vereinigt. Karl ist Rex Francorum et Langobardorum.

Karl der Große zieht durch ein Stadttor als Triumphator in die brennende Stadt ein. In seiner Linken hält er die „eiserne" Krone der Langobarden, in der Rechten ein Schwert; Haltung und Gestus ähnlich der Statuette Karls des Großen im Louvre. Im Vordergrund rechts der besiegte und gefesselte König Desiderius.

Die überlieferten Detailstudien zeigen, daß Rethel gerade bei dieser Komposition Einzelfiguren und Gruppen sorg-

des Großen in historischer und symbolischer Auffassung mit möglichster Beziehung sowohl auf ihre allgemein-geschichtliche Auffassung, als auch auf die Stadt Aachen als dessen Lieblingsaufenthalt zu schildern".

Rethel schreibt: „In bezug auf die historischen Gegenstände ließ ich mich durch den Grundgedanken bestimmt, der sich in Karls Leben ausspricht und in seinen geschichtlichen folgenreichen Unternehmungen immer wiederkehrt: Durchdringung des Staates mit christlichen Prinzipien, Ausrottung und Umgestaltung der heidnischen Natur und Verhältnisse, bewerkstelligt durch Einführung des Christentums, als deren Haupt der Papst gedacht wurde."

Irminsul (Irminsäule), sächsisches Heiligtum in Form einer hölzernen Säule,

die von Karl dem Großen 772 nach der Einnahme der Eresburg (Westfalen) zerstört wurde. Sie stellte wohl die Weltsäule dar, die das Himmelsgewölbe trägt.

Der Bildgedanke zum Sturz der Irminsul gehört zu den ursprünglich sechs konzipierten Bildern. Der Einzug Karls des Großen in Pavia entstand im Zusammenhang mit den Planänderungen, um 1842.

Vor der Übertragung der Kartons auf die Wände überprüfte Rethel anhand der Düsseldorfer Farbskizzen die Farbgebung der Fresken. Im Begleitschreiben Rethels zum eingesandten Entwurf heißt es: „Karl erscheint überall als der christliche Held . . . Dieser Gedanke spricht sich zunächst in der Komposition, die den Zyklus eröffnet, dem ersten

fältig durchstudiert und in ihrer Wirkung erprobt hat. Rethel strebt im Zusammenhang mit dem besiegten Desiderius eine klare Kontrastwirkung an. Rechts im Bild lassen sich Reminiszenzen an Raffael nachweisen, wahrscheinlich kannte Rethel auch die Kompositionen mit ähnlichen Bildthemen des Julius Schnorr von Carolsfeld in der Münchner Residenz (seit 1835 in Arbeit).

Lit.: I. Markowitz 1969, S. 259–261; Düsseldorf und der Norden 1976, Nr. 29; Markowitz/Andree 1977, Nr. 26

195

William Trost Richards
Philadelphia 1833 – 1905 Newport, Rhode Island

Zuerst tätig als Entwurfszeichner für Armaturen der Gasbeleuchtung und Kandelaber. Studierte 1853 bei Paul Weber in Philadelphia, wo auch Haseltine seine ersten Unterweisungen erhielt; im gleichen Jahr ging Richards nach Europa. In Italien Studium der Malerei in Florenz und Rom, wo er Bierstadt, Haseltine und Whittredge getroffen haben mag, die ihn auf Düsseldorf aufmerksam gemacht haben werden. Von Rom aus ging er nach Paris; beeindruckt von Ruskins Kunsttheorie. 1856 kurz in Düsseldorf; danach kehrte er nach Germantown in Pennsylvania zurück. 1866 noch einmal zum Studium nach Düsseldorf und Darmstadt. Um 1867 wandte er sich vorwiegend der Malerei von Küstenlandschaften und Seestücken zu, die ihn bekannt gemacht haben. Häufig Reisen zu den britischen Inseln. Seit 1890 ständig in Newport ansässig.

195
Blick auf Stolzenfels mit dem Rheintal und Burg Lahneck, 1856

Bezeichnet unten links: W. T. Richards Pha. 1856
Leinwand, 61,6 × 85,5 cm
Rheinisches Landesmuseum, Bonn
Inv.Nr. 61,637

Das Gemälde entstand in Philadelphia, wie die Signatur nachdrücklich vermerkt. Eine sorgfältig durchgeführte Zeichnung dieser Landschaft hat sich erhalten. Sie wurde am 13. Mai 1856 datiert und befindet sich heute im Brooklyn Museum, New York. 1976 war sie auf der Ausstellung „The Hudson and the Rhine" neben dem Bild ausgestellt. Ute Ricke vermutet 1976, daß Richards Caspar Scheurens Gemälde mit dem Schloß Stolzenfels gekannt hat, das 1851 in der Düsseldorf Gallery in New York unter der Nummer 113 ausgestellt war.

Schloß Stolzenfels gehörte um 1850 zu den Sehenswürdigkeiten des Rheintales, die besonders hervorragten, da die Ruine der 1689 zerstörten Burg aus dem 13. Jahrhundert 1825 von der Stadt Koblenz dem Preußischen Kronprinzen, dem späteren König Friedrich Wilhelm IV., geschenkt worden ist. Der Ausbau erfolgte, nachdem Karl Friedrich Schinkel die vorgelegten Pläne entscheidend umgestaltet hatte. Nach Schinkels Tod 1841 wurden die Umbauarbeiten von Friedrich August Stüler und Ludwig Persius vollendet.
Zur Rheinseite vorgelagert der Neubau einer gotischen Kapelle (im Bild nicht sichtbar). Die Wandfelder wurden von Ernst Deger mit der Erlösungsgeschichte 1850–59 ausgemalt. Diese Fresken sind neben den Wandbildern der Apollinariskirche zu Remagen (vergleiche Kat.Nr. 60–62, 117, 172–174) ein Hauptbeispiel rheinisch-romantischer Monumentalmalerei.

196

freundet mit R. Jordan. Seit dem Schuljahr 1840 in der Meisterklasse. In den
Schülerlisten werden seine schönen Bilder aus dem Matrosenleben immer wieder erwähnt.

Noch ehe sein Talent sich voll entfalten
konnte, starb er mit 37 Jahren. Seine
Bildthemen fand er in der Nachfolge seines Freundes Jordan, der die ethnographische Malerei für Düsseldorf entdeckte.

196
Middys Predigt, 1853

Bezeichnet unten rechts: Henry Ritter
1853
Leinwand, 47 × 42 cm
Wallraf-Richartz-Museum, Köln (Ge-
schenk des Museums-Vereins)
Inv.Nr. 1942

In der Nachfolge Rudolf Jordans: Ethnographisch orientiertes, moralisieren-
des Genre (siehe Kat.Nr. 127). „Ein
kleiner Seekadett hält auf der Landungs-
brücke drei angetrunkenen heimkehrenden Matrosen, welche vor ihm in Front
angetreten sind, eine Standpredigt. Dieselbe wird von ihnen mit lächelnder
Miene und verschiedenen Gebärden der
Rechtfertigung aufgenommen. Der
mittlere, ein Neger, verbirgt die Flasche
mit seinem Hute; im Hintergrund der
Hafen von Antwerpen" (Köln 1914).
Eine zugehörige Zeichnung befindet
sich im Wallraf-Richartz-Museum,
Köln; zu weiteren Studien aus dem
Kunstmuseum Düsseldorf siehe Katalog der Ausstellung „The Hudson and
the Rhine", Düsseldorf 1976, Kat.Nr.
144.

Lit.: The Hudson and the Rhine, Düsseldorf 1976, Nr. 140

Oberhalb der Lahnmündung im Hintergrund die Ruine von Burg Lahneck, die
erst seit 1854 wieder ausgebaut wurde.
Links die Horchheimer Höhe.
Mit einem besonderen Sinn für bühnen-
hafte Effekte läßt er Schloß Stolzenfels
im Licht der tiefstehenden Sonne vor
den im Schatten liegenden Hängen des
Rheintales aufleuchten.

Kat.Ausst. William Trost Richards, bearbeitet von Linda S. Ferber, The
Brooklyn Museum New York and Pennsylvania Academy of Fine Arts, Pennsylvania 1973, Nr. 15; The Hudson and the
Rhine, Düsseldorf 1976, Nr. 126

Henry Ritter
Montreal (Kanada) 1816 – 1853 Düsseldorf

Sohn eines in der englischen Armee als
Offizier dienenden Hannoveraners und
einer Engländerin. Schon früh verwaist,
kam er zu einem Onkel nach Hamburg,
wo er nach kurzer kaufmännischer
Lehre bei dem Hamburger Maler Friedrich Carl Groeger ausgebildet wurde.
Als Anfänger 1833 zunächst in Düsseldorf Besuch der Sonntagsschule bei Professor Thelott. Seit 1836 Schüler der
Düsseldorfer Kunstakademie. Hier studiert er vor allem bei C. F. Sohn; be-

197

Rudolf Theodor Rocholl

Sachsenberg (Waldeck) 1854 – 1933
Düsseldorf
Seit 1867 in Göttingen. 1871 Besuch der
Dresdener Akademie, Schüler von Julius Schnorr von Carolsfeld und Ludwig
Richter. 1872–77 in München bei Carl
von Piloty. Von November 1878 bis
1883 besucht er die Kunstakademie in
Düsseldorf. Studium vor allem bei August Wilhelm Sohn, bei dem er seit 1880
in der Meisterklasse ist.

1883/84 in Breslau, anschließend wieder
in Düsseldorf; 1890 in St. Petersburg,
1897 als Bildberichter Teilnahme am
Griechisch-Türkischen Krieg; 1900/01
Bildreportage der deutschen Expedition
in China (Boxeraufstand). 1908 im Auftrage der Deutschen Bank Bildberichte
vom Bau der Bagdadbahn. 1910 in
Kleinasien, 1911 mit den türkischen
Truppen in Albanien; nimmt am Weltkrieg 1914–18, wiederum als Bildbe-
richterstatter, teil.

197
Kampf um die Standarte, 1891

Bezeichnet unten links: Th. Rocholl
Düsseldf. 91
Leinwand, 155 × 220 cm
Kunstmuseum Düsseldorf (Vermächt-
nis Kommerzienrat Dr. Franz Schoen-
feld, Düsseldorf 1911)
Inv.Nr. 4107
Rocholl hat das Kriegsgeschehen 1870/
71 in vielen großformatigen Werken

festgehalten und das Erlebnis des Krieges für die Zeitgenossen formuliert. In der Beherrschung der Malerei so gewandt, daß ihm nach sorgfältigem Studium bei den Manövern zwischen Bernburg und Wieningen des 7. Kürassierregiments, das an der Schlacht von Vionville am 16. August 1870 beteiligt war, sowie nach Berichten von Augenzeugen, die Darstellung der aufeinanderprallenden Reitergruppen gelang. Er steht bei diesem Bild in der Nachfolge von Leonardos Anghiari-Schlacht, Rubens „Amazonenschlacht" und späteren Werken, die Siegfried Wichmann in seiner Publikation „Arnold Böcklin (1827–1901), Schlachten. Amazonenund Brückenkampf", Sindelfingen 1977, zusammengestellt hat, mit dem Unterschied, daß Rocholl ein Ereignis aus der Schlacht von Vionville wie ein Reporter beschreiben wollte, vergleiche auch Camphausen „Schlacht bei Belgrad", Kat.Nr. 41.

Dies Gemälde entstand zu einer Zeit, da die berühmten Schlachten der Vergangenheit in Panoramen dem Publikum lehrhaft vor Augen geführt wurden.

Georg Schmidts Verdikt über Arnold Böcklins „Kentaurenkampf", 1872/73: So kann der Krieg nur vom Sieger gesehen werden, trifft noch entschiedener auf Rocholls Bilder zu, die den Krieg von 1870/71 verherrlichen.

Lit.: I. Markowitz 1969, S. 264, 265

198

Julius Rollmann

Soest 1827 – 1865 Düsseldorf

Lehrling von Ludwig Pose als Dekorationsmaler. Für das Schuljahr 1844/45 ist er in der Elementarklasse der Kunstakademie eingeschrieben. Dort findet sich der Hinweis: „nach dem 3. Quartal die Akademie verlassen."

In seinen Studien, die sich im Kunstmuseum Düsseldorf erhalten haben, glaubt

199

200

man, den prägenden Einfluß der Schirmer-Schule ebenso nachweisen zu können, wie die Vorbildlichkeit von Lessings Landschaftsauffassung.

Nach kurzem Studium an der Berliner Akademie seit 1853 wieder in Düsseldorf ansässig. 1855 in den bayerischen Alpen und in München; 1856 in Berlin. Jährliche Studienaufenthalte in den Alpen; Treffpunkt für viele Düsseldorfer Künstler war Brannenburg. Hier fanden sich Ludwig Hugo Becker, Carl Irmer, Wilhelm Busch und Christian Kröner

und Julius Rollmann ein. 1858 und 1863 zwei Italienreisen.

Ehe sich die reiche Begabung von Rollmann voll entfalten konnte, setzte ein früher Tod seinem Schaffen ein Ende. 47 Landschaftsstudien gelangten aus seinem Nachlaß in die Sammlung der Kunstakademie und werden seit 1932 im Kunstmuseum bewahrt. Sie müssen von den Zeitgenossen als exemplarisch angesehen und deshalb in die Vorbildersammlung der Kunstakademie aufgenommen worden sein.

198
Hochgebirge, 1853

Bezeichnet unten links: Rollmann 1853
Leinwand, 48,8 × 70,7 cm
Galerie G. Paffrath, Düsseldorf

Auf der Basis von Naturstudien, vergleiche „Obersee", Kat.Nr. 199, ist diese Landschaft ausgeführt worden. Rollmann setzt vor einen im Dunst verschwimmenden Hintergrund bewegt konturierte Baumwipfel, die einen Wald in der Mitte überragen. Die Berggipfel im Hintergrund lassen sich topographisch bestimmen: (von links nach rechts) die Mühlsturzhörner, das Stadelhorn, daneben das Wagendrischelhorn, davor die Halsalm, rechts daneben die Felswände der Reiteralpe. Die Straße, auf der die Angler wandern, führt aus der Ramsau (bei Berchtesgaden) zum Hintersee. Die bewaldeten Abhänge links und rechts sind summarisch gegeben, nur eine Baumgruppe links ist hervorgehoben und korrespondiert mit dem Wald in der Mitte. Im Vordergrund Steine, Geröll und ein Bergbach.

Die Landschaft ist so komponiert, daß durch Gegensätze die Bildfelder und -räume chiastisch miteinander verspannt sind. Vergleiche auch Stanislaus Graf von Kalckreuth „Gebirgslandschaft“, Kat.Nr. 130.

199
Am Obersee, 1855

Bezeichnet unten links: Obersee 1855
Leinwand, 56 × 79 cm
Kunstmuseum Düsseldorf (Dauerleihgabe der Staatlichen Kunstakademie Düsseldorf, 1932)
Inv.Nr. 2374

Der Obersee südlich des Königssees mit Talwand, Teufelshörnern, der Rötwand mit abstürzendem Bach und die Fischunkelalp.
Der entscheidende Einfluß Schirmers auf den jungen Julius Rollmann wird in Alpenbildern wie diesem besonders deutlich, vergleiche Schirmer „Alpenlandschaft“, Kat.Nr. 231 und „Wetterhorn“, Kat.Nr. 230. Rollmann steht mit diesem Werk aber ebenso entschieden in der Nachfolge der nordischen Landschaften von Andreas Achenbach, ver-

gleiche Kat.Nr. 4 und Hans Frederik Gude, Kat.Nr. 83–87. Auf einer anderen Stilstufe, die Natur dramatisch überhöhend, wird Bierstadt, von ähnlichen Formulierungen ausgehend, das Erscheinungsbild der Rocky Mountains festhalten, vergleiche Kat.Nr. 29. Die karge Landschaft in Höhe der Baumgrenze ist von Stanislaus Graf von Kalckreuth 1852 sehr ähnlich gestaltet worden, vergleiche Kat.Nr. 130.
Rollmanns nüchterne Darstellungsweise wird vielleicht der Naturwiedergabe gerechter als die artifiziell überhöhte Komposition Kalckreuths.

Lit.: I. Markowitz 1969, S. 270

200
Venedig, 1858

Leinwand auf Pappe, 22,3 × 31,6 cm
Kunstmuseum Düsseldorf (Dauerleihgabe der Staatlichen Kunstakademie Düsseldorf, 1932)
Inv.Nr. 2239

Während seines Venedig-Aufenthalts 1858, möglicherweise direkt vor der Natur entstanden.
Im Mittelgrund S. Maria della Salute (1631–1687).
Die atmosphärischen Valeurs hat Rollmann in diesem kleinen Bild mit großer Sicherheit vorgetragen. Der Widerschein des Sonnenlichts auf den Kuppeln und der Architektur von unerhörter Prägnanz, genau wie die Reflexe im Wasser, das von einer Gondel links vorn und dahinter von einem einfahrenden Dampfer durchzogen wird. Als private Skizzen vor der Natur blieben Studien wie diese lange unbeachtet, vergleiche auch Oswald Achenbach „Konstantins-

bogen“, Kat.Nr. 14 und das ausgeführte Bild in Berlin, Kat.Nr. 15. Bei Rollmann fehlt den Zeitgenossen das große ausgeführte Werk nach dieser Skizze. Sie verrät eine hochsensible malerische Begabung. Noch bevor sie sich vollenden und Nachfolge finden konnte, starb der Künstler im Alter von 38 Jahren.

Lit.: I. Markowitz 1969, S. 271

201
Felshöhle mit Feueresse, 1859(?)

Leinwand auf Pappe, 65,5 × 36 cm
Kunstmuseum Düsseldorf (Dauerleihgabe der Staatlichen Kunstakademie Düsseldorf, seit 1932)
Inv.Nr. 2108

Rollmann steht mit diesem Werk in der Tradition der nahsichtigen Studien Johann Wilhelm Schirmers, vergleiche „Zypressen“, Kat.Nr. 233.
Mit bohrender Intensität hat Rollmann hier das Erscheinungsbild der Natur festgehalten. Industrie hatte in Düsseldorf als erster Rethel für bildwürdig gefunden, vergleiche Kat.Nr. 190 („Die Harkortsche Fabrik auf Burg Wetter).
Hier stehen in einem beziehungsreichen Wechselspiel die Schrägen des Felsgesteins zu dem Balken- und Bretterwerk der Schmiede unter dem überhängenden Felsen im Sonnenlicht. Einen ähnlich unkonventionellen und gewagten Landschaftsausschnitt kann man bei Schirmer finden „Aus dem Neckartal“, Kat.Nr. 240, vergleiche aber auch Beckers „Berghang“ Kat.Nr. 23.

Lit.: I. Markowitz 1969, S. 280

203

Jahrhundert unter den Nasriden Jusuf I. und Mohamed V.)" (I. Markowitz 1969).

Beispiel eines in Düsseldorf geschulten Künstlers, der unter dem Einfluß französischer Malkultur und durch das Studium der orientalischen Architektur zu einer Malerei findet, die nuancenreich die Fläche betont.

Mit sparsamen Grautönen, trocken in der Malerei, die südliche Sonne Granadas und die Hitze suggerierend. Licht- und Schattenzonen wechseln ab und heben die ornamentierten Wände dieser maurischen Architektur hervor. Das Interesse an den fremdländischen, außereuropäischen Kunstwerken ist vor allem durch die Weltausstellungen im 19. Jahrhundert bei einem breiten Publikum geweckt worden.

Lit.: I. Markowitz 1969, S. 328

Carl Seibels
Köln 1844 – 1877 Capri

Zunächst eine Kaufmannslehre; anschließend daran als Walzengraveur tätig. Seit 1861 besucht er die Düsseldorfer Kunstakademie, wo er seit 1863 bei Oswald Achenbach in der Landschafterklasse ist. Seit 1867 ein eigenes Atelier in Düsseldorf. Eine Studienreise, die er mit Theodor Hagen unternimmt, führt ihn 1867/68 nach Paris, hier beeindruckt ihn vor allem die Schule von Barbizon. 1874 mit Gregor von Bochmann in Holland bei Anton Mauve.

Nicht künstlerische, sondern gesundheitliche Gründe bewogen ihn, in Italien Heilung zu suchen. Wichtiger Landschaftsmaler der Paysage intime, die in Düsseldorf durch sein Werk vorbereitet wird.

204

Christian Sell
Hamburg Altona 1831 – 1883 Düsseldorf

1851–56 Studium an der Düsseldorfer Akademie bei Theodor Hildebrandt und Wilhelm von Schadow. Tätigkeit als Schlachtenmaler im dänischen Feldzug 1864, im böhmischen Feldzug 1866 und im Krieg 1870/71.
Noch während der Akademiezeit (1852–54) entstanden kriegerische Szenen im Kostüm des 30jährigen Krieges; Bilder, die sehr gesucht waren und sogar nach England verkauft wurden.

204
Kühe auf der Weide, um 1875

Bezeichnet unten links: C. Seibels
Leinwand, 42 × 59,3 cm
Galerie G. Paffrath, Düsseldorf

Ein vergleichbares Bild im Kunstmuseum Düsseldorf, Inv.Nr. 4532 „Kühe und Pferde auf der Weide" datiert I. Markowitz 1969 in die 70er Jahre. Auch dieses Bild wird in dieser Zeit entstanden sein. Carl Seibels, der einer der wichtigsten Vertreter der Paysage intime in Düsseldorf ist, kann sich mit seinen besten Gemälden messen mit seinen großen Vorbildern der Schule von Barbizon, unter denen Constantin Troyon (1810–1865) ihn besonders beeindruckte. Der Künstler hat seine Arbeiten durch sorgfältige Naturstudien vorbereitet. Im Kunstmuseum Düsseldorf haben sich 11 solcher Farbskizzen erhalten.
Die weidenden Kühe und Schafe sind ganz in die Natur eingebunden; die Landschaft dient Seibels als Folie für die Darstellung der Tiere; sie hat kaum einen Eigenwert. Er beschränkt sich auf abbreviaturhafte Charakterisierungen: Windmühle, Gebüsch, Gesträuch im Hintergrund. Im Gegensatz zu älteren niederländischen Vorbildern, wie z. B. Aelbert Cuyp (1620–1691), dominiert das Interesse an den Lichtreflexen auf dem Fell der Tiere. Das Atmosphärische der weiten Landschaft wird durch den hohen Himmel mit Kumuluswolken intensiviert.
In Düsseldorf kommt Seibels mit seiner

205
Episode aus dem Krieg
1870/71, 1881

Bezeichnet unten links: Ch. Sell 81.
Holz, 20,5 × 28,6 cm
Galerie G. Paffrath, Düsseldorf

Für die Generation von Christian Sell kulminierte das Kriegserlebnis in dem Deutsch-Französischen Krieg 1870/71, der in zahllosen Gemälden festgehalten wurde. Dieser Krieg war die Voraussetzung für die Reichsgründung 1871.
Im Gegensatz zu Rocholl, vergleiche Kat.Nr. 197 wirken die Figuren auf den Gemälden von Christian Sell wie gestellt und erstarrt. Die Kriegsveteranen fanden sich und ihr Leben in diesen detailgetreuen Werken festgehalten und ihre Taten reportagehaft der Nachwelt überliefert.

Lit.: Vergleiche Boetticher Nr. 25

205

Carl Ferdinand Sohn
Berlin 1805 – 1867 Köln

Seit 1823 Schüler Wilhelm von Schadows, zunächst an der Berliner Akademie, seit 1826 in Düsseldorf. Seit dem Schuljahr 1829/30 in der oberen Klasse der ausübenden Künstler. Im Oktober 1830 geht er zusammen mit Bendemann, Hildebrandt, Hübner und Schadow nach Italien, wo er bis 1831 bleibt. Hier studiert er vor allen Dingen die Venezianer; Tizian und Veronese sollten für ihn und seine Kunst in Form und Farbgebung Leitbilder bleiben.

1832 übernimmt er die Stellvertretung für Heinrich Christoph Kolbe an der Düsseldorfer Akademie. 1838 wird er Professor für Malerei und Zeichenkunst. Unter dem 12. März 1856 findet sich in den Schülerlisten folgende Notiz: „Er ist ein von der vornehmen Welt – insbesondere den Damen – beliebter Bildnismaler; mit Aufträgen stets dergestalt überhäuft, daß er kaum imstande ist, dieselben nach Wunsch auszuführen. Die Akademie hat in jüngster Zeit diesen trefflichen Lehrer eingebüßt, da er in anderer Weise ein viel bedeutenderes Einkommen erzielt."

1857/58 hatte er eine Meisterklasse.

Seine Lehrtätigkeit hat er demnach nur für zwei Jahre unterbrochen. In den Akademieakten ist er bis zu seinem Tode 1867 immer wieder geführt als zum Lehrerkollegium gehörig; „ein Künstler, der eine beträchtliche Zahl von Bildnissen, namentlich Fürstliche Damen in und außerhalb Düsseldorfs gemalt hat." Seine Zeitgenossen schätzten ihn als Porträtisten demnach noch höher als seine Historienbilder. Seine langjährige Tätigkeit als Lehrer an der Düsseldorfer Akademie war von schulbildender Bedeutung.

206

206
Rinaldo und Armida, 1828

Leinwand, 172 × 171 cm
Kunstmuseum Düsseldorf (Dauerleihgabe der Staatlichen Kunstakademie Düsseldorf, 1932)
Inv.Nr. 2131

Für die Figurengruppe hat sich Sohn durch die Radierung Gottfried Schadows mit dem gleichen Thema aus dem Jahre 1785 inspirieren lassen. Auffallend sind die Veränderungen, die auf einen Gleichklang und Parallelismen abzielen.

Das literarische Vorbild war Torquato Tassos „Gerusalemne Liberata", 16. Gesang, Vers 18–19:
„Der laue West theilt ihres Busens Schleier,
und Zephir spielt in ihrem Haar, das ihn umschwebt.
Sie schmachtet sanft und die entflammten Wangen
bleicht holder Schweiß, der ihr Gesicht belebt.
Im feuchten Auge funkelt voll Verlangen
ein Lächeln, wie der Strahl im Wasser lebt.

207

Sie beugt sich über ihn, der seine Augen
voll Glut erhebt, die Schönheit einzusaugen."
(In der Übersetzung von J. D. Gries,
Stuttgart 1822)
Johann Wilhelm Schirmer überliefert,
daß an der Gestaltung des Hintergrundes Carl Friedrich Lessing beteiligt war.
I. Markowitz 1969 hat die Vegetation
durch Rudolf Lippolt weitgehend bestimmen lassen.
Für die Düsseldorfer Malerschule der
Schadowschen Prägung ein Erstling der
idealistischen, literarisch orientierten
Kunstauffassung. Von den Zeitgenossen wurde die lebensfrische Sinnlichkeit

in diesem Bild als auffallend hervorgehoben, eine Eigenschaft, die wir vor
dem Original, dessen Ausdruck uns eher
verhalten erscheint, nicht recht nachvollziehen können. Die brillante Malerei, verbunden mit einer bis dahin unge-
kannten Naturnähe, fand ebenso große
Beachtung. Das Bild wurde, noch bevor
der Künstler es vollendet hatte, vom
Prinzen Friedrich von Preußen aus dem
Atelier des Künstlers erworben.
Eine vergleichbare Gestaltung des Hintergrundes findet sich bei Wilhelm von
Schadows Porträt „Agnes d'Alton",
Kat.Nr. 214. In beiden Fällen ist der
dichte Wald Folie für die Figuren, vor

dessen Kleinteiligkeit sie ein ruhiges Lineament entwickeln.

Lit.: I. Markowitz 1969, S. 333, 334

Farbtafel XIX

207
Die Familie Bendemann und
ihre Freunde, um 1832

Leinwand, 108 × 175 cm
Kaiser Wilhelm Museum, Krefeld
Inv.Nr. 1931/182

Dargestellt sind von links nach rechts:
Carl Ferdinand Sohn, Berlin 1805 – 1867
Köln.
Eduard Julius Friedrich Bendemann,
Berlin 1811 – 1889 Düsseldorf.
Ferdinand Theodor Hildebrandt, Stettin
1804 – 1874 Düsseldorf.
Der Vater Anton Heinrich Bendemann
(Aaron Hirsch Bendix), 1775–1866
(Bankier in Berlin).
Die Mutter Fanny Eleon Bendemann,
1778–1857.
Emma Hübner, Tochter von Julius
Hübner.
Dahinter ihre Mutter Pauline Hübner,
geb. Bendemann (1829 heiratete sie Ju-
lius Benno Hübner).
Hinter ihr Emil Bendemann, 1807–1882,
Bruder von Eduard Bendemann.
Vom rechten Bildrand überschnitten:
Friedrich Wilhelm von Schadow, Berlin
1788 – 1862 Düsseldorf.
Vor ihm Julius Benno Hübner, Oels
(Schlesien) 1806 – 1882 Loschwitz bei
Dresden.
Auf diesem Bild malten:
Eduard Bendemann: Die Mutter Bende-
mann und den Bruder Emil Bende-
mann.
Theodor Hildebrandt: Carl Ferdinand
Sohn und den Vater Bendemann.
Julius Benno Hübner: Seine Frau Pau-
line Hübner und das Töchterchen
Emma.
Wilhelm von Schadow: Julius Hübner.
Carl Ferdinand Sohn: Eduard Bende-
mann, Theodor Hildebrandt und Wil-
helm von Schadow.
Im Hintergrund auf dem Bild im Bild die
Silhouette der Stadt Rom, links die En-
gelsburg, rechts die Kuppeln von St.
Peter.
Dies Bild ist nicht nur ein Zeugnis der
engen verwandtschaftlichen Verbindungen in der Düsseldorfer Malerschule,
sondern auch eine Erinnerung an die
gemeinsame Reise nach Rom, die die
dargestellten Maler 1830/31 unter Führung Wilhelm von Schadows gemacht
hatten. Auf Grund dieser Romreise und
des Alters von Emma Hübner, dem
Töchterchen des Künstlers Julius Hüb-

208

ner, läßt sich das Gemälde um 1832 datieren.

Lit.: The Hudson and the Rhine, Düsseldorf 1976, Nr. 167

208
Die beiden Leonoren, 1836

Bezeichnet unten links: 18 CS. 36
Leinwand, 68,5 × 58 cm

Muzeum Narodowe w Poznaniu, Poznań, Polen
Inv.Nr. MNP Mo 694

Dies Gemälde entstand 1836 als Wiederholung des Bildes aus dem Jahre 1834
für den Grafen Raczynski in kleinerem
Format.
Carl Ferdinand Sohn steht mit diesem
Gemälde in der Nachfolge von Overbecks „Italia und Germania", Kat.Nr.
179, und Bendemanns „Zwei Mädchen", Kat.Nr. 27. Dargestellt sind zwei
verschieden charakterisierte junge Mäd-

209

chen auf einer Terrasse mit einer Steinbrüstung vor einer weiten südlichen Landschaft. Oben halbrund geschlossen, in den Bildzwickeln gemalte ornamentale Füllungen.

Das Bild trägt den Titel „Die beiden Leonoren" und will damit an „Tasso" von Johann Wolfgang von Goethe erinnern. Beide Figuren sind, wie bei Bendemann, ähnlich gestimmt, dennoch im Temperament und in der Reaktionsweise leise, aber entschieden voneinander abgehoben. Diese Variante des nazarenischen Themas zeugt von der anhaltenden Beliebtheit der allegorischen Freundschaftsdarstellung, die gleichzeitig auch wieder die Begegnung zwischen

der italienischen und der deutschen Kunst ins Bewußtsein rufen will, vergleiche Carl Gehrts „Zeitalter der Renaissance", Kat.Nr. 78, mit der Begegnung von Raffael und Dürer.

Was bei diesem Bild auffällt, ist die Farbigkeit, die von der italienischen Malerei des 16. und 17. Jahrhunderts, vornehmlich Venedigs, beeinflußt worden ist.

Lit.: Raczyński, A.: Katalog der Raczynskischen Bilder-Sammlung. Berlin 1841 Nr. 34, S. 36–37; Berlin 1843 Nr. 34, S. 29; Berlin 1844 Nr. 34, S. 29; Berlin 1847 Nr. 34, S. 28; Berlin 1851 Nr. 34, S. 26; Berlin 1853 Nr. 24, S. 16; Berlin 1856 Nr. 36, S. 21; Berlin 1862 Nr. 36, S. 24–25; Berlin 1866 Nr. 51, S. 26; Berlin 1869 Nr. 52, S. 29; Berlin 1876 Nr. 58; v. Donop, L.: Verzeichnis der Gräflich Raczynskischen Kunstsammlungen in der Königlichen Nationalgalerie, Berlin 1886, S. 106, Nr. 77; Boetticher Nr. 9; Gumowski, M.: Muzeum Wielkopolskie w Poznaniu. Wybór i opis celniejszych zabytków i wybitniejszych dzieł sztuki wspólczesnej. Kraków 1924, S. 109, Nr. 50; Gumowski, M.: Galerja obrazów A. hr. Raczyńskiego w Muzeum Wielkopolskim w Poznaniu. „Roczniki Muzeum Wielkopolskiego w Poznaniu", VI, Poznań 1931, S. 180–181, Nr. 197, Tafel CXLVI; I. Markowitz 1969, S. 355

209
Tasso und die beiden Leonoren, 1839

Bezeichnet unten rechts: C. Sohn 1839
Leinwand, 174 × 256 cm
Kunstmuseum Düsseldorf
Inv.Nr. 4079

Sohns Darstellung von Torquato Tasso
mit den beiden Leonoren geht auf Goethes Schauspiel „Torquato Tasso" aus
dem Jahre 1790 zurück. Das Bild zeigt
Eleonore d'Este und Eleonore San Vitale in einem Gespräch auf dem Weg zu
den Hermen Vergils and Ariosts. Tasso
ruht dichtend im Garten des Schlosses
Belriguardo in Ferrara an einer
Quelle.
I. Markowitz 1969 hat dargelegt, daß C.
F. Sohn nicht durch ein Theaterereignis
inspiriert worden ist, sondern daß der
Maler „mehrere Vorgänge der Dichtung
... ohne dramatischen Akzent zusammengefaßt und die Handlung der Dichtung in ein für die Düsseldorfer Schule
typisches Zustandsbild übersetzt hat".
Die Seelenstimmung der einzelnen Personen wird durch verschiedene Mimik,
Blick und Gestus der Figuren für den
Betrachter deutlich gemacht. Dabei ist
für die Düsseldorfer Malerei kennzeichnend, daß die Szene sich auf einer relativ
schmalen Vordergrundbühne abspielt.
Das Blattwerk der hier im Gegensatz zu
„Rinaldo und Armida", Kat.Nr. 206,
südlichen Vegetation umhüllt die Figuren; in der Bildmitte im Hintergrund
wird das Schloß zu Ferrara sichtbar.
C. F. Sohns Italienerlebnis ist in der Annäherung an seine italienischen Vorbilder Palma Vecchio (um 1480–1528) und
Tizian (1477/90–1576) formal greifbar,
in der Farbgebung noch ganz zurückhaltend.
Vergleiche auch „Die beiden Leonoren", Kat.Nr. 208.

Lit.: I. Markowitz 1969, S. 334–336.
Markowitz/Andree 1977, Nr. 36

210

210
Elisabeth von Joukowsky, 1843

Bezeichnet auf der Rückseite von fremder Hand: Elisabeth v. Joukowsky, 22
Jahre alt, gemalt von Professor C. Sohn
Düsseldorf 1843
Leinwand, 62 × 50 cm

Kunstmuseum Düsseldorf
Inv.Nr. 5042

Elisabeth von Joukowsky,
Ayasch bei Dorpat 1821 – 1856 Moskau.
Tochter von Gerhard von Reutern, Maler (1794–1865); Elisabeth von Reutern
heiratete 1840 Wassily Andrejewitsch
von Joukowsky (1783–1852), vergleiche
Kat.Nr. 104, Lehrer der Zarenfamilie

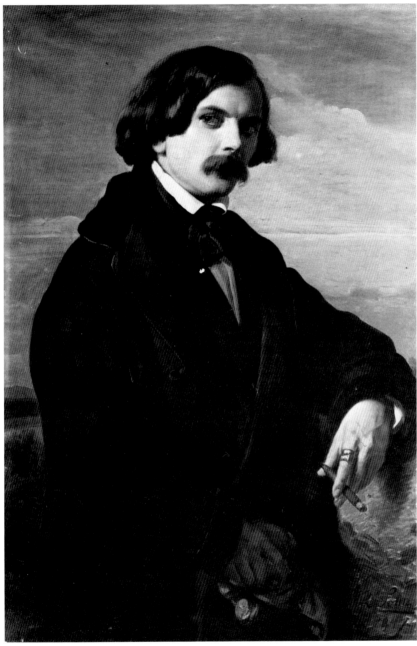

211

und Begleiter des Thronfolgers Alexander in Deutschland bis 1840. Von Joukowsky, der mit Boisserée, C. D. Friedrich, Goethe, Immermann und König Friedrich-Wilhelm IV. von Preußen bekannt war und auch Beziehungen zu Puschkin unterhielt, galt als Verfechter der Aufhebung der Leibeigenschaft. 1840–44 lebte er in Düsseldorf.

Nach dem Tode ihres Mannes 1852 ging Elisabeth von Joukowsky mit den Kindern nach Moskau.

Konzipiert wohl als Gegenstück zu „Charlotte von Reutern", der Schwester der Dargestellten (Kunstmuseum Düsseldorf).

In der Farbigkeit und Stoffmalerei steht C. F. Sohn in der Tradition der Italiener, vornehmlich der Venezianer des 16. und 17. Jahrhunderts; vergleiche auch Hildebrandts Farbigkeit in dessen Gemälden, vor allem die „Ermordung der Söhne Eduards IV.", Kat.Nr. 103, und „Der Krieger und sein Kind", Kat.Nr. 102.

Lit.: I. Markowitz 1969, S. 336; 337; The Hudson and the Rhine, Düsseldorf 1976, Nr. 168

211
Christian Köhler, 1847

Bezeichnet unten rechts: C. Sohn 1847
Leinwand, 107 × 70 cm
Kunstmuseum Düsseldorf (Geschenk des Herrn Rentner John Diederichs-Halbach, Düsseldorf 1889)
Inv.Nr. 4080

Der Maler Christian Köhler,
Werpen in der Altmark 1809 – 1861 Montpellier.
Zur Vita siehe Seite 375.
In Form und Aufbau auf ältere Vorbilder, vor allem des van Dyck in Blick und Gestus verweisend: Bildnis eines Herrn de Witte (Gustav Glück, Van Dyck, 1931, S. 91) und viele andere.
In der Haltung lässig, mit prüfendem

212

Blick, die angebrannte Zigarre in der Linken, präsentiert der Künstler hier einen Weltmann. In der noblen, kultivierten Malweise ist dieses Porträt Christian Köhler in seiner Vorbildlichkeit von den Zeitgenossen erkannt worden, vergleiche z. B. Des Coudres Porträt „Happel" aus dem gleichen Jahr (Kunstmuseum Düsseldorf), und hat Nachfolge gefunden, vergleiche I. Markowitz 1969. Im Gegensatz zu den Damenporträts in der Farbgebung zum Dunklen, Monochromen tendierend.

Lit.: I. Markowitz 1969, S. 338; Düsseldorf und der Norden 1976, Nr. 43

Carl Rudolf Sohn
Düsseldorf 1845 – 1908 Düsseldorf

Jüngster Sohn von Carl Ferdinand Sohn.
Studiert 1863 bis 1866 auf dem Polytechnikum in Karlsruhe mit dem Ziel, Ingenieur zu werden. Seit 1867 bis 1870 besucht der talentvolle Maler die Kunstakademie in Düsseldorf bei C. Müller und Roeting. Bestimmend waren die Unterweisungen durch seinen Vetter August Wilhelm Sohn (1830–1899), dessen Privatschüler er wurde. Studienreisen führten ihn nach Paris, London und Italien.
In der Wertschätzung seiner Kunst steht das von ihm gepflegte Porträt an erster Stelle. Darin vergleichbar seinem Vater Carl Ferdinand Sohn. Wie dieser mit Aufträgen des Adels, auch in England und Frankreich, überhäuft.

212
Des Künstlers Gattin Else Sohn-Rethel, 1873

Bezeichnet unten rechts: Sohn jun. 73
Leinwand, 107 × 85 cm

Kunstmuseum Düsseldorf
Inv.Nr. 4370

Else Sohn-Rethel,
Rom 1852 – 1933 Düsseldorf.
Einzige Tochter Alfred Rethels.
Heiratet im Entstehungsjahr des Bildes Carl Rudolf Sohn, den jüngsten Sohn des Malers Carl Ferdinand Sohn.
Mutter der Künstler Otto, Alfred und Carli Sohn-Rethel.
Ursprünglich als Sängerin ausgebildet, wirkte sie auch bei den Niederrheinischen Musikfesten mit, die seit 1818 abwechselnd in Köln, Aachen und Düsseldorf, und seit 1832 auch in Elberfeld stattfanden.
I. Markowitz 1969 hat aus den unpublizierten Erinnerungen der Porträtierten die Entstehungsgeschichte des Gemäldes abgedruckt. Neu für die Düsseldorfer Malerschule ist die Reduktion auf wenige Farbtöne und die entschiedene Betonung des Flächigen und des linearen Konturs. Der Einfluß der französischen Kunst ist hier greifbar. Nichts lenkt in dieser Malerei von dem schönen, dunkeläugigen, ausdrucksstarken Antlitz ab. Zum schwarzen Kostüm der gestreifte Schal unter ihren Händen; die großzügig gesehene Silhouette verweist den Betrachter nachdrücklich auf den Ausdruckswert des fein gezeichneten, schönen, von dunklem Haar umgebenen Gesichts.

Lit.: I. Markowitz 1969, S. 340, 341

Friedrich Wilhelm von Schadow
Berlin 1788 – 1862 Düsseldorf

Sohn des Bildhauers und Berliner Akademiedirektors Johann Gottfried Schadow (1764–1850), Bruder des Bildhauers Rudolf Schadow (1786–1822).
Nach ersten Studien bei seinem Vater Aufnahme an der Berliner Akademie, wo er Schüler von F. G. Weitsch und W.

Wach wird. 1811–19 mit seinem Bruder Rudolf in Italien, insbesondere in Rom. Dort fand er Anschluß an die Nazarener. Unter dem Einfluß von Overbeck trat er 1814 zum Katholizismus über.
An den Wandbildern der Casa Bartholdy in Rom neben Cornelius, Overbeck und Veit tätig.
1819 Professor an der Berliner Akademie, wo er ein Meisteratelier leitete. Folgt 1826 einer Berufung nach Düsseldorf als Direktor der Kunstakademie als Nachfolger von Peter von Cornelius. 1830/31 und 1839/40 weilte er mit Freunden und Schülern in Rom; 1843 geadelt.
Nach 33 Jahren fruchtbarer Tätigkeit legt er 1859 sein Amt als Akademiedirektor nieder.
Unter seiner Leitung war die Düsseldorfer Akademie durch Neuordnung – das Reglement für die Königliche Kunstakademie in Düsseldorf erschien 1831 – zu einer der gesuchtesten Ausbildungsstätten in Europa geworden. Schadows Bedeutung für das weltweite Ansehen der Düsseldorfer Malerschule basiert auf seinem persönlichen Einsatz für die Akademie und ihre Schüler. Die Erinnerung an seine Verdienste und seine Kunst ist in Düsseldorf nie verblaßt.

213
Die Heilige Familie unter dem Portikus, um 1818

Leinwand, 142 × 102 cm
Bayerische Staatsgemäldesammlungen, Neue Pinakothek, München
Inv.Nr. HG 70, WAF 918

Auftragswerk für den Kronprinzen Ludwig von Bayern. Mit diesem Werk steht der junge Wilhelm von Schadow in der Tradition der Nazarener, die sich 1810 in Rom zusammengefunden hatten. Raffaelisches Formen- und Gedankengut ist hier lebendig; Maria wendet das Christuskind dem Betrachter zu. Sie

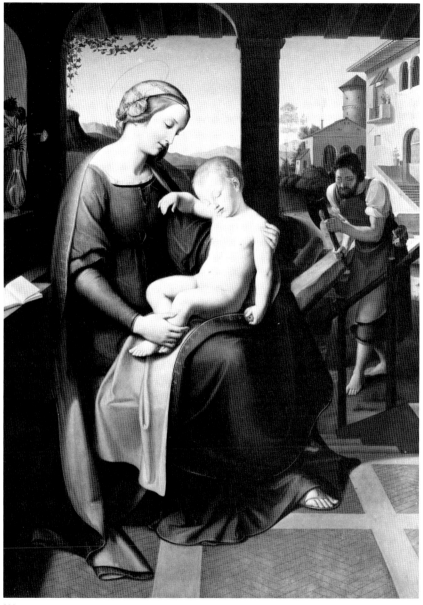

213

selber hat den Blick gesenkt. Der Bezirk der Maria ist durch die Architektur einer Vorhalle besonders hervorgehoben. Treppenstufen führen zu ihr hinauf von der „Welt", die dem Josef zugeordnet ist: ein italienisches Landschaftsmotiv mit profaner und sakraler Architektur. Stille und Verhaltenheit bestimmen den Bildbau dieses Gemäldes aus der Blütezeit der Kunst der Nazarener. Formales und Gedankliches sind in einer harmonischen Gestimmtheit vorgetragen, wie sie für Schadow später immer schwerer zu realisieren war, vergleiche „Die klugen und törichten Jungfrauen", Kat.Nr. 218.

1820 entstand eine Wiederholung dieses Gemäldes im Auftrag des Preußischen Königs, in ähnlichem Format, für das Berliner Schloß (heute Sammlung Georg Schäfer, Schweinfurt). Der Hl. Josef im Hintergrund ist auf der Wiederholung abgeändert, er arbeitet mit einem Hobel an einem Tisch.

Lit.: Die Nazarener, Frankfurt 1977, Nr. C 31

214
Agnes d'Alton, um 1825

Leinwand, 118,5 × 87 cm
Hamburger Kunsthalle, Hamburg
Inv.Nr. 2517

Agnes d'Alton, 1804–1881,
Tochter des Bildhauers Christian Daniel Rauch.
Kniestück der Agnes d'Alton. Ihr Vater Christian Daniel Rauch (1777–1857) war der berühmte Nachfolger und große Konkurrent von Johann Gottfried Schadow (1764–1850), dem Vater des Malers.
In elegischer Pose vor einem Waldhintergrund. In der Gestaltung C. F. Sohns Gemälde „Rinaldo und Armida", Kat.Nr. 206 nahe.
In der Auffassung und Darstellung, im

449

214

215
Genius der Poesie, 1826

Bezeichnet auf der Rückseite: WS 1826
Leinwand, 101 × 101 cm, Tondo
Staatliche Schlösser und Gärten, Schloß
Charlottenburg, Berlin
Inv.Nr. GK 130092

Ideales Porträt der Berliner Bankierstochter Elise (Elisabeth Concordia)
Fraenkel,
Berlin 28. 9. 1809 – 18. 7. 1878 Ilsenburg,
die 1840 den Landschaftsmaler Georg
Heinrich Crola (Croll) (1804–1879) heiratete.
Raffaels Vorbildlichkeit ist in der Darstellung der Allegorie der Poesie nachweisbar.
Dies Gemälde ist eine auf das Brustbild
reduzierte Wiederholung einer ganzfigurigen Fassung, die sich heute im Besitz der Schlösser und Gärten, Potsdam,
befindet.
„Die Verschmelzung von Naturvorbild
und Idealgestalt wie auch das Bekenntnis zur Führerrolle der Poesie in der bildenden Kunst verleihen ... dem Bild
einen programmatischen Charakter"
(Helmut Börsch-Supan, München–
Berlin 1975). Der Genius der Poesie ergänzt die Schrifttafel um den Namen
Tiecks. Ihm voran stehen die Namen der
Dichter Homerus, Horatius, Shakespeare, Dante, Calderon, Camoens, Goethe und Schiller.

Lit.: H. Börsch-Supan 1975, Nr. 62

216
Karl Immermann, 1828

Leinwand, 72 × 72 cm, Rundbild
Kunstmuseum Düsseldorf (Vermächtnis von Frau Sophie Hasenclever, geb.
von Schadow, Düsseldorf 1892)
Inv.Nr. 4075

verhaltenen Ausdruck, in der gesuchten
Pose kommen Schadows Vorstellungen
von einem idealen Menschenbild zum
Ausdruck. Die Vortragsweise ist purita-
nisch streng, nazarenisch beeinflußt.

Möglicherweise sind hier Berliner Einflüsse wirksam, vergleiche Begas „Auguste von Prillwitz", Kat.Nr. 24.

Lit.: Kat. Hamburg 1969, S. 299

215

216

Karl Leberecht Immermann,
Magdeburg 1796 – 1840 Düsseldorf;
seit 1827 als Landgerichtsrat in Düsseldorf.

Von 1832 bis 1837 leitete Immermann
das Düsseldorfer Theater, das er nachhaltig reformierte, indem er u. a. junge
Künstler der Akademie zur Mitarbeit
heranzog. 1828 widmete Immermann
sein Drama „Kaiser Friedrich II.“ (1827)
seinem Freund, dem Maler Friedrich
Wilhelm von Schadow. 1840 entstanden
die „Maskengespräche“, kritische Auseinandersetzungen mit der Düsseldorfer
Malerschule.

Schadow malte dies Bild 1828 sozusagen
als Gegengabe für die Widmung des
Dramas. Ruhmeslorbeeren und Titel des
Dramas weisen auf diesen Zusammenhang. Form (Tondo), Gestus und Drapierung des Mantels stehen in der Nachfolge des klassischen Herrscherporträts.
Immermann schrieb über das Bildnis an
seine Mutter: „Schadow hat mein schnö-
des altes Gesicht in Lebensgröße herr-
lich gemalt. Das Portrait ist ganz vortrefflich und Du wirst Dich wundern,
wie ein wahrer Künstler auch ein an sich
häßliches Gesicht vorteilhaft aufzufassen vermag.“

Die Sicherheit und Souveränität in der
Beherrschung der Malmittel des jungen
Akademiedirektors verleihen dem Por-
trät Leben und Würde.

Lit.: I. Markowitz 1969, S. 287–289;
Düsseldorf und der Norden 1976, Nr.
30; Kunstmuseum Düsseldorf 1977, I,
21; Markowitz/Andree 1977, Nr. 28

217

217
Die Kinder des Künstlers,
1830

Leinwand, 138 × 110 cm
Kunstmuseum Düsseldorf
Inv.Nr. M 1977-1

Dargestellt ist links Sophie von Schadow-Godenhaus,
Berlin 6. 1. 1824 – 19. 5. 1892 Düsseldorf,
als Übersetzerin von Michelangelos
„Sonetten“ und Dantes „Divina Come-
dia“ hatte sie in ihrer Zeit einen Namen.
Heiratet am 2. Mai 1845 Dr. Richard
Hasenclever, (1813–1875), Sanitätsrat,

Arzt in Düsseldorf; zuletzt Reichstags-
abgeordneter für den Kreis Schleiden,
Malmedy und Montjoie.
Rechts Rudolf Johann Gottfried von
Schadow-Godenhaus,
Berlin 3. 9. 1826 – 9. 3. 1890 Darmstadt.
Seit 1886 Generalleutnant z. D., hat an
den Feldzügen 1866 und 1870/71 teilge-
nommen.
Heiratet am 9. März 1875 in Hamburg

218

Magdalena Sophia Johanna Wesselhoeft (auch Werselhoeft) (1850–1890).
Die Kinder sind im schattigen Bereich eines Waldrandes in einem Gebirgstal dargestellt. Beide wenden sich scheu und leicht befangen dem Betrachter zu. Der Knabe Rudolf hält ein weißes Kaninchen auf seinem Schoß; seine ältere Schwester links neben ihm streicht, wie beschützend, über den Rücken des Tieres. Zu ihren Füßen ein klarer Waldbach, der mit dem Strom im Hintergrund links in Verbindung zu bringen ist. Die jungen Menschen sind am Anfang ihres Lebens der Natur – der Pflanzen- und Tierwelt – eng verbunden. Die großen, alten Bäume, die hinter den Kindern aufragen, spenden Schutz und Schatten. Der Betrachter wird durch die Kindergruppe direkt angesprochen und auf eine Welt hingewiesen: den kleinen Lebensbereich der Kinder; überschaubar und abgegrenzt durch den Gebirgsrücken, wirkt er freundlich und will Vertrauen erwecken.

Lit.: Düsseldorf und der Norden 1976, Nr. 31; Markowitz/Andree 1977, Nr. 29

Farbtafel XXI

218
Die klugen und törichten Jungfrauen, 1836/37

Leinwand, 23,5 × 33,5 cm
Kunstmuseum Düsseldorf
Inv.Nr. 4569

Farbenskizze zu dem großen Gemälde im Städelschen Kunstinstitut, Frankfurt am Main, das 1842 vollendet war und als Auftragswerk für dieses Institut entstanden ist.
Schadow geht auf die gleiche Bibelstelle zurück wie Peter von Cornelius, vergleiche Kat.Nr. 51 (Matthäus 25, 1–13). Schadow geht von dem unvollendeten

Gemälde des Peter von Cornelius aus, hat aber die Bildordnung neu durchdacht und verändert. Dem halbkreisförmigen Abschluß entsprechend ist das Gemälde symmetrisch komponiert. Christus an der Himmelstüre, umgeben von Heiligen in der Bildmitte, ist um zwei Stufen erhöht, den klugen sowie den törichten Jungfrauen entrückt. Im Vordergrund links schlafen und klagen die törichten Jungfrauen, rechts nähern sich mit den brennenden Öllampen in der Hand, ehrfurchtsvoll niederkniend, die klugen Jungfrauen. Diese Bildordnung entsprach Schadows idealer Gestaltung. „In den parallelen Bewegungen findet eine Gleichgestimmtheit ihren Ausdruck, die die Charaktere im einzelnen abschwächt" (I. Markowitz 1969). Siehe die gleiche Gestaltungsweise auch bei Ernst Deger „Kreuzigung", Kat.Nr. 61.
Anregungen für die Figuren um Christus finden sich in Raffaels „Schule von Athen". Über die Entstehungsgeschichte, Detailstudien und spätere Paraphrasen, sowie die Bedeutung im Werk Schadows informiert eingehend H. J. Ziemkes Katalogeintragung im Bestandskatalog des Städelschen Kunstinstituts, Frankfurt am Main 1972. Diese Bilderfindung wirkt in seinem letzten, von den Schülern vollendeten Triptychon „Das jüngste Gericht" nach, das für den Schwurgerichtssaal des Landgerichts Düsseldorf entstand (Abb. 9). Vergleiche: Düsseldorf und sein Landgericht, 1820–1970, hrsg. vom Verein für Düsseldorfer Rechtsgeschichte e. V., Düsseldorf (1970), S. 178

Lit.: I. Markowitz 1969, S. 289, 290

Caspar Johann Nepomuk Scheuren
Aachen 1810 – 1887 Düsseldorf

Erste Unterweisung bei seinem Vater Johann Peter Scheuren in Aachen. Seit

1829 besucht er die Düsseldorfer Kunstakademie. Schon 1830 ist er in der oberen Klasse der ausübenden Künstler geführt. Seine Anlagen werden als groß
und vortrefflich gekennzeichnet. Für
den Landschaftsmaler Scheuren waren
Johann Wilhelm Schirmer und C. F.
Lessing die bestimmenden Künstlerpersönlichkeiten. Mit dem Schuljahr 1834
verläßt er die Akademie. 1835 hat er
schon ein eigenes Atelier.

Das preußische Königshaus wird auf ihn
aufmerksam. Seine Rheinansichten – als
Druckgraphik verbreitet – machen seinen Namen weit über Düsseldorf hinaus
bekannt. Seine stillen, verhaltenen
Landschaftskompositionen kennzeichnet ein leise melancholischer Zug; programmatisch ist seine Wiederholung
von Schirmers Gemälde „Romantische
Landschaft" in der Nachfolge von Uhlands Gedicht „Die Kapelle".

219

219
Chor-Ostseite des Altenber-
ger Doms im Ruinen-
Zustand, 1834

Bezeichnet unten rechts: C. Scheuren.
Leinwand, 35 × 42,8 cm
Stadtgeschichtliches Museum, Düssel-
dorf

Zur Baugeschichte siehe Kat.Nr. 99.
Malerische Ansicht des zerstörten Altenberger Doms. Der Blickpunkt ist so gewählt, daß der Betrachter irritiert wird
und beim Lesen des Bildes zu der Überzeugung kommt, daß Hochchor und
Langhaus im stumpfen Winkel aufeinan-
derstoßen. Das liegt darin begründet,
daß der Maler verhehlt, daß die drei Jo-
che der Südwand des Hochchores zerstört sind.

Über die Faszination, die von der Ruine
des Altenberger Doms für die Düsseldorfer Künstler ausgeht, informiert die
Publikation von Helmut Börsch-Supan

220

221

und Arno Paffrath „Altenberg im 19. Jahrhundert", Bergisch-Gladbach 1977; zu unserem Fragenkomplex vor allen Dingen der Abschnitt H, S. 72–92.
Außer von Scheuren und Andreas Achenbach werden dort noch Werke von Johann Wilhelm Schirmer, Carl Friedrich Lessing und anderen aufgeführt.
Die Ruine des Altenberger Doms, im Zerfall begriffen, war den Malern ein Zeugnis der mittelalterlichen deutschen Vergangenheit, die zerstört und von der

Natur überwuchert zu den berühmten romantischen Ruinen des Rheinlands gehörte. Im Gegensatz zu den bekannten Zeichnungen und Albumblättern des Künstlers überraschend nüchtern, ohne die Lichteffekte, die eine Überhöhung des Erscheinungsbildes bewirken.

Lit.: Helmut Börsch-Supan, Arnold Paffrath, Altenberg im 19. Jahrhundert, Bergisch Gladbach 1977, Nr. 188

220

Landschaft im Charakter des Ahrtales, um 1845

Auf der Rückseite eine alte Beischrift auf dem Keilrahmen: . . . von Caspar Scheuren 184 . . .
Leinwand, 99,5 × 135,5 cm
Rheinisches Landesmuseum Bonn
Inv.Nr. 74, 4174

222

Wiederholung eines Gemäldes von Johann Wilhelm Schirmer, vergleiche Kat.Nr. 225.
Caspar Scheuren steht mit diesem Werk ganz im Banne seines Lehrers und Vorbilds Johann Wilhelm Schirmer, dessen Bildgedanken er nur wenig modifiziert. Er unterscheidet deutlicher zwischen Licht- und Schattenbereichen. In diesem Sinne ist auch der Wasserlauf im Vordergrund durch Schaumkronen stärker aufgelichtet als bei Schirmer. Mit seiner flüssigen, leichten Malweise bringt

Caspar Scheuren erste Ansätze zur Überwindung des von Schirmer und seiner Schule vertretenen Detailrealismus; besonders deutlich wird das bei einem Vergleich des Baumschlags bei Schirmer und Scheuren.

Lit.: Kat. Bonn 1977, Nr. 92

221
Gewitterlandschaft, 1846

Bezeichnet unten links: C. Scheuren 1846.
Leinwand, 82 × 112 cm
Kunstmuseum Düsseldorf
Inv.Nr. 4265

Über Vorläufer und Varianten informiert I. Markowitz 1969, die auch im Zusammenhang mit dem Brückenmotiv auf ältere Vorbilder im Werk des Claude

223

Lastkahnes im Vordergrund bringt in das statuarische Landschaftsbild einen Bewegungszug. In ihm wiederholt sich eine Bewegung ähnlich der des Auges des Betrachters, das durch die Komposition von links vorn nach rechts in die Tiefe des Bildes geführt wird.

Lit.: Hundert Jahre Galerie Paffrath, S. 94, 95

223
Der Drachenfels, um 1851

Bezeichnet unten rechts: C. Scheuren.
Leinwand auf Holz, 23,5 × 34 cm
Wallraf-Richartz-Museum, Köln
Inv.Nr. WRM 2578

Der Drachenfels oberhalb von Königswinter auf der rechten Rheinseite. Die Burg wurde vor der Mitte des 12. Jahrhunderts durch den Kölner Erzbischof Arnold I. angelegt. Sie wurde im 15. Jahrhundert mehrfach erweitert und ist seit 1634 Ruine.
Der Drachenfels gehört zu den markantesten Ruinen des Rheintals nördlich von Koblenz und wurde zum Wahrzeichen des Siebengebirges. Im heutigen Erscheinungsbild dominiert nur noch die Ruine des Bergfrieds.
Der Standpunkt des Malers ist so gewählt, daß die Burgruine des Drachenfels die ganze Umgebung überragt und sich als bizarre Silhouette gegen den Himmel abzeichnet. In der Malerei sehr souverän und summarisch, mit ausgeprägtem Sinn für die Nuance, ganz auf die Silhouettenwirkung der Berge, die im Schatten liegen, abzielend.
Das Ruderboot im Vordergrund verdeutlicht die ruhige Strömung des Rheins, der winzige Figurenmaßstab steigert die Tiefenraum-Illusion und verleiht dem Bild monumentalen Charakter.

Lorrain, Rembrandt und Ruisdael verweist.
Weiträumige Waldlandschaft bei Gewitterstimmung, nahe verwandt ähnlichen Formulierungen von Carl Friedrich Lessing und Johann Wilhelm Schirmer, vergleiche Lessings „Belagerung", Kat.Nr. 163, und Schirmers „Weg am Waldrand", Kat.Nr. 234.
Die Gesellschaft im Kostüm des 17. Jahrhunderts in dem Nachen im Vordergrund erinnert an gesellige Künstlerfahrten auf dem Rhein und seinen Nebenflüssen, die sogenannten Geusenfahrten. Die Geusenfahrt hat Caspar Scheuren als selbständiges Bildmotiv „Lustige Bootsfahrt auf dem Rhein" 1839 (Städtisches Museum, Bonn) gemalt. Vergleiche Emanuel Leutze „Preisbild des Neusser Männergesangvereins", 1854 (Clemens-Sels-Museum, Neuss).

Lit.: I. Markowitz 1969, S. 294; Düsseldorf und der Norden 1976, Nr. 32

222
Rheinlandschaft, 1847

Bezeichnet unten links: C. Scheuren 1847
Leinwand, 56 × 81 cm
Galerie G. Paffrath, Düsseldorf

Die helle, weite Landschaft in der Ebene des Niederrheins kontrastiert mit einem Haus im Vordergrund, das umgeben ist von Baum- und Strauchwerk Ruisdaelscher Prägung. Bei sonst sparsamer Farbgebung kulminiert die Farbe in sensibler Abstufung in dieser Partie des Bildes. Dunkle Bezirke wechseln ab mit lichten Zonen und so erweckt Scheuren bei diesem kleinteiligen Bild den Eindruck eines unendlichen Tiefenraums. Den Flußlauf im Vordergrund kann man nur schwer in Zusammenhang bringen mit der terrassenartig abfallenden Landschaft. Die artifizielle Gestaltung stand dem Künstler über der realistischen Darstellungsweise. Das Motiv des

458

224

Caspar Scheuren nähert sich mit seinem Gemälde der Wirkungsweise von Arnold Böcklins „Toteninsel", 1880. Dieser Schirmer-Schüler erzielt durch ähnlich summarische, aber nuancenreiche Behandlung, durch die ausgeprägte Silhouettenwirkung bei seiner Bilderfindung, eine Monumentalität, die auch bei Scheuren bestimmend ist.

Lit.: Köln 1964, S. 106

Karl Friedrich Schinkel
Neuruppin 1781 – 1841 Berlin

Karl Friedrich Schinkel war auf der Bauakademie seit 1797, Schüler von Friedrich Gilly. 1803–05 in Italien und Frankreich. Wurde 1815 Geheimer Oberbaurat und 1839 Oberlandbaudirektor in Berlin. Als Architekt einer der bedeutendsten Vertreter des romantischen Klassizismus. Erst nach dem Wiener

Kongreß und der Neuordnung von Preußen entstehen die ersten Bauwerke.

Er war auch als Landschaftsmaler tätig. Als Maler Autodidakt, hat er in Italien seine Gaben kultiviert. Zwischen 1814 und 1832 auch als Bühnenbildner tätig. In seinen Gemälden bevorzugt er Architekturphantasien und an der klassischen Landschaftsmalerei orientierte Darstellungen mit romantisch überhöhten

Lichteffekten. Nach 1816 dominieren in seinem künstlerischen Schaffen seine Architekturprojekte und hindern ihn an der Ausführung weiterer Gemälde.

Schinkels Malerei wirkt in ihrer artifiziellen Überhöhung der Landschaft, bestimmend auf den jungen Carl Friedrich Lessing in Berlin.

Seine Bauten wurden nur in Berlin und Preußen ausgeführt. Zahlreiche Pläne gab es unter anderem für den Ausbau der Akropolis (1834), Schloß Orianda auf der Krim für die Kaiserin von Rußland (1838) und für den Kölner Dom.

224
Gotische Kirche auf einem Felsen im Meer, 1815

Leinwand, 72 × 98 cm
Nationalgalerie, Staatliche Museen Preußischer Kulturbesitz, Berlin (übernommen aus der Sammlung Wagener)
Inv.Nr. NG 291

Das Bild entstand als Auftragswerk für den Konsul Wagener. Es war das erste Bild seiner Sammlung. In dem Verzeichnis der Wagenerschen Sammlung wird das Bild beschrieben:

„Ansicht einer Kirche im altdeutschen Styl am Ufer des Meeres. Sonnenaufgang bei stürmischer Luft. Staffage: Mehrere Männer zu Wagen und zu Pferde."

Die Sonne hinter der Kirche läßt diese als Silhouette wirksam werden. Der Berliner Katalog 1976 weist nachdrücklich darauf hin, daß auch zu Schinkels Lebzeiten alle Beschreibungen unwiderlegt einen Sonnenaufgang erwähnen. Die tiefstehende Sonne bescheint die Westfassade. Nach abendländischer Überlieferung steht bei fast allen Kirchen der Chor im Osten und die Turmfassade im Westen. Schinkel kam es bei seinem Gemälde wohl weniger auf Naturtreue, sondern mehr auf künstlerische Stimmigkeit an. Die Silhouettenwirkung wird mehrfach als künstlerisches Ausdrucksmittel in diesem Bild verwertet. Links die Reihe der Baumkronen auf einem Hügel, daraus erwachsend die gotische Architektur, die hier hinter einer gemauerten Terrasse wie auf einem Sockel erscheint. Bilder wie dieses hatte der junge Lessing im Sinne, als er seine Felsenlandschaft malte, Kat.Nr. 153. In der Bildmitte die bestimmende Architektur, deren Silhouette sich markant gegen den Himmel abzeichnet und die Lichtquelle verstellt. Schinkels klassische Formenstrenge und sein ausgeprägter Sinn für Proportionen, die in seinen Werken bestimmend bleiben, werden von Lessing ins Bizarre gewandelt und die romantischen Züge überdeutlich hervorgehoben. Was beide Künstler verbindet, ist, daß sie das künstlerische Erscheinungsbild vor die naturalistische Form setzen.

In Schinkels Bildern lebt die klassisch-ideale Landschaftsmalerei Claude Lorrains (1600–1682) fort. Auch in der summarischen Behandlung des Vorder- und Mittelgrundes ist Schinkel fern vom Detailrealismus Düsseldorfer Prägung.

Schinkel hat das Bildmotiv der gotischen Kathedrale und einer mittelalterlichen Stadt an einem Fluß oder am Meer des öfteren wiederholt. Es hat für ihn beschwörenden Charakter. Mit diesen Bildern stellte er seine Sehnsucht nach der Vergangenheit dar, die in den gotischen Bauwerken ihren Höhepunkt gefunden hatte. Schinkels Vorbildlichkeit für seine Zeitgenossen ist auch im Werk von Johann Wilhelm Schirmer nachweisbar, vergleiche dessen „Abendlandschaft mit Heidelberger Schloß", Kat.Nr. 231.

Lit.: Berlin 1976, S. 352, 353

Johann Wilhelm Schirmer
Jülich 1807 – 1863 Karlsruhe

Johann Wilhelm Schirmer war nach einer Buchbinderlehre im väterlichen Geschäft 1825 als Schüler von Kolbe auf die Düsseldorfer Akademie gekommen. Seit 1827 unternahm er häufig zusammen mit C. F. Lessing Studienwanderungen in die nähere Umgebung Düsseldorfs, an den Niederrhein und in die Eifel; Gründung eines privaten „Landschaftlichen Komponiervereins". 1830 wurde Schirmer von Wilhelm von Schadow während dessen Abwesenheit mit dem Unterricht der Landschafter an der Düsseldorfer Akademie betraut. Vom Schuljahr 1832/33 an Lehrer einer eigens für ihn eingerichteten Landschafterklasse; seit 1839 Professor dieser Klasse.

Studienreise in die Normandie und in die Schweiz. Von einer Italienreise 1839/40 haben sich im Kunstmuseum Düsseldorf zahlreiche Studien erhalten; in Düsseldorf ist Schirmer der Lehrer von Oswald Achenbach, Arnold Böcklin und Anselm Feuerbach.

1854 wurde Schirmer Direktor der neu gegründeten Akademie in Karlsruhe. Hans Thoma ist hier sein berühmtester Schüler.

Als Lehrer an den Akademien in Düsseldorf und Karlsruhe gewann er in die Zukunft weisende Bedeutung.

Unter dem Einfluß der Werke von Poussin und Claude Lorrain nähert er sich der klassisch-heroisch-idealen Landschaft. Sein großes Vorbild aber bleibt Ruisdael.

225
Romantische Landschaft,
1828
(Burg Altenahr)

Leinwand, 95 × 125 cm
Kunstmuseum Düsseldorf (Dauerleih-
gabe der Staatlichen Kunstakademie
Düsseldorf, 1932)
Inv.Nr. 2353

Frühwerk Johann Wilhelm Schirmers, in dem der junge Künstler die Eindrücke seiner ersten Eifelreise verarbeitet. Mehrere Naturmotive hat er hier zu einer romantisch gestimmten Landschaft zusammengefügt, vergleiche I. Markowitz 1969. Die Felsenlandschaft links geht auf die Gegend um Altenahr zurück, das Flußtal rechts hinter der Burg erinnert an die südwestlich von Altenahr gelegene Gegend um Kreuzberg. In seinen Erinnerungen schreibt Schirmer: „Ich

wagte etwa 30 Thaler für eine kleine Reise durch die Eifel zu bestimmen. So machten wir (zusammen mit seinem Bruder Philipp) uns auf den Weg und zwar zuerst nach Schloß Nideggen in der Eifel, von da über Montjoie durch das Schleidener Tal über Ahrburg, Adenau nach Altenahr, wo das Hauptquartier genommen ward … Es waren die Überreste von Burgen und Schlössern, welche eifrig aufgesucht und aufgezeichnet wurden … Die Eindrücke von Nideg-

226

gen, Montjoie und Altenahr veranlaßten mich zu einer Landschaft und zwar der Burgruine in einer felsigen Umgebung mit einem Hirtenjungen im Vordergrund, ein ziemlich großes Bild, von dem ich mir ganz andere Dinge versprach, als von meinem Urwald". In der Staffagefigur des Hirtenknaben im Vordergrund in Rückenfigur war für die Zeitgenossen deutlich der Hinweis auf Uhlands Gedicht „Die Kapelle".

Droben stehet die Kapelle,
Schauet still ins Thal hinab,
Drunten singt bei Wies' und Quelle
Froh und hell der Hirtenknab.
Traurig tönt das Glöcklein nieder,
Schauerlich der Leichenchor;
Stille sind die frohen Lieder
Und der Knabe lauscht empor.
Droben bringt man sie zu Grabe,
Die sich freuten in dem Thal,
Hirtenknabe, Hirtenknabe,
Dir auch singt man dort einmal.

In diesem Detail ist Schadows Einfluß wohl spürbar, der auf eine idealistische Gesinnung in seiner Schule Wert legte.

Ein Vergleich mit Lessings Gemälde aus dem gleichen Jahr „Felsenschloß", Kat.Nr. 153 zeigt, daß Lessing sehr viel dramatischer und pathetischer bei der Wahl und Ausgestaltung seiner Bildthemen bleibt, während Schirmers Tendenz zum Lyrischen, Stillen, aber auch Nüchternen, Realistischen, Klaren sich früh abzeichnet.

Scheuren hat das Gemälde um 1845 wiederholt, vergleiche Kat.Nr. 220

Lit.: I. Markowitz 1969, S. 297; Kat. Bonn 1977, Nr. 92

227

226
Meeresbrandung mit fernen Schiffen, 1836

Leinwand auf Pappe, 30,5 × 43,3 cm
Staatliche Kunsthalle, Karlsruhe
Inv.Nr. LG 87

Studie vor der Natur während seines Aufenthaltes in der Normandie, in seiner Zeit gewagt und ungewöhnlich in der Intensität und Direktheit, wie Natur beobachtet und durch den Pinsel festgehalten ist. Die Meeresbrandung, die umkippenden Wellenkämme sind so überzeugend vor Schirmer nicht fixiert worden. Größten Einfluß hat Schirmer mit dieser oder ähnlichen Studien auf seinen Schüler Arnold Böcklin (1827–1901) genommen, der, wie kein anderer Maler in seiner Zeit, die Meeresbrandung zu seinem Bildthema gemacht hat und in der Darstellung unübertroffen blieb.
Die winzigen Silhouetten der Segelschiffe am Horizont verdeutlichen die Weite und den Tiefenraum des Meeres.

Lit.: Kat. Karlsruhe 1971, Textband, S. 209; H. Appel 1973, S. 89, 91, 92; Paris 1976/77, Nr. 229

227
Steiniger Strand, 1836

Leinwand auf Pappe, 22 × 32,2 cm
Staatliche Kunsthallle Karlsruhe
Inv.Nr. LG 79

Entstanden 1836 in der Normandie. Nahsichtige Detailstudie vor der Natur. Johann Wilhelm Schirmer ist ein Maler gewesen, der die Natur so, wie er sie vor sich fand, mit fast bohrender Intensität in sich aufnahm und seine Studien dann in größeren Bildern wieder verwertete. In Arnold Böcklin hat er darin einen

228

Nachfolger gefunden, der vor anderen Motiven das Charakteristische einer Landschaft herausarbeiten konnte, ohne über die handwerklichen Fähigkeiten zu verfügen, wie sie Schirmer besaß, vergleiche „Pan erschreckt einen Hirten", um 1858 (Öffentliche Kunstsammlung, Basel).

Eugène Dücker gestaltete aus ähnlichen Bildmotiven seine große Komposition „Strandbild", Kat.Nr. 66. Seine Studien

unterscheiden sich von Schirmers dadurch, daß ihm der Lichtreflex auf den Steinen das Wesentliche ist, während Schirmer auch noch die verschiedenartige Härte des Gesteins darzustellen sucht.

Lit.: Kat. Karlsruhe 1971, Textband, S. 209; Düsseldorf und der Norden 1976, Nr. 34

228
Harfleur bei Le Havre, 1836 (Blick auf Saint Martin)

Pappe, 32,5 × 42 cm
Staatliche Kunsthalle Karlsruhe
Inv.Nr. LG 85

Wie die vorhergehende Katalognummer entstanden auf der Reise Schirmers in die

229

Normandie im Jahre 1836. Harfleur, südlich von Le Havre.

Den Bildbau bestimmt der Turm von Saint Martin (15.–16. Jahrhundert), 83 m hoch. Der Anblick, wohl von einer Brücke, scheint wie zufällig gewählt, er rückt den Kirchturm etwas aus der Mitte des Bildes heraus. Die Architektur der Häuser ist perspektivisch jeweils so verkürzt gesehen, daß sie das Interesse an der gotischen Kathedralarchitektur nicht ablenkt, im Gegenteil, der Wasserlauf, der Brückenbogen und die Fluchtlinien der Dachtraufen leiten den Blick des Betrachters immer wieder auf den aufstrebenden Kirchturm. Schirmers Interesse an der Verschiedenartigkeit des

darzustellenden Materials bestimmt das Erscheinungsbild: Mauerwerk aus verschiedenen Steinen aufgebaut, verputzt und unverputzt, von Moos überwuchert, auch Fachwerk-Architektur wird sichtbar, Wasserlauf und Erdhügel im Vordergrund; bekrönt und überragt werden die Häuser von dem gotischen steinernen Turm der Kirche Saint Martin. Dazwischen spärlich sich behauptendes Baum- und Strauchwerk. In der Farbgebung licht und hell; die atmosphärischen Bedingungen in der Normandie, die Nähe des Meeres, werden spürbar.

Für Schirmers Sehweise ist es symptomatisch, daß die Turmspitze vom Bild-

rand überschnitten wird. Das Gemälde gewinnt dadurch an Ausdruckskraft und Monumentalität.

Lit.: Kat. Karlsruhe 1971, Textband, S. 209; H. Appel 1973, S. 89, 92

229
Alpenlandschaft, 1837

Papier auf Pappe, 37 × 54 cm
Kunstmuseum Düsseldorf (Dauerleihgabe der Staatlichen Kunstakademie Düsseldorf, 1932)
Inv.Nr. 2226

230

Das Wetterhorn, 1838

Leinwand, 242 × 199 cm
Kunstmuseum Düsseldorf (Dauerleih-
gabe der Staatlichen Kunstakademie
Düsseldorf, 1932)
Inv.Nr. 2174

Das Naturvorbild zum „Wetterhorn"
fand Schirmer auf dem Wege von Meiringen nach Rosenlaui. Links der Rosen-
lauigletscher, anschließend das Wellhorn (Kleines und Großes Wellhorn),
dann rechts der vereiste markante Gipfel
des Wetterhorns, vergleiche I. Markowitz 1969. Schirmer wählte ein Motiv,
das in der Malerei der ersten Hälfte des
19. Jahrhunderts auch andere Künstler
zu selbständigen Kompositionen inspiriert hatte.
Den Beginn der Arbeiten an diesem großen Gemälde, das im Atelier entstand,
kann man auf November 1837 bestimmen. Studien in kleinerem Format waren bereits vorhanden. Bei der Ausführung des großen Bildes hat Schirmer die
Gegensätze von bewaldeten Höhenzü-
gen im Mittelgrund, steinigem Vordergrund und eisbedecktem Felsmassiv im
Hintergrund schärfer herausgearbeitet
und die dramatische Wirkung durch
Verschieben der Perspektive gesteigert.
Im Staffeln der verschiedenen Bild-
gründe und in der reduzierten Farbigkeit der Tradition verhaftet. Die Seh-
und Gestaltungsweise des kleinteilig gesehenen Vordergrunds ist wohl auf Lessings Einfluß zurückzuführen. Durch
Verzicht auf die Darstellung von Häusern im Mittelgrund verstärkt Schirmer
den Eindruck der urtümlichen Alpenlandschaft.

Lit.: I. Markowitz 1969, S. 300; Kunstmuseum Düsseldorf 1977, Nr. I, 24;
Markowitz/Andree 1977, Nr. 32

Entstanden auf der Schweizer Reise im
Jahre 1837.
Der Blick geht vom erhöhten Stand-
punkt in das Aaretal bei Meiringen im
Berner Oberland, über Bäume und die
Hütte im Vordergrund, über das Fluß-
bett hinweg zur ansteigenden Alm, über
der sich das Gebirgsmassiv erhebt (es
sind das Rothorn, die Planplatte und der
Gummenhübel). Knapp über den Gip-
feln schließt das Bild ab.
Diese Studie ist ein Zeugnis von der

hohen malerischen Begabung Johann
Wilhelm Schirmers. Mit dünn lasieren-
der Technik, die er sich auf seiner Studienreise in die Normandie erarbeitet
hatte, erzielt er eine lebendige Wirkung,
die einen bis dahin bei Schirmer unbekannten Tiefenraum suggeriert.

Lit.: I. Markowitz 1969, S. 299, 300;
Düsseldorf und der Norden 1976, Nr.
35; Paris 1976/77, Nr. 228; Markowitz/
Andree 1977, Nr. 31

231
Abendlandschaft mit Blick auf das Heidelberger Schloß, 1839

Leinwand, 150 × 226 cm
Hessisches Landesmuseum, Darmstadt

Schirmer folgt in der Komposition dem Aufbau der klassisch-heroischen, idealen Landschaftsmalerei mit dem dunklen Vordergrund, dem aufgehellten Mittelgrund und dem hellen Hintergrund. Dazwischen zeichnet sich die Ruine des Heidelberger Schlosses in einer freien Paraphrase dunkel gegen den helleren Hintergrund ab.

Die Berühmtheit des Heidelberger Schlosses geht auf die in Deutschland sonst nicht wieder anzutreffende geographische Lage zurück. Natur und Schloßruine waren durch die frei wuchernde Vegetation zu einer unverwechselbaren Einheit zusammengewachsen und haben um 1800 einen vedutenhaften, malerisch-romantischen Charakter bekommen; das Landschaftsbild erschien wie ein komponiertes Gemälde. Heute wird man dies Bild dort vergeblich suchen. Die Bemühungen um die Konservierung der Bausubstanz des Schlosses haben der Ruine den malerischen Reiz genommen.
Wie frei und unabhängig von dem realen Naturvorbild Schirmer vorging, beweisen die Vielgestaltigkeit und die breite panorama-artige Entfaltung der Landschaft, wie sie sich in Heidelberg so nicht findet.
In diesem großen Gemälde hat Schirmer Naturvorbilder – noch vor seiner Italienreise – zu einer italianisierenden Landschaft verarbeitet. Nach dem Italienerlebnis, vergleiche „Italienische Landschaft" Kat.Nr. 232, verfestigte und vereinfachte sich sein Bildbau, vergleiche den „Tageszeiten-Zyklus", Kat.Nr. 236–239.

Lit.: Paris 1976/77, Nr. 230

Civit: 21 Sept:
1839

232
Italienische Landschaft, 1839

Bezeichnet oben rechts: Civit: 21. Sept:
1839.
Papier auf Holz, 52,2 × 74 cm
Kunstmuseum Düsseldorf (Dauerleih-
gabe der Staatlichen Kunstakademie
Düsseldorf, 1932)
Inv.Nr. 2218

In Civitella, südl. von Rom entstanden.
Blick aus den Sabiner Bergen von einer
bewaldeten Anhöhe über die Serpentara
bei Olevano gegen das Albanergebirge.

Von der Italienreise Schirmers haben
sich mehrere Landschaftsstudien im
Kunstmuseum Düsseldorf erhalten. Sie
zeigen eine neue Malweise: die Weite des
Raumes wird durch summarischen, aber
sicheren Farbauftrag erfaßt. Das Sonnenlicht eliminiert die Details. Die Formen werden in großen zusammenhän-
genden Linien sichtbar. Das südliche
Licht verklärt die panoramaartig gesehene Landschaft. In unserer Studie verbindet Schirmer die weit gesehene Landschaft mit einer nahsichtigen Gruppe
von Kastanienbäumen, die aus einem
Wald links hervorragen. Ihre Baumkronen zeichnen sich gegen den Himmel ab

und werden vom Bildrand überschnitten. Schirmer erreicht so zweierlei: die
Tiefenraumillusion wird durch die
Bäume des Vordergrunds gesteigert, die
vom Bildrand überschnittenen Baumkronen festigen den Bildbau der weiten
südlichen Landschaft und verleihen ihr
Monumentalität.
Unter den Naturstudien aus Italien ist
dieses Bild wohl die großartigste künstlerische Leistung Schirmers.

Lit.: I. Markowitz 1969, S. 303, 304.

Farbtafel XXII

233
Zypressen, 1840

Leinwand, 76,7 × 54 cm
Kunstmuseum Düsseldorf (Dauerleih-
gabe der Staatlichen Kunstakademie
Düsseldorf, 1932)
Inv.Nr. 2263

Zypressen im Park der Villa d'Este in
Tivoli.
Von H. Appel und I. Markowitz 1969 als
Arbeit aus den Monaten Mai/Juni 1840
bestimmt. Unter dem Eindruck der italienischen Landschaft erarbeitet sich Johann Wilhelm Schirmer neues Studienmaterial, vergleiche Kat.Nr. 226 („Meeresbrandung") und Kat.Nr. 227 („Steiniger Strand").
Die Pinselschrift ist freier und offener
geworden, dennoch fixiert Schirmer das
Charakteristische des Gesehenen. Die
Verschiedenartigkeit von Form und
Struktur der beiden Zypressengruppen
– links die vom Streiflicht aufgelockerte,
im Kontur zerfaserte und rechts die
strenge, geschlossene Form, fast ganz
ohne Binnenzeichnung – zeigt die beiden Möglichkeiten der Vegetation beispielhaft gegeneinander abgesetzt, vergleiche das Bildmotiv bei Oswald
Achenbach, Kat.Nr. 9.

Lit.: I. Markowitz 1969, S. 304, 305; The
Hudson and the Rhine, Düsseldorf 1976,
Nr. 149

234
Waldrand, um 1851

Bezeichnet unten links: J. W. Schirmer
Leinwand, 97 × 128,5 cm
Hamburger Kunsthalle, Hamburg (Geschenk des Kunstvereins in Hamburg 1868)
Inv.Nr. 1312

Malerische Einzelmotive, die auf Naturstudien zurückzuführen sind, werden hier zu einem Landschaftsbild zusammengefügt. Der Himmel mit den Gewitterwolken, und die dadurch bedingte fluktuierende Beleuchtung, heben einzelne Partien im Bild – zum Beispiel links – hell heraus und fassen den Waldrand rechts zu einer dunklen Einheit zusammen. In der Mitte Durchblicke in die Ferne, darüber eine Kumuluswolke. Die Frau mit dem Reisigbündel auf dem Rücken macht den Tiefenraum für den Betrachter meßbar. In der Verbindung von abgestorbenem und noch lebendem Baumwerk vorbildlich für die Amerikaner Hart und Richards. Schirmer steht hier in der Tradition der niederländischen Landschaftsmalerei eines Ruisdael und Hobbema. Er formulierte hier altes tradiertes Formengut neu und hat es so für die Zeitgenossen wieder zu lebendiger Gegenwart gestaltet, vergleiche die ähnlichen Tendenzen bei Andreas Achenbach, vor allen Dingen „Erftmühle", Kat.Nr. 6.

Lit.: Kat. Hamburg 1969, S. 302; The Hudson and the Rhine, Düsseldorf 1976, Nr. 151

235
Landschaft, 1854
(Gegend bei Baden-Baden)

Bezeichnet unten links: J. W. Schirmer
Leinwand, 60 × 82,7 cm
Museum Folkwang, Essen (Helene-
Capell-Stiftung)
Inv.Nr. 168

Im Essener Katalog von 1971 als Gegend bei Baden-Baden bestimmt und mit

den Landschaften derselben Gegend in
der Staatlichen Kunsthalle Karlsruhe in
Verbindung gebracht.
1854 war Johann Wilhelm Schirmer von
Düsseldorf nach Karlsruhe zum Direktor der Akademie berufen worden. Das
für Schirmer fremde, eigentümliche
Licht der Landschaft bei Baden-Baden
bestimmt die ungewöhnliche Malweise,
die das Licht als das eigentliche Phänomen herausstellt. Die Seh- und Gestal-
tungweise Schirmers auf dieser Stilstufe,

das heißt seine Landschaften in Aufsicht
und mit Fernsicht, – vorbereitet in den
italienischen Landschaften 1839, vergleiche Kat.Nr. 232, – stehen in enger
Verbindung zu den Harzlandschaften
von Lessing, vergleiche Kat.Nr. 164 und
Whittredge, vergleiche Kat.Nr. 265.

Lit.: Kat. Essen 1971, Nr. 68; The Hudson and the Rhine, Düsseldorf 1976, Nr.
152

Farbtafel XXIII

236

Die vier Tageszeiten, um 1856

236
Der Morgen
(Der Abschied des Wanderers), Skizze

Bezeichnet unten links: J. W. Schirmer
Malpappe, 33,8 × 47,9 cm
Staatliche Kunstsammlungen, Neue Galerie, Kassel
Inv.Nr. 1875/1416

237
Der Mittag
(Der Überfall auf den Wanderer)

Leinwand, 58 × 79 cm
Staatliche Kunstsammlungen, Neue Galerie, Kassel
Inv.Nr. AZ 125

237

238
Der Abend
(Der barmherzige Samariter), Skizze

Bezeichnet unten links: J. W. Schirmer
Malpappe, 33,7 × 47,7 cm
Staatliche Kunstsammlungen, Neue Galerie, Kassel
Inv.Nr. 1875/1417

239
Die Nacht
(Die Ankunft in der Herberge)

Leinwand, 57,5 × 78,5 cm
Staatliche Kunstsammlungen, Neue Galerie, Kassel
Inv.Nr. AZ 127

241

haben vor ihm viele Maler zum Bildthema gewählt, siehe auch Schirmers
frühere Version, Kat.Nr. 231, die ganz
dem offiziellen Schema entspricht. Auch
für Schirmers Zeit war es ungewöhnlich,
einen Bildausschnitt so zu wählen, daß
der Himmel bei einer Landschaftsdarstellung nicht direkt am Horizont sichtbar wird, sondern sich nur in einem stehenden Gewässer im Vordergrund des
Bildes spiegelt. Die Schattenpartien im
Vordergrund lassen das Neckartal mit
seinen bewaldeten Hängen des rechten
Neckarufers im hellen Licht erscheinen.
Diese Gegensätze von Licht und Dunkel
sind, wie auf eine Abbreviatur reduziert,

im Vordergrund in dem stehenden Wasser wiederzufinden. Die größten Gegensätze zwischen Licht und Schatten finden sich hier im Bild. Die Landschaftsstudie bliebe topographisch unbestimm-
bar, hätte Schirmer nicht drei Giebel des
damals noch nicht wieder ausgebauten
Friedrichsbaues des Heidelberger
Schlosses im Mittelgrund in Aufsicht angedeutet.
Dies Bild muß auch in seiner Zeit Aufsehen erregt haben. Einen ähnlichen Blickwinkel wählte der Landschafter aus
Amerika Charles Wimar, (1828–1862),
1852, ,,The Castle of Heidelberg" (1946
Privatbesitz Los Angeles).

Lit.: Kunsthalle Mannheim, Verzeichnis
der Gemäldesammlung, Mannheim
1957, Nr. 139; R. Theilmann 1971, S.
132, 300

Iwan Iwanowitsch Schischkin
Elaburg 1832 – 1898 St. Petersburg

Schischkin studiert an der Moskauer
Schule für Malerei und Bildhauerei
1852–56 unter der Leitung von A. N.
Mokrizki und wechselte dann zur weite-
ren Fortbildung an die Akademie der
Künste nach St. Petersburg über. Diese

hatte er 1860 absolviert. 1862–65 arbeitet er als Stipendiat der Akademie in der Schweiz und in Deutschland.

Für sein Bild „Blick in die Umgebung von Düsseldorf" wurde er mit dem Titel eines Akademikers von der Akademie der Künste in St. Petersburg ausgezeichnet. Nach Rußland zurückgekehrt, ließ er sich in St. Petersburg nieder. 1871 wirkte er bei der Gründung der Peredwishniki (Gemeinschaft zur Veranstaltung von Wanderausstellungen) mit und blieb bis zu seinem Tode einer der aktivsten der Wandermaler. 1894, nachdem die Akademie ihren Status verändert hatte, wurde er mit anderen „Wandermalern" eingeladen, als Lehrer an der Akademie der Künste zu wirken.

Auf der Weltausstellung in Paris 1867 in der Russischen Abteilung vertreten.

242

241
Blick in die Umgebung von Düsseldorf, 1865

Bezeichnet unten links: Schischkin 1865 Düsseldorf
Leinwand, 106 × 151 cm
Staatliches Russisches Museum, Leningrad
Inv.Nr. SH-6019

Dies Gemälde im Düsseldorfer Tonfall: Blick von einem erhöhten Punkt in eine weite Landschaft, die von einem Himmel mit Gewitterwolken überfangen wird. Licht- und Schattenzonen wechseln miteinander ab und heben ferne Bereiche im hellen Licht hervor. Der Vordergrund mit seinem Detailrealismus im hellen Sonnenlicht zeigt Düsseldorfer Schulung. Die Vorbildlichkeit der Landschaftsdarstellung von Andreas Achenbach ist hier besonders deutlich, vergleiche A. Achenbach „Erftmühle", Kat.Nr. 6. Obwohl Johann Wilhelm Schirmer 1865 schon seit zwei Jahren nicht mehr lebt, wirkt in Schischkins Landschaft seine Kunst- und Sehweise

fort. Seltsam ist die formale Verwandtschaft zu Werken aus Böcklins römischer Frühzeit, die ihren Höhepunkt in der sogenannten „Sarasinschen Campagnalandschaft" 1851 gefunden hat.

Zur topographischen Bestimmung schreibt Frau Else Rümmler, die das Original nicht gesehen hat, als Vermutung: „Der Maler befand sich offensichtlich in größerer Höhe und Entfernung von Düsseldorf; Gerresheim, das Stadtgebiet von Düsseldorf und Neuss sind nicht sichtbar. Wenn der helle Streifen links von der Baumgruppe ein Flußlauf ist, dann könnte der Ort davor das alte Bilk sein und der Turm zur Martinskirche gehören. Entlang der Düssel, die hier einen weiten Bogen zur Stadt schlägt, lagen damals noch die alten Höfe und Gärten inmitten von Feldern. Die Erhebungen nach dem linken Bildrand zu wären dann die sogenannten „Schwarzen Berge". Zieht man von dem Turm nach Nordosten eine Linie, trifft man auf eine Gegend nördlich der Bergischen Landstraße etwa bei Hasselbeck, wo das Gelände schon auf etwa 115 bis 120 m angestiegen ist. Die Erhebung am rechten Bildrand wäre dann der Aper Wald."

Lit.: Kat.Ausst. Bonn 1978, S. 104, 105; Gudrun Calov, Iwan Schischkin und die Düsseldorfer Malerschule, in: Düsseldorfer Jahrbuch, Bd 56, Düsseldorf 1978, S. 2, 12, 13, 14

242
Holzfällen, 1867

Leinwand, 122 × 194 cm
Tretjakov-Galerie, Moskau

Waldinneres: Nadelwald mit Laubbäumen, dazwischen Birken. Der nahsichtige Vordergrund steckt voller Detailbeobachtungen. Die unwegsame, russische Waldlandschaft wird mit den Augen eines in Düsseldorf geschulten Künstlers vorgestellt. Dabei werden Gegensätze artifiziell gegeneinander ausgespielt; rechts ein gebrochener Birkenstamm, links ein gefällter Baum, dessen Stamm zum Teil schon zersägt ist. Rechts im Mittelgrund im Halbschatten Waldarbeiter, die den Stamm eines gestürzten Baumes zerteilen. Links daneben eine Feuerstelle.

243
Landschaft mit Jägern, 1867

Leinwand, 36,5 × 60 cm
Staatliches Russisches Museum, Leningrad

Nahsichtige Studie am Waldrand an einer Lichtung (?) mit großen Felsblöcken, die den Blick verstellen. Die Vegetation ist mit großer Sorgfalt in ihrer Eigenart erfaßt und festgehalten. Dargestellt sind junge Bäume verschiedener Art und darunter in der Bildmitte im Licht Birken. Unwegsames Gelände mit Wasserlauf; der Waldbestand macht einen urtümlichen, von Menschen und der Zivilisation unberührten Eindruck.
Schischkin gibt mit diesem Bild einen unmittelbaren Natureindruck wieder. Im Erfassen der Struktur alles organisch Gewachsenen, wie im Felsgestein, das von Moos und Flechten überwuchert ist, kann man den Düsseldorfer Einfluß nachweisen und das an Schirmers Studien und Arbeitsweise geschulte Auge, das für Schischkins Schaffen bestimmend geblieben ist und seinen unverwechselbaren Stil geprägt hat.

243

Am unteren Bildrand im Vordergrund sind einige Pflanzen in wenigen Pinselstrichen angedeutet, der Waldboden ist sonst summarisch gesehen. Im Gegensatz zu Schirmer, der bei Baumstämmen den Baum als Gesamterscheinung, in der Besonderheit der gewachsenen Baumkrone, erfaßt, vergleiche Schirmer „Eiche", um 1849 (Kunstmuseum Düsseldorf, Inv. Nr. 2221) und „Baumstudie" um 1849 (Kunstmuseum Düsseldorf, Inv.Nr. 2348), konzentriert sich

244
Eichen, 1887

Leinwand, 42 × 62 cm
Tretjakow-Galerie, Moskau

Nahsichtige Landschaftsstudie, unvollendet, vor allen Dingen oben rechts. Ein Beispiel für das Fortleben der Düsseldorfer Schultradition Schirmerscher Prägung in Rußland. Den Maler hat in dieser Studie die Baumrinde der alten Eichen im Blattschatten und Sonnenlicht besonders fasziniert. Das Blattwerk ist im Gegensatz zu der scharf herausgearbeiteten Eigenart der Baumstämme mit ihrer Borkenrinde und ihren Ast-Verzweigungen summarisch behandelt.

244

245

Schischkins Interesse ganz nachdrücklich auf das Licht-und-Schatten-Spiel auf
den Baumstämmen. In der Sehweise
nächstverwandt Eugen Dückers
„Große Waldstudie", Kat.Nr. 65 und
vor allem „Baumstudie" (Kunstmuseum Düsseldorf, Inv. Nr. 2350).

Lit.: Vladimir Fiala, Die russische Malerei des 18. und 19. Jahrhunderts, Prag
(1956), Nr. 73

Schon seine Bildthemen zeugen von einem vielseitig interessierten Künstler.
Biblische und historische Darstellungen
werden ernst und später oft in forcierter
Strenge vorgetragen.
Fresken in Rom im Casino Massimo und
München, Nibelungensäle in der Residenz.
Seine Illustrationen in der „Bibel in Bildern" haben zur Verbreitung und Festigung seines Ruhms beigetragen.

245
Der Sechskampf auf der Insel Lipadusa, 1816

Julius Schnorr von Carolsfeld
Leipzig 1794 – 1872 Dresden

Schüler seines Vaters Hans Veit
Schnorr.
Lernte 1811 in Wien; war befreundet mit
Ferdinand von Olivier, seit 1818 in
Rom, befreundet mit Overbeck und
Cornelius. 1827 nach München berufen
und 1848 von dort nach Dresden.

Bezeichnet unten rechts: 18 J S 16. (J +
S ligiert)
Leinwand, 102 × 170 cm
Kunsthalle Bremen (Geschenk von
Herrn Alfred Walter von Heymel, Bre-
men 1904)
Inv.Nr. 272

Der Sechskampf auf der Insel Lipadusa.

Kampf zwischen fränkischen und sara-
zenischen Heerführern auf der Insel Lipadusa vor der afrikanischen Küste.
Das Karolingische Imperium ist unter
den Nachfolgern Karls des Großen starken Angriffen von fremden Völkern
ausgesetzt gewesen, zu ihnen gehören
die Sarazenen. Der Begriff „Sarazenen"
wurde von den Schriftstellern des Mittelalters auf das ganze arabische Volk
ausgedehnt und ganz besonders auf die
Gegner der Kreuzfahrer bezogen.
Die literarische Quelle findet sich bei
Ludovico Ariost, Orlando Furioso 41.
und 42. Gesang. Dargestellt sind Roland, der Paladin Karls des Großen, und
seine Gefährten Brandimart und Olivier
im Kampf mit den Anführern der heidnischen Heere Agramant und seiner Begleitung Gradasz und Sobrin. Roland
erschlägt Agramant und Gradasz, Brandimart stirbt an der Verwundung, die
ihm Gradasz zugefügt hatte. Den Gedanken des Kampfes zwischen Christentum und Heidentum verdeutlichen die
Seitenbilder: links ein Mohrenfürst mit
einer weißen Sklavin, dahinter ein Göt-
zenbild; rechts ein Bischof mit einem
Kirchenmodell, dahinter eine Prozes-
sion. In der Darstellung des Reliefs über
dem Bischof spendet die Heilige Elisabeth den Armen Almosen.
Das Aufeinanderprallen der Reiter in
Anlehnung an Leonardos Anghiari-
Schlacht.
Die Komposition wurde durch sorgfältige Studien vorbereitet, ausführlich
siehe Gerhard Gerkens „Julius Schnorr
von Carolsfeld . . .", in: Niederdeutsche
Beiträge, Band 12, 1973, S. 47–58.
1823 greift Schnorr von Carolsfeld das
Thema in veränderter Form wieder auf
für ein Deckenfeld des Ariost-Saales des
Casino Massimo in Rom.
Das Gemälde entstand in Wien. Die
Drastik in der Schlachtenschilderung
findet sich vergleichbar in Kolbes Gemälde „Die Erstürmung der Marienburg", Kat.Nr. 145.

Lit.: Kat. Bremen 1973, S. 296–298

246

Adolf Schroedter

Schwedt a. d. Oder 1805 – 1875 Karlsruhe

Sohn eines Kupferstechers; erster Unterricht beim Vater. 1820 Eintritt in die Berliner Akademie; Beendigung seiner graphischen Ausbildung bei Buchhorn. 1829 Schüler der Düsseldorfer Akademie unter Schadow. Seit 1837 in der Meisterklasse bis 1845. Als „anerkanntes Genie" bezeichnet; auch seine graphischen Arbeiten werden immer wieder erwähnt. 1848 in London, später in Frankfurt ansässig. Seit 1854 wieder in Düsseldorf tätig, folgt er 1859 einer Berufung als Professor für Ornamentik an die Technische Hochschule Karlsruhe.

Schroedters Bilder nach Motiven aus dem rheinischen Volksleben und humoristischen Dichtungen werden erst vor dem Hintergrund der sentimentalen Düsseldorfer Romantik verständlich; sie sind zum Teil bewußte Parodien und setzen sich damit von der Lehre der Düsseldorfer Akademie ab.

247

246
Die trauernden Lohgerber, 1832

Bezeichnet auf dem vordersten Pfosten mit dem Signet des Künstlers, dem Pfropfenzieher, 1832
Holz, 32,5 × 30,3 cm
Städtische Galerie im Städelschen Kunstinstitut, Frankfurt am Main
Inv.Nr. SG 279

Lessings „Trauerndes Königspaar", Kat.Nr. 155, und Eduard Bendemanns „Trauernde Juden im Exil", Kat.Nr. 25, wirkten mit ihrem Bekanntwerden zeichensetzend. Die melancholisch-elegische Grundstimmung dominiert in diesen Bildern. Romantische Resignation fand hier in weicher, melancholisch gestimmter Form einen vollkommenen und von den Zeitgenossen mit Zustimmung gefeierten Ausdruck. Mit dem parodistischen Gemälde „Die trauernden Lohgerber" wendet sich Schroedter entschieden gegen die sentimentale Richtung der Düsseldorfer Malerschule. Vergleiche auch „Don Quichote", Kat.Nr. 248.

Die parodistische Tendenz in Hasenclevers Werken lebt von der Überzeichnung der Charaktere. Sie wird in diesen beiden Lohgerbern, denen die Felle wegschwimmen, vorbereitet.

Lit.: Kat. Frankfurt 1972, Textband, S. 360; The Hudson and the Rhine, Düsseldorf 1976, Nr. 161

247
Rheinisches Wirtshaus, 1833

Bezeichnet auf dem Faß mit dem Pfropfenzieher (dem Signet des Künstlers) 1833
Leinwand, 58 × 70 cm
Rheinisches Landesmuseum Bonn
Inv.Nr. 72,0173

Frühes Beispiel der Düsseldorfer Genremalerei, die sich trotz des Einspruches von Wilhelm von Schadow durchsetzte. Das Naturvorbild hat sich mit einem Wirtshaus in Oberwesel am Rhein durch die im Hintergrund sichtbaren Türme der Stadtmauer identifizieren lassen. Es hieß „Ausspann am Rhein". 1834 malte Schroedter für dieses Lokal ein Aushängeschild mit seinem Signet, einem großen goldenen Pfropfenzieher; seither führt es den Namen „Zum goldenen Pfropfenzieher". – In diesem Signet kann man eine Anspielung auf die Deutung des Namens „Schroedter" erkennen (Schrodter = mundartlich „Abschneiden, Zurichten"). In der Zunft der Schroedter waren Wein- oder Bier-Fuhrleute zusammengefaßt. Zweifellos bekundet Schroedter mit diesem Signet seines Namens aber auch seine Vorliebe für den Wein. – Die Überfülle der Einzelbeobachtungen – eine Vorzeichnung im Rheinischen Landesmuseum, Bonn, läßt mehrfache Veränderungen erkennen – wird durch architektonische Motive zu einer Einheit zusammengefaßt. In dem Mann mit dem „ungemeinen Bückling" hat nach Raczynski 1836 der Künstler sein Selbstporträt gegeben. Das vielfigurige Geschehen wird auf einer schmalen Vordergrundbühne entwickelt; diese Gestaltungsweise entspricht der Düsseldorfer Schultradition und ist von der Bühne des Theaters beeinflußt.

Schroedter verzichtet bei seiner Version des gleichen Bildthemas aus dem Jahre 1835 (Kunstmuseum Düsseldorf) auf die Überfülle der Details, sowie auf die breite Farbpalette mit den violetten Tönen. Er beschränkt sich auf zwei Zecher auf der Terrasse unter dem Baum. Dies Bild wirkt, obwohl später entstanden, wie eine Studie. 1862 hat Christian Boettcher das Bildthema des Rheinischen Wirtshauses noch einmal aufgegriffen, vergleiche „Sommernacht am Rhein", Kat.Nr. 36.

Lit.: Kat. Bonn 1977, Nr. 87

Farbtafel XX

248
Don Quichote, 1834

Bezeichnet unten rechts mit dem Signet des Künstlers, dem Pfropfenzieher, 1834
Leinwand, 74,5 × 46 cm
Nationalgalerie Staatliche Museen Preußischer Kulturbesitz, Berlin (übernommen aus der Sammlung Wagener)
Inv.Nr. NG 334

Für den Berliner Buchhändler Reimer entstanden.

Parodistische Darstellung: die Begeisterung für die Abenteuer- und Ritterromantik durch Anhäufung von Requisiten persiflierend. Don Quichote, der Ritter von der traurigen Gestalt, sitzt auf einem zerschlissenen ledernen Lehnsessel und liest „Amadis von Gallien". (Amadis von Gallien muß heißen: Amadis von Gaula = Wales, nicht Gallien; berühmtestes Werk der höfischen Abenteurerliteratur im 16. Jahrhundert, wahrscheinlich portugiesischen Ursprungs.)

249

In der Bildordnung dem Gemälde von Hildebrandt „Der Krieger und sein Kind", verwandt, siehe Kat.Nr. 102. Ein Vergleich der Gemälde miteinander verdeutlicht, daß Schroedter den romantischen Gestus von Hildebrandt ins Lächerliche wendet. Er verspottet in diesem weltfremden Sonderling die Kunstauffassung seines erfolgreichen und angesehenen Malerkollegen.

Lit.: Düsseldorf und der Norden, 1976, Nr. 42; Berlin 1976, S. 371

249
Falstaff beim Friedensrichter Schaal zu Tische, 1840

Leinwand, 77 × 101,3 cm
Westfälischer Kunstverein, Münster
Inv.Nr. 325 WKV

Auftragswerk des Westfälischen Kunstvereins, Münster, 1840. Dargestellt ist eine Szene aus Shakespeares Drama

„König Heinrich IV.", II. Teil, 5. Aufzug, 3. Szene.
Ursprünglich hatte Schroedter den Auftrag erhalten, eine Wiedertäufergeschichte aus der Stadthistorie von Münster zu malen. (Die Wiedertäufer hatten Anfang 1534 in Münster ein „neues Jerusalem" gegründet. Ihre Schreckensherrschaft dauerte bis zur Übergabe der Stadt im Juni 1535 nach 16 Monate langer Belagerung durch das Heer des Bischofs von Münster). Dieser Plan wurde wegen der zu hohen Unkosten fallenge-

lassen und zu Gunsten einer Komposition „über einen beliebig zu wählenden historischen Stoff" geändert. Nach H. Westhoff-Krummacher 1975, war das Bild ursprünglich dazu bestimmt, an andere auswärtige, dem Westfälischen Kunstverein verbundene Kunstvereine ausgeliehen zu werden. Man hatte sich verpflichtet „allzweijährlich ein neues Bild zur Circulation" zu bringen.

Schroedter schreibt unter dem 19. Oktober 1839 an den Westfälischen Kunstverein: „Die Szene aus Shakespeares Henry IV, Falstaff mit Schaal und Stille am Tische, denen Pistol eben die Nachricht von Heinrich IV Tode bringt, sieben Figuren".

H. Westhoff-Krummacher hat 1975 zum ersten Mal in dem am Kopfende der Tafel sitzenden glatzköpfigen Mann Falstaff erkannt und die stehende Figur rechts mit Pistol identifiziert. Im Hintergrund sitzen Bardolph und Falstaffs Page. Sie werden von David, einem Diener Schaals versorgt.

Schroedter folgt auch in diesem Bild der bühnenmäßigen Inszenierung einer literarisch-dramatischen Szene, vergleiche Hildebrandt „Die Ermordung der Söhne Eduards IV.", Kat.Nr. 103; die durch den literarischen Vorwurf bedingten karikierenden Züge sind persiflierend scharf herausgearbeitet, dabei dominiert das psychologisierende Element. Jede Figur reagiert anders auf die Nachricht vom Tode Heinrichs IV. Die Variationsbreite reicht vom betroffenen Stutzen des vom Tisch aufspringenden Stille bis zu dem die Nachricht ignorierenden Diener am rückwärtigen Tisch, der sich am Kopfe kratzt. Falstaff und Schaal prosten einander zu. Pistol beobachtet mit erregter Miene die Szene. Im Hintergrund eine Landkarte mit den britischen Inseln. Die Lichtführung ist so gewählt, daß nur die vier Hauptpersonen klar hervortreten. Der gedeckte Tisch läßt die Freude am Detail in den verschiedenen Geschirren, im Tischtuch mit den Falten und außerdem im Holzfußboden mit den eingelegten dunklen Feldern erkennen.

250

Nach U. Ricke-Immel (Katalog The Hudson and the Rhine, 1976) beschäftigte sich Schroedter seit 1837 mit dem Thema Sir John Falstaff, wahrscheinlich in der Nachfolge von Genrebildern des Engländers Charles Robert Leslie (1794–1859).

Lit.: Kat. Münster 1975, S. 150, 151

Peter Schwingen
Muffendorf/Bad Godesberg 1813 – 1863 Düsseldorf

Besucht von 1832 bis 1845 die Düsseldorfer Kunstakademie als Schüler von Theodor Hildebrandt und Carl Ferdinand Sohn.

Die Anlagen des Genre- und Bildnismalers werden stets als „sehr gut" und „ausgezeichnet" gewürdigt.

Mit dem ersten Quartal 1841 wird er in die erste Klasse versetzt. Im Jahr seines Akademie-Abganges findet sich die No-

tiz: „Seine Bilder haben etwas Communes, wozu die von ihm gewählten Gegenstände leicht hinreißen".

Damit ist angedeutet, daß er Bildthemen aufgriff, die auf soziale Mißstände hinwiesen. Seine sachliche Malweise prädestinierte ihn zum bevorzugten Porträtisten des Bürgertums im Wuppertale. In seinen Porträtformulierungen zeigt er sich als eigenständiger Künstler, eine Eigenständigkeit, die ihn in Düsseldorf zum Außenseiter werden ließ.

250
Martinsabend, 1837

Bezeichnet unten rechts: P. Schwingen
Leinwand auf Holz, 15 × 14 cm
Kunstmuseum Düsseldorf
Inv.Nr. 4384

Malerisch reiches Nachtstück: Kinder auf der Straße am frühen Abend, mit ihren ausgehöhlten Kürbissen, die von brennenden Kerzen beleuchtet werden. Schwingen schildert hier einen rheinischen Brauch, wie er auch in Düsseldorf am Vorabend des Martinstages geübt wird. Kinder ziehen mit Laternen singend durch die Straßen und bitten um Gaben; sie appellieren an die Großmut der Erwachsenen, so, wie der Heilige Martin vorbildlich war und großmütig seinen Mantel mit einem Bettler geteilt hat.

Das kleine Format hat die ältere Literatur dazu verleitet, dieses Gemälde als Studie anzusehen; dabei entspricht das anspruchslose Format dem kleinbürgerlichen Biedermeier-Thema.

Lit.: I. Markowitz 1969, S. 325, 326

251
Frau am Fenster, um 1837

Leinwand, 25 × 19,5 cm
Kunstmuseum Düsseldorf
Inv.Nr. 4377

252

Möglicherweise Studie für ein bisher unbekannt gebliebenes Porträt; zum Interieur vergleiche „Porträt Wülfing", Kat.Nr. 252. In der Tradition der niederländischen Malerei des 17. Jahrhunderts ins bürgerliche, puritanische gewandelt, zeigt es die Porträtierte in ihrem Lebensbereich. In der freien, offenen Malerei von überraschender Lebendigkeit. Der Nuancenreichtum und die sichere Pinselführung zeigen einen Künstler von hohen Graden. Überraschend ist die Ähnlichkeit in der Lichtführung und Auffassung von Menzels „Balkonzimmer" aus dem Jahre 1845.

Lit.: I. Markowitz 1969, S. 326

252
Johann Friedrich Wülfing, um 1840

Bezeichnet unten rechts: P. Schwingen
Leinwand, 53 × 44 cm
Galerie G. Paffrath, Düsseldorf

Johann Friedrich Wülfing
Elberfeld 1780–1842 Elberfeld.
Verheiratet mit Johanna Maria Christa
Sibel; Elberfeld 1786–1859 Elberfeld.
Garn- und Tuchhändler, Färbereibesit-
zer (Türkisch-rot) (Auskunft von Jür-
gen von Bemberg, Burg Flamers-
heim).
Nach W. Holzhausen 1964 gab es acht
Fassungen dieses Porträts, die für die
verschiedenen Familienmitglieder ge-
malt worden sind.
Dieses Gemälde wiederholt den gleichen
Bildtypus wie „Frau am Fenster",
Kat.Nr. 251.
Im Gegensatz zu den eleganten, großbürgerlichen Porträts der Düsseldorfer
Schule, vergleiche die Porträts von
Kolbe, Kat.Nr. 143, 144 und später die
von C. F. Sohn, Kat.Nr. 210, 211, die
sich entschieden auf die Figuren beschränken, zeigt Schwingen mit seinen
Porträts die Menschen in ihrer Welt.
Möglicherweise hat sich hier eine puritanische Sonderform entwickelt, wie sie
im Wuppertale Nahrung fand. Auffallend ist die Strenge der Bildordnung, die
zusammengeht mit einer steifen, spröden Malerei, ein bewußtes Stilmittel, wie
das ganz offene, weich gemalte Bildnis
einer Frau am Fenster bezeugt.
Porträts wie dieses überliefern uns ein
anschauliches Bild der bürgerlichen
Kultur aus der Zeit vor der Revolution
im Jahre 1848.

Lit.: W. Holzhausen, Peter Schwingen,
S. 24; Hundert Jahre Galerie Paffrath, S.
116, 117.

253
Die Pfändung, 1846 (?)

Bezeichnet: P. Schwingen
Leinwand, 96,5 × 112,9 cm
Galerie G. Paffrath, Düsseldorf

Mit diesem Gemälde greift Schwingen
ein Thema aus dem Alltag um 1846 auf,
das die sozialen Mißstände zeigt, die zu
den Revolutionswirren im Jahre 1848
führen sollten. Die Konfrontation des
Wohlhabenden rechts, der seine Forderungen bei dem Handwerker, der ganz
betroffen mit gefalteten Händen und ge-
senktem Gesicht vor ihm steht, durch
Pfändung eintreibt, war für Schwingen
eine Möglichkeit, die Seelenstimmung
in extremen Gegensätzen vorzuführen,
vergleiche Hübner „Die schlesischen
Weber", Kat.Nr. 110 und Hasenclever
„Arbeiter vor dem Magistrat", Kat.Nr.

97. Bildthemen wie diese boten dem psychologisierenden Künstler reiche Möglichkeiten der Entfaltung.
Dargestellt ist nicht Armut, sondern ein
verarmter, verschuldeter Handwerker,
dessen Glaubensbekenntnis an der
Wand abzulesen ist im Kruzifix und einer Reproduktion des kreuztragenden
Christus, vergleiche dies Detail auch bei
de Groux „Armenbank", Kat.Nr. 81.
Nach dem ethnographischen Genre, das
Jordan für die Düsseldorfer Malerschule
„entdeckt" hatte, vergleiche Kat.Nr.
127, hatten Künstler wie Hübner, Heine
und Hasenclever mit ihren sozialkritischen Bildthemen neue darstellungs-
würdige Bereiche gefunden; für ihre
Kritik an den Mißständen fanden sie solche Formulierungen, daß sie des Publi-
kumserfolges sicher sein konnten. Rührung und Mitgefühl sprachen sie beim
Betrachter an, darin standen sie in der
Tradition. Hildebrandts „Ermordung

254

der Söhne Eduards IV.", Kat.Nr. 103, hatte mit seinem literarischen Vorwurf keine anderen Absichten. Auch im Bildbau steht Schwingen ganz in der Tradition der Düsseldorfer Malerschule. Die schmale Vordergrundbühne, auf der das Geschehen dargestellt wird, war tradiertes Schulgut.

Lit.: W. Holzhausen, Peter Schwingen, S. 25

Eduard Steinbrück
Magdeburg 1802 – 1882 Landeck/Schlesien

In Berlin Schüler Wilhelm Wachs. Seit 1829 in Düsseldorf bei Wilhelm von Schadow. 1829/30 eine Studienreise nach Italien, daran anschließend bis zum Jahre 1833 wieder in Berlin. Seit dem Schuljahr 1833 in der Düsseldorfer Akademie in der Meisterklasse bis zum Jahre 1843.
1840/41 wird unter anderem erwähnt, daß er an einem Sujet aus „Tieck mit Elfen" malt. Es handelt sich hier möglicherweise um die hier gezeigte Katalognummer 254. Das gleiche Bild wird im Schuljahr 1841/42 noch einmal als aus den „Elfen" von Tieck erwähnt.
Verläßt 1843 die Akademie. 1841 Mitglied der Berliner Akademie, zog 1846 von Düsseldorf nach Berlin, wo er 1854 Professor wurde. Seit 1876 in Landeck ansässig.
Die zahlreichen Wiederholungen des Themas „Marie unter den Elfen" haben seine anderen Gemälde, vor allem die von den Zeitgenossen geschätzten Porträts, in Vergessenheit geraten lassen.

254
Marie unter den Elfen, 1841

Bezeichnet unten rechts: Ed. Steinbrück Düsseldorf 1841
Leinwand, 66 × 128 cm
Kunstmuseum Düsseldorf
Inv.Nr. 5531

Die im Kunstmuseum Düsseldorf bewahrte Farbenskizze aus dem Jahre 1835 gibt in den Zwickeln den Hinweis auf das literarische Vorbild: Ludwig Tieck, Die Elfen, in „Phantasus", eine Sammlung von Märchen, Erzählungen, Schauspielen und Novellen (Berlin 1812).
Marie und ihre Begleiterin Zerina auf der Fahrt über den schilfumwachsenen See. „Plötzlich kamen aus allen Kanälen und aus dem See unendlich viele Kinder auftauchend angeschwommen, viele trugen Kränze von Schilf und Wasserlilien,

487

andere hielten rothe Corallenzacken, und wieder andere bliesen auf krummen Muscheln; ein verworrenes Getöse schallte lustig von den dunklen Ufern wider."

Ein Vergleich mit B. Genelli (1798–1868) macht die größere Naturnähe der Düsseldorfer Schule deutlich. Die zarte, märchenhafte Stimmung von Tiecks Dichtung ist hier in dem direkten, zupackenden Vortrag in eine realistische Sphäre transponiert. Die zahlreichen Wiederholungen dieses Bildthemas erlauben den Rückschluß auf die Beliebtheit bei den Zeitgenossen.

Lit.: I. Markowitz 1969, S. 346, 347

255

Adolph Tidemand
Mandal 1814 – 1876 Oslo

Adolph Tidemand studierte zunächst in Kopenhagen und kam 1837 fast zufällig nach Düsseldorf, wo er sich als Historienmaler ausbilden lassen wollte. Vom Schuljahr 1837 an besucht er die Kunstakademie, wird mit Beginn des Semesters 1840 in die erste Klasse versetzt; seine Anlage gilt als außerordentlich. Im Schuljahr 1840/41 malt er ein Bild „aus der Geschichte Gustav Wasas mit vielen Figuren" (s. Kat.Nr. 255). 1841 eine Studienreise nach Italien, die ihn auch nach München führte. 1842–45 wieder auf Reisen in Norwegen. Eindrücke von dieser Reise müssen ihn dazu bewogen haben, die Historienmalerei zu Gunsten von Szenen aus dem Volksleben aufzugeben. Anschließend bis zu den Revolutionswirren 1848 wieder in Düsseldorf. Seit 1849 in Düsseldorf ansässig. In den Sommermonaten der folgenden Jahre hielt er sich mit Vorliebe in seiner Heimat auf.

Tidemand gilt als der Begründer der skandinavischen Künstlergruppe in Düsseldorf. Die stärksten Einflüsse und Anregungen gingen von seinem gemalten Werk aus. Eine Lehrstelle an der Akademie hatte er in Düsseldorf nie inne. Sein Einfluß auf Maler wie Fagerlin unter den skandinavischen und Salentin unter den deutschen ist nicht zu übersehen. Seine Vorliebe für ernste ethnographische Bildthemen geht zusammen mit einem strengen, das Dramatische und Heroische unterstreichenden Bildbau. Er steht darin in der Nachfolge von Schroedters berühmten Gemälde „Fischer auf Rügen"; aber auch Jakob Becker von Worms' aufsehenerregende Bilderfindung aus dem Jahre 1840 „Von einem Gewitter überraschte Bauern" sind wichtige Vorläufer für Tidemands Kunst.

255
Gustav Wasa spricht in der Kirche von Mora zu den Männern von Dalarne, 1841

Bezeichnet unten rechts: A. Tidemand
Düsseldorf 1841
Leinwand, 124 × 143,8 cm
Privatbesitz

Gustav Wasa (1496(?)–1560) spricht in der Kirche von Mora zu den Männern von Dalarne; er entfacht einen Aufruhr in Dalarne, gewinnt raschen Zulauf und überwältigt, seit 1522 von Lübeck unterstützt, die dänischen Garnisonen. Die Macht des Dänenkönigs Christian II. bricht endgültig zusammen. Auf dem Ständetag zu Strängnäs 1523 wird Gustav I. Wasa zum König von Schweden gewählt. Er wird der Begründer der schwedischen Unabhängigkeit und gilt als eine der größten Herrschergestalten nordischer Geschichte. Unter seiner Regierung erfolgt 1527 der Bruch mit Rom. Die Reformation in Schweden wird schrittweise durchgeführt.

Tidemand steht unter dem Einfluß von Lessings „Hussitenpredigt", Kat.Nr. 159. Die Hauptfigur, unüberschnitten, überragt die dicht gedrängte, andächtige Menge. In der Gestalt des Priesters, der sich zögernd und besorgt abwendet, ist ein Hinweis auf die Trennung von Rom zu sehen. Die Köpfe der Männer und Frauen von Dalarne zeigen porträthafte Züge. Möglicherweise läßt sich dieser oder jener mit einem Düsseldorfer Künstler identifizieren. Die psychologisierende Darstellung einer Menschenmenge, die auf ein Ereignis, hier einen Aufruf, verschieden reagiert, hat in Düsseldorf Tradition, vergleiche auch Heine „Gottesdienst in der Zuchthauskirche",

Kat.Nr. 98. Tidemand hat im Jahre 1848 die „Andacht der Haugianer", vergleiche Kat.Nr. 256, in ähnlicher Weise gestaltet.

Lit.: Boetticher Nr. 1

256
Andacht der Haugianer, 1848

Bezeichnet unten links: A. Tidemand 1848
Leinwand, 143 × 181 cm
Kunstmuseum Düsseldorf
Inv.Nr. 4056

Die religiöse Erweckungsbewegung, die auf Hans Nielsen Haug (1771–1824), „den Vater der Laienprediger", zurückgeht, war eng mit einer nationalen

Selbstbesinnung in Norwegen verbunden. Die Haugianer versammeln sich außer zum Gottesdienst in der Kirche auch noch zu Nachmittagsandachten in ihren Häusern. Jeder, der sich berufen fühlte, durfte dort predigen.

Tidemand überliefert in seinem Gemälde eine solche Nachmittagsandacht in einem Blockhaus in Norwegen. Bei einem Vergleich mit seinem Gemälde „Gustav Wasa spricht zu den Männern von Dalarne", Kat.Nr. 255, zeigt es sich, daß Tidemand zwar an dem Leitbild von Lessings „Hussitenpredigt", Kat.Nr. 159, festhält; auch hier wird die Einzelfigur des Predigers formal und durch Lichtregie hervorgehoben, doch ist bei reduziertem Figurenbestand die Variationsbreite der andächtigen Zuhörer größer, das Individuelle stärker herausgearbeitet.

Volkskundliche Trachtenstudien hat Tidemand hier mitverarbeitet. Für den Raum hat er die Architektur des „Rauchhauses" (Årestue = Rauchhaus; es besteht aus einem Raum mit offener Herdstelle. Der Rauch zieht durch eine Öffnung in der Mitte des Daches ab. Eine vorhistorische Form von Holzhaus, die älteste in Norwegen), übernommen. (Vergleiche Katalog „Düsseldorf und der Norden, Kat.Nr. 88). Nach I. Markowitz 1969 haben befreundete Maler Tidemands, unter anderen C. F. Sohn, Henry Ritter, Bengt Nordenberg Modell gestanden. Für die Gestalt des Predigers diente ihm Th. Mintrop als Modell.

In seinem schwermütigen und schwerblütigen Ernst steht Tidemand in der Tradition von Bendemanns „Trauernden Juden im Exil", Kat.Nr. 25; in der auf wenige dunkle Farbtöne gestimmten Malerei wird Tidemand für Künstler wie Knaus und Vautier vorbildlich, vergleiche Knaus „Falschspieler", Kat.Nr. 134, und Vautier „Die Nähschule", Kat.Nr. 259.

Mit dem Bild erreicht Tidemand seinen ersten großen Erfolg. „Die Haugianer" waren Anfang des Jahres 1848 fertig und wurden noch im gleichen Jahr durch den

256

257

Galerieverein und den Kunstverein für die Rheinlande und Westfalen erworben; danach in Berlin ausgestellt erhielt es eine glänzende Kritik in Kuglers Kunstblatt. Im Jahre 1849 wurde Tidemand mit der Goldmedaille der Berliner Ausstellung für dieses Bild ausgezeichnet und Mitglied der Berliner Akademie. Außer einer Wiederholung in kleinerem Format aus dem Jahre 1848, die der Katalog „Düsseldorf und der Norden" erwähnt, malte Tidemand 1852 eine Wiederholung für die Nationalgalerie in Oslo. Diese Version wurde zusammen mit der „Brautfahrt in Hardanger", an der Gude und Tidemand gemeinsam gearbeitet hatten, vergleiche Kat.Nr. 85, auf der Weltausstellung in Paris 1855 gezeigt. Dort erregten die Szenen aus dem Volksleben großes Aufsehen. Sie brachten ihm eine Medaille erster Klasse und die Auszeichnung der Ehrenlegion ein.

Lit.: I. Markowitz 1969, S. 348, 349; Düsseldorf und der Norden, 1976, Nr. 86; Markowitz/Andree 1977, Nr. 37; U. Abel 1978, S. 7

257
Die Fanatiker, 1866

Bezeichnet unten links: A. Tidemand. 1866
Leinwand, 136 × 178 cm
Nationalmuseum Stockholm (Vermächtnis B. E. Dahlgren, 1876)
Inv.Nr. NM 1319

Die Darstellung der „Fanatiker" bildet ein Gegenstück zu dem Gemälde „Die Haugianer", Kat.Nr. 256, das 18 Jahre früher entstand. In beiden Bildern wer-

258

den die guten und schlechten Seiten der Erweckungsbewegungen gegeneinander abgewogen.

Wie der Künstler selbst berichtet hat, wurde ein Artikel von Medizinaldirektor L. Dahl im „Folkevennen" über den Zustand von Geistesgestörten in Norwegen bedeutungsvoll für die Entstehung dieses Gemäldes.

Eine Vorstudie von 1866 befindet sich in der Nationalgalerie, Oslo.

Im Bildbau ähnlich den „Haugianern", Kat.Nr. 256, in der Darstellung drastischer und kontrastreicher. Bei den Haugianern sind Sektierer ernst versammelt, bei den Fanatikern handelt es sich um geistesgestörte, kranke Menschen. Tidemand berührt mit diesem Gemälde eine psychologische Frage. Er dokumentiert, daß die Übergänge von Wahn und Wirklichkeit fließend sein können.

Lit.: Kat. Stockholm 1952, S. 212; U. Abel 1978, S. 9, 10

Marc Louis Benjamin Vautier
Morges am Genfer See 1829 – 1898 Düsseldorf

1847 Schüler von Hébert in Genf; Lehrzeit als Emailmaler, besuchte abends die Zeichenschule. Mit dem zweiten Quartal 1850 Eintritt in die Kunstakademie Düsseldorf; in der Malklasse bei C. F. Sohn, der ihm eine „bedeutende Anlage" bestätigt. In der Wahl seines Faches fand er nicht die Zustimmung von Wilhelm von Schadow. Seit 1851 Tätigkeit im Atelier von Rudolf Jordan. 1853 Studien in Genf und im Berner Oberland. In der Nachfolge von R. Jordan und auf Anregung von K. Girardet begann er, sich für das heimische Brauchtum zu interessieren. 1856 in Paris. Seit 1857 in Düsseldorf ansässig. 1858 zusammen mit L. Knaus im Schwarzwald, wo er Vorbilder für seine Genreszenen fand.

In Themenwahl und Vortragsweise seinem Generationsgenossen Ludwig Knaus nahe.

259

258
Dorfkirche mit Andächtigen, 1856

Bezeichnet links neben der Mitte: B. Vautier Düsseldorf 1856
Leinwand, 82 × 72 cm
Stiftung Kunsthaus Heylshof, Worms
Inv.Nr. Swarzenski 87

Singende Gemeinde während des Gottesdienstes, im Hintergrund der Künstler mit dem Klingelbeutel. Vautier gibt hier Menschen und Eindrücke aus dem Berner Oberland. Im Hintergrund steht die psychologisierende Darstellung von alten und jungen Männern und Frauen, wie sie in Düsseldorf im 19. Jahrhundert Tradition hatte. Neben der kultivierten Malerei wurde gerade dieser psychologisierende Aspekt als besonderer Wert der Genremalerei herausgestellt, vergleiche die zeitlich nahen und thematisch verwandten Gemälde von Tidemand „Haugianer", Kat.Nr. 256, und „Die Fanatiker", Kat.Nr. 257; außerdem W. Heine „Gottesdienst in der Zuchthauskirche", Kat.Nr. 98.

Seit van Eycks „Singenden und musizierenden Engeln", Seitenflügel des Genter Altars, zeitweilig in Berlin, gibt es für Maler dieses Themas eine Orientierungshilfe, ein Leitbild. Van Eyck hat wohl als erster den verzerrten Gesichtsausdruck gesehen und gemalt, nicht frei von karikierenden Zügen.

Wilhelm Leibls „Drei Frauen in der Kirche", 1882, gehen von dem gleichen Motiv aus, Leibl findet aber im Gegensatz zu Vautiers vielteiligen und vielseitigen, breit aufgefächerten Formulierungen eine einfache, das Statuarische betonende Komposition. Beide Bilder befanden sich früher im Besitz der gleichen Familie.

Lit.: Georg Swarzenski, Die Kunstsammlung im Heylshof zu Worms, beschreibender Katalog, Frankfurt am Main, o. J. Nr. 87; Düsseldorf und der Norden 1976, Nr. 46

260

259
Die Nähschule, 1859

Bezeichnet unten links: B. Vautier Df 59
Leinwand, 72 × 64 cm
Galerie G. Paffrath, Düsseldorf

Leicht abgewandelte Wiederholung des Gemäldes in Leningrad (Akademie der Künste).

Die Komposition ist durch die am Bühnenbild orientierten Werke der Düsseldorfer Schule inspiriert; der Kastenraum sowie die Beleuchtung von der Seite haben in Düsseldorf Tradition; vergleiche auch Vautier „Der Hauslehrer", Kat.Nr. 260.

Das Bildthema der an weißem Zeug nähenden Mädchen in verschiedenen Altersabstufungen unter der Aufsicht einer alten Frau mit Haube und Brille gab Vautier reiche Möglichkeit, die Mädchen bei gleicher Tätigkeit verschieden zu charakterisieren. Der Reichtum der Variationsbreite vom angespannten Aufmerken des Mädchens, das gerade einen Faden in die Nadel fädelt, bis hin zu dem Mädchen im Vordergrund links, das mit der Katze spielt, und der als ältesten charakterisierten, die en Face in der Fensternische sitzt, die Arbeit offensichtlich unterbrochen hat und nach draußen schaut. Ganz rechts ein kleines Mädchen, das strickt. Das Interieur zeigt malerische Armut und suggeriert heimelige Atmosphäre.

Lit.: W. Hütt 1964, Farbtafel 9 (= Variante in Leningrad)

260
Der Hauslehrer, 1865

Bezeichnet unten rechts: Vautier 65
Leinwand auf Sperrholz, 72,5 × 92,5 cm
Germanisches Nationalmuseum, Nürnberg
Inv.Nr. GM 1669

Großbürgerliches Interieur im Stil des zweiten Rokoko. Der Hauslehrer im dunklen Gewand rechts, sitzend, hat der Dame des Hauses, die umgeben ist von ihren vier Kindern, ein Empfehlungsschreiben zur Lektüre übergeben. Er wartet bange auf die Entscheidung. Die Mädchen betrachten neugierig ihren neuen Mentor, der Knabe, derzeit noch dem zukünftigen Lehrer unterlegen, blickt abschätzend in leicht trotziger Haltung den Hauslehrer an; beschnüffelt ihn gleichsam, wie der Hund es verdeutlicht. Im Gegensatz zu den vorhergehenden Bildern von Vautier zeigt dieses Gemälde eine möglicherweise hochexplosive Situation. Gegensätze werden entschieden gegeneinander ausgespielt und bewirken eine Spannung, die von den Elementen des Bildraumes, der nicht ganz eindeutig zu lesen ist, zusammengehalten wird. Über allem wacht das Porträt des Ahnherren mit Allonge-Perücke in Herrschergestus.

Die künstlerische Leistung Vautiers be-

261

Lit.: Köln 1914, Nr. 836; Hans F. Secker, Die Galerie der Neuzeit im Wallraf-Richartz-Museum, Leipzig 1927, S. 102, 105, 106; Hundert Jahre Düsseldorfer Malerei, Nr. 320; U. Immel, Die deutsche Genremalerei im 19. Jahrhundert, 1967, S. 304; The Hudson and the Rhine, Düsseldorf, Nr. 170

Johann Velten
Graach a. d. Mosel 1807 – ?

Besucht 1830/31 die Kunstakademie in Düsseldorf in der zweiten oder Vorbereitungsklasse bei Heinrich Christoph Kolbe, der ihm bestätigt: „Entwickelt viel Farbensinn". Als Stipendiat hat er freien Unterricht. In den Schuljahren 1836 bis 1838 ist er weiter in den Schülerlisten als Bildnismaler verzeichnet. Er hat schon seine Lehrer verunsichert; die Beurteilungen seiner Anlagen schwanken zwischen „viel" und „geht an".
Ein Künstler, bei dem die Forschung noch in den Anfängen steht.

steht darin, daß er dem Betrachter eine Situation schildert, die eindeutig schwierig ist, vergleichbar den Examensbildern aus Hasenclevers „Jobsiade", deren Ausgang nach allen Seiten offen bleibt, so daß keiner sich getroffen fühlen muß; vergleiche auch Vautiers „Leichenschmaus", Kat.Nr. 261.

Lit.: Boetticher Nr. 19; Hundert Jahre Galerie G. Paffrath, S. 112, 113; Führer des Germanischen Nationalmuseums, Nürnberg 1977, Nr. 528

Farbtafel XXIV

261
Leichenschmaus, 1866

Bezeichnet unten rechts: B Vautier. Df. 66
Leinwand, 87 × 132 cm
Wallraf-Richartz-Museum, Köln
Inv.Nr. 1132

Nach der Bestattung hat sich im Trauerhaus (Interieur und Kostüme des Berner Oberlandes) eine vielköpfige Gesellschaft zum Leichenschmaus zusammengefunden. Die Witwe des Verstorbenen sitzt weinend im Hintergrund links.
Vautier als Düsseldorfer Künstler steht hier ganz unter dem Einfluß einer an der Bühne orientierten Bildordnung. Die Gestaltung des Innenraumes festigt die Komposition der vielfigurigen Gruppe, vergleiche Tidemand „Haugianer", Kat.Nr. 256 und „Die Fanatiker", Kat.Nr. 257. Die Themenstellung bot dem Künstler eine Fülle von Möglichkeiten, Schmerz, Verzweiflung und Mitgefühl reich abgestuft zu charakterisieren, vergleiche auch R. Jordan „Sturmläuten auf Helgoland", Kat.Nr. 128, und L. Knaus „Leichenbegängnis in der Schwalm", Kat.Nr. 139. Durch realistisch gesehene Details der Trachten aus dem Berner Oberland gelingt es Vautier, eine menschliche Ursituation, die Trauer, darzustellen und in eine Sphäre zu transponieren, die dem Betrachter die Vorstellung vermittelt, als Zuschauer Anteil zu nehmen, ohne beteiligt zu sein.

262
Der Düsseldorfer Hafen, 1832

Bezeichnet unten links: J. V. 1832 (J + V ligiert)
Leinwand, 51 × 61 cm
Wallraf-Richartz-Museum, Köln
Inv.Nr. 2469

Ansicht der Düsseldorfer Rheinwerft von Norden. Im Hintergrund rechts die Silhouette des Neusser Münsters. Blick aus dem alten Schloßgebäude in Düsseldorf stromaufwärts. Im Vordergrund rechts die Mündung der Düssel in den Rhein und der massive Kai, bis hin zum alten Kran, der auf dem Bild nicht mehr zu sehen ist. Dahinter die Trümmer der ehemaligen Thomas-Bastion; die Pap-

262

pelreihen im Süden wohl identisch mit denen auf der Berger Allee. Im Hintergrund zeichnet sich gegen den Himmel die Silhouette des Neusser Münsters ab. Die topographische Bestimmung gelang Hugo Weidenhaupt (mündliche Mitteilung).

Der Verfasser hat in seinem Bestandska-talog des Wallraf-Richartz-Museums 1964 eine mögliche Identifizierung mit Johann Velten entschieden abgelehnt. Helmut Börsch-Supan ist es in der Zwischenzeit gelungen, dieses Gemälde zu identifizieren mit der Kat.Nr. 104 „Das Rheinwerft zu Düsseldorf" von Johann Velten aus Graach im Verzeichnis der

Kunstwerke der Ausstellung Juli 1832 (in Düsseldorf).

Bemerkenswert ist die Nähe zu Andreas Achenbachs „Ansicht der alten Akade-mie", Kat.Nr. 1

Lit.: Köln 1964, S. 91 (Monogramm ist I. V. 1832); H. Appel 1973, S. 85, 88

263

Karl Wilhelm Wach
Berlin 1787 – 1845 Berlin

Beginn und Ausbildung bei Carl Kretschmar 1797–1804. Erste Bildnisaufträge von König Friedrich Wilhelm III. Zur Weiterbildung geht Wach von 1815–17 nach Paris, wo er bei Jacques Louis David und Antoine Gros studiert. Von 1817–19 kgl. Stipendiat in Rom. Hier entstehen Raffael-Kopien. 1819 läßt er sich in Berlin nieder und eröffnet ein Atelier mit Malschule. 1824 wird er Professor an der Akademie in Berlin. 1827 Hofmaler, 1840 Vizedirektor der Akademie. Er malt Altarbilder und ist an der Ausmalung des neuen Schauspielhauses von Schinkel beteiligt. Von den Zeitgenossen als Porträtist geschätzt, pflegt er einen an der italienischen Hochrenaissance orientierten, glatten Malstil. Als Porträtist lebt er vor allem in den Werken von C. F. Sohn weiter.

263
Kaiser Friedrich II. verleiht dem Hochmeister Hermann von Salza die Ordensfahne 1226, um 1824

Leinwand auf Pappe, 53,2 × 31,5 cm
Staatliche Schlösser und Gärten, Schloß Charlottenburg, Berlin
Inv.Nr. GK I 30144

Kaiser Friedrich II. (1194–1250, Kaiser seit 1212). Hermann von Salza (1210–1239).

In der Goldbulle von Rimini wird 1226 festgelegt: Der deutsche Orden, von dem Polenherzog von Masovien gegen die heidnischen Preußen zu Hilfe gerufen, erhält Vollmacht und Programm zur Gründung eines autonomen, dem Imperium und 1234 nachträglich auch dem Papst unterstellten Ordensstaates in Preußen.

Der alte Titel des Bildes lautete: Kaiser Friedrich II. belehnt den Hochmeister des Deutschen Ordens Hermann von Salza mit dem Panier, in welchem im Innern des Kreuzes der deutsche Reichsadler befindlich ist, welches die Ritter bis dahin nicht führten.

Dieses Bild gehört zu einer Folge, die nach den Glasfenstern für die Marienburg, vergleiche Kolbe „Der Sturm der Polen auf die Marienburg", Kat.Nr. 145, gemalt worden ist. Die Komposition ist für Wach gesichert, vergleiche den Katalog der Berliner Akademie-Ausstellung von 1824 Nachtrag Nr. 757. Ob die vorliegende Replik von Wach ausgeführt ist, läßt sich nicht mit Bestimmtheit sagen, da ein Vergleich mit den übrigen Bildern des Zyklus keine Unterschiede in der Malweise erkennen läßt. Die Fenster sind hier in kleinerem Maßstab als bei den übrigen Bildern gezeichnet, so daß darunter Platz für ein Tondo bleibt. Es zeigt einen Engel mit dem älteren Wappen des deutschen Ordens – Schwarzes Kreuz auf weißem Grund – und der Devise: „in hoc signo vinces" in Anspielung auf die Goldbulle von Rimini.

Dieses Gemälde ist nur ein Beispiel für die Berliner Tradition, die in Düsseldorf in der historischen Malerei weiterlebt, vergleiche Mückes Entwurf zur „Unterwerfung der Mailänder", Kat.Nr. 169.

Lit.: H. Börsch-Supan 1975, Nr. 70

264

264
Maria mit dem Kinde, um 1826

Leinwand, 77 × 79 cm
Staatliche Schlösser und Gärten, Schloß Charlottenburg, Berlin
Inv.Nr. GK I 30289

In der Formgebung der Kunst Raffaels verpflichtet, wie sie 1826 von vielen Künstlern gepflegt wurde. In der Härte der Linienführung, dem kantigen Kontur und in der flächigen Malweise sowie im Faltenwurf und der Tendenz, die Konturen durch Gewänder und ein Kopftuch zu vereinfachen, glaubt man, die Handschrift Karl Wilhelm Wachs erkennen zu dürfen. Im Typus und Gestus fällt die Nähe zu Michelangelo auf.

H. Börsch-Supan schreibt uns zu dem Problem der Beschriftung auf dem Bild u.a.: „In der dritten Zeile auf der Rückseite der Seite, die gerade umgeblättert wird, liest man unter der Initiale I inmitten angedeuteter Schriftzeichen ganz klar das Wort „Roma". Ich glaube nicht, daß damit gesagt sein soll, das Bild sei in Rom gemalt. Streng genommen, müßte dann wohl „Romae" dastehen. Nach meiner Ansicht wird mit diesem Wort auf etwas angespielt, was uns nicht verständlich ist, weil wir den Auftraggeber nicht kennen."

265

Worthington Whittredge
Springfield, Ohio, 1820 – 1910 Summit, New Jersey

Autodidakt; als Porträtist in Cincinnati und Indianapolis bis 1849 tätig. Anschließend Studium in Düsseldorf. Hier stand er Modell für zwei Figuren in Leutzes Gemälde „Washington crossing the Delaware". Er war eng befreundet mit Andreas Achenbach, in dessen Haus er ein Jahr lang lebte, und mit Lessing; 1852 unternahm er mit diesem zusammen eine Studienreise in den Harz. 1854 in der Schweiz und Italien tätig. Von 1855–59 in Rom. Anschließend wieder in New York. 1866 begleitete er die „Pope Expedition" nach Colorado und Neumexiko. Vier Jahre später ging er wieder nach Westen, diesmal in Begleitung von Stanford Gifford und John Kensett. 1880 zog er nach Summit, New Jersey.

1861 zum Mitglied der National Academy gewählt. 1865 und 1874–77 Präsident der Akademie.

265
Harzlandschaft, 1852

Bezeichnet unten links neben der Mitte:
J. W. Whittredge 1854
Leinwand, 118 × 160 cm
High Museum of Art, Atlanta, Georgia, USA (Gift in memory of Mr. Howard R. Peevy from his wife)
Inv.Nr. 73.50

Landschaft nach Naturstudien im Harz. Motiv bei Langenfeld. Auf Grund der eigenhändigen Eintragung von Whitt-redge in seiner Bilderliste „am 21. April 1852 abgegeben." Offensichtlich hat er das Gemälde später mit falschem Datum signiert.

In enger Anlehnung an Werke von C. F. Lessing, aber auch den Gemälden Schirmers verwandt, vergleiche dessen „Landschaft", Kat.Nr. 235. Eine kleinere Fassung des gleichen Bildmotivs befindet sich im Detroit Institute of Arts, Detroit.

In diesem Gemälde wird der Einfluß der Düsseldorfer Landschafter Lessing und Schirmer auf die amerikanischen Künstler, die zum Studium nach Düsseldorf gekommen waren, besonders deutlich. Die Großzügigkeit in der Detailbehandlung und sichere Komposition in Anlehnung an Naturvorbilder geben ein überhöhtes Bild der porträtierten Landschaft, vergleiche auch Bierstadt „Merced River", Kat.Nr. 31, und „Sonnenuntergang in den Wind River Mountains", Kat.Nr. 29.

Lit.: The Hudson and the Rhine, Düsseldorf 1976, Nr. 176; Bruce Chambers, American Paintings in the High Museum of Art, Atlanta 1975, S. 24, 25

August von Wille
Kassel 1829 – 1887 Düsseldorf

Zunächst Ausbildung an der Kasseler Akademie 1843–47. In den Jahren 1847 bis 1854 in der Landschafterklasse der Düsseldorfer Akademie bei Johann Wilhelm Schirmer. In Düsseldorf und in Weimar tätig.

Pflegte die idyllische, romantische Landschaft; nähert sich in der Themenwahl manchmal den Gemälden und Bilderfindungen Spitzwegs: Winkelige Gassen bei Mondschein in einer mittelalterlichen Stadt.

266

266
Industrielandschaft 1870
(Ansicht von Barmen)

Bezeichnet unten links: A. von Wille 1870
Leinwand, 92 × 120 cm
Rheinisches Landesmuseum Bonn
Inv.Nr. 62.1016

Blick von der Westseite des Ehrenbergs auf Barmen (heute Wuppertal-Barmen). Im Vordergrund eine Jagdgesellschaft, in der man Mitglieder der Barmer Familie Merklinghaus vermuten, die in diesem Bereich des Wuppertales damals ein Jagdrevier hatten.

Der Blick in die industrialisierte Landschaft des Wuppertales wird ganz unbefangen als pittoresk aufgefaßt und für den Betrachter festgehalten. Die Textilindustrie, die in Wuppertal zu Hause ist,

bestimmt noch heute das Stadtbild mit seiner unverwechselbaren Konfrontation von Industriebauten, Wohnhäusern und heute noch erhaltenen Bergwäldern. Trotz des frühen Hinweises von Rethel, vergleiche Kat.Nr. 190, und dem tastenden Versuch von Andreas Achenbach, vergleiche Kat.Nr. 5, sich diesem Thema zu nähern, blieb bis zu August von Willes „Ansicht von Barmen" das Bildthema in Düsseldorf vereinzelt. Oswald Achenbachs „Blick auf Bonn", Kat.Nr. 17 bringt die Idylle der rheinischen Landschaft bei Bonn.

Möglicherweise handelt es sich bei August von Willes Gemälde um ein Auftragswerk der im Vordergrund porträtierten Familienmitglieder.

Der Landschaftsausschnitt ist so gewählt, wie wir es von der Schirmerschule für romantische Landschaftsbilder gewohnt sind, vergleiche C. Scheuren „Rheinlandschaft", Kat.Nr. 222, J.

267

Holz, 50 × 63,5 cm
Kurpfälzisches Museum der Stadt Heidelberg
Inv.Nr. G 2056

Dargestellt ist die in alten Chroniken überlieferte Geschichte vom Grafen Rudolf von Habsburg, dem späteren König Rudolf I., (1218–1291; seit 1273 König, Stammvater der Habsburger), der einem Priester, der das Altarsakrament zu einem Sterbenden bringt, sein Pferd anbietet, damit der Priester trockenen Fußes über den Fluß kommt. Dies Beispiel für ritterliche Tugend ist im 17. Jahrhundert mehrfach von flämischen Malern dargestellt worden. Durch Schillers Ballade aus dem Jahre 1803 erneut ins Blickfeld gerückt, ist es ein beliebtes Bildthema der Nazarener um 1810, vergleiche den Ausstellungskatalog „Die Nazarener", Frankfurt 1977.

Wintergerst, im Banne der Nazarener stehend, malte dieses Bild als Pendant zu einer heute verschollenen Komposition „Die Vermählung Eberhards des Rauschebartes", 1822. In der Vortragsweise und in der Farbgebung dem nazarenischen Ideal verbunden wird die Geschichte in naiver altdeutscher Manier im Legendenton vorgetragen; besonders Pforr nahe in der Betonung des Flächenhaften und der bunten Farbgebung.

Lit.: Jens Christian Jensen, Das Werk des Malers Josef Wintergerst, in: Zeitschrift des Deutschen Vereins für Kunstwissenschaft, 1967, S. 37, 55, 56

W. Schirmer „Abendlandschaft mit Blick auf das Heidelberger Schloß", Kat.Nr. 231 sowie Whittredge „Harzlandschaft", Kat.Nr. 265. Ganz naiv hat der Künstler dargestellt, wie eine wachsende Industriestadt sich in die Landschaft hineinfrißt und diese zu zerstören droht.

Lit.: Fritz Goldkuhle, Neu erworbene Gemälde des 16. bis 19. Jahrhunderts, in: Bonner Jahrbuch 1966, Nr. 31

wohnte. 1813 Rückkehr nach Deutschland; tätig in Aarau, Ellwangen und Heidelberg (1816–1818). Seit 1822 Lehrer für den Elementarunterricht an der Düsseldorfer Akademie. Seit 1824 dort Inspector. Auf Anraten der Freunde malt Wintergerst zunächst Themen aus dem Alten Testament, später Historienbilder in Anlehnung an Pforr.
In den 1820er Jahren scheint seine künstlerische Schaffenskraft nachzulassen.

Joseph Wintergerst
Wallerstein 1783 – 1867 Düsseldorf

Nach dem Besuch der Münchener Akademie kam Wintergerst nach Wien. Hier wurde er 1809 Mitbegründer des Lukasbundes. 1811 ging er nach Rom, wo er mit den Nazarenern in St. Isidoro

267
Der Graf von Habsburg,
um 1822

Bezeichnet unten links von der Mitte auf der Brückenplanke: v. M Jos. Wintergerst inv. pinx.

Hermann Wislicenus
Eisenach 1825 – 1899 Goslar

Erster Zeichenunterricht bei Heinrich Müller an der Zeichenschule in Eisen-

ach. 1844 geht Wislicenus an die Kunstakademie in Dresden, wo er zunächst Schüler von E. Bendemann, später von Schnorr von Carolsfeld wird. Ein Stipendium des Großherzogs Carl Alexander von Weimar ermöglicht ihm einen längeren Rom-Aufenthalt: 1853–57. Symptomatisch für seine traditionsbewußte Kunstauffassung ist, daß er sich dort vor allem P. von Cornelius anschloß. Nach Weimar zurückgekehrt wirkte Wislicenus 1865–68 als Professor an der Kunstschule. 1868 erhält er eine Berufung an die Düsseldorfer Kunstakademie als Geschichtsmaler.

Hier ist er bis zum Jahre 1895 tätig. Er gehörte mit Deger, Giese und Lotz dem Direktorium der Akademie an.

Der Brand am 20. März 1872 vernichtete sein Atelier, darunter die mehr oder weniger vollendeten Gemälde: „Die vier Jahreszeiten", „Der Rhein", „Loreley" und „Wacht am Rhein".

1877 bis 1879 war Wislicenus mit der Ausmalung des Kaisersaals zu Goslar beschäftigt. 1895 siedelte er von Düsseldorf nach Goslar über.

268
Die Phantasie von Träumen getragen, 1863

Bezeichnet unten rechts: 63
in großer Schleife vielleicht ein W
Leinwand, 221,5 × 145,5 cm
Bayerische Staatsgemäldesammlungen,
Schack-Galerie, München
Inv.Nr. 11647

Wislicenus steht mit diesem Gemälde ganz in der strengen, idealistischen Tra-

dition von Wilhelm von Schadows Bilderfindungen. Nächstverwandt ist Schadows „Poesie", 1826, als Ganzfigur im Besitz der Staatlichen Schlösser und Gärten, Potsdam; beide Gemälde gehen zurück auf Raffaels „Poesie", 1509/11, im Vatikan und die „Sixtinische Madonna", um 1516 (Dresden, Staatliche Kunstsammlungen, Gemäldegalerie Alte Meister), vergleiche auch J. Hörisch „Ut poesis pictura", Seite 41.

Der Erstbesitzer beschreibt unser Gemälde wie folgt: „Einen großartigen Vorwurf wählte H. Wislicenus, als er die Phantasie, von den Träumen getragen, darzustellen unternahm. Es war gewagt, in unserer Zeit, in welcher so vielfach der Realismus als Kunstprinzip gepredigt wird, ein nur im Reiche der Einbildungskraft lebendes Idealwesen zu verkörpern . . . Seine ‚Phantasie' ein hohes ideal geformtes Weib, die Lyra in der Rechten, die Augen begeisterungstrunken nach oben gerichtet, schwebt vor uns wie eine Traumerscheinung, und in den geflügelten Genien, welche sie geschlossenen Auges umkreisen und gen Himmel tragen, sehen wir das unbewußte, aus einer inneren Naturkraft unabhängig vom Willen hervorquellende Walten der Phantasie verbildlicht." (Katalog der Schack-Galerie, München 1969).

Die Beschreibung des Grafen Schack läßt erkennen, daß er seine Gemälde nicht mehr genau sehen konnte, als er diesen Text verfaßte. Die Phantasie hält in der Rechten keine Lyra, sondern einen Stift.

Der heutige Betrachter vermißt bei diesem Gemälde die Phantasie in der Farbgebung. In der Zurückhaltung kündet sich der neue, auf Grautöne abgestimmte Stil des späten 19. Jahrhunderts an.

Lit.: Eberhard Ruhmer mit Rosel Gollek, Christoph Heilmann, Hermann Kühn, Regina Loewe, Bayerische Staatsgemäldesammlungen, Schack-Galerie, Vollständiger Katalog, München 1969, Textband S. 440, 441

Richard Caton Woodville
Baltimore 1825 – 1855 London

Ausbildung in Baltimore für den Arztberuf. 1845 entschloß sich Woodville stattdessen bildender Künstler zu werden. Von 1845–46 studierte er an der Düsseldorfer Akademie, anschließend bis ungefähr 1851 war er Privatschüler von C. F. Sohn.

Seine Gemälde sind inspiriert von Hasenclevers durch Typisierung karikierende Gestaltungsweise. Als Generationsgenosse von L. Knaus fand Woodville wie dieser früh zu den novellistisch pointierten Genrebildern mit Einzelfiguren. Während seiner Düsseldorfer Studienjahre schickte er mehrere Werke zu Ausstellungen in die Vereinigten Staaten. Einige seiner Gemälde wurden in Stichen vervielfältigt. Seit 1851 lebte er vornehmlich in London und Paris. Sein Tod 1855 in London wird auf eine Überdosis Opium zurückgeführt. Sein Sohn Richard Caton Woodville Jr. wurde hauptsächlich durch Illustrationen für die Zeitschrift „The illustrated London News" bekannt.

269
Seemannshochzeit, 1852

Bezeichnet unten links: R. C. W. 1852
Leinwand, 46,3 × 55 cm
Walters Art Gallery, Baltimore, USA

Die festlich gekleidete Hochzeitsgesellschaft ist in das Büro des Standesbeamten eingetreten und stört diesen beim Essen. Für Woodville bietet dieses Thema die Möglichkeit, Charaktere in einer extremen Situation in ihrer Verblüffung zu schildern. Der Standesbeamte reagiert herrisch abweisend, empört, auf die Zumutung, seine Mahlzeit zu unterbrechen. Die Braut blickt ver-

269

schämt zu Boden; den Bräutigam ficht das Geschehen nicht an. In den Gesichtern der übrigen Gesellschaft spiegelt sich Entsetzen und Empörung.

Vorbilder fand Woodville in Düsseldorf in R. Jordans „Heiratsantrag auf Helgoland", Kat.Nr. 127, H. Ritters „Middys Predigt", Kat.Nr. 196, Hasenclevers „Atelierszene", Kat.Nr. 91. Ohne engli-sche Vorbilder von D. Wilkie nicht denkbar; in der sauberen, realistisch gesehenen Raumauffassung des kleinbürgerlichen Interieurs Schwingens „Porträt Wülfing", Kat.Nr. 252, und „Die Pfändung", Kat.Nr. 253 nahe. Der Kastenraum mit dem Seitenlicht erweist sich als eine unmittelbare Übernahme aus der Düsseldorfer Schultradition.

Englische und deutsche Elemente verschmelzen in diesem Bild zu einer Einheit, deren Qualitäten schon die Zeitgenossen honorierten.

Lit.: Kat. Ausst. Richard Caton Woodville, an early american genre-painter, Wanderausstellung, Washington 1967, Brooklyn New York 1968, Nr. 21

270

Kinderschilderungen (u. a. „Das Blumenmädchen", Norrköpings Museum) und Landschaftsstudien. Seine Gemälde sind meist klein im Format. In mehreren von Marcus Larsons großen Kompositionen hat Zoll die Figurenstaffage gemalt.

270
Wandernder Geselle beim Schuhmacher, 1856

Bezeichnet unten links: K. C. Zoll 1856
Leinwand, 58 × 51 cm
Göteborgs Konstmuseum, Göteborg

Auf einer zum Bild gehörenden Sepiaskizze wird der zerrissene Stiefel vom Schuhmacher kommentiert: „Ist zu alt, erträgt kein Flicken mehr".
Eine andere Version des Bildthemas aus dem gleichen Jahr befindet sich in der Sammlung des Nationalmuseums, Stockholm, eine weitere im Museum in Malmö.
Der Düsseldorfer Einfluß scheint mehrfach greifbar: in dem malerischen Interieur mit Schusterkugel, Bügeleisen, Handwerkszeug, Buch und Sanduhr auf dem Sims, in der Konfrontation von alt und jung und dem entsetzten Blick des Schusters gegenüber dem dumpfen Blick des Gesellen; in dem überdeutlichen Herausstellen der Pointe: der Geselle hat seinen Fuß auf den Arbeitstisch des Schuhmachers gesetzt, — erkennt man die Düsseldorfer Art, zugespitzte Situationen darzustellen, vergleiche L. Knaus „Die Falschspieler", Kat.Nr. 134, und Johnson „Die Falschmünzer", Kat.Nr. 126. In Schroedters „Don Quichote", Kat.Nr. 248, ist das malerische Derangement des Interieurs vorbereitet.

Lit.: Philibert Humbla, Kilian Zoll 1818 bis 1860, Göteborg 1932, S. 63, 162, 168, 241; Düsseldorf und der Norden 1976, Nr. 127

Kilian Zoll
Hyllie 1818 – 1860 Stjärnap, Halland

Geboren in Schonen. Studiert an der Kunstakademie Kopenhagen 1835, in Stockholm 1845/46 und 1848, u. a. bei Eckersberg. Der Kontakt mit der dänischen „Guldalders"-Malerei (Malerei des Goldenen Zeitalters) mit ihrer Intimität und unfeierlichen Alltäglichkeit war für seine künstlerische Entwicklung von großer Bedeutung. 1852 unternahm Zoll die erste Studienreise nach Düsseldorf, wo er Schüler von Hildebrandt und später von Tidemand wurde. Hildebrandt bestätigt ihm als Genremaler eine sehr gute Anlage. Mit Unterbrechungen durch Aufenthalte in Schweden während der Sommermonate wohnte Zoll bis 1855 in Düsseldorf. 1858/59 im Winter kehrte er noch einmal zurück.
Er hat mythologische und historische Motive auf seinen Bildern dargestellt, einige Genre- und Volkslebenbilder gemalt, Porträts und einige Altarbilder. Am persönlichsten ist er jedoch in seinen

Nachtrag

Alexej Petrowitsch Bogoljubow

Pomeranje, heute im Bezirk Leningrad, 1824–1896 Paris (bestattet in St. Petersburg)

Russischer Marinemaler.
Erziehung im Kadettenkorps. 1839 in die Kaiserliche Marine eingetreten. 1849 lernte der damalige Präsident der Kunstakademie Herzog Maximilian von Leuchtenberg Zeichnungen und Malereien des jungen Bogoljubow kennen. Dieser riet ihm zu dem Besuch der Akademie, zunächst als freier Zuhörer. Gleichzeitig arbeitete Bogoljubow unter dem romantischen Landschaftsmaler M. N. Worobjow und dem Schlachtenmaler B. P. Willewalde. 1853 wurde er auf kaiserlichen Befehl zum Maler des Marinehauptstabes ernannt. Mehrere Reisen in Rußland und im Ausland. 1854 gewährte ihm die Akademie ein dreijähriges Studium im Ausland. Nach mehreren Reisen ließ er sich in Genf nieder, wo er unter A. Calame arbeitete, wandte sich dann nach Paris, um bei E. Isabey seine Studien fortzusetzen. Von dort aus ging er nach Düsseldorf, wo er im Atelier von Andreas Achenbach nahezu zwei Jahre arbeitete. 1856 lebte er in Italien. 1860 kehrte er nach St. Petersburg zurück. 1861 zum Professor ernannt. Seit 1870 lebte er vorwiegend in Paris, wo er der russischen Künstler-Kolonie vorstand. Regelmäßige Reisen nach Rußland. Mitglied der Peredwischniki („Wandermaler").
Bogoljubow war der Enkel von Aleksandr Nikolajewitsch Radistschew (1749 bis 1802), Dichter und Vorkämpfer der liberalen Bewegung in Rußland. Bogoljubow gründete in der Heimat des Dichters, in Saratow, das Kunstmuseum und eine Zeichenschule; beide tragen den Namen des berühmten Vorfahren.

Fischmarkt in Scheveningen, 1859

Leinwand, 52,5 × 79 cm
Staatliches Russisches Museum, Leningrad

Bergseeküste mit Burg, 1862

Leinwand, 80 × 125,5 cm
Staatliches Russisches Museum, Leningrad

In Abkürzung zitierte Literatur

U. Abel 1978 — Ulf Abel, Düsseldorf und die schwedische Malerei im 19. Jahrhundert, Veröffentlichung der Galerei G. Paffrath, Düsseldorf 1978

R. Andree 1968 — Rolf Andree, Die Gemälde des 19. Jahrhunderts, Katalog des Kunstmuseums Düsseldorf, Malerei Bd 1, Düsseldorf 1968

R. Andree 1979 — Neuerwerbung: Hasenclevers „Arbeiter vor dem Magistrat", in: Düsseldorfer Museen Bulletin XI, 1, S. 409 f., 1979

H. Appel 1973 — Heinrich Appel, Die Düsseldorfer Landschaftsmalerei im 19. Jahrhundert, in: Zweihundert Jahre Kunstakademie Düsseldorf, Düsseldorf 1973

H. Appel 1974 — Heinrich Appel, Johann Wilhelm Schirmer und die Landschaft um Altenahr, in: Beiträge zur rheinischen Kunstgeschichte und Denkmalpflege II, Beiheft 20, Düsseldorf 1974

W. Becker — Wolfgang Becker, Paris und die deutsche Malerei 1750–1840, München 1971

Berlin 1976 — Sammlungskatalog: Verzeichnis der Gemälde und Skulpturen des 19. Jahrhunderts, Nationalgalerie Berlin, Staatliche Museen Preußischer Kulturbesitz, Berlin 1976

D. Bieber, Peter Janssen — Dietrich Bieber, Peter Janssen als Historienmaler. Zur Düsseldorfer Malerei des späten 19. Jahrhunderts. 2 Teile Bonn 1978/79

H. Börsch-Supan 1975 — Helmut Börsch-Supan, Die Erwerbungstätigkeit der Verwaltung der Staatlichen Schlösser und Gärten in Berlin seit 1945, in: Schloß Charlottenburg–Berlin–Preußen. Festschrift für Margarete Kühn, hrsg. von Martin Sperlich und Helmut Börsch-Supan (München–Berlin 1975)

Boetticher — Friedrich von Boetticher, Malerwerke des Neunzehnten Jahrhunderts. Beitrag zur Kunstgeschichte, 4 Bde, Dresden 1891

Donat de Chapeaurouge — Donat de Chapeaurouge, Die deutsche Geschichtsmalerei von 1800–1850 und ihre politische Signifikanz, in: Zeitschrift des deutschen Vereins für Kunstwissenschaft, Bd XXXI, Berlin 1977, S. 136 ff.

Düsseldorf 1913 — Verzeichnis der in der Städtischen Gemälde-Sammlung zu Düsseldorf befindlichen Kunstwerke (Düsseldorf 1913)

100 Jahre Düsseldorfer Malerei — Ausstellungs-Katalog: 100 Jahre Düsseldorfer Malerei, Kunstsammlungen der Stadt Düsseldorf 1948

Düsseldorf und der Norden 1976 — Ausstellungskatalog: Düsseldorf und der Norden. Wanderausstellung. 30. August 1975 – 15. August 1976; Kunstmuseum Düsseldorf 1976

A. Fahne — Anton Fahne, Die Düsseldorfer Maler-Schule in den Jahren 1834, 1835 und 1836, Düsseldorf 1837

H. Finke 1896 — Heinrich Finke, Carl Müller. Sein Leben und künstlerisches Schaffen, Köln 1896

H. Finke 1898 — Heinrich Finke, Der Madonnenmaler Franz Ittenbach, Köln 1898

Förster, Peter von Cornelius — Ernst Förster, Peter von Cornelius, Ein Gedenkbuch aus seinem Leben und Wirken, 2 Bde, Berlin 1874

Barbara S. Groseclose 1975 — Ausstellungs-Katalog: Barbara S. Groseclose, Emanuel Leutze (1816–1868): Freedom is the only King, Washington 1975

A. Hagen — August Hagen, Die Deutsche Kunst in unserem Jahrhundert, I, Berlin 1857

G. Hendricks 1974 — Gordon Hendricks, Albert Bierstadt, New York 1974

W. Herchenbach — Wilhelm Herchenbach, Düsseldorf und seine Umgebung in den Revolutionsjahren 1848 bis 1849, Düsseldorf 1882

W. Holzhausen, Peter Schwingen — Walter Holzhausen, Peter Schwingen, Bad Godesberg 1964

P. Horn — Paul Horn, Düsseldorfer Graphik in alter und neuer Zeit. (= Schriften des Düsseldorfer Kunstmuseums 2) Düsseldorf 1928

The Hudson and the Rhine, Düsseldorf 1976 — Ausstellungskatalog: The Hudson and the Rhine. Die amerikanische Malerkolonie in Düsseldorf im 19. Jahrhundert, Kunstmuseum Düsseldorf 1976

W. Hütt 1955/I — Wolfgang Hütt, Die Beziehungen zwischen Wolfgang Müller von Königswinter und der Düsseldorfer Malerschule in der 1. Hälfte des 19. Jahrhunderts. In: Wissenschaftliche Zeitschrift der Martin-Luther-Universität Halle-Wittenberg 1955, Jg. 4, Heft 6

W. Hütt 1955/II — Wolfgang Hütt, Der Einfluß des preußischen Staates auf die Entwicklung von Inhalt und Form der bildenden Kunst im 19. Jahrhundert, Dresden 1955

W. Hütt 1964 — Wolfgang Hütt, Die Düsseldorfer Malerschule, Leipzig 1964

U. Immel 1967 — Ute Immel, Die deutsche Genremalerei im 19. Jahrhundert, Dissertation Heidelberg 1967

K. Immermann — Karl Immermann, Düsseldorfer Anfänge. Maskengespräche, 1840. In: Memorabilien, 3. Theil, Schriften 14. Bd, Hamburg 1843

I. Jenderko-Sichelschmidt — Ingrid Jenderko-Sichelschmidt, Die Historienbilder Carl Friedrich Lessings, Phil. Diss. Köln 1973

Kat. Bonn 1977 — Sammlungskatalog: Rheinisches Landesmuseum Bonn, Auswahlkatalog 4, Kunst und Kunsthandwerk Mittelalter und Neuzeit, Köln/Bonn 1977

Kat. Bremen 1973   Gerhard Gerkens und Ursula Heiderich, Katalog der Gemälde des 19. und 20. Jahrhunderts in der Kunsthalle Bremen, Bremen 1973

Kat. Frankfurt 1972   Hans Joachim Ziemke, Die Gemälde des 19. Jahrhunderts, Kataloge der Gemälde im Städelschen Kunstinstitut, Frankfurt am Main 1972

Kat. Hamburg 1969   Eva Maria Krafft und Karl Wolfgang Schümann, Katalog der Meister des 19. Jahrhunderts in der Hamburger Kunsthalle (Hamburg) 1969

Kat. Hannover 1973   L. Schreiner, Die Gemälde des 19. und 20. Jahrhundert in der Niedersächsischen Landesgalerie in Hannover, München 1973

Kat. Karlsruhe 1971   Jan Lauts und Werner Zimmermann, Katalog Neuere Meister 19. und 20. Jahrhundert, Staatliche Kunsthalle Karlsruhe 1971, 2 Bde

Kat. Münster 1975   Hildegard Westhoff-Krummacher, Katalog der Gemälde des 19. Jahrhunderts im Westfälischen Landesmuseum für Kunst und Kulturgeschichte, Münster 1975

Kat. Stockholm 1952   Paintings and Sculpture of the Northern Schools before the Modern Period, Stockholm 1952

Kat. Wiesbaden 1967   Ulrich Schmidt, Städtisches Museum Wiesbaden, Gemäldegalerie, Katalog, Wiesbaden 1967

Kat. Wuppertal 1974   Uta Laxner-Gerlach, Von-der-Heydt-Museum, Wuppertal (Wuppertal 1974), Katalog der Gemälde des 19. Jahrhunderts

Kat. Ausst. Antwerpen 1969   Ausstellungs-Katalog: Antwerpen Koninklijk Museum voor Schone Kunsten: Belgische Schilderkunst ten tijde van Henri Leys, 1969

Kat. Ausst. Berlin 1972/73   Ausstellungs-Katalog: Kunst der bürgerlichen Revolution von 1830 bis 1848/49, hrsg. aus Anlaß der Ausstellung im Schloß Charlottenburg 1972, Berlin 1972/73

Kat. Ausst. Bonn 1978   Ausstellungs-Katalog: Meisterwerke deutscher und russischer Malerei aus sowjetischen Museen (Führer des Rheinischen Landesmuseums Bonn Nr. 87), Köln-Bonn 1978

Kat. Ausst. Eastman Johnson, 1972   Ausstellungs-Katalog: Eastman Johnson, Bearbeitet von Patricia Hills, New York, Whitney Museum of American Art, 1972

Kat. Ausst. Nürnberg 1967   Ausstellungs-Katalog: Der frühe Realismus in Deutschland, 1800–1850, Gemälde und Zeichnungen aus der Sammlung Georg Schäfer. Germanisches Nationalmuseum, Nürnberg (1967)

P. Kauhausen, Lebenserinnerungen Schirmer   Die Lebenserinnerungen des Johann Wilhelm Schirmer, bearb. von Paul Kauhausen. Niederrheinische Landeskunde, Schriften zur Natur und Geschichte des Niederrheins, 1. Bd, Krefeld 1956

Köln 1914   Verzeichnis der Gemälde des Wallraf-Richartz-Museums der Stadt Cöln (Köln 1914)

Köln 1964   Rolf Andree, Katalog der Gemälde des 19. Jahrhunderts im Wallraf-Richartz-Museum, Köln 1964

K. Koetschau   Karl Koetschau, Alfred Rethels Kunst vor dem Hintergrund der Historienmalerei seiner Zeit (= Schriften des Städtischen Kunstmuseums zu Düsseldorf 4), Düsseldorf 1929

P. J. Kreuzberg, Franz Ittenbach   P. J. Kreuzberg, Franz Ittenbach, Des Meisters Leben und Kunst, Mönchengladbach (1911)

Christian Kröner, Sein Leben und Schaffen, 1972   Christian Kröner, Sein Leben und Schaffen, 1972, Bildband, zusammengestellt von Carl Schröder unter Mitarbeit von Brigitte Poschmann, Rinteln

Kunstmuseum Düsseldorf 1977   Kunstmuseum Düsseldorf, Ausgewählte Werke, I: Malerei, Düsseldorf 1977

M. Lehmann/V. Leuschner   Matthias Lehmann und Vera Leuschner, Das Morgenbachtal in der Malerei des 19. Jahrhunderts; in: Kunst in Hessen und am Mittelrhein, 7, 1977

K. Löcher 1977   Kurt Löcher, Die Staufer in der bildenden Kunst, Kat. Ausst. Stuttgart 1977, Bd III, S. 296

I. Markowitz 1969   Irene Markowitz, Die Düsseldorfer Malerschule, Kataloge des Kunstmuseums Düsseldorf, Malerei Band 2, Düsseldorf 1969

I. Markowitz 1973   Irene Markowitz, Die Monumentalmalerei der Düsseldorfer Malerschule in: Zweihundert Jahre Kunstakademie Düsseldorf. Düsseldorf 1973

Markowitz/Andree 1977   Irene Markowitz und Rolf Andree, Die Düsseldorfer Malerschule, Bildheft des Kunstmuseums Düsseldorf, überarbeitete Neuauflage Düsseldorf 1977

Müller von Königswinter   Wolfgang Müller von Königswinter, Düsseldorfer Künstler aus den letzten fünfundzwanzig Jahren, Leipzig 1854 (1853)

Die Nazarener, Frankfurt 1977   Ausstellungs-Katalog: Die Nazarener, Städel, Städtische Galerie im Städelschen Kunstinstitut, Frankfurt am Main 1977

Oslo 1968   Sammlungskatalog: Katalog over Norsk Malerkunst. Nasjonalgalleriet Oslo 1968

Oslo 1973   Sammlungskatalog: Katalog over Utenlandske Malerkunst. Nasjonalgalleriet Oslo 1973

100 Jahre Galerie G. Paffrath   Lagerkatalog 100 Jahre Galerie G. Paffrath (Düsseldorf 1967)

Paris 1976/77   Ausstellungskatalog: La peinture allemande à l'époque du Romantisme, Orangerie des Tuileries, Paris 1976

H. Püttmann   Hermann Püttmann. Die Düsseldorfer Malerschule und ihre Leistungen seit der Errichtung des Kunstvereins im Jahre 1829. Ein Beitrag zur modernen Kunstgeschichte. Leipzig 1839

A. Graf Raczynski   Athanaius Graf Raczynski, Geschichte der neueren deutschen Kunst, 3 Bde, Berlin 1836–1841

U. Ricke-Immel 1978 — Ute Ricke-Immel, Die Handzeichnungen des 19. Jahrhunderts, Düsseldorfer Malerschule, Teil 1, Die erste Jahrhunderthälfte, Tafeln,(= Kataloge des Kunstmuseums Düsseldorf, Serie III: Handzeichnungen, Bd 3/2) Düsseldorf 1978

A. Rosenberg 1889 — Adolf Rosenberg, Aus der Düsseldorfer Malerschule. Studien und Skizzen, Leipzig 1889

A. Rosenberg — Adolf Rosenberg, Geschichte der modernen Kunst, 2 Bde, Leipzig 1884–1889

F. Schaarschmidt — Friedrich Schaarschmidt, Zur Geschichte der Düsseldorfer Kunst, insbesondere im 19. Jahrhundert. Düsseldorf 1902

Schadow, Der moderne Vasari — Wilhelm von Schadow, Der moderne Vasari. Erinnerungen aus dem Künstlerleben, Berlin 1854

Stockholm 1978 — Sten Karting, The Stockholm University. Collection of Paintings, Stockholm 1978

R. Theilmann 1971 — Rudolf Theilmann, Johann Wilhelm Schirmers Karlsruher Schule, Dissertation Heidelberg 1971

E. Trier — Eduard Trier, Die Düsseldorfer Kunstakademie in der permanenten Reform, in: Zweihundert Jahre Düsseldorfer Kunstakademie, hrsg. von Eduard Trier, Düsseldorf 1973

F. von Uechtritz — Friedrich von Uechtritz, Blicke in das Düsseldorfer Kunst- und Künstlerleben, 2 Bde, Düsseldorf 1839 und 1840

R. Wiegmann — Rudolf Wiegmann, Die königliche Kunst-Akademie zu Düsseldorf. Ihre Geschichte, Einrichtung und Wirksamkeit. Düsseldorf 1856

Abbildungsnachweis

A. C. L., Brüssel
Alinari, Florenz
Jörg P. Anders, Berlin
Bruce C. Bachman, Love Galleries Inc., Chicago
Baltimore, Walters Art Gallery
Per Bergström, Stockholm
Berlin, Staatliche Museen zu Berlin, DDR
Bildarchiv Foto Marburg, Marburg
Bremen, Kunsthalle
Will Brown, Philadelphia
Brüssel, Musées Royaux des Beaux-Arts
Burg a. d. Wupper, Bergisches Museum Schloß Burg
Prudence Cuming Association, London
Darmstadt, Hessisches Landesmuseum
Jerome Drown Inc., Atlanta
Düsseldorf, Galerie G. Paffrath
Dortmund (Cappenberg), Museum für Kunst und Kulturgeschichte der Stadt
Dortmund, Schloß Cappenberg über Lünen
Düsseldorf, Staatliche Kunstakademie
O. Eckberg, Stockholm
U. Edelmann, Frankfurt (Main)
Essen, Gesellschaft Kruppsche Gemäldesammlung
Herbert Fasching, Wilhelmsburg
Norman Fortier, South Dartmouth
Frankfurt (Main), Historisches Museum
Frankfurt (Main), Städelsches Kunstinstitut
Ulrich Frewel, Potsdam
Hannover, Landesgalerie
Heidelberg, Kurpfälzisches Museum
Helsinki, Konstmuseet i Ateneum
Karlsruhe, Staatliche Kunsthalle
Kassel, Staatliche Kunstsammlungen
Walter Klein, Düsseldorf
Ralph Kleinhempel GmbH & Co., Hamburg
Kopenhagen, Thorvaldsens Museum
Krefeld, Städtische Fotostelle
Landesamt für Denkmalpflege Rheinland-Pfalz, Mainz
Landesbildstelle Hannover
Landesbildstelle Rheinland, Düsseldorf
Landesbildstelle Rheinland-Pfalz, Koblenz
Leipzig, Museum der bildenden Künste
Foto Lempertz, Köln

Leningrad, Staatliche Ermitage
Leningrad, Staatliches Russisches Museum
Dr. Lindemann, Remscheid
Lübeck, Museum für Kunst und Kulturgeschichte
Wolfgang Maes, Neuss
Mannheim, Kunsthalle
J. Maseart, Liège
Moskau, Tretjakov-Galerie
München, Bayerische Staatsgemäldesammlungen
München, Staatliche Graphische Sammlung
München, Städtische Galerie im Lenbachhaus
Ann Münchow, Aachen
Münster, Westfälisches Landesmuseum für Kunst und Kulturgeschichte
New York, The Brooklyn Museum
New York, IBM Corporation
New York, The Metropolitan Museum of Arts
Nürnberg, Germanisches Nationalmuseum
Oslo, Nationalgalerie
Paris, Reunion des Musées Nationaux
L. Perz i. F. Maćkowiak, Posen
Pfaucher, Dresden
Potsdam, Staatliche Schlösser und Gärten
Presse-Bild-Poss, Siegsdorf
Ignacy Praszkier, Göteborg
Rheinisches Bildarchiv, Köln
R. Richter, Berlin, DDR
Foto-Studio van Santvoort, Wuppertal
Schambach & Pottkämper, Schwäbisch-Gmünd
Schwäbisch-Gmünd, Städtisches Museum
Schweinfurt, Sammlung Georg Schäfer
Stavanger, Stavanger Faste Gallery
Stockholm, Nationalmuseum
Stuttgart, Staatsgalerie
Suomi, Hämeenlinnan Taide-Museum
O. Vaering, Oslo
Washington, Capitol
Washington, National Gallery of Fine Arts
Weimar, Kunstsammlungen, Klaus G. Beyer
Wiesbaden, Museum Wiesbaden
Lieselotte Witzel, Essen
Worms, Kunsthaus Heylshof
Wuppertal, Von der Heydt-Museum

Corrigenda

Seite 11, Zeile 18:	*Klaus* Seitz
Seite 117, linke Spalte, Zeile 14:	*heraus*sprengenden Kaisers
Seite 258, linke Spalte, Zeile 14:	*Neue Pinakothek,* München
Seite 282, Kat. Nr. 45; neue Überschrift:	*Klage Jesu über Jerusalem,* 1842 Der Text wird um einen neuen ersten Absatz erweitert: *Chauvin folgt in der Darstellung dem Matthäus-Evangelium, Kapitel 23, Vers 37 bis 38: „Jerusalem, Jerusalem, die du tötest die Propheten, und steinigest, die zu dir gesandt sind! Wie oft habe ich deine Kinder versammeln wollen, wie eine Henne versammelt ihre Küchlein unter ihre Flügel; und ihr habt nicht gewollt. Siehe, euer Haus soll euch wüst gelassen werden."*
Seite 312, rechte Spalte, Zeile 23–26:	Anstelle des gedruckten Satzes zu lesen: *Die Kostümierung der Gestalten „um 1500" kontrastiert mit der modernen Friedhofsarchitektur um 1896.*
Seite 338, rechte Spalte, Zeile 7–8:	*Staatliche Schlösser und Gärten, Schloß Charlottenburg, Berlin*
Seite 345, linke Spalte, Zeile 20:	(Marx-Engels-Werke, Bd. 2, S. *510, 511*).
Seite 438, rechte Spalte, Zeile 16:	Dillen*burg*
Seite 460, linke Spalte, Zeile 17:	Felsen *am* Meer
Seite 463, rechte Spalte, Zeile 4:	Staatliche Kunst*halle* Karlsruhe
Seite 498, rechte Spalte, Zeile 6:	*The* High Museum of Art,
Seite 505, rechte Spalte, Zeile 6–7:	Bergseeküste mit Burg, 1862 *Küste bei Amalfi*

Kataloge der Ausstellungshallen auf der Mathildenhöhe

3. Internationale der Zeichnung – Ausstellungskatalog 2 Bände
Band 1: Zeitgenössische Kunst 234 Seiten mit vielen Schwarz-Weiß-Abbildungen, teils ganzseitig. Essays von Heiner Knell und Imre Pan – 1970
10 DM
Band 2: Sonderausstellung Gustav Klimt/Henri Matisse mit vielen schwarz-weißen und mehrfarbigen, zum Teil ganzscitigen Abbildungen, 164 Seiten. Essays von Otto Breicha/Rudolf Leopold und Werner Haftmann – 1970
10 DM

Sidney Nolan – Ausstellungskatalog
52 Seiten, 50 teils farbige, ganzseitige Abbildungen. Essays von Hans-G. Sperlich und Bernd Krimmel – 1971
8 DM

15 deutsche Künstler – Ausstellungskatalog
119 Seiten, viele teils farbige, ganzseitige Abbildungen.
Einleitung: Bernd Krimmel – 1972
10 DM

Emilio Scanavino – Ausstellungskatalog
mit vielen zum Teil farbigen, ganzseitigen Abbildungen und einem Essay von Elisabeth Krimmel – 1973
10 DM

Lothar Fischer – Ausstellungskatalog
mit vielen zum Teil farbigen, ganzseitigen Abbildungen und einer Einleitung von Bernd Krimmel – 1973
10 DM

Klaus Fussmann – Ausstellungskatalog
mit vielen zum Teil farbigen, ganzseitigen Abbildungen.
Einleitung: Bernd Krimmel – 1973
10 DM

Pierre Alechinsky – Ausstellungskatalog
mit 57 farbigen und zahlreichen Schwarz-Weiß-Abbildungen sowie einigen Offset-lithographien von Pierre Alechinsky und einem Essay von Bernd Krimmel – 1974
10 DM

Ein Dokument Deutscher Kunst – Sonderdruck des Ausstellungskataloges Band 5
226 Seiten mit zahlreichen zum Teil farbigen, großformatigen Abbildungen. Texte von Eckhart G. Franz – Ekkehard Wiest – Annette Wolde – Eva Huber/Annette Wolde – Hans-G. Sperlich – Henry Paris – Brigitte Rechberg – Hans Joachim Wystrach/Klaus Wölfing – Christiane Geelhaar – Erich Zimmermann – 1976
10 DM

Michael Schoenholtz – Ausstellungskatalog
Reproduktionen sämtlicher Plastiken und 12 Zeichnungen sowie 6 Radierungen in
Faksimile-Druck, 290 Seiten mit einer Einleitung von Bernd Krimmel – 1977
15 DM

Zoran Music – Ausstellungskatalog
134 Seiten mit vielen zum Teil farbigen, großformatigen Abbildungen. Essays von
Erich Steingräber und Bernd Krimmel – 1977
15 DM

Arnold Böcklin – Ausstellungskatalog 2 Bände
Band 1: Textband mit 180 Seiten und einigen Schwarz-Weiß-Abbildungen. Texte
      von Bernd Krimmel – Dieter Honisch – Dorothea Christ – Christoph H.
      Heilmann – Eberhard Ruhmer – Günther Kleineberg – Gert Reising –
      Norbert Schneider – Hans Günther Sperlich – Heinz Winfried Sabais –
      Elisabeth Krimmel – 1977
Band 2: 278 Seiten, Abbildungen von allen ausgestellten Werken, teils ganzseitig
      und farbig. Katalogbearbeitung und Text von Claudia Pohl – Eva Huber –
      Brigitte Rechberg – Dieter Koepplin – 1977
30 DM (zusammen)

Eberhard Schlotter – Ausstellungskatalog 2 Bände
Werkverzeichnis der Radierungen. Sämtliche Drucke sind abgebildet, zum Teil
ganzseitig.
Band 1: beinhaltet die Radierungen von 1936 bis 1968 mit einem Essay von Heinz
      Schöffler.
Band 2: Radierungen von 1968 bis 1978 mit einem Vorwort von Bernd Krimmel
      und Texten von Eberhard Schlotter – Georg Hensel – Hans Wollschläger
      – 1978
Band 1/10 DM
Band 2/10 DM

Darmstadt in der Zeit des Klassizismus und der Romantik – Ausstellungskatalog
524 Seiten mit 536 Abbildungen, davon 125 mehrfarbig und zum Teil ganzseitig mit
einem Vorwort von Bernd Krimmel und Texten von Eckhart G. Franz – Hans-G.
Sperlich – Heinz Winfried Sabais – Elisabeth Krimmel – Bernd Krimmel – 1978/79
30 DM

Mathildenhöhe Darmstadt · Europaplatz 1 · 6100 Darmstadt
Tel. 0 61 51 / 1 37 78, 1 38 08, 4 13 29